LA PREMIÈRE FEMME NUE

"Domaine français"

DU MÊME AUTEUR

LA BOÎTE À ORAGES, Panama, 2007.
CE N'EST QU'UN DÉBUT, Actes Sud, 2009.

© ACTES SUD, 2015
ISBN 978-2-330-05086-3

CHRISTOPHE BOUQUEREL

La première
femme nue

roman

ACTES SUD

PAÏGAÏON ▲

MACEDOINE

Amphipolis •
Pella •

Stageïra •

KHALKIDIQUE
Olynthos •

Krannon •

Phéraï •
Pharsalos •

THESSALIE

Lamia •
Antikyra • *Thermopylaï*
PHÔCIDE
Khaïrôneïa •
Delphoï • Lébadeïa • Leuktra • Aulis •
HÉLIKÔN ▲ BEÔTIE
Thespiaï Thêbaï •
Plataïa •
Eleusis •
Mégara • Peïraïeus •
Phalêron
Kórinthos • ATTIQU

Eubée

Khalkís •

Athênaï ●

Aigina

Mantineïa • Argos •
Olympia •
ARCADIE

Mégalopolis •
PELOPONNESE
Lakédaïmon •

MER IONIENNE

100 km

I

L'ABSENTE

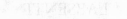

1

ÉTINCELLE

À travers les fumées grasses du bûcher, la vision se précise : une dizaine de filles en train de déjeuner dans le havre de lumière d'une arrière-cour. Les seins nus, les jambes allongées, alanguies dans des poses qui ne sont pas lascives mais vives, elles mangent des olives et des câpres sur une galette frottée d'huile. Elles s'offrent à la caresse gratuite du soleil. Les yeux fermés, elles se nourrissent avidement de ses rayons de miel. Quelques rires légers, parce qu'elles ne sont pas sous le regard des hommes. Cette image originelle, maintenant, je la vois de l'extérieur, de son point de vue à lui. Je sais que, dans ce spectacle insolite, dont la fraîcheur le tire pour un instant de son angoisse, ce qui retient l'attention du Sculpteur, c'est moi. D'emblée moi. L'absente. Perdue au milieu des autres. Assise très droite sur la margelle du puits, je les domine toutes, dans cette position, de la tête et des épaules. Bien que l'une de mes camarades, presque une enfant, ait posé sa tempe sur mes genoux et que je lui caresse distraitement les cheveux, il perçoit d'emblée ma distance. Ma réserve. Mon orgueil. Il pense sûrement : "Totalement incongru pour une pute."

Et moi, à ce moment-là, je ne pense rien. Je n'existe plus. Ou si peu. Je suis la seule à n'avoir pas le buste nu mais dissimulé dans un manteau de laine grossière. J'en ai seulement repoussé le rabat qui me sert de capuche et qui couvre encore la masse de mes cheveux. Comme si je ne faisais pas tout à fait confiance au soleil. Comme si lui offrir mon visage représentait déjà une victoire remportée sur moi-même, une conquête si fragile que je tenais à la dissimuler au monde. Ma peau est d'une teinte étrange. Moins cuivrée qu'olivâtre, ou d'un or presque jaune. Mais mes traits sont parfaitement réguliers. Les paupières effacées, le nez droit, la bouche fine mais bien

ourlée, la ligne impeccable de la joue. Je suis d'une beauté étonnante. Non, je suis d'une beauté parfaite. Pourtant, curieusement,
ce n'est pas cela qui captive le Sculpteur. Il détaille d'un regard averti
les volumes et les aplats de mon visage mais sans s'y attarder, pour
aller tout de suite à quelque chose de plus essentiel, et qu'il a perçu
dès le premier instant. Mon expression, ou plutôt mon absence
d'expression. Mon absence de sourire. Même la pâle chaleur de la
fin de l'automne n'est pas capable de me faire émerger de ce retrait
profond dans lequel je suis plongée. Fille statue. Pourtant, on discerne quelque chose d'intense dans cette absence. Un frisson, une
ombre, qui crispe imperceptiblement mes sourcils. Quel âge puis-
je avoir ? Seize ans ? Dix-sept ? Les courbes de mon corps, sous le
manteau, encore graciles sûrement. Et pourtant déjà plus mûre que
mon âge. Quel malheur a durci les traits de mon visage pour leur
donner la perfection sans concession du désespoir ?

Sur le moment, saisi par la surprise, il n'est pas capable de comprendre que la réalité lui offre dans cette inconnue le reflet divin qu'il
cherche depuis des semaines. Il est pourtant sur le point de le découvrir, à la lisière de l'éblouissement. Il ne lui manque, pour faire le lien,
que d'approfondir pendant quelques secondes de distraction le mystère de mon visage à peine offert au soleil. Malheureusement, l'une
de mes compagnes d'infortune, ayant ouvert par hasard les yeux,
l'aperçoit en train de nous observer à la dérobée. Un "tssss" strident
pour prévenir les autres de la présence importune des hommes !
Et toutes, se redressant, de leur lancer des quolibets, dans un grec
bourré de fautes, oui, mais très énergique. Moi, sans dire un mot, je
rabats d'un geste vif ma capuche sur mes yeux. C'est fini. C'est passé.
C'est perdu. L'une des putains, se dressant sur ses pieds, se trémous-
sant dans le voile de tissu jaunâtre qui ne couvre que ses hanches,
s'approche des quatre hommes en leur faisant de la bouche un signe
obscène. Aussitôt, sans réfléchir, le Sculpteur se remet en marche et
ses trois compagnons lui emboîtent le pas. Ravie de les avoir mis en
fuite, la fille, d'une voix moqueuse, avec un terrible accent dorien,
leur lance le nom du bordel où ils pourront faire plus que les mater
dans une petite heure, si jamais c'est du sang d'homme et pas de
l'huile d'olive qui coule dans leurs veines d'Athéniens. Toutes les
autres filles rigolent sauf moi. Mais le Sculpteur a enregistré machinalement l'indication. Ce n'est pas tout à fait perdu.

D'ailleurs, pendant tout le temps où il s'occupe de faire débarquer
le précieux bloc de marbre qu'il est venu réceptionner, il ne peut

s'empêcher de repenser au visage de la jeune inconnue, tourné vers le soleil qui peinait à le réchauffer. Il accomplit sans s'impatienter toutes les formalités, paye sans protester toutes les taxes à tous les inspecteurs, négocie sans broncher tous les pots-de-vin à tous les chefs d'équipe des dockers, bref perd le plus de temps possible. Lorsque le soir se décide enfin à envelopper le port dans ses voiles bleuâtres, il annonce à ses assistants qu'il est plus sage de n'entamer le trajet du retour avec le bloc de marbre que le lendemain. Mais Léôkratês, l'armateur, qui est aussi l'un de ses amis, accepte de les conduire à la maison de passe que la fille leur a indiquée pour y passer la nuit. Ses compagnons, pour une fois, ne sont pas franchement ravis de cette virée au port. "Quitte à aller voir les putes, argumente Sthennis, celui des trois qu'il écoute le plus volontiers, autant choisir un endroit convenable !" D'ailleurs, Léôkratês renchérit : au lieu de ce bordel minable, il leur recommande ceux de l'affranchi Antidôros, qui méritent vraiment leur réputation. Justement, il vient de s'en ouvrir un nouveau au Peïraïeus, avec des filles toutes neuves et encore un peu sauvages, qui viennent des villages de Béôtie que les Thébains ont saccagés et des montagnes du Nord. Et même, paraît-il, une Babylonienne ! En plus, il connaît très bien Antidôros ; il se fait fort, pour des citoyens de marque comme eux, d'obtenir du riche affranchi un prix de faveur ! Mais le Sculpteur ne les écoute pas. Les autres savent déjà que, lorsqu'il suit une idée, surtout lorsqu'il ignore où elle le mène, il n'y a rien à faire pour l'en détourner.

2

APPRENTISSAGE

Oh, regardant tout droit à travers les flammes, j'éprouve le plaisir
infini de voir ma vie avec ses yeux à lui ! D'explorer ses pensées et
ses sensations pour saisir enfin de l'intérieur tout ce qui l'a amené
jusqu'à moi !

Il s'appelle Praxitélês. Il a vingt-cinq ans, presque dix de plus que
moi. Si je ne suis qu'une petite putain anonyme, lui n'est qu'un
jeune artiste prometteur, qui finit son apprentissage dans l'atelier
de son père, Kêphisodotos. Ce dernier ne sera jamais rien de plus
qu'un artisan honnête et le sait depuis longtemps. C'est pourquoi il
met la plus extrême rigueur à transmettre les règles de son art et les
secrets de l'atelier familial à son fils unique, dont il devine le talent
supérieur mais aussi la fragilité d'âme. Quelques mois auparavant,
afin de le détourner des tentations de la capitale, tout en complé-
tant sa formation, il lui a demandé de venir travailler à ses côtés dans
les grands chantiers d'Arkadie. Celui de la cité ancienne de Mantineïa, que l'on reconstruit après qu'elle a été rasée quelques années
auparavant, et celui de la cité entièrement nouvelle de Mégalopolis.
L'une comme l'autre sortent de terre sous l'impulsion de Thêbaï qui
veut s'implanter dans le Péloponnèse et dresser les Arkadiens contre
les Lakôniens. De ces considérations politiques, le jeune artiste se
contrefiche. Ce premier voyage le fait simplement rêver. Il adore que
son père lui parle de Mégalopolis, la Grande Cité ultramoderne
que l'on va construire pour quelques poignées de paysans illettrés
mais qui sera la première à être dessinée sur un plan géométrique
par un architecte féru de perfection. On la fera surgir dans la plaine
à l'endroit exact où s'est déroulé, au début du monde, le combat
entre les Dieux et les Titans, dont on extrait encore, en creusant
les fondations du moindre édifice, les os gigantesques. Comme si

le rêve grec d'une cité idéale devait surgir de la plaine même du chaos ! Une autre idée fait palpiter le jeune homme : après les remparts, mais avant les maisons, l'on construira des temples pour les dieux et l'on y installera leurs statues. Pendant quelques semaines, ils habiteront seuls sous la lune la cité entièrement achevée. Et le jeune artiste, à l'orée de sa carrière et de sa vie, se demande sincèrement s'il n'appartient pas à ce monde-là : celui où les humains n'existent pas encore.

Kêphisodotos raconte aussi à son fils qu'on fait venir dans la rurale Arkadie des armées raffinées d'artistes, et le jeune homme s'électrise par avance de l'atmosphère qui doit régner dans ces immenses ateliers à ciel ouvert, il entend les cris, les chants, le choc des marteaux, devine l'émulation. D'après son père, les sculpteurs viennent en nombre à peu près égal des ateliers d'Argos et de ceux d'Athênaï. Le vieux lui décrit leur rencontre comme un affrontement au sommet entre les disciples de Polykleïtos et ceux de Pheïdias, l'école dorienne contre l'école attique. Il est persuadé que son fils possède le talent pour devenir le plus brillant représentant de sa cité : sa tâche sera de défendre le prestige menacé d'Athênaï sur le front de l'art, comme Timothéos, le fils de Konôn, le restaure sur le front de la guerre, en maintenant coûte que coûte, face aux tenants du mouvement, ses principes séculaires de frontalité et de majesté ! Mission sacrée ! Devant laquelle tous ses atermoiements, toutes ses paresses de jeune homme doivent céder ! Praxitélês acquiesce. Respectueux comme toujours. En fait, il n'écoute pas : il se doute bien que son père ne recourt à ces arguments nationalistes, dignes du plus ringard des démagogues, que parce qu'il manque de confiance dans la force de caractère de son fils. Et puis, cette idée de compétition, malgré son jeune âge, il la méprise déjà. Surtout en art. Il aspire à autre chose qu'à être un représentant de la sculpture de son pays. Lui, l'Athénien, il veut être capable de s'inspirer des leçons du vieil Argien, qui sut le premier calculer les proportions idéales régissant la représentation du corps humain, et mettre la mathématique au service de l'esthétique. Pour Polykleïtos, les nombres étaient le seul langage qui permettait aux hommes de communiquer avec les dieux, en saisissant comme eux l'harmonie secrète du monde. Que nul n'ose se dire artiste, sculpteur ou architecte, que nul ne pose sa main sur le marbre rebelle, qui ne sache d'abord compter ! Ce chemin-là, se demande le jeune Athénien, le chemin savant du nombre d'or, est-ce celui qu'il faut emprunter à sa suite ?

Pour répondre à cette question, Praxitélês fait un premier pas de côté. Le désir de découvrir les secrets de l'école rivale est si fort qu'il l'incite à trahir son père. Il ne le rejoint pas tout de suite dans les chantiers d'Arkadie, où le rigide bonhomme, impatient de lui confier toute la série des bas-reliefs qui doivent courir sur le socle de ses statues, l'attend en maugréant. Non, sans le prévenir, il fait le détour par Argos. Il va méditer *incognito* dans l'atelier de Polykleïtos, qui, depuis la mort du maître, continue à produire, sous la direction de son fils Patroklês et de ses assistants, des copies à la chaîne. Mais surtout il erre, éperdu d'admiration, dans les sanctuaires que le vieux génie a ornés de ses créations. Le monumental temple d'Hêra, bien sûr. Mais aussi, le matin de son départ, sur une brusque impulsion, celui plus modeste de Lêtô, une divinité secondaire dont le jeune Athénien connaît mal l'histoire mais qui paraît particulièrement révérée à Argos. Et c'est ainsi que, sans le savoir, il s'approche de moi, qu'il n'a encore jamais rencontrée.

Une prêtresse novice, qui fait sûrement ses premières armes de guide touristique, se précipite sur lui pour l'escorter près du chef-d'œuvre. Elle commence à lui expliquer le sens de la scène étonnante qu'il a sous les yeux : Lêtô, la mère humiliée regardant ses deux enfants divins, Artémis et Apollôn, s'apprêter à venger son honneur en massacrant ceux de Niobê, parce que cette dernière a osé se moquer d'elle. Praxitélês, malgré ses efforts, ne parvient à prêter qu'une oreille distraite aux détails techniques que la gamine lui débite maintenant avec application. Tous ces chiffres, tous ces calculs, ces nombres d'or, oh quel ennui ! Les proportions idéales, l'impatient jeune homme découvre qu'il n'en a rien à faire ! Ce qui le fascine au contraire dans les découvertes de Polykleïtos, c'est le déhanchement, la ligne inversée des épaules et des hanches qui dessine presque une croix, le poids du corps portant entièrement sur la jambe d'appui, tandis que l'autre jambe libre est rejetée en arrière, le talon soulevé et tourné sur le côté. En admirant ce mouvement donné aux corps de marbre, celui de la nymphe austère qui se détourne à demi, levant son bras pour placer son voile devant ses yeux et ne pas les souiller du massacre des innocents qu'elle a elle-même ordonné, celui du jeune dieu bandant son arc avec une aisance meurtrière, celui de la souple et cruelle vierge cherchant une flèche dans le carquois qu'elle porte à sa ceinture, il a l'impression de respirer lui-même plus largement, comme si sa poitrine de chair se libérait enfin d'un carcan. Pourquoi cette exaltation devant une scène de carnage ? Pourquoi cet étrange soulagement ? "Voilà, comprend-il soudain, de quoi échapper à la raideur majestueuse de Pheïdias ! Voilà de quoi échapper à mon père ! Voilà de quoi ne plus être athénien !"

Muni de ce secret, dont il ne sait pas encore ce qu'il fera, il rejoint Kêphisodotos en Arkadie. Là, très vite, il se rend compte qu'il déteste l'atmosphère des chantiers. Les relations de rivalités exacerbées entre tous ces sculpteurs et ces architectes déchaînés, les vieux maîtres se jalousant pour des questions de préséance et de contrat, les jeunes loups s'invectivant à coups de théories avant-gardistes sur la pondération du corps qui cachent mal leur envie animale de s'entre-tuer. Entre Athéniens, les jalousies sont encore plus féroces. Ainsi Xénophôn lui adresse, parce qu'il est le fils de son ancien professeur, des sourires si aimables qu'ils ressemblent à des grimaces. Au milieu de cette meute d'artistes envieux, Praxitélês, en grande partie à cause de son inexpérience, ne joue pas le jeu, se montrant en toute occasion détaché, pacifique, spirituel. Par mépris ou par gêne, il plaisante ou se tait. Les autres recherchent vite son apaisante compagnie mais, malgré les efforts de son père pour l'intégrer à la vie collective du chantier, il reste en marge. Un affable et radical indépendant. Il déteste d'emblée Mégalopolis, la cité nouvelle, parce qu'elle surgit de la nature et du néant. Il préfère Mantineïa, qui renaît de ses ruines, mais à peine plus. En fait, ce qu'il lui faut, et il le constate avec surprise, lui qui quelques semaines auparavant se croyait prêt à renier sa cité, ce sont les ruelles tortueuses de la vieille Athênaï, les surprises et les bavardages de ses boutiques de barbier et de ses marchandes de légumes, les statues alignées comme dans un atelier en plein air le long de la rue élégante des Trépieds, à côté du Théâtre de Dionysos, dont les gradins, étagés au flanc de la colline de l'Akropolis, regardent vers les modestes échafaudages de bois servant de tréteaux ou de coulisses, l'alanguissement louche des filles et des garçons de chair qui rôdent près de la Double Porte, à l'entrée du Grand Cimetière, prêts à se donner pour quelques pièces. Il lui faut errer en promeneur solitaire dans les entrelacs de sa tradition pour pouvoir innover. Il est un Athénien qui n'aurait plus la foi ancestrale dans les idées d'Athênaï mais continuerait de ressentir le besoin d'un contact charnel avec sa vieille cité, ne serait-ce que pour mieux se détacher d'elle.

Et, ce jour d'automne où il me croise par hasard, Praxitélês se trouve de retour en Attique pour la première fois depuis des mois.

Car, quelques semaines à peine après son passage décisif par Argos, il fait un deuxième pas hors du sentier tracé par son père. Lorsque ce dernier se voit confier une *Lêtô et ses deux enfants* par les dirigeants de Mantineïa, le jeune homme, dans son rêve de se confronter d'emblée à Polykleïtos, prétend qu'il sera capable de concevoir et de réaliser le groupe de façon entièrement autonome. Kêphisodotos hésite beaucoup. Puis, devant l'insistance du garçon, il finit par céder et même par lui permettre de choisir sa propre équipe de praticiens. Il fait comprendre à son fils les enjeux de sa décision : un échec serait ruineux, mais, en cas de succès, ce dernier aura prouvé non seulement qu'il est devenu un maître, mais qu'il sera capable de le seconder dans la direction de l'atelier familial bien plus tôt que prévu. Alors Praxitélês choisit avec soin trois des élèves les plus doués de son père, Sthennis, qui lui ressemble par son goût pour les courbes et pour le plaisir, Démétrios, dont il aime les compositions inventives, et le précis Androsthénês. Ils se mettent au travail avec enthousiasme.

Pourtant, au bout de quelques semaines d'ébauches fiévreuses et de repentirs incessants, encore accentués par les conseils contradictoires de ses trois assistants, qui ne savent pas se taire pour le laisser chercher tranquille, il doit reconnaître son échec. Tentant de le dissimuler à son père, il négocie humblement l'autorisation d'aller réceptionner lui-même au Peïraïeus le bloc de marbre des îles (qu'il prétend préférer à celui des carrières locales), pour commencer à le travailler dans la solitude apaisante de l'atelier du Kérameïkos, plutôt que dans l'agitation néfaste du chantier de la ville nouvelle. Mais son père, qui connaît bien les jeunes hommes, et en particulier son fils, soupçonne tout de suite la vérité. Il explose de colère : "Encore une histoire d'amour avec une petite putain de la capitale, c'est ça ? Tu as encore réussi à te faire mettre le grappin dessus par l'une de ces fichues hétaïres, celles que ton ami Timoklês appelle dans sa dernière pièce, comment déjà, ah oui, les « colombes rapaces », parce qu'elles rappliquent chez nous à tire-d'aile de tous les côtés de la Grèce, pour poser leurs serres parfumées sur le dos de jeunes gogos comme toi ? Mais, bon sang, tu ne peux pas attendre d'être vraiment riche et célèbre avant de te conduire comme tel ? Tu ne peux pas avoir travaillé un peu avant de te délasser ? Ah, là, là, fichue jeunesse ! Même les plus doués sont des larves maintenant ! C'est qui, cette fois ? Comment elle s'appelle déjà, celle que tu as lancée le printemps dernier, à ce qu'on raconte partout, même devant ton pauvre père, et qui va rester à la mode encore une année ou deux, le temps de bien te croquer l'argent des œuvres que tu n'as pas encore produites ? Ah oui, voilà, Myrrhina ! C'est à cause de cette maudite Myrrhina, hein, que tu n'arrives pas à te concentrer au moment où tu réclames toi-même de t'attaquer à un groupe entier, et que tu es arrivé en retard sur le chantier, et que tu es ailleurs depuis le début ?" Le garçon, baissant les yeux, courbant l'échine, doit reconnaître que son père a deviné juste, comme toujours. Aussitôt le vieux se radoucit : bon, bon, il n'est pas un monstre, il a été jeune lui aussi ! Alors il laisse à son fils assez d'argent pour faire l'amour un mois à la mode d'Athênaï, mais aussi pour parvenir à une première ébauche, quelle qu'elle soit ! Ensuite retour en Arkadie avec le bloc dégrossi ! Allez, hop, au boulot ! Un maître, ce n'est pas un créateur de chefs-d'œuvre mais un artisan responsable, qui fait vivre son atelier en livrant ses commandes à temps !

Or, de pressante histoire d'amour avec Myrrhina, il y a eu mais il n'y a plus. La vérité, c'est que le jeune sculpteur ne trouve pas ce qu'il cherche. Parce qu'il ne sait pas ce qu'il cherche. La tête de sa *Lêtô*, il ne la voit pas. Son père lui a raconté mille fois qu'il suffisait au grand Pheïdias de fermer les yeux et de laisser son ciseau tailler dans la pierre la forme idéale qui se dessinait devant lui. Mais, quand Praxitélès ferme les siens, il ne voit rien. Il est un moderne, un mutilé de l'idéal, il lui faut le réel. Une tête de femme réelle qu'il lui suffira de copier. Non, il est trop sévère avec lui-même, il ne veut pas seulement copier, le réel ne serait pour lui que le point de départ d'où s'en aller souplement vers cet idéal singulier qu'il ne fait que pressentir. Par exemple, son Artémis et son Apollôn, les deux jeunes enfants de Lêtô assis à ses pieds, encore fragiles mais déjà tout-puissants, indifférents à la douleur de leur mère, s'amusant avec les arcs qui leur serviront bientôt à la venger, il les a volés à deux des enfants esclaves qui travaillent sur le chantier. Deux gamins à la tête allongée et aux membres frêles, qui ne se connaissent même pas mais sont devenus sans le savoir frère et sœur divins, unis par cette même curiosité délurée avec laquelle ils accomplissent les tâches rebutantes qu'on leur impose, tout en ne pensant qu'à marauder. La souveraine liberté de l'enfance qui règne au cœur même de l'esclavage. Mais la mère humaine de ces enfants divins ? Où la chercher quand le réel vous la refuse ?

Il ne trouve rien et pourtant ce mythe de Lêtô, c'est lui qui a choisi de le travailler. Depuis qu'il l'a découvert à Argos sous la conduite de la novice, il y pressent un secret. Ce qui l'attire, ce n'est pas, comme le vieux maître argien, la fin de l'histoire, la mère redoutable regardant impassible sous son voile ses deux enfants divins massacrer ceux de sa rivale. Ce n'est pas non plus le début de l'histoire que lui raconte la prêtresse avec des trémolos pathétiques : la jeune femme enceinte, poursuivie par la haine d'Hêra, et qui erre par le monde sans trouver nulle part la délivrance, parce que l'épouse jalouse de Zeus a interdit à Gaïa, la terre, de recevoir sa rivale sur le point d'accoucher. Abandonnée de tous, et même de Zeus, son amant, son violeur, qui a fait d'elle, fille de Titans, une simple nymphe qu'on culbute, à quoi pense-t-elle, la malheureuse ? Encore à lui, à leurs étreintes, au plaisir qu'il lui a donné malgré elle, lorsque, de la moindre anfractuosité de rocher, elle voit se dresser la tête menaçante du serpent Pythôn envoyé par Gaïa pour la détruire ? Où trouver le repos, alors qu'alourdie par ses amours, elle doit fuir devant la nature entière liguée contre elle par l'épouse légitime ? Seule l'île de Dêlos finira par l'accueillir parce que ce rocher minuscule, qui flotte à la dérive au milieu des Cyclades, n'est encore amarré en aucun point de la terre. Mais Lêtô souffrira neuf jours et neuf nuits avant d'être délivrée, sous les yeux des dieux mâles impuissants. C'est Artémis, sa propre fille, sortie d'elle la première, qui devra l'aider à mettre au monde son jumeau Apollôn. Cette partie du mythe faisait trembler d'émotion la voix de la jeune prêtresse, qui s'apitoyait sur Lêtô et sur toutes les femmes, dont le destin était de souffrir les douleurs de l'enfantement et souvent d'en mourir. Peut-être aurait-elle aimé que Praxitélês fût ému lui aussi mais il la considérait de son léger sourire. Non, la faiblesse ne l'émeut pas, ce jeune homme, elle n'a rien à lui dire. Rien de plus en tout cas que la force.

Ce qui l'attire, instinctivement, c'est l'hésitation entre les deux. Même pas le passage, mais le doute, le suspens. L'image qu'il veut fixer dans le marbre est bien différente de celle de Polykleïtos : Lêtô assise mais à demi redressée, la main posée sur l'épaule de ses deux enfants qui jouent à ses pieds, mais les regardant à peine. Peut-être ignore-t-elle qu'ils seront capables de la sauver un jour, peut-être se demande-t-elle encore si elle-même sera capable de les protéger contre l'hostilité du monde ? Une jeune amante pas encore tout à fait mère, le visage détourné, dressant l'oreille au moindre bruit, à la fois absente dans le regret et présente dans l'inquiétude. À la fois hantée et traquée. Nulle part à sa place sur terre et pourtant obligée d'être là, dans son corps de femme et dans les deux êtres divins qui en sont issus. N'est-ce pas cette légère absence à elle-même qui touche le jeune Praxitélês dans le mythe de Lêtô, et qui l'a poussé en Arkadie, lorsque son père a évoqué la commande du sanctuaire de Mantineïa, à oser pour la première fois lui affirmer qu'il était prêt ? Parce que, depuis son séjour à Argos, il voit…

Il voit quoi ? Rien !…

Déçu par lui-même dès sa première tentative, il n'arrive à rien. Quelques ébauches dans de l'argile. Il a trouvé bien sûr du plaisir à modeler la pâte meuble, mais c'est tout. Les têtes, il sait les faire pourtant, c'est sa spécialité, il est plus fort en tête qu'en corps. Mais celle-là, non, impossible, il a beau fermer les yeux, elle fuit entre ses doigts. Alors la véritable raison de son retour à Athênaï, ce n'est ni une histoire d'amour, ni même le calme de l'atelier déserté du Kérameïkos, non, il est venu voler ce qu'il échoue à se donner. Voler Pheïdias. Voler au vieux maître puissant, en la copiant sur le cou de l'une de ses impassibles Athêna qui s'étalent sur la frise des temples et dans le moindre jardin, la tête de sa frémissante Lêtô. Tant pis, voler l'idéal pour se venger du réel.

Ce matin-là, Praxitélês, déjà tout piteux de son futur échec, se dirige avec ses assistants vers les quais du Peïraïeus pour recevoir des mains de l'armateur le marbre de Paros. Corvée exténuante que de surveiller le débarquement de ces blocs fragiles de plusieurs tonnes et de les convoyer du port jusqu'à l'atelier, mais qu'il envisage cette fois presque avec soulagement. Encore une journée de gagnée avant de se retrouver seul devant la pierre brute. Seul parce qu'il aura chassé ses assistants et qu'il ne sera plus temps de fuir. Il tentera peut-être de passer ses doigts sur la masse de pierre pour commencer à en sentir la vibration intérieure ? Mais non, ça ne servira à rien ! Alors il fuira une dernière fois. Il oubliera sa hantise. Cette espèce de chose dont il ne sait même pas à quoi elle ressemble et qui s'ouvre en lui quand il pense à Lêtô. D'ailleurs, c'est idiot de penser à Lêtô, à cette jeune femme pas tout à fait mère, lui qui n'est qu'un jeune homme pas tout à fait artiste, en quoi ce personnage aurait-il quoi que ce soit à lui dire ? Il oubliera cette faille remplie de rien qui s'ouvre quand il pense à la nymphe du mythe, abandonnée sur le rivage du monde avec ses enfants, la sculpture ce n'est pas ça, c'est de la pierre, c'est de la forme, c'est du dessin et du volume, de la mathématique et de l'idéal, c'est du plein, pas du vide, et il ira copier la tête de sa Lêtô sur la première Amazone venue. Il changera deux ou trois détails, l'arête du nez, la commissure des lèvres, pour dissimuler son emprunt et le tour sera joué. D'ailleurs copier, c'est nécessaire. Son père, qui copie beaucoup, lui a fait apprendre son métier ainsi. Dans la sculpture, il y a les copieurs et les maîtres, et les maîtres sont seulement ceux qui à un moment oublient de copier et dont la main, au lieu de se mettre à trembler, continue à tailler distraitement mais fermement dans le vide et le neuf. Tandis que celle des autres, trébuchant, ne se rattrape qu'aux lignes déjà conçues. D'un côté, les maîtres, Pheïdias et Polykleïtos, de l'autre, les copieurs, Kêphisodotos et lui, Praxitélês, le fils de son père. Tout sera dit.

Oui, voilà, je le sais maintenant, je le vois, c'est bien ainsi que commence la rencontre du sculpteur hanté et de la pute mutique : par un fragment de visage offert au soleil. Par deux éclats différents de solitude. Par une toute petite étincelle de sens entre deux pierres dures avant le grand incendie.

3

ÉVEIL

Maintenant le Sculpteur me cherche dans la salle sombre du bordel. Il demande à une vieille femme qui se tient derrière un comptoir près de l'entrée et dont il se dit qu'elle doit être la maquerelle : "une fille très belle, trop belle presque, et qui se cache dans son manteau". La vieille le regarde sans comprendre. Un type épais est en train de descendre l'escalier conduisant à l'étage privé. Lui, c'est le patron, celui qu'on appelle le Boskos, le "Gardien du troupeau" des putes. Il reconnaît l'un des hommes qui se tiennent aux côtés du Sculpteur, habillé d'une tunique plus souple et plus coûteuse que les autres, le cou ceint d'un collier d'or luisant dans la pénombre : l'armateur Léôkratês. Alors le Boskos s'approche aussi lestement qu'il lui est possible, salue le groupe avec une onctuosité commerciale dont il ne parvient pas à enrober entièrement sa vulgarité. On lui explique la situation, il soupire : "Attends, Alkê, je crois que je sais de qui parle notre hôte." Il désigne du menton au client une présence dans son dos, vers le fond de la salle. Pourtant, il le retient en lui posant sa main sur le bras. Il lui explique de sa voix rude que oui, la fille est très belle, mais qu'un Boskos consciencieux n'aime pas mentir sur la marchandise à ses clients, qu'il a beaucoup mieux à proposer à des hôtes de marque comme l'armateur Léôkratês et ses amis, tiens, par ex...

Le Sculpteur, sans accorder la moindre attention à ses paroles, finit par m'apercevoir dans le coin reculé où je me dissimule, tassée sur la banquette contre le mur. Toujours enveloppée dans mon manteau, dont le rabat posé sur mes cheveux maintient presque mon visage dans l'ombre et ne laisse briller que mes yeux. "D'où vient-elle ?" se demande-t-il de nouveau. Il me trouve des manières intenses mais frustes d'étrangère. De barbare. De quelle lointaine contrée de l'Empire perse ? De Babylôn, comme la fille de l'atelier d'Antidôros dont lui ont parlé ses compagnons ? Pourtant, malgré la teinte sombre de ma peau, dans les traits réguliers de mon visage et l'amande de mes yeux il discerne quelque chose d'intimement grec. Suis-je une bergère un peu trop cuivrée d'un village du bord de l'Hellespontos, capturée par une bande de pirates en maraude ? Peut-être quelques mois auparavant étais-je libre, couvée par mon père ou par mon frère, qui songeait pour moi à un mariage avec un fermier des environs ? Mais cette pensée, il la chasse bien vite. Lui qui a une mère, des sœurs, elle pourrait le conduire à la pitié. Or, on ne peut en éprouver aucune pour moi. Tout simplement parce que je n'en demande pas. Je ne me conduis pas comme cette autre gamine, beaucoup plus jeune encore, qui, tout à l'heure, près du puits, posait la tête sur mes genoux et qui se tient maintenant assise à mes côtés, sur la longue banquette de pierre recouverte de coussins crasseux ; toute frêle, toute nue, douze ans au plus, peut-être dix, les cheveux dénoués, elle sanglote doucement, tandis qu'un homme âgé lui caresse alternativement les seins, qu'elle a à peine formés, et les joues, pour y recueillir ses larmes ; maintenant, il vient de lui saisir la main et de la placer sur son sexe à demi érigé, en lui soufflant d'une voix éraillée : "Oui, pleure, ma jolie, c'est encore mieux quand tu pleures !" Mais moi, l'étrangère à la peau sombre cachée sous mon manteau, je ne pleure pas. Je regarde les clients dans les yeux. S'ils me dévisagent, frappés par ce qu'ils devinent de la régularité de mes traits, je ne baisse pas les miens. Surpris, ils se détournent. Les plus audacieux, après un tour de salle, ne jetant plus qu'un coup d'œil distrait aux autres filles, reviennent vers moi pour m'adresser la parole à voix basse. Sans leur répondre, je continue de les fixer. Intimidés, ils reculent, ils s'enfuient. Étrange manège. Ce regard dérangeant, joint au fait que je dissimule mon corps dans mon manteau, est sans doute la raison pour laquelle, bien que mon visage paraisse annoncer une beauté rare, je n'ai pas encore trouvé preneur. Alors que beaucoup d'hommes, dont Sthennis, l'un des assistants du Sculpteur, entraînent déjà une fille vers l'une des cellules qui s'ouvrent de chaque côté de la salle et que l'on commence à entendre, derrière le simple rideau de toile écrue les isolant, les gémissements, les rires ou les plaintes de rigueur.

Toujours escorté de son ami Léôkratês, le Sculpteur s'approche. Tandis que l'autre reste debout, à une distance méprisante, lui s'assied à côté de moi. Mais je n'esquisse pas un mouvement.

Mes yeux. Étrangement gris, plutôt que clairs. Graves ? Tristes ? Curieux ? Intenses ? Détachés ? Interrogateurs ? Accusateurs ? Non, sans expression. Mais pas vides. Brillants à la surface et d'une profondeur sans fond. Pleins. "Pleins de quoi alors ?" se demande-t-il. En tout cas pas de la fausse lascivité d'une fille docile et déjà formée à ce qu'on lui demande. Pas non plus de la détresse d'une gamine encore épouvantée par son sort. Pleins d'un détachement encore plus profond que le sien. Peut-être pourrait-il rester des heures sous ce regard pour en épuiser le mystère ?

Mais peut-être pas. Après tout, il n'est qu'un homme libre. Un artiste, oui, mais aussi un Athénien sûr de lui.

Il pense peut-être déjà : "Tu es belle comme une statue, à qui il ne manquerait que les coups de pinceau qui feraient vivre ses yeux" mais il dit seulement, pour engager la conversation : "Tu es belle." Le reste, je suis sans doute incapable de le comprendre. Je demeure sans répondre, ni sourire. Une idiote, une demeurée, une folle ? J'attends. Quoi ? Qu'il prenne les devants ? Bon, pourquoi pas ! D'un geste délicat des deux mains, il saisit de chaque côté de mon visage le rabat du manteau qui me couvre les cheveux, et il le fait glisser sur mes épaules. Il prend le temps de le faire. Avec lenteur. Avec douceur. Avec curiosité et presque avec respect. Je le laisse sans réagir me dénuder le visage. M'ayant ainsi dévoilée, il me contemple. Il me détaille.

Je le fascine sûrement, dès ce premier instant. Mais je l'amuse aussi. Je l'émeus. Parce que, sous la capuche, j'ai attaché mes cheveux sombres à la manière d'une provinciale et non d'une putain. Après les avoir séparés par une raie stricte, bien au milieu de la tête, je les ai rassemblés par-derrière en une sorte de chignon calme et lâche, que tentent d'ordonner deux bandeaux discrets les ceinturant d'un côté et de l'autre au-dessus des oreilles. Une coiffure de jeune fille sage. Mais dont des mèches s'échappent de toute part. Ce chignon incongru, sans cesse en train de tomber, j'ai dû le refaire à la hâte, en me cachant au fond de ma cellule, tandis que les autres filles étaient déjà réunies dans la salle du bas à attendre les clients du soir. Peut-être Praxitélês se dit-il (mais très fugacement alors) que, s'il sculptait mon visage, il aimerait accentuer le contraste entre le calme douloureux de l'expression et le débordement à peine contenu de la coiffure ? Polir, de son ciseau le plus fin, l'arrondi des traits, le passage insensible d'un plan à l'autre, des paupières aux joues par exemple, mais marquer presque violemment au trépan l'instable complexité de la chevelure ? Non, il n'en est sûrement pas encore là. Pour l'instant, il se contente de sourire : cette jeune pute a l'air si godiche, par rapport à ses compagnes qui, ayant dénoué leurs cheveux, prennent des poses pour les faire couler sur leurs épaules et sur leurs seins nus ! Je reste assise toute droite. Mes deux bras croisés sur le haut de mes cuisses. Comme pour interdire l'accès à mon sexe. J'ai l'air d'estimer que j'en ai fait assez en lui laissant baisser ma capuche pour admirer comme je suis à la fois gourde et somptueuse.

Étrange aussi, au deuxième coup d'œil, ma peau : plus que cuivrée, elle ne paraît pourtant pas tannée par le soleil, ce qui rebuterait l'œil délicat de l'artiste. Non, sa teinte naturellement sombre prend, sous l'éclairage incertain des lampes à huile, des reflets olivâtres. Ou même... Est-ce une illusion due à la pénombre ? Ne dirait-on pas, par instants, que cette étrangère dissimule sous son manteau une carapace de métal ? De ce bronze dont on fait les statues, lorsqu'il sort rougeoyant du creuset ! Cette image fugace met le Sculpteur presque mal à l'aise. Lui, il n'aime pas le métal. Il ne le sent pas. Tout à l'heure, sous le soleil, mon teint était doré, comme son matériau préféré, le marbre aux reflets si subtils qu'il ne lui a jamais paru froid, mais au contraire presque tiède, et plus souple même qu'un épiderme humain, parce que ne vieillissant pas, ne se craquelant pas avec le temps. Une idée bizarre lui passe par la tête : se peut-il que la peau de cette fille soit de marbre le jour et la nuit de métal ? Le Sculpteur essaie sans y parvenir d'analyser l'attirance et le malaise qu'il éprouve devant moi. Quelle énigme lui donne-t-on à déchiffrer sous la forme de cette sphinge aux écailles changeantes ? Qui a sculpté cette tête de statue vivante au regard si sombre ? Quel corps extraordinaire ou hideux peut se cacher sous ma tunique ?

Et moi, à ce moment-là, je pense à quoi, je ressens quoi ? Rien. Je ne pense rien. Je ne ressens rien. Je suis plongée dans le gouffre. C'est de là que je regarde. Je continue de me tenir toute droite, sans bouger, enveloppée dans le long manteau de laine défraîchie qui me couvre encore les épaules, les bras, les jambes, ne laissant apercevoir que le bout d'un pied, d'ailleurs délicat. Et voilà que lui, l'homme libre, le riche fils de famille, l'artiste prometteur, le fêtard blasé, il n'ose même plus tendre la main vers ce vêtement encombrant, comme il l'a fait tout à l'heure avec la capuche, pour le faire glisser de l'épaule et voir si les seins tiennent les promesses du visage. Exquisément courbes ou au contraire naïvement, délicieusement, banalement pointus ? Il souhaite presque qu'ils ne soient que pointus. Il pourrait les lécher, les croquer, les oublier. Ou bien se pencher vers ce pied ? L'admirer au passage, se réjouir que sa fragilité n'ait pas été abîmée par les aléas de son long voyage. Puis relever avec délicatesse, pour ne pas effrayer la putain novice, le bord de la tunique. Dénuder les jambes. Les cuisses. Et un peu plus haut, un peu plus loin, voir enfin… Non, prendre le temps d'admirer les jambes avant de… Non, ne rien faire. Simplement rester immobile, devant cette fille à la beauté sublime mais figée en une pose de statue gauche qui la fait ressembler, dans la pénombre de ce bordel de quartier, à l'une de ces déesses encore un peu raides du vieux Pheïdias, qu'il a tant admirées dans son adolescence et dont il retrouve pour la première fois depuis plusieurs années le charme évident et pourtant mystérieux.

Oui, il en reste au visage, le sculpteur audacieux, il n'ose pas céder à sa tentation de descendre vers ce corps que, pourtant, des dizaines d'autres hommes avant lui, des marins crasseux, des commerçants vulgaires, ont dû déshabiller sans respect et pénétrer sans trouble. Se peut-il qu'il soit impressionné par une putain de bas étage ? C'est trop bête ! Enfin, réagis, se dit-il, tu ne peux pas rester aussi immobile qu'elle ! Il faut bien que tu fasses quelque chose ! Un geste, n'importe lequel, le premier qui te passe par la tête !… Soudain, il tend la main vers mon visage offert et passe son index lentement le long de ma pommette. Voilà, comme s'il dessinait ma joue du doigt. Comme s'il imprimait son contour dans l'argile de l'air. Comme s'il vérifiait la perfection de sa courbe. Et, dans ce geste d'artiste fait pour lui seul, il est sur le point de découvrir la raison de sa présence dans ce lieu sordide en identifiant Lêtô.

Mais quelque chose l'en empêche de nouveau.

Quelque chose d'inattendu. Quoi ?

J'ai réagi ! J'ai tressailli !

Oh, se dit-il, en élargissant son sourire, elle bouge, elle est vivante, elle n'est pas une statue !

Ce geste de son doigt sur ma joue, il ne peut pas savoir à quoi il me renvoie, ni à qui. Depuis un mois déjà, j'émerge lentement du gouffre, et je fixe les hommes dans les yeux lorsqu'ils m'approchent. Les rares qui osent franchir la herse de mes paupières, je continue à les dévisager lorsqu'ils ahanent sur moi. Quelquefois, ils ne parviennent pas à jouir sous le feu glaçant de cette attention, ils débandent lamentablement, et s'en vont furieux, après s'être plaints au Boskos, qui me roue de coups. Mais je ne cède pas. Depuis un mois, je remonte à tâtons des profondeurs du corps tombeau où je suis enfermée, jusqu'au bord vivant de mes pupilles. Et c'est ce geste de douceur inattendu qui crève la surface et me fait d'un seul coup revenir à moi. Moi tout entière, pas seulement les pupilles. Comme si le jeune sculpteur, sans le savoir, était déjà mon Pygmaliôn. Comme si, dès l'instant où il posait le doux ciseau de son doigt sur elle, il rendait Galatéïa prise dans le bloc de pierre à la vie. Oui, voilà ce qui bouge en moi, ce qu'il commence à faire bouger.

Mais ça, le Sculpteur, ça l'éloigne de lui. Ça le projette loin de Lêtô, loin de l'image de la déesse qu'il cherche, au moment précis où il est sur le point de l'atteindre dans mon immobilité distante, et ça le ramène à moi, la petite putain humaine. Ça le dérange, ça le déçoit, il ne comprend pas ce qui se passe, et, en même temps, ce retour au mouvement qui me fait fondre et m'éloigner de ma pose le fait tressaillir lui aussi. Il doit convenir, dans un coup au cœur, que je sais encore plus délicieusement bouger que rester immobile. Avec un naturel charmant, je me laisse aller, je m'abandonne, mes épaules se détendent, laissant glisser l'encolure de ma tunique et deviner la naissance de ces seins qu'il n'a pas osé dévoiler tout à l'heure, mes hanches se font courbes, mon regard s'anime et parcourt la salle que je parais découvrir. Et mes lèvres, n'esquissent-elles pas à son intention un sourire ? Inattendu et d'une fragilité d'autant plus bouleversante ? Dès que je bouge, je suis la sensualité même. Mais une sensualité qui lui échappe, qui reste très différente de celle des autres filles et que, malgré son habitude de ce genre de situation, il ne parvient pas à cerner. D'ailleurs, au bout d'un instant, au lieu d'achever de me dévoiler, je me cache de nouveau, repliant, avec brusquerie mais avec grâce, les genoux dans ma tunique pour m'en couvrir encore plus entièrement le corps. Je les entoure même de mes bras. Comme si je venais de saisir à quel point j'avais froid. À quel point j'aimerais me retrouver loin de ce marais humide où je m'éveille. Le Sculpteur se dit, avec une pointe de jalousie, que j'ai trouvé spontanément l'une de ces poses déhanchées, à la fois naturelles et audacieuses, qu'il se décarcasse à inventer pour ces nymphes dont il a fait sa première spécialité. Si le hasard lui avait offert cette image quelques semaines auparavant, il s'en serait servi pour orner le bas-relief d'une des pompeuses allégories de son père : il aurait représenté ainsi, les genoux frileusement repliés, l'une des neuf Muses regardant Marsyas défier Apollôn de sa flûte dressée, puis le dieu blond jouer du couteau pour écorcher vif sous leurs yeux le satyre imprudent.

Que va-t-il se passer entre nous maintenant que nous sommes vraiment l'un en face de l'autre ? Vais-je adresser la parole à ce jeune homme riche pour le remercier de sa délicatesse et faire mon travail de fille de joie, en cherchant à l'entraîner dans la cellule où j'officie ? Peut-être est-ce lui qui va parler en premier avec la courtoisie céré-monieuse qu'il se plaît à garder en toutes circonstances, même dans un bordel de dernière catégorie ? Soudain se produit un minuscule incident, un hasard qui, nous empêchant de nous lancer dans la banalité d'une rencontre tarifée, nous emmène brusquement bien plus loin : le vieux bonhomme, assis à côté de nous sur la banquette, se lève péniblement pour entraîner la petite fille vers le fond de la salle, tout en lui maintenant fermement la main sur son sexe enfin dressé. On entend, lorsque leur couple passe, la gamine qui conti-nue à pleurer. Je la suis un instant des yeux, puis je reviens à Praxi-télès. Et celui-ci se rend compte que j'ai encore changé. Que mon regard s'est chargé d'une dureté nouvelle. J'ai l'air de ne plus avoir envie de remercier.

"Alors ?"

Le Sculpteur entend pour la première fois les sonorités de ma voix. Elle est à la mesure de ma peau, pas encore tout à fait formée mais promettant déjà d'être plus rauque et plus chaude que celles de la plupart des autres femmes. Voix de cuivre et voix de flûte. Elle aussi, comme mes yeux et comme mes hanches, est sur le point de devenir l'instrument mystérieux du désir. Mais, pour l'instant, elle reste celle un peu grêle d'une jeune fille de seize ans. Praxitélès note mon dialecte rude. Il ne parvient pas à l'identifier clairement, Thes-salie, Béôtie ? Il ne s'est pas trompé en tout cas, je suis grecque. Ai-je été libre ? Comment se fait-il que je me retrouve dans ce bordel à marins ? Ai-je été capturée par une de ces bandes de maraudeurs qui s'enfoncent quelquefois très loin dans les terres pour approvi-sionner en chair fraîche les marchés aux esclaves des îles du Nord ? Ai-je été vendue à la suite de la destruction de mon village dans l'une de ces guerres incessantes qui opposent entre eux les roitelets de Thessalie ? Des cités séculaires, alliées d'Athênaï parfois depuis des générations, disparaissent en quelques heures, désastre dont l'opinion s'émeut, oh, quoi, quelques jours de compassion sincère, avant de vite passer à un autre scandale plus distrayant. Praxitélès doit s'avouer qu'il a oublié le nom de la plupart d'entre ces villes martyres. Mais, si je suis grecque, comment s'explique le mystère de ma peau bistre, de mes pommettes orientales ? Ai-je été arrachée à une lointaine colonie au-delà du détroit ? À quels exodes ai-je survécu, à quelles nuits de terreur ? Peut-être mon calme surnaturel vient-il de cela, non de ma placidité d'animal humain mais du fait que l'épouvante a ravagé jusqu'au dégoût en moi ?

"Pourvu, oh, pourvu, ne peut s'empêcher de penser Praxitélês, en se raidissant contre la pointe qui cherche à se frayer un chemin vers son cœur, que les dieux épargnent ce désastre aux femmes de ma propre famille, à ma mère et à mes sœurs !..." Ce genre de pensées, Praxitélês les déteste. C'est pour les éviter qu'il ne fréquente jamais l'assemblée du peuple sur la butte de la Pnyx. Malheureusement, dans les banquets, il ne peut tout à fait empêcher les gens sérieux, les amis de son père, ou ceux de son oncle par alliance, le fameux général Phôkiôn, de lui adresser la parole pour lui parler comme à un citoyen responsable des affaires diplomatiques et de la restauration de la Ligue militaire. Il n'ignore donc pas que la cité relève la tête après la catastrophe de la génération précédente et l'humiliation de l'occupation lacédémonienne, qu'elle tente de renouer ses anciens liens avec les îles et les cités grecques d'Asie, qu'elle envisage de nouveau de se confronter aux deux cités rivales de Lakédaïmôn et de Thêbaï. Ces conversations de début d'orgie, il les fuit dès qu'il le peut. Il est l'un des tout premiers Athéniens à rêver de renoncer définitivement à la puissance et à la guerre. "Et si, ose-t-il se dire parfois, nous laissions la peur glisser de nos épaules et de celles de nos femmes, et si nous acceptions lâchement d'être soumis à plus forts que nous, ne serait-ce pas le seul moyen de nous occuper enfin d'autre chose ?" Voilà pourquoi le Sculpteur ne s'intéresse pas à la politique. Parce qu'elle est laide. Parce que ses tracas et ses horreurs le détournent de l'angoisse essentielle de la beauté. Ces idées, ou plutôt ces sensations, il les garde pour lui. Même Phôkiôn, le soldat partisan de la paix, qui ne fait la guerre que lorsque sa cité le lui ordonne, se détournerait de lui avec indignation.

Voyant que le riche ami de Léôkratês ne me quitte pas des yeux, et craignant sans doute que je ne me montre pas assez aimable, le Boskos se décide à intervenir. Sa voix se fait aimable, presque douce, pour s'adresser à moi en présence de ses clients : "La Muette, dégrafe ta tunique, que notre visiteur puisse voir à quel point tu es belle !"

Sans lui répondre, je lui adresse l'un de mes longs regards pétrifiants. Le Boskos, comme les autres avant lui, reste sans voix. Au bout de quelques instants, je lui dis, d'un ton qui ne marque ni frayeur ni mépris, mais une précision coupante : "Laisse-moi faire." Le Boskos ne m'a jamais entendue parler ainsi. Pourquoi se laisse-t-il rabrouer devant le riche armateur Léôkratês ? Pourquoi, d'un claquement de doigts, n'appelle-t-il pas l'un de deux vigiles qui protègent l'entrée du bordel des marins saouls et des voyous égarés du Kérameïkos, pour m'entraîner dans l'arrière-cour et me faire donner une raclée ? Il se tait interdit. Qui s'exprime soudain par la bouche souveraine de cette gamine jusque-là mutique ? Il tourne la tête vers Alkê, la sous-maîtresse, qui vit au contact rapproché des filles et qui les connaît bien mieux que lui. La vieille, qui en a vu tant d'autres, paraît pourtant suivre la scène avec une attention profonde, qui ressemble à de la fascination. C'est pourquoi, au lieu de s'éloigner en haussant les épaules, le Boskos reste à nos côtés. Il veut saisir ce qui lui échappe, ici, en plein cœur de ce territoire sur lequel il règne en maître absolu, puisque le riche particulier à qui l'État a fait concession de ce bordel municipal n'y vient jamais que pour ramasser l'argent à la fin du mois. Quelque chose est en train de se passer entre une fille et un client et ce n'est pas normal qu'il n'y comprenne rien !

Je me tourne de nouveau vers le Sculpteur. Ce dernier sourit toujours avec une patience amusée, comme s'il était un spectateur de la scène plutôt que l'un de ses acteurs principaux. Ces relations inversées de domination, où la fille paraît mener son patron et, en même temps, ne chercher à aucun moment à échapper à sa situation de putain, à cette vente de son corps d'esclave, qu'elle mène simplement à sa façon, tout cela déconcerte l'artiste et l'intrigue. Il entend l'étrange fille lui demander : "Toi aussi, tu veux que j'enlève ma tunique pour me voir nue ?

— Mais oui, ma chère, j'aimerais bien."

Praxitélês s'est efforcé de colorer sa phrase de deux ou trois particules légères, deux ou trois nuances d'Athénien courtois et blasé, mais sans parvenir à déguiser tout à fait ce que son cri du cœur pouvait avoir de naïf. D'ailleurs, cette maladresse, je l'ai bien perçue, puisque je la souligne sur un ton ironique qui ne se cache désormais plus, en répétant avec une impudence presque moqueuse : "Ah bon vraiment, tu aimerais bien ?" Et puis j'ajoute, soudain dure : "Alors paye !" Mais aussitôt après, ma voix trouve une nouvelle modulation, plus basse et plus rauque : "Paye d'abord, sans rien voir !" Elle se fait tentateur murmure : "Emmène-moi dans l'une des chambres, et là, seulement pour toi, je me montrerai nue." Avant de redevenir coupante pour conclure, dans une moue de dédain, désignant du menton l'homme qui nous écoute stupéfait : "Si tu es déçu, le Boskos te remboursera deux fois le prix que tu auras payé." Je me sers de ma voix comme d'un instrument de musique, avec la virtuosité d'une hétaïre accomplie jouant sur la double flûte de l'aulos, mais aussi une sorte de fraîcheur, de puissance presque brutale. C'est la première fois. Toutes les notes sont en place même si la mélodie de l'ensorcellement manque encore de fluidité.

Dans le silence qui suit cette descente de gamme, le Boskos croit qu'il peut saisir au vol ma dernière remarque pour reprendre le contrôle de la situation : "Tu ne seras pas déçu, crois-moi, mon prince. Une fille normale vaut une obole, mais celle-ci, oh, là, là, elle vaut au moins… une drachme ! Parole d'honneur ! Vraiment ! Tu sais que je ne mens jamais sur la marchandise, surtout vis-à-vis d'un client comme toi, un ami de Léôkratês, et…" Sans doute s'apprête-t-il à négocier le tarif lui-même mais l'inconnue qui agit à travers moi se tourne de nouveau vers lui. Et, d'un doigt posé sur mes lèvres, elle lui intime l'ordre de cesser son bavardage. Le Boskos reste la bouche ouverte. Première fois de toute sa vie que la voix lui manque au moment de parler argent ! Praxitélês, de plus en plus séduit par la bizarrerie de la scène, au lieu de protester comme il le devrait devant la somme qu'on lui réclame, se dit qu'il s'amuse décidément beaucoup. D'un signe de tête, il me laisse continuer à mener les négociations à ma façon ironique, intense et souverainement distante. Je lui demande alors : "Toi qui aimerais bien me voir nue, tu es prêt à payer combien pour satisfaire ton désir ?

— Ce que ton patron a demandé. Je ne discute pas. Une drachme.

— Une drachme ?"

Cette somme, Praxitélês la juge bien sûr dérisoire en elle-même ; elle ne représente pas grand-chose pour un fils de famille fortuné, ni pour un artiste aussi détaché des biens matériels qu'il prétend l'être. Mais, du point de vue des principes, cet Athénien ne la considère pas non plus comme négligeable ; après tout, elle représente six fois le prix normal d'une obole. Manifestement le Boskos, réjoui, partage cet avis. Une drachme pour une fille de bordel public, c'est vraiment pas mal ! Seul l'armateur Léôkratês garde la tête froide. Avec une moue méprisante, il intervient brusquement dans la conversation. Il s'exclame, en posant la main sur le bras de son ami : "Ne te laisse pas embobiner, Praxitélês ! Cette fille-là, son visage n'est pas mal, d'accord, surtout, j'imagine, aux yeux d'un sculpteur comme toi, mais le reste, alors là, sans aucun intérêt ! Une bûche, on me l'a déjà proposée et je n'en ai pas voulu, même pour une obole. Viens, je vais t'en montrer une qui vaut la peine…" Quelle ordure, ce type-là ! Je me vengerai, si je le peux ! Mais il s'agit pour l'instant de ne pas me laisser troubler, afin d'empêcher cet importun de détruire le charme encore fragile de mon improvisation. Je parviens à répéter au Sculpteur : "Une drachme pour me voir nue ?" Et j'ajoute : "Tant que ça ?" Dans ma voix, il semble à Praxitélês discerner pour la première fois de l'émotion, de la surprise sans doute, et de l'admiration pour sa libéralité. Allons, finalement, elle est bien naïve, cette petite campagnarde. À moins… qu'il ne s'agisse encore d'une marque d'ironie ? Oui, bien sûr, mon "tant que ça" final est trop accentué pour ne pas révéler une moquerie. Doit-il comprendre que, loin d'être impressionnée par cette somme, je me crois plus fine que lui et persuadée de le mener par le bout du nez ? Ses réflexes d'homme libre reprennent le dessus sur sa curiosité d'artiste : suffit de rire, Léôkratês a raison ! Il ne va quand même pas laisser cette petite esclave le prendre pour un pigeon ! C'était amusant mais il est temps d'aller oublier ses tourments entre les bras d'une fille un peu plus banalement mais efficacement pute !

Et moi, je l'observe toujours, tentant de reprendre le contrôle de cet homme que je perçois déjà plus sensible que les autres, après l'intervention perturbatrice de ce Léôkratês, qui ne m'apparaît, lui, malgré ses riches vêtements, que comme un consommateur de chair humaine aussi vulgaire que les matelots que je subis d'ordinaire. Je me trouve dans un état de lucidité extrême, depuis ce moment où ce sculpteur m'a éveillée d'un geste du doigt le long de ma joue et où j'ai ouvert enfin les yeux, pour me retrouver perdue dans le marécage de cette salle humide. Désormais, je suis prête à tout pour me sauver. J'ai l'impression que je peux deviner les pensées du jeune artiste, plus clairement que si je les lisais gravées au stylet sur la cire de son front. À l'instant précis où il va se lever pour m'échapper, je lui jette, en jouant de nouveau sur les notes les plus basses de l'aulos de ma voix, dans un murmure qui m'affole moi-même : "Tu me déçois, Athénien : tu ne donnes pas assez de prix à tes désirs !" Et, d'un geste paisible, tout en me disant avec frayeur que je suis folle, je replace sur mon visage le rabat de mon manteau. Je ferme même les yeux pour m'isoler plus absolument dans ma retraite. Mais je continue à deviner ce qu'il pense : "Incroyable ! Cette petite putain me claque la porte au nez ! Elle me chasse de son temple !" Praxitélês n'en croit ni ses yeux ni ses oreilles, Léôkratês et le Boskos non plus. Ce dernier reste quelques instants muet de stupeur, puis, paraissant enfin reprendre ses esprits, se confond en excuses : "Pardon, noble seigneur, navré, scandaleux, cette chienne, je vais la faire fouetter immédiatement !" Mais Praxitélês se met à rire : "Non, non, laisse, Boskos, c'est une affaire entre elle et moi, elle m'amuse." Il se tourne vers moi : "Combien tu veux ?" Je rouvre aussitôt les yeux : "Combien tu as ?"

Il hésite un instant, puis plonge sa main à l'intérieur de sa tunique, dans le repli creusé par sa ceinture où il cache sa bourse. Il fait semblant de la soupeser. En fait, après avoir passé la journée à graisser la patte de tous les inspecteurs du port, il sait très bien ce qu'il lui reste d'argent : "Hé, ma belle, quand même à peu près huit drachmes et six oboles." Je lui réponds du tac au tac, mais un ton plus bas : "Alors, mon cœur, ce sera à peu près huit drachmes et six oboles."

"Huit drachmes et six oboles !"

Là, dans l'écho de mon murmure, qui a arraché un cri d'horreur au raisonnable Léôkratês, c'est au tour de Praxitélês de rester sans voix. Cet homme d'esprit est plus stupéfait encore que le vulgaire Boskos tout à l'heure. Il me détaille de nouveau de son œil averti mais il ne comprend plus rien. Qui est cette étrangère à la peau changeante, tout à l'heure rougeâtre et maintenant, voyons, quelle nuance exactement, verdâtre, comme si le bronze en avait refroidi, ou comme si, sortant juste de l'eau, elle luisait encore de ses reflets ? Que me cache-t-elle en réalité sous sa tunique ? se demande-t-il. Malgré son habitude, il ne parvient pas à deviner. Une étrange vision lui passe fugacement par la tête : si je n'étais pas une fille, jolie ou laide, mais un garçon ? Un de ces Kariens au sexe coupé, à la bouche souple et aux mains crochues ? Ou même une sirène ? Un être à la tête et aux seins de femme qui porterait, sous son manteau, des ailes en haut du dos au lieu d'un sexe au bas du ventre ? Un être qui vous attire par son chant voluptueux mais se refuse définitivement à la possession ? Cette esquisse de représentation qui passe par la tête du Sculpteur lui permet de formuler le dilemme qui l'agite sous une forme plus claire : doit-il, pour connaître la réponse à l'énigme de cette nudité, à ce secret qui n'est même plus tout à fait érotique, donner, non pas seulement huit drachmes et six oboles, ce qui est pourtant déjà une belle somme, mais, symboliquement, *tout ce qu'il possède ? Tout ce qu'il aura jamais sur lui ?*

Formulée ainsi, brusquement lisible pour lui comme pour moi, l'idée est absurde ! Mais pas autant que ce désir, de plus en plus irritant, de me voir nue !... Praxitélês ne sourit plus. Plus du tout amusé. Comprenant soudain que, depuis le moment où il a baissé mon capuchon pour découvrir mon visage absent et ma chevelure sage, depuis même le premier instant où il m'a aperçue assise distraitement sur la margelle du puits dans le rayon de soleil, il s'est pris au piège. L'imbécile ! Est-il encore temps de revenir en arrière ? De se lever et de s'en aller de cette salle crasseuse où il a obligé ses compagnons à le suivre et où il est en train de se faire détrousser ? Et même encore pire : en train de se faire *volontairement* détrousser ? Il éprouve non plus le désir mais le besoin, le manque presque douloureux, de ma nudité. Il désire tellement me voir nue qu'il ne sait même plus s'il aura ensuite envie de me prendre. Le plus exaspérant, d'ailleurs, c'est qu'il reste lucide sur ce que je suis, sur ma condition de putain de bordel municipal. Et se dire que des dizaines d'hommes avant lui ont dû me déshabiller sans émotion particulière ne change rien à l'intensité de son trouble. D'où cette gamine tire-t-elle cette science ? Cette connaissance presque perverse du désir des hommes ? Il n'éprouve un tel désir de me voir nue que parce que je refuse de me montrer. Ou plutôt, non, ce n'est pas encore assez précis : il n'éprouve un tel désir de me voir nue que parce que, tout en me refusant d'emblée, je me promets, oui, mais à l'unique condition qu'il me donne non seulement son argent et son sourire supérieur mais tout ce qui lui tient le plus à cœur. C'est-à-dire, à condition qu'il se donne en premier, lui qui me prend, avant que je ne me donne à mon tour. Et alors il en éprouve autant de peur que d'envie. Non, personne ne m'a prise avant lui, parce que personne n'a eu peur avant lui de se donner, ni éprouvé cette peur et ce désir d'être pris par moi !

Le Sculpteur en est-il déjà arrivé là, dans le bouleversement de cette première rencontre ? Non, sans doute lui faudra-t-il encore du temps, sans doute a-t-il seulement commencé à circonscrire en lui la forme de son désir de moi. La forme qu'artiste habile j'ai réussi à ébaucher à grands coups de ciseau, en quelques modulations de voix et quelques regards aigus, dans le bloc de marbre brut de son désir masculin. J'ai deviné les masses dont il était riche, l'inclination intérieure de sa pierre, et commencé à lui donner la forme qu'il pouvait prendre sans le savoir. Dans l'écho de mon murmure, la découverte la plus affolante qu'il fait, c'est qu'il ignore, non pas qui je suis, mais qui il est lui-même. Malgré sa fréquentation des banquets et des maisons de plaisir, il ne connaît presque rien de ses désirs profonds.

Et moi, tout cela, je le sais, alors que je ne suis qu'une jeune putain inexpérimentée ?

Qui m'a formée ?

Qui parle en moi ? Qui passe de la flûte haute à la flûte basse de l'aulos pour lui répondre de cette double voix ensorcelante, pour lui jeter ce défi, ce caillou de trouble qui descend tout droit dans les profondeurs de son ventre :

"Huit drachmes et six oboles."

Lorsque cette phrase a fini de résonner à l'intérieur de lui, il revient à moi. Nous nous regardons tous les deux. Aussi stupéfaits l'un que l'autre de mon audace. Pour la première fois, nous échangeons vraiment un regard. Quelque chose passe entre nous. Quelque chose qui circule et que personne d'autre ne comprend. En tout cas ni Léôkratês, ni le Boskos, ni la sous-maîtresse, ni aucun des hommes et des femmes qui se trouvent réunis dans cette salle pour le commerce des corps. Puis je lui offre mon plus beau sourire. Que signifie-t-il ? Que je suis offerte ? Complice ? Partageuse ? Ce sourire aussi est une énigme mais rassurante. Alors, sans plus hésiter, Praxitélês me tend la bourse, qu'aussitôt je fais passer au Boskos. Le plus drôle, c'est que ce dernier, malgré son avidité professionnelle, est le seul à marquer un mouvement de recul. Totalement dépassé par cette somme extravagante. Mais surtout pétrifié par l'aisance que mettent ces deux personnes, l'une à dépouiller, l'autre à se laisser dépouiller. Par ce qui est en train de se passer entre eux et qui n'a rien à voir avec le verbe "dépouiller". La main tendue, la bouche ouverte, il regarde la bourse, puis le sculpteur, puis de nouveau la bourse, puis l'armateur, presque avec angoisse, comme s'il demandait au riche ami de Léôkratês l'autorisation de le détrousser !

Praxitélês la lui accorde d'un sourire blasé, l'air de dire : "Allons, allons, mon cher, qu'est-ce que c'est, après tout, huit drachmes et six oboles ?" Le jeune artiste se moque de l'argent. En tout cas, il s'accroche à cette certitude pour reprendre le contrôle de lui-même.

Tandis que l'armateur, furieux de la naïveté de son ami, préfère s'éloigner pour aller venger l'honneur des hommes libres sur le dos d'une autre esclave, le Boskos se hâte de plonger la bourse à l'intérieur de sa tunique. Et moi, qui suis à l'origine de tous ces chambardements intérieurs, que fais-je ? Eh bien je continue à jouer, à mener cet homme, sans rien lui dévoiler, par le bout de son désir. Je me dresse sur mes pieds. Souplesse de bel animal, qui coupe le souffle du Sculpteur. Mais peut-être ai-je perçu la nuance supérieure dans le sourire du client que j'arnaque, car ce n'est pas l'envoûtante flûte grave du murmure sensuel, mais ma voix réelle, plus haute et plus sèche, qui se fait entendre : "Bon, qu'est-ce que tu attends, que le jour se lève ? Viens !" Déjà je marche vers le fond de la salle. Lui tournant le dos et ajoutant sur un ton vif, qui pourrait être aguicheur, ou moqueur, ou demandeur, non, qui serait les trois en même temps, dans un accord joué de toutes mes cordes vocales : "Tu as mérité de me voir nue, Athénien, mais dépêche-toi ! Je ne vais pas y passer la nuit !" Dans ce mouvement vif qui est presque un pas de danse, je bouscule la terrible assistante du Boskos. Elle ne proteste pas mais s'efface et me regarde presque craintivement entrer dans la cellule.

Lorsque Praxitélês passe devant elle, Alkê incline la tête avec respect. Il ne lui rend pas son salut. Il est trop pressé de rejoindre l'étrange fille. Bon, d'accord, il s'est pris au piège qu'il s'est à lui-même tendu. Mais, pour se rassurer, il se dit que c'est la première fois depuis des semaines qu'il se sent allégé de sa hantise de créateur, vraiment loin de Lêtô, de l'autre côté du mythe, sur le bord délassant du réel. Et il compte bien en profiter ! Ce n'est pas tous les jours qu'une simple pute le délasse de lui-même !

4

ÉMOUVANT MIRACLE

Je détache de mes deux mains la fibule retenant ma tunique sur mon épaule droite et, d'un mouvement souple, je me dégage du vêtement qui glisse jusqu'à mes pieds. Me voilà nue ! Surgie du tissu. Très vite. Presque trop vite. Mais le Sculpteur n'a pas le temps d'être déçu. Ses yeux s'écarquillent. Il pense d'abord, non d'abord il ne pense rien, il se contente de souffler, comme s'il venait de recevoir un coup dans la poitrine. Ensuite seulement il se remet à penser : "Jamais vu de femme plus belle." Et, pour finir, il arrive à trouver la formulation exacte : "Jamais vu de fille plus belle." Comme il s'y attendait, les courbes de mon corps gardent quelque chose de gracile et d'inachevé. Mes seins menus, l'arrondi de mon ventre, mes cuisses viennent d'éclore mais ne sont pas encore épanouies. Émouvant miracle. Comment se fait-il que l'existence de putain, que je mène depuis plusieurs mois peut-être, n'ait pas encore abîmé le surgissement naïf de ma beauté ? Ne pourrait-on pas croire que je me déshabille devant un homme pour la première fois ? La maladresse, l'absence d'affèterie de mon attitude, ma gaucherie intense et presque violente, ajoutent au charme de cette impression initiale.

Tout de suite lui vient à l'esprit l'image d'Aphroditê. Fille nue surgie du tissu comme la déesse de l'écume, toute vive et toute vierge, toute prête pour l'amour. Mais, aussitôt après avoir laissé tomber ma tunique, je place mes deux mains l'une devant mes seins, l'autre devant mon sexe. Réflexe de pudeur ? De honte ? Charmant, oui, mais un peu décevant, un peu bébête, un peu province. La moue blasée de l'homme me permet de deviner ce qu'il s'apprête à me dire. Évidemment, il va me demander de rajuster ma tunique pour la faire glisser de nouveau lentement de mes épaules en prenant les poses réglementaires qui sauront exciter son désir. Si je les ignore, bien que je sois censée être une professionnelle, eh bien, gentiment, il me les apprendra. Mais, au moment où il ouvre la bouche, son sourire supérieur se fige.

Car, tandis que mes yeux restent fixés sur lui, mes doigts se chargent de lui répondre avant même qu'il ait parlé. Agissant presque malgré moi, ils sont en train de créer un second événement, encore plus bouleversant pour le Sculpteur que ma nudité. Quittant les parages de mes seins et mon ventre, mais sans s'attarder le long de mon visage, ils remontent à toute allure vers ma chevelure. Là, après quelques instants d'hésitation troublante, où je reste les coudes dressés, les seins tendus vers lui, ils – mes doigts, qui ne sont plus les miens, insectes autonomes et industrieux – tâtonnent pour ôter la résille et les aiguilles retenant le chignon sur les côtés de ma tête et sur ma nuque. Les trois ou quatre lourds bandeaux de ma chevelure, qui n'attendaient que d'être libérés, croulent l'un après l'autre sur mes épaules. Laissant retomber mes bras désormais inutiles, je secoue la tête pour répandre mes cheveux sur mon front, sur mon visage qu'ils dissimulent un instant.

Alors, soudain, quelqu'un de nouveau apparaît pour la première fois !

Quelqu'un de sauvage !

Quelqu'un de rebelle !

Quelqu'un d'incontrôlable !

Oui, Elle est là !

La femme aux lourdes tresses noires dénouées comme des serpents, dont les anneaux fluides oscillant sur son visage et sur son buste ne laissent plus voir que ses yeux et le bout de ses seins nus !

Celle qui joue depuis le début les notes les plus rauques sur l'aulos de ma voix de jeune fille !

Celle dont il a pressenti tout à l'heure l'apparition menaçante et dont il comprend maintenant qu'elle n'est laide que d'être trop belle !

La Sirène !

La Sphinge !

La Gorgone !

Celle qui n'est laide dans l'esprit des hommes que d'être trop libre !

Oui, Elle, *Médusa Aphroditê !*

Venue spécialement pour l'homme qui saura la regarder !

Mais non. Il ne m'a pas suivie jusque-là. Cette Femme-là, Praxitélês ne peut pas entrer en contact avec Elle. L'image qu'elle lui propose dans le surgissement de sa chevelure, l'artiste en perçoit la beauté mais elle le dépasse. Il n'est pas encore prêt à regarder la Gorgone *dans les yeux*. Pas prêt à s'ouvrir à la voix de la Sphinge pour se risquer au dialogue et savoir si son énigme le menace autant qu'il le redoute. Oh, il faudra bien du temps au Sculpteur avant que la déesse ne se montre de nouveau à lui, dans le premier instant d'un dénudement vrai, afin de voir s'il saura cette fois répondre à son appel ! Dans la cellule du bordel, lorsque cet homme délicat ose s'approcher de la fille aux cheveux-serpents, avec douceur, avec précaution, c'est seulement pour la faire disparaître. Il me saisit les deux mains, dont il déplie un à un les doigts. Il les place sous la masse épaisse de ma chevelure, comme le filet de ma résille, les obligeant tant bien que mal à reconstituer le chignon sur ma nuque. Mais moi, sur le moment, dans ma gaucherie, je ne saisis pas le sens de son geste. Je ne suis pas encore assez assouplie aux désirs des hommes, je ne connais pas encore assez intimement celui-là, pour deviner qu'il tente de revenir à l'instant fugace qui a précédé la chute des bandeaux, à l'instant intermédiaire, l'instant du passage, qui fait le lien entre la fille aux cheveux trop sages et la fille aux cheveux trop fous. Ce geste tout de grâce que j'ai eu pour poser leurs torsades à peine dénouées dans mes paumes, comme si j'en soupesais le poids, juste avant de les lâcher. Il voudrait revoir l'exquis déliement des doigts de la main droite lorsqu'ils se sont apprêtés à saisir l'aiguille de corne qui maintenait le bandeau, tandis que je penchais un peu la tête pour mieux dégager ma nuque, dénudant par là même mon cou, étirant sa courbe jusqu'à l'attache de l'épaule, et que l'autre main s'arrondissait autour du deuxième bandeau. C'est ce geste complexe, et non son résultat sauvage, qui l'a électrisé. Une pose spontanée, un modèle d'équilibre et de grâce, de courbe et de tensions compensées qui mettent en valeur ce que la tête et le cou féminins peuvent avoir de plein, de lourd mais aussi d'infiniment fragile.

Ce geste, il l'a déjà vu.

Mais où ?

Aphroditê dénouant ses cheveux ?

Alkaménês ?

Non.

L'Aphroditê des Jardins ?

Non.

Quelque autre chef-d'œuvre ?

Lequel ?

Et cette autre question : comment se fait-il que cette sauvageonne soit capable de réinventer les poses complexes de l'art le plus raffiné ?

Oh, il voudrait tant retrouver mon attitude exacte et l'immobiliser ! Figer la caresse suspendue de mes doigts dans mes cheveux, pour l'étudier à son aise, comme il le faisait, adolescent, lorsqu'il échappait aux exercices de copie imposés par son père pour aller dans les jardins rêver devant les statues des anciens maîtres, ceux qui cherchaient déjà à échapper à Pheïdias vers la souplesse et vers la grâce, moins Myrôn et ses poses athlétiques, qu'Alkaménês et Kallimakhos ! Et voilà que, par miracle, il tombe sur un Alkaménês vivant ! Alors il voudrait figer la nature pour la copier comme une œuvre d'art ! Mais, bien sûr, c'est impossible ! Il faudrait trop de temps, trop d'explications ! D'ailleurs, je suis trop bête sûrement pour les comprendre. Et puis, même si je saisissais ce qu'il me demande, je devrais refaire mon chignon en entier pour qu'il pût saisir l'instant exact où celui-ci se défait. Voilà que mes doigts de paysanne inculte, résistant à sa pression, ne se plient pas assez souplement, et que ma chevelure, à peine recomposée, de nouveau s'écroule. Se répand. Déjà le déséquilibre. Déjà l'être sauvage aux longs cheveux luisants dénoués. Déjà l'animal fauve qui va simuler le plaisir ou qui va en éprouver vraiment. Déjà la Gorgone du plaisir féminin dont les cris rauques le mettent mal à l'aise et n'ont plus rien à lui dire. Chaque fois, je vais trop vite, ignorant le secret de ma propre grâce qui réside dans l'hésitation.

Et puis cela aussi, encore plus curieux : moi non plus je ne parais pas savoir comment me comporter en présence de cet être encombrant et fougueux que je viens de laisser surgir de moi. La Gorgone de beauté sauvage que je peux devenir semble m'inquiéter moi-même. Alors je secoue vaguement les cheveux pour la maintenir vivante quelques instants, puis je m'immobilise, et l'autre, le monstre, elle s'efface. Elle disparaît. C'est fini. Je redeviens une petite putain passive. Tout est allé trop vite pour moi autant que pour lui. Je n'ai pas su retenir l'instant de la folie comme lui n'a pas su retenir celui de la grâce. Nous avons échoué tous les deux l'un à côté de l'autre.

Et il ne nous reste plus que de la déception et du dégoût.

Que peut-il se passer encore, maintenant que nous nous tenons face à face, comme vidés de nous-mêmes ? Rien, le reste habituel.

Je me laisse tomber sur la paillasse, j'écarte les jambes, il bande mais c'est comme s'il n'avait plus envie de moi. S'il me pousse en arrière sur le dos, s'il s'allonge sur moi, s'il colle son corps contre le mien, c'est presque pour s'éloigner de ce moi et de ce moment banal. Il ne souhaite pas avoir le désagrément de rencontrer mes yeux, alors il me relève très haut les jambes, qu'il maintient bien serrées devant lui, comme pour en faire un barrage entre son visage et le mien. Comme pour ne plus avoir affaire qu'à mon sexe aveugle. Cette fente, il la ferme, pour n'avoir plus qu'à la forcer. Les secrets de ma grâce, je les lui ai déjà montrés, il les repasse dans sa tête, tout en me pénétrant. D'abord mon visage absent, offert au soleil sur la margelle du puits. Ensuite, dans la salle sombre du bordel, mon regard de nuit brillant sous l'ombre du capuchon et ma voix tranquillement impérieuse pour négocier mon prix. Enfin, dans la cellule, l'instant d'équilibre fragile des doigts soupesant les cheveux, les coudes et les seins tendus vers lui mais mon attention tout entière orientée en arrière vers ma nuque. Il reste bien sûr la dernière image, celle de la femme-serpent. Non, celle-là, il n'en veut pas ! Il la chasse définitivement. Mais les trois précédentes, oui, il sait qu'il va les garder dans un coin de son esprit. Pour quel usage ? Il l'ignore encore. Trois images pour une seule rencontre, c'est déjà bien ! Vraiment inespéré ! Quant à moi, la fille réelle, me baiser vite. Jouir le plus vite possible pour se débarrasser de moi afin de mieux envisager, lorsqu'il sera rendu à la solitude, ce que je lui ai donné. C'est là, dans sa rêverie, qu'il visualisera de nouveau mon apparition gracieuse pour en faire le tour, l'affiner, la polir, la débarrasser de mon excès de matérialité et de lourdeur. Le jeune artiste a déjà connu souvent ce désir de se débarrasser de la présence réelle des êtres afin d'explorer plus aisément les secrets qu'ils lui ont appris.

Bon, voyons, dans le cas de cette jolie petite putain dénouant ses cheveux, se demande-t-il tout en cherchant à travers son va-et-vient le chemin hâtif de son plaisir, quel est le secret ? Sûrement très secondaire. Une petite rêverie artistique sans importance, qu'il s'autorisera dès le lendemain matin, parce qu'elle lui fournira le prétexte de ne pas s'attaquer à son œuvre véritable, à sa *Lêtô*. Trois esquisses d'Aphrodite dans un peu de glaise, à la va-vite, pour plus tard ? Quand il sera assez fort pour se confronter à Alkaménês et s'attaquer de front à la grande déesse ? Et même une quatrième, les cheveux dénoués ?... Non, non, idée encore impossible à penser pour lui. Idée qui reste plantée dans son esprit comme une écharde, mais dont il vaut mieux éviter de s'approcher pour ne pas sentir sa pointe douloureuse. Qu'il vaut mieux laisser au travail inconscient de sa mémoire le soin d'émousser, de dissoudre, puis d'éliminer. L'Aphroditê Gorgone : non, cette idée-là n'est pas pour lui. Pour d'autres, dans l'avenir, moins délicats, moins retenus que lui. Une image avec laquelle il n'est entré en collision que par une erreur du hasard. Pourquoi, dès ses débuts, se heurte-t-il sans cesse à ses limites ? C'est normal ? C'est ça, être un artiste ?

Il tente de se concentrer sur ce qu'il est en train de faire. Accentue ses coups de bassin. Se force presque à ahaner. Cherche de nouveaux angles d'attaque. Mais son plaisir est si loin encore ! Alors abandonner ? S'extirper de moi et me laisser en plan ? Ah non, il ne faut pas exagérer ! Le mythe de Lêtô, d'accord, il est incapable de l'atteindre, mais, là, dans le réel, pour presque neuf drachmes, il a le droit de s'oublier, non, et de jouir même sans plaisir ? Et moi, la petite pute, je ne peux pas l'aider un peu ? C'est mon travail quand même ! Où suis-je ? De nouveau disparue ? Pour la première fois depuis un bon quart d'heure, il reprend conscience de ma présence, de ce corps qui gît là sous le sien. Qu'est-ce que ce que je fabrique ? Eh bien, rien ! Tout simplement rien ! Je ne fais même pas semblant de bouger, je frémis seulement. Je ne fais même pas semblant de crier, je gémis simplement. Peut-être de douleur, tandis qu'il me pénètre avec de plus en plus d'exaspération. Là-bas, mon visage caché sous la masse épaisse de mes cheveux, et ici, devant lui, les lèvres de mon sexe muettes et serrées. Ce relief fragile, qu'il s'obstine à entailler de la pointe de son ciseau. Cette blessure rétive, dans laquelle il s'acharne à faire entrer son poignard, n'arrachant à sa victime qu'un frisson de douleur. De répugnance. De révolte. Ou bien de quoi ? Sûrement pas de plaisir ?

Pour mieux me regarder, il s'arrête de bouger quelques instants, mais mes mains aussitôt viennent se crisper sur ses hanches et sur le creux de ses fesses. Pour le ramener à sa besogne ? Parce que moi aussi je veux qu'il finisse le plus vite possible ? Je secoue la tête, tandis qu'il croit m'entendre murmurer "non, non". Et ce mouvement machinal fait soudain retomber les masses lourdes de mes cheveux d'un côté et de l'autre de la paillasse. Ce qui en émerge, c'est un petit visage méconnaissable. Tout pointu. Tout tendu. Comme si je cherchais de l'air. Comme si je voulais échapper à la noyade. Le teint pâli, les narines pincées, les yeux obstinément fermés, tournés non pas vers lui mais là-bas vers le haut du mur, vers l'ouverture du rideau qui sert de porte. Là-bas mais vers où ? Vers quelqu'un d'autre que lui à qui je pense sous le voile protecteur de mes paupières closes ? Vers qui ?

Ou peut-être…

Ou peut-être, il le pressent soudain, vers personne ni vers rien, mais simplement soulevée par la vague. Par la surprise de me retrouver *là !*…

Alors, dans la déchirure de cette dernière image, enfin il nous voit ! Toutes les deux superposées ! Moi, la petite putain, mais aussi elle, l'autre !

Celle qu'il cherche !

Celle qui se donne sans vraiment se donner, celle qui est prise mais qui voudrait peut-être se donner !

Oui, ses sourcils froncés, son visage un peu crispé, ses cuisses serrées peureusement, son sexe à peine ouvert. Absente et pourtant tentant pour la première fois d'être un peu présente, peut-être, peut-être seulement, c'est si fragile, à peine éclos, à peine ouvert, cette envie d'être là, parce que sans doute il s'est montré un peu plus délicat que les autres, parce qu'aussi j'ai su être plus active. Cette envie ténue d'être là quand on me baise. Cette envie d'habiter mon corps même quand on s'y introduit. Et d'accueillir celui qui s'y introduit. Mais cette ombre de fleur, avant qu'elle ne s'épanouisse, il la piétine, il la fauche dans le va-et-vient qu'il lui a fallu reprendre pour ne pas débander. Et de nouveau je me crispe. Retenue, contrainte, forcée, blessée ? Craignant de l'être plus encore ?

Oui, la voilà, elle, la fille du Titan, prise comme une vulgaire nymphe au piège de la vie, tordue sans grâce dans l'étreinte comme elle le sera bientôt dans l'enfantement !

Voilà Lêtô !

Voilà Lêtô, son visage détourné, la crispation de ses sourcils, tandis qu'elle laisse aller sa main sur la nuque de ses deux enfants ! De quoi sont-ils la preuve ? D'un viol ou d'un don ? De sa douleur ou de son plaisir ? Entre les deux ?

Mais si moi, la fille réelle, qui crispe les sourcils, qui cherche de l'air, qui à la fois lui présente mon visage et tente de le lui dérober en l'enfonçant au creux de cette paillasse dégoûtante, si moi je suis Lêtô dans ma façon peureuse d'être prise, lui serait-il Zeus, dans sa façon égoïste de me forcer ? Zeus qui, la prenant, l'abandonne ? Zeus qui, sans même s'en douter, laissant à celle qu'il se contente de baiser

la tâche de les concevoir, lance en toute inconscience au milieu de
l'univers deux nouveaux êtres parmi les plus actifs et les plus puis-
sants ? Lui qui, ne pénétrant qu'en mâle massacreur une matière
vierge, crée pourtant du divin ? Lui, l'homme, qui, gâchant, crée ?
L'idée incongrue le fait éclater de rire et il jouit.
Il est surpris lui-même de la violence de son éjaculation.
Il en crie.
Comme si tout le plaisir, un plaisir immense, disproportionné, lui
était arrivé à l'ultime instant de ce coït banal et même pas agréable.
Comme si son plaisir se moquait de lui ?
Comme si ce qui le secouait n'était que les spasmes de l'éclat de
rire de quelqu'un d'autre ?
Comme un sarcasme ou un regret ?
"Trop tard !"
Qui parle ainsi par les giclées de son sperme ?
Qui lui dit quoi ?
Décidément, il n'aura rien maîtrisé de tout ce qui vient de lui
arriver. Il n'aura rien compris.
Ou seulement des fragments.
Des petits morceaux d'image éclatés.
Des petits bouts d'instants aigus.

Il s'extirpe du néant et se lève. Je ne suis plus à côté de lui. Accroupie dans un coin sombre de la cellule, je lui tourne le dos, occupée
sûrement à passer, en grimaçant, un peu d'huile sur ma vulve irri-
tée. Sans un regard, il se hâte de se glisser de l'autre côté du rideau.
Comme la plupart des hommes, et bien qu'il se sente plus qu'eux
le désir de suivre jusqu'au bout les courbes et les détours du corps
féminin, l'intimité de ce dernier lui répugne. Il y devine des écoulements de sang, des épanchements visqueux de sécrétions et de
glaires dont il pourrait être souillé et qui l'effraient.
Le Boskos, toujours en conversation avec la vieille (Léôkratês
a disparu), l'arrête un instant : "Alors, mon prince, à t'entendre,
elle vaut les neuf drachmes, n'est-ce pas ?" Il ne laisse pas cet imbécile lui poser la main sur l'épaule et s'enfuit du bordel sans même
attendre ses trois assistants. Ils ont dû finalement se faire une raison, et doivent croupir au fond d'une des cellules, leur précieux
membre enfoncé dans une bouche douteuse. Grand bien leur fasse !
Il faudra qu'ils se débrouillent sans lui demain matin pour convoyer
le bloc de marbre. Le rigoureux Androsthénês saura s'en charger.

Délaissant la route principale empruntée par les fêtards, Praxitélês marche longtemps sur le sentier qui serpente au pied des remparts, parmi les arbustes griffus. Les Longs-Murs reliant le port et la cité, hostiles et interminables mais qui savent où ils vont. Il a besoin de cela, de cette nuit qui tombe, de cette solitude, de cette marche à tâtons vers Athênaï et vers son atelier…

Les jours suivants, tandis que ses assistants, qui ont fini par réchapper comme lui de l'antre sordide des Sirènes, dégrossissent suivant ses instructions le bloc de marbre, il s'obstine à modeler dans la cire le visage entrevu de Lêtô. Quand il ferme les yeux, il ne voit pas une beauté idéale, comme le faisait Pheïdias, mais la petite putain (dont il est en train d'oublier les formes et, pire, le regard) au moment où il a aperçu son visage émergeant de la masse de ses cheveux, juste avant de jouir. Il modèle, d'après ce qu'il revoit encore, la ligne grecque du nez, les plans estompés des paupières et des joues, mais surtout cette crispation au-dessus des sourcils. Cette retenue entre la souffrance et le plaisir, ce "oui" qui n'ose pas encore se dire, cette puissance qui n'ose pas encore se reconnaître. Il ne distingue pas tout. Et rien très clairement. Il s'acharne sur cette fragilité.

Au bout de quatre jours de vains efforts à fixer une vision de moins en moins nette, il se décide, sous le prétexte de vérifier quelques proportions, à faire de nouveau le déplacement vers le Port. Il a besoin de me revoir. Pas de me faire l'amour, de me revoir. Oui, bon, de me faire l'amour aussi. De fermer les yeux et de se sentir exister dans la palpitation de ma peau, l'élancement de mes seins menus, la souplesse de ma taille, qui l'affole, maintenant qu'il y repense, et dont il se reproche de n'avoir pas assez su profiter la première fois. Trop obsédé par ses images. Là, les oublier, enfin, et, simplement, délicieusement, me baiser ! Jouir de moi, de chaque centimètre de ma peau nue ! Mais peut-être, se demande-t-il tout le long de la large route qui le ramène vers moi, ce désir érotique assez banal, incongru seulement de survenir en quelque sorte après coup, ne l'éprouve-t-il que pour se masquer à lui-même son impuissance d'artiste ?

De toute façon, il ne saura jamais la réponse. Le Boskos, après lui avoir appris que la Muette est partie, refuse de lui dire où. Il attend sûrement que le riche Athénien sorte de nouveau sa bourse pour lui donner de quoi oublier quelques instants sa promesse. Mais Praxitélês, saisi d'une étrange paresse, la laisse cette fois dans le creux de sa tunique. Malgré l'insistance de son hôte, il ne choisit aucune des autres filles qui se trouvent dans la salle, ni non plus ce petit garçon de Thessalie qui vient d'arriver et dont l'autre tente de le persuader qu'il est encore vierge. Sur le chemin du retour, où il a pris de nouveau, sans savoir pourquoi, le chemin pourtant moins commode qui trébuche au pied des Longs-Murs, le Sculpteur s'exhorte lui-même au courage, se persuade qu'il vaut mieux ne plus penser à moi et qu'il s'agirait d'une faiblesse indigne de Pheïdias que de modeler d'après le réel au lieu de continuer à chercher la vérité les yeux fermés. D'ailleurs, si son destin est d'affronter de nouveau mon regard de divine sauvageonne, le hasard ou l'un des Olympiens, celui ou celle qui a parlé par son sperme, Zeus ou Aphroditê, s'arrangera bien pour nous placer de nouveau quelque nuit face à face.

Une semaine plus tard, il repart pour l'Arkadie, emportant dans ses bagages un énorme bloc de marbre déjà bien dégrossi et l'esquisse en argile d'un visage de femme aux sourcils froncés. En me frôlant, il a trouvé Lêtô et n'a rien volé à Pheïdias. Pas encore un maître mais plus seulement un copiste. Dans cet entre-deux qu'il aime tant.

5

CONSEILS DE SURVIE

Tandis que le jeune artiste troublé vient juste de sortir de la cellule et qu'il échange quelques mots avec le Boskos, Alkê, son assistante, se glisse discrètement derrière le rideau fermant la pièce.

Jusque-là, "la Muette" n'était à ses yeux avertis qu'une déjà morte, une naufragée du sort qui, malgré sa beauté, ne passerait pas l'hiver et finirait inéluctablement au fond du port, les mains liées derrière le dos, lorsque le Boskos se lasserait de la rouer de coups pour lui apprendre le métier. Mais l'implacable aisance avec laquelle cette fille est sortie de sa torpeur de fausse victime, dès qu'il s'est agi d'extorquer une fortune au premier vrai richard de passage, a stupéfait la vieille maquerelle. Et pourtant, comme Alkê aime à le répéter, pendant ses années de pratique elle en a tant vu que rien ne peut plus l'étonner dans la façon dont les hommes se comportent avec les femmes ou, ajoute-t-elle avec un hideux sourire, "*vice versa* en sens contraire". Cachée dans la pénombre, elle observe la petite en train de répandre à l'intérieur de ses cuisses l'eau qu'elle puise d'une main malhabile dans le broc. De nouveau, Alkê doit reconnaître l'évidence, exaltée par la palpitation de la chandelle posée à même le sol, de cette beauté stupéfiante qui lui a échappé jusque-là. Elle s'étonne que son regard de professionnelle ait failli manquer ce jeune animal fabuleux, dont chaque mouvement, jusqu'au plus trivial, est un tel miracle d'harmonie qu'il est capable de toucher même une vieille bête comme elle. Pourtant, la gamine reste gauche. Elle s'y prend mal pour se laver. Elle ne fait pas attention à ces gestes essentiels. Comment peut-on, se demande la maquerelle, faire preuve à la fois d'autant d'autorité et d'autant de maladresse ? Qui l'a formée aussi bien et aussi mal à l'art exigeant des putains ?

Quand la voix d'Alkê résonne derrière moi dans l'obscurité, bien qu'elle ait pour une fois tenté d'en atténuer les contours rauques, je sursaute. Mon premier mouvement est saisissant : je rejette brusquement le pan de ma tunique pour cacher mon entrejambe, puis, reconnaissant l'assistante du Boskos, je me précipite sur la paillasse, où je me tiens tapie, comme une bête effrayée qui cherche un passage par où s'enfuir d'un bond mais qui, se trouvant face à un obstacle, se retourne vers le danger pour lui montrer les dents. Alkê sourit : "Du calme, petite !" Puis, sans faire un geste qui pourrait m'effrayer, elle se met à me parler d'une voix sourde, en un murmure précis, à la fois rude et caressant, qui tente de se frayer un chemin vers ma conscience à travers la pénombre. Faire confiance à ceux qui veulent vous aider, c'est le seul moyen de s'en tirer dans la vie. Revenir ici, près du broc d'eau. Se laver bien. Se laver mieux. Rien de plus important pour des filles comme nous. "Il y a des gestes à faire, petite. Si tu ne les sais pas, je te les apprendrai." Elle se met à me psalmodier des conseils techniques sur la toilette intime. Je reste figée dans ma position d'animal aux aguets. La voix de la maquerelle se fait plus insistante : "Fais ce que je te dis. T'as pas à avoir honte devant moi. J'en ai vu d'autres, tu peux me croire." Mais je ne fais pas un geste. Alors soudain, sans prévenir, la vieille femme se rue vers moi. Elle me bouscule pour me faire tomber sur les fesses au milieu de la paillasse, et, m'écartant les genoux, elle examine d'un œil inquisiteur mon entrejambe, ajoutant même quelques coups de narine pour en humer l'odeur. Elle me dit que c'est bien ce qu'elle craignait. Que je suis déjà un peu abîmée. Que je dois faire attention. Mon corps est tout ce que je possède. Un tel cadeau des dieux doit s'entretenir soigneusement. Elle ajoute : "Crois-moi, il peut te mener loin, ce corps-là, mais faut que t'apprennes à le bichonner."

Me prenant avec autorité par la main, l'ancienne putain m'entraîne vers le fond de la cellule. En l'absence de seau, elle me force à m'accroupir pour uriner sur le sol de terre battue. Puis elle me ramène près du broc. Elle m'oblige à me placer à croupetons, et me montre comment me laver à grandes eaux, d'une main, en inclinant le récipient de l'autre. Tous les endroits où il faut passer, jusqu'où il faut aller. Je sursaute plusieurs fois mais je me laisse faire. Comme un animal domestique qui, malgré sa répugnance, accepte qu'on l'étrille. Alkê me demande soudain si je sais au moins moi-même comment je suis fabriquée. Si j'ai jamais eu le courage d'aller y jeter un coup d'œil. Elle me force à pencher la tête pour regarder entre mes jambes mon sexe ouvert, qu'elle me détaille. La vulve. Les grandes lèvres. Les petites. Alkê n'est pas surprise de mon mouvement de dégoût. Elles sont nombreuses, parmi les jeunes putains, à n'avoir jamais surmonté leur lassitude pour observer de près cette partie de leur corps dont elles vivent, ou plutôt dont elles survivent. Réduites à n'être plus que des vagins, elles savent à peine ce qu'est un vagin. Et parmi les femmes honnêtes, c'est encore pire. Combien d'entre elles, malgré les fêtes des Thesmophories qui leur sont réservées et où elles promènent à travers la campagne des vulves et des phallus géants, malgré les conseils de leur mère, connaissent à peine plus que les hommes la réalité du corps féminin, qu'elles ne découvrent vraiment qu'au moment d'accoucher ?

Quand la vieille a fini de m'apprendre comment me laver et me sécher, elle tire une petite fiole du repli de tissu formé par la tunique sur son ventre et me la tend. "Mets ça dessus ! Allez, n'aie pas peur !…" Avec patience, elle m'explique qu'il s'agit d'un mélange d'huile de cèdre, de miel et de deux ou trois autres secrets de vieilles femmes. Que c'est gluant, oui. Mais que ça adoucit. Qu'il faut en mettre avant et en remettre après. "Et puis, ajoute-t-elle, c'est radical pour empêcher les ventres des filles de grossir, si tu vois ce que je veux dire !…" Non, je n'ai pas l'air de voir. Incroyable, se dit Alkê, cette gamine fait la pute depuis des mois et elle ne connaît rien à rien. Personne ne lui a jamais expliqué ? "Eh ben toi, me souffle-t-elle, je crois qu'il était temps que quelqu'un te prenne en main, pas vrai ?"

Quand nous avons fini les soins, Alkê m'oblige à m'allonger sur la paillasse : "T'as assez travaillé pour cette nuit, petite. En une seule fois, t'as gagné plus que depuis que t'es là ! Repose-toi. Réfléchis un peu à ce qui vient de se passer. Je suis même pas sûre que t'as bien compris ce que t'as fait. Et pour le reste, laisse-moi m'arranger avec le Boskos…"

Je voudrais fermer les yeux et m'endormir. Je n'ai pas la force d'envisager ne serait-ce que le lendemain, et pourtant il y a en moi quelque chose qui pense sans cesse, à toute allure, et qui m'oblige à ressasser mes tourments, comme si mon esprit s'était remis à fonctionner frénétiquement après des mois d'engourdissement. Je me sens à la fois totalement épuisée et totalement éveillée. Comment vais-je pouvoir survivre dans cet endroit ignoble, maintenant que je m'y retrouve bien vivante, bien lucide, et non plus simple morte en sursis ? Comment vais-je sortir de ma prison maintenant que j'ai conscience d'y être enfermée à jamais ? Puis-je compter sur la protection d'Alkê ? La seule raison qui motive le changement d'attitude de la terrible assistante du Boskos, je sais bien que c'est la somme faramineuse que j'ai réussi à extorquer à l'Athénien. Mais, chaque fois que je me tourne vers cette scène triomphale, j'éprouve une pointe d'angoisse si douloureuse que je me sens à peine la force de l'effleurer de la pensée. Car la vérité c'est que, tout à l'heure, avec le client, je n'étais providentiellement plus dans mon état normal. Saurai-je jamais me laisser investir à nouveau de cette autorité surprenante, de ce sens de la repartie que je n'ai jamais eu, et retrouver en moi-même le chemin vers cette région inconnue ? La vieille maquerelle va peut-être m'apprendre les secrets que doivent connaître les putains sur leurs corps, mais ceux de mon âme, qui saura m'aider à les explorer ? À moins qu'il ne suffise, pour se jouer des hommes, de ne pas réfléchir et de s'abandonner au souffle du moment ? Nouveau sujet de crainte : si cette inspiration magique ne se situait pas au-dedans de moi mais au dehors, et si elle ne revenait jamais m'effleurer de son aile ? Si la cruelle Aphroditê ne m'avait enveloppée un instant de sa tunique de soie éclatante que pour mieux se moquer de moi et m'obliger ensuite à sentir plus pleinement la nudité glaciale de ma misère ?

"Mais non, rassure-toi, me murmure une autre voix, laisse-toi faire !... Ce serait dommage de ne participer à ce jeu qu'une seule fois ! Un peu de confiance en toi, et en la déesse ! Tu n'as pas à t'inquiéter, c'est si amusant de manipuler les hommes ! Eux aussi, pour peu qu'on sache les confronter à leur propre désir, ils font n'importe quoi !..." Dans mon demi-sommeil, je me mets à sourire à cette petite voix tranquillement malicieuse. Plus je me laisse aller, plus je sens que le sourire machinal sur mes lèvres s'affine, s'affine encore, oh il s'effile comme une lame et il devient cruel. Oui, c'est beaucoup plus qu'amusant de prendre ainsi sa revanche sur eux ! Par exemple ce client, quand j'y repense, il avait l'air intelligent, raffiné, si bien que je n'aurais jamais cru qu'il se laisserait avoir aussi facilement. Même les plus délicats d'entre eux ne sont que des brutes. Même les plus subtils, des idiots. Des animaux. Pas des chevaux, des taureaux. Non, des chiens. Voilà, des chiens ! Comme ceux que possédait mon père, qui pouvaient mordre mais aussi manger dans la main ! Traiter les hommes exactement comme je traitais la meute de mon père, avec une douceur impérieuse mais sans réplique qui me faisait obéir, bien que je ne fusse qu'une minuscule petite fille, de ces cinq ou six dogues aboyant autour de moi, et dont chacun était capable de me renverser ou de me déchirer d'un seul claquement de ses mâchoires...

6

PREMIÈRE PLONGÉE DANS LE GOUFFRE

Quand j'émerge, je me retrouve face à ce visage ! Je ne l'ai pas vu depuis des mois ! Des mois qui furent des siècles ! Mais il a toujours été là, même quand j'ai cru l'avoir oublié. Redoutable. Barré d'une affreuse cicatrice. Tandis que le géant qu'elle défigure me saisit l'index dans sa pogne pour me donner le courage d'en suivre le contour grumeleux, j'entends sa voix profonde me dire qu'elle est recourbée comme une lame perse, comme le cimeterre qui l'incisa dans son visage un jour de tuerie lointaine. Puis, de son doigt à lui, il suit la courbe parfaitement lisse de ma joue d'enfant et je me laisse faire en frissonnant.

Car je sais qu'après ce rituel d'échange magique, ce prélude sur l'instrument à cordes de nos deux peaux, il se mettra à raconter.

Quel âge puis-je avoir ? Trois ans ? Cinq ans ? Cet homme terrible, qui n'est doux qu'avec moi, c'est mon père. Il ne sait pas parler, sinon en phrases brèves et dures qui terrorisent son entourage, moi y compris, mais, dans la belle maison de mon enfance, il me raconte sa jeunesse des soirs entiers. Pourquoi suis-je la seule à qui il aime à s'adresser ? Parce que je suis capable de l'écouter en silence, malgré ses maladresses et même si c'est la centième fois qu'il me détaille les mêmes souvenirs ? Peut-être aussi parce qu'il n'a personne d'autre à qui les transmettre ? Depuis toujours, il me traite comme son fils, il m'installe sur ses genoux et me transmet sa légende d'homme. Croyant se délasser seulement de ses amertumes, il se ressource dans mes yeux admiratifs, il y retrouve un peu de l'ardeur qui le poussa autrefois à courir si loin. J'écoute et je me tais. Je range pieusement dans ma mémoire les images marquantes et un peu incompréhensibles du récit originel. C'est mon trésor. C'est la seule dot que j'aurai jamais. Je ne sais pas encore à quel point ces mots-là me serviront plus tard, lorsqu'enfouis dans le fond de ma mémoire où je croirai les avoir égarés, ils seront mon seul secours dans la solitude et la promiscuité des femmes. À un moment même, lorsque j'aurai totalement nié ceux de ma propre existence, ils seront mes seuls souvenirs. Le seul monument encore debout dans mes ruines.

L'homme qui est mon père s'appelle Epiklês. Il me confie que, dans sa jeunesse, il ne fut ni l'orgueil de sa famille ni l'espoir de sa cité, une bourgade du nom de Thespiaï accrochée au flanc d'une montagne de la Béôtie. Et pourtant il a toujours eu à mes yeux la stature d'un héros des temps anciens. Je le revois dominant ses contemporains de la tête et des épaules comme Ajax, mais un Ajax qui ne serait fils ni de Télamôn ni même d'Oïleus. Non, mon Ajax à moi n'est le fils de personne, sinon d'un modeste métayer, éleveur de chèvres et dresseur de chevaux qui vit à l'année sur le domaine de Philostratos, l'un des plus importants propriétaires terriens de la région. Mais son anonyme serviteur, mon futur grand-père, a une particularité : il est beau. Si beau qu'au temps où il garde les chèvres, parfois très loin de l'autre côté de la montagne, près du vallon où se dresse le temple des trois Muses originelles, l'une des jeunes prêtresses de bonne naissance, l'apercevant dans l'éclat du matin, le laisse l'approcher dans l'ombre du soir pour lui faire l'amour. Ils se retrouvent, un peu à l'écart du sanctuaire, dans une grotte où naît une source, sur un lit humide de sable et d'herbe. À chacune de leurs rencontres, le garçon taille dans le rocher au-dessus de la source l'une des lettres du nom de la fille. Il n'a pas le temps d'aller au-delà de la quatrième. S'unir au creux de la montagne avec l'une des représentantes humaines des Muses sera la seule participation de mon grand-père à la légende familiale : tout le reste de sa vie, il s'intéressera sincèrement aux chèvres de son maître. Puis à ses propres chevaux. Car le père de la prêtresse, lorsqu'elle tombe enceinte du chevrier, est forcé malgré sa colère de la lui donner en mariage et même de lui confier une ferme, que ce gueux exploite d'ailleurs avec habileté. La Muse, devenue par amour la simple épouse d'un paysan, lui donne deux fils. L'aîné, l'enfant de la grotte, est mon père. L'ancien chevrier respecte la tradition : il appelle l'enfant Epiklês comme son propre père, pour tenter de lui donner le destin normal d'un fils, qui est de ressembler au père de son père, et ainsi de suite sans que jamais rien ne change.

Mais cet Epiklês-ci, le mien, ne ressemble à personne de sa famille avant lui. Parce qu'il est un peu le fils d'une Muse, il n'est pas comme les autres. Il devient rapidement le plus terrible gamin qui ait jamais sévi depuis la plaine jusqu'au temple de la Montagne. À la tête de sa bande, il mène les guerres d'enfants sur les pentes de l'Hélikôn, le mont Tortueux où se sont aimés ses parents mais que ces derniers ne fréquentent plus, sauf les jours de procession solennelle. Gardant avec ses chiens les troupeaux de son père, puis, dès qu'il a l'âge de monter, passant ses journées à cheval, il parcourt en tous sens les sentiers et les taillis, à la recherche de la grotte dont sa mère lui a parlé un jour d'oubli. Il rêve de compléter le prénom gravé sur la pierre au-dessus de la source légendaire et d'y ajouter le sien. Une nuit même, ses camarades des faubourgs, rassemblés sous ses ordres, investissent le sanctuaire d'Erôs aux portes de la ville. Gravissant les marches du temple, il ose les entraîner dans la nef sacrée pour danser sous la lune devant l'antique statue de bois, dont le sourire mystérieux leur paraît s'élargir encore. Son cadet de deux ans, Timolaos, le suit partout, fuyant malgré ses remords les leçons de leur mère puis les travaux des champs que tente de leur imposer leur père.

Mais le vaillant Epiklês attend d'être adolescent pour oser faire quelques pas à l'intérieur de la ville. Il ne s'y sentira jamais aussi à l'aise que dans la montagne. Pourtant, très vite, il règne sur la palestre, qui se trouve juste à côté de la Porte de la Plaine. Il devient le chef naturel de sa classe d'âge. Pendant l'hiver, les instructeurs de la garnison lacédémonienne, qui s'ennuient dans leur cantonnement de l'autre côté de l'agora, enseignent vaguement aux jeunes Thespiens le métier des armes. Le printemps suivant, ils les conduiront au combat contre leur puissante voisine, Thêbaï, afin de justifier par quelques escarmouches l'occupation permanente de leur cité. L'un de ces instructeurs, moins blasé que les autres, est le premier personnage important de la vie du jeune homme. La première figure vraiment paternelle. En écoutant le récit, je lui prête les traits rudes et la barbe de la statue d'Hêraklês que je vais admirer dans le temple en contrebas de la ville. Il s'appelle Antalkidas et ne sort de sa morgue maussade que lorsqu'il s'agit de former ce jeune gaillard thespien. Il le pousse alors à la tâche avec une inflexible dureté, ne le félicitant jamais que d'une bourrade, le punissant souvent de plusieurs coups de bâton sur les épaules. Néanmoins, le jeune homme perçoit que la rudesse laconique de ce soldat est la marque d'intérêt la plus sincère

qu'il puisse lui donner : bien qu'il ne soit qu'un Béôtien, l'instructeur le traite presque comme un jeune Spartiate. Pourtant, à la fin
de la période de formation, ce n'est pas Epiklês que l'harmoste, le
commandant de la garnison, nomme officier du détachement des
éphèbes locaux, car il n'est pas de noble naissance. Ménôn, le fils
de Philostratos, qui est son cousin par sa mère mais qui le méprise
à cause des origines modestes de son père, reçoit à sa place l'honneur qui lui était dû. Les Lacédémoniens, malgré leur respect pour
la valeur militaire, ne peuvent admettre que le fils d'un métayer
passe devant celui d'un propriétaire terrien. À leurs yeux, que le
jeune noble soit nommé chef alors qu'il ne le mérite pas doit être
une telle honte pour lui qu'elle suffira à le pousser au premier rang
du combat, pour ne pas se montrer indigne de son "inférieur". Mais
Epiklês n'est pas capable d'entrer dans les arcanes de la pensée aristocratique. Il se contente de remâcher son amertume.

Cette première injustice subie par mon père jeune homme, des
années après, j'en souffrirai encore comme s'il s'agissait d'une blessure personnelle. Elle nous ouvre à tous les deux les yeux sur la réalité du monde spartiate que nous admirions aveuglément. Epiklês
découvre que les Lacédémoniens ne méprisent pas seulement les
Béôtiens, mais aussi la plupart des Lacédémoniens. Les vrais citoyens
s'appellent entre eux du beau nom d'Égaux, mais des Égaux, dans
cette garnison, il n'y en a qu'une poignée aux postes de commandement. Tous les autres soldats se qualifient eux-mêmes d'Inférieurs.
Et ces Inférieurs sont ceux qui méprisent le plus ouvertement les
habitants de Thespiaï. Encore ces derniers ont-ils droit au respect dû
à des Grecs. Beaucoup plus bas se situent les étrangers, les hilotes,
les esclaves. Pour ainsi dire au-delà même du cercle du mépris. La
puissance entière de l'aristocratique Lakédaïmôn est fondée sur
le mépris !

À ce moment-là du récit, mon père me laisse quelques secondes
pour intervenir et prononcer d'une voix grave de petite fille l'adage
qu'il m'a appris : "Celui qui te méprise, toujours lui rendre son
mépris !".

Oui, mais voilà, ajoute l'homme à la cicatrice, pour cela, tu dois
te montrer plus fort que lui. Or, les Lacédémoniens sont très forts,
fabriqués depuis l'enfance entièrement pour la guerre. Des machines
de guerre, mais, à l'intérieur, encore plus terribles que des machines :
des hommes ! Prêts à tout endurer pour leurs valeurs, et la mort
plus volontiers que le reste, pourvu que ce soit sous le regard de

leurs Égaux. Bien que toute petite fille, je perçois dans la voix de mon père le mélange de colère et d'admiration qu'il éprouve encore, des années après les événements qu'il me raconte, au seul nom de Lakédaïmôn. Et ce sentiment complexe, dont je ne saisis pas tous les ressorts, il s'imprime profondément en moi. Il sera, pendant une bonne partie de ma vie, l'une de mes façons les plus instinctives, non pas de comprendre, mais de ressentir la société des hommes.

En tout cas, les deux fils du métayer supportent de plus en plus mal non seulement l'arrogance de Ménôn et des jeunes officiers thespiens, choisis malgré leur nullité militaire pour commander aux forces auxiliaires, mais aussi les brimades de la garnison spartiate. Avec quelques camarades de leur âge, ils se rebellent un soir, au sortir de la palestre, en croisant une patrouille sur la place. Après l'échauffourée, l'harmoste fait donner aux jeunes Thespiens vingt coups de fouet devant le temple d'Hêraklês, et aux soldats spartiates soixante, pour s'être abaissés à se battre avec des Béôtiens. La différence de traitement met à vif l'âme d'Epiklês plus encore que les coups de fouet n'arrachent sa peau.

Antalkidas, l'instructeur, l'aime décidément comme un fils : il prend la décision de l'expédier au loin, avant que ses bagarres avec les soldats ne fassent couler un sang inutile, qui serait nécessairement le sien. Il lui propose de s'embarquer pour Ephésos et de s'y enrôler comme mercenaire dans l'armée d'Agêsilaos, l'un des deux rois de Lakédaïmôn. Celui-ci lutte depuis un an contre les troupes des satrapes perses pour libérer les villes grecques d'Iônie, et recrute avant sa deuxième campagne de printemps. Epiklês parvient à entraîner dans son rêve son jeune frère, qui caressait plutôt celui de s'exiler à Athênaï afin d'y étudier la rhétorique et l'art de soulever les foules. Mais Epiklês se moque de lui : "Athênaï ? C'est notre mère qui t'a conseillé d'aller chez les bavards apprendre à ne pas te battre ?" Timolaos n'ose pas insister, bien que peut-être, dans le secret de son cœur, il ne se sente pas fait pour la vie de mercenaire. Ils parviennent à convaincre quatre ou cinq autres têtes brûlées de la simplicité de leur projet : apprendre la guerre au côté de ceux qui savent la faire, les Lacédémoniens, et revenir ensuite à Thespiaï pour chasser de leurs montagnes non seulement Thêbaï mais Lakédaïmôn elle-même ! Au début, ils ne seront pas hoplites, évidemment, ils ne sont pas assez riches pour se payer l'équipement de fantassin. Seulement peltastes, soldats légers, armés d'une lance courte, à peine protégés par un bouclier d'osier et prêts à se lancer, une dague entre les dents, dans le corps à corps. Les plus courageux des soldats, parce que les plus fragiles. Celui qui en réchappe, il est protégé par les dieux. Eux en réchapperont tous. La protection spéciale d'Hêraklês et leur solidarité sans faille leur permettront de devenir ensuite à la force du poignet des hoplites redoutés. Puis des cavaliers. Dans l'esprit d'Epiklês, c'est l'honneur suprême. Car le fils du dresseur de chevaux, malgré son inexpérience totale du combat, rêve tout simplement de changer la guerre. Sous son impulsion, la cavalerie ne sera plus seulement bonne, comme le croient les Spartiates, à protéger les hoplites sur leurs flancs, mais elle deviendra la force moderne capable de gagner à elle toute seule les batailles. Avant de prendre le chemin d'Aulis où ils s'embarqueront pour rejoindre l'Asie, ses cinq compagnons et lui grimpent à l'aube la voie sacrée de Delphoï et s'introduisent discrètement dans le grand temple d'Apollôn. Ils veulent se jurer solennellement, en réunissant leurs bras au-dessus de la pierre sacrée de l'Ombilic, qui est le Nombril du monde, de revenir au pays si riches, si fameux, si expérimentés, qu'ils lèveront sans peine une armée et libéreront de l'oppression non seulement Thespiaï mais l'ensemble de la Béôtie ! Ces jeunes exaltés se donnent pour réaliser leur rêve les quatre étés d'une olympiade.

Certains soirs, la voix rauque de mon père palpite encore à ce souvenir du serment de Delphoï. Mais moi, la petite fille qui l'écoute patiemment, ce n'est pas ce que j'attends dans sa légende. Je guette une autre image, plus sombre, plus inquiétante. Pour me confronter à elle dans la proximité rassurante de l'homme à la cicatrice, je lui en demande souvent le récit, interrompant le fil de ses exploits guerriers. Il me la raconte volontiers, avec un grand luxe de détails. Chaque fois qu'il en oublie un, je le corrige moi-même, comme si je savais si intimement cet épisode de la vie de mon père que je me l'étais incorporé et qu'il faisait désormais partie de la mienne. Comme si c'était mon propre destin qui s'y jouait. Comme si je le sentais déjà.

Cela se passe quelques jours avant le grand départ de Thespiaï. Epiklês a réussi à convaincre son jeune frère de l'accompagner à la guerre contre les Perses. Leur père, le métayer, à bout d'arguments, leur a imposé d'aller consulter avec lui l'oracle de Trophonios, qui se trouve dans une grotte en pleine montagne à plus d'un jour de marche de leur ferme. Epiklês et Timolaos chérissent depuis l'enfance la légende locale du "Nourricier", parce que lui aussi avait un frère. Les deux héros, après avoir partagé la vie et la mort, séjournaient ensemble sous la terre, nourrissant d'avenir les rêves des hommes. Pendant leur brève vie terrestre, ils avaient été, non pas des guerriers mais d'audacieux bâtisseurs : ils avaient osé édifier à Delphoï, au-dessus de la faille d'où montaient les vapeurs mystérieuses qui dilataient l'âme de la Pythie, le temple magnifiquement régulier d'Apollôn. Le dieu, pour les remercier, leur avait accordé le plus beau des présents : après six jours de bonheur, la mort. Car, comme le prétendait le proverbe, "ceux qu'aiment les dieux meurent jeunes". C'est ainsi que Trophonios et son frère, qui n'avaient pas eu d'avenir, révélaient le leur à ceux qui osaient descendre sous terre le leur demander.

Les trois hommes, le métayer et ses deux fils, rejoignent dans la plaine la rivière encore paisible de l'Herkyna. Remontant son cours de plus en plus hostile, ils s'engagent dans la forêt sacrée jusqu'au vallon caillouteux du sanctuaire de Trophonios. Les prêtres qui les accueillent finissent par accepter l'idée que les deux frères consultent l'oracle ensemble. Ils les escortent un peu plus haut dans le bois, jusqu'à la demeure du Bon Démon et de la Bonne Fortune. Au moment où Epiklês se déshabille pour prendre le bain rituel, les prêtres sont stupéfaits de découvrir les marques infamantes des coups de fouet sur son dos. Son père doit leur jurer sur le dieu qu'il n'est pas un esclave échappé mais un citoyen libre de Thespiaï, un partisan de l'autonomie, et leur raconter les circonstances de la bagarre avec les soldats spartiates et de la punition. Les prêtres, qui détestent les Lacédémoniens autant que les Thébains, se montrent d'un seul coup beaucoup plus amicaux. Lorsque l'eau coule sur la peau encore à vif, le jeune homme ne gémit pas une seule fois mais il ne peut empêcher tout son corps de frissonner. L'homme à la cicatrice se souvient qu'un léger filet de sang brun se mêle à l'eau rituelle et j'ai l'impression de le voir moi-même couler devant mes yeux fermés. Bien que j'aie déjà entendu ce récit cent fois, je m'inquiète moi aussi, car je sais que c'est un mauvais présage. Les prêtres, fronçant les sourcils, lui expliquent qu'ils ne sont malheureusement pas très confiants dans la réponse que les dieux donneront à leurs sacrifices. Sûrement Trophonios va leur refuser de descendre dans la grotte pour le consulter. Pourtant, lorsque le devin examine les entrailles du premier animal sacrifié, il doit reconnaître à sa grande surprise que la réponse est favorable : le Nourricier est disposé à les recevoir. Des cinq autres dieux à qui il faut demander l'autorisation, je me murmure pieusement le nom et le titre, Apollôn, qui possède l'oracle de Delphoï, Kronos, le Père du monde qui vit désormais dans ses profondeurs, Zeus Souverain, Hêra Conductrice des âmes et Dêmêtêr, la Maîtresse de la Terre, car tous acceptent de même leur passage.

Le grand soir de l'oracle arrive enfin. Les prêtres annoncent aux deux jeunes gens qu'il leur reste un dernier sacrifice à accomplir. Il leur faut descendre au fond d'une fosse où égorger un bélier pour demander son aide à Agamêdês, le frère de Trophonios, qui est le seul à pouvoir conduire le consultant sans qu'il se perde dans les entrailles de la terre. Or ce dernier Daïmôn, à la grande surprise des officiants, est lui aussi favorable. Les prêtres demandent au métayer d'attendre là le retour de ses fils, qui pourra prendre quelques heures, plusieurs jours, ou bien ne jamais se produire. Ils lui expliquent que, même lorsque la consultation s'est bien passée, ceux qui remontent de la Terre se sentent souvent si perdus, si déconnectés du réel, qu'il est bon que des êtres familiers les entourent pour les aider à reprendre pied. Et moi, c'est à ce moment du récit que je commence à en ressentir toute la magie. Comme si je respirais dans une atmosphère différente, dans un monde à la présence fluide, plus intense mais aussi plus menaçante, et qui était véritablement le mien.
À la tombée de la nuit, les deux jeunes gens sont préparés pour la descente à l'intérieur de la terre. Après les avoir séparés de leur père, on les conduit dans la gorge étroite et sinistre où coule l'Herkyna naissante. Là, deux enfants vêtus de blanc et de silence, apparitions surgies de la cascade dont le bruit les entoure comme d'un halo, les lavent du sang du bélier et les enduisent d'huile. Puis les prêtres les mènent à travers le bois (ces deux garçons entièrement nus, dont l'un est mon père, je les accompagne en frissonnant), vers le ruissellement obsédant de l'eau. Celle-ci provient de deux sources voisines. On leur fait boire quelques gorgées de chacune, après leur en avoir révélé le nom : Léthê l'Oubli et Mnémosynê la Mémoire. Il faut boire d'abord à la source d'Oubli, et vider leur esprit de toutes les préoccupations qui l'encombrent, avant de boire à la source de Mémoire, pour l'emplir de tous les signes incompréhensibles qui vont leur être délivrés dans les profondeurs de la grotte, et qu'ils devront ramener précautionneusement à l'air libre, afin que les

prêtres puissent les décrypter sans risque d'erreur. On les fait s'incliner devant une étrange statue de bois, dont on leur révèle que les morceaux furent assemblés par Daïdalos lui-même, l'autre architecte des temps anciens, en l'honneur de son rival Trophonios. Là, dans un sourire, l'homme à la cicatrice me dit qu'il ne peut me décrire ce qu'elle représentait, car il n'est pas permis d'en parler à celui qui n'a pas consulté l'oracle, et encore moins aux petites filles. Sans saisir l'allusion grivoise au sexe dressé de la statue archaïque (que je verrai moi-même bien des années plus tard), j'imagine aussitôt un monstre mystérieux, semblable au Minotaure.

Les prêtres font ensuite répéter aux deux garçons les paroles d'une prière pour demander une dernière fois protection pendant leur voyage dans les profondeurs. C'est seulement alors qu'on les revêt d'une tunique de lin blanc, serrée à la taille de bandelettes, comme s'ils étaient déjà des morts, et qu'on les chausse de grosses sandales, déformées par les pieds des centaines de pèlerins qui les ont précédés dans la plongée initiatique. Je revêts moi aussi ce costume rituel, qui ennoblit mes épaules et ma taille. Mon premier vêtement sacré, je l'endosse dans les récits de mon père. Je marche prudemment à travers la montagne entre les deux frères que j'ai pris chacun par une main, je traverse en leur compagnie le bois sacré, tout hanté du souffle des animaux féroces qui nous accompagnent dans notre voyage vers notre destin mais n'osent pas s'approcher de nous, car nous sommes protégés par les dieux. Seuls les serpents, réveillés par les torches, nous ouvrent le passage en glissant entre les feuilles chuintantes. Epiklês, malgré son courage, commence à s'inquiéter. Il sent que, sans lui, son jeune frère s'enfuirait. L'aîné s'interroge lui aussi, pour la première fois. Que va leur révéler Trophonios ? Et surtout, pourquoi vouloir connaître le futur ? Si le dieu leur dévoile qu'ils doivent mourir dès la première bataille, n'est-ce pas cette certitude qui les découragera de lutter et qui précipitera leur trépas ? N'est-ce pas cette curiosité folle qu'a l'homme de percer les secrets de l'avenir qui fige le hasard mouvant en destin ? Epiklês n'a jamais réfléchi auparavant à cette énigme, qu'il me transmet pieusement, à moi sa petite fille de cinq ans, même si je suis bien incapable d'en saisir la portée. Il se dit qu'il serait prêt pour son compte à affronter la révélation de la mort mais son frère ? Il ne s'inquiète que pour son autre lui-même. Dans cette angoisse, la petite procession finit par arriver à la grotte sacrée.

Celle-ci est protégée par une sorte de margelle circulaire, haute de deux ou trois coudées, dont la pierre immaculée semble palpiter à travers la nuit. Quelques marches creusées dans la margelle permettent d'accéder à une colonnade de fins barreaux de bronze réunis par une ceinture d'un métal plus sombre. On les fait tâtonner le long de ces plaques pour en chercher la porte. Elle est là, cachée quelque part. Les prêtres les laissent la trouver eux-mêmes. Alors, dans ce grincement prolongé qui résonne à leurs oreilles comme un sinistre avertissement…

L'homme à la cicatrice se plaît à faire durer le suspense, souriant du trouble étrange qui me saisit chaque fois qu'il parvient à cet endroit de son récit. Je ne peux m'empêcher de me mettre debout et, tandis qu'il m'ouvre les bras, de bondir sur ses genoux pour me serrer contre sa poitrine. C'est un jeu entre nous et c'est beaucoup plus qu'un jeu. Il me demande à chaque fois : "Tu veux que j'arrête ? Tu veux que je te raconte la suite un autre jour ?" et je lui réponds toujours : "Non, père, j'ai trop peur, continue !" Il rit longtemps avant de se remettre à parler et je ne suis jamais tout à fait sûre de comprendre pourquoi il rit.

Depuis la margelle, le jeune Epiklês découvre une sorte de vaste espace plat et circulaire qui lui rappelle l'aire où les esclaves de son père battent le blé. Au centre du cercle s'ouvre l'entrée d'un puits presque vertical, dont les flammes des torches éclairent la surface entièrement lisse : elle ne paraît pas naturelle, mais polie par la main de l'homme. Les prêtres leur annoncent que même eux n'ont pas le droit d'escorter les consultants plus avant. Ils remettent aux deux garçons une échelle étroite. C'est le seul moyen de descendre au fond du puits, à l'intérieur de la caverne, qui ne mesure que quelques coudées de large et de profondeur. Ils leur expliquent qu'ils devront tâtonner le long de la paroi, en se baissant à peu près à hauteur du sol, jusqu'à trouver une ouverture de deux pieds environ, que l'on appelle "la Faille" et qui les mènera jusqu'à l'antre obscur où les attend le Daïmon. Pour la passer, ils devront s'allonger de tout leur long sur le sol, sans lâcher les gâteaux de miel à offrir au dieu, glisser les jambes à l'intérieur du trou et se débrouiller pour les enfoncer jusqu'aux genoux. Alors, s'ils ont ce courage, ils sentiront que le héros les aspirera jusqu'à lui. Quand ils auront atteint le fond, ils ne devront surtout pas bouger. Simplement déposer à leurs pieds les offrandes et attendre, les yeux grands ouverts dans le noir, que le dieu veuille bien leur répondre. Il s'adressera à eux de la façon qu'il choisira, par des visions, par des bruits, peut-être même des contacts visqueux sur leur peau. Les signes seront lointains ou proches, doux ou effrayants. Personne ne peut savoir à l'avance. En tout cas, une chose est sûre. Quel que soit le signe, ils ne devront surtout pas bouger. Ni s'enfuir s'il est menaçant, ni, s'il est attirant, s'avancer à sa poursuite le long de la galerie, qui conduit jusqu'au centre du Royaume des Ombres mais se ramifie comme un labyrinthe en des directions multiples. Ceux qui osent s'y aventurer ne trouvent jamais le chemin de la sortie et la Terre ne recrache leurs cadavres qu'après bien des mois de dévoration. Il leur faudra avoir la patience d'attendre la réponse du dieu en se remettant entièrement à lui, en ouvrant dans l'obscurité leurs yeux et leurs oreilles à ce qu'il voudra peut-être leur apprendre. Une fois que l'oracle leur aura délivré son message, ils n'auront pour le retour qu'à emprunter le même chemin, en faisant bien attention à passer les jambes les premières dans la faille qui les hissera d'elle-même jusqu'à la grotte intermédiaire. S'ils ne sont pas assez purs, ou pas assez ouverts à la voix du dieu, celui-ci ne leur parlera pas, et il n'y aura plus rien à faire pour les sauver, ils mourront à l'entrée du souterrain !

Epiklês sent bien que les prêtres s'efforcent une dernière fois de les décourager mais il décide de tenter quand même l'aventure. Il ne se voit pas revenir auprès de leur père sans savoir si les dieux autorisent leur départ vers l'armée. Il sait que, sans cela, le chef de famille leur refusera la permission de quitter Thespiaï et qu'il leur faudra risquer sa malédiction. Mais il demande à son jeune frère de l'attendre au bord de la margelle et de le laisser descendre seul consulter au fond de la faille leur destin commun. Le cadet refuse tout net. Il paraît avoir plus peur de rester seul en haut que d'accompagner son aîné à l'intérieur de la terre.

Alors ils se lancent tous les deux. Ils descendent par la petite échelle et parviennent sans encombre dans la grotte. Les torches des prêtres les éclairant encore depuis le haut du puits, ils découvrent sans trop de mal la fente de la Faille qui doit les conduire de l'autre côté. Un des moments les plus désagréables est de s'allonger sur le sol humide et glacé pour glisser ses jambes à l'aveuglette dans le trou. Epiklês, qui passe en premier, se sent aussitôt aspiré à travers l'ouverture spongieuse (de combien, trois ou quatre coudées à peine, ou plus ?). Là, ce qui le pétrifie de surprise, bien qu'il en ait été prévenu, c'est que, d'un seul coup, il se retrouve dans le noir ! Plus de torche, plus de voix, rien qu'une obscurité muette d'une densité incroyable, d'autant plus oppressante qu'on en ignore les dimensions. Il ne parvient à distinguer ni la largeur ni la profondeur de la cavité, il ne trouve, en tâtonnant devant lui et sur les côtés, rien d'autre que le vide. Mais un vide presque épais, qui pèse tout autour de lui. Et... qui vit ! D'une vie inconnue ! Une présence énorme, atroce, inhumaine ! Oui, d'un seul coup, il en a la certitude, Quelque Chose est là, déjà, dans l'obscurité, qui l'a entendu venir et qui l'attend ! Non, encore pire : Quelque Chose *est* l'obscurité !

Et cette certitude, qui le heurte de plein fouet, fait craquer les parois fragiles de son cerveau ! Il comprend que, dans une seconde, il va devenir fou !

Heureusement, Epiklês est tiré de son vertige par le murmure affolé de son frère, qui l'appelle depuis le haut du souterrain. Il parvient à se contrôler et lui souffle (pourquoi parler à voix basse, qui peut les entendre, qui peuvent-ils déranger ?) de venir le rejoindre. Ensuite, les deux frères posent à leurs pieds les gâteaux et se serrent peureusement l'un contre l'autre. Ils attendent ce qui doit mettre un terme à l'obscurité et au silence, se disant que cela sera, de toute façon, moins effrayant que cette Chose sans nom dans quoi ils sont plongés. Epiklês doit s'avouer qu'il a très peur, pour la première fois de sa vie, une peur dont il sait désormais qu'elle gît en lui comme dans les autres garçons dont il se moquait jusque-là. Il porte à l'intérieur une Entité obscure, aussi mouvante, aussi menaçante que celle de la grotte, et n'attendant qu'un signe pour se ruer hors de lui en crevant ses parois. De se trouver plongé ainsi dans le noir total, face non à des êtres humains mais à rien, à un Rien vivant et hostile, capable de susciter en lui une force incontrôlable, le fait étouffer d'angoisse. Lui, le vaillant, voilà qu'il a peur du rien, voilà qu'il a peur de sa peur ! Il ne se reconnaît plus. Pourtant, il a déjà connu l'exaltation de la panique lorsque, acculé au pied d'une barre de rochers par des gamins d'un village adverse plus nombreux, il en venait à faire n'importe quoi, à perdre le contrôle en se jetant à leur rencontre, en se frayant un passage à travers eux à grands coups de cris, de poings, de pieds, de dents, distribués au hasard, et à se retrouver de l'autre côté sauvé sans savoir comment. Mais là, c'est autre chose. Là, c'est l'épouvante. Le frisson sacré de l'anéantissement total devant la présence de l'Autre. Heureusement son frère est à ses côtés. Il oublie un peu sa propre terreur en s'efforçant de redonner courage au jeune garçon, qu'il sent palpiter entre ses bras. Il lui murmure d'être attentif au message du dieu. Comme leur ont dit les prêtres : ouvrir grand ses yeux et ses oreilles pour que l'Obscurité les emplisse, s'ouvrir à la Présence mystérieuse et indubitable de la Terre, peuplée par les démons et les serpents et tout entière emplie d'eux.

Ils se calment, ils attendent et alors, rapidement, "ça" commence.

Moi, la petite fille, je sais très bien ce que va me raconter mon père. J'ai déjà entendu le récit des dizaines de fois, pourtant, je ne peux m'empêcher, lorsqu'il prononce ces mots, *"ça commence"*, de trembler d'épouvante. Oui, là, à chaque fois, quelque chose de fondamental commence aussi pour moi. Quelque chose que je n'oublierai jamais, même dans les moments les plus terribles de ma déréliction où je croirai avoir perdu jusqu'au souvenir de moi-même. Quelque chose sur quoi je fonderai la partie la plus secrète et la plus essentielle de ma vie. Quelque chose qui me tuera. Quelque chose qui me permettra de survivre. Et les deux, je mettrai encore beaucoup de temps à le comprendre, sont liés. La présence du dieu. Cette présence-menace, cette présence-promesse, que je ne sentirai jamais dans les cérémonies des cités qui m'accueilleront, ni dans aucun des rituels rassurants, des prières ou des sacrifices que je serai forcée d'accomplir avec tous mes concitoyens rassemblés devant l'autel au pied des marches des temples publics. Il me faudra inventer autre chose pour me retrouver face à l'Autre, seul à Seul. Même lorsque je n'en aurai pas conscience, lorsque je désirerai à toute force le fuir, je tracerai mon chemin vers Lui. Non, même pas Lui, *Ça*.

Oui, la peur de *Ça* et le désir de *Ça*. Le regret et la rage. Inextricablement liés. C'est là, dans le récit de mon père, qu'ils commencent.

Et au début très doucement.

Car ce qui vient vers les deux jeunes gens terrorisés, ce qui s'adresse à eux depuis les profondeurs, ce ne sont pas des visions, non, mais simplement des sons. La Terre leur parle de leur avenir en des grondements lointains qui se font entendre depuis leur arrivée mais qu'ils ne perçoivent que maintenant. Au fur et à mesure qu'ils se concentrent, les grondements deviennent des bruits, de plus en plus distincts. De plus en plus identifiables mais aussi de plus en plus mystérieux, parce que ce ne sont pas des paroles humaines mais comme des heurts de métal. Des coups frappés par des objets métalliques qui se briseraient les uns contre les autres, avec une grande violence, de plus en plus près, juste au-dessus de leurs têtes, et puis tout autour d'eux. Des chocs qui rappellent soudain à Epiklês ceux des armes contre les boucliers dans le camp d'entraînement. Oui, c'est comme si des Guerriers monstrueux, invisibles et multiples se battaient tout autour d'eux ! Comme s'ils étaient le centre minuscule d'un incompréhensible et terrifiant combat entre les Présences ! Epiklês se concentre tellement que les bruits deviennent un vacarme insupportable. Et puis le fracas cesse, non, il ne cesse pas mais se transforme, se dilue, c'est toujours du métal, mais c'est aussi de l'eau, c'est du métal qui coule, ce sont des torsions de serpent et des flux de métal, c'est un fleuve de métal en fusion qui passe en serpentant tout autour d'eux, c'est un ruissellement de pièces d'or, c'est un fleuve d'or ? Mais, à peine l'image s'est-elle formée clairement dans sa tête, que le son diminue et s'éloigne et se transforme encore peut-être, sans qu'il soit plus capable pendant un bon moment de l'identifier.

Et puis alors, comme il reste concentré, tout au bout, très loin, par en bas, le ruissellement devient murmure, chant, voix humaines, voix lointaines, voix de femme luisantes comme des écailles de sirènes, oui, une voix de femme qui lui adresse un ultime mot indéchiffrable, un nom mélodieux rempli de sifflantes, avant que le silence ne revienne, encore plus solennel et mystérieux qu'auparavant.

C'est terminé. Epiklês le comprend au bout de quelques secondes. Il se retrouve dans la nuit de la peur, presque roulé en boule tant il est replié sur ce qui en lui est capable d'entendre, le corps comme déformé par l'attention, comme transformé tout entier en oreille. Et c'est le silence maintenant qui lui cogne dans la tête comme le faisait le ruissellement quelques secondes auparavant, le silence qui occupe la place du bruit et fait autant de bruit que lui. Une ultime pensée passe par la tête d'Epiklês : et si ces sons n'avaient existé que dans sa tête, si c'était lui qui les avait créés de toutes pièces à partir de l'insupportable vide, tant il était pressé de mettre quelque chose à sa place ? Si ces bruits n'étaient que le battement de son sang cognant contre ses tempes et dans sa poitrine ? Si rien n'avait existé en dehors de lui, si tout depuis le début avait été créé par sa propre peur ? S'il était tombé dans le piège que lui tendaient les prêtres ?

Mais il n'a pas le temps d'explorer plus avant cette pensée sacrilège. Car, punition divine immédiate, dans un frisson de panique qui lui glace le sang, il se rend compte que *son frère a disparu !*

Epiklês ne tient plus Timolaos serré dans ses bras. Mais il ne sait absolument pas à quel moment son frère s'est détaché de leur étreinte. L'aîné se penche vers le sol pour voir si le cadet n'y a pas glissé, et, en même temps que ses mains tâtonnent, des pensées le traversent. Son frère le raisonnable est-il devenu fou ? Son frère le peureux s'est-il aventuré le long du souterrain malgré l'interdiction des prêtres ? Pourquoi cet idiot a-t-il fait ça ? Et lui, Epiklês qui pour une fois a obéi aux ordres, que va-t-il dire à son père en ressortant sans son frère ? Lui, le courageux, le seul des deux qui soit fait pour la gloire, ne sera-t-il pas obligé, par une ironie du sort, de rester à Thespiaï et d'y vieillir misérablement aux côtés de ses parents à la place du disparu ? Non, il doit absolument le retrouver ! Pas pour le sauver mais pour se sauver lui-même, pour réaliser son propre destin ! Comment faire ? S'enfoncer lui aussi dans le souterrain, les prêtres le lui ont bien dit, c'est aller à la rencontre de la mort ! Pourquoi devrait-il mourir à la place de son frère ? Son cadet qu'il n'aime pas, qu'il n'a jamais aimé, qui le gêne, qui lui pèse, qu'il déteste, qu'il méprise ! Cette haine informulée jaillit de lui, se détache de lui comme un bloc gluant d'argile, et, soudain, dans un éblouissement, à quelques mètres devant lui, il aperçoit Timolaos qui le fuit, qui s'enfonce en titubant dans le souterrain, les deux bras bizarrement tendus en avant, à la façon d'un somnambule, ou pour se protéger d'un coup. Comment Epiklês peut-il le distinguer si clairement dans l'obscurité ? Ses peurs et ses haines les plus puissantes peuvent-elles se matérialiser devant lui ? Dans quel gouffre à l'intérieur de lui-même est-il descendu ? Soudain, encore en dessous de ce flot de haine, comme s'il atteignait le lit de cailloux lisses sur lequel glisse l'eau bouillonnante de la source, il touche le désir brut de retrouver son frère. L'instinct animal de le sauver parce qu'il est une partie de lui et qu'il ne se conçoit pas sans lui. Toutes ces idées confuses, qu'il s'explique malaisément bien des années après en me les racontant (et je l'écoute, à la fois incapable de le comprendre et totalement fascinée), elles lui passent par la tête à toute allure, tandis que ses mains cherchent partout sur le sol en tâtonnant.

Alors se produit un autre phénomène étrange. Au moment même où, dix mètres devant lui, il voit Timolaos s'éloigner dans cette position effrayante, *les deux bras tendus en avant*, il sent son corps sous ses mains à dix centimètres. Non, son frère n'est pas là-bas, en train de s'égarer dans le souterrain (l'hallucination dure encore quelques secondes avant de s'évanouir), mais ici, pelotonné à ses pieds, tout recroquevillé, les mains non pas tendues en avant mais plaquées contre ses oreilles. Et maintenant Epiklês l'entend gémir. Il prend conscience que son cadet grelotte. Que sa tête heurte le sol à intervalles réguliers. Qu'il est en pleine crise de panique.

Et c'est presque rassurant.

Epiklês le prend dans ses bras. Il le serre très fort pour oublier lui-même le flot de haine qui a jailli. Au fur et à mesure que l'autre se calme, c'est Epiklês qui s'effraie, comme si, vidé de l'amour et de la haine, il pouvait s'emplir directement de la peur même de son frère. Il a soudain la certitude qu'il leur faut sortir le plus vite possible du souterrain s'ils ne veulent pas y rester. Alors il accepte de subir la première déroute de son existence, de reconnaître qu'il se trouve face à beaucoup plus fort que lui. Il fait passer son frère le premier par la faille, les pieds en avant, comme le leur ont recommandé les prêtres, même s'il trouve cette position humiliante, il obéit désormais, il se plie à tout. Il pousse la tête de son frère par l'ouverture étroite. Il le pousse de toutes ses forces pour le faire sortir de l'autre côté. Évidemment, ce jeune homme ne sait pas ce qu'est un accouchement, il ne saura jamais comment se passe cet événement auquel n'ont le droit d'assister que les femmes, et moi, la petite fille de cinq ans, je ne le sais pas non plus, mais tous les deux nous devinons que, dans ce moment de panique insensé, Epiklês, qui perd complètement le contrôle de lui-même, qui gémit comme une femme sa douleur et sa peur de mourir, est en train, littéralement, de mettre son frère au monde. De le rendre à la lumière.

Puis il s'engage à son tour dans *"le trou qui monte"*, ce sont ses mots, poussé par une terreur de plus en plus folle. Car la Terre les rattrape ! La Terre va les dévorer ! Elle est jalouse de ses secrets ! Elle doute maintenant qu'ils les méritent ! Voilà, c'est ça qu'il pense, lui, le chef de la bande des gamins de Thespiaï qui n'a jamais eu peur de rien, lui, le jeune homme qui a rassuré ses compagnons lors de l'initiation des éphèbes, lui le futur guerrier sans reproche : *la Terre veut les manger !* Et jamais une pensée n'a été aussi vraie que cette folie ! D'ailleurs, je n'en doute pas un instant, tant la voix de mon père, lorsqu'il prononce ces mots, est juste. Lorsque par hasard il oublie ce détail, lorsque ma nourrice, Manthanê, réussit à le persuader qu'il est beaucoup trop effrayant pour une petite fille et qu'encore une fois il va m'empêcher de dormir, je le lui demande avec insistance. "Père, de quoi tu as eu peur à ce moment-là ? Raconte-moi, raconte-moi quand tu as eu peur que *la Terre te mange !*"

Alors il me raconte cette peur ultime (sauf à l'instant de sa mort, s'il la voit venir en face, il ne pourra en éprouver de telle). Et il me raconte aussi la suite. La lueur des torches, de nouveau, là-haut, et les voix humaines des prêtres. Les deux rescapés qui se ruent vers l'échelle, qui l'escaladent l'un après l'autre. Une dernière fois, il est obligé de se retenir pour ne pas bousculer son frère dans le vide afin de passer plus vite. Ils parviennent enfin sur la margelle circulaire du puits, qui leur paraît encore plus blanche, plus polie, plus luisante, plus humaine après l'horreur obscure. Cette aire harmonieusement taillée, Epiklês sait maintenant sur quelles immensités de vertige elle repose. Un simple cachet de cire posé par les hommes sur le puits sans fond de la Présence divine. Les prêtres n'ont pas l'air surpris de l'état de confusion dans lequel ils voient ressurgir les deux frères. Ils ne prononcent aucun mot désobligeant. Ils les enveloppent dans des couvertures avant de leur humecter les lèvres d'un peu d'eau.

Puis, leur interdisant d'un geste de parler, ils les conduisent au dehors, à quelques mètres de la caverne, au milieu d'une clairière baignée par la lune. Là, ils les font asseoir sur un siège de pierre. Le "trône de Mnêmosynê", le siège sacré de la Mémoire. Les deux frères doivent y raconter tour à tour ce qui vient de leur arriver. Ils découvrent alors que leurs perceptions n'ont pas été les mêmes. Timolaos n'a entendu que le fracas initial, avant de se boucher les oreilles et de se laisser glisser sur le sol. Seul Epiklês a entendu le ruissellement et peut-être l'ultime murmure féminin. Il n'ose pas parler de la vision de son frère marchant les bras tendus dans le noir, tant elle est confuse, tant il arrive peu à se la formuler même pour lui seul. Après avoir écouté leur récit, sans ajouter un mot, les prêtres les ramènent au temple du Bon Démon et de la Bonne Fortune, où les attend leur père. Tout choqués par leur aventure, désorientés par leur séjour dans le noir, ils mettent encore de longues minutes avant de le reconnaître et de pouvoir plaisanter avec lui.

Lorsque les prêtres reviennent pour leur communiquer l'interprétation du message du Daïmon, ils s'adressent d'abord à Epiklês : "Si tu pars faire la guerre au loin et que tu en réchappes, de l'or coulera entre tes doigts. Tu ramèneras chez toi un trésor, de quoi consacrer une statue en or à la déesse de la Bonne Fortune qui t'a parlé aujourd'hui.

— Et moi ? s'exclame le jeune frère.

— Ce que Trophonios t'a dit sur toi, tu t'es bouché les oreilles plutôt que de l'entendre. Peut-être t'es-tu montré sage ?"

Puis les prêtres leur font écrire ce qu'ils ont vu en quelques lignes sur une tablette de cire. Après l'avoir consacrée, ils l'abandonnent dans le temple du Nourricier, au milieu de milliers d'autres. L'homme à la cicatrice conclut à chaque fois le récit de cette partie de son aventure par les mêmes mots : "Peut-être cette tablette s'y trouve-t-elle encore ?" Il rêve à voix haute de pouvoir retrouver là-bas la trace du jeune homme qu'il était et celle de son frère. Mais il n'osera jamais retourner consulter l'oracle, comme s'il continuait, des années après, à en avoir confusément peur.

Par la suite, lorsque dans la capitale de l'esprit je fréquenterai les philosophes, l'un des plus péremptoires et des plus faméliques, un jeune homme furibond du nom de Kratês, cherchera à m'imposer de l'oracle son explication rationnelle. D'après lui, c'est la progression savamment concertée des sacrifices préalables, la longue attente que ces malins de prêtres font durer à dessein plusieurs jours, puis la cérémonie nocturne, l'entrée dans la grotte elle-même, c'est tout ce rituel qui place le consultant dans l'état de tension propre à créer la vision plus encore qu'à la recevoir, ce qu'a d'ailleurs pressenti un instant mon père. Quant aux bruits eux-mêmes, ils peuvent très facilement s'expliquer par le ruissellement des deux rivières qui prennent leur source dans la grotte.

Si l'on raisonne, le philosophe est dans le vrai.

Mais Epiklês ne raisonne pas. Il ressent. Il me fait ressentir.

Ce guerrier brutal sera toute sa vie plongé plus que mon philosophe dans l'action. C'est justement parce qu'il est soumis à la menace permanente de la mort réelle que ce combattant a besoin de croire dans une protection surnaturelle. Sa vie ou sa mort dépendent des dieux mais il dépend de lui de se les concilier. Des années plus tard, très loin de la grotte primordiale du Nourricier, aux confins de la Baktriane et du monde connu par les Grecs, dans la nuit précédant un combat à livrer en infériorité numérique écrasante, alors que son détachement sera acculé dans la nasse d'un défilé rocheux, il surprendra l'un de ses lieutenants babyloniens en train d'appeler à son secours, d'une voix suppliante, Ishtar la Déesse-Mère. Aussitôt, sans se poser de question, le rude capitaine, habitué depuis toujours à invoquer, malgré Athêna et Artémis, les dieux mâles de la guerre grecque, pliera les genoux et, roulé en boule sur le sol, répétera en khaldéen, sans les comprendre mais à pleins poumons, les sanglots de l'enfant qui appelle à son secours sa Mère, qui supplie la Lionne toute-puissante de surgir au milieu de la mêlée pour défendre ses petits. Sans se poser de question, parce qu'il n'y aura plus rien d'autre à faire, il s'ouvrira de toute son âme en pleurant à la puissance de la divinité étrangère qu'il découvrira cette nuit-là. Sans se poser de question, il la verra dans la lumière de l'aube se dresser toute armée à ses côtés pour l'aider à remporter le combat perdu d'avance. Son lieutenant périra au cours de cette bataille, non sans avoir eu le temps de lui transmettre son amulette de la Déesse aux sept Voiles. Par la suite, même après son retour en Grèce, en souvenir de son camarade mort et de cette nuit de transe, Epiklês priera Athêna Ishtar au milieu des autres Olympiens. D'une certaine manière, c'est parce qu'il est froidement réaliste qu'il accepte ainsi sans discuter les manifestations multiples de l'irrationnel.

Et moi, sa fille, aussi. J'écouterai avec intérêt mon ami le philosophe, bien qu'aucune de ses analyses ne soit capable d'aller au cœur de mon expérience. Jamais elles ne parviendront vraiment à entamer la puissance que ce récit originel gardera toujours sur mon âme, à supprimer l'attente qu'il ouvrira en moi. Elle sera parfois ma seule arme. Le seul bagage qui me permettra de traverser les catastrophes de mon destin de femme et d'affronter ses enthousiasmes. Je pourrai la délaisser mais je reviendrai à elle chaque fois que je serai exposée à la Peur. À la Joie. À tout ce qui est plus grand que moi en moi.

Sur le chemin du retour, le métayer ne prononce pas un mot jusqu'à ce qu'ils aient franchi de nouveau la rivière près des faubourgs de Lébadeïa. Il déclare alors qu'il autorise Epiklês à aller chercher la fortune au loin, s'il le souhaite, mais qu'il l'interdit absolument au plus jeune de ses fils. Il consent à laisser partir à la guerre le plus fou des deux mais compte sur le plus sage pour continuer, en élevant leurs bêtes, son œuvre de paix. Malgré leurs supplications, le père refuse de se laisser fléchir. La mère, elle, tente de les persuader qu'elle a besoin de ses deux fils, et pas seulement d'un, mais alors c'est Epiklês qui feint de ne pas l'entendre. Son destin l'entraîne loin de ses vieux parents et de Thespiaï. Lorsqu'il reviendra, il fera leur bonheur à tous. Elle pleure mais elle comprend. Elle est fière. Au moins, elle le lui dit. Il ne sait pas qu'il ne la reverra jamais, et que, lorsqu'il reviendra, l'ancienne Muse sera morte depuis longtemps, de chagrin et d'abandon. Ou peut-être qu'il s'en doute mais qu'il s'en moque. Après tout, elle n'est qu'une femme, elle n'est qu'une mère.

Le matin du départ, le jeune Timolaos, désespéré, ne se lève même pas de sa paillasse, dans le grenier ouvert en plein ciel au-dessus des écuries où ils dorment tous les deux depuis l'enfance. Il préfère rester tourné contre le mur plutôt que souhaiter bonne chance à son frère aîné. Ce dernier n'insiste pas. Lui aussi aime mieux que la dernière image qu'il emporte de son cadet soit ce dos hostile plutôt que sa marche les deux mains tendues dans l'obscurité. Mais lorsque les six futurs mercenaires redescendent du temple de Delphoï où ils ont prononcé leur serment, ils trouvent Timolaos assis au sommet d'un rocher surplombant le carrefour, juste en face du petit édifice consacré à Athêna Pronaïa qui marque l'entrée du sanctuaire. Malgré les conseils et les menaces, le jeune homme refuse catégoriquement de revenir en arrière. Son destin n'est pas plus que celui d'Epiklês d'être métayer. Leur père s'en doute bien. D'ailleurs, comme il a toujours chéri le cadet plus que l'aîné, il s'abstiendra sûrement de le maudire. "Aucun souci à se faire, leur explique-t-il dans un sourire désarmant, les dieux et mon père ne peuvent s'empêcher de m'aimer !"

Alors les sept jeunes gens réunis marchent d'un pas léger vers leur songe de gloire et de sang. À Aulis, le port d'où s'est embarquée vers Iliôn l'armée akhéenne chantée par le vieux poète des légendes, ils trouvent un capitaine qui veut bien, malgré les risques d'être arraisonné par les navires de Konôn, ce traître d'Athénien passé au service des satrapes, les emmener jusqu'à Ephésos, où le général spartiate recrute. Pendant toute la traversée, Epiklês et ses compagnons se disent qu'ils sont Akhilleus, Diomêdês, Ajax, Ménélas. Même son jeune frère se voit en héros d'épopée, en Odysseus. Pas le plus costaud mais le plus rusé de tous les Grecs, celui dont les Troyens devront reconnaître qu'il est leur pire ennemi. Et moi aussi, la petite fille, la reine des Amazones, debout à côté d'eux sur le pont du navire, je laisse la mer violette couvrir d'un casque d'embruns mes cheveux dénoués.

Voilà, c'est dans ce récit-là, celui de mon père, que, les mois où je mourais lentement en exil dans ce bordel d'un port dont je ne connaissais rien, j'ai trouvé mon seul refuge. Plongée au fond du gouffre, je me répétais les épisodes de la geste du jeune Thespien comme des formules magiques que j'aurais apprises petite fille sans en comprendre le sens et qui, seules, pouvaient me servir maintenant à me protéger. J'échappais à mon présent, en me projetant dans le passé le plus ancien de mon père. Je n'y existais pas encore mais il me promettait que j'étais protégée, comme lui, par des sommes de hasard et de puissances légendaires qui me dépassaient infiniment.

Mais c'est fini maintenant. Je m'éveille. Depuis la nuit dernière, où j'ai croisé le Sculpteur, depuis la nuit dernière, où la maquerelle Alkê m'a prise sous son aile, je suis sauvée peut-être, mais aussi arrachée malgré moi à l'antre nourricier, et projetée à la lumière ! Au petit matin, dans l'obscurité crasse de ma cellule lourde de sueurs jamais éventées, mes yeux cillent, parce qu'ils ne sont plus habitués à voir si clair. Que va-t-il m'arriver ? Pourquoi faut-il que je sache de nouveau où je me trouve et d'où je suis issue ? Quelle autre bifurcation imprévisible va prendre mon destin ? Qui dois-je encore devenir ?

Je ne parviens pas à envisager la moindre réponse à ces questions. Elles m'effraient.

Parce que, désormais, je ne suis plus au-delà de la peur. Je suis en plein dedans.

7

DIRE OUI OU DIRE NON

Les quatre jours suivant la visite du Sculpteur, rien ne se passe. Alkê se montre toujours aussi secourable. La maquerelle veille à la porte de ma cellule, expliquant au Boskos que la gamine est malade et qu'elle ne peut pas travailler. Depuis que la Muette a gagné presque neuf drachmes d'un seul coup, le patron me regarde avec un respect teinté de méfiance et les autres prostitués, filles et garçons, avec une jalousie mêlée de considération. Plusieurs fois par jour, Alkê m'enduit d'huiles magiques, dont une qui sent tellement le pourri que ses exhalaisons, remontant de mon ventre, m'enveloppent d'un halo de nausée. Mais elle ne tient aucun compte de mes protestations. Après le déjeuner, quand tout le monde est sorti au soleil, elle me baigne à l'étage dans la grande cuve et me frotte de parfums. Puis, dès que les autres sont rentrées, elle m'oblige à passer plusieurs heures dans l'arrière-cour, au grand air, mais en me protégeant sous une ombrelle des rayons agressifs. Elle me répète sans cesse : "Pense à rien, ma chérie, à rien d'autre qu'à la façon dont tu as roulé le type aux neuf drachmes !" Le reste, c'est son affaire.

Enfin, au matin du cinquième jour, après m'avoir inspectée soigneusement, Alkê me donne l'ordre de m'habiller. Elle me déclare que nous allons à Athênaï m'acheter de nouveaux vêtements plus élégants avec une partie de mes gains mais je me doute tout de suite qu'il ne s'agit que d'un prétexte. C'est pourquoi, sur une brusque impulsion, je demande à ce que nous accompagne la petite Glykeïa, que nous croisons dans l'escalier. La "Sucrée", c'est la gamine qui pleure toutes les larmes salées de son corps au moment de descendre dans la salle pour attendre les clients et ne s'arrête que lorsqu'elle peut poser sa tête sur mes genoux. Elle s'est attachée à moi sans raison.

Tant que j'étais emmurée en moi-même, je ne lui ai jamais témoigné que des signes d'affection machinaux. Mais je suis la seule auprès de qui elle trouve un peu de réconfort, les autres filles la rudoyant sans cesse pour se soulager de leur impuissance. Moi, je la tolère, et c'est déjà beaucoup. Je ne sais rien d'elle, ni d'où elle vient, ni comment elle s'appelait avant. Je ne lui ai posé aucune question et elle parle aussi peu que moi. Elle se contente de rechercher mes caresses comme un petit animal silencieux. J'affirme à Alkê que j'ai besoin d'elle pour porter mes habits neufs mais la vérité, c'est que je me sentirai plus en sécurité à côté de cette gamine mutique. Comme si ce n'était pas moi qui la protégeais mais le contraire.

Ce caprice aussi, sans discuter, le Boskos l'accepte. "Aux mêmes conditions que pour l'autre", glisse-t-il à Alkê. Je dresse l'oreille. Allons-nous être revendues ? À qui ? Pourquoi ne me garde-t-on pas ici alors que je viens de donner la preuve inattendue de mes talents ? Est-ce le riche Athénien qui souhaite me racheter ? Ce type, je ne me rappelle déjà plus vraiment son visage, seulement la délicatesse précise de ses gestes. Mais mon cœur, à la seule perspective de lui appartenir, s'affole de joie. Ou, au moins, de soulagement. Pourtant, Alkê refuse de répondre à mes questions. De son côté, Glykeïa, sans m'en poser une seule, me prend la main avec confiance. La petite a raison. Qu'est-ce qui peut nous arriver de pire que de croupir dans cet immonde caveau ? D'ailleurs, je dois me calmer, garder la tête froide, être très sûre de moi et très lucide, pour saisir ma chance si elle se présente !

Mais je n'y parviens pas. Aujourd'hui encore, tant d'années plus tard, je me souviens par brusques bouffées de cette marche triomphale vers Athênaï. Il suffit d'un matin de soleil à la fille de seize ans que je suis alors pour s'enivrer de lumière et d'espace, comme les jeunes guerriers thespiens du récit de mon père sur le bateau qui les emmène vers Ephésos. Et puis, c'est la première fois, depuis le jour où j'ai échoué dans le port du Peïraïeus, que je m'aventure au-delà de l'arrière-cour de ma prison. Nous marchons sur un large chemin poussiéreux mais bordé d'ifs bien droits, entre deux pans de ciel d'un bleu profond, lavé de frais et pas tout à fait sec, claquant comme un linge exposé à la brise du matin. Je me sens l'âme dilatée, prise dans la fraîcheur de cette grande lessive. Ma vie change ! Ma vie redevient ma vie ! Je sais très bien que je reste une esclave mais j'ai l'impression d'être déjà un peu libre. Je ne suis plus une petite putain mais une fille de roi, Nausikaa en personne. Le dieu, de nouveau, me tient dans sa paume. Nous entrons dans la ville par la Porte du Port. Tout étourdie de liberté, je ne vois rien de ses monuments célèbres, je jette à peine un regard vers la citadelle sacrée qui la domine, vers les temples immenses palpitants du bleu et de l'ocre rouge de leurs peintures crues, vers la statue dorée d'Athêna dont la pointe de la lance étincelle au loin sous les rayons du soleil. Mes yeux se perdent avec plaisir au spectacle de ruelles pourtant aussi tortueuses et crasseuses que celles des bas quartiers de Thespiaï. Ces cris de marchands, cet encombrement de charrettes et d'étalages, ces odeurs d'épices, de friture, de fruits pourrissants au soleil, ces remugles différents de la sueur et des parfums grossiers du bordel, quelle jouissance ! Celle qu'éprouve Perséphonê, chaque fois qu'elle est rendue à l'éblouissement multiple du monde des vivants, à son délicieux éparpillement, après les six mois de nuit où elle a dû servir le dieu des morts dans son royaume glacé !

Alkê nous entraîne loin de la foule des marchands qui se pressent aux alentours de l'Agora et dont plusieurs nous apostrophent pour nous proposer des tissus. Elle ne les écoute même pas. Comme je m'en doutais, nous ne sommes pas montées à la ville pour acheter des vêtements. Désormais, je suis sûre au moins d'une chose, c'est qu'on va me proposer une chance de ne jamais revoir le bordel du Peïraïeus. Encore faudra-t-il la saisir ! J'essaie de me souvenir des traits du riche Athénien mais j'y parviens de moins en moins. Son visage s'efface, seules ses mains s'imposent. Ses mains qui rejettent doucement le rabat de mon manteau pour me dénuder le visage, ses mains qui passent sur ma joue pour y tracer le signe ancien de la confiance, ses mains qui pressent les miennes pour tenter de leur faire rassembler mes cheveux, dans un geste dont j'ai deviné l'intention – leur faire reconstituer mon chignon – mais pas le sens plus profond que cet homme paraissait lui donner. Et puis ses mains qui me mettent en position, les jambes dressées devant mon visage, la vulve serrée, au moment de me pénétrer. À ces mains fines et fermes, à ces mains qui savent ce qu'elles veulent, moi, je vais me livrer entièrement, sans trembler, quoi qu'elles me demandent, quoi qu'elles fassent de moi, pourvu qu'elles me gardent auprès d'elles !

Nous nous engageons dans un quartier plus calme. Presque désert. Il me rappelle celui où je vivais à Thespiaï et qui s'étendait paisiblement le long des remparts, près du temple d'Aphroditê Mélaïna. Nous nous approchons de la porte d'une maison retirée. Deux étages mais une façade pas très impressionnante. Est-ce vraiment ici qu'habite l'homme riche qui veut me racheter ? Alkê frappe. On met longtemps à nous ouvrir. Et celui qui retire la barre de la porte puis qui glisse sa tête à l'extérieur, c'est le chien Kerbéros en chair et en os ! L'une de ses trois têtes ! Le mufle balafré le plus patibulaire que j'aie jamais vu ! Il grogne. Alkê lui glisse quelques mots. Il nous dévisage, puis, sans rien dire, avec une hideuse grimace, qui paraît une menace plutôt qu'un sourire, s'efface pour nous laisser entrer. D'un seul coup, je suis dégrisée. Après l'exaltation, l'inquiétude. Ce dogue humain appartient-il à l'Athénien délicat ? À quel Hadês, encore plus inquiétant que le Boskos parce que plus riche et plus raffiné, cette traîtresse d'Alkê est-elle venue me livrer ? Elle non plus n'a pas l'air particulièrement rassurée. Quant à la gamine, elle s'accroche à moi en tremblant de la tête aux pieds.

Après l'ombre du vestibule, notre guide nous fait avancer le long d'un péristyle profond, que je n'aurais jamais soupçonné derrière l'étroite façade borgne de cette maison. Il encadre un bassin intérieur d'une eau presque verte où miroite doucement le soleil. À l'intérieur d'une des premières pièces donnant sur la colonnade, j'aperçois quatre ou cinq formes fluides et blanchâtres. Des filles. Toutes très jeunes, certaines n'ayant pas même l'âge de Glykeïa. En train de répéter un pas de danse. Vêtues de tuniques qui descendent jusqu'à leurs pieds mais presque transparentes et qu'elles font voler gracieusement autour d'elles dans la pénombre. Ailes bruissantes des colombes qui nichaient dans les acrotères du temple d'Aphroditê Mélaïna et qui prenaient toutes en même temps leur envol, lorsque je venais les nourrir avec Manthanê. Les petites regardent passer notre groupe avec curiosité mais la voix impérieuse d'une femme, qu'on ne distingue pas dans l'obscurité, les ramène à leur exercice. Dans une autre salle résonnent des sons d'instruments de musique, luths, tambourins, crotales, cithares. Et puis, par-dessus et par-dessous toutes les autres, la double voix mélodieuse de l'aulos, la flûte dont je n'ai pas joué depuis plusieurs mois et dont la sonorité venteuse m'étreint brusquement. En m'effleurant de son aile pour m'entraîner dans ma maison de Thespiaï, elle me fait venir les larmes aux yeux. Mais nous ne nous arrêtons pas. Lorsque je tente de glisser un œil dans la pièce sombre pour apercevoir les musiciens, je crois deviner qu'il s'agit là aussi seulement de filles très jeunes.

Soudain, au bout du péristyle, une dernière apparition : cette nymphe-là est plus âgée que les autres, presque de mon âge et, dans le soleil rasant qui noie la galerie, elle se dresse entièrement nue. Étrange, cette nudité en plein jour. Étrange, le tour que l'inconnue est en train d'accomplir. Elle jette très haut un cerceau cerclé de poignards, qu'elle rattrape au vol puis qu'elle fait rouler autour de ses épaules et de ses hanches en se glissant à l'intérieur sans se blesser à ses pointes effilées. À notre approche, l'acrobate s'interrompt. Elle me jette un long regard, insistant, mais pas hostile, plutôt interrogateur, même si je ne devine pas le sens de la question qu'elle me pose. Je remarque alors le souffle court qui soulève sa poitrine, sans que l'expression figée de son visage trahisse le moindre effort, les gouttes de sueur coulant entre ses seins menus, et même, sur ses épaules, plusieurs estafilades causées par le bizarre instrument de torture qu'elle tient de la main droite. Il y perle du sang. Le Cerbère grogne sans s'arrêter et l'inconnue s'efface dans la pénombre d'une salle pour nous laisser passer. Je lui jette un dernier regard. Son sourire crispé ne s'est-il pas transformé en grimace ?

Après l'agitation de la rue, j'ai l'impression de pénétrer dans un monde mystérieux, où chaque être que je croise serait un envoyé des dieux chargé de me délivrer un message sur mon avenir proche. Un monde entièrement féminin, à part le Dogue Gardien et peut-être le propriétaire des lieux, l'Athénien qui règne comme un satrape perse, invisible et tout-puissant, sur ce harem de petites filles. Un monde très doux, très pur, où pourtant l'on s'occuperait de choses terribles. Oui, cette atmosphère paisible mais lourde de menaces n'est pas celle d'un simple gynécée. Elle évoque plutôt celle d'un temple. La demeure d'un chœur de Muses enfantines, d'une secte innocente mais secrète qui s'y livrerait à la préparation d'un rituel mystérieux. Elle me rappelle le récit que me faisait mon père autrefois de sa visite à l'oracle de Trophonios, dont le souvenir affleure sans cesse à ma mémoire depuis quatre jours : ces enfants muets qui purifient les fidèles avant de les conduire entièrement nus à travers bois vers le centre de la terre où les attend la réponse à leur énigme.

Le portier balafré nous a abandonnées dans la pénombre d'une salle plus vaste que les autres située tout au bout du péristyle. Alkê s'est décidée à me jeter quelques mots d'explication : comme je l'ai deviné, elle va me faire rencontrer quelqu'un. Je n'ai rien d'autre à faire qu'à me taire et à laisser ce quelqu'un trouver ce qu'il cherche. À la fin je répondrai oui à ce qu'il me proposera peut-être. Elle ajoute : "Si ça marche, moi et le Boskos, on y gagnera mais toi aussi, la Muette, crois-moi !" Puis elle se tait. Nous attendons longtemps, la petite et moi, assises à l'endroit où Alkê nous en a donné l'ordre, sur la margelle de la colonnade qui s'ouvre d'un côté et de l'autre de la porte. La lumière maintenant brutale frappe nos épaules mais nous n'osons pas bouger. Au centre de la pièce, dans la pénombre et la fraîcheur, se dresse un siège à dossier haut, pourvu d'accoudoirs. Un trône. Mais je remarque qu'Alkê s'est bien gardée de s'y asseoir. Debout, elle attend patiemment comme nous. Malgré la brûlure du soleil, malgré la crainte de me mettre à suer et de n'être plus très appétissante, je suis bien résolue à rester à ma place. Je ferai tout ce qu'exigera de moi le propriétaire des lieux pour qu'il ne me renvoie pas vers l'horreur humide du bordel, dont je sais déjà qu'elle me paraîtrait encore plus insupportable après cette échappée à l'air libre. Si l'on ne me laisse pas revivre ici, de retour là-bas je mourrai.

Entre alors, par la porte du fond, non un homme, mais une femme. Est-ce le "quelqu'un" que l'on attend ? Je suis stupéfaite. Déçue. Inquiète. Je me prépare depuis plusieurs heures à revoir celui que j'appelle "mon riche Athénien", l'homme qui n'a pas de visage mais des mains exigeantes. Je suis prête à m'offrir à ces mains, ou à celles de n'importe quel autre type. Je suis sûre de pouvoir, sinon le manipuler, comme je l'ai fait la nuit des huit drachmes et six oboles, du moins le retenir par ma docilité totale. Mais une femme ? Alkê la salue respectueusement. L'hôtesse, après avoir pris le temps de s'asseoir sur son trône, lui rend son salut avec une certaine sécheresse. Pourtant, elle claque dans ses mains et une esclave silencieuse apporte aussitôt une chaise basse, sur laquelle, d'un geste, la maîtresse de maison invite Alkê à s'asseoir. Elle ne nous a pas accordé le moindre regard, ni à Glykeïa ni à moi, qui nous sommes spontanément levées à son entrée. Nous restons debout dans la lumière qui nous blesse la nuque. Je me suis juré de me montrer parfaitement humble mais la curiosité est trop forte et, tandis que les deux femmes commencent à échanger des formules de politesse, je glisse vers l'inconnue quelques coups d'œil furtifs.

Elle est âgée d'une cinquantaine d'années. La régularité de ses traits suggère qu'elle a dû être belle. Ce qui me frappe surtout c'est, malgré le léger empâtement du bas du visage, sa majesté. Hêra, l'épouse de Zeus, la déesse souveraine. Sa tunique stricte, pourvue d'un rabat, ceinturée très haut sur la poitrine pour dissimuler les formes du corps, sa coiffure nette, aucune boucle ne dépassant du chignon retenu par un double bandeau de couleur crème, l'absence de bijou et, bien évidemment, de maquillage, son attitude, sa façon de parler, tout dénote d'emblée la femme respectable. Pourtant, lorsqu'on la regarde mieux, comme je continue à m'y risquer, on distingue un vague air de ressemblance avec Alkê. Pas seulement le même âge mais presque la même forme de visage, la mâchoire un peu forte donnant quelque chose de vulgaire à leur autorité. Quel lien ancien unit la maque-relle de l'Antre des Sirènes et cette matrone honnête ? Deux sœurs que le sort aurait séparées, l'une menant l'existence d'une bourgeoise à Athênaï et l'autre celle d'une gardienne de putains au Peïraïeus ? Deux femmes de nature semblable mais auxquelles les hasards de la vie auraient accordé deux places opposées dans la société humaine ? Pourtant, je continue à imaginer l'inconnue comme une chaste prêtresse régnant sur un sanctuaire. C'est pourquoi je suis stupé-faite, en revenant à la réalité, d'entendre qu'Alkê est en train de lui raconter en termes crus, sans lui cacher aucun détail, la façon dont j'ai soutiré dix drachmes en une seule passe à un riche fêtard égaré dans notre bordel. La femme se tourne vers moi. Elle me considère attentivement tandis qu'Alkê achève le récit de mon exploit. Puis, après quelques instants de silence, elle me jette, d'une voix toujours aussi calme mais sèche : "Déshabille-toi !"

Je reste interdite. Depuis le matin, je m'attendais à une demande de ce genre mais cet ordre froid me prend par surprise. Pendant ma seconde d'hésitation, la maîtresse de maison a plissé les yeux avec impatience. Je réagis. Détachant d'un geste empressé la fibule de ma tunique, je laisse celle-ci tomber à mes pieds. Je me tiens nue devant les deux femmes et la petite fille qui m'accompagne. Pour-quoi me sentir aussi gauche, plus gênée peut-être que je ne l'ai jamais été depuis des mois qu'on me dénude de force ? Parce que ce désha-billage ne se passe pas de nuit, dans une cellule obscure et puante, mais à la lumière du jour ? Parce que je m'exhibe non pas devant un homme mais sous le regard d'une femme que je devine impérieuse et calculatrice ? Alors que je viens de découvrir comment me jouer du désir des hommes, je ne dispose pas ici de cette arme nouvelle, confrontée à deux professionnelles qui connaissent sûrement mieux que moi tous les trucs de la séduction. Retrouvant le geste instinc-tif de défense que j'ai déjà eu l'autre nuit devant le riche Athénien, je place l'un de mes bras devant ma poitrine et l'autre main devant mon sexe. Mais la femme ne sourit pas comme l'a fait le client. Elle me jette avec dureté : "Enlève tes bras, idiote !" Tout en obéissant, je me force à ne pas baisser la tête pour regarder l'inconnue dans les yeux.

Cette dernière paraît n'accorder aucune importance à mon attitude de défi. Elle ne s'intéresse qu'à mon corps, l'observant avec un soin scrupuleux, comme elle le ferait d'une brebis qu'elle s'apprêterait à acheter sur le marché pour un sacrifice et dont elle veillerait à ce qu'elle soit sans défaut. Elle m'oblige à m'exhiber de face, puis de dos. Se levant de son siège, d'un mouvement impatient de la main, elle me force à écarter les cuisses, se penche même à hauteur de mon bassin pour me renifler l'entrejambe, ainsi que la maquerelle l'a déjà fait quelques jours auparavant. Y passe le revers de l'index qu'elle considère ensuite avec soin. Avant de demander à Alkê, dans un demi-sourire entendu : "Elle est saine ?

— Sinon, je te la proposerais pas.

— En tout cas, je vois que tu t'es bien occupée d'elle."

Je sens monter en moi la révolte. Puis, soudain, une autre idée me passe par la tête, un souvenir incongru ou providentiel : cette femme m'examine comme mon père le faisait d'un cheval. Dans la rudesse de la maquerelle, comme dans celle du cavalier, je ne dois trouver ni violence ni volonté de blesser, mais l'attention désintéressée d'une maquignonne de la beauté féminine. Implacable, oui, mais impartiale. Au lieu de me rebeller, je devrais être capable de porter sur mon corps ce même regard neutre pour le transformer en une machine à séduire les hommes. Contrôler ma respiration et le moindre de mes gestes. Laisser tomber à mes pieds mes sentiments comme une tunique inutile. Déserter provisoirement mes membres pour atteindre à la distance de cette observatrice. Mais je n'y parviens pas encore. Je me sens tellement fragile, exposée, maladroite ! Sans autre carapace que ma peau nue. Parvenue à ce point de mes réflexions, je me rends soudain compte que l'autre me regarde dans les yeux avec curiosité. Comme si après avoir fait le tour de mon corps, elle investissait, avec la même aisance professionnelle, mon esprit de jeune putain inexpérimentée.

Puis elle s'assied de nouveau sur le fauteuil qui trône au centre de la salle. Elle laisse tomber le constat : "C'est vrai, tu es belle." Mais elle ajoute aussitôt avec une moue dédaigneuse : "Malheureusement tu ne sais rien faire de ta beauté."

Anéantie, je baisse la tête. Cette femme, qui était mon unique chance de salut et dont je sens qu'elle va se lever dans un instant pour me planter là, elle a raison. Mille fois raison ! Le succès inespéré que j'ai remporté sur le client aux huit drachmes et six oboles n'était dû qu'au hasard. Depuis, emportée dans le flot de mes souvenirs par la brèche qu'il a ouverte en moi, je n'ai pas pris le temps de me l'approprier vraiment, avec une froideur technique. Maintenant, parce que je n'ai pas su profiter de cette chance pour me sauver moi-même, jugée indigne de la lumière de cette maison, je vais être renvoyée au fond de mon enfer humide ! La maîtresse de maison frappe deux fois dans ses mains. Cette fois, c'est le Cerbère qui entre. Ou un autre Cerbère. Le visage de celui-ci, bien que tout aussi patibulaire, me paraît légèrement différent. Peut-être plus jeune, moins couturé de cicatrices que d'étranges tatouages ? Combien sont-ils à garder la maison lumineuse de cette Perséphonê ? Deux, ou même trois brutes sinistres qui ne feraient qu'un seul être, comme le chien des Enfers au dos couvert d'écailles de serpent, prêt à broyer dans sa triple mâchoire tous ceux qui seront exclus du Royaume ? Celui-ci ne me jette pas un coup d'œil, à moi la fille nue et tremblante qui me tient debout au centre de la pièce devant les deux femmes habillées. Il est habitué sans doute à pareille scène d'humiliation. Dans mon angoisse, je vois soudain passer devant mes yeux l'image des filles-colombes en train d'agiter les ailes de leurs voiles transparents à travers la pénombre du péristyle. Et je m'écrie : "Je sais jouer de l'aulos, maîtresse ! Je sais danser !" Alkê a l'air aussi surprise que l'inconnue. Celle-ci me regarde, goguenarde : "Vraiment ?" Mais elle glisse un ordre au Cerbère tatoué, qui sort aussitôt. Au bout de quelques instants, il revient, en portant dans un étui de cuir une double flûte. Lorsqu'il me la tend, il m'adresse un regard qui passe à travers moi mais ne me voit pas.

Depuis le début de cette entrevue cauchemardesque, toute la confiance que j'avais retrouvée dans ma beauté et dans mes souvenirs s'est évanouie, je suis redevenue une fille-objet parmi des milliers d'autres. Pourtant, je tente de lutter. De me persuader que je sais assez bien jouer de l'aulos pour saisir la dernière chance qu'on m'offre. Ou du moins que je savais, autrefois, avant. Qu'il m'en reste peut-être assez de souvenirs pour faire illusion. Je me hâte, je ne fixe même pas le harnais de cuir derrière ma tête, je règle maladroitement l'anche double de la flûte sur mes lèvres et je commence aussitôt, sans m'échauffer, à souffler un air. Mes doigts se meuvent gauchement, c'est la première fois depuis des mois qu'ils sont en contact avec la corne et le bois poli de cet instrument si difficile, et pourtant, pourtant, le miracle n'est-il pas en train de se produire ? Mon souffle se rassemble comme avant dans ma gorge, il se remet à tourner d'une joue à l'autre, retrouvant comme par miracle ce mouvement circulaire si difficile à maîtriser, si étourdissant, et, après le prélude des premières notes maladroites, bientôt la mélodie des montagnes béôtiennes qui m'est venue spontanément aux lèvres prend son envol sur le tuyau de droite, tandis que, sur celui de gauche, commencent à voleter les fioritures encore grêles de l'accompagnement. Oh oui, de nouveau, je joue ! Et je joue bien ! Je me détends, je me rassure, je m'épanouis dans la distribution de mon souffle, je vais me laisser aller au plaisir retrouvé de la musique lorsque la femme m'interrompt brutalement : "Arrête !" Puis, levant les yeux au ciel, elle siffle entre ses dents, exaspérée : "C'est ça que tu appelles jouer de l'aulos ?" Le Cerbère tatoué, qui s'était reculé dans un coin sombre de la pièce, fait aussitôt deux pas en avant et tend la main vers moi, ou plutôt vers l'instrument, qu'il m'enlève d'autorité, avant que je n'aie eu le temps de le porter de nouveau à mes lèvres. Glykeïa me jette un regard catastrophé. La vieille Alkê, détournant les yeux, ne prononce pas une parole pour me venir en aide. De plus en plus affolée, je tente de ravaler mon envie de pleurer.

Soudain, une pensée consolante : danser ! Me placer sous la protection d'Isodaïtês, mon dieu personnel, comme je le faisais autrefois, lorsque j'étais une fille libre et que je provoquais l'admiration des foules de Thespiaï. Au moment de jouer de l'aulos, j'ai oublié de lui demander protection, et c'est pour cela que j'ai été vaincue. Mais là, je t'invoque, Isodaïtês ! Toi que les Grecs appellent Erôs, ou quel que soit ton nom, je vais danser en ton honneur, alors prends-moi dans ta paume ! Aide-moi à triompher de l'hostilité de cette femme, qu'elle soit obligée de reconnaître ma grâce et ta puissance ! Après cette prière muette, je place mes deux bras en position haute et je commence à faire osciller lentement mes mains autour de mes poignets. Oh, le plaisir de ces gestes qui naissent au bout de mes doigts et que je retrouve, eux aussi, pour la première fois depuis tant de mois ! Non, ni le dieu ni moi n'avons rien perdu de notre pouvoir ! Je sens, je sais que, cette fois-ci, emportée dans ses ailes, je vais me montrer si souple, si forte, si précise, si déliée, que la prêtresse de ce temple profane, malgré sa sévérité, sera obligée de m'accorder son attention et de me garder auprès d'elle ! Un sourire me vient aux lèvres ! Un sourire de triomphe ! Je suis belle, toujours aussi belle ! Toujours aussi pure ! Rien ne peut m'atteindre, parce que rien n'a pu me détruire !

Pourtant, je n'ai pas achevé la présentation du dieu mâle, ni eu le temps de mettre en mouvement mes hanches pour lancer son envol, que l'implacable maquerelle, d'un claquement de sa sandale sur le sol, m'interrompt, encore plus brutalement que la première fois. Son ton se fait sarcastique, presque insultant. Comme si elle se repentait d'avoir accordé trop de temps à une paysanne sans intérêt et voulait se venger de cette erreur d'appréciation en m'humiliant : "Et ça, c'est ce que tu appelles danser ?

— Oui !"

J'ai crié. Ma rage, ma haine. Celui qui te méprise, toujours lui rendre son mépris ! La voix a jailli de moi malgré moi.

"Comment ? Qu'as-tu dit ?"

Alkê veut intervenir mais, d'un geste sans réplique, la femme l'oblige à se taire. Elle répète : "Qu'as-tu dit ? Je n'ai pas bien entendu."

J'hésite à répondre. Toujours rendre le mépris, mais seulement si tu t'es montré plus fort que ton ennemi. La danse d'Isodaïtês, je le perçois à cette seconde avec plus d'acuité que jamais, c'est ce que j'ai de plus cher. C'est mon enfance qui m'a été rendue il y a quatre nuits en même temps que le souvenir de mon père. C'est le souvenir si cruel et si doux des autres êtres que j'ai aimés et qui m'ont laissée être arrachée à eux. C'est le seul bien qui me reste. Je suis persuadée que cette femme stupide se trompe, j'ai peut-être manqué l'épreuve de l'aulos mais j'allais réussir celle-ci, j'allais danser dans les ailes du plus souple des dieux. Isodaïtês, qu'on insulte à travers moi, va répondre par ma bouche et ce sera une réponse cinglante ! Adressée non seulement à cette maquerelle obtuse mais à tous ceux qui m'ont humiliée depuis des mois ! Ensuite, je réintégrerai la tête haute ma prison humide, d'où je trouverai le moyen le plus digne de sortir, en me laissant malgré les coups mourir de faim et de refus. J'ouvre la bouche pour cracher, en accord avec le dieu, mon mépris à la face de ce monde répugnant... et... et je me retrouve à genoux, tendant mes paumes suppliantes vers ceux de ma persécutrice, murmurant humblement : "Pardonne-moi !"

Comment ? Comment ai-je pu, en ne cherchant qu'à laisser parler le dieu, m'abaisser une fois encore ? En plus, cela ne suffira pas à me sauver. La femme s'adresse à moi de la même voix coupante : "Je n'ai pas bien entendu. Lève la tête !" Ma nuque se redresse et, de nouveau, ça parle à travers moi, ça dit : "Pardonne-moi, maîtresse !", d'une voix que je ne me connais pas, forte, claire, souple mais humble. Si infiniment humble ! C'est impossible, le dieu lui-même ne peut pas ainsi s'humilier par ma bouche ? Et l'autre qui continue à m'accabler sans pitié : "Lève la tête mais baisse les yeux !" Oui, bien sûr, tout de suite, la tête levée, les yeux baissés ! Ensuite, plusieurs secondes de silence, où je ne sais pas ce qui se passe de l'autre côté de mon front incliné, mais où Isodaïtês m'intime l'ordre de garder cette position de suppliante. Puis mes humbles paupières, il m'oblige à les relever. Je me rends compte que mon ennemie, penchée vers moi, brusquement radoucie, est en train de m'observer de plus près avec ce qui ressemble à de la surprise.

Et même de la perplexité.

Voilà qu'au lieu de me renvoyer d'où je viens, moi la petite sauvageonne mal apprise, elle se met à me parler. Pourquoi cet accès de forfanterie, elle qui d'ordinaire est si secrète qu'elle ne discute de ses affaires qu'avec son mari, et encore ? À qui se dévoile-t-elle en réalité à travers moi, elle qui ne se confie jamais à personne ? À qui explique-t-elle, avec un mouvement irrépressible d'orgueil, qu'elle est fière de posséder cette belle maison parce que, pendant si longtemps, elle ne fut considérée elle-même que comme un objet que l'on possède, une vulgaire marchandise sans plus de valeur que nous deux, les deux petites putains, ou que cette vieille maquerelle d'Alkê, qu'elle me désigne d'un geste sans pitié du bras et qui ne proteste pas ? Esclave de naissance, maintenant c'est elle qui possède des esclaves ! Elle qui n'avait pas de nom, maintenant elle porte celui qu'elle s'est choisi : Nikarêtê, "Celle-qui-triomphe-par-sa-valeur" ! Elle l'a rendu fameux dans tout Athênaï. Elle ne peut s'empêcher de me raconter qu'il y a longtemps, dans sa jeunesse, elle appartenait avec Alkê à un maître particulièrement dur, le vieux Kharisios, le métèque d'Eléa, qui possédait une fabrique de boucliers et plusieurs maisons de prostitution. Mais un soir où il faisait en bougonnant sa tournée d'inspection, par hasard, au milieu de toutes les autres filles, il a jeté un œil distrait sur elle. Cette chance unique, elle ne l'a pas laissée passer. C'est à ce moment précis que son destin s'est séparé de celui d'Alkê. Elle s'est tellement bien occupée de l'ignoble Kharisios cette nuit-là, et les suivantes, avec tant de docilité, tant de soumission, tant de zèle savant, que, de fil en aiguille, et sans même qu'il s'en rendît compte, il a fini par l'affranchir. Cinq années, oui, elle a mis cinq années entières, caresse après caresse, à le circonvenir. Mais à la fin, ce salaud, à qui elle avait su inspirer de la tendresse, lui a accordé la permission d'épouser un homme libre. Alors, froidement, elle a jeté les yeux tout autour d'elle, avec sa lucidité de putain et son envie féroce d'honnêteté. Il s'agissait de ne surtout pas se tromper dans sa première décision de femme libre. Même si sa beauté attirait à ses pieds les hommes les plus célèbres d'Athênaï, son choix s'est porté sur Hipparkhos, un simple cuisinier. Métier peu considéré, c'est vrai, par tous ces crétins de bonne naissance qui méprisaient le travail manuel et croyaient que leur seul prestige suffirait à la faire grimper dans leur lit en tant que concubine, jusqu'à ce qu'ils se soient lassés d'elle. Mais métier potentiellement très lucratif. Si Hipparkhos était encore peu connu à l'époque, il se montrait déjà très entreprenant dans ses affaires. Il avait aussi l'avantage d'être un citoyen prêt à se remarier avec une affranchie, parce qu'il avait déjà des enfants libres de sa précédente union. Elle n'a guère eu de mal à le convaincre qu'il formerait avec elle, femme avisée qui connaissait la vie et qui était aussi savante dans son domaine que lui dans le sien, une association des plus profitables. D'ailleurs, ni l'un ni l'autre n'a eu à se repentir de cet accord commercial que fut, dès le début, leur union. Aujourd'hui, ils organisent ensemble les banquets les plus réussis d'Athênaï. Une ville autrefois puissante, certes, mais qui ne veut pas s'avouer qu'elle n'est plus réputée à l'étranger que par la qualité de sa cuisine et de ses fêtes. Hipparkhos s'occupe des poissons et des vins, Nikarétê des divertissements et de la chair fraîche. Il apporte sur place ses casseroles, elle ses flûtistes. Évidemment, ils continuent à verser une partie de leurs gains au fils de Kharisios, son ancien maître, qui leur fournit la clientèle de ses riches amis. Ainsi, tout le monde y trouve son compte !

Pourquoi l'ancienne putain, devenue maquerelle florissante, perd-elle son temps à me raconter sa vie, à moi qui ne suis pour elle qu'une insignifiante gamine ? Pour me faire comprendre qu'elle aussi, pendant trop longtemps, elle a été une victime ? Oui, elle sait parfaitement ce qui se passe à l'intérieur d'un bordel municipal dans la belle cité d'Athênaï ! Ce qu'on y vit. Comment on y meurt. Certaines pleurent, comme cette petite aux yeux battus qu'Alkê lui a amenée en même temps que moi mais qui n'a rien à faire chez elle, où l'on ne pleure pas, et qui repartira tout à l'heure d'où elle vient. D'autres se ferment et s'abîment en elles-mêmes. La plupart se résignent et survivent tant bien que mal quelques années. Toutes finissent une pierre autour du cou au fond du port ou à mendier dans les rues lorsqu'elles sont vieilles et que plus personne ne veut d'elles. À moins que, comme Alkê, elles ne trouvent une petite place auprès d'un Boskos qu'elles aident à préparer pour le sacrifice son troupeau de brebis toujours renouvelé. "Certaines aussi, ajoute Nikarêtê, avec un sourire de mépris, les plus orgueilleuses, comme toi, se rebellent. Mais, à la fin, elles sont brisées. Le but, tu vois, ce n'est pas de se rebeller mais de triompher ! Rares sont celles qui, comme moi, décident de ne plus être des victimes et encore plus rares celles qui se donnent les moyens d'y parvenir. Je peux me le dire avec le même tressaillement d'orgueil qu'à quinze ans, lorsque le vieux Kharisios m'a fait redemander une seconde nuit, alors qu'il ne goûtait jamais qu'une seule fois à son bétail humain. Non, je ne suis plus une victime, alors que depuis le jour de ma naissance, celui où l'on m'a trouvée exposée dans une jarre sur les marches du temple d'Aphroditê Pandêmos, j'étais destinée à cela ! C'est pourquoi j'apprends à celles que j'appelle mes « filles », et que je traite avec la dureté de la mère que je n'ai pas eue, à ne pas devenir des victimes mais des profiteuses, car l'on est soit l'un, soit l'autre. Quant à mes vrais enfants, ceux que j'ai eus d'Hipparkhos, ils ne deviendront jamais des citoyens athéniens, d'accord, mais ils seront beaucoup mieux que cela : libres et riches. Alors n'ai-je pas le droit de dire que j'ai parfaitement réussi ma vie ? Que je n'ai pas seulement outrepassé le destin qu'on me réservait mais que je m'en suis fabriqué un autre de toutes pièces ? N'ai-je pas le droit de te jeter mon orgueil au visage, toi qui es aussi somptueuse que stupide, de le crier à ce vide plein de présence qui résonne tout autour de toi dès que tu te laisses un peu aller à oublier ta gaucherie ? Car la vérité, c'est que, même au temps de mon éclat, je n'ai jamais été à moitié aussi belle que toi. Mais, si tu en es encore là, à plus de seize ans, avec toute cette sauvagerie de paysanne, tout cet orgueil déplacé de princesse perse de pacotille, c'est que tu ne mérites pas ta beauté ! Si tu n'as pas été fichue d'apprendre la vie et les hommes à plus de seize ans, c'est qu'il est sans doute déjà trop tard !"

Les yeux de Nikarêtê, qui, jusque-là, dans tout ce discours qu'elle s'est tenu à elle plutôt qu'à moi, étaient fixés dans le vide au-dessus de ma tête, descendent maintenant vers la gamine agenouillée à ses pieds, suffoquant sous le torrent glacé de ses paroles. J'avais soif de reconnaissance et elle me tue. Pourtant, dans son regard, si je ne trouve aucune douceur, oh ça non, je discerne quelque chose d'autre qui pourrait ressembler à de la gravité. Une sorte de compréhension rude. Presque austère. Manthanê, mon exigeante nourrice, aurait pu poser sur moi ces yeux-là. Nikarêtê, après ce moment de silence, reprend la parole d'une voix plus sourde : "Pourquoi je te raconte tout ça au lieu de me débarrasser de toi ? Je ne sais pas. Vraiment pas. Peut-être simplement parce qu'à ton âge, au moment où Kharisios a posé sa main sur ma nuque et m'a fait m'agenouiller devant lui pour la première fois, j'ai eu moi aussi un instant la tentation de me rebeller et de montrer les dents. Mais j'ai eu au contraire le courage de faire mes lèvres très douces. J'ai compris. Et toi, tu comprends ?

— Oui, maîtresse, je comprends très bien !"

Ma main s'égare jusqu'à saisir le bord de la tunique de Nikarêtê. Celle-ci incline alors le buste pour me regarder d'encore plus près. Comme si elle voulait franchir le dernier obstacle de ma réserve. Manthanê s'approchait ainsi jusqu'à me toucher, dans mon enfance, lorsqu'elle croyait que je dormais. Ces deux femmes savantes se ressemblent dans leur façon impérieuse de se pencher sur moi. C'est le souvenir de Manthanê qui m'aide à accepter l'insupportable proximité de Nikarêtê, les yeux bienveillants de la nourrice qui m'aident à ne pas regimber devant ceux impitoyables de la maquerelle. Je sais que cette dernière est en train de me jauger. Définitivement. Alors, même si j'ai peur, je dois m'ouvrir entièrement à son regard. Accepter de mettre devant lui mon âme à nu encore plus que mon corps. Me laisser pénétrer par ce regard dur de femme sans indulgence, qui veut me fouiller jusqu'à trouver ma vérité, celle que je ne connais pas encore moi-même, celle qui crie à l'intérieur de moi "oui" ou au contraire "non".

Et ça dure.

Ça dure un long moment.

Puis elle se remet à parler. Mais cette fois-ci sans l'exaltation de son premier discours. Avec une précision presque coupante. Désormais, elle me dicte ses conditions : "Par choix, je n'ai qu'un cheptel limité de filles. Une dizaine, à peine. Je les achète toutes petites parce que j'ai l'œil pour deviner les rares qui deviendront des femmes aussi belles qu'elles ont été de jolies petites filles. Mais je ne forme que celles qui se révèlent douées. Les autres, je les revends sans pitié. Mes élèves, je ne leur apprends pas à devenir des putains, mais des musiciennes, qui seront louées dans les banquets élégants. Voire même, pour les plus capables, des hétaïres, qui auront un jour le privilège de s'allonger aux côtés des hommes qu'elles auront su prendre dans leurs filets, pour regarder avec une moue dédaigneuse leurs anciennes compagnes s'épuiser à jouer de la flûte et danser nues devant elles.

À chacune de ces gamines, j'enseigne les bases. Puis elle se forme en devenant la demoiselle de compagnie de l'une de ses aînées déjà en activité. Elle apprend le métier comme on doit l'apprendre, sur le tas, en situation. Quand elle a douze ans, je la fais dépuceler par mon mari, qui, malgré son tempérament brutal, fait ça très bien. Sans violence, parce qu'il s'agit pour lui de ne pas gâcher la marchandise, et sans douceur, parce qu'il s'agit pour elle non pas d'éprouver du plaisir mais d'apprendre à recevoir celui de l'homme. Ensuite, dans les banquets, je la fais passer pour mon enfant, ce qui me permet de la louer encore plus cher, car les citoyens adorent faire l'amour à des petites filles de condition libre. Ils ont l'impression de transgresser la loi, ça les excite encore plus. Voilà mon métier tel qu'il est. Sans fard. Voilà ce que je suis et voilà ce que je fais. Et toi ? Tu as quel âge ? Seize ans au moins ? Tu es très belle, c'est sûr, mais déjà tellement vieille ! Les autres, je les ai depuis l'enfance et je leur donne une éducation complète. Peut-être serait-il encore possible de faire quelque chose de toi, si tu te montrais docile et motivée. En es-tu capable ? Je te regarde agir depuis une heure, tu fais ceci et son contraire, et j'ai bien peur que tu ne sois pas assez résolue pour rattraper ton retard et devenir une hétaïre digne de la réputation de ma maison. Je ne veux pas te prendre si tu n'es pas d'accord. Entièrement d'accord. On peut être forcée à être putain, tu le sais, mais pas à être hétaïre. Il ne s'agit pas d'une différence de beauté, ou de niveau social ou de culture, mais d'état d'esprit. Il faut le vouloir. De toute son âme. Non pas accepter son sort, comme peut-être tu as réussi à t'y résigner, mais le désirer. S'en faire à soi-même une condition tellement enviable qu'elle inspire aux hommes le désir de commettre des folies pour la partager avec toi. Qu'elle rend les femmes honnêtes hargneusement jalouses de ta liberté et de leur servitude. Sache que, si je te prends, je vais te transformer. Impitoyablement. Je vais te briser pour te reconstruire à mon idée. Tout ce que tu as été auparavant ne m'intéresse pas. Tout ce que tu as appris. Tout ce que tu as vécu. Les morceaux de flûte de ton enfance. Les pas de danse répétés avec tes sœurs ou les camarades de ton âge dans ton village. Je veux que tu oublies tout. Je veux que tu redeviennes entre mes mains comme une petite fille de sept ans, docile et disciplinée. Es-tu prête à parfaire ton éducation au milieu de gamines deux fois plus jeunes que toi ? Et sans considérer cela comme une humiliation ?

— Oui !"

La même exclamation que tout à l'heure, lorsque Nikarétê s'est moquée de ma façon unique de danser. Le "oui" qui vient du dieu. Mais, cette fois-ci sans aucun accent de révolte, tout d'acceptation et de soumission ! Alors la terrible patronne, de façon totalement inattendue, me sourit. Saisissant mon visage entre ses deux mains, elle l'attire à elle, dans un geste d'affection surprenant. Et elle me pose une question qui me bouleverse : "Dis-moi, petite fille de sept ans, comment t'appelles-tu ?" Première fois depuis des mois que l'on me pose cette question toute simple. Première fois depuis des mois que l'on ne me désigne pas comme "la Muette", "la Béôtienne", ou simplement "toi", "ça", "hé". Dans quel recoin de moi-même trouver le souvenir de mon propre nom ? Nikarétê me sourit de nouveau, encore plus gentiment : "Ma pauvre petite, tu hésites ? Tu ne sais plus comment tu t'appelles ?

— Si, maîtresse, je me souviens. Je m'appelle…"

Et je prononce les quatre syllabes distinctes de ce nom que je croyais à tout jamais enseveli dans les décombres de la catastrophe. Je les fais revenir à lumière : "… Mnasaréta." Les sourcils de Nikarétê se froncent imperceptiblement. Je me dépêche d'ajouter : "À Athênaï, vous diriez Mnêsarêtê." J'ajoute fièrement, comme le faisait mon père : "Celle-qui-se-souvient-de-sa-vertu." Le sourire indulgent de Nikarétê s'élargit encore : "Vraiment, petite Béôtienne, c'est comme ça que tu t'appelles, Mnasaréta ? Mnasaréta fille de qui ?" Je n'hésite plus à lui rendre son sourire. J'échange ma confiance contre son indulgence. Comme si nous concluions vraiment notre contrat. Comme si elle trouvait enfin le chemin de mon cœur et que je le lui ouvrais tout grand : "Mnasaréta fille d'Epiklês et…" Soudain, sans prévenir, elle me gifle. Durement. À toute volée. Mais je suis tellement stupéfaite que je n'ai même pas mal. C'est la surprise qui me cuit et fait tourbillonner des papillons devant mes yeux. La surprise et, au fur et à mesure que je réalise ce qui vient de se passer, la honte de ma naïveté et de mon abandon. Nikarétê me fouaille maintenant de ses paroles : "Non, sotte, tu ne t'appelles pas comme ça. Le nom que t'a donné ton père, tu peux l'oublier. Ton père, ta mère, ton frère, ta famille, tes amis, tu peux les oublier. C'est la dernière fois que je te le répète. Comment t'appelles-tu ?" Plus aucune idée ne s'imprime dans mon esprit. Je finis par bredouiller : "Je ne sais pas, maîtresse…

— Très bien. Enfin une parole sensée. Moi, je sais comment tu t'appelles. Tu t'appelles Mélitta. Dans ton dialecte comme dans le mien, ça veut dire « Douce-comme-le-miel ». Un vrai nom d'hétaïre.

Un nom de guerre faussement doux. Il dit ce que tu n'es pas et que tu vas devenir entre mes mains. La fille qui n'aura plus rien de sauvage ni de rebelle, et dont le sexe saura se montrer aussi doux que le miel en se répandant autour de celui des hommes. Mais uniquement de ceux qui le méritent. Ceux qui sont assez riches. Tu vas devenir la fille-miel, aussi sucrée que lui et aussi collante. Jamais ils ne pourront se dépêtrer de toi. Tu as compris ? Comment t'appelles-tu ?

— Mélitta.

— Mélitta fille de qui ?

— Je ne sais pas.

— Mélitta fille de personne et de Nikarétê. Si tu n'es pas prête à accepter ça, ne reste pas. À la moindre rébellion, au moindre signe d'impatience ou même simplement de nostalgie, une seule larme de regret sur ton enfance, et le sort que je te ferai réserver par mes serviteurs sera beaucoup plus atroce que tout ce que pourrait imaginer ton Boskos ou les marins les plus tordus du Peïraïeus. Ici, nous sommes à l'extrême bord du quartier du Kérameïkos. C'est le quartier des voyous. Crois-moi, ils n'ont pas froid aux yeux. Mais le matin où ils retrouveront ton cadavre après que les trois gardiens de mes Enfers se seront amusés avec toi, aucun d'entre eux n'osera même le toucher. Ou pire : je te donnerai à mon mari, le cuisinier, et l'on ne retrouvera jamais aucun des morceaux de ton corps qu'il aura dépecé vivant. Tu comprends ? Je n'ai pas de temps à perdre. Et toi non plus. Mes autres petites filles, je les laisse pleurer de temps en temps, mais pas toi. Tu as seize ans à oublier d'un seul coup !"

Ces paroles m'effraient. Mais je refuse de céder à la panique qui me gagne. Je ne veux plus penser qu'à réussir ! Qu'à gagner la confiance et l'admiration de Nikarétê. Tout oublier d'un seul coup, je sais faire. Oh oui, comme je sais faire ! Je vais tout ré-oublier d'un seul coup, et cette fois-ci lucidement, délibérément. Pas pour me noyer, pour me sauver ! "Tu vois, ma petite Mélitta, reprend Nikarétê, qui m'observe avec attention en train de réfléchir et qui se met à me caresser cette joue qu'elle a giflée si sèchement quelques instants auparavant, le terrible avantage de rester avec moi, c'est que, si tu oublies ton enfance et tout ton passé, si tu oublies tes parents et tous les moments heureux, tu oublies aussi toutes les horreurs. Tout ce que je devine et qui ne m'intéresse pas, tout cela disparaît. N'a jamais existé. Seul l'avenir existe. Celui que toi et moi nous te ferons. Je t'offre la chance inouïe de naître de rien. Tu comprends ? Tu es d'accord ?"

Et moi, qui fus naguère Mnasaréta, la fille la plus libre de Thespiaï, moi qui préférai alors être brisée plutôt que de dire oui, je prononce le mot divin de ma soumission encore une fois.

Aussitôt, d'un geste, Nikarêtê m'invite à me relever et me renvoie dans la pénombre près de Glykeïa. Elle se tourne vers Alkê. Les deux maquerelles se mettent à parler argent. La négociation ne dure que quelques instants. Ma nouvelle maîtresse m'achète sans discuter quatre cent cinquante drachmes. Elle claque deux fois dans ses mains. Le Cerbère tatoué sort. Quelques instants plus tard, c'est un autre gardien patibulaire qui fait son entrée. La troisième tête du chien des Enfers, celle du milieu, plus mince, plus froide, sans cicatrices ni tatouages mais le crâne encore plus impitoyablement rasé. Il porte sans effort un coffre. Ma nouvelle maîtresse en sort des pièces qu'elle compte soigneusement. Lorsque celles-ci ont changé de mains, disparaissant dans le creux de la tunique d'Alkê, Nikarêtê s'informe poliment de la répartition des bénéfices de ma vente et l'autre lui répond bien volontiers : "Un tiers pour le propriétaire, un tiers pour le Boskos, un tiers pour moi. Je touche cent cinquante drachmes.
— Bien, bravo, je te félicite !"
Nikarêtê complimente avec sincérité celle qu'elle traite désormais comme sa vieille amie pour le profit qu'elle fait sur mon dos. L'autre lui répond avec un sourire de satisfaction : "La bonne affaire, c'est peut-être toi qui la fais. Cette gamine est vraiment belle." Mais ma nouvelle propriétaire hausse les épaules avec désinvolture : "On verra. Il ne suffit pas d'être belle, tu sais bien." Elles parlent de moi en ma présence comme si je n'étais pas là. Je les écoute, stupéfaite par la somme, et plus encore par le naturel froid avec lequel elles envisagent les questions d'argent. À côté de moi, dans la pénombre, la petite Glykeïa n'ose plus me prendre par la main. Elle me regarde avec admiration. Et avec angoisse aussi. Que va-t-il advenir d'elle ?
Nikarêtê propose obligeamment à Alkê de la faire raccompagner par l'un de ses trois Cerbères, dont elle prononce le nom, Mentês. Ce n'est sûrement pas cette gamine souffreteuse qui serait capable de la défendre, elle et les quatre cent cinquante drachmes, si jamais elle se faisait attaquer dans le quartier, qui n'est pas sûr, même en plein jour. Alkê s'approche de nous. Elle m'adresse la parole onctueusement : "Ne m'oublie pas, Mélitta, maintenant que tu as l'occasion de faire fortune. Si jamais un jour tu as besoin d'une personne de confiance, pour quoi que ce soit, tu sais que tu peux faire appel

à moi." Puis elle jette : "Dépêche-toi, Glykeïa, il se fait tard, le port est loin." La petite me jette un regard suppliant. Les yeux de Nikarétê se posent aussi sur moi, se plissant durement pour voir si je vais oser parler en faveur de ma petite protégée.

J'hésite.

Je me dis que, désormais, je ne dois plus m'occuper que de moi. Je me persuade que je ne peux pas prendre le risque d'indisposer ma nouvelle maîtresse dès le premier jour, que j'essaierai de récupérer Glykeïa dans quelque temps, lorsque je serai plus libre de mes mouvements. Mais je sais déjà que ce n'est pas vrai. En fait, je ne veux pas me charger d'elle. Je ne veux pas m'encombrer de ses larmes et de sa faiblesse, au moment où j'y renonce pour mon propre compte. Je la sacrifie. Délibérément. Au bout de quelques secondes de silence, la petite comprend que je ne vais pas ouvrir la bouche. Elle ne pleure pas. Elle ne pleure plus. Même pas indignée par mon silence. Mais résignée. Elle n'attendait rien d'autre. Elle aura déjà eu une matinée de soleil. Après m'avoir effleuré une dernière fois la main, elle s'éloigne à la suite d'Alkê. Vers la salle humide du bordel, les brutalités des autres filles, les doigts fripés des clients se glissant sur ses seins et vers son anus, les coups du Boskos, la pierre et la corde qu'il lui réserve, lorsqu'il en aura assez de ses pleurnicheries. La vieille maquerelle et l'enfant putain sont ramenées aux Enfers par le premier des trois Cerbères, le plus effrayant, celui au visage couturé d'affreuses cicatrices qui nous a accueillies à notre arrivée. Moi, je reste dans la fraîcheur du jour. Pétrifiée, je les regarde s'éloigner le long de la galerie sous la lumière brutale, puis disparaître à tout jamais dans l'obscurité du vestibule.

Nikarétê se retourne vers moi : "Tu es plus dure que je ne le croyais." Elle ajoute, en haussant les épaules : "C'est bien." Elle retourne siéger sur son trône : "Donc, je vais pouvoir tout de suite te parler d'argent. Je t'ai achetée quatre cent cinquante drachmes. Ce prix est disproportionné pour une simple putain et encore très élevé pour une hétaïre novice. Je compte cinq cent cinquante autres drachmes pour ta formation. Si tu suis mon enseignement, tu seras peut-être en mesure de faire racheter un jour ta liberté par l'un de tes amants. Sache qu'il ne pourra le faire à moins de mille drachmes. Soit presque deux mines. Je pense que tu n'es pas encore capable de comprendre à quel point il s'agit d'une somme importante. Bientôt, quand tu auras manié plus d'argent, tu le sauras. Pour l'immédiat, retiens le chiffre. Mille drachmes ! Tant que je n'aurai pas tiré de toi cette somme, tu travailleras pour moi." Au bout d'un instant, elle ajoute : "Ensuite, nous verrons."

8

LA LÉGENDE BARBARE

Cette première nuit dans la maison de Nikarétê, allongée sur un des lits du dortoir de l'étage, au milieu du souffle léger des petites filles, qui, lassées par mon silence, ont fini par s'endormir, je ne trouve pas le sommeil. Cette fois, je ne plonge pas en rêve dans le gouffre de Trophonios, non, je repasse froidement dans ma tête tout ce que je sais de moi et à quoi il faut désormais que je renonce. Mon origine légendaire, je me la redis une dernière fois avant de l'oublier. Une dernière fois, je vais m'asseoir sur les genoux du guerrier balafré, dans notre maison de Thespiaï, et je lui demande de me raconter son périple de l'autre côté de la mer. Le mythique voyage en Orient du jeune Thespien, depuis le port grec d'Ephésos, où il a débarqué avec ses six compagnons, jusqu'à la province reculée, où il ne sait pas encore qu'il doit rencontrer ma mère. Parce que je me souviens qu'Epiklês va commencer par revivre sous mes yeux les affres de son premier combat. Et que lui aussi devra accepter, pour en réchapper, de sacrifier ce qu'il a de plus précieux et de plus innocent.

Cela se passe sur la rive d'un fleuve étroit, encaissé au pied d'une montagne de la province de Lydie. L'armée où servent les sept camarades y affronte celle du cruel satrape qui gouverne la région pour le compte du Grand Roi. Mon père se plaît pour m'impressionner à faire sonner chaque syllabe de son nom étrange : "Tissaphernês". Les Lacédémoniens honnissent tout particulièrement ce barbare, depuis qu'il a fait saisir par traîtrise, dix ans auparavant, les chefs de l'expédition des Dix-Mille, alors qu'il les avait invités à venir négocier leur reddition, et qu'il les a fait remettre dans son palais de Sousa à l'Artaxerxês Mémnôn, pour que celui-ci ait le plaisir de leur faire trancher lui-même la gorge par le rasoir de son bourreau. Parmi les compagnons d'armes d'Epiklês se trouvent quelques baroudeurs rescapés de cette expédition, qu'ils racontent volontiers si on leur paie à boire. Ils affirment que le roi de Lakédaïmôn est venu moins pour libérer les cités grecques du joug barbare que pour faire payer au satrape cette vieille dette. Les traîtres sont toujours punis, ajoute mon père, même si parfois les dieux attendent tellement longtemps l'occasion de le faire qu'à part eux plus personne ne se souvient de la traîtrise et que la punition paraît une injustice aux yeux oublieux des hommes. Je ne saisis pas le sens de cette phrase mais je la place elle aussi dans un coin de ma mémoire, comme si je savais déjà qu'un jour elle me resservirait.

Des vrais Spartiates, il y en a très peu dans cette armée. À part le roi Agêsilaos, une trentaine d'officiers à peine. Les autres sont ce qu'ils appellent des "Néodamodeïs", des affranchis qui, pour devenir de vrais citoyens, doivent d'abord se faire tuer à la guerre. Plus six ou sept mille mercenaires, dont certains n'ont jamais connu le combat, comme Epiklês et ses compagnons. L'armée de Tissaphernês est deux ou trois fois plus nombreuse. Agêsilaos paraît ne pas s'en soucier. Pour tromper le satrape, il a feint de préparer comme l'année précédente une expédition vers le Sud, comme s'il s'apprêtait à retourner dévaster la riche Karie. Tissaphernês, averti, a quitté Sardeïs sa capitale pour descendre masser son armée au bord du Méandros afin d'en interdire le passage. Alors évidemment, les Grecs se mettent à remonter vers le Nord. Les soldats, d'abord surpris, sont ravis de ce bon tour joué au Barbare. Ils progressent rapidement sur la route du bord de mer qui mène, disent les mieux informés, vers la province de Phrygie où les attend un butin encore plus colossal, mais aussi les troupes d'un autre satrape, Pharnabazês. C'est pourquoi, à ce que rapportent les éclaireurs d'arrière-garde, Tissaphernês, dans leur dos, n'a pas l'air de s'inquiéter beaucoup. Peut-être même serait-il ravi que les Grecs aillent ravager les terres de son vieux rival et le rendent ridicule aux yeux d'Artaxerxês Mémnôn, leur maître ? Peut-être même a-t-il payé Agêsilaos pour l'envoyer guerroyer contre son collègue ? Il s'est mis tranquillement à les suivre, parce qu'il faut bien faire semblant de chercher à les prendre à revers. Les vétérans expliquent aux jeunes Thespiens qu'il faudra démolir d'abord le premier satrape avant de se retourner contre le second mais cela ne leur fait pas peur. Ils sont grecs, donc supérieurs, aussi bien par le courage que par la discipline. Pourtant, au bout de quelques jours de marche à peine, se produit un événement que même les vétérans ne parviennent pas à expliquer. D'ailleurs, plus personne n'a le temps de réfléchir. Le général les fait obliquer à travers un étroit défilé pierreux qui s'appelle, paraît-il, le Kara-Bêl, et qui s'enfonce à travers la montagne. Ils courent pendant trois jours de suite sur les cailloux, poussés sans cesse en avant par les ordres des officiers spartiates gueulés à pleins poumons. Les jeunes Thespiens, d'ailleurs, se conduisent très bien, habitués qu'ils sont depuis l'enfance à galoper sur les chemins de chevrier de l'Hélikôn. Jusqu'ici, tout va bien, se répète Epiklês, à part qu'on ne comprend rien.

Enfin, la petite armée finit par déboucher de la montagne sur le haut plateau. Le long d'un fleuve, dont les guides locaux leur disent qu'il s'appelle l'Hermos. Il descend tout droit de la grande ville de Sardeïs, qui se trouve à peine à un jour de marche devant eux. La capitale prestigieuse de la Lydie, la première grande cité perse, celle où commence la Voie Royale, qui mène des milliers de stades plus loin, jusqu'à Sousa et jusqu'au cœur du monde barbare ! Lorsque le satrape comprend que ces maudits Grecs tentent de se jouer de lui, le plus rusé des serviteurs du Grand Roi, et qu'ils ont l'audace, au lieu de rester prudemment sur la côte, à l'abri des fortifications de leurs ports, de monter à l'assaut de sa propre place forte, il se rue à la poursuite de ces imbéciles prétentieux, si peu nombreux de toute façon qu'ils n'ont aucune chance de s'emparer de la ville avant son arrivée. Ses cavaliers en armure, qui ont peiné sur les sentiers de montagne, finissent par rattraper les fuyards le troisième soir. Mais ils n'ont le temps avant la nuit que de massacrer les traînards isolés. Dès le lendemain matin, le satrape va les lancer dans la plaine contre l'armée d'Agêsilaos pour l'immobiliser, puis il la submergera sous la marée de son infanterie lourde, afin de l'exterminer définitivement ! Le soir de ces escarmouches, Epiklês sent de l'inquiétude parmi ses compagnons. En bons Grecs, ils sont sûrs de leur vaillance, et de leur supériorité sur les barbares, mais ce qui les inquiète, c'est qu'Agêsilaos les ait tant fait courir, comme si son plan consistait vraiment à semer les cavaliers. A-t-il perdu son pari ? Encore plus inquiétant, leur général dégarnit ses troupes. Il envoie son lieutenant, Xénoklês, se poster un peu plus loin, sur une hauteur, avec neuf cents hoplites et cinq cents peltastes. Pour quoi faire ? Pour protéger le gros de l'armée contre une arrivée des renforts perses de Sardeïs ? Ou pour tendre une embuscade ? À qui ? Comment ? Les officiers spartiates n'expliquent rien. Mais c'est ce moment-là qu'Epiklês, même s'il ne saisit pas tout de la tactique du général, choisit pour forcer le destin, le sien et celui de ses compagnons. Il en a assez de courir sur les cailloux derrière les événements au milieu du gros de la troupe. Il persuade son frère et les autres Thespiens de se porter volontaires, malgré leur inexpérience du combat. Il a instinctivement confiance en Xénoklês, qu'il admire parce qu'il commande d'ordinaire la cavalerie. Ils passent toute la nuit à attendre cachés derrière des broussailles sur la colline, sans pouvoir trouver le sommeil. Epiklês tient dans ses bras son jeune frère, qui grelotte de froid et plus encore de peur, comme l'autre nuit décisive, celle plus profonde encore, et plus effrayante, de la grotte de Trophonios. L'aîné murmure à l'oreille de son cadet que, s'ils ont réussi à échapper aux démons de la Terre, ils sortiront indemnes de ce combat contre de simples barbares et que la gloire les attend. Au petit matin, les officiers les réveillent en les secouant. Ils ont juste le temps de voir passer en contrebas l'armée d'Agêsilaos prise de panique, et puis, tout de suite après, la terrible cavalerie perse, toute caparaçonnée de métal et déjà lancée au galop. Les officiers ne donnent l'ordre de se redresser que lorsqu'ils sont sûrs que le tout dernier ennemi est passé. Epiklês en a la certitude maintenant : ils n'ont pas été postés là pour protéger l'armée grecque mais carrément pour tenter une embuscade et gagner la bataille ! Ils vont redescendre dans la plaine et prendre les cavaliers à revers. C'est là, sur le chemin de cailloux qui descend vers l'Hermos, déjà au pas de course, qu'Epiklês et son frère hurlent pour la première fois le Païan au matin d'un vrai combat, et non plus d'un entraînement, afin de chasser loin d'eux la peur de la mort. Epiklês la connaît si bien, la trouille, depuis qu'elle a failli le dévorer vivant dans l'obscurité gloutonne de l'antre du Nourricier, qu'il se hâte de plonger au sein du chant guerrier pour la noyer en même temps que la conscience de lui-même. Il est rassuré de ne plus faire qu'un avec ses compagnons et surtout avec quelques rudes Lacédémoniens qui chantent à ses côtés. Puis Xénoklês lance au détachement des peltastes l'ordre de se ruer en avant à la poursuite des cavaliers.

Epiklês, malgré l'état second dans lequel l'a jeté le chant, se rend tout de suite compte qu'ils vont au massacre. La tactique d'Agêsilaos est audacieuse, oui, mais pas encore assez. Il n'a pas osé dégarnir vraiment les flancs de son armée en faisant participer ses propres cavaliers à l'embuscade, afin de mettre en déroute la cavalerie perse par une attaque éclair dans son dos aussi vigoureuse que son avancée à elle. Il se contente de sacrifier les peltastes pour la retarder quelques instants afin de refermer sur elle les mâchoires plus lentes de ses deux corps de fantassins et la broyer. Agêsilaos, malgré son habileté, n'a rien compris à ces deux forces légères et modernes, les peltastes et les cavaliers, il retient les seconds et sacrifie les premiers avant de passer au seul combat qui vaille à ses yeux, la marche en avant des hoplites lourdement armés et puissamment solidaires, où les Spartiates se considèrent depuis des siècles comme invincibles. Expérience désagréable de comprendre dès sa première charge qu'elle ne sert à rien et qu'on va y laisser sa peau ! Son frère et ses compagnons qui courent à côté de lui sont-ils eux aussi conscients de l'inutilité de leur assaut ? Ici, l'homme à la cicatrice interrompt chaque fois son récit, pour se tourner vers moi et me déclarer d'une voix grave, comme si j'étais capable de le comprendre : "C'est terrible, ma fille, de devoir agir tout en sachant que tu n'es qu'un jouet, non pas entre les mains des dieux, mais entre celles grossières d'hommes qui ne savent pas vraiment t'utiliser, qui vont te faire mourir bêtement alors que tu as en toi de quoi réaliser de grandes choses !" Et il ajoute : "Tu vois, pour moi, la vraie puissance, ce n'est pas d'être roi, ni général, ni riche propriétaire, mais de s'être rendu assez maître de soi-même et des événements pour faire de son sort un destin. Cela, aucun homme ne le peut, si un dieu ne le veut pas. Tu comprends ?" Non, la petite fille que je suis ne comprend encore rien, ni au sens mystérieux de ces paroles ni à l'amertume de la voix qui les prononce. J'attends simplement la suite terrible du récit. Même si je la connais par cœur.

Là-bas, à moins d'un stade devant eux, les cavaliers perses, d'abord effrayés par le cri de guerre, puis déroutés de se retrouver pris au piège, ont arrêté quelques instants l'élan de leurs chevaux, se demandant s'ils doivent continuer de se hâter vers l'avant pour forcer la retraite d'Agêsilaos ou revenir en arrière pour briser l'assaut des soldats qui les assaillent dans leur dos. Beaucoup, voyant que ne se précipitent vers eux que des peltastes, décident de leur régler leur compte avant de se jeter de nouveau à la poursuite du gros de l'armée. L'assaut de la cavalerie perse, qui, dans son indiscipline, se disperse entre les deux directions, perd de son impact. C'est ce qu'avait prévu Agêsilaos qui ordonne à ses hoplites de s'arrêter et de se préparer à charger dans l'autre sens. Même pour des soldats bien entraînés, cela peut prendre un peu de temps, mais les peltastes ne seront pas morts pour rien, ils auront permis aux deux pinces de la lourde tenaille de se refermer. Epiklês a deviné qu'on lui demande de se sacrifier. Mais il ne se doute pas qu'il ne lui reste plus que quelques instants à vivre. Et que la mort s'approche de lui au galop.

Elle a pris la forme d'un cavalier entièrement bardé de fer et de cris gutturaux, que mon père ne peut pas voir encore parce qu'il est lancé à sa poursuite sur le travers. Soudain, une voix aiguë se fait entendre à travers le combat pour le prévenir du danger. Il a juste le temps de se tourner pour lui faire face. Et d'apercevoir ces yeux furieux et calmes, les seuls détails humains qu'il distingue sous le casque effrayant, qui couvre tout le visage et imite la forme du crâne d'un squelette. Ces yeux sont ceux d'Arès lui-même, ou de Mithra, le dieu de la guerre barbare. Ils l'ont choisi depuis un moment pour faire de lui la première victime de ce combat qu'il a si passionnément désiré parce qu'il croyait qu'il en serait l'un des héros. Et déjà il est trop tard pour leur échapper ! Tout en pressant les flancs de son cheval, le Perse a placé la flèche sur la corde de son arc. Il s'approche encore pour la lui décocher à la volée sans lui laisser aucune chance. L'action ne dure sûrement que quelques secondes mais Epiklês a l'impression de la voir se dérouler au ralenti. Il n'esquisse même pas le geste de lever son bouclier d'osier (protection de toute façon dérisoire) mais il a le temps de se demander si la pointe de métal qui va déchirer sa poitrine le tuera d'un coup ou s'il souffrira avant d'expirer. Le Perse lance en même temps la flèche et son cri de triomphe. Et mon père sait que plus rien ne peut les arrêter.

Mais soudain, quelque chose se dresse devant lui, contre quoi le trait vient terminer sa course mortelle ! Epiklês saisit alors avec horreur, que ce quelque chose, c'est le corps de son frère, qui s'est jeté devant le cavalier. La flèche se fiche dans la gorge de Timolaos, et le choc est si violent que les deux bras du jeune garçon se trouvent projetés vers l'avant, lâchant dague et bouclier qui volent à quelques pas. En une fraction de seconde, Epiklês retrouve l'image étrange qui l'a pétrifié dans les profondeurs de la grotte nourricière. Timolaos s'écroule. Le Perse, surpris par le mouvement de ce corps qui bascule sous les sabots de son cheval, n'a pas le temps de l'éviter. Malgré leur habileté, l'homme et la bête s'effondrent à leur tour, mais, en quelques sursauts, celle-ci se redresse et s'échappe sans que son cavalier ait réussi à se remettre en selle. Alors Epiklês sort brusquement de son état de stupeur. Il se rue sans réfléchir sur l'homme tombé à terre, et lui plante son javelot dans la poitrine pour le clouer au sol. La cotte de mailles empêche l'arme de pénétrer très avant et l'autre se débat, les deux mains crispées sur la hampe, pour tenter de se dégager. Epiklês, se laissant tomber à genoux sur la poitrine du blessé, sort d'un geste vif sa dague, la glisse sous la jugulaire du casque et l'enfonce jusqu'à la garde dans la gorge de son adversaire. Il découvre qu'il a si bien appris la guerre qu'il la sait encore à l'instant de panique où il croit l'avoir oubliée. Sur le moment, il entend à peine le craquement du cartilage qu'il cisaille. Mais par la suite ce bruit immonde, ce gargouillis du sang qui jaillit, ces ruades grotesques, sous la pesée de ses genoux, du premier homme qu'il tue, ces yeux humains fous de panique à travers le casque en forme de crâne, qui seront les seuls détails qu'il connaîtra jamais de ce visage, viendront le poursuivre souvent en rêve, même après des dizaines d'autres combats. Puis il les oubliera. Il ne sera capable de retrouver un peu de son trouble que dans la moue d'horreur de la petite fille qui l'écoute.

De toute façon, il sait bien que cette image du Perse agonisant ne le hante que pour lui en cacher une autre : son frère gisant à quelques pas, la flèche toujours plantée dans la gorge, à la jonction fragile du cou et des clavicules, les bras maintenant écartés, les paumes ouvertes dans un dérisoire geste de prière. Son frère, les yeux vitreux comme leur ennemi, agité du même tremblement affreux. Epiklês, dans sa panique, ne sait pas quoi faire. Enlever la flèche ? La laisser en place ? Il ne pourra s'empêcher par la suite de se reprocher son hésitation mais, de toute façon, il est trop tard. Quelques instants après, Timolaos est mort. Les deux frères n'ont échangé ni dernier regard ni mot d'adieu. Le cadet s'est sacrifié pour l'aîné, sans que celui-ci ait le temps ni d'essayer de l'arracher à son tour de l'étreinte de la mort, ni de le remercier. Epiklês se dit que son petit frère n'aura connu de la guerre que les quelques minutes d'un premier assaut inutile. Toutes leurs années d'enfance, toutes ces peines, toutes ces bagarres, l'un contre l'autre et l'un avec l'autre, tous ces récits de leurs exploits futurs, tous ces regards d'admiration du petit vers lui, et la fameuse nuit de la danse de guerre dans le temple d'Erôs sous le regard protecteur de la statue de bois, et la descente dans la grotte du Nourricier, tous ces souvenirs pour rien ? Epiklês éprouve une impression d'irréalité, de vide, comme si son corps se trouvait à genoux entre ceux des deux morts mais que lui-même était absent.

Puis la clameur du combat le force à revenir à lui. La cavalerie perse, après avoir taillé en pièces les peltastes, vient de se heurter aux hoplites de Xénoklês. Ceux-ci, sans s'affoler, poussant le cri de guerre, se jettent en avant contre les chevaux. Ce cri effrayant, ce cri mille fois entendu et mille fois jeté dans l'entraînement, ce cri,

auquel répond maintenant, de l'autre côté, celui des hoplites d'Agêsilaos, le ramène à la réalité. Il sait désormais ce qui lui reste à faire.
La monture du Perse est restée immobile à quelques pas. Epiklês,
posant le pied sur la tête de l'ennemi mort, extrait sa lance des
anneaux de la cotte métallique dans laquelle elle s'est coincée. Puis
il s'approche du cheval et, le saisissant sans violence à la crinière,
bondit en croupe. Là aussi, geste mille fois répété avec les bêtes de
son père. Celle-ci tente bien quelques voltes pour le désarçonner,
mais elle accepte vite le nouveau cavalier qui l'effraie moins que
l'absence de maître. Epiklês se rue au combat. Il attaque les Perses
par-derrière. Il ne cherche pas à rejoindre les fantassins de Xénoklês ni ceux d'Agêsilaos, ni la cavalerie grecque, ni à se fondre dans
un quelconque élan collectif, il combat en solitaire, sans prudence
ni méthode, il tue pour être tué. Il se sert de l'arc de son ennemi
mort pour subir le même sort que lui. Il pense, s'il pense encore,
qu'il n'a plus le droit de vivre après le sacrifice de son frère. Mais,
dans cette folie destructrice, Arês le protège.

Lorsqu'au bout de plusieurs heures d'inconscience, la rage du
dieu le quitte brusquement, il se retrouve couvert de sang, au milieu
des autres cavaliers grecs, à accompagner la déroute de l'infanterie ennemie que les hoplites lacédémoniens, après avoir dispersé la
cavalerie perse, sont allés surprendre au milieu même de son camp.
Il se découvre tuant encore mais c'est maintenant pour massacrer
des fuyards. Il comprend qu'il risque bien de survivre à ce premier
combat et à la mort de Timolaos. Une pensée nouvelle le traverse
alors : peut-être a-t-il le devoir de vivre puisque son frère s'est sacrifié pour lui et que les dieux ont refusé qu'il fît de même ? Oui, survivre, survivre à tout prix ! Pour la première fois depuis des heures,
il prend peur. D'ailleurs, quelques minutes après, il est blessé : un
fuyard se retourne et lui perce le bras de sa lance. Il parvient à ne
pas tomber de cheval mais ses derniers restes d'ardeur, glissant aussitôt de ses épaules, l'abandonnent dans un vertige avec son sang
qui coule. Il tourne le dos au combat et revient au pas vers le camp
grec. Sans se préoccuper des ennemis qui pourraient le surprendre
par-derrière. Personne ne l'attaque. Il traverse la fin frénétique de
la bataille au ralenti. De nouveau, il se dit qu'il va échouer, qu'il va
mourir, mais cette fois-ci très lentement. Il cherche l'endroit où gît
le corps de son frère pour se coucher dans la mort à côté de lui. Il
ne le trouve pas. Il finit par revenir vers la tente d'où ils sont partis
ensemble la veille au soir, laisse aller le cheval, se jette sur la paillasse

de Timolaos et sombre aussitôt dans l'inconscience. Ses camarades le réveillent. De nombreuses heures ont passé. Ils ont réussi à trouver les corps de son frère et d'un autre de leurs camarades tombé lui aussi dès les premiers instants de l'assaut. Ils accomplissent le rituel funèbre en présence d'Epiklês qui agit comme un spectre. Une fois que l'on a pris soin des morts, l'on s'occupe des vivants. Epiklês est convoqué auprès d'Agêsilaos, le roi spartiate lui-même, en présence de Xénoklês. Il apprend que, pendant la bataille, il a sauvé la vie d'un officier spartiate, qu'il a poursuivi les restes de la cavalerie perse presque jusque devant Sardeïs, puis qu'il a été l'un des premiers à entrer au galop dans le camp ennemi, qu'il a failli capturer, avec la poignée de cavaliers qu'il avait ralliés autour de lui par son courage, Tissaphernês et son état-major. En récompense, Agêsilaos lui propose de faire désormais partie de ce corps d'armée et Xénoklês, qui méprise les Béôtiens mais qui sait reconnaître un bon cavalier, le félicite avec rudesse.

Au bout de trois jours, l'armée grecque se remet en marche mais Epiklês est toujours perdu dans un rêve fiévreux. Comme si le soleil brûlant de la guerre lui avait tapé sur la tête. Comme si, sous cette brûlure palpitante, il gisait enfermé dans son crâne, agonisant sous le casque squelette du Perse qu'il a tué. Le triomphe n'est qu'un erratique cauchemar.

Un soir, son détachement campe au bord du Paktolos, le fleuve du légendaire roi Kroïsos. Lorsqu'on lui a raconté que ses flots transportaient des paillettes d'or, Epiklês s'est souvenu du bruit qu'il avait entendu dans la grotte de Trophonios, et du ruissellement doré de ses rêves de gloire. Mais il découvre que le fleuve mythique, à moitié à sec, ne charrie que du sang, celui des derniers fuyards perses massacrés alors qu'ils tentaient de rallier la ville. Un peu plus tard, l'armée grecque finit par arriver, au milieu de nulle part, devant un mur. Haut de plusieurs dizaines de pieds, long de plusieurs centaines de stades. Derrière l'incompréhensible muraille, leurs guides leur expliquent que se trouve ce que les Perses appellent un "Paradis". L'un de ces immenses "Jardins Clos" que les dignitaires de l'Empire font planter quelquefois en plein désert ou sur les plateaux les plus désolés, profitant du moindre cours d'eau pour les irriguer par un savant système d'aqueducs et de canaux. Des armées de jardiniers, d'ingénieurs, de veneurs entretiennent à l'année ces propriétés assez vastes pour englober, en plus des jardins d'agrément, des vergers capables de nourrir une ville et des forêts profondes, dans lesquelles

les nobles perses chassent des journées entières. Les plus terribles des fauves, le satrape les tue lui-même, les plus précieux des arbres, il les plante lui-même, car il est prince-chasseur et prince-jardinier, chargé de dispenser au nom du Grand Roi les viandes et les fruits de sa terre à tous ceux qui servent fidèlement son ordre cosmique. Le Paradis de Tissaphernês le Lydien est, dit-on, l'un des plus beaux de tout l'Empire, même s'il est l'un des plus petits, puisqu'il couvre à peine la moitié de la plaine. Les mercenaires grecs déboulent dans ce jardin de délices au moment où il embaume de tous les parfums du printemps. Ils le ravagent entièrement, pour humilier le Barbare qui s'est enfermé dans sa capitale après sa déroute et n'ose plus en sortir, massacrent les bêtes pour se nourrir, égorgent les jardiniers pour le plaisir, à défaut de soldats. Epiklês, qui, dans son égarement intérieur, continue de participer activement à l'expédition, obtient en butin l'une des servantes du paradis. Il se hâte de la revendre au plus offrant des marchands qui suivent l'armée en campagne, après avoir à peine joui d'elle une nuit (même le déchirement du plaisir n'est pas capable de l'éveiller vraiment). Les regards suppliants de la malheureuse ne traversent pas le brouillard de son rêve. Ce détail-là, évidemment, mon père ne l'évoque qu'à mots couverts à sa petite fille, mais cette silhouette de femme me marque profondément, plus sans doute que le jeune guerrier hagard qui la viole sans presque s'apercevoir de sa présence. Pendant plusieurs semaines, l'armée d'Agêsilaos ravage la contrée jusqu'aux rives du Méandros, qu'elle remonte pour faire son retour à Ephésos. La campagne de printemps est terminée. Celle d'automne se prépare déjà. On ira ravager le Paradis et les cités de l'autre satrape. On raconte dans toute la ville que ce vieux renard de Tissaphernês a payé de sa vie sa première défaite, et son ultime tentative pour trahir son collègue au lieu de s'allier à lui et défendre l'honneur de l'Empire. Tithraustês, un envoyé de Mémnôn, le Grand Roi dont le surnom veut dire "Celui-qui-n'oublie-pas", le surprenant dans son palais de Sardeïs au moment où il prenait son bain, après l'avoir salué, lui a respectueusement tranché la gorge. Puis il a fait parvenir sa tête à Sousa au terme des quelques jours de galopades d'un courrier officiel le long de la Voie Royale. Epiklês se moque bien du sort du satrape. Se reposant avec les quatre autres Thespiens survivants dans le port d'Ephésos, il cherche à sortir enfin, en respirant l'air frais venu du large, de son rêve de massacre. C'est à ce moment-là seulement, plusieurs semaines après la bataille de l'Hermos, qu'il pense vraiment à son frère. Il n'a pas pleuré une seule fois tant qu'il était à cheval, en train de poursuivre et de tuer, mais maintenant les larmes coulent toutes seules sans qu'il puisse les arrêter.

Mon père m'ouvre son âme de jeune homme, à moi sa petite fille qui, tant d'années après le drame, l'écoute muette d'horreur comme s'il venait de se produire : que doit-il faire ? Accepter la proposition de Xénoklês de continuer la guerre de libération dans la cavalerie spartiate ? Ou bien quitter l'armée et rentrer à Thespiaï, comme projettent de le faire deux de ses camarades qui ne se sentent pas faits pour cette vie de rapine, afin de prendre auprès de son métayer de père la place de son frère mort ? Sans cesse il revient se heurter à la masse furieuse du cheval et de l'archer perse, aux yeux fous du casque squelette, à la flèche qui jaillit, à Timolaos surgissant pour être frappé à mort, les deux bras jetés en avant. Pourquoi son cadet s'est-il interposé ? Dans un pur réflexe ? Dans la certitude qu'il serait capable de dévier la flèche et de prouver son courage à son aîné en le sauvant ? Ou en se sacrifiant délibérément ? Pour qu'Epiklês puisse accomplir son destin et trouver le trésor que lui avait promis le Daïmon au fond de la grotte ? Timolaos voulait-il lui imposer de rentrer à Thespiaï auprès de leurs parents ou au contraire le libérer d'un seul geste d'eux tous ? Epiklês me le demande et je ne le sais pas plus que lui.

C'est seulement le matin du départ de ses deux compagnons que mon jeune père, renonçant au dernier instant à monter avec eux sur le navire, choisit de rester sur le quai du port d'Ephésos et de continuer la guerre. Malgré ses remords, je me réjouis chaque fois de ce choix, car, au bout de ce chemin-là, je devine la présence mystérieuse de ma mère. Mon père a doublement raison de suivre son impulsion, puisqu'il apprend bientôt que le navire marchand a été intercepté par l'escadre de Konôn, et que personne ne peut le renseigner sur le sort des deux Thespiens se trouvant à son bord. Quelques mois plus tard, Agêsilaos est obligé de rentrer en catastrophe, pour rétablir l'ordre sur le continent en matant une rébellion des alliés et, à Lakédaïmôn même, une révolte des Inférieurs. Son armée se sépare sans avoir réussi à libérer vraiment les cités grecques de la côte. Mais le jeune homme reste avec une partie des troupes qui se louent comme mercenaires et dont il commande bientôt la cavalerie. Il s'enfonce toujours plus loin dans l'Empire perse. Il se crée de toutes pièces son propre destin. Des batailles. Beaucoup. Il en raconte parfois certaines mais je n'écoute plus. Je rêve. Je ne reviens à moi que lorsqu'il conclut les récits de ses exploits, toujours par la même phrase : ses compagnons et lui s'étaient fait le serment solennel de partir l'espace d'une olympiade mais aucun de ces sept ardents jeunes gens n'est jamais revenu. "Si, père, toi ! Tu es le seul à être revenu ! ne puis-je m'empêcher de m'exclamer à chaque fois, pour le flatter et pour me rassurer.

— Non, ma fille, moi non plus je ne suis pas revenu."

Je ne comprends pas ce qu'il veut dire, jusqu'à ce qu'un jour enfin, il m'explique, en ajoutant : "Ou alors si différent du jeune homme qui était parti." Mon père n'a pas eu les deux destins qui lui étaient promis, ni celui modeste que lui avait tracé son père, ni celui glorieux qu'il s'était rêvé pour lui échapper. Et moi, je suis issue de son errance.

Les pères des sept garçons finirent par se résigner à disparaître sans laisser un fils pour accomplir à leur suite le rituel des ancêtres, et les mères par oublier leurs profils aimés. Celle d'Epiklês mourut et sortit de la légende sans n'y être jamais vraiment entrée que pendant les quelques secondes de jouissance où elle l'avait conçu dans une grotte de la montagne sous le regard des Muses. Je n'ai jamais vu le visage de ma grand-mère dont je ne connais que le nom, Mnasaréta, "celle-qui-se-souvient-de-sa-vertu", puisqu'il est celui que mon père m'a donné et que je mérite aussi peu qu'elle. Mais, toute ma vie, je garderai précieusement la mémoire de la jeune amoureuse, qui sut trahir dans un même élan sa famille et ses dieux pour les beaux yeux et la verge dure d'un chevrier.

Et puis c'est la dernière image du récit de mon père que je reçois avec ferveur lorsque je suis petite fille. Au début de la troisième olympiade après le départ des jeunes gens, un cavalier inconnu, qui parle le grec avec un accent étrange, s'arrête sur l'agora de la petite ville de Thespiaï. Quand il baisse la capuche de son manteau de voyage, on aperçoit la balafre qui lui traverse le visage mais ne le prive pas de toute beauté virile. Il est accompagné d'un étranger, portant barbe tressée, longue tunique d'un bleu passé, bottes et pantalons bouffants, et, sur un chariot, d'une femme à la peau cuivrée qui tient dans ses bras un enfant en bas âge.

On accueille les étrangers comme on se doit de le faire : avec hospitalité et méfiance. On met longtemps à reconnaître Epiklês, bien changé, bien vieilli. Moins ardent mais plus inquiétant encore. On le reçoit dans la maison de Ménôn, puisque son père, qui est encore vivant et que l'on a envoyé chercher, habite toujours dans sa ferme à plusieurs dizaines de stades de la ville. On le fait parler presque toute la nuit. Et puis encore les jours suivants. Il raconte le jour où il a vu mourir devant lui en Kappadoce, dans une simple embuscade, ses deux derniers compagnons thespiens. Il raconte aussi les sept remparts de l'antique Ekbatana, dont les créneaux successifs sont faits de sept pierres de couleurs différentes qui luisent au soleil comme l'arc-en-ciel. Et ceux de Babylôn, si larges que deux chars peuvent se croiser sur leur chemin de ronde. Et puis la grande salle de réception du palais de Persépolis où, dès que la voix du chambellan annonce que va s'ouvrir le rideau derrière lequel se tient invisible le souverain, se jettent sur le sol tous en même temps plus de dix mille sujets, qui restent ainsi prosternés jusqu'à ce qu'on leur donne l'ordre de se relever mais qui, même alors, devront garder les yeux baissés devant le Maître. Il raconte comment lui, le Grec de Thespiaï, il ose lever les siens pour apercevoir ce fameux Artaxerxês Mémnôn, qui n'est qu'un homme assez frêle, encore jeune mais le front plissé de rides profondes, et le léger sourire du souverain lorsque leurs deux regards se croisent un instant. Il raconte comment il se met au service du Grand Roi contre ses satrapes, puis au service des satrapes contre le Grand Roi, comment il traverse l'Empire perse de victoires en défaites, de rapines en combats, jusqu'aux montagnes où vivent des hommes à la peau si cuivrée qu'elle en est presque safran. Comment, peu à peu, au fur et à mesure que tombent les derniers mercenaires grecs, il gravit les échelons de l'armée. Quand le dernier de ses compatriotes meurt dans ses bras, il se retrouve à la tête d'un détachement de plus de mille Barbares de toutes origines, à qui il apprend le païan en l'honneur d'Apollôn, le cri de guerre, la discipline spartiate et le courage de mourir pour son frère d'armes. Ses hommes lui sont passionnément attachés parce qu'avant chaque combat, il leur explique en termes nets, comme à des compagnons, les chances qu'ils ont de l'emporter et celles d'être massacrés eux-mêmes, parce qu'après chaque coup de main il garde la part de butin qu'il s'est octroyée, quatre fois celle d'un homme de troupe, mais sans jamais s'emparer de quoi que ce soit qui ne lui revienne pas. Il leur répète souvent que, bien qu'ils ne soient que des Barbares, il leur fait l'honneur de les traiter comme des Grecs. Il prie avec eux, sous le nom d'Athêna, Isthar et d'autres déesses guerrières.

Il raconte comment son armée grossit sans cesse jusqu'à atteindre trois mille hommes. Comment il entre au service d'Orontês, le puissant satrape d'Arménie. Comment celui-ci finit par lui donner en mariage l'une de ses propres filles.

Et comment un jour, après presque quinze hivers de voyage et quinze étés de guerre, il éprouve le besoin de rentrer à Thespiaï. Comment se met à le hanter le souvenir du temple d'Hêraklês en contrebas de la ville, de celui d'Erôs sur les premiers contreforts, de celui des Muses de l'autre côté de la montagne, de la palestre près de la grande porte que l'on appelait, comment déjà, oui, simplement la Porte de la Plaine. De son père le dresseur de chevaux, qui avait toujours hésité à se faire construire une maison dans la cité et vivait toute l'année au milieu de ses bêtes, de Ménôn, qui lui avait volé sa place de chef des éphèbes de Thespiaï. De son rêve enfantin de libérer son peuple du joug de Thêbaï et de Lakédaïmôn. Thêbaï, Lakédaïmôn, ces deux petites cités ennemies de la lointaine Grèce existent-elles encore ? Son beau-père, le satrape Orontês, le laisse partir. De tout le butin qu'il a gagné comme mercenaire, il rapporte quelques poignées de dariques d'or, une dague d'apparat au manche serti de lapis-lazuli, cette femme à la peau cuivrée, qui n'a pas voulu abandonner l'enfant de sa maîtresse, et Aram, l'esclave silencieux qui ne reçoit d'ordre de personne mais qui la suivrait sans un mot jusqu'au bout du monde. Epiklês n'a conservé que des lambeaux de ses rêves de gloire mais il sait la guerre mieux qu'aucun Thespien avant lui. Il a aussi appris au contact d'Aram, de son lieutenant babylonien et de quelques autres, que les Barbares sont parfois bien plus rusés et souvent bien plus sincères que les Grecs.

De sa voix brève et dure, Epiklês raconte ses souvenirs de l'Empire perse dès qu'on les lui demande et même lorsque l'on ne les lui demande plus. Les plus patients de ses compatriotes finissent par se lasser de son récit. Bientôt je suis la seule à le réclamer encore.

Mais lorsque je l'interroge, d'une voix tremblante, sur ce qui lui donna le désir de rentrer, il ne répond jamais. Il me regarde d'un air grave, il me caresse les cheveux. Puis il se lève et s'enfuit. N'ayant pas encore de fils, il ne peut s'empêcher de parler de guerre à sa fille, mais pour rien au monde il ne lui parlerait d'amour. Il est grec. Alors je me tourne vers Manthanê, la femme à la peau cuivrée, pour obtenir cette partie-là, la plus secrète, de la légende barbare. Ma nourrice me raconte volontiers l'épisode de la rencontre amoureuse que mon père s'obstine à me cacher, car elle en profite pour tresser ma chevelure de petite fille. Et le récit peut durer des heures, au lieu de tenter de m'échapper, je reste à l'écouter bouche bée, jusqu'à ce que mes cheveux soient aussi lisses et aussi fluides que les mots qui sortent de la bouche de la Kappadocienne.

Manthanê fut pendant cinq ans l'esclave préférée de ma mère. Celle-ci s'appelait Bathimandis et elle était l'une des innombrables filles d'Orontês, l'un des deux satrapes d'Arménie, qui tentaient aux marges septentrionales de l'Empire de se faire oublier du Grand Roi Mémnôn. Auparavant, jusqu'à l'âge de dix-sept ans, Manthanê n'était pas une esclave mais l'une des filles les plus libres du royaume voisin du Katpatuka, le "Pays des Chevaux Rapides" que les Grecs appellent Kappadokia. De noble naissance, elle fut consacrée pendant l'année qui devait précéder son mariage au culte d'Isodaïtês, le dieu local du soleil et de l'amour. Mais ce mariage n'eut jamais lieu, car elle fut arrachée au temple où elle servait par des soldats arméniens en razzia, avec plusieurs autres prêtresses, ses compagnes.

Lorsque le satrape apprit la conduite sacrilège de ses troupes, il fit crucifier les soldats mais garda les esclaves. Manthanê devint l'une de ses concubines favorites. Puis la compagne de la plus jeune de toutes les filles qu'il avait eues des nombreuses femmes de son harem. La princesse Bathimandis devint très belle et très orgueilleuse. À l'âge de quinze ans, elle entra au service d'Anaïtis, la grande déesse d'Arménie, qui règne sur la terre et sur les eaux, commandant à la fertilité et aussi à la destruction. Dans le grand temple d'Eridza, elle dut accueillir les pèlerins au milieu des autres novices sacrées en leur donnant le bain rituel, en leur servant humblement à manger et en leur faisant pieusement l'amour. Après une année révolue de ce sacerdoce, Bathimandis fut prête pour le mariage. Son père décida de la donner au capitaine étranger d'une armée de mercenaires de plusieurs milliers d'hommes, dont le renom grandissait et qu'il souhaitait retenir à ses côtés, afin de faire pièce aux cavaliers de son collègue, Tiribazês, avec lequel il entretenait une rivalité féroce pour s'attirer les faveurs de leur maître tout en tentant de s'en affranchir. Bien que cette union fût arrangée par le satrape dans l'idée de s'attacher les services d'un chef de guerre, le miracle se produisit. Les deux époux que tout séparait trouvèrent le moyen de se rejoindre. Bathimandis était de sang royal achéménide, Epiklês était grec et fils de métayer, elle était fille, il était homme, elle avait la peau souple et cuivrée, lui couturée de cicatrices, il avait trente-deux ans passés, elle n'en avait pas dix-sept, lui soldat mercenaire en campagne depuis plus de dix ans, elle princesse habituée depuis toujours à une vie de cour raffinée, mais ils inventèrent leur langue commune. Le langage en deçà ou au-delà des mots qui leur servait dans l'intimité de leurs deux corps. Peut-être Isodaïtês, le dieu de l'amour que continuait à servir Manthanê, tentant de l'implanter sur cette terre étrangère comme parèdre d'Anaïtis, et dont le nom en grec voulait dire "Celui-qui-donne-une-part-égale-à-tous", veilla-t-il à ce miracle ? Peut-être, lui, le plus inconstant de tous les dieux, resta-t-il au chevet du balafré grec et de sa jolie princesse perse pendant une année entière, à les envelopper chaque nuit dans la soie fluide de ses ailes ?

Mais voilà qu'au bout de l'année Bathimandis mourut en donnant à Epiklês son premier enfant. Car même le tout-puissant Isodaïtês ne peut rien contre la mort, sinon la lier intimement à une nouvelle vie. Epiklês dut s'engoncer de nouveau dans son armure de rudesse, sous la tunique d'apparat rigide des dignitaires impériaux. Il se prit à rêver de revoir la Grèce. Il se décida à quitter la cour d'Arménie et le tombeau de Bathimandis à la fin d'une nouvelle année. Bien que l'enfant ne fût qu'une fille, il résolut de l'emmener. Personne ne comprit pourquoi, sauf ceux qui, comme Manthanê, se souvenaient assez des traits de la disparue pour remarquer à quel point l'enfant lui ressemblait déjà. Le satrape, à qui il laissait en échange d'une gamine en bas âge une armée de trois mille hommes aguerris, ne le retint pas.

Manthanê ne voulut pas abandonner l'enfant de sa maîtresse et préféra la suivre dans ce qu'elle considérait comme un exil au fond d'une province reculée de l'Empire, au-delà des limites du monde civilisé, chez ces Grecs qu'elle se représentait tous, à l'image du chef de guerre Epiklês, comme des barbares fiers et frustes. Aram se prépara sans un mot à quitter son pays pour la suivre. Les quelques serviteurs qui leur furent donnés pour les accompagner dans ce périple, où l'on pouvait être attaqué à chaque défilé par des bandes de pillards ou massacré à coups de pierre à chaque entrée de village par des habitants rebelles, s'enfuirent dès que, descendue des montagnes, la petite troupe entra dans le port où l'on devait s'embarquer pour la Grèce. Chacun préférait tenter sa chance de son côté pour revenir chez lui après des années d'esclavage, ou peut-être se faire enrôler sur un navire pirate afin de régler ses comptes personnels avec l'Empire achéménide en devenant à son tour trafiquant de chair humaine. Epiklês ne chercha pas à les rattraper. La veille du départ, dans la chambre unique qu'il avait louée pour être plus en sûreté, il proposa même la liberté à Manthanê et à Aram. Le couple la refusa d'un commun et tacite accord. Bien que l'esclave à la peau cuivrée et la jolie petite fille fussent des proies tentantes, dont on aurait pu tirer un bon prix sur n'importe quel marché des Iles, le capitaine du navire n'osa rien tenter, tant l'homme à la cicatrice et le barbare muet, qui se relayaient pour les tours de garde, paraissaient capables de vendre chèrement leur peau. Il les débarqua comme convenu sur le rivage de la Thessalie.

De ma mère, la fille d'un des princes d'Arménie, de mes premières années passées aux extrémités septentrionales de l'Empire perse, je ne me rappelle que les récits de ma nourrice étrangère. Manthanê : j'ignore la signification de ce nom dans la langue du Katpatuka, mais en grec, cela pourrait presque vouloir dire "Celle-qui-sait". Mon père finit par l'affranchir, ainsi que son compagnon, quelques années plus tard, le jour où il se remaria avec la fille d'une riche famille de Thespiaï, afin de lui éviter de passer sous l'autorité d'une autre femme. Elle quitta notre maison. Mais elle continua de loin à veiller sur moi, que Kallisthénia, la nouvelle épouse, négligeait.

Même si je sais bien que j'étais trop jeune pour garder le moindre souvenir direct de cette époque reculée de ma vie, lorsque j'écoute le récit merveilleux de ma nourrice, je crois revoir, de manière confuse, comme à travers la fumée d'une mémoire trop ancienne qui brûlerait sourdement en moi, sous les branches trop vertes et les feuilles luisantes de mes propres souvenirs, une image de ce long voyage de retour à travers le pays étrange. Toujours la même image. Que j'entends presque plus que je ne la vois. Dont je perçois à l'intérieur de ma tête les bruits rassurants. Braises rougeoyantes et crépitements d'un feu de camp isolé, sur un plateau que je devine immense mais feutré de neige, et, tout autour de moi, murmures paisibles des voix. Je suis d'abord dans les bras accueillants de Manthanê, puis on me pose, enroulée dans une couverture, à côté du feu, tandis qu'à mes côtés, j'entends les gémissements mêlés de la jeune femme et de mon père. Ensuite, je me retrouve miraculeusement entre elle et lui, dans un creux de leurs deux corps, bien au chaud. Et je suis tellement heureuse que j'en fais pipi. Mon père rit et s'en va. Une autre présence masculine, celle d'Aram, se trouve à son tour sous la tente.

Ce souvenir-là, mon premier, est-il vraiment le mien ou bien l'un de ceux que la rusée Manthanê a pieusement disposés en moi ?

Quelques années plus tard, j'aurai l'occasion d'assister plusieurs fois à des cérémonies du départ ; je verrai, lorsque le chef de famille quitte la maison pour l'une de ses propriétés à la campagne, la gardienne du foyer lui remettre un peu des braises de l'autel des ancêtres, dont il allumera le premier feu là-bas ; je verrai, lorsque des colons s'apprêtent à prendre la mer pour fonder au loin une nouvelle cité, les magistrats leur confier le dépôt sacré d'un peu du foyer de la métropole ; c'est ainsi, comprendrai-je alors, que ma nourrice, la transplantant de sa propre mémoire, a déposé dans mon âme de petite Grecque un peu de braise active de l'Arménie lointaine, en la tisonnant régulièrement d'une anecdote nouvelle pour que le souvenir de ma mère ne s'éteigne jamais tout à fait. De l'Empire perse, que redoute et méprise la plupart des Grecs, je garderai toute ma vie les sensations enfantines d'un feu de camp au creux d'un plateau enneigé, dont je percevrai sans en avoir peur les dimensions infinies. N'ai-je pas été l'une des seules Grecques à aimer intimement le monde mystérieux du Grand Roi parce que je le connais depuis toujours, tandis que mes compatriotes le détestent d'autant plus qu'ils vivent à ses portes, en le craignant mais en l'ignorant ? J'en expérimenterai un jour toute la douceur, toute la cruauté et toute la noblesse. Pour moi, pas de barbare.

Voilà, me dis-je, les yeux grands ouverts dans le dortoir de la maison de Nikarété, voilà tout ce à quoi il faut que je renonce. Mon père et ma nourrice Manthanê, ne plus jamais chercher à les revoir, et ceci au moment même où leur souvenir m'est rendu. Les trahir enfin. Cesser à tout jamais d'être Mnasaréta, fille d'Epiklês le Thespien et de la princesse Bathimandis, pour devenir définitivement Mélitta, fille de personne. Douce comme le miel et comme le néant. Prendre ma revanche. Me construire ma liberté là où elle est, au cœur même de la servitude. Oublier le jeune dieu compatissant aux ailes repliées, qui m'a amenée jusque-là, jusqu'au rivage du salut, et qui va m'abandonner désormais. Ne plus penser qu'à moi et à la femme vivante que je serai devenue ! Puisque je me suis montrée capable de tirer huit drachmes et six oboles du premier Athénien riche que le hasard a jeté en travers de mon chemin, je saurai bien, sous la conduite de ma nouvelle tutrice, en extorquer cent, deux cents, trois cents fois plus à n'importe quel autre de ces imbéciles ! Oui, désormais, ce seront eux les victimes !

9

ÉCOLE DE L'ARTIFICE

Mais ce même matin, quelques heures à peine après ma nuit d'insomnie et le moment d'exaltation où je me suis juré d'oublier qui j'étais pour me venger des hommes, je déchante. Toutes les "filles" de Nikarétê sont rassemblées dans la grande salle de réception sur laquelle débouche le péristyle. La maîtresse me présente à mes nouvelles petites compagnes : "Voici Mélitta." Elle ajoute : "Elle est plus vieille que vous, et pourtant elle a exactement le même âge : elle vient de naître. Notre déesse Aphroditê m'a donné une jolie sauvageonne déjà poussée en graine mais je vais accomplir l'exploit d'en faire la même chose qu'avec vous : la plus raffinée des hétaïres. Ou du moins je vais essayer." Pendant la séance de formation, Nikarétê me choisit systématiquement comme démonstratrice. Non parce que je suis la plus douée mais, au contraire, pour montrer aux autres l'exemple déplorable de ce qu'elles deviendraient si elles n'écoutaient pas les conseils que leur maîtresse leur prodigue. Elle me rabroue devant tout le monde. Elle laisse les petites filles rire de moi pendant de longues minutes qui sont les seules où elles peuvent un peu reprendre leur souffle.

Nikarétê m'ordonne de me mettre debout. Elle me dit : "Marche !" Je me mets docilement en mouvement mais elle m'arrête au bout de quelques pas. "Non mais regardez-moi cette maladroite ! Vous avez vu, elle marche avec ses bras et ses jambes, et non avec ses hanches. Dis-moi, la paysanne, tu crois que tu es ici pour faire quoi ? Pour courir après tes chèvres ou bien pour que les hommes courent après toi ? Arrête de réfléchir, idiote ! Descends dans tes hanches et laisse-les penser pour toi !" La maîtresse me fait évoluer autour de la pièce. Elle me suit de près avec une badine. Elle en cingle les parties de mon corps qui bougent alors qu'elles ne le doivent pas, ou qui ne bougent pas alors qu'elles le devraient. Celles qui se contentent de bouger alors qu'elles devraient onduler. Celles qui se contentent de suivre le mouvement alors qu'elles devraient le créer. Elle me frappe sans répit, à petits coups précis et secs et d'autant plus douloureux, les bras, les jambes, les hanches, les fesses, les seins. Puis, quand tout ondule comme il faut, elle me fouaille encore, en me disant : "Ces coups de badine, ce sont les regards des hommes qui te désirent et ceux des femmes qui te jalousent ! Je veux que tes hanches continuent à marcher sous ces regards comme si elles ne les sentaient pas !"

Nikarétê dit : "Ris !" et je m'efforce de faire sortir de ma gorge mon plus beau rire forcé. "Tais-toi !" : la maîtresse crie pour m'imposer silence. Puis elle continue d'une voix calme mais implacablement moqueuse : "Tes cordes vocales nous déchirent les oreilles. Encore plus que lorsque tu parles dans ton patois de paysanne béôtienne ou lorsque tu souffles dans ton aulos. Tu crois que les hommes vont supporter cette punition que tu nous infliges ?" Sous le sarcasme, je contiens avec peine les sanglots qui me montent à la gorge. Nikarétê me regarde attentivement et, d'un ton radouci : "Qu'est-ce qui t'arrive, ma petite Mélitta ? Tu as plutôt envie de pleurer que de rire, c'est ça ?" Je hoche la tête. Mais l'autre reprend avec cruauté : "Et tu penses que ça nous intéresse ? Tu penses peut-être que tu ne devras rire que lorsque tu en auras envie ?" Je baisse la tête, accablée, et ma persécutrice me donne sans pitié le coup de grâce : "Qui te demande de rire bruyamment, comme l'une de ces putains du Peïraïeus que tu es toujours ?" Nikarétê, se tournant vers les petites filles, met fin d'un simple claquement de langue au charivari des cruelles petites sorcières qui se moquent de moi. Elle continue sa démonstration en leur déclarant à voix haute : "Rire, pour nous, mesdemoiselles, c'est seulement sourire. Avec juste assez d'entrain pour que les hommes devinent notre joie intérieure mais en mettant la main devant notre bouche, de manière à ne leur laisser apercevoir que nos dents sans leur montrer notre glotte." Elle se retourne vers moi qui ai réussi pendant ce moment de répit à ravaler mes larmes : "Si tu tiens à te réjouir sincèrement, Mélitta, pense plutôt aux cadeaux qu'ils te feront, lorsque tu auras su t'amuser avec élégance de leurs plaisanteries les moins drôles !"

Cette nuit-là, la seconde que je passe dans la maison de Nikarétê, je craque. Cernée par les respirations paisibles des petites filles, je pleure toute seule dans mon lit. Je n'y arriverai jamais. Je suis trop vieille. Trop gauche. Jamais je ne parviendrai à retrouver la souplesse et la disponibilité d'une gamine de sept ans. Nikarétê va se lasser. Me donner en pâture aux mufles brutaux des Cerbères. Ou à son mari, le Cuisinier, qui, lorsque sa femme aura fini de me déchirer l'âme, découpera mon corps en morceaux et le fera cuire dans ses marmites pour nourrir leur troupeau de jeunes brebis carnassières. Je me déçois. Je croyais que j'étais plus courageuse. J'ai envie de mourir.

Soudain, je sens une présence à mes côtés. Une voix qui me souffle : "Chut, ne fais pas de bruit !" Dans la pénombre, je crois reconnaître le profil aigu de l'acrobate, la fille au cerceau et aux estafilades sanglantes qui m'a regardée passer sous la galerie lors de mon arrivée. Elle me murmure : "Ne t'en fais pas, c'est dur au début, et puis on s'habitue." Je sens sa main sur ma joue qui cherche à essuyer mes larmes. Je ne suis plus habituée à tant de douceur. Je me raidis. La fille s'en rend compte mais, sans s'offusquer, elle continue à m'apaiser de ses caresses et de ses murmures. Elle m'explique que Nikarétê est une maîtresse sévère mais pas injuste, qu'elle sait ce qu'elle fait, que le mieux est de s'en remettre entièrement à sa direction, quoi qu'il en coûte d'abord. Je finis par m'abandonner. L'acrobate passe adroitement son bras autour de mes épaules pour m'enlacer plus étroitement. Nous parlons longtemps.

Ou plutôt elle parle longtemps. Elle m'apprend qu'elle s'appelle Stéphanê. Elle me raconte la vie dans l'école de Nikarétê. Les exercices, les jeux, les repas en commun. Les trois Cerbères, Mentês, le vieux aux cicatrices, Adômas, le tatoué, et Kistôn, le taciturne, qui sont moins féroces qu'il n'y paraît. Le mari de la maîtresse, Hipparkhos, le cuisinier, que l'on voit rarement mais dont il faut se méfier, parce que lui peut être vraiment brutal. Et puis elle me raconte son histoire. Esclave de naissance, elle vient d'Iônie, d'une petite propriété à la campagne dans les environs de Milêtos où elle vivait avec sa mère. Elles ont été séparées lorsqu'elle avait sept ans : son maître, qui était peut-être son père, s'est rendu compte qu'elle devenait si jolie qu'il y avait peut-être un profit à tirer d'elle. Alors, un matin, sans lui permettre de faire ses adieux, il l'a emmenée sur le fameux marché de l'île de Dêlos où l'un des rabatteurs de Nikarétê l'a remarquée. Depuis, elle vit dans cette école. Au début, elle a beaucoup pleuré elle aussi, en pensant au chagrin de sa mère dont elle avait été privée si brutalement. Puis elle a fini par s'habituer. Pendant quelques mois, elle a été la suivante de la précédente Mélitta : un client de Samothrakê, qui venait régulièrement à Athênaï pour affaires, a fini par la racheter pour en faire sa concubine. C'était une très jolie fille. "Mais, me glisse Stéphanê, beaucoup moins jolie que toi. Si tu t'accroches, tu as toutes les chances de réussir." Elle m'embrasse sur la joue. Elle m'apprend qu'elle a déjà participé à plusieurs banquets mais jamais en tant qu'artiste soliste. Elle s'est spécialisée dans les cerceaux parce qu'elle n'est pas assez bonne musicienne et puis elle aime cet exercice où elle doit passer souplement entre les lames ou les flammes sans se blesser. Elle rêve de séduire elle aussi un homme pour qu'il l'établisse dans une propriété à la campagne. Ce serait un négociant de Milêtos qui tomberait assez amoureux d'elle pour lui permettre de racheter sa mère et de l'installer auprès d'elle. Ou bien, s'il est interdit à une simple esclave de rêver, elle se dit qu'elle aimerait seulement finir ses jours dans cette école, au milieu des filles à qui elle apprendrait à lancer les cerceaux. Nikarétê la gardera parce qu'elle l'aime bien. Elle me confie son passé et ses projets en phrases courtes et paisibles. Sans s'émouvoir. Passant souplement de ses chagrins les plus profonds à des considérations futiles sur le caractère des gamines qui nous entourent ou à des remarques pratiques sur la vie auprès de Nikarétê. Elle me rassure. Rien ne paraît pouvoir l'atteindre. Quand je lui en fais la remarque (et c'est la première fois que j'ouvre la bouche pour répondre à ses murmures), elle acquiesce : "Je ne résiste jamais. Je plie. Comme le roseau de la fable d'Aisôpos que me racontait ma mère. C'était un esclave comme nous, qui parlait à ses frères pour leur apprendre à survivre."

J'imagine sa mère, l'esclave de Milêtos, lui faisant tendrement répéter la fable au moment où l'on s'apprête à l'arracher à elle, et soudain j'ai l'impression d'entendre ma nourrice, l'esclave du Katpatuka, me murmurant la légende de ma naissance perse. Alors je comprends que ces deux femmes avisées ont glissé un récit à nos oreilles de petites filles pour nous aider à traverser nos épreuves futures. Stéphanê se rapproche encore. Elle me souffle : "Quand je sens que je vais être atteinte, je me réfugie dans les images que j'ai conservées de la ferme de Milêtos. Mais je fais bien attention : je ne les utilise pas trop pour ne pas les user ! Tu comprends ?" Cette fille n'a comme moi pour tout viatique que ses souvenirs d'enfance mais elle sait y puiser avec la parcimonie résolue de la voyageuse embarquée dans un périple sans fin. Elle a su s'inventer des règles de survie. Elle est esclave de naissance et moi seulement une fille libre réduite à une condition servile à laquelle rien ne m'avait préparée. Il y a quelques mois, je me serais considérée comme naturellement supérieure à Stéphanê, mais je constate aujourd'hui qu'elle est bien mieux armée. Plus résistante, plus prudente, et aussi plus généreuse : si elle connaît depuis longtemps tous les secrets dont j'ai besoin, elle est venue dans mon lit pour me les donner dès qu'elle m'a entendue pleurer ; moi, j'ai laissé partir sans un mot la petite Glykéïa. Je me suis juré de ne plus penser aux autres et, dès le premier jour, cet égoïsme m'isole et me tue. Je me retourne vers Stéphanê, pour lui dire à quel point sa remarque m'a touchée, à quel point je suis frappée par la ressemblance de nos deux destins, à quel point j'admire sa façon de résister à notre malheur commun. Mais, comme si elle préférait ne pas insister, comme si elle avait la délicatesse de me transmettre ses secrets d'esclave sans exiger ma reconnaissance, Stéphanê se met à rire silencieusement. Alors je ris avec elle. Elle pose sa main avec douceur sur ma bouche pour m'inciter à ne pas faire trop de bruit. Puis elle se tait. Elle semble attendre quelque chose. Que je me confie à mon tour ? Que je lui raconte mon histoire ? Je garde le silence. Un reste de méfiance. Je suis bloquée. C'est trop tôt.

En enlevant sa main, Stéphanê laisse un doigt sur mes lèvres et me glisse : "D'accord, ne dis rien, chut." Puis, sans me prévenir, elle pose sa bouche à la place de son doigt qui, lui, se glisse sous ma tunique. Il tourne autour de la pointe de mon sein et puis il continue sa descente le long de mon ventre jusqu'entre mes cuisses. Je suis tellement stupéfaite que je la laisse faire. Elle ne s'impose pas, ses caresses sont aussi légères, aussi précises, aussi rassurantes que ses murmures. Les hommes me violent depuis des mois, mais c'est la première fois que quelqu'un me caresse, et c'est une fille. La première fois aussi que quelqu'un d'autre que moi met sa main à cet endroit-là. La première fois que quelqu'un me demande légèrement, obstinément de la retrouver à cet endroit-là. Alors je m'abandonne. Pourtant, je ne lui rends pas ses caresses. D'ailleurs, elle ne me le demande pas. Elle pose seulement une main sur ma bouche quand elle sent que je vais venir pour que je ne réveille pas les petites filles endormies. Ce plaisir caché qu'elle me donne est un autre de ses secrets de survie : il est très doux, je l'oublie aussitôt, mais grâce à lui, j'oublie aussi tout le reste. Je glisse dans le sommeil. Le lendemain matin, quand je m'éveille, Stéphanê a disparu. Je me demande même si je n'ai pas rêvé. Dans la grande salle du péristyle, où nous attendons agenouillées l'arrivée de Nikarétê, mon étrange visiteuse nocturne me salue sans marquer la moindre connivence, sinon peut-être d'un léger battement des paupières.

Peu à peu, la discrète acrobate et moi, nous devenons amies. Elle revient me voir parfois dans mon lit. Les nuits où je pleure. Les nuits où j'ai besoin d'elle. Elle, de son côté, n'a jamais besoin de rien mais, peu à peu, il m'arrive de lui rendre ses caresses et de mettre à mon tour ma main sur sa bouche lorsqu'elle jouit. Au matin, elle a toujours disparu.

Un jour, Nikarétê nous apprend à nous maquiller. Saisissant sans douceur mon visage d'une main, de l'autre ma maîtresse m'enduit avec dextérité la face de blanc de céruse. "Vous savez pourquoi nous faisons cela, petites filles ? Pour cacher les irrégularités disgracieuses de notre peau, bien sûr, mais aussi pour l'éclaircir, car la pâleur est signe de distinction." Et Nikarétê, de nouveau, me donne en contre-exemple à toutes les petites filles du groupe : "Tenez, prenez cette Mélitta ! Sa peau est d'une souplesse parfaite, oui, mais d'une teinte horrible ! Regardez-moi ce bistre ! Et ici, autour des yeux, c'est presque jaune tellement c'est pâle ! Et là, sous les pommettes, on ne peut même pas dire que sa peau soit olivâtre, elle est quoi, carré-ment verte, non ? Vraiment, ça ne fait pas envie ! Cette fille est telle-ment basanée qu'elle a la peau jaune et verte ! Mais qui t'a donné cette peau-là, ma pauvre Mélitta ? Quel dieu moqueur a pu donner à une Grecque une peau de Perse ? Tu crois qu'un homme aura envie de poser ses lèvres sur la joue d'une grenouille ? Non, non, non crois-moi, il faut du blanc, beaucoup de blanc, comme cela, pour cacher ta peau et la rendre moins repoussante ! Et puis du rouge, comme ceci, pour donner de l'éclat aux pommettes. Et puis du noir, ajoute-t-elle en se saisissant d'un pinceau fin, pour souligner le contour des yeux, cela rendra ton regard moins vide, ma petite. Je vais même rehausser un peu tes sourcils parce qu'ils manquent cruellement de netteté. Tu es toute floue, c'est ça ton problème !" Contemplant son œuvre avec satisfaction, elle fait apporter un miroir de bronze poli afin que j'y contemple le nouveau visage qu'elle m'a dessiné. Je ne me reconnais presque pas dans ce reflet. J'aperçois un être féminin plus âgé que moi, plus mûr. D'une beauté mais aussi d'une étrangeté stupéfiantes, dont les traits hiératiques m'évoquent ceux des déesses représentées sur les grands vases de cérémonie du temple d'Erôs

116

à Thespiaï, ou les yeux fixes de la statue de l'Aphrodité Mélaïna que m'emmenait prier ma nourrice. Je dois reconnaître que je me plais ainsi. Je suis, comment dire, à la fois impressionnante de présence et absente. J'aime ça. Mon instructrice me glisse : "Voilà, maintenant tu es belle ! Et tu sais pourquoi ? Parce que tu n'es plus toi !" Oui, c'est exactement cela, ne plus être moi, paraître autre pour le devenir vraiment. Oh, je voudrais parvenir à farder mon âme autant que mon visage ! Nikarétê se retourne vers les autres élèves qui, avec leurs servantes, tentent de reproduire ses gestes habiles, et continue à leur délivrer son enseignement : "Allez-y, tartinez-vous, petites filles, vous ne pourrez jamais être trop maquillées ! Car de quoi s'agit-il ? De transformer votre visage en un masque. De vous métamorphoser en personnages du théâtre d'Erôs, dont les cérémonies ne se déroulent pas, comme celui de Dionysos, en plein air et sous les rayons du soleil, mais de nuit, dans une salle de banquet, à la lumière des torches. Alors faites-vous une face pâle et brillante comme la lune ! Vous qui n'apparaîtrez que lorsque la réalité diurne se sera évanouie, soyez pâles, soyez fausses, soyez douces, accueillantes, inaccessibles comme Aphrodité Sélênê, la déesse de la lune et de l'amour !"

Elle me fait dénouer ma longue chevelure pour la saisir à pleine main et la tordre en arrière sans s'inquiéter de mes cris de douleur. "Regardez-moi ces cheveux ! Comme ils sont luisants à force d'être noirs ! Comme c'est banal ! Comme c'est dégoûtant !" En les plongeant dans des décoctions, elle m'apprend à les éclaircir, pour qu'au moins, à défaut de devenir blonds, ils se nuancent de reflets dorés. Elle me montre comment les friser au fer. Comment relâcher artistement quelques mèches sur le front et le long des joues. Comment ramener tout le reste en arrière pour former des chignons bien plus artistes que les miens et retenus par deux fins rubans dorés. "Vous pourrez demander à votre amant de le défaire quand le moment sera venu de vérifier s'il sait se montrer un peu délicat. Mais un conseil, les premiers temps, il vaut mieux vous en occuper vous-mêmes, en lui demandant de regarder seulement. Pensez à lever les bras, pour bien faire saillir vos seins, du moins quand vous en aurez, petites filles. Montre-leur, Mélitta ! Voilà, si vous le faites aussi gentiment que ça, vous verrez que votre amant se tiendra tranquille quelques minutes, le temps pour vous de dénouer tranquillement vos cheveux avant que ce brutal ne vous les arrache." Nous passons tout le reste de l'après-midi à faire monter et s'écrouler nos chevelures.

J'aime inventer des coiffures compliquées, des façons inédites de faire tenir les bandeaux en équilibre en trouvant de nouveaux angles avec les fines aiguilles de corne et les résilles. Mais j'aime encore plus le moment où je défais ces liens, où je saisis les rouleaux de mon chignon dans mes mains pendant quelques secondes avant de les laisser se répandre sur mon visage et sur mes épaules. Le moment où, secouant la tête, je libère mes cheveux et ma sauvagerie. Je me souviens de l'effet que ce geste a eu sur le riche Athénien dans le bordel du Peïraïeus et moi-même j'en jouis. Vague de vitalité qui me submerge. Quand je fais ça, quand je laisse mes cheveux faire ça, il me semble que même Nikarétê me regarde avec surprise.

Un autre jour, elle s'adresse à moi d'une voix sèche : "Toi, là, baisse un peu le haut de ta tunique sur tes hanches. Allez, dépêche-toi !" Puis, dès que je me suis à moitié dénudée, me désignant à l'ensemble du groupe : "Regardez toutes les seins de Mélitta. Ils sont délicats, n'est-ce pas ? On pourrait les trouver jolis, peut-être, mais ils ont un défaut rédhibitoire : ils sont menus, vraiment trop menus !" Nikarétê leur montre comment glisser des postiches à l'intérieur de la bande de tissu serrée dans laquelle je suis la seule, avec l'acrobate et une autre fille appelée Lampitô, à envelopper déjà mes seins. "N'oubliez jamais : ce n'est qu'après les avoir appâtés avec votre fausse poitrine que vous pourrez leur faire admettre qu'ils peuvent très bien se contenter de la vraie. Il faut toujours commencer par leur mentir si vous voulez qu'ils soient capables d'accepter la vérité."

La maîtresse n'apprend pas à ses disciples seulement les trucs et les astuces de la cosmétique. Elle nous en dévoile aussi la philosophie. Qui tient en un mot : artifice. Refus du naturel. Ne plus être soi mais s'identifier aux canons de la beauté féminine tels que les ont définis les hommes, pour se métamorphoser en cet être improbable qui les fait rêver, aussi parfait et aussi irréel que doivent l'être ces divinités ou ces nymphes dont ils ne croisent plus le chemin que trop rarement dans leur vie prosaïque. Les hommes ne viennent pas chercher la réalité de la femme auprès des hétaïres (ils l'ont déjà avec leurs épouses légitimes qui ne se maquillent pas et les ennuient au lieu de les distraire), mais l'image idéale qu'ils s'en font dans leurs mythes. "C'est pourquoi notre art ne se résume qu'en apparence à danser, chanter, jouer de plusieurs instruments de musique, converser agréablement, ou faire l'amour, même si chacune de ces activités doit être parfaitement maîtrisée. Il consiste, dans son essence, à nous transformer nous-mêmes en cette statue vivante que les hommes auront plaisir à animer."

À seize ans, j'écoute avec avidité ces discours sur l'artifice. Je les reçois sincèrement, tant sont grands à mes yeux l'autorité et le prestige de Nikarétê. Mais cette dernière est assez fine pour deviner, chez la plus douée et la plus docile de ses élèves, une résistance instinctive. "Regardez cette pauvre Mélitta ! Qui se croit assez belle naturellement pour n'avoir pas besoin de se métamorphoser !" Soudain, la maîtresse claque dans ses mains et donne l'ordre à deux esclaves d'aller lui chercher l'une de ces jarres dans lesquelles son mari le cuisinier conserve les aliments. "Dis-moi, jeune beauté, tu as déjà goûté du poisson salé ?" Elle m'oblige à plonger la main dans la jarre ouverte, à en ramener un poisson tout suintant de saumure, pour l'approcher de mes lèvres. Je tente d'obéir, comme d'habitude, mais je ne peux réprimer un haut-le-cœur, tandis que toutes les gamines glapissent de dégoût à l'odeur répugnante de la chose qui se balance sous le nez de leur camarade. "Si Hipparkhos ne le fait pas tremper longtemps pour le laver, aucune d'entre vous n'acceptera d'y toucher, n'est-ce pas ? Eh bien, nous, les femmes, nous sommes pareilles : au matin, au naturel, même quand nous nous croyons comme Mélitta une splendeur native de seize ans, nous sommes aussi peu ragoûtantes qu'un poisson salé ! Voilà pourquoi il faut que nous nous lavions et que nous nous relavions sans cesse, que nous nous parfumions et que nous nous maquillions et que nous nous apprêtions. Simplement pour perdre un peu de nos puanteurs d'origine et leur donner faim ! La séduction, mes petites, ce n'est qu'une autre sorte de cuisine où, chaque soir de banquet, nous devons nous rendre à peu près comestibles. Nous savons bien, nous, les femmes, combien cela demande de travail ! N'oublie pas, Mélitta : malgré ta beauté, au naturel tu n'es qu'un banal morceau de poisson plein d'arêtes et de jus dégoûtants ! Je n'ai pas raison ? Observez bien demain matin Mélitta la fille-miel au réveil et vous me direz si je n'ai pas raison !" Riante et confuse, j'accepte de renier ce en quoi j'ai toujours cru, ce que Manthanê la Kappadocienne m'a inculqué depuis l'enfance et que Nikarétê l'Athénienne entreprend méthodiquement de saper : la confiance dans ma nature féminine, dans le caractère spontané et divin de ma beauté. Le poisson retombe dans la saumure avec un bruit gluant et Nikarétê se hâte de faire enlever la jarre. Mais cette odeur reste imprimée dans mes narines. Elle devient mon odeur. Je mettrai plusieurs années à effacer l'emprise de cette métaphore triviale et à dépasser ce moment où j'ai accepté de me moquer de moi-même.

Mon instructrice m'apprend comme aux autres filles à sucer un sexe d'homme sur des godemichés de bois de plus en plus longs, à recevoir avec grâce un sexe d'homme dans toutes les positions et tous les orifices. Lorsque j'ai fini d'apprivoiser l'ustensile, elle m'oblige à m'entraîner devant toutes mes camarades sur le membre vivant d'un des Cerbères. Je commence à bien les reconnaître entre eux, ce qui accroît encore ma gêne. Celui qui doit me prendre s'appelle Adômas. Le plus jeune des trois mais pas le moins repoussant. Il est tatoué non pas seulement sur le visage, mais de la tête aux pieds. Je sais, pour l'avoir vu officier avec une autre de mes compagnes, Lampitô, qu'il porte un œil tatoué jusque sur le bout du gland, dont les paupières et les cils se dilatent lorsqu'il entre en érection. Il dit, dans un de ses éclats de rire ressemblant à des grimaces, que, lorsqu'il jouit, "son troisième œil pleure de joie". Et je sais aussi qu'il m'aime bien. J'ai l'impression qu'il veille à ne pas me faire mal. De mon côté, pour cacher mon trouble, je tente d'agir avec l'efficace détachement d'une professionnelle. Je crois que je parviens même à lui faire perdre quelques instants le contrôle. Pourtant, à la fin de l'opération, son jugement est sans appel : "Elle est habile mais…" La maîtresse lui demande de continuer sa phrase et l'affreux bonhomme le fait avec une finesse surprenante : "Elle fait tellement bien semblant qu'elle te montre qu'elle fait semblant.
    — On ne pourra rien y faire, n'est-ce pas ?
    — Non, maîtresse.
    — Mais ils s'en contenteront ?
    — Oui, maîtresse, ils s'en contenteront très bien."
    Et, se retournant vers moi, le Cerbère tatoué m'adresse un clin d'œil complice. Je n'ose pas le lui rendre. Le soir, Stéphanê se moque gentiment de la façon dont j'ai réussi à amadouer notre premier chien de garde.
    Nikarétê me fait passer aussi une nuit, dans l'intimité cette fois, entre les mains de son mari, Hipparkhos. Je me dis que je subis une épreuve décisive et je m'efforce de me montrer plus sincère et plus ardente qu'avec Adômas. J'accentue à plaisir mes gémissements. Mais j'obtiens le résultat inverse de mes attentes : tout en me besognant, le terrible cuisinier se met à me rouer de coups. Au moment de jouir, il me frappe même plusieurs fois au visage. Lorsqu'elle aperçoit les

marques le lendemain, les yeux de Nikarétê s'assombrissent et elle en fait publiquement le reproche à son mari. Ce dernier se justifie en prétendant que j'ai tenté de me débattre et son rapport sur ma performance est tellement négatif que ma maîtresse, malgré mes supplications, me fait fouetter par le plus silencieux et le plus intraitable des Cerbères, Kistôn. Celui dont le visage ne porte ni tatouage, ni cicatrice, ni la moindre expression humaine, et qui est pour cela le dernier des trois à me faire encore vraiment peur. Après ce châtiment injuste, tandis que Stéphanê me soigne en m'enduisant avec précaution le dos et les fesses d'un onguent, elle me fait remarquer que le Cerbère ne m'a pas fouettée aussi fort qu'il en a l'habitude. Je suis trop choquée pour en convenir.

Les semaines suivantes, Hipparkhos continue à me poursuivre de son désir haineux. Il me guette jusqu'à l'étage des femmes. Il cherche, sous les prétextes les plus divers, à m'entraîner dans l'une des pièces isolées qui, aux alentours de la cuisine, lui servent de cellier. Il y parvient une fois : il me menace, si je ne me laisse pas faire, de m'égorger avec l'un de ses grands couteaux de cuisinier. Ensuite, il se débarrassera de mon corps en le plongeant dans l'une de ses immenses marmites qui bouillonnent en permanence sur le feu du foyer. Elles nous font à toutes très peur. C'est là, d'après les récits nocturnes des petites filles, que celles de nos compagnes, dont nous apprenons brusquement le départ et dont nous n'entendons plus jamais parler, finissent leur vie : elles ne vont pas vivre avec un amant mais on nous les donne à manger. Même si je ne crois pas tout à fait à ces contes, je suis effrayée par les menaces d'Hipparkhos. Et surtout par la lame effilée qu'il a plaquée sur ma gorge. Il me viole encore plus brutalement que la première fois, même s'il veille à ne pas me frapper au visage. Lorsque, sanglotant de douleur et d'humiliation, je parviens à m'enfuir du cellier, les servantes qui travaillent aux cuisines et qui ont tout entendu, me jettent par en dessous des regards moqueurs, comme si ce que je venais de subir était habituel. Je n'ose pas me défendre contre les assauts de l'époux de ma maîtresse (je ne sais même pas si j'en ai le droit), ni m'en plaindre ensuite à Nikarétê. La seule à qui je puisse me confier, c'est mon amie Stéphanê. L'acrobate me conseille d'éviter de m'approcher seule des cuisines et, si jamais le maître me remet la main dessus, de céder avec souplesse, pour qu'il ne me brutalise pas trop. Heureusement, les fois suivantes où, malgré ma prudence, le cuisinier parvient à m'entraîner dans son domaine, l'arrivée providentielle d'un des trois dogues jumeaux met fin à ses tentatives. Hipparkhos leur lance un regard furieux mais, bien qu'il soit l'époux de leur maîtresse, il n'insiste jamais. Il se contente de me repousser brutalement vers eux et de me donner l'ordre de cesser de l'importuner parce qu'il a du travail. Je finis par me douter que les Cerbères n'interviennent pas par hasard. Un après-midi, l'un d'entre eux, Kistôn, celui qui m'a fouettée, me sauve à la dernière minute, en entrant dans le cellier au moment où le cuisinier m'a déjà mis le couteau sous la gorge. J'ai eu tellement peur que je tremble encore dans l'escalier qui me ramène au dortoir et que je manque trébucher. Avec une surprenante douceur, le Cerbère me pose la main sur l'épaule : "Calme-toi, petite." Ce sont peut-être les premières paroles qu'il m'adresse depuis mon entrée dans la maison de Nikarétê. Oubliant le ressentiment que j'éprouve à son encontre depuis l'épisode du fouet, je saisis la main qu'il m'offre pour la porter à mes lèvres et le remercier. Il esquisse un sourire bref, qui fend son visage d'ordinaire impassible : "Remercie ta maîtresse." Puis il disparaît dans l'escalier. Quelques instants plus tard, Stéphanê vient me retrouver dans le dortoir. J'ai l'intuition que c'est Kistôn qui est allé la chercher, afin qu'elle me console. Peut-être le terrible exécuteur des basses œuvres de Nikarétê est-il capable d'une insoupçonnable délicatesse ? Peut-être pourrait-il devenir lui aussi, comme Adômas le tatoué, non seulement mon gardien et le bourreau chargé de me punir, mais aussi mon allié ? Lorsque le soir nous sortons du dortoir, je l'aperçois en train de veiller discrètement à notre porte. Je lui adresse un sourire mais il ne me le rend pas.

La remarque du Cerbère m'a fait comprendre que Nikarétê était au courant des violences de son mari. C'est sûrement elle qui a chargé les trois gardes du corps de se relayer pour me protéger dans sa propre maison. Je me dis que nous sommes toutes les deux assez en confiance – moi assez assurée de sa bienveillance et elle de ma bonne volonté –, pour qu'à la fin du repas j'ose lui parler de cette menace qui pèse sur moi et me rend la vie impossible. Mais Nikarétê fait semblant de ne pas m'entendre. Elle redevient soudain hautaine. D'abord, elle s'enferme dans un silence plein de morgue. Puis, se ravisant, elle me jette : "Ton maître est un cuisinier un peu gourmand, rien de plus. Quant à moi, je protège ma marchandise." Elle me renvoie à ma servitude en deux phrases et un geste sec. Pourtant, à partir de ce jour, le mari ne s'approche plus de moi et il s'abstient même ostensiblement de me regarder. Peut-être sa femme le lui a-t-elle interdit, puisque je lui appartiens à elle, et non à lui ? Peut-être a-t-il trouvé une autre servante, aussi tentante mais moins protégée, sur qui assouvir ses appétits brutaux ? Peut-être même la lui a-t-on fournie pour qu'il me laisse tranquille ?

Nikârétê nous apprend à jouer sur la flûte ou sur la cithare des airs sensuels et à danser lascivement. Dans ces séances-là, nous sommes vêtues de notre uniforme d'apparat : tuniques d'une soie rouge vif ou d'un oriental safran. Le tissu en est si souple, si fin qu'il est presque transparent, et le côté droit fendu du haut jusqu'en bas pour laisser voir au moindre mouvement nos seins et nos cuisses. Chez les Athéniens, une robe, pour être sensuelle, doit être la plus longue possible, afin de mouler les courbes de la jambe et de tomber en plis savants sur les pieds. Toute la difficulté, et la marque de la femme vraiment élégante, consiste évidemment à ne pas marcher dessus ! Ce qui m'arrive plusieurs fois. Et me vaut les sarcasmes des petites, souvent plus souples que moi, ainsi que la menace du fouet de Kistôn, lorsque Nikârétê s'impatiente de ma maladresse et perd confiance dans mes progrès. La maîtresse nous apprend à danser avec le tissu. À le caresser, à nous caresser avec lui, comme s'il s'agissait d'un corps d'homme qui nous envelopperait entièrement. À faire l'amour avec le tissu qui ne doit pas dissimuler mais exalter notre nudité. À la toute fin de la danse seulement, nous nous dévoilons, et c'est souvent la partie la moins excitante de notre exhibition. Même si je reconnais l'efficacité des chorégraphies de Nikârétê, qui savent de façon provocante transformer le vêtement en partenaire amoureux, je continue à détester ces tuniques trop transparentes qui ne me cachent pas assez et ne laissent aucun secret à découvrir. Je me souviens que, la seule fois où j'ai réussi à jouer avec le désir d'un homme, je ne lui ai rien montré d'emblée, demeurant si immobile et si invisible que c'est lui qui a dansé sa parade autour de moi, cachée sous ma capuche comme au fond d'une grotte où mes yeux seuls l'invitaient à s'aventurer. Lorsque je dois agir en pleine lumière pour susciter le désir au lieu de le laisser venir à moi, malgré mon goût pour la danse je me sens toujours aussi gauche. Mais Nikârétê, le jour où j'ose lui confier mes réticences, se moque de ma prétention à paraître aux banquets enveloppée dans une sobre tunique de femme honnête et à danser sans rien montrer. Elle me cingle à voix haute de son ironie : je ne dois pas me prendre pour ce que je ne suis pas mais me déshabiller gentiment, comme les autres filles le font depuis toujours. Les hommes, même athéniens, restent des hommes, effrayés plutôt qu'excités par trop d'originalité. Un peu de mystère, oui, mais de mystère convenu, de mystère pas trop mystérieux, sinon, ils ne savent plus où ils en sont !

Parfois aussi, Nikarétê fait venir un jeune danseur qui appartient à un autre maître spécialisé dans les garçons (elle-même se refusant absolument, bien que les numéros de couples soient très demandés, à en posséder un dans son cheptel, et veillant même à ce qu'il soit chaque fois différent pour que ses protégées ne puissent s'y attacher). Elle le fait évoluer en duo avec l'une de ses élèves. Ils font tomber rapidement leurs vêtements et, entièrement nus, miment les différentes étapes d'une étreinte. De temps en temps, Nikarétê demande au garçon de pénétrer vraiment la fille. Mais, même alors, celle-ci doit continuer à feindre le plaisir sans se laisser dépasser par lui, et elle reçoit le fouet lorsque la maîtresse a l'impression qu'elle en a éprouvé vraiment. Le garçon est puni aussi lorsqu'il se laisse aller à éjaculer. Car ces exhibitions ont pour seul but de donner envie de faire l'amour aux hommes libres qui les regardent. Je préfère de loin ces duos souvent très osés aux danses en solo dans les voiles transparents. J'ai l'impression étrange d'y être moins nue et moins exposée. Je simule le plaisir de façon si suggestive mais si contrôlée que je ne suis jamais punie.

Nikarétê nous apprend à bien nous comporter dans les autres rituels de la vie en société. Elle nous affame pendant plusieurs jours et ensuite nous installe, mes petites camarades et moi, devant une table chargée des plats les plus appétissants qu'ait pu préparer Hipparkhos. Celle d'entre nous qui se précipite la première sur la nourriture, celle qui n'est pas capable de se forcer à picorer quelques bouchées seulement, en plaçant sa main devant la bouche avec élégance, celle-là est impitoyablement arrachée du banquet par l'un des Cerbères et jetée dans la geôle où elle reste au pain sec et à l'eau pendant encore deux jours supplémentaires. Bientôt mon contrôle sur mes appétits est parfait.

Nikarétê nous maintient à jeun pendant une journée avant de nous apprendre à boire. Du vin presque pur, à peine coupé d'eau, que nous devons siroter à petites gorgées, pour faire durer la coupe le plus longtemps possible et contrôler le vertige de l'ivresse. Elle nous apprend aussi à nous faire vomir l'une l'autre avec délicatesse, en enfournant prestement mais sans rudesse deux doigts au fond de la gorge de notre camarade, comme nous serons souvent obligées de le faire avec nos clients intempérants. Dans le cas plus rare où il nous faudrait nous soulager nous-mêmes, parce que nous aurions commis l'erreur de céder au vin, elle nous montre comment continuer à faire bonne figure et maîtriser jusqu'aux spasmes de notre ventre, en nous vidant le plus discrètement possible dans le vase que nous présente un petit esclave, avant de reprendre l'air de rien notre place dans la fête. Tableau presque burlesque : tandis que ses élèves tentent de se faire vomir l'une l'autre à qui mieux mieux sans perdre le sourire, Nikarétê nous observe avec sévérité. Fouaillant de sa badine la moindre d'entre nous qui se laisse aller à une grimace ou à un bruit dégoûtant, elle définit d'une voix nette l'hétaïre comme la femme capable de garder gracieusement l'équilibre au moment où elle incite tous les hommes autour d'elle à le perdre. Comme celle qui ne s'abandonne jamais et surtout pas dans l'abandon.

Puis Nikarétê enseigne à celles de ses élèves qui ont l'âge les secrets de la contraception. Les huiles glaireuses, les décomptes savants des jours et des quartiers de lune, les prières, les sacrifices de petits animaux qui empêchent d'avoir des enfants. Et qui échouent souvent, même quand on croit qu'on est assez prudente, parce que la vie est toujours la plus forte. Lorsque pareille mésaventure se produit, il est temps d'aller voir les sorcières, d'avaler leurs décoctions répugnantes et de s'ouvrir en tremblant au jeu mortel de leurs aiguilles. Nikarétê espère qu'elle n'aura jamais à escorter sa fille-miel sur ce périlleux chemin-là. Mais garder l'enfant, cela ne représente pas seulement plusieurs semaines de chômage. C'est aussi la douleur de devoir l'abandonner à l'aube sur une place déserte, enveloppé dans un linge au fond d'un vase pour qu'il ne soit pas dévoré par les chiens, avec la certitude qu'il finira esclave. Ou même pire, selon les mains entre lesquelles il tombera. "Alors, ma petite Mélitta, me psalmodie-t-elle, frotte-toi d'huile le plus soigneusement possible, et prie Aphrodité qu'elle veuille bien t'éviter le malheur de donner la vie, comme seules les femmes légitimes en ont le droit. Si la déesse ne peut exaucer cette prière, qu'au moins elle ne te fasse pas concevoir une fille !"
Nikarétê ne se lasse jamais de nous répéter le principe le plus sacré de tous, la seule règle intangible de notre profession : surtout ne jamais tomber amoureuse ! L'amour est l'ennemi le plus

redoutable de ces spécialistes du désir que sont les hétaïres. Même la plus expérimentée d'entre nous ne sera jamais complètement à l'abri des traits du chasseur cruel que nous accompagnons dans sa traque. Nous méfier de nous-mêmes à chaque instant. Tuer le sentiment dès qu'il naît. L'amour n'est pour nous qu'un véhicule, un cheval fougueux que nous enfourchons pour aller plus vite et plus loin mais dont nous devons sauter à bas dès qu'il ne nous sert plus. L'amour, seuls les hommes peuvent se l'offrir. "Sinon, Mélitta, me prévient ma maîtresse du haut de son expérience, tu leur donneras gratuitement ce que tu aurais dû leur faire acheter très cher et, à la fin, ils t'en auront encore moins de reconnaissance. Car ils n'aiment vraiment que celles qui ne les aiment pas. Montre-toi toujours tendre sans l'être jamais en réalité. Garde toujours la tête assez froide sous le sourire le plus chaleureux, pour calculer quel nouveau cadeau peut te rapporter chacun de leurs moments de faiblesse. Laisse-les t'aimer autant qu'ils veulent, mais ne chéris jamais en eux que les bijoux, les vêtements, les mets, les meubles et les esclaves, par lesquels ils te prouveront leur amour. Et ne leur consens jamais de réduction. Ou alors une, en passant, s'ils te la demandent sans t'humilier, et en leur faisant bien comprendre qu'elle sera exceptionnelle. Donne-leur toute la tendresse feinte qu'ils exigent mais sans jamais leur accorder rien de plus que ce qu'ils payent. Ne le leur fais jamais sentir, évidemment, sinon ils te traiteraient d'ingrate. Donne à ta rapacité l'excuse des frais de notre maisonnée, des dépenses de toilette que tu fais pour continuer à les séduire, de l'argent que je te réclame, moi, ta cruelle maîtresse. Fais-toi plaindre en les dépouillant, ils t'en sauront gré plus encore, ruine-les mais en leur donnant l'illusion qu'ils te sauvent la vie. Passe-leur toutes leurs folies, tous leurs caprices, tous leurs fantasmes, même les plus ridicules et les plus bizarres, considère-les avec bienveillance, bref, donne-leur sans te faire prier tout ce qu'ils te demanderont, sauf toi ! Prête-toi à tous, ne te donne jamais à aucun. Et n'oublie pas de toujours les remercier avec grâce lorsqu'ils t'accorderont généreusement ce que tu auras su leur extorquer. Et puis surtout, surtout…

— Surtout quoi, maîtresse ?

— Ne tombe jamais amoureuse ! Ah oui, je te l'ai déjà dit, n'est-ce pas, mais je ne te le répéterai jamais assez. Tu sais, j'en ai vu tellement, d'aussi belles que toi, de plus douées que moi, se perdre par amour. C'est parce que j'ai eu la chance de ne jamais subir cette malédiction divine que je suis arrivée au bonheur. Je voudrais qu'il en soit de même pour toi, ma petite Mélitta. Prie notre déesse Aphrodité qu'elle t'oublie !"

À la fin d'une de ces conversations, je me rends compte à quel point nos relations ont évolué. Nikarétê me parle avec sincérité, comme elle l'a toujours fait, mais aussi désormais avec affection, si tant est que ce mot-là puisse s'appliquer à cette terrible femme. Non plus comme une maîtresse à son esclave, mais presque comme une mère à sa fille. Alors, pour la rassurer, lorsqu'elle a fini de me mettre en garde contre l'amour, je lui envoie le plus paisible de mes sourires. Nikarétê, qui m'observe attentivement, finit par me le rendre : "Oui, me dit-elle, je crois que je m'inquiète pour rien, n'est-ce pas ? Tu sauras très bien ne pas tomber amoureuse. Éprouver du plaisir à leur en donner, tu n'y parviendras jamais. Mais garder la tête froide, ne pas éprouver d'amour tout en leur inspirant ses folies, cela ne te coûtera rien. Peut-être même cette satisfaction un peu amère, un peu cruelle, un peu sèche, sera-t-elle le seul plaisir auquel tu parviendras jamais à succomber vraiment ? Eh bien, c'est tant mieux ! Finalement, tu as de la chance qu'ils t'en aient fait baver autant avant de me rencontrer. Je me suis trompée, cette partie de ton passé est un présent des dieux, garde-la précieusement dans ta mémoire. Et oublie tout le reste."

Je continue de sourire à Nikarétê, de me réjouir du ton plus chaleureux de sa voix, mais je me ferme délibérément au sens de ses paroles. Je ne veux pas entendre ce qu'elle me dit de mon incapacité à aimer ni des bienfaits cruels de mon passé. Je préfère m'en tenir au contrat qu'elle m'a proposé le premier jour de notre association : ne plus être qu'une fille-miel, toute gluante de n'exister que dans le présent, totalement dépourvue de désir et de mémoire. À l'extérieur, un piège aux bords sucrés où les hommes viendront se prendre, à l'intérieur, un gouffre.

Je participe avec toute l'école de Nikarétê à ma première cérémonie publique dans le temple d'Aphroditê Pandêmos, la déesse-du-peuple-tout-entier, dont on dit qu'il ne coûta pas une drachme aux citoyens : Solôn, l'instaurateur des bordels municipaux, le fit édifier jadis avec une partie de la taxe sur la prostitution et les putains se sentirent plus ou moins obligées de payer le reste. C'est à moi que, spontanément, la prêtresse propose de porter la corbeille remplie de grains d'orge sous lesquels se cache le couteau du sacrifice. De nouer autour des cornes du bouc immaculé les bandelettes rituelles. De tenir inclinée la tête de la victime. Je ne tremble pas au moment où le sang, jaillissant de la gorge béante, m'éclabousse. Je ne suis pas là. Je ne suis présente que de corps dans le sanctuaire de mon ennemie personnelle. Cette déesse qui inonde de sang et de sperme un monde injuste, je feins de la servir parce que je me suis juré d'y survivre.

Pendant les quelques mois que dure ma formation, je parviens presque totalement à être Mélitta. Je ne pleure en cachette que deux ou trois fois. Je suis moins solitaire que je ne m'y étais préparée. Je deviens amie non seulement avec Stéphanê, l'acrobate que j'admire de plus en plus lorsque je la regarde se glisser sans montrer la moindre frayeur à travers les cerceaux en flammes, mais aussi avec plusieurs des petites filles. Celles-ci, comme Glykeïa, la petite putain du Peïraïeus, à laquelle j'évite de repenser, se sont attachées à moi sans raison. Sans doute confondent-elles mon calme avec de la bonté ? Tout entière tendue vers mon but, je ne prends pas la peine d'approfondir l'image que ces gamines se font de moi, me prêtant sans déplaisir mais sans trouble à leurs demandes de tendresse. La vie dans l'école de Nikarêtê, en dehors des séances d'apprentissage, où je réussis d'ailleurs de mieux en mieux, est d'une surprenante douceur. À part Hipparkhos, l'inquiétant cuisinier, à part les trois rassurants Cerbères et les épisodiques jeunes danseurs, nous ne voyons jamais aucun de ces hommes dont on nous parle pourtant sans cesse. Étrange gynécée, où nous nous consacrons à l'apprentissage du plaisir aussi chastement que dans les autres maisons à celui du tissage.

Et puis, un jour de la fin du printemps, Nikarêtê nous ordonne, Stéphanê, Lampitô et moi, de nous maquiller et de nous costumer en hétaïres. Tout excitées, nous revêtons nos masques de nuit et nos voiles de safran transparent. Mais, au lieu d'attendre le crépuscule pour nous faire sortir à la lumière des torches, enveloppées dans un châle protecteur et escortées par Adômas le Tatoué, notre maîtresse nous oblige à nous exhiber toutes les trois en pleine rue dès la fin de l'après-midi, traversant de part en part le quartier populeux du Kérameïkos, à l'heure où les artisans et les marchandes de quatre saisons n'ont pas encore cédé la place aux gens de plaisir et aux voyous. Nous contournons la poterne où se tient le marché au vin, nous nous aventurons le long du cours qui longe les tombes officielles des héros morts pour la patrie, nous nous arrêtons longuement devant plusieurs de ces échoppes d'artisan dans les recoins desquelles officient les "rôdeuses", les indépendantes qui racolent en pleine rue pour survivre. Nikarétê nous suit, la badine à la main, nous ordonnant de nous arrêter puis de repartir, nous cinglant à chaque fois que l'une d'entre nous paraît remarquer l'attroupement que nous provoquons, et les murmures qui s'échappent de la foule : "Des hétaïres, venez voir, des hétaïres !", à chaque fois que nous tressaillons sous les quolibets des badauds ou les jurons des simples putes que nous dérangeons dans leur commerce hâtif. Lorsque nous parvenons enfin, au terme de notre périple, devant la Double Porte, notre terrible maîtresse nous désigne les murs couverts de graffitis qui l'encadrent : "Je veux qu'on n'y lise bientôt plus que des déclarations d'amour à votre intention. Et que vos admirateurs s'y livrent pour passer une nuit avec vous à des enchères féroces !"

Le lendemain matin, Nikarétê nous annonce que nous allons faire toutes les trois nos grands débuts dans le monde du plaisir athénien en participant dès la nuit suivante à notre premier banquet ! Je n'ai pas tout à fait renoncé à l'espoir d'y retrouver le riche Athénien aux gestes doux à qui je donnerai l'envie de me racheter. Mais lui ou un autre, peu m'importe ! Et même dix, cent ou mille autres !

Oui, désormais, je suis prête !

10

LE GARDIEN DU SOUVENIR

Ou je crois être prête.

Car, si le jour je me forme à devenir une parfaite hétaïre, la nuit…

Oh, la nuit, bien que j'aie juré à Nikarêtê de tout oublier de mon passé, je n'y parviens pas du tout ! Il s'infiltre, il ressurgit dans mes rêves, dans le moindre moment de distraction que l'on me laisse avant de me coucher, parfois même dans les rêveries éveillées qui me surprennent en plein jour au milieu de mon apprentissage. Ce ne sont que des bribes, des bouffées, des petits éclats de souvenirs épars. Comme la vapeur qui s'échappe en sifflant sous le couvercle des marmites d'Hipparkhos, dont les petites filles n'ont pas le droit de s'approcher sous peine d'être punies et dont je me tiens prudemment éloignée pour d'autres raisons.

Pourtant, même si je ne le saisis pas à l'époque, ma mémoire, dans ses entrelacs obstinés, suit son chemin. Elle aussi, comme Nikarêtê, me dispense son enseignement. Après la légende de mon père, elle me rend patiemment mes propres souvenirs de petite fille libre. C'est comme si je vivais sur deux plans parallèles. La plupart du temps, je suis Mélitta, la fille-miel qui s'apprête à s'enrouler de toute son absence de souvenirs autour du sexe des hommes pour les dépouiller de leur argent mais, par instants, je redeviens Mnasaréta, Celle-qui-se-souvient-de-sa-vertu et du nom que lui a donné son père. Chacune des deux filles mène une existence autonome. Il n'y a pas de lien possible entre elles. Juste une déchirure béante.

Alors, la nuit, je cours. Sur les cailloux. Sans jamais me tordre les chevilles. Sur les chemins de la Montagne Retorse, dans les vallons où mon père et son jeune frère mort se sont battus contre les gamins des autres villages, je vole. Personne ne peut me rattraper. Aucun garçon. Quel âge puis-je avoir ? Sept ans ? Depuis notre retour à Thespiaï, je suis heureuse. Et, chose plus rare, je sens que je suis heureuse au moment même où je le suis. Je le sens, sans me le dire, de toute la force de mes jarrets qui courent tout seuls sur les sentiers. Mais je le sens aussi, avec presque du remords, lorsque je m'approche du bloc d'accablement morne qu'est devenu mon père.

Dans les premiers temps de notre retour à Thespiaï, pourtant, il était plein d'une énergie aussi profuse que la mienne. Il s'est d'abord occupé de faire construire une grande maison à l'intérieur de la ville, dans le quartier nouveau du sanctuaire d'Aphroditê Mélaïna, pour prendre, au nom de son père le métayer, sa revanche sur Philostratos et sur Ménôn, les nobles propriétaires. Puis il s'est remarié avec la fille d'une des plus anciennes et des plus puissantes familles de Thespiaï. Enfin il a transformé la cour de notre ferme en camp d'entraînement pour les jeunes gens de la nouvelle génération. Au bout de quelques mois, tout a été prêt pour son grand rêve de libération ! Et c'est là qu'il a commencé à être déçu. Parmi tous les partisans de Thêbaï, ceux de Lakédaïmôn, ceux d'Athênaï, il n'a guère trouvé de Thespiens partisans de Thespiaï. Quand, de retour dans sa maison à peine achevée, après mes cavalcades dans la montagne, je lui demande pourquoi il est triste, l'homme à la cicatrice me prend doucement sur ses genoux et m'explique que personne ne veut de la liberté. Tout le monde en parle mais personne n'en veut vraiment, parce qu'elle fait rêver mais qu'elle fait peur, parce qu'elle oblige à inventer ce qui n'existe pas. "Tu comprends, petite fille ?" Pour lui faire plaisir, je secoue la tête : "Oui, père, je comprends !

— Ah bon ? me sourit-il sans joie, eh bien, tu es la seule habitante de Thespiaï dans ce cas.

— Oui, père, je suis la seule."

Et je le regarde gravement.

Pressens-je déjà que je serai le seul être humain de cette montagne à aimer la liberté autant que lui ? Pressens-je déjà tout ce qu'il me faudra traverser de révolte et de reniements pour atteindre à ce que mon père aura rêvé mais qui, toute sa vie, l'aura fui ? Non, impossible. Pas à mon âge. Pas dans ce milieu où l'on ne prend aucun soin de la pensée des filles, surtout lorsqu'elles n'ont que sept ans (d'ailleurs, toute leur vie elles n'auront que sept ans). Mon père, devant mon regard trop grave et presque mystérieux, sourit, attendri. Je le revois aujourd'hui, ce sourire de l'homme mûr devant sa petite fille. Je le comprends seulement maintenant, je ressens de l'intérieur à quel point il est gêné, lui le guerrier sans peur et sans faiblesse, d'être confronté à ce qu'il perçoit comme la première manifestation d'une maturité féminine dérangeante. Le premier moment où sa petite Mnasaréta ressemble vraiment à Bathimandis, sa femme morte. Alors pour me faire sourire à mon tour, et surtout pour me faire redevenir une petite fille, il se met à me raconter un épisode de la légende perse de sa jeunesse. Comme avant. Comme lorsque j'étais vraiment toute petite et que je n'aimais rien tant que me blottir sur ses genoux. D'ailleurs, il y trouve aussi de quoi oublier ses déceptions d'homme exposé aux étroitesses de la Grèce.

Ou bien, quand il est trop triste et qu'il garde le silence, je glisse de ses genoux, je bondis dans l'appartement des femmes, "attends, père, attends", je redescends l'escalier en brandissant mon aulos, la longue double flûte dont j'ai commencé l'apprentissage difficile. Parfois il m'a attendue sans se lever de son siège. Alors, passant le harnais de cuir derrière ma tête au-dessus de mes oreilles, gonflant mes joues, toute rouge d'effort et d'excitation, je parviens à faire vibrer assez de mes lèvres les premiers sons pour les transformer en notes et je joue pour lui. Il devient si rêveur que je ne suis jamais sûre qu'il soit vraiment attentif à mes efforts malhabiles. Mais il reste assis. Écoutant sa petite fille tenter de lui jouer sur la flûte basse les airs grecs que les bergers des montagnes ou les prêtresses du sanctuaire des Muses lui enseignent, et les mêler sur la flûte haute aux modulations phrygiennes que Manthanê lui apprend en cachette, à quoi songe-t-il ? À qui ? Encore un peu à ma mère ? Parfois, prise par la mélopée maladroite mais d'autant plus émouvante, la tête de mon père se met à osciller doucement, sur mon rythme, et moi, la petite fille, debout devant ce géant assis, ravie, je bouge aussi les épaules, tandis que mes pieds se mettent à battre la mesure. Oh, maintenant c'est moi qui, au son de ma flûte, entraîne mon père dans ma rêverie, comme il m'entraînait dans la sienne avec les mots de son récit !

Oui, je cours, je cours, je vole ! Et je deviens sans effort ni parure la plus belle des gamines de Thespiaï. Je le sais mais je m'en fiche ! Personne ne pourra jamais m'attraper ! Mon père me laisse courir comme un garçon sur les sentiers, plus libre que jamais une autre petite fille de Thespiaï ne l'a été. Kallisthénia, ma belle-mère, qui règne sur la nouvelle maison, le lui reproche mais elle non plus n'a ni l'autorité ni le désir de me contraindre à rester confinée. Elle ne proteste que pour la forme lorsque je m'enfuis à toutes jambes vers la Porte de la Montagne : moins nous nous voyons, mieux nous nous plaisons. Manthanê, après son affranchissement et quelques mois de cohabitation particulièrement difficile avec la nouvelle épouse, a fini par être acceptée dans la confrérie des prêtresses d'Erôs, l'un des autres noms d'Isodaïtês, le jeune dieu partageur et souple qu'elle a toujours servi. Elle habite désormais avec son mari dans l'enceinte du temple, au-dessus de la cité, à l'écart. Elle n'a jamais de toute façon été une mère comme les autres.

Alors je cours, je cours, je vole ! J'arpente avec les gamins les plus sauvages les chemins tortueux de la Montagne Retorse derrière les troupeaux de chèvres et de moutons. Déjà, je cherche. Comme mon père avant moi, je cherche l'entrée de la grotte où le chevrier entraîna la muse pour l'aimer et dont mon grand-père, à qui j'ai osé poser la question, prétend qu'il a oublié jusqu'au souvenir. J'ai formé le projet de compléter sur la pierre au-dessus de la source les lettres du nom qui est aussi le mien. Un seul des gamins avec lesquels je rôde a le droit de m'accompagner, parce qu'il ne me considère pas comme une étrangère et ne me méprise pas pour ma peau trop cuivrée. C'est grâce à lui que je suis acceptée dans leur bande bien que je ne sois qu'une fille. Je lui ai raconté le secret de mes origines légendaires en lui faisant jurer de n'en rien dire à personne. Il s'appelle Phaïdros. C'est lui qui invente les plans pour attirer dans des traquenards les autres bandes des environs et lui qui répartit les postes avant l'assaut. Grâce à lui, je vis en permanence dans le monde de l'épopée, qui prolonge naturellement l'univers magique de la légende racontée par mon père ou celui des contes orientaux de ma nourrice Manthanê. Phaïdros est celui de nous tous qui connaît par cœur les plus longs passages des deux vieux poètes, Homêros et Hêsiodos. Il est capable de les imiter pour chanter en rythme nos victoires de gamins comme si elles faisaient partie des guerres entre les dieux ou entre les héros du passé. Lorsque nous marchons tous les deux seuls dans la montagne, et que nous avons peur ou que nous sommes fatigués, il scande pour me rassurer mon épisode préféré de l'*Iliade*, celui où Odysseus et Diomêdês s'aventurent la nuit dans la plaine de Troie parmi les ennemis. Pour toutes ces raisons, je l'admire. Je ne suis pas la seule. Il jouit sur l'ensemble de ses compagnons d'une étrange autorité, sans rapport avec sa petite taille (bien que de son corps gracile se dégage une impression de force plus subtile, à laquelle je suis très sensible). Il est l'un de leurs deux chefs et me protège contre l'autre, l'épais Mégaklês, le fils de Ménôn, qui ne fait que répercuter sur moi le mépris de son père pour le mien. Je vois les deux garçons comme des héros du Poème : si l'un est l'audacieux Odysseus, l'autre est le géant Ajax, et moi, je déteste Ajax, je redoute sa force obtuse, tandis que j'éprouve une prédilection secrète pour Odysseus. De son côté, je sais que Phaïdros lui aussi me voit comme un personnage des Poèmes, souvent comme son fidèle compagnon de l'*Iliade*, Diomêdês, mais parfois comme quelqu'un d'autre de bien plus étrange, la Kalypsô de l'*Odyssée*, la nymphe immortelle qui chercherait avec son amoureux humain l'entrée perdue de sa grotte. Je sens qu'il me reconnaît la même autorité tacite qu'il possède sur les autres gamins. Lui aussi me respecte, m'admire, me prête un pouvoir dont je ne saisis pas bien moi-même l'origine. En tout cas, j'en profite. Il accepte parfois de renoncer aux combats les plus excitants contre les bandes rivales d'Askra pour m'accompagner dans la montagne, même si nous nous taisons sur ces expéditions en duo afin de ne pas attirer les quolibets. Le seul à qui j'ai parlé de notre quête de la grotte (sans oser lui avouer qu'un garçon m'accompagnait), c'est mon père. Mais il s'est contenté de sourire. Sûrement, me suis-je dit, parce qu'il pense que, si lui, le guerrier, n'a pas réussi, je n'ai aucune chance.

Un jour, pourtant, l'année de mes dix ans, je l'ai accompagné dans la montagne, à ce qui me semble des heures et des heures de marche de notre village. En chef de guerre prestigieux, mon père dirige la construction de la Tour de Guet. Il a persuadé ses concitoyens de la faire construire sur l'une des hauteurs du bourg d'Askra, afin de surveiller les Thébains et de les empêcher de passer par ce côté pour nous prendre à revers. Ses explications guerrières m'ont enveloppée dans une atmosphère de drame propice aux miracles. Phaïdros se trouve à mes côtés cet après-midi-là. Laissant les hommes à leurs travaux, nous nous sommes aventurés vers les rochers alentour pour mener notre quête de gamins. Nous arrivons à l'orée du col qui descend vers le sanctuaire des Muses, au creux d'un taillis et d'un brusque éboulis, devant lequel je suis passée déjà souvent au milieu de ma famille sans qu'il attirât mon attention. Cette fois, je ne sais pas pourquoi, je bifurque du sentier, je descends de quelques pas à travers les rochers et j'aperçois soudain l'entrée d'une grotte. Je sais aussitôt que c'est la bonne. Pourtant, Phaïdros me retient par l'épaule au moment où je vais sauter à pieds joints sur une roche plate en contrebas. Je distingue seulement alors la forme qui s'y trouve lovée au soleil. Un serpent. Trapu et pourtant long de presque deux coudées, gris comme la pierre. Il ne s'enfuit pas, comme le font d'ordinaire les autres reptiles, qui s'esquivent au moindre bruit dans les anfractuosités. Au contraire, celui-ci se redresse. "Surtout ne bouge pas", me souffle Phaïdros. Tandis que le monstre déplie ses anneaux, je reste immobile. Tétanisée par la peur mais aussi, je me souviens, par son assassine splendeur. Par la perfection menaçante du zigzag noir qui strie son dos luisant au soleil. Ses écailles se dilatent, se gonflent, musculeuses, remplies d'une rage inconnue et meurtrière. Sa tête joufflue s'immobilise avant l'attaque, m'exhibant le bout de son nez si camus qu'il forme comme une petite corne. C'est bizarre, ce pourrait être ridicule, mais c'est effrayant. Terrorisant comme la beauté même. Ses yeux, ses yeux d'or fixes sans paupière, incisés d'une mince pupille noire, qui me regardent sans me voir, et me choisissent pour victime ! La ligne mince de sa gueule qui dessine un atroce sourire de contentement ! Le reptile attend mon geste de panique avant de se détendre, me laissant quelques ultimes secondes pour reconnaître son pouvoir et ma défaite, dans ce moment dilaté de rencontre avec la mort qui m'évoque celui que mon père a vécu face à l'effrayant cavalier perse caparaçonné comme un squelette. Je devine alors que ce serpent est le gardien de la grotte. Il va me frapper parce que je n'ai aucun droit d'y entrer. Sauf si… Quoi ? Sauf si je reste là, sans fuir, sans faire le moindre mouvement ? En acceptant l'inévitable épreuve de ses crochets ? J'aperçois le bâton de Phaïdros qui s'approche maladroitement du serpent sur le côté, pour tenter de le frapper à la tête le premier. Je souffle : "Arrête !" Phaïdros, interloqué, m'obéit. Alors j'ouvre les paumes, je ferme les yeux et, traversant ma peur, je m'offre !

Au bout de quelques instants, la tête du reptile oblique avec raideur dans une autre direction. Le gardien de la terre se retire à l'intérieur d'une faille du rocher, même si son glissement d'acceptation reste chargé de menace. Je me retrouve entre les bras de Phaïdros. Je l'entends qui me murmure : "T'es complètement folle !" Mon petit compagnon me propose de remonter sur le chemin. Le pauvre, je crois que lui aussi vient de mourir de peur. Mais, de nouveau, je refuse. Je n'ai pas triomphé du serpent pour rien. Alors, bravement, le garçon me précède. Il tape avec son bâton contre les pierres pour prévenir de notre arrivée les autres habitants éventuels de la grotte. En bas, j'aperçois le lit presque à sec d'un mince filet d'eau. Dès que nous faisons quelques pas à l'intérieur, je suis saisie par une humidité glaciale qui me pénètre jusqu'aux os. Quelle force a poussé les deux adolescents qu'étaient mon grand-père et ma grand-mère à affronter cette hostilité, quel feu, dont je suis dépourvue, les réchauffait de l'intérieur ? Je continue à entrer dans le froid. Et, soudain, j'aperçois ce que je cherche. Là, sur le rocher qui surplombe la minuscule source, presque recouvertes de mousse sombre, les quatre premières lettres de mon nom :

MNAΣ

Mon cœur, de saisissement, se remet à battre aussi fort que devant le serpent. C'est incroyable ! La légende est vraie ! J'en ai la preuve ! Et, avec elle, tout ce que mon père m'a raconté sur ses parents, sur lui et sur ma mère ! Tout est vrai ! Je peux y croire ! Je suis vraiment la petite fille d'une Muse et la fille d'une princesse perse ! Je suis vraiment telle qu'il m'a inventée ! En trouvant ce qu'il chercha en vain à mon âge, moi qui ne suis qu'une fille, je l'ai prolongé, et même je l'ai achevé ! Tout cela, je le saisis dans la prescience sacrée que m'a inoculée le serpent, et c'est comme une gerbe d'illuminations qui me traverserait, plus éblouissante encore que la peur.

Phaïdros ramasse deux pierres, l'une pointue et l'autre plate. S'en servant comme d'un marteau et d'un poinçon, il tente de graver la suite. Au moins les trois barres de l'alpha suivant. C'est long, c'est difficile. Plusieurs fois, nous sommes obligés de sortir au soleil pour nous réchauffer. Puis, après avoir avalé deux ou trois longues goulées de chaleur, nous replongeons dans l'obscurité, lui pour travailler à mon nom, moi pour le réchauffer en le regardant. À la fin de l'après-midi, il a réussi. Le A est plus maladroit que les autres lettres mais il est là. Phaïdros me promet qu'il parviendra à graver les quatre dernières pour compléter l'inscription. Je lui souris sans lui répondre. En moi-même, je me fais le serment, lorsque le garçon aura achevé son œuvre, de conduire Epiklês jusqu'à la grotte, afin de lui montrer ce que Phaïdros aura fait pour moi et pour ma famille. Dans mon idée, ce rituel obligera mon père, lorsque nous aurons grandi, à nous donner en mariage. Mais ce dernier, lorsque nous redescendons vers le chantier de la Tour de Guet, nous accueille très en colère : le soleil s'est déjà presque caché derrière la montagne et nous sommes à plusieurs heures de marche de notre ville. Il refuse d'écouter mes explications, alors que j'ai l'impression que notre découverte fait partie de son aventure et qu'elle est aussi importante que la construction qu'il dirige. Je crois me souvenir que Phaïdros et moi, nous avons accompli, avant de revenir à l'air libre, un dernier geste solennel : nous avons bu chacun une gorgée de l'eau qui sourd du rocher, lente et froide comme la vie. Pourtant, cette source doit être celle de l'oubli, plutôt que celle de la mémoire, car jamais plus par la suite nous ne parviendrons à retrouver l'entrée de la grotte, n'ayant pas pris la précaution, dans notre hâte, de laisser un signe sur le sentier pour indiquer l'endroit où il fallait bifurquer.

Depuis que je suis entrée dans la maison de Nikárétê, ce souvenir retrouvé m'obsède. J'en rêve plusieurs nuits de suite sans savoir pourquoi. Mais, lorsque je me réveille dans le dortoir des petites filles où je reste confinée, j'en viens à douter de lui, comme du reste. Et s'il n'était pas plus réel que les autres détails de la légende de mon père ?

La gamine que j'ai été continue de grandir. Un jour, elle accepte d'abandonner Phaïdros pour mieux le retrouver. Cet après-midi-là, je marche comme avant sur le sentier de la Montagne Tortueuse mais je ne suis pas à la traîne des garçons les plus mal élevés de Thespiaï, je me trouve au contraire enfermée dans le cercle de ses filles les plus sages. Elles sont bien obligées de me faire une place à leurs côtés, même si elles ne m'aiment pas plus que je ne les aime. C'est la première fois que je me mêle à leur troupeau trop paisible, après avoir revêtu comme elles une longue tunique blanche qui me tombe jusqu'aux pieds, qui m'entrave et m'empêche de courir. J'ai accepté de leur ressembler, parce qu'elles montent à leur tour vers l'autre côté de la montagne. Bien cachée au milieu des filles, je vais pénétrer à l'intérieur du sanctuaire des Muses et du bois sacré de ce vallon que domine la Tour de Guet construite par mon père. Nous devons y faire notre entrée solennelle pour y jouer de la flûte et y danser, à l'occasion de l'ouverture pacifique du grand festival. Conduites par Manthanê, par Kallisthénia et par les autres mères, je m'avance avec mes nouvelles compagnes en chantant à travers des forêts d'arbousiers et des vignes sauvages, sur les pentes où le berger Hêsiodos fut touché bien des générations auparavant par la révélation poétique, lorsque les neuf Filles des Sources dansèrent, sous ses yeux éblouis, dans la lumière vaporeuse de l'après-midi, la naissance des premiers dieux et leurs combats de titans pour la souveraineté du monde. Nous sommes parties au petit matin et nous n'arriverons qu'au soir, après plusieurs haltes devant les sources et les statues qui jalonnent le chemin. Demain, nous, les filles d'aujourd'hui, nous danserons comme les Muses d'autrefois, sous les yeux de Phaïdros et des autres garçons qui nous attendent déjà dans le vallon, devant nos parents et les habitants de tous les villages des montagnes réunis pour l'occasion. Autour du grand autel, entre les statues d'Hêsiodos et des autres poètes du temps jadis, devant les trépieds consacrés par ceux de leurs successeurs qui l'emportèrent lors du prestigieux concours des Mousaïa, nous chanterons en l'honneur des trois divinités nées dans cette montagne, Aoïdê, Mélétê et Mnêmê, de leurs six autres compagnes et de leur dieu Apollôn. La voix de Kallisthénia vibre de fierté lorsqu'elle me raconte l'histoire du vallon sacré des Muses et me demande si je ressens leur présence. Pour une fois, je l'écoute avec un respect religieux.

Mais je ne connais pas bien les pas de la danse sacrée ni les paroles de l'hymne, n'ayant été admise dans le chœur qu'à la dernière minute grâce à la position de mon père et à l'influence de Manthanê. Alors, le lendemain, je m'efforce de suivre les mouvements que je reconnais et le reste, je l'improvise, avec ferveur et avec grâce. Les autres filles de Thespiaï sont furieuses. Pendant que nous évoluons, elles me glissent des remarques désagréables que je fais semblant de ne pas entendre, prétendant que je les rends ridicules devant les choreutes des autres villes, même si je sens bien qu'à certains moments les spectateurs ne regardent que moi. Je suis la plus ignorante de toutes et la plus inspirée. C'est pour cela que mes petites camarades, groupées autour de Timoxéna, que je ne peux pas tout à fait haïr puisqu'elle est la sœur de Phaïdros, me critiquent avec une telle rage. Je cause mon premier scandale. Au moment où nous saluons, poussée par l'enthousiasme du moment et par une joie maligne, je n'hésite pas à faire trois pas en avant pour mieux m'offrir à l'admiration de la foule et, dans mon dos, à l'exaspération de mes partenaires. Sous leurs quolibets, je me jure qu'un jour c'est moi qui mènerai leur chœur. Je saurai les pas mieux que les autres et même j'en inventerai ! Manthanê, que je tiens par la main, m'écoute en souriant le lendemain, tandis que nous redescendons de la montagne à la lueur des torches. Ce soir-là, je commence à accepter de devenir une fille.

Malgré mon serment, j'oublie Phaïdros. Je le laisse partir sur les sentiers derrière les bêtes, avec les gamins qui ont grandi et qui commencent à rêver de la vraie guerre. Moi, je me détourne d'eux et je grimpe l'escalier menant à l'étage des femmes. Je m'arrête au sommet, saisie par une émotion aussi puissante que devant l'entrée de la grotte. Puis j'ose faire quelques pas à l'intérieur de la grande salle où elles se trouvent toutes réunies en train de filer, Kallisthénia, ses parentes, les servantes, d'autres filles de mon âge. Traversant la tenture épaisse de leur hostilité, que je perçois ou que je m'invente, je m'avance pour m'asseoir à côté d'elles. Kallisthénia fait semblant de croire à mon repentir. Elle m'accorde une place sur sa banquette, devant la paroi abrupte de son métier tout strié de fils de laine. Elle me montre les gestes de base qu'à mon âge, je suis la seule à ne pas connaître encore. Mes doigts d'araignée malhabile tentent d'y grimper. Je veux jouer moi aussi sur cette cithare muette la lente mélodie des couleurs. Je m'efforce de me plier au rythme répétitif des gestes des femmes, au lourd claquement de leurs navettes, aux trilles plus sèches de leurs bobines de tissu. Je mêle ma voix à leurs mélopées. Je m'essaie avec fièvre à leurs travaux patients. De la patience, oh, je n'en ai guère, les fils souvent s'embrouillent, elles me houspillent, je m'enfuis de nouveau ! Mais je reviens le lendemain. Et le jour suivant. J'ai douze ans. Je commence à devenir sage. À avoir peur du corps des garçons et de leur force brutale lorsque nous nous battons. Et puis, surtout, j'ai un rêve, un projet plus obstiné encore que le déploiement des motifs sur le métier à tisser. Il est né le jour où, en redescendant des Mousaïa, Kallisthénia m'a parlé de l'autre festival de la cité, encore plus prestigieux, les Erôtidia, les fêtes d'Erôs, qui n'ont lieu que tous les quatre ans dans le temple du dieu situé juste au-dessus de la ville et qui attirent des fidèles venus de la Grèce entière. Celle qui sera choisie parmi les filles de mon âge pour mener le chœur lors de la procession, je veux que ce soit moi. Mais je sais, sans même que les femmes aient besoin de me le dire, que j'aurai à racheter par ma conduite irréprochable le handicap de ma peau insolemment cuivrée.

Mon rêve, je ne l'ai confié à personne (surtout pas à mon père, ni à Phaïdros, que j'ai perdu de vue). Seule Manthanê est au courant, parce que je lui dis presque tout et que le reste elle le devine. C'est elle qui me console, lorsque je désespère de jamais parvenir à filer correctement. C'est elle qui me pousse à revenir au milieu des femmes le lendemain, malgré les regards lourds, et à me faire peu à peu ma place dans le gynécée. Un soir de désespoir, où je pleure sur mon incapacité à être une fille comme les autres, elle m'emmène, pour me changer les idées, accomplir nos dévotions à Aphrodité Mélaïna. Mais cette fois, au lieu de nous arrêter au pied des marches du temple, elle me prend par la main et nous gravissons l'escalier interdit pour pénétrer dans la nef. Malgré ma peur, elle m'oblige à m'approcher de la statue que l'on appelle *Aphroditê la*

Noire, parce qu'elle est d'un bois d'olivier aussi sombre que la nuit, rehaussé seulement de plaques d'ivoire pâles comme la lune. Ma nourrice me montre comment me prosterner à la perse au pied de la divinité, qui, le plus souvent, là-bas, dans l'Empire, n'est pas une statue à forme humaine, comme chez les Grecs, mais un feu plus immatériel et plus puissant : le front posé contre le sol, les paumes tendues vers le haut. Pour lui offrir tout ce que j'ai. Tous mes efforts de fille sage. Manthanê me murmure à l'oreille : "La déesse, j'en suis sûre, va écouter ta prière, c'est toi qui seras choisie, si tu continues ainsi, si tu continues à être toi ! Tu m'entends ? Tu comprends ce que je te dis ?" Stupéfaite, je secoue la tête pour dire que oui, je comprends, même si ce n'est pas tout à fait vrai. Alors mon étrange nourrice continue à me souffler avec exaltation, presque avec fureur : "Oui, c'est toi qui incarneras bientôt aux Erôtidia la beauté grecque et j'ai plaisir à me le dire parce que tu es à moitié de sang perse !" Me maintenant, de sa main plaquée sur ma nuque, le front contre le sol, elle s'allonge elle aussi à côté de moi, pour m'empêcher de m'échapper et m'obliger à écouter son secret jusqu'au bout : "Celle qui incarnera la déesse de l'amour, surgie des eaux un beau matin sur le rivage de Kypros, ne doit-elle pas mêler en elle, comme sa protectrice, l'origine hellène et l'origine orientale ? Tu n'es qu'à moitié grecque, ma jolie, comme Aphroditê elle-même ! Et le peuple de ton père sait bien que la Déesse ne lui appartient pas tout à fait. Les Grecs, pour se rassurer, se la représentent comme une jeune femme craintive, dont les membres délicats se blessent à porter les armes et que les autres dieux humilient devant les murailles d'Iliôn. Mais ils sentent qu'elle est la plus terrible de toutes les divinités. Que, dans leur fragile Aphroditê, réside encore un peu de la souveraine Anaïtis ! La déesse du désir fluide mais aussi de la guerre ! La déesse de la pulsion triomphante, si incontrôlable et si universelle qu'elle peut, dans le flux et le reflux de sa rage, devenir tout aussi bien dieu que déesse ! Les Grecs ont tenté de l'amadouer, elle a accepté pour s'introduire parmi eux de dissimuler sa puissance. Pourtant, dès qu'ils la laissent faire, elle les menace, et tout le pouvoir uniquement mâle de leurs Zeus et de leurs Apollôn n'est rien à côté du sien ! Alors aie confiance, aie confiance en elle, à laquelle, ce soir, je te donne ! Remets-toi tout entière à elle si tu veux qu'elle t'exauce !"

Nous restons un long moment prosternées toutes les deux devant la statue noire de la Déesse Lune, dont les doigts et les cheveux s'achèvent en serpents. Comme le gardien de la grotte, ils dressent la tête et dardent la langue, attentifs aux paroles magiques en train de se murmurer à leurs pieds. La prêtresse Manthanê dépose ses secrets orientaux dans mon oreille de jeune Thespienne. Moi, je les écoute avidement, sans les comprendre tout à fait.

À partir de là, Manthanê se met à faire mon éducation. À sa façon. Elle m'entraîne souvent devant la statue de la Déesse Sombre, à l'intérieur du temple d'Aphroditê la Grecque, pour m'y parler d'Anaïtis l'Arménienne. Elle m'entraîne à l'intérieur du temple d'Erôs, au pied de la statue ancienne, devant laquelle une nuit mon père et son frère ont dansé leur désir de guerre, mais c'est pour m'y raconter Isodaïtês le Kappadocien. L'Androgyne, le dieu-déesse qui, lorsqu'il prend forme humaine, peut se faire homme aussi bien que femme, tout son corps palpitant au même rythme lent que les ailes qui glissent sur ses épaules. S'il n'a pas de sexe, c'est parce qu'il a tous les sexes, s'il n'a pas d'âge, c'est parce qu'il a tous les âges. Il meurt chaque année sous les coups des autres dieux jaloux qui le mettent en pièces mais il renaît aussitôt après être mort sous les caresses fécondes d'Anaïtis, son épouse-mère. Les femmes savantes de l'Orient lui donnent un nom secret que l'on peut traduire en grec par Isodaïtês, "Celui-qui-donne-une-part-égale-à-tous", parce qu'il est l'incarnation du Désir, qui possède également tous les êtres et qui accorde à chacun, quel que soit son rang dans l'ordre du vivant ou dans la société des hommes, ses quelques secondes d'exultation féconde. De l'insecte au Grand Roi, tout désire, tout jouit ! Et les fleurs, et les pierres aussi ! Celui que les Orientaux révèrent, les Grecs le connaissent depuis toujours, même s'ils l'affadissent sans cesse. Et parmi eux Hêsiodos, le poète berger qui marcha autrefois sur les sentiers de cette montagne sacrée et dont on m'apprend, à moi la petite Thespienne, des chants entiers par cœur. On me les apprend sans me les expliquer, sans m'en faire comprendre le sens secret, parce qu'on l'a oublié. Dans son grand poème sur la Naissance des Dieux, il nomma ce principe Erôs, il en fit l'une des divinités primordiales et, s'il ne le décrit pas, c'est qu'il ne peut être décrit, s'il ne lui donne ensuite aucune histoire ni aucune descendance, c'est parce que, sans lui, il n'est pas d'histoire ni de descendance. Peut-être le poète berger a-t-il été le seul à comprendre que le Désir est nulle part et partout ?

Manthanê m'oblige à me prosterner au pied de la statue de bois d'Erôs, comme au pied de celle d'Aphroditê Mélaïna. Cette statue immémoriale, m'apprend-elle, date du temps du Poète Berger et des Filles des Sources. J'accomplis bien volontiers, même si je n'en saisis pas la portée, le geste de consécration qu'elle m'enseigne. J'écoute sans me lasser ma nourrice me parler de dieux que je ne comprends pas, parce qu'elle me parle de moi qui change et que je ne comprends pas non plus. En l'écoutant, je palpite d'orgueil mais aussi d'effroi. Elle me dit que ma beauté parfaite ne m'appartient pas. Elle me glisse à l'oreille : "Si Isodaïtês participe de toute chose, il s'incarne un peu plus en certains êtres, qui sont chargés d'apporter aux autres la stupéfaction de la beauté. Ces êtres-là, quand on les aperçoit, tout fait silence. On les suit des yeux sans parvenir à bouger et l'on sait soudain que rien de ce que l'on croyait être ou posséder jusque-là n'a d'importance, sinon la petite étincelle du grand feu que l'on détient provisoirement en commun avec eux." Ma nourrice me psalmodie comme une prière : "Toi, tu es l'un de ces êtres ! Non, je n'ai jamais vu une fille aussi belle que toi. Même ta mère. Aussi élancée, aussi souple, d'une telle innocence et d'une telle sensualité. Tu as la beauté de la femme mais tu as aussi celle de l'animal et celle de la plante. Tu es belle comme une biche, belle comme un fauve, belle comme une fleur épanouie, belle comme un galet irrégulier. Oui, ta beauté, dans quelques mois à peine, et pour quelques années à peine, sera parfaite mais elle ne t'appartient pas. Elle est à Isodaïtês, dont tu n'es que l'une des incarnations provisoires." Et puis un autre jour, elle me dit : "Tu es la perfection de ta mère et la perfection antagoniste de ton père. En toi, ces deux perfections, la perse et la grecque, au lieu de s'opposer, se complètent. Si Isodaïtês te tient dans le creux de sa main féconde, c'est parce que tu représentes la réunion de ces deux mondes. Bientôt, ma jolie, lorsque tu auras fini de t'épanouir, il ouvrira sa paume pour t'offrir comme une fleur éphémère aux autres. Pas à un seul, je crois, mais à tous les autres. Tous les hommes. Toutes les femmes. Il te faudra partir de Thespiaï, sans doute. Ou habiter comme moi le temple. Ou quelque chose d'autre encore, que je ne devine pas, parce que je ne suis pas assez savante." Parfois, ses murmures deviennent une menace : "J'ai peur pour toi, ma belle. Il te faudra être forte pour trouver ta place dans ce monde qui n'est pas prêt à t'accepter ni à reconnaître la puissance que tu incarnes. Il te faudra être assez forte pour laisser les autres poser leur main sur toi sans te détruire. Je ne connais pas le destin que le dieu te réserve mais je sais déjà avec certitude que tu n'appartiens pas à Thespiaï. Tu n'appartiens à personne, mon trésor, et tu appartiens à tous !"

Petite fille de quatorze ans en train de devenir femme, je ne saisis pas grand-chose de ces discours un peu inquiétants que la Kappadocienne me tient sur Isodaïtês mais je les écoute avec plus de ferveur que ceux qui concernent Aphroditê. Parce qu'ils me parlent de ma propre beauté à un âge où j'en doute encore. Mais surtout parce que la présence mystérieuse que j'y devine, celle du jeune homme au sourire très doux, dont les ailes glissent avec lenteur sur ses épaules, me fascine. Bien que ma nourrice me le raconte comme un être au sexe double, je me le représente toujours comme un jeune homme, au corps moins marqué que ceux des garçons de mon entourage. Les éphèbes de la garde personnelle de mon père osent à peine lever les yeux sur moi mais je sens bien qu'ils cherchent à m'imposer leur force brute, ne serait-ce que dans le contact de l'air que déplacent avec rudesse leurs épaules et leurs hanches lorsque je les croise par hasard dans la cour ou dans la grande salle. Le corps rêvé du Dieu est moins massif et moins dérangeant que ceux des garçons réels mais sa présence beaucoup plus dense. À partir des murmures énigmatiques de Manthanê, j'imagine le Jeune Homme au repos, ses ailes repliées dans le dos, mais toujours sur le point d'entrer en action. Quelle action ? Je ne le sais pas. S'envoler ? Me prendre dans ses bras, me faire basculer en arrière et m'entraîner avec une irrésistible douceur dans les airs ? C'est cette promesse d'envol dans le repos de l'homme-oiseau qui me fait vibrer d'impatience au même rythme que lui, parce que j'ignore ce qu'il sait déjà et frémis de ce que ses ailes doivent m'apprendre.

Je suis à la fois fière de ma beauté et humble, parce que, chaque fois que je trahis un mouvement d'orgueil, ma nourrice me ramène à ma juste place. "Ta beauté parfaite, n'oublie jamais qu'elle ne durera pas !" Cette idée de la brièveté de ma beauté, je peux l'accepter par la raison, oui, mais je ne la ressens pas vraiment, je ne parviens pas à me représenter vieillie et enlaidie. En revanche, j'accepte de plus en plus facilement l'autre idée essentielle transmise par Manthanê, à savoir que la beauté qui s'empare de moi, je n'en suis que la bénéficiaire transitoire. Je sens mon corps qui change malgré moi, en dehors de moi, et cette idée de dépossession de moi-même prend la forme concrète, à la fois intime et mystérieuse, de la puberté. Manthanê n'évoque les changements de mon corps et ceux qui sont encore à venir qu'à travers des formules imagées, qui me font à la fois redouter et espérer l'achèvement de ma métamorphose. Dans ce sang qui coule chaque mois, dans cette "blessure de vie" dont me parle ma presque mère, à quoi faut-il porter le plus d'attention, à la vie ou à la blessure ? Devenir femme, pouvoir être mère ? Qu'est-ce que ça veut dire, concrètement ? Je n'ose pas en demander plus. Je tente de décrypter les images des mythes et des paroles de la Kappadocienne. Je n'ai personne d'autre à qui en parler, car mes compagnes en savent encore moins que moi.

Et lorsque je pense au jeune Dieu Oiseau, mon cœur bat encore mais plus doucement. Oui, il s'affole doucement. C'est un mystère.

Deux ans après, lorsque je retrouve cette émotion de vierge au coin d'un rêve dans le dortoir de l'école de Nikarétê, lorsque mon cœur se remet à marquer ce mystérieux rythme-là, ce prélude d'innocence, alors je voudrais qu'il cesse tout à fait de battre. Ces matins-là sont les seuls où je me réveille pleine de dégoût.

Mais ce qui vient ensuite, ce que ma mémoire ruse pour me rendre, par brusques bouffées de nostalgie qui me suffoquent, en plein milieu d'un pas de danse érotique ou d'un morceau de flûte (Nikarétê excédée finit par me menacer, à la prochaine fausse note, de me remettre entre les mains de Kistôn) est encore pire. Encore plus doux.

Car, malgré la peur de changer qui me tenaille autant que le désir, trois olympiades après notre retour à Thespiaï, je suis choisie pour mener le chœur lors des fêtes d'Erôs du printemps suivant ! Même les plus jalouses de mes camarades ne parviennent pas à s'offusquer sincèrement de ce choix, tant il est évident. Seules quelques mères protestent que je ne suis qu'une sauvageonne, à la peau bien trop bistrée pour mener le chœur des filles de bonne naissance grecque, dont la distinction tient à la pâleur ! Mais les pères les font vite taire, en leur rappelant le rang d'Epiklês et la présence de sa garde rapprochée. Personne n'oserait lui faire un tel affront. Même la garnison lacédémonienne évite désormais d'entrer en conflit avec lui. Il vaut mieux s'en faire un ami en laissant sa moricaude mener le chœur sacré. Si Erôs s'en indigne, ajoutent-ils pour calmer leurs femmes, il la punira, et c'est son père à travers elle qu'il atteindra. Les humains qui triomphent ne sont-ils pas déjà sur le chemin de leur ruine ? D'ailleurs, malgré sa peau olivâtre, il faut reconnaître que la petite danse divinement, comme elle l'a montré lors des fêtes de quartier d'Aphroditê Mélaïna. Oui, les Thespiens, qui vivent toute l'année en compagnie des Muses, ne peuvent manquer de percevoir quelque chose de surnaturel dans le jaillissement encore inachevé de ma présence. Mais, se demandent-ils, est-ce pour son bonheur ou pour son malheur que les dieux ont marqué cette gamine ? Comme on ne le sait pas encore, il vaut mieux s'incliner prudemment devant elle, en la laissant aller son chemin. Les humains les plus sages sont ceux qui ne s'opposent pas au divin lorsqu'ils en reconnaissent l'approche, mais qui lui facilitent le passage, ne serait-ce que pour qu'il s'éloigne d'eux au plus vite. Les Thespiens sont forcés de reconnaître que jamais une coryphée plus belle n'aura mené le chœur sacré de leurs filles. Ils auront le temps de s'enorgueillir devant les étrangers qui viendront assister aux cérémonies, en attendant que je sois punie. Voilà ce que se disent nos voisins, pour se soulager, dans l'intimité de leurs maisons. S'ils pressentent qu'un dieu ailé s'est posé au milieu d'eux, sur les épaules de cette enfant trop belle, ils ne savent pas encore s'il s'agit d'Erôs, le dieu de l'amour, ou de Thanatos, le dieu de la mort.

Pendant ce temps, les prêtresses expliquent aux jeunes choreutes le sens du rite. Les fêtes d'Erôs ont lieu seulement tous les quatre ans, parce que c'est le temps que dure le désir. Le temps qu'il vit en chacun d'entre nous. Le temps de notre floraison, à nous, les filles. Au printemps, les garçons se livreront dans l'enceinte du sanctuaire d'Hêraklês à des compétitions sportives, auxquelles nous aurons le droit pour une fois d'assister, bien qu'ils soient nus, afin qu'exposés à nos regards et à ceux de leurs pères, ils révèlent leur vaillance. Puis, le dernier jour, nous monterons en procession vers le temple d'Erôs où, après avoir couronné les vainqueurs, nous danserons devant eux, nos parents et nos dieux, vêtues de longues tuniques chastes et blanches, au son des flûtes et des tambourins. Nous danserons la puissance du dieu que nous honorerons bientôt, puisque nous serons mariées dans l'année.

Ceci, c'est le récit lumineux des prêtresses, qui appelle déjà puissamment à notre imagination de jeunes filles jusque-là confinées dans l'appartement de nos mères. Mais il en existe une version plus sombre. Les ennemis de notre cité, jaloux du succès de sa fête, racontent dans la Grèce entière qu'elle doit sa célébrité au rite honteux de la nuit suivante : les vierges du chœur la passeront dans le temple en tant que prostituées sacrées ; elles seront déflorées sous le regard du dieu par les spectateurs étrangers les plus fortunés, avant d'être attribuées aux athlètes vainqueurs ; c'est pourquoi les hommes viennent de toute la Grèce, et même d'au-delà des mers, pour assister aux fêtes de Thespiaï. Timoxéna, la sœur de Phaïdros, par l'intermédiaire d'une cousine vivant à Askra, a entendu parler de cette vérité secrète, qui n'est sans doute qu'une épouvantable calomnie, et, depuis, nous l'évoquons entre nous à mots couverts pour tenter de deviner ce que les autres en savent. Pas grand-chose. On nous tient dans l'ignorance. Se peut-il que nos mères ne nous disent rien de ce qui va nous arriver vraiment dans le temple après la danse sacrée ? Se peut-il que nos pères nous destinent à être offertes à des étrangers que nous n'aurons jamais vus et qui nous prendront de force ? Nous ne parvenons ni à croire cette histoire scandaleuse ni à nous en détacher. Comment reconnaître que la partie la plus silencieuse de nous-mêmes attend le récit de cette nuit dans le temple avec autant d'impatience que l'autre partie, la plus bavarde, s'en fait une terreur ou un sujet d'indignation ? Est-ce pour cela que nous y revenons sans cesse, bien plus fréquemment encore qu'à la sagesse diurne des prêtresses ?

Je ne peux supporter longtemps de vivre dans cette hantise. Un soir, je pose la question franchement, non pas à mon père, évidemment, jamais je n'oserais lui parler de ces choses-là, mais à Manthanê. Nous nous trouvons toutes les deux seules dans le petit pavillon qu'elle occupe en compagnie d'Aram, son mari, juste à l'entrée du sanctuaire, à quelques pas du temple qui sert de cadre à toutes ces rêveries contradictoires, et où j'ai obtenu de mon père l'autorisation de passer la nuit après chacune des séances de préparation avec les prêtresses. Mes confidences embarrassées, la Kappadocienne les écoute d'abord sans rien dire. Mais, lorsqu'elle a compris ce que je lui demande, au lieu de s'indigner, elle m'éclate de rire au nez, avant de me jeter une phrase moqueuse dans sa langue barbare. Puis, voyant ma tête déconfite, elle me prend dans ses bras. Elle me révèle la vérité. Telle qu'elle est. Toute crue. Oui, bien sûr, des femmes font l'amour dans l'enceinte sacrée, cette nuit-là, en l'honneur d'Erôs. Ce ne sont évidemment pas les jeunes vierges de bonne naissance du chœur mais des prostituées payées par la cité et que l'on fait venir, pour cette nuit unique, une fois tous les quatre ans, de toutes les contrées alentour, et quelquefois même d'Athênaï ou de Korinthos, les deux capitales grecques du plaisir. "Tu es une fille de Thespiaï, ajoute Manthanê, pas d'Arménie ni du Katpatuka, c'est pourquoi tu n'auras pas, comme ta mère ni comme moi, à servir une année entière la déesse de l'amour avant d'être mariée à un seul homme." Elle continue à voix plus basse, comme si elle se parlait à elle-même : "Mais tu vois, moi dont la fonction consiste désormais à écouter au nom du dieu les supplications de leurs épouses, je ne suis pas sûre qu'en cette matière-là, les Grecs soient vraiment plus sages que nous. En ce qui concerne les relations entre les hommes et les femmes, et la façon dont ils éduquent leurs garçons et leurs filles, lesquels sont les plus barbares, lesquels sont les plus ignorants ?"

Je devine, à sa voix sourde, celle qu'elle emploie pour me parler des dieux, que ma nourrice est en train de me révéler l'un de ces secrets importants dont mon innocence ne me permet pas de deviner la signification secrète. Mais celui-là, j'ai tellement besoin de le comprendre ! Alors Manthanê se décide. Elle commence à expliquer à sa pupille, sa fille de cœur, les vérités du sexe. Sans me mentir, en des termes nets et crus. Ma réaction la déconcerte autant que mes confidences précédentes. Lorsque je commence à comprendre ce qu'elle est en train de m'expliquer, j'ai un brusque sursaut de recul, je me cabre, comme un cheval à qui l'on tenterait pour la première fois de passer les rênes de cuir. Manthanê, changeant de discours, déguise de nouveau la réalité nue sous le voile des images. Dans sa sagesse amusée, la Kappadocienne se dit que la vierge grecque ne lui demande pas de savoir tout, mais de savoir un peu et d'être rassurée beaucoup. C'est un homme qui sera chargé de lui expliquer le reste avec d'autres arguments que les siens. À voix haute, elle prie Isodaïtês, lorsque le moment sera venu de mettre cette fille souple et libre sous le joug, de me choisir un maître doux et plus habile pédagogue qu'elle ! Transpercée par ce regard ironique, fouaillée par ces mots qui me troublent et qui me scandalisent, je me lève pour leur échapper. J'entends dans mon dos la voix tendrement moqueuse de ma nourrice : "Tu vois que tu n'as aucune raison d'avoir peur, ma jolie, ou peut-être aucune raison de te réjouir trop vite ! Tu te marieras dans l'année, peut-être, si Isodaïtês n'a rien prévu d'autre pour toi, mais en tout cas ce ne sera pas la nuit de la fête d'Erôs !" Sans rien répondre, je me glisse par la porte ouverte. Je m'enfuis dans le temple désert. J'ose grimper toute seule l'escalier interdit et je m'offre le luxe d'aller rêver à ma guise au pied de la statue du dieu, dont le visage aux yeux en amande émerge à peine du bloc de bois sombre.

Je suis soulagée de ne pas être déflorée (même après la conversation avec Manthanê, je ne sais pas exactement ce que recouvre ce terme) par l'un des spectateurs étrangers, ni par l'un des jeunes athlètes que l'on m'aura montrés nus dans le stade. Dès la fin de la répétition suivante, tandis que Timoxéna et les autres choreutes se reposent sur les marches du temple avant de revenir en groupe, escortées par leurs suivantes, vers la maison de leurs pères, je leur raconte ce que j'ai appris de certain sur la dernière nuit de la fête. Curieusement, les semaines suivantes, le récit sombre ne disparaît pas pour autant de nos conversations. Mais désormais il se concentre sur la figure de ces putains qui doivent nous succéder dans le sanctuaire, et dont les jeunes filles libres se moquent avec un mélange de mépris et d'envie. Je me mêle rarement aux évocations scabreuses dont elles se repaissent pendant les moments de pause. Je ne participe pas non plus au trajet du retour vers la cité, puisque je reste dormir dans le sanctuaire. J'ignore donc que mes compagnes s'y déchaînent contre moi, me comparant souvent, ainsi que Manthanê, aux prostituées étrangères. Pourtant, malgré mon innocence, je crois que je m'en doute un peu.

Je continue de rêver en secret à cette fameuse nuit dans le temple d'Erôs. Je m'en octroie encore plus librement le plaisir depuis que je sais que ce moment n'a aucune chance de faire partie de la réalité. Alors j'assiste à la victoire sur le stade d'un des garçons de Thespiaï, toujours le même (j'imagine sa nudité à partir d'une scène de pancrace représentée sur l'un des vases de cérémonie qui se trouve dans la grande salle de la maison de mon père). Puis, devant l'autel du sanctuaire, sous les yeux d'Epiklês, de Manthanê, de la foule entière des habitants de Thespiaï et des voyageurs étrangers, le gracieux triomphateur baisse la tête devant moi, afin que je place sur sa chevelure une couronne d'olivier. Je garde les yeux pudiquement baissés et, dans ce geste du couronnement de mon vainqueur, je n'aperçois, un instant, que son buste fin mais bien formé. La scène suivante se déroule dans la nef du temple à la lumière des torches. Je suis seule maintenant avec le jeune homme, tous les villageois ont magiquement disparu. Pourtant, je devine autour de nous des présences humaines, celles de quelques-unes de mes compagnes et des prostituées sacrées, celle de Manthanê aussi peut-être. Souffles de femmes mais aussi de filles comme moi, que je ne vois pas mais qui me rassurent, tandis que les doigts gauches du garçon dénouent pour la première fois ma ceinture. Puis que les miens dégrafent devant lui la fibule qui retient sur mon épaule droite les deux pans de ma tunique, pour la faire glisser jusqu'au bas de mes hanches, dans ce geste des deux mains réunies qui fait saillir mes seins et dont la grâce me trouble moi-même, alors que je ne l'accomplis le soir que devant mes servantes. Après ces gestes précis du déshabillage, le reste de la scène est plus confus. Sous les yeux peints, sous le sourire absent et complice de la vieille statue de bois, le garçon de mes rêves me renverse, je m'abandonne, mais, au lieu de tomber, je m'élève et il m'entraîne avec lui au milieu des airs... Oui, il a des ailes, je le perçois soudain, des ailes qui poussent puissamment de ses épaules et qui nous enveloppent, tandis que nous flottons tous les deux enlacés entre les colonnes immenses du temple...

Le jeune homme en question n'est pourtant pas le plus fort. S'il est souple, et vif, il est toujours aussi frêle. Presque délicat même, par rapport aux autres. Il n'a aucune chance à la lutte et ne pourra triompher que dans la course de vitesse ou au tir à l'arc. Mais il joue de la cithare et l'on dit que, dans les banquets de mon père auxquels il est désormais invité, il déclame si bien l'épopée et les odes du Béotien Pindaros que les magistrats pensent à lui pour chanter l'année suivante l'ouverture du festival des Muses devant le grand temple de la Montagne. Il y récitera un fragment d'Hêsiodos (je voudrais que ce soit le début, que j'aime tant, celui où le Berger décrit la danse du chœur des Muses devant la fontaine aux reflets de violette) et l'une de ses compositions personnelles. Un hymne à Erôs. Je le sais puisqu'il vient le répéter dans la solitude des tombes du cimetière, de l'autre côté des remparts et du jardin de la demeure de mon père, à l'heure du soir où je m'y promène. Je m'arrête, saisie par l'émotion, par un trouble délicieux où se mêlent la curiosité, la fierté et aussi un peu de honte, lorsque j'entends ces vers. Oh, avec quel étrange plaisir j'écoute sa voix devenue grave venir vers moi de l'autre côté du mur. Il compose aussi des chansons d'amour profanes mais celles-là, me voulant irréprochable, je me réfugie à l'intérieur de la maison avant qu'elles n'atteignent mes oreilles. On commence à le surnommer dans la ville avec tendresse et dérision "notre nouvel Hêsiodos". Phaïdros. L'ancien compagnon de mon enfance. Je fais semblant de ne pas le reconnaître mais je sais très bien qui il est. Il change, lui aussi, je le devine, dans ces coups d'œil furtifs par-dessous qui sont les seuls que je m'autorise à lui adresser. Lui non plus ne paraît pas se souvenir de moi, lorsque nous nous croisons, et je me demande avec angoisse s'il éprouve toujours des sentiments à mon égard, si son indifférence est réelle ou aussi feinte que la mienne. Il s'est engagé depuis quelque temps dans la garde personnelle de mon père : est-ce seulement par conviction patriotique ou bien aussi pour mes beaux yeux ? Pour leur donner de temps en temps la chance de croiser les siens ? Nos échanges de regards sont si rares et si brefs qu'ils ne me laissent aucune certitude. À la différence de Mégaklês, le fils de Ménôn, et des autres éphèbes qui s'entraînent sous la conduite de mon père, Phaïdros ne cherche pas à forcer mon attention. Bien que poète, jamais il ne m'a adressé vraiment la parole. Je me dis qu'il éprouve peut-être, à sa façon, la même pudeur que moi, et qu'il est ainsi le seul garçon à me ressembler un peu. Se peut-il qu'il ressente autant que moi le besoin de dissimuler ces sentiments que nous nous montrions avec naturel dans notre enfance ? Jamais nous n'aurions l'idée d'évoquer ces souvenirs communs, l'après-midi du serpent devant la grotte, l'alpha gravé dans le rocher au-dessus de la source, le prénom inachevé de mon aïeule la Muse. C'est surtout à cause de ces secrets partagés, mais désormais gardés jalousement chacun de son côté, que je suis amoureuse.

L'année de mes quinze ans, l'année de la fête des Erôtidia, l'année de mon triomphe, s'approche ainsi tout doucement. Un jour, quelques semaines avant la cérémonie, je me tiens debout devant Manthanê et jamais mon cœur n'a battu plus violemment. Je me suis lancé un défi mais, au dernier instant, je me demande si je vais parvenir à le relever.

Je sais que je serai bientôt mariée. J'espère que ce sera avec Phaïdros mais je redoute que mon père ne choisisse un autre de ses jeunes miliciens plus doués pour les armes. Par exemple, l'épais Mégaklês, le fils du riche Ménôn. Je me dis que je dois faire quelque chose pour mériter Phaïdros. Pour qu'Isodaïtês pousse mon père à me le donner. J'aime avec passion la danse et le chant, je joue divinement de l'aulos, parce que je m'exerce sans arrêt. Personne ne sait mieux que moi à quel point la beauté évidente demande d'efforts. À la fin de la procession, lorsque les filles arriveront devant l'autel d'Erôs où les attendront les vainqueurs à couronner, moi, la coryphée, je m'avancerai devant le chœur et je danserai seule. Voilà pourquoi j'ai demandé à la prêtresse qui règle la cérémonie l'autorisation de ne pas seulement reprendre les pas rituels mais d'y joindre une improvisation. L'autre a froncé les sourcils mais n'a pas dit non.

Alors je règle minutieusement mes figures depuis des jours et des jours sur la petite terrasse dérobée derrière l'appartement des femmes, tandis que Phaïdros de l'autre côté du mur répète son hymne à Erôs.

Avec ferveur, chacun de notre côté, nous élaborons notre offrande commune au dieu de l'Amour. Je poursuis une idée, ou plutôt une image, que je traque avec patience. Je veux danser Isodaïtês, dont Manthanê me raconte l'histoire et m'affirme qu'il a posé ses ailes sur moi. C'est lui, l'Étranger, que je veux raconter par ma danse, sa présence que je veux rendre sensible. Dans le mythe du Jeune Homme, je ne danserai pas la mort, le sacrifice violent, le dépeçage, la mutilation, que je ne comprends pas, que je n'accepte pas (comment un dieu peut-il mourir, pourquoi Manthanê ne répond-elle jamais clairement à cette question ?). Mais seulement la présence vivante. De mes doigts tendus en forme de plumes, de mes bras dressés et de mes épaules ondulantes, je montrerai le jeune homme au repos, dont les ailes ruissellent dans le dos. De mes jambes, de mes pieds et de mes bonds, le jeune dieu qui se dresse et s'envole, prêt à la guerre. De mes hanches et de mes mains, le jeune dieu qui se transforme en jeune déesse, et qui se pose, prête au combat d'amour. Et puis, de tout mon corps réuni, je danserai la rencontre entre les deux, ce que j'en ai deviné, ce que j'en espère, la palpitation de l'un à l'autre, la déesse qui enveloppe le dieu et le protège et lui qui l'habite. Oui, je montrerai à tous ces Grecs l'androgyne surpuissant que ma nourrice orientale me raconte depuis mon enfance, et dont elle m'obsède depuis quelques mois, l'homme-femme qui m'a donné ma beauté parfaite et la couleur de ma peau. Je leur montrerai ce dieu aussi différent de leur Erôs que moi-même je suis différente des autres filles de Thespiaï. Ce qu'ils n'ont jamais vraiment voulu voir et qui prendra la forme de quelques pas de danse, quelques mouvements de hanche, de mains et de pieds, dont les jeunes filles grecques n'ont jamais eu l'idée. Ce sera mon ultime prière de vierge que de danser devant mon père le dieu de ma mère qui a veillé sur leurs amours jusqu'à ma naissance.

Aujourd'hui, la chorégraphie est prête. Avant de la montrer à la prêtresse du temple, je veux l'essayer devant ma nourrice. Tous les pas mille fois répétés sont maîtrisés, mais, au moment de commencer, le cœur me manque, je me sens remplie d'une telle émotion que je les oublie tous. Manthanê a déjà préludé l'hymne sacré sur sa flûte, alors je suis obligée de me lancer quand même, et voici que tous les gestes me reviennent miraculeusement au fur et à mesure que je les esquisse et que je les réinvente. À un moment même, je dois fermer les yeux, éblouie, parce que je perçois, après ce moment initial de panique, que je n'ai jamais aussi bien dansé, que le moindre de mes pas n'est pas seulement beau mais *trop* beau. L'idée suivante qui me guette dans le creux du vertige, c'est que les dieux vont me punir de me hisser à une telle hauteur, qu'Erôs vainqueur m'exalte seulement pour mieux me précipiter dans le gouffre. Pourtant, au lieu de m'arrêter effrayée, je me lance de plus belle dans le mouvement ! Je m'offre au serpent afin de devenir serpent ! Avec encore plus d'élan et de souplesse, mais toujours les yeux fermés, je me remets entièrement entre les mains du dieu à qui j'offre jusqu'à ma chute ! Ma chute inévitable et qui ne vient pas. Je danse jusqu'au bout sans faillir dans les ailes qui me portent !

Lorsque je rouvre les yeux, Manthanê me regarde, muette de stupeur. Puis elle m'ouvre les bras, et, lorsque nous nous y sommes rejointes, ma nourrice me souffle : "Isodaïtês !" Sa voix de femme forte chevrote : "Oui, c'est lui que tu as dansé, je l'ai bien reconnu !" Je secoue la tête et toutes les deux en même temps, l'adolescente et la femme mûre, nous nous mettons à pleurer. Si mon père et l'un des jeunes guerriers qui l'accompagnent au combat pouvaient nous surprendre, ils se diraient sûrement que nous cédons à une crise de faiblesse féminine. Quel homme pourrait comprendre qu'il s'agit de courage ? De la forme féminine du courage, qui consiste non pas à se ruer vers l'ennemi vous menaçant du dehors, mais à se remettre entièrement au principe inconnu s'ouvrant à l'intérieur de vous au risque de vous briser ? Qui pourrait me comprendre ? Le jeune poète cithariste ? A-t-il déjà joué les yeux fermés, laissant l'éblouissement sanglant du soleil palpiter sous ses paupières, parmi les tombes et les lécythes pâles du cimetière où il se réfugie pour répéter ? A-t-il déjà pris le risque, penché sur son instrument pendant des heures, de se donner à son art en oubliant le temps et d'être écorché vif par Apollôn l'Éclatant, le dieu cruel de la lumière, comme le fut le satyre Marsyas ? Si j'en parlais à mon père, le terrible guerrier à la cicatrice, que je considère comme l'homme au monde le moins capable de perdre son temps à comprendre ce qu'éprouve une fille en train de danser, celui-ci ne penserait-il pas à l'instant de panique désespérée où il a égorgé le cavalier perse après le sacrifice de son frère ? Au surgissement de la Lionne Ishtar dans le défilé de l'Araxês ? Au vacarme des Daïmones dans la grotte de Trophonios ? À quelques autres instants de guerre où tout s'est passé presque malgré lui, et sans lui, et à travers lui ? Et il comprendrait ! Oui, il comprendrait le courage féminin à partir des limites du courage masculin. Mais jamais je n'oserais parler à mon père.

Manthanê m'encourage à montrer le lendemain ma chorégraphie à la grande prêtresse, en me recommandant seulement de prétendre qu'elle décrit Erôs le Grec et non Isodaïtês le Kappadocien. Serai-je à l'instant de l'épreuve saisie par l'émotion et touchée par l'aile du dieu ? Si mon improvisation est acceptée, saurai-je dans quelques semaines, lorsque je m'avancerai devant la foule des étrangers au pied de l'autel, parvenir à ce point où je pourrai danser les yeux fermés ? Un pareil moment de grâce me sera-t-il jamais de nouveau octroyé ?

Ce jour-là, sans doute pour me remercier d'avoir évoqué le dieu de son pays natal, Manthanê enlève la bague qu'elle porte à son index et que j'ai toujours secrètement admirée. D'une voix grave, elle m'apprend que ce bijou lui vient de ma mère. Elle me le tend. Elle me demande d'examiner de près les deux torsades fines de l'anneau d'or étroitement enlacées l'une à l'autre, et le chaton enchâssé d'une pierre rouge, sur laquelle est sertie en camée la représentation d'ivoire d'un corps de femme. Assise sur un trône, lui-même posé en équilibre sur une montagne, elle tient dans ses mains un flambeau et une fleur. Les détails de cette scène minuscule, notamment la couronne crénelée qui dessine un halo autour du visage de la femme, et les boucles de sa chevelure dénouée à laquelle se mêlent des serpents, sont représentés avec une délicatesse stupéfiante. Ma nourrice me fait remarquer aussi les caractères d'une écriture étrangère qui s'arrondissent tout autour de la scène, si petits que je ne les avais jamais remarqués jusqu'alors. Elle les déchiffre pour moi : "Sura Ardui Anahita". Une inscription dont elle-même ne connaît pas la signification exacte, à part Anahita, qui est sans doute le nom perse d'Anaïtis. Mais elle me fait jurer d'en prononcer dès mon réveil les syllabes étranges, auxquelles elle joint le terme trois fois répété et semblablement mystérieux de "Banu". En le proférant, je dois suivre de l'index le tracé des lettres d'ivoire sur le chaton de pierre rouge, afin que le bijou puisse me protéger pendant la journée contre tous les dangers.

Je reçois religieusement ce présent que ma mère me fait à travers ma nourrice. Chaque matin, avec une exactitude scrupuleuse, je prononcerai la formule magique, "Banu Banu Banu Sura Ardui Anahita !" Le doigt posé sur l'inscription. Jusqu'à ce qu'une nuit on me vole mon talisman et que je plonge dans le gouffre.

Voilà, j'ai presque quinze ans, je suis la plus belle fille qu'on ait jamais vue dans Thespiaï de mémoire de prêtresse d'Erôs, je m'apprête à mener le chœur sacré des Erôtidia, j'en suis fière et j'en ai peur. Dans quelques semaines je vivrai le plus grand moment de ma vie. Peut-être ensuite, si Isodaïtês ne veut plus de moi, rentrerai-je avec soulagement dans l'ombre de l'appartement des femmes ? Peut-être est-ce seulement cela que je désire, l'oubli du dieu et l'anonymat de la femme mariée, après cet unique moment de lumière ? Peut-être la petite Thespienne ne rêve-t-elle plus que d'être ensuite l'épouse de Phaïdros, invisible aux autres hommes et ne se dévoilant qu'à lui ? Je resterai aussi pudique, chaque fois qu'il lui plaira de dénouer ma ceinture, que je le suis jeune fille, lorsque j'ose à peine rêver du moment où il le fera la première fois. Oui, je veux oublier les murmures un peu effrayants de la Kappadocienne pour n'être plus que l'épouse fidèle de Phaïdros, mettant toute ma fierté à régner en son nom sur sa maison et à lui donner des garçons.

Maintenant j'ai presque dix-sept ans et tous ces rêves-là se sont écroulés dans l'incendie de ma vie. Ils n'existent plus qu'à l'intérieur de ma mémoire, plantes vivaces qui poussent de nouveau leurs racines souterraines entre mes ruines. Mais je me suis reconstruite. Différente. La nuit suivante, je ferai mes débuts en tant que musicienne dans les fêtes d'Athênaï. Le destin n'a pas voulu que je devienne l'épouse soumise de Phaïdros mais je n'ai pas réussi à tuer tout à fait en moi l'espoir fou de le voir ressurgir un jour pour me sauver, d'être liée de nouveau instantanément à ce sourire auquel j'ai été arrachée malgré moi. Non, lui et mon père n'ont pas pu m'abandonner, ce n'est pas vrai ! En tout cas, je me jure que je n'appartiendrai jamais à qui que ce soit d'autre ! Même si je ne sais pas encore comment je vais pouvoir m'y prendre, je compte bien devenir une femme libre, en attendant le jour de me remettre sous l'autorité de mes possesseurs légitimes, qui me loueront d'avoir survécu, parce qu'ils m'aiment. Et parce qu'au fond même de la déréliction, je leur serai restée fidèle.

II

UNE FLÛTISTE

11

L'ATTENTE DU COMBAT

Leurs fêtes, aux Athéniens, leurs fameux banquets, ces sommets d'éloquence, de philosophie, de poésie ! Pour nous, les filles, ils commencent non par de la parole mais par du silence. Dans la pièce jouxtant la grande salle où nous sommes entassées, nous guettons la voix des hommes qui mangent et qui bavardent. Juste au-dessus de nos têtes, les femmes honnêtes restent silencieuses elles aussi. Ce qu'elles pensent du banquet, nul n'en sait rien et tout le monde s'en fiche. En tout cas, pour ne pas risquer de croiser les prostituées, elles ont préféré se claquemurer à l'étage, dans leur gynécée. Elles n'en sortiront qu'au matin pour reprendre possession de la maison dont elles ont dû accepter d'être dépossédées une nuit.

Oh, je me souviens de cette attente angoissée des filles de joie avant le spectacle, dont aucun de leurs écrivains n'a jamais parlé ! Nous nous trouvons dans une pièce assez vaste, mais qui paraît petite, depuis que notre groupe l'a investie. Nikarêtê l'a transformée en une espèce de loge : la dizaine de ses "élèves" qu'elle a amenées pour la nuit achève de s'y préparer, en un désordre qu'un homme trouverait sûrement charmant mais qui m'exaspère. Notre maîtresse nous répète que nous jouons gros. Elle, bien sûr, mais nous aussi. C'est une fête importante, il y a du beau monde réuni dans la salle des hommes et elle a prévu pour l'occasion pas moins de quatre divertissements. D'abord un chœur assez sage de six de ses petites protégées. Puis Stéphanê l'acrobate, qui accomplira le plus dangereux de ses numéros, celui du cerceau enflammé, accompagnée par ma flûte et par les tambourins de Lampitô. Moi, Mélitta, je dois passer en troisième. Nikarêtê me présentera comme une attraction exotique, une fille de Perse à la peau cuivrée qui jouera sur sa double flûte une mélopée orientale, tout en exécutant une

157

sorte de danse des voiles vaguement inspirée du culte de la Grande Déesse. Pour finir, Lampitô elle-même et l'un des garçons de Dionysios le Syracusain mimeront les amours d'Aphroditê et d'Adônis. Ce sera le clou du banquet. Après l'avoir vu, les hommes récemment mariés se précipiteront sûrement chez eux pour retrouver leur jeune épouse, tandis que les autres choisiront parmi nous celles dont ils feront l'instrument de leur plaisir.

Brusquement, je me revois tout à l'heure dans la rue, avec Nikarétê et les autres filles. Protégées par deux des Cerbères, Adômas le Tatoué et Kistôn le Taciturne, entourées par un groupe d'esclaves portant des torches, nous formions une sorte de petite escouade féminine, un thiase d'amour. Nous avons remonté la voie qu'emprunte chaque année la procession sacrée, puis nous avons traversé l'Agora, avant d'obliquer brusquement pour nous éloigner de la colline des temples qui domine la ville mais sur laquelle je ne suis pas encore montée une seule fois. La nuit était tout à fait tombée, il y avait moins de monde dans les rues que lors de notre exhibition forcée de la veille, et les passants nous regardaient nous avancer stupéfaits, admiratifs, comme lors de la première apparition d'un chœur de théâtre. J'ai aimé leur silence. Ce respect qui les a saisis. Il m'a émue. Mon costume étrange et le masque de mon maquillage ont pris enfin tout leur sens. Non, je n'étais plus moi-même, mais le personnage d'une pièce, ou une prêtresse se rendant sur le lieu d'un rituel. En tout cas, pas moi. Voilà ce qui était doux. Voilà ce qui était fort.

Maintenant, j'attends. Dans un recoin, assise sur mes talons, les genoux entre mes bras, comme une sphinge frileuse aux aguets, ainsi que j'avais l'habitude de le faire dans la salle humide du bordel. Mais là, je suis présente. J'ai fini d'accorder mon instrument. À mes côtés, Stéphanê s'est déjà entièrement déshabillée. Contrairement à moi, elle n'éprouve aucune réticence à se montrer nue, y trouvant même plus de liberté et plus d'aisance qu'à être enveloppée dans le linceul d'une tunique. Elle s'exerce au milieu de la confusion à lancer ses cerceaux. Lampitô et son partenaire masculin, s'assouplissant les poignets, les épaules, les hanches, répètent d'un air distrait quelques positions osées. Les gamines font tellement de bruit que Nikarétê est obligée de les menacer de les punir, lorsque nous serons de retour à la maison. Je suis la seule à être calme. Ou à le paraître. Penchée au bord de mon cœur, je l'écoute dégringoler la pente du trac en tentant de m'entraîner dans son vertige. Mais je ne tombe pas. Je reste assise bien droite, le châle recouvrant ma chevelure mais laissant deviner le masque-maquillage, les yeux fermés. Si je pouvais me voir de l'extérieur à cet instant, je serais fière, je me trouverais belle. Bien que je me refuse désormais à être Mnaséréta et ne me reconnais plus qu'en Mélitta, quelque chose de ma personnalité ancienne affleure. Quelque chose d'une présence lointaine, hautaine, fragile mais impérieuse. Toute ma vie de danseuse, je serai plus dense lorsque je m'immobiliserai, entre deux mouvements, que lorsque je serai en train de bouger et de me disperser. Les gamines, en passant près de moi, baissent spontanément la voix. La maîtresse elle-même, impressionnée par mon silence, leur interdit d'un geste de m'adresser la parole.

De temps en temps, le long de la galerie, passent discrètement des servantes. Certaines appartiennent au maître de maison, d'autres au cuisinier Hipparkhos. Ces dernières, nous ne les connaissons guère, parce que, même si nous vivons sous le même toit, nos deux mondes sont séparés. Elles apportent les plats pendant la première partie du banquet, faisant la navette entre la salle des hommes et les cuisines, qui se trouvent un peu éloignées des pièces à vivre, juste à côté de l'entrée de la maison. Les plus jeunes, à chacune de leurs allées et venues, glissent des coups d'œil furtifs dans la salle où se tiennent les "artistes". Elles nous observent avec curiosité et envie mais nous nous gardons bien d'accorder le moindre regard à ces esclaves de plus basse catégorie.

Pourtant, l'une d'entre elles, arrêtée sur le seuil de la pièce, un long plat à poisson porté à bout de bras, m'observe avec tant de fixité que je finis par ouvrir les yeux. Nous sommes presque du même âge. Elle est jolie aussi. Ou pourrait l'être. Mais la peau de son visage et de ses mains est déjà couperosée. Ses seins, sous la tunique qui laisse les bras libres, tombent déjà un peu, malgré sa jeunesse. Qui s'arroge le droit de les palper ? Le maître, Hipparkhos ? L'un de ses fils ? Les deux ? A-t-elle été accordée, sans avoir son mot à dire, à un serviteur zélé que l'on voulait récompenser ? Se montre-t-elle secrètement rebelle, rejoignant sans bruit celui de ses compagnons qu'elle a choisi, les nuits où le maître oublie de fermer à clé la porte du dortoir des femmes ? Peut-être même a-t-elle poussé l'audace, un soir où il était vautré sur elle, jusqu'à lui dérober l'une de ces clés ? Qu'indique son regard insistant ? De l'envie ? Du mépris ? De la jalousie ? De la rage ? Quel message muet est-elle chargée de me délivrer, au début de cette nuit décisive, et de la part de qui ? Lorsque j'étais une fille libre, jamais je n'aurais pris conscience de ce regard d'esclave posé sur moi, ni noté à quel point nous nous ressemblions. Mais l'énigme qu'elle me propose, je n'ai pas le temps de l'approfondir. Nikarétê, l'apercevant, la chasse d'une parole. L'autre s'éclipse, non sans laisser jaillir de sa bouche un sonore "tsss" de malédiction. Ma maîtresse se précipite vers le couloir mais l'impertinente servante a déjà disparu à l'intérieur des cuisines.

Je tente de fermer de nouveau les yeux mais je ne parviens plus à me concentrer. Ni à dominer les battements de mon cœur. Oui, maintenant, l'angoisse me submerge. Je tends l'oreille pour discerner, de l'autre côté de la mince cloison, dans la grande salle où a lieu le repas, les voix bourdonnantes de ces hommes qu'il va me falloir réduire au silence, et je m'inquiète de ne rien entendre.

Nikarétê me rassure. Les invités sont encore en train de manger. Ils parlent peu. Ils s'ennuient. Tout à l'heure, après avoir chanté le païan, en l'honneur des divinités du banquet et non de celles de la guerre (ce sont les deux grands moments de camaraderie masculine, leurs deux sortes de fête), ils répandront sur le sol non du sang mais du vin. Ils inviteront ainsi les dieux à descendre parmi eux se ressourcer, afin que les hommes puissent s'exalter en leur providentielle compagnie. Alors seulement les danseuses et les musiciennes feront leur entrée. Alors seulement commencera la deuxième partie de la fête. La vraie. Nikarétê présentera ses filles à l'assemblée, puis le convive à qui aura été confié le soin de présider le banquet choisira le dosage du vin et de l'eau dans le grand vase du mélange. Plus ou moins pur, selon qu'il voudra plonger ses invités dans une ivresse plus ou moins rapide. Il choisira les jeux, les sujets de conversation, et, bien plus important pour nous, les moments d'intermèdes où auront lieu les différentes attractions. Nikarétê, pour calmer les plus jeunes de ses élèves qui se préparent fébrilement, nous rappelle d'une voix calme l'importance de notre rôle. Les coupes de ce breuvage magique qu'est le vin sont moins chargées d'enivrer les hommes que d'étourdir assez leur raison pour leur permettre de s'abandonner aux mains exaltantes de Dionysos. De même, les danses des filles ne vont pas seulement les divertir mais les aider à se remettre, corps et âme, entre les mains bouleversantes d'Aphroditê. Nous ne sommes pas de vulgaires prostituées mais des artistes. Et moins des artistes que des prêtresses. Des passeuses. Faisant grimper à côté de nous les hommes dans la barque de la danse sur le fleuve de l'ivresse, nous sommes chargées de veiller à ce que cette escapade risquée vers la rive divine se passe pour le mieux. À l'aller comme au retour.

L'attente se prolonge et Nikarété continue à nous parler, à nous bercer de sa voix rassurante et intimidante à la fois. Elle nous explique l'enjeu de la fête. Cette nuit, elle et son mari le cuisinier ont fait les choses en grand. Car le banquet a lieu chez l'un de leurs principaux clients, Glaukippos, un homme très fortuné, qui possède cette vaste maison à l'ouest de la ville, dans le quartier bourgeois du Kollyteus, près de la Porte des Cavaliers. L'occasion est solennelle. Le maître de maison célèbre la fin des deux années d'éphébie de son fils aîné et l'entrée de ce dernier dans le corps des citoyens. Le jeune homme vient de passer une année entière loin de la ville au milieu des autres garçons de son âge, à porter fièrement le manteau court, le chapeau à large bord et les armes légères de ceux que l'on appelle à Athênaï les "Péripoloï", les "Patrouilleurs". Il a parcouru en tous sens les frontières de l'Attique, avec ses compagnons d'armes, dont certains étaient les fils des métèques ou même des affranchis qu'Athênaï voulait s'attacher. Nikarété nous explique la fonction des Péripoloï pour nous impressionner mais aussi peut-être parce que, malgré le mépris qu'elle affiche d'ordinaire pour les cérémonies officielles d'Athênaï, elle rêve en secret que ses fils aient l'honneur de servir aux côtés des jeunes citoyens. Alors elle nous raconte qui sont ces garçons que nous allons rencontrer : ils viennent de dormir bien des nuits à la dure, sous les étoiles, dans le froid ou la rosée, pour défendre leur cité et ses champs d'oliviers contre les incursions des Thébains ou des Lacédémoniens. Pour protéger les habitants des bourgades reculées contre les bandes toujours plus nombreuses de voleurs de grands chemins. Contre les razzias des pirates qui, surgissant de la mer toute proche, font main basse sur les enfants isolés. Mais les maraudeurs les plus redoutables dont les paysans ont à se méfier, ce sont ces jeunes citadins chargés de les défendre, car leurs officiers les affament délibérément pour leur apprendre à se débrouiller en toute occasion. Gare aussi aux esclaves, mâles ou femelles, qui tombent entre les mains des Péripoloï à la tombée du jour. On les incite (du moins, c'est ce qui se raconte) à sacrifier en secret les plus beaux à la cruelle Hékatê. Pour les lier par le rite du sang versé à leurs compagnons d'hétairie, avec lesquels ils affronteront ensuite les hasards de la guerre ou les embuscades de la politique. Oui, ils ont déjà tous fait couler le sang, ces jeunes gens féroces que nous allons devoir amadouer avec nos instruments de musique et nos robes transparentes. Depuis un an, ils ont vécu loin de la cité et de leur famille, comme une meute de chiens à moitié sauvages. Aujourd'hui seulement, ils sont devenus des citoyens. Ce matin, c'était la cérémonie civique, l'après-midi, ils l'ont passé dans leur maison, honorés par leurs mères et leurs sœurs, et ce soir, ils font la fête, avec leurs aînés, entre hommes, entre égaux, pour la première fois. Le fils de Glaukippos, qui s'appelle Hypereïdês, et dont on dit qu'il est l'un des jeunes hommes les plus brillants de sa classe d'âge, se trouve là, dans la pièce d'à côté, avec tous ses amis. Avec son père, ses oncles et quelques-uns des hommes mûrs les plus célèbres de tout Athênaï, qui n'en manque pourtant pas. En silence, ils nous attendent, nous les flûtistes et les danseuses de Nikarétê. Afin de se reposer de toutes les épreuves endurées depuis un an, mais aussi, si nous savons les y inciter, afin de commencer dignement leur nouvelle vie d'Athéniens raffinés. Il ne faut surtout pas qu'ils soient déçus ! "Mes filles, il y va de l'honneur de notre école !" s'exclame Nikarétê, dont le récit presque inquiétant a réussi à rétablir le calme parmi les gamines. Le silence règne maintenant dans notre loge provisoire, aussi pesant que dans la grande pièce où patientent les hommes. "Mais n'ayez pas peur, continue la maîtresse en souriant de son petit effet, si vous vous souvenez de mes leçons, si vous savez les charmer comme je vous l'ai appris, ces jeunes loups vous mangeront dans la main !"

En écoutant Nikarétê nous expliquer qui nous allons honorer, qui nous allons affronter, à quoi pense-t-elle, derrière ses paupières obstinément closes, la fille autrefois orgueilleuse mais qui se laisse depuis quelques semaines appeler Mélitta ? Je me dis que moi aussi, l'orpheline, comme ces garçons fêtés ce soir par leurs familles, j'ai suivi une rude formation, non pas pour devenir un citoyen soldat mais une mercenaire de l'amour rompue à toutes ses passes d'armes. Non, bien sûr, une cité entière ne s'est pas réunie sous les yeux de ses dieux dans le grand théâtre pour me remettre un bouclier et une lance, je n'ai reçu des mains de Nikarétê qu'un tambourin et une double flûte, mais j'en ferai des armes tout aussi redoutables. Je suis prête au combat. Mon entraînement physique a été dur, plus dur même que celui de ces garçons, parce que j'ai dû accepter d'y sacrifier bien plus de mon intimité. S'ils ont donné la mort, moi, bien souvent, j'en ai été traversée. En tout cas, j'ai fait preuve autant qu'eux de courage et de persévérance. Ils ignorent peut-être encore qu'une fille de dix-sept ans peut être aussi dangereuse à elle toute seule que leur hétairie au grand complet ? Eh bien, je vais le leur faire découvrir ! Ils ont de la chance, ces petits mâles. N'ayant pas appris à faire souffrir mais à faire jouir, je ne leur infligerai de la mort que celle provisoire du plaisir. Ils s'enorgueillissent d'honorer Athêna et Arês mais moi, je sers deux divinités tout aussi puissantes, Aphroditê et Erôs. Ou plutôt, je feins de les servir. Oh, pour l'instant, bien sûr, je ne suis qu'une "aulétrix", une petite joueuse de flûte inconnue, comme eux ont été de simples éphèbes patrouilleurs. Ils ont passé un an loin de la cité pour atteindre à la dignité suprême d'hoplites, de citoyens-fantassins, et moi, combien de temps me faudra-t-il avant d'atteindre à la liberté suprême d'hétaïre indépendante ? C'est au milieu de leur cité que je devrai me battre pour y parvenir, dans des fêtes et des maisons luxueuses où je courrai autant de dangers qu'eux aux confins du territoire, parce que, si je ne m'y impose pas, je serai rejetée sans pitié dans l'humidité du Peïraïeus. Et ça, je ne le supporterai pas une deuxième fois ! Le parcours de ces jeunes soldats de bonne famille est finalement beaucoup plus rassurant que le mien. Ils n'ont pas l'angoisse de devoir échapper à la servitude. Ils n'ont pas la rage.

Voilà peut-être ce que je pense au début de mon premier banquet. En tout cas sûrement pas à me régaler de la conversation des convives, même s'ils sont les plus brillants de la Grèce. Ni même à profiter du luxe de la fête. Juste à bondir au milieu d'eux pour danser jusqu'à ce qu'ils se taisent. Que même le plus austère et le plus bavard de leurs philosophes soit obligé de me regarder bouche bée !

Soudain résonnent les accents du païan, le chant à l'unisson en l'honneur de Dionysos. Alors, en écoutant résonner les voix mâles, malgré tous mes efforts je ne peux empêcher ma mémoire de se déchirer une nouvelle fois. Je me souviens que mon père le chantait en l'honneur d'Apollôn avant chaque bataille. Pour moi aussi, il s'agit d'un combat, où je vais devoir triompher des hommes en m'en faisant aimer. Oui, mon père a dû ressentir la même panique au bord du fleuve de l'Hermos, le matin du premier assaut, où il a dû accepter de perdre son frère et la moitié de lui-même pour gagner son cheval de bataille ! Lui et moi, nous avons le même cœur de guerriers, qui bat au même rythme fou !

12

LE JEU DE LA VÉRITÉ

Une douzaine de vastes banquettes disposées en forme de pi majuscule. Sur chacune d'entre elles plusieurs personnes, allongées ou seulement assises, selon leur importance sociale. Dans un coin de la salle, posé sur un trépied, un vase de grande dimension, à fond noir et richement décoré de figures blanches, dans lesquelles je crois reconnaître des scènes de théâtre. Cinq ou six esclaves, garçons et filles, attendent les ordres du maître de cérémonie pour y mêler l'eau au vin épais, puis y transvaser le précieux mélange dans des récipients plus petits, dont ils rempliront les coupes. Sur les banquettes qui se trouvent en face de la porte d'entrée, à la place d'honneur, sont allongés Glaukippos et les hommes d'âge mûr. Ils sont quatre, à nous regarder faire notre apparition sans se départir de leur bienveillante indifférence. Des deux côtés du fer à cheval sont installés les jeunes hommes. Eux examinent notre dizaine de gamines et de jolies filles avec un intérêt bien plus marqué. Oh, leurs yeux qui nous déshabillent, et ces réflexions qu'ils s'adressent entre eux, à voix haute, en nous détaillant ! Ces Athéniens bien élevés ne se taisent que pour applaudir le petit discours de Nikarétê.

J'en profite pour faire du regard le tour de la salle. À part nous, je n'aperçois en tout et pour tout qu'une seule femme. Elle est assise à côté d'un des invités d'honneur, un personnage d'une soixantaine d'années dont elle s'occupe avec empressement, lui passant des fruits, le rafraîchissant de son éventail, tandis qu'un jeune homme, placé de l'autre côté, lui fait la conversation. Mon attention se concentre spontanément non pas sur les hommes mais sur cette femme isolée au milieu d'eux. Eux, je m'en moque, elle, je l'admire, je la jalouse, je la redoute. Je ne la connais pas mais je sais très bien qui elle est : une "hétaïre". La première de ces aristocrates parmi les femmes de plaisir que j'ai la chance de croiser. L'une de ces "Compagnes" qui sont les seules autorisées à s'asseoir sur les lits du festin à côté de leur amant en titre, pour boire avec eux, pour les charmer par leur conversation ou par leur attention discrète. Nikarétê m'a assez répété qu'une hétaïre ne devait pas se montrer seulement belle, mais assez cultivée et assez fine pour parler ou se taire à bon escient. Tandis que le vieil homme et son jeune interlocuteur, tout à leur conversation, n'ont même pas remarqué les musiciennes qui s'approchaient d'eux, la femme nous a jeté un coup d'œil faussement blasé mais dont la vivacité et le sens précis de l'observation ne m'ont pas échappé. Les hétaïres doivent se montrer aussi méprisantes vis-à-vis de nous, simples joueuses de flûte à deux drachmes, que nous à l'égard des petits esclaves, mâles et femelles, qui sont chargés de verser le vin sans la moindre conscience du pouvoir dont ils sont dépositaires. Bien que ce soit mon premier banquet, je perçois intuitivement ces hiérarchies et ces rapports de force.

Maintenant je m'avance derrière Nikarétê pour faire le tour de la salle et je distribue gracieusement mon sourire à tous ces hommes allongés que je ne regarde même pas. Je continue d'observer l'hétaïre à la dérobée. Elle me paraît d'une beauté parfaite, si accomplie qu'elle en est presque décourageante. Cette femme est désespérément à la hauteur de sa réputation, pas seulement dans son apparence physique mais aussi dans la moindre de ses attitudes. Par exemple, lorsqu'elle essuie du coin de sa tunique fine, avec un geste de tendresse familière mais non dénuée d'élégance, les gouttes de sueur perlant au front du vieillard. Ou lorsqu'elle se mêle à la conversation et adresse quelques mots aux deux hommes pour les faire sourire. Je note, en passant devant sa banquette, l'accent chantant de sa voix, qui roucoule de façon charmante. D'où cette blonde au visage lumineux est-elle originaire ? Du Pontos Euxeïnos, la mer du Nord où l'on parle le grec avec des ramages presque barbares ? D'encore plus loin vers le Septentrion, où l'on dit que les femmes ont souvent les cheveux naturellement clairs ? Son vêtement aussi est d'un grand raffinement : une tunique de soie, d'un beige chaud mais qui reste discret, serrée sous les seins puis sur les hanches par deux ceintures de tissu ocre ouvragé de fils d'or, et fermée sur tout le côté droit par cinq ou six fibules argentées, représentant des croissants de lune et des étoiles. Trop belle. Trop élégante. Trop distinguée. Jamais je ne pourrai rivaliser.

Et pourtant… En poursuivant mon examen, je me réjouis de distinguer dans cette beauté divine quelques imperfections. Les cheveux, par exemple. Un peu trop fins, non ? Abîmés peut-être par des teintures trop fréquentes, qui semblent prouver que même cette blondeur rare tient de l'artifice. Et le maquillage ? Il est plus discret que celui préconisé par Nikarêtê mais c'est une erreur ! Ne laisse-t-il pas deviner les fils des premières rides, là, sous les yeux ? Ces détails, au premier abord imperceptibles, bientôt je ne vois plus qu'eux. Ils me rassurent. Non, cette femme splendide n'est pas une déesse, mais une simple humaine, et plus âgée que moi ! Ayant atteint la trentaine, elle vit sans doute ses dernières belles années. Une lune pâle, décroissante, dont le magnétisme discret, bien qu'encore puissant, se survit déjà à lui-même. Pourquoi cette professionnelle, qui doit passer chaque jour plusieurs heures à se parer, ne prend-elle pas le soin de mieux dissimuler les toutes premières marques de l'âge ? Parce qu'aveuglée par son propre éclat, elle ne les aperçoit pas encore dans le bronze poli de son miroir ? Parce qu'elle se croit tellement aimable et tellement unique que, même si elle vieillit, on continuera à l'aimer ? La malheureuse ne se doute pas que sa remplaçante vient de faire son entrée dans la salle des banquets !

Mais, de nouveau, je m'inquiète. Ces défauts, s'ils enlèvent à la physionomie de ma rivale un peu de beauté, ne lui donnent-ils pas encore plus de charme ? Un charme plus malicieux et plus émouvant à la fois que l'éclat lisse de la prime jeunesse. Celui de la maturité, dont je découvre le pouvoir d'attraction. Même moi, la gamine mal intentionnée, j'y suis sensible. Alors les hommes ! Lorsqu'elle sourit par exemple, comme elle le fait à l'adresse de ses deux compagnons, tandis que je l'observe. Un sourire si fin, si gracieux, si élégant, si spirituel ! Parviendrai-je jamais à m'en fabriquer la réplique ? Pourtant, à force de l'observer, je finis par le trouver un peu figé. Peut-être l'hétaïre, dans son expérience du monde, a-t-elle perçu mon regard de jeune flûtiste sans indulgence posé sur elle et se débrouille-t-elle pour l'affronter de profil sous son meilleur jour ? Non pas telle qu'elle est, déjà abîmée, mais maquillée de son sourire et dissimulée derrière lui ?

Soudain, elle tourne la tête. Non, elle n'avait pas deviné que je la dévisageais parce que ses yeux, d'un étonnant éclat vert, trahissent sa surprise quand elle m'aperçoit. À cause de la fixité des miens, qui la détaillent sans ménagement ? Ou de quelque chose d'autre en moi ? Quoi ? Au bout de quelques secondes, j'ai l'impression que son regard s'éclaire d'une lueur d'ironie. Comme si elle devinait tout ce que cette jeune rivale est en train de se dire, et notamment les réserves mesquines sur sa beauté déclinante. Prise sur le fait, vite, je me hâte de détourner la tête. Je crains de l'avoir froissée. Cette femme, à la beauté d'autant plus touchante qu'elle est fragile, en fait, elle m'a tout de suite plu. Elle m'attire. J'en fais d'emblée, comme la servante tout à l'heure, une envoyée du hasard. Mais celle-ci, bien qu'elle soit objectivement plus dangereuse que l'autre, je la considère, sans savoir exactement pourquoi, comme bienveillante. Peut-être, à l'instant où je découvre le monde des banquets, suis-je en train de rencontrer mon modèle dans la personne de celle qui s'apprête à le quitter ? Pendant le reste de cette nuit inaugurale, pendant les fêtes suivantes où j'aurai peut-être la chance d'être invitée et de la croiser de nouveau, je me jure de ne pas la quitter des yeux. Je veux étudier la moindre de ses poses afin de lui voler le secret de sa grâce, avant qu'il ne se soit tout à fait évanoui. Mais, si elle a perçu l'insolence de mon premier regard, me laissera-t-elle l'approcher ? Comment m'en faire une complice ? Voire une protectrice ? C'est trop bête : elle était chargée de m'aider et je l'ai rendue d'emblée hostile ! Ma maîtresse dirait que je l'ai bien mérité. Nous devons toujours dissimuler nos véritables sentiments, aux hommes bien sûr, mais encore plus aux femmes, car ces dernières n'ont pas les illusions du désir pour les inciter à nous épargner. Ceux-ci voudront nous posséder et celles-là nous détruire. Ayant été mille fois prévenue, je ne peux que me reprocher mon fatal manque de discrétion.

La première des attractions prévues par Nikarétê suspend provisoirement mon inquiétude. Tandis que je les accompagne sur mon aulos, les six petites filles chantent et dansent à ravir. L'hétaïre blonde, qui ne voit pas dans ces gamines des rivales, les complimente volontiers et les hommes mûrs se déclarent tous charmés. Ils demandent à Nikarétê l'autorisation de leur faire servir des coupes d'eau teintée de vin et des fruits. Ils dissertent ensuite sur ce chœur innocent, qui, dans sa fraîche ferveur, leur a rappelé les processions de leurs propres filles en l'honneur d'Athêna. Quelques-uns d'entre eux les regardent avec plus d'attention encore, lorsque Nikarétê leur avoue que ces choreutes à peine nubiles sont ses propres enfants, toutes de naissance libre, toutes vierges, et qu'elles ne feront que danser en début de soirée, avant de retourner sagement se coucher dans la maison familiale. Glaukippos et ses amis se contentent pour l'heure d'une ou deux plaisanteries à peine scabreuses. Ce n'est qu'un peu plus tard dans la soirée qu'ils essayeront de négocier avec la "mère", sans être dupes un seul instant de son mensonge, un prix raisonnable pour que l'une ou l'autre des petites filles libres vienne sur leur banquette, non pas bien sûr perdre son précieux pucelage, mais leur sucer innocemment la verge. Nikarété saura protester juste assez pour faire monter les enchères.

Après ce premier numéro, dans lequel je n'ai été que flûtiste, l'un des jeunes hommes allongés sur les banquettes du rang gauche, me hèle. Il me demande à grands cris de venir m'asseoir à côté de lui et de ses camarades pour boire en leur compagnie. Nikarété, d'un sourire, m'en donne l'autorisation. C'est à ce moment-là seulement que je commence à prêter attention à ces nouveaux citoyens, autour desquels pourtant tourne le rituel de la fête. Celui qui m'appelle, notamment. Sa figure avenante, que rend plus chaleureuse encore son sourire, son regard intense, la forme un peu carrée de sa mâchoire, tout dans son visage dégage une impression d'énergie. Pas franchement beau. Plutôt plein de jeunesse et plein de vie. Un détail, pourtant, me met mal à l'aise. Tandis que sur son menton et sur ses joues frisotte une barbe encore neuve, la tunique qu'il a repliée sur ses hanches dès le début du banquet pour respirer plus à l'aise laisse voir une poitrine déjà velue. Les poils ne la recouvrent pas encore entièrement, bien sûr, mais ils sont déjà présents. Bien drus, bien noirs. Ils parsèment aussi ses épaules nues, même à l'endroit où la peau est la plus claire, et j'en aperçois par plaques, sur les bras, sur les mains, sur chacune des phalanges de ses doigts. Ce garçon n'est pas seulement velu comme un homme mûr mais presque comme une bête. Ces poils trop vivaces s'accordent avec l'excès d'expression qui anime son visage à chaque instant. Vitalité profuse, débordante, animale, qui m'indispose, qui me menace. Promesse mâle de rudesse et de violence. Il y a dans cette pilosité mal contrôlée quelque chose de populaire aussi. M'évoquant ces torses de marin auxquels je n'ai déjà été que trop exposée. J'aurais aimé dans ce premier banquet découvrir une masculinité plus délicate, plus radicalement différente de celle, obscène, que j'ai connue jusqu'alors. Un vrai éphèbe athénien, imberbe et raffiné, pas un quasi-matelot du Peïraïeus. D'ailleurs, le jeune homme, de ses doigts aux phalanges hérissées de poils indiscrets, me touche tout de suite sans façon les épaules et les hanches, pour m'aider à m'asseoir à côté de lui. Dans ma main, dont il s'empare aussitôt, il place une coupe et il me force à la porter à mes lèvres, comme une enfant. Je sais bien qu'il honore une simple flûtiste en l'invitant sur sa banquette mais j'aurais apprécié plus de distance, plus de respect et de cérémonie. Réserve totalement incongrue pour une musicienne de banquet mais dont, malgré la formation que m'a donnée Nikarétê, je n'ai pu tout à fait me départir.

Pourtant, si ce jeune homme se montre d'emblée trop insistant à mon goût, trop exubérant dans ses gestes autant que dans sa pilosité et sa conversation, s'il me passe un bras autour de l'épaule et l'autre sous la taille en m'appelant "mon cœur", je dois reconnaître qu'il n'est ni vulgaire, ni agressif. Avec enjouement, il me déclare : "Je m'appelle Hypereïdês, fils de Glaukippos. Nous sommes dans ma maison, enfin celle de mon père." Il ajoute qu'il est ravi de faire la connaissance d'une fille aussi jolie que moi. Sûrement je suis nouvelle, puisqu'il n'a encore jamais eu le plaisir de m'apercevoir, alors que, malgré son jeune âge, il connaît toutes les hétaïres et toutes les flûtistes de la ville, depuis les confins septentrionaux de la Double Porte jusqu'aux débarcadères du Phalêron. Je me détends. Flattée par son badinage. Satisfaite de constater qu'au moins l'un des convives m'aura trouvée séduisante, et l'un des plus importants, le roi de la fête, le fils du maître de maison, même s'il n'est pas en lui-même le plus distingué. Je suis rassurée aussi par la perspective de ne pas rester en plan à la fin du banquet, sous le regard dur de Nikarétê, pendant que toutes mes camarades, même les petites filles, seront occupées à donner du plaisir. D'ailleurs, à la différence d'un client du Peïraïeus, qui m'aurait, après quelques mots à peine, plaqué sa main velue sur la nuque pour m'obliger à m'incliner vers sa verge mal lavée, le jeune homme, tout en m'enlaçant, continue à m'étourdir par son flot de paroles. "Tu es bien silencieuse, belle inconnue ? Ou alors tu ne sais t'exprimer qu'en soufflant dans ta flûte, comme une nymphe fille de Pan ? Parles-tu grec ? Comment t'appelle-t-on dans ta contrée lointaine ? Qui sont tes parents ?"

Dès que je lui ai révélé mon nom de guerre sucré, "Mélitta, fille de Nikarétê et de personne", en essayant d'adoucir mon accent béotien, mon hôte se met à me faire les présentations des camarades qui l'entourent : "Voici le bel Euthias, qui nous tourne le dos, et c'est tant mieux pour moi, parce que sinon tu ne regarderais plus que lui. Et puis, à ses côtés, Kratês, dont tu peux remarquer que, depuis qu'il se pique de philosophie, il regarde tout le monde, même les jolies filles, ou surtout les jolies filles, comme s'il avait envie de mordre.

Et là-bas, assis sur la banquette du vieux maître, le jeune mais sage Lykourgos, le plus noble d'entre nous. Je devrais être à ses côtés, c'est sûr, mais ce soir, je n'ai pas envie de bavarder avec des gens qui ont le double ou le triple de mon âge." Il me présente encore une dizaine d'autres garçons à la file. Même si je souris à chacun, leurs noms et leurs visages se mélangent aussitôt dans mon esprit. Plusieurs d'entre eux, qui se sont redressés, forment autour de moi un groupe confus et indifférencié. Je ne perçois que l'élégance unique de leurs tuniques de lin souple, encore attachées sur leurs épaules ou déjà retroussées sur leurs hanches, mais toujours avec grâce. Que la subtilité du grec attique, tout chargé de nuances mondaines, qu'ils parlent avec un naturel fluide. Leurs phrases sont aussi précises que ces mains blanches mais nerveuses qu'ils meuvent à travers l'espace avec l'aisance évidente des gens bien nés. De jeunes hommes à leur place dans le monde, que seule l'animosité des dieux pourrait faire déchoir. Or, les dieux sont leurs amis intimes. Ils comptent des héros pour ancêtres et leurs pères possèdent des troupeaux entiers de bêtes rien que pour les sacrifices. Athêna vient leur souffler leurs répliques à l'oreille comme à celle d'Odysseus. Poséidôn et les autres Olympiens, après s'être parfumés, revêtent leurs plus brillantes apparences humaines pour descendre aux fêtes où ils les ont invités. C'est cette accointance innée avec l'ordre de l'univers qui donne à leurs attitudes tant de délié, et à leur conversation tant de délicatesse, même lorsqu'ils s'adressent à une simple flûtiste. Je n'ai jamais été à pareille fête. Lorsque j'étais encore une petite fille libre, à Thespiaï, les gens qui m'entouraient, dont mon père, parlaient une langue rude et se mouvaient sans grâce, à part peut-être Phaïdros, qui aurait pu figurer dans ce banquet. Puis la syntaxe des mots et des gestes auxquels j'ai été confrontée est devenue atrocement fruste, réduite à l'expression des besoins physiques les plus sordides. Et voilà que je passe d'un seul coup au chatoiement, à l'élégante bigarrure des poses d'un banquet athénien ! Ces jeunes gens du meilleur monde, qui me lancent des plaisanteries pour tenter d'attirer mon attention et parlent tous en même temps, me blessent presque l'oreille de leurs raffinements.

Sauf l'un d'entre eux.
Lui, il se tait.
Lui, placé sur la banquette la plus proche de celle d'Hypereïdês mais restant allongé, il se contente de me regarder de loin.
Ou plutôt il se contente de me laisser le regarder.

Car sa beauté attire magnétiquement les yeux. Les miens mais aussi ceux des autres convives, pendant quelques secondes, à chaque fois que, par hasard, ils tournent la tête vers lui. Comme si, inconsciemment, leurs bouches s'arrondissaient dans le cercle parfait de la stupéfaction, avant de se remettre à se contorsionner en vains bavardages. Le nez droit, le front haut, le menton volontaire, des cheveux naturellement bouclés, une barbe neuve et fine qui souligne encore la virilité de son jeune visage, les épaules larges, les membres bien proportionnés, que l'on devine à travers l'élégante tunique qu'il porte encore attachée sur l'épaule, n'ayant pas besoin de dénuder son buste pour qu'on ait envie de l'admirer. Mais son attitude, le coude appuyé sur un coussin, la tête posée non pas sur l'ensemble de sa paume mais, plus artistement, sur son seul index replié, enrichit le tableau d'une nuance différente, ajoutant une impression de finesse, d'intelligence souple, à celle de puissance que dégage le reste de son corps. Bref, il est très beau et d'une beauté très grecque. Un sculpteur pourrait avoir envie de s'en inspirer pour un Apollôn dans la fleur de la jeunesse. Ou un Thêseus.

Il est le seul parmi ces garçons à ne pas tenter d'attirer mon attention de jolie fille inconnue par une plaisanterie ou un compliment. Comme s'il savait qu'au milieu de tous, c'est lui que je remarquerais immanquablement. Mais son léger sourire exprime de la bienveillance plutôt que de la prétention. Il me fait la grâce de me montrer qu'il me juge assez digne de lui pour accepter les marques d'intérêt que je ne pourrai manquer de lui adresser. Son attitude d'attente ouverte est à la fois centrée sur elle-même et prête à m'admettre, bien que je ne sois qu'une petite flûtiste, dans le cercle de contemplation de sa beauté mâle. Généreuse jusque dans son égocentrisme, elle me fait passer un message limpide : c'est son sexe que je prendrai dans ma bouche tout à l'heure, puisqu'il l'a décidé. C'est son sexe qui me pénétrera. Et il espère que je saurai apprécier à sa juste mesure l'honneur qu'ainsi il me fera.

La certitude de sa supériorité, de son pouvoir sur moi, m'exaspère mais aussi, même si je n'ai pas envie de le reconnaître, me trouble. Cet éphèbe n'a que quelques années de plus que moi mais son attitude révèle déjà une autorité sans réplique. De mon côté, j'ai traversé ces derniers mois des expériences d'une violence telle que ce jeune privilégié ne pourrait même en avoir l'idée. Mais elles ne me servent ici de rien. Je ne suis qu'une novice dans ces relations de séduction à l'intérieur du banquet, où tout n'est pas entièrement brutal et tarifé comme dans un bordel public, ni entièrement figé comme dans le reste de la société, et où je sens intuitivement que la femme et l'homme gardent une certaine liberté de manœuvre. Lui paraît avoir une grande habitude de ces situations fluides. Mon inexpérience me place dans une position de faiblesse évidente devant lui et je dois m'avouer, à ma grande honte, que ce n'est pas entièrement désagréable. Je redoute même de me mettre à rougir sous son regard impérieux, comme si je retrouvais, dans un coin perdu de ma conscience, un peu de ma pudeur de fille vierge. En même temps, je déteste me sentir ainsi menacée. Je fais un effort pour me souvenir des conseils de Nikárêtê et garder, face à ce regard d'homme dominateur, la froideur professionnelle de la flûtiste, qui ne va accepter de se laisser dominer que pour mieux parvenir à ses fins.

Mais si, au lieu de me raidir, je me laissais aller à descendre un peu plus profond en moi, ne découvrirais-je pas qu'une des choses qui me trouble le plus dans ce jeune homme insolemment beau, une des choses qui me dérange, qui m'offusque, qui me révolte presque, c'est sa ressemblance secrète avec l'autre ?… Avec ce cavalier blond dont le souvenir reste une blessure si cuisante que je n'ai encore jamais osé m'en approcher ?… Évidemment, le jeune Athénien lève le bras pour boire du vin dans une coupe et non pour faire jaillir le sang d'une gorge tranchée. Mais lui aussi pourrait être l'une des incarnations humaines d'Akhilleus, face auxquelles, lorsque j'ai le malheur de les croiser, je me sens paralysée par la soumission de la captive Brisêis, comme toutes mes compagnes depuis des siècles. Par cette rébellion impuissante, ce consentement horrifié, dont ne parleront jamais les poètes mâles et aveugles qui racontent les guerres. Même si je me garde bien de m'aventurer dans ces profondeurs, je ne peux m'empêcher de frissonner. Je détourne les yeux.

Alors je tombe sur ceux d'Hypereïdês, qui m'observe avec amusement : "Il est beau, n'est-ce pas ?" Je secoue vaguement la tête. Je ne sais même plus si je dois répondre oui ou non. L'autre continue : "Vous iriez bien ensemble, et tu as de la chance, je ne suis pas jaloux. Tu veux que je te présente ? Euthias, fils de Diaïtias, du dème d'Aïnia, comme moi. Euthias, voici Mélitta, qui vient d'arriver dans notre ville pour nous réjouir de ses airs de flûte, elle est la fille de Nikárêtê et d'un dieu qui a préféré garder l'anonymat. Sans doute Pan, ou peut-être même Apollôn. À moins que cette jeune splendeur ne soit née, comme sa véritable mère, de l'écume et de la verge profuse du père Kronos ?" Euthias, consent à se redresser. Il me regarde dans les yeux et m'adresse le plus conquérant de ses sourires, en ne prononçant qu'un seul mot sur un ton ironique : "Mélitta ?" Hypereïdês continue à pérorer : "Oui, moi aussi, je trouve que ce surnom ne lui va pas du tout. Elle n'est pas douce comme le miel, sa parole n'est pas liquide et sucrée, ce sobriquet ne dit rien de son silence et de son immobilité qui sont pourtant plus charmants que les bavardages des autres. Elle nous regarde tous avec beaucoup d'attention. On aimerait bien savoir ce qu'elle pense."

Mais Euthias, par bonheur, n'a pas l'occasion de m'adresser vraiment la parole. À ce moment, un autre homme, un peu plus âgé que les autres, un peu moins beau, et qui me paraît aussi, tant dans son vêtement que dans son attitude, un peu moins fortuné, se lève de la banquette sur laquelle il était installé de l'autre côté de la pièce et vient s'asseoir sans cérémonie à côté de nous. Aussitôt, Euthias, avec une ostensible moue de mépris, se détourne, en levant sa coupe pourtant encore à trois quarts pleine pour demander du vin. J'ai à peine le temps de noter leur animosité. Hypereïdês me présente le nouveau venu comme le plus doué des auteurs comiques de la nouvelle génération : "Il s'appelle Timoklês, il a gagné le concours de comédie l'année précédente avec une satire sur les « Égyptiens d'Athênaï » et les ravages que fait dans notre vieille cité le culte bizarre d'Isis. Il faut faire très attention à ce que l'on dit en sa présence, si l'on ne veut pas retrouver ses confidences étalées sur la scène du théâtre de Dionysos et révélées sous le sceau du secret à trente mille citoyens hilares." Mon hôte me conseille même de me tenir particulièrement sur mes gardes dans la suite du banquet. Car les deux cibles favorites de Timoklês sont, d'un côté, les politiciens corrompus et, de l'autre, les hétaïres à la mode. "D'accord, mon jeune ami, s'exclame le bonhomme, mais les démagogues, je les méprise, alors que les hétaïres, dans le fond, je les respecte. Me moquer des jolies filles, c'est ma façon de les aimer. Tu vois, poursuit-il, en se penchant vers moi, comme je ne suis pas assez riche pour me payer vos faveurs, je ne déchire vos tuniques de luxe que sur scène. Mais vous devez considérer mes sarcasmes comme des preuves de mon admiration !"

Il s'empare de mon bras : "Allez, petite fille trop silencieuse, nous allons jouer à un jeu. Mon préféré. Le jeu de la vérité !" Je tente de me dégager mais il me maintient fermement : "Dis-moi en une phrase ce que tu penses d'Euthias ! Surtout ne réfléchis pas, sinon c'est beaucoup moins amusant !" Surprise, je reste silencieuse.

Même si l'éphèbe ne tourne pas la tête vers nous, une certaine raideur dans son attitude suggère qu'il sait très bien que nous parlons de lui. Alors j'ouvre la bouche et je prononce les premiers mots qui me passent par la tête : "Il est beau comme un dieu" et j'ajoute les suivants, qui me traversent encore plus fugacement : "Malheureusement il le sait." Timoklês éclate de rire : "Très bien, jeune impertinente, tu as résumé ce bellâtre prétentieux en une formule !" Le jeune maître de maison proteste avec énergie, d'une voix assez forte pour que notre victime, qui feint toujours d'être plus intéressée par le contenu de sa coupe de vin que par notre conversation, puisse l'entendre : "Euthias est mon meilleur ami et je refuse que vous en disiez du mal, au moins en ma présence ! Il est parfois prétentieux, et alors ? Ne se considère-t-il pas à bon droit non seulement comme le plus beau d'entre nous mais aussi comme le plus intelligent ? Les idées qu'il a dans la tête sont aussi sublimes que cette tête elle-même. C'est un idéaliste, le dernier des Athéniens, le seul parmi nous qui croie encore sincèrement à la démocratie. Notre unique espoir de rompre avec la génération actuelle, avec les lâches, avec les corrompus, pour revenir au glorieux temps de Marathôn ! Osez l'admirer, au lieu de faire du mauvais esprit : il est beau comme Périklês jeune !" La bouche de l'auteur comique se tord dans une grimace : "Ou comme Alkibiadês ?"

Je suis la seule, parmi les convives de plus en plus nombreux qui écoutent notre conversation, à ne pas réagir à son trait d'esprit, parce que je n'ai pas saisi l'allusion. Mon hôte consent à me l'expliquer : Alkibiadês fut lui aussi, à la génération précédente, le plus bel homme d'Athênaï et son plus grand espoir politique. Mais, par vanité, il trahit sa patrie, blasphéma ses dieux, fut l'un des principaux responsables du désastre de la guerre contre Lakédaïmôn et finit lamentablement assassiné. Hypereïdês, tout en continuant à me caresser, ajoute un détail : "Alkibiadês, qui fut si riche, eut pour tout linceul la tunique en lambeaux qu'une femme comme toi, une hétaïre, la seule à l'aimer assez pour le suivre au fond de l'exil, jeta sur son corps percé de coups. Il avait tout pour réussir, la beauté et l'intelligence, mais il ne tint aucune de ses promesses et il laissa sa cité dans un état d'abattement qu'elle n'avait jamais connu. Le parfait exemple du destin manqué !" Ces dernières paroles me frappent vivement. Euthias lui-même, pendant tout ce dialogue, n'a pas dit un mot : il s'est contenté de tourner la tête avec morgue vers Timoklês et de le dévisager en silence, pour lui montrer que, comme son illustre modèle, le grand Périklês, il ne subit les sarcasmes que par le libre jeu de sa volonté. Mais le comique, sans se laisser démonter, continue de pérorer avec une rage féroce, en parlant de son adversaire à la troisième personne, comme s'ils n'étaient pas en présence, alors qu'ils se regardent maintenant dans les yeux : "Euthias n'a pas compris que nous n'avons plus besoin d'idéalistes comme lui ! Plus besoin de Périklês ni même d'Alkibiadês, qui nous exaltent ou nous trahissent avec leurs grands mots, mais seulement de minables corrompus comme Kallistratos ou de pacifistes comme Euboulos. Il est fini, le temps des rêveurs et des bravaches, nous n'avons plus besoin que de commerçants !" Il crache par terre de dépit. Puis il relève la tête et, abandonnant Euthias qui le laisse parler mais ne consent toujours pas à lui adresser un mot, il se tourne vers Hypereïdês qui me tient toujours dans ses bras : "D'ailleurs, nous en sommes tous là, mon jeune ami. La démocratie se survit, et le théâtre aussi. Regarde un peu ce qui nous arrive à nous, les auteurs comiques. Le peuple ne veut plus de pièces politiques, ni de ces chœurs loufoques d'oiseaux ou de grenouilles qui apprenaient aux hommes l'amour de la cité idéale. Ils veulent quoi, les spectateurs d'aujourd'hui ? Du réel, de l'action, de l'amour ! Des histoires de petits jeunes hommes amoureux de putains faussement ingénues, des esclaves un peu trop malins pour leurs maîtres, des blagues de Syracusains ! Pourquoi suis-je condamné à vivre dans cette Athênaï-là ? Le vieil Aristophanês a bien eu raison d'aller voir si les morts n'étaient pas un peu plus couillus que nous ! J'ai à peine trente ans mais je ne suis plus qu'un fantôme et vous êtes tous comme moi !

— Oh là, là, un peu de tenue, Timoklês, soupire le garçon aux doigts velus, en tentant avec obstination de les glisser dans l'échancrure de ma tunique. Surtout devant cette charmante étrangère. Bois un coup, reprends-toi ! Nous ne sommes des citoyens que de ce matin et tu voudrais nous prouver que notre jeunesse est inutile ? Qu'allons-nous faire de toute notre énergie si Athênaï n'en veut plus ? Qu'allons-nous faire de notre colère ?"

Je ne comprends rien à leur conversation, rien à leurs querelles, à leur amertume. Ou plutôt je les comprends un peu trop. Je retrouve dans la voix de ces jeunes mondains des échos assourdis de celle de mon père, le vieux baroudeur de Thespiaï amoureux de l'indépendance. Je n'ai surtout pas envie de tourner ma pensée de ce côté-là. Alors je continue de leur sourire, comme une flûtiste consciente de ses devoirs, mais je tiens ostensiblement mes yeux dans le vague. Ce qui me permet aussi, pour dire la vérité, d'éviter de rencontrer ceux d'Euthias, qui vont de l'auteur comique à moi, la fille de joie que son ami pelote, en nous enveloppant tous les deux dans la même ironie hautaine.

Timoklês, qui a remarqué mon manège, se saisit de nouveau de mon bras : "Nous ennuyons notre jolie musicienne. Dis-moi, petite, je vais te proposer autre chose : tu connais le jeu de l'animal ?" Avant que j'aie eu le temps de répondre, il enchaîne : "Très facile. Si Euthias était un animal, que serait-il ?" J'hésite. Je ne sais que dire. Ce jeu m'amuse, je le connais, j'y jouais enfant avec mes camarades de Thespiaï, mais je suis prise au dépourvu. D'ailleurs toute la conversation précédente m'a étourdie. C'est à la fois ce que Nikarétê m'avait laissé espérer d'un banquet athénien, des jeunes hommes riches et beaux qui discutent de politique et de théâtre avant de faire l'amour, et ce que j'en redoutais. Je ne suis pas sûre de pouvoir tenir gracieusement ma place dans ces joutes verbales. Je n'aime pas parler et encore moins lorsque je suis entourée de spirituels bavards. Or voilà qu'au lieu d'exiger de moi seulement que je joue de la flûte ou que je gobe des verges, on me demande aussi de nourrir la conversation ? Hypereïdês, en m'enlaçant de plus près pour ne pas laisser Timoklês être seul en contact physique avec moi, ne me laisse pas respirer : "Allons, ma jolie Mélitta, ne sois pas timide. Une fille qui a un regard aussi vif que le tien ne peut pas avoir un esprit lent. Tu n'as pas besoin, quand tu es avec nous, de faire semblant d'être bête, ça doit te changer, n'est-ce pas ? Figure-toi qu'une salle de banquet à Athênaï est le seul endroit de toute la Grèce où l'on demande à une femme d'avoir de l'esprit, alors profites-en !" Timoklês enchaîne : "N'aie pas peur, rien de ce que tu diras ne sera répété, sauf par moi, si ta remarque en vaut la peine, et tu sais que je n'ai pas l'oreille de plus de trente mille citoyens ! Alors quel serait l'animal de cet Euthias, qui sait un peu trop qu'il est le plus beau ?"

Tous les regards sont braqués sur moi. Même celui de l'éphèbe. J'ouvre la bouche sans savoir ce que je vais dire et je m'entends prononcer : "Il me semble, d'après ce que vous me dites de ses ambitions, que son animal pourrait être l'aigle, l'oiseau de Zeus." Euthias détourne la tête, un léger sourire de satisfaction aux lèvres et j'aperçois la moue désappointée de l'auteur comique. Alors j'ajoute : "Ou bien le paon ?" Puis, je laisse passer une seconde assassine avant de conclure : "Qui peut savoir encore ?" Euthias ne se retourne pas vers moi, comme si son attention était tellement accaparée par la conversation de l'autre banquette qu'il n'avait pas entendu la fin de ma réplique. Se peut-il pourtant qu'il ait rougi légèrement ? Timoklês et les autres convives applaudissent la fausse timide qui sait se montrer spirituellement moqueuse.

Mon hôte ordonne d'un geste à un esclave de remplir ma coupe de vin. Son bouquet m'évoque la cannelle et d'autres épices plus subtiles que je ne parviens pas à identifier mais il se révèle plus doux que ceux que j'ai goûtés jusqu'alors chez Nikarétê et Hipparkhos. Je suis presque surprise de ne pas avoir pour une fois à déguiser ma grimace sous un sourire de façade. Les deux hommes m'observent avec attention, tandis que je trempe mes lèvres au bord de la coupe le plus élégamment possible. "Tu es une femme de goût, constate Timoklês. Sache que notre hôte Glaukippos a bien fait les choses, je parie que ce vin vient tout droit de Khios !" L'autre l'approuve d'un hochement de tête et l'auteur comique poursuit : "C'est le seul avantage que je vois à la restauration de l'Alliance, et aux relations commerciales que la cité a renouées avec ses anciens alliés des îles. Nous allons peut-être au-devant de graves ennuis mais nous pouvons enfin de nouveau boire du bon vin !" Celui-ci est le moins liquoreux et le moins âpre de tous ceux que je connais mais le maître de cérémonie a dû ordonner aux esclaves de très peu le couper d'eau. Me souvenant des leçons de Nikarétê, je m'efforce de ne pas me laisser griser, même si mon hôte se hâte de faire remplir ma coupe dès qu'elle est à moitié vide. Peut-être cherche-t-il à m'enivrer, afin que je me mette à rire aussi fort que lui et que je m'offre avec moins de réserve à ses caresses ? Ou peut-être veut-il simplement que je l'aide à glisser dans l'ivresse, en buvant autant que lui mais chaque fois à sa santé, ce qui, après tout, est l'une de mes principales fonctions de fille de banquet ? Si, ensuite, je n'ai plus toute ma tête à l'instant de jouer mon morceau de flûte, eh bien, ce n'est pas son problème mais le mien !

Relancé par les questions incongrues de l'auteur comique et par mon attention silencieuse, Hypereïdês s'est mis à parler de lui. Longuement, avec humour mais aussi avec tendresse. On sent que sa propre personne est l'un des sujets de conversation favoris de ce bavard enjoué. Il m'explique qu'après ses années d'éphébie, il se destine à faire du droit. Il sera ce que l'on appelle à Athênaï un "logographe", c'est-à-dire qu'il écrira les plaidoiries que ses clients, trop incultes pour les composer eux-mêmes mais assez riches pour se payer ses services, prononceront ensuite comme si elles étaient d'eux devant le jury de leurs concitoyens. Se tournera-t-il aussi vers la politique, en suivant l'exemple de son ami Euthias ? Rien n'est moins sûr. Il se demande si la cité a vraiment besoin de leur jeunesse ou leur jeunesse vraiment besoin de la cité. Dans l'espoir de trouver la réponse, il étudie la philosophie auprès des deux meilleurs professeurs d'Athênaï, c'est-à-dire du monde. "Ils sont venus fêter cette nuit le début de ma vie de citoyen, je suis très fier de l'honneur qu'ils me font, regarde-les, ils sont assis là-bas, à côté de mon père Glaukippos." Il me désigne, au centre du demi-cercle, trois vieillards barbus assez interchangeables, sauf que l'un d'entre eux, je ne sais lequel, est le protecteur de l'hétaïre blonde qui l'écoute toujours pérorer avec un professionnalisme admirable. "Ces deux maîtres prestigieux, ma chère, continue Hypereïdês, sais-tu comment ils s'appellent ? Écoute bien : l'un est Platôn et l'autre Isokratês !" Aucune réaction de ma part. Jamais entendu ces noms-là. Hypereïdês, un peu interloqué, continue de me faire l'article : "C'est incroyable, tout le monde à part toi en Grèce les connaît. Mais bon, évidemment, si tu viens de naître de l'écume au large de l'île de Kypros, je te pardonne. Sache que ces deux illustres professeurs ont fondé chacun une école où se rassemblent les jeunes gens les plus doués. L'une au nord-est de la cité, près du bois sacré d'Akadêmos, sur le chemin d'Eleusis, l'autre au sud-ouest, près du bois du Lykeïon. Moi et mes camarades, Euthias et Lykourgos, nous allons de l'une à l'autre de ces écoles rivales, celle de l'idéal au nord et celle du réel au sud, comme notre cité elle-même, Athênaï, qui se trouve au milieu des deux !" Hypereïdês a lancé ces dernières phrases avec emphase, guettant ma réaction. En vain. Je n'adresse à ses deux maîtres qu'un coup d'œil indifférent et mon sourire de commande. Je sais que je ne suis qu'une petite flûtiste anonyme mais, puisque ces barbons m'ont à peine regardée tout à l'heure, je leur rends la pareille, si savants et si célèbres soient-ils. Depuis plusieurs semaines déjà, j'ai décidé de ne m'intéresser qu'à ceux qui s'intéresseraient à moi.

Je sens que l'attitude d'Hypereïdês à mon égard se modifie insensiblement. Il prend sûrement mon mépris pour de la simple ignorance. Alors il continue à me serrer la taille, il m'aide encore de ses doigts velus à lever ma coupe vers mes lèvres, mais c'est avec moins de sollicitude, et presque de la condescendance : même si je suis plus jolie que les autres, même si j'ai l'air plus profonde et plus mystérieuse, je suis finalement à peine moins sotte. Bien qu'il persiste à s'adresser à moi, sans doute destine-t-il ses traits d'esprits à Timoklês et au cercle de ses invités, plus qu'à la petite flûtiste appétissante et ignare, à laquelle il reviendra tout à l'heure lorsqu'il sera temps de cesser de parler. "Pendant la journée, me déclare-t-il, je suis les leçons de ces deux grands théoriciens mais la nuit je m'occupe de sagesse pratique. Je parcours Athênaï dans les moindres de ses recoins, depuis la salle d'honneur du Prytaneïon, où la cité reçoit ses hôtes de prestige et où je suis invité grâce à mon noble ami Lykourgos, jusqu'aux bouges les plus crasseux du Peïraïeus, que j'explore avec mon camarade Léôkratês, le fils du fameux négociant Khrysês, grand amateur comme moi de chair fraîche et de passions brutales !" Il me semble qu'il me jette un regard encore plus perçant en prononçant ces derniers mots. S'agit-il d'une de ces allusions à mon passé honteux que je redoute depuis le début ? Je parviens à faire semblant de ne pas la comprendre. À mon grand soulagement, il enchaîne : "Bien que cela offusque certains de mes amis, je trouve un égal intérêt à discuter philosophie avec Platôn et cuisine avec Hermia, la meilleure marchande de poissons de l'Agora, qui, dans son domaine, les beignets de seiche, vise elle aussi à la vérité absolue. J'aime la philosophie, tu vois, mais j'aime aussi le poisson. Et encore plus les femmes, même si celles que je fréquente me vendent parfois bien cher les arêtes qu'elles me font avaler. D'ailleurs, à mon âge, comment peut-on se proposer de vivre dans le bien, comme nous l'enseignent nos chers professeurs, si l'on n'a pas d'abord expérimenté tout ce que la vie offre de plus séduisant que le bien ? Ne faut-il pas avoir été fou pour devenir vraiment sage ?"

Les amateurs d'éloquence qui l'entourent veulent bien, de leurs murmures flatteurs, le récompenser d'avoir développé son autoportrait avec tant de verve. Après les avoir remerciés d'un sourire satisfait, il se tourne vers moi, attendant, même s'il me méprise, les marques de mon admiration. Je les lui donne volontiers, en l'applaudissant avec ferveur du bout de mes doigts élégants. Il s'exclame : "Bon, j'ai bien parlé, maintenant j'ai encore plus soif !" Un serviteur remplit deux fois coup sur coup la coupe qu'il brandit et qu'il vide d'un trait. Puis, me regardant avec une gourmandise féroce : "Et j'ai faim aussi ! gronde-t-il. Viens ici, ma jolie, que je te dévore de baisers !

— Laisse-la un peu tranquille, intervient Timoklês. Elle a encore une mission à accomplir. Elle doit deviner quel est ton animal."

Je ferme les yeux, tentant de me concentrer sur les paroles d'Hypereïdês. Mais je revois surtout les poils drus qui couvrent ses doigts et ses épaules. "Un sanglier !" Au lieu de se vexer de mon cri du cœur, Hypereïdês en rit à gorge déployée : "Tu veux que je sois un sanglier ? D'accord ! Je fourrerai mon groin partout, peut-être même un jour dans la boue de la politique grecque, afin d'en extraire pour Athênaï des glands et des truffes. J'effraierai jusqu'au thébain Hêraklês et je redouterai seulement Artémis, parce que la déesse des forêts est si obstinément vierge qu'on ne peut pas la voir toute nue sans être poursuivi par ses chiens !"

Aussitôt, le jeune homme, imitant les grognements du sanglier, se jette sur moi, en tentant de fourrer son nez entre mes seins. Je le repousse à grand-peine, au milieu de la confusion générale et des quolibets. Il a trop bu. Il parle trop fort et trop longtemps. Il fait le pitre et non le citoyen ou l'homme élégant. Mais son exubérance heureuse m'amuse. Ce n'est pas un mince exploit, car, pour me faire ma place dans les banquets d'Athênaï, je suis prête à tout, sauf à rire. Il m'étonne aussi par son énergie fantasque, son mélange de bouffonnerie et d'envolées lyriques, d'idéaux élevés et de désirs physiques affirmés avec le même appétit. Étonnant jeune homme. Lui, à la différence d'Euthias, ne ressemble à personne que j'ai connu. Lui ne me trouble pas, non, mais il me touche.

Pourtant, lorsque Nikarétê m'appelle pour le numéro suivant, je me hâte d'échapper à son étreinte.

Maintenant, tandis que je joue pour elle, Stéphanê danse au milieu de ses cerceaux enflammés. Cela se passe dans l'obscurité totale, Nikarétê ayant fait éteindre toutes les torches par les serviteurs. C'est un moment inattendu, étonnant : le corps blanc de cette fille aussi fluide que les flammes rousses, leur crépitement autour des cerceaux qui montent et descendent en vibrant, les notes aiguës de ma flûte. Brusque vacance ouverte à l'intérieur de ce banquet mondain. Trouée vers autre chose de plus archaïque – le feu en pleine nature – qui se creuse au fond de l'âme des convives.

Et moi, pendant quelques instants de déchirement, je ne peux m'empêcher de revoir d'autres filles danser à travers l'incendie de la nuit…

Je fais effort pour ne pas céder à mon vertige mais heureusement, dans l'obscurité, personne ne s'est aperçu de ma détresse. Ces Athéniens raffinés ne s'intéressent plus du tout à moi, la simple musicienne accompagnant l'acrobate, mais contemplent Stéphanê en silence. Sensibles à sa grâce, ils admirent la façon dont elle se joue des langues du feu, qui lèchent sa chevelure dénouée et caressent de leurs morsures la peau tendre de ses épaules ou de ses hanches. Ils l'applaudissent bruyamment. Même les quatre vieux sages la considèrent avec intérêt, alors que leur regard passe sans s'arrêter sur moi, en laquelle ils ne voient qu'une banale joueuse de flûte. Les jeunes fous, de leur côté, lui demandent à grands cris de venir les rejoindre. Elle se dirige vers eux de ce même déhanchement calme dont elle glissait entre les flammes du cerceau. Elle s'assied sans façon sur la banquette d'Hypereïdês, fille entièrement nue assise au milieu de ces jeunes hommes habillés, dont chacun tient à lui faire boire une gorgée dans sa coupe. Le garçon aux doigts velus, tout en la complimentant, commence à la peloter, ainsi qu'il tentait de le faire tout à l'heure avec moi. L'acrobate se laisse manipuler sans réticence. Elle s'offre aux mains comme elle se dérobait tout à l'heure aux flammes, avec la même aisance professionnelle et la même parfaite absence de trouble. Je l'admire pour cela. Je suis à la fois soulagée qu'une autre fille ait pris ma place et un peu jalouse d'avoir été remplacée si vite.

Plus personne ne s'occupe de moi. Je reste dans un coin de la salle, les bras ballants, laissant les deux flûtes de mon précieux instrument presque toucher le sol. Je profite de ce moment où l'on me laisse tranquille avant ma propre exhibition pour jeter un coup d'œil à l'hétaïre que j'ai décidé de prendre pour modèle. Je l'ai perdue de vue dans l'agitation et je veux voir comment elle se comporte, maintenant que le banquet est un peu avancé et que chacun des convives a déjà beaucoup bu. Or stupéfaction ! Au moment où je lève les yeux, je trouve déjà posés sur moi ceux de la belle blonde, en train de m'observer avec la même attention que j'ai mise moi-même tout à l'heure à la détailler. Mais ceci plus habilement que moi, l'air de rien, tout en continuant à discuter avec son vieil amant et le jeune homme assis à côté d'eux. Nous échangeons un regard prolongé, beaucoup plus insistant que le coup d'œil de tout à l'heure. Je refuse de baisser les yeux devant ceux de ma rivale. Je m'efforce de lire à travers l'eau étonnamment claire et froide de leurs émeraudes. Je m'attends à subir la précision tranchante de cet examen, lorsqu'il glissera de mon visage vers mes épaules, s'attardera sur mes seins, sur mes hanches, pour y soulever de sa pointe le moindre défaut avant de l'arracher d'un coup sec, comme la lame d'un couteau passant sur du bois mal dégrossi. Je me raidis d'avance. Nouvelle surprise : je ne découvre dans ce regard qui s'effile qu'une ironie légère, presque amusée. Ne plisse-t-elle pas les lèvres, n'esquisse-t-elle pas une sorte de moue spirituelle, qui doit pouvoir se faire dans l'amour délicieusement espiègle, mais qui reste ici, de femme à femme, comment dire, bienveillante ? Ce sourire un peu narquois mais aussi complice n'est-il pas un signe de connivence qu'elle m'adresse ? Comme une marque de reconnaissance de l'hétaïre expérimentée à la flûtiste débutante, pour me dire que nous sommes du même monde ? Ce sourire, je ne le lui rends pas. Fascinée par son aisance gracieuse, je n'y pense même pas. Nous restons toutes les deux à nous contempler, chacune à un bout de la salle. Alors il me semble que l'hétaïre va jusqu'à m'adresser un geste. Oui, elle m'invite discrètement à m'approcher de leur banquette ! À venir m'asseoir à côté d'elle pour engager la conversation !

Mais je n'ose pas. À cause du vieil homme avec lequel elle bavarde, l'un des deux professeurs célèbres dont Hypereïdês m'a appris le nom. Alors que tout à l'heure, je ne lui ai témoigné qu'un vigoureux mépris, maintenant, je ne peux m'empêcher de le trouver imposant. Non, il y a encore autre chose. Ce n'est pas le barbon, si prestigieux soit-il, qui m'empêche d'approcher mais une présence encore plus intimidante, celle du jeune homme pourtant frêle qui se tient assis à côté de lui. Ce garçon austère, qui ne se mêle pas au groupe bruyant des camarades de son âge, me fait peur. L'exubérant Hypereïdês me l'a pourtant présenté tout à l'heure comme l'un de ses amis les plus proches, il m'a même dit son nom que j'ai oublié. Je ne fais qu'entrapercevoir de loin le profil de l'inconnu, pourtant, de toute cette bande de jeunes gens impressionnants de raffinement, c'est lui que je crains le plus. Pourquoi ? Sur le moment, je ne suis pas capable de me le formuler. En tout cas, bien que le fragile indifférent ne me prête pas la moindre attention, je ne parviens pas à faire un pas en avant.

Alors, au bout de quelques instants d'attente, l'hétaïre blonde se détourne. Elle se penche à l'oreille de son vieil amant pour lui murmurer quelques mots. À ses yeux, je n'existe plus. Par une timidité déplacée, j'ai manqué l'occasion unique d'approcher l'une de ces femmes privilégiées dont je me propose d'imiter la conduite. Je redoute aussi que, se méprenant sur le sens de ce long regard muet que j'ai posé sur elle sans répondre à son invite, elle ne me prenne pour une sotte, ou pour une jeune rivale insolente. Que suis-je d'autre d'ailleurs ? Parce que j'ai refusé sa protection, elle va se déclarer mon ennemie. Je perçois d'emblée qu'il doit y avoir entre les hétaïres des alliances aussi complexes et des haines aussi mortelles que celles existant entre ces hommes de pouvoir. Je me hâte de détourner les yeux à mon tour. Et je tombe de nouveau sur ceux d'Hypereïdês, qui me saisit la main pour me forcer à me rasseoir sur sa banquette à côté de Stéphanê. Tout en continuant à caresser mon amie, il me glisse à l'oreille : "Qui tu regardes ? La blonde ? Très jolie, n'est-ce pas ? Et très gentille aussi, je peux te le confirmer. Elle s'appelle Lagiskê. C'est la compagne attitrée du grand Isokratês. La seule qui soit capable de l'écouter sans se lasser polir ses périodes oratoires. Le vieux maître parle encore mieux que moi mais beaucoup plus longtemps !"

Reprenant mes esprits, je me lève, pour aller rejoindre Nikarêtê dans la pièce adjacente qui nous sert de loges. Ma maîtresse doit être en train de régler les derniers détails du clou de la soirée, l'exhibition de Lampitô et du jeune danseur, entre les bras duquel ma camarade va mimer l'extase sans même savoir son nom. Ou peut-être de nourrir les petites filles, afin qu'elles aient l'énergie de se prêter plus tard dans la soirée aux fantaisies des hommes âgés ? Hypereïdês consent à grand-peine à me lâcher la main mais se rabat aussitôt sur Stéphanê.

C'est alors, au moment où je m'apprête à quitter la salle, que j'entends un vacarme imprévu dans le couloir.

13

"LA FÊTE, LA FÊTE, LA FÊTE !"

Malgré l'opposition des serviteurs, une dizaine de personnes se fraie un chemin à l'intérieur de la salle, en m'y repoussant sans ménagement. C'est un groupe d'hommes et de femmes mêlés, couronnés de feuillage, venant sûrement d'un autre banquet dans lequel on a dérivé plus vite vers l'ivresse. Celui qui mène le groupe est un type grand, un peu lourd déjà, bien qu'il soit encore dans la vingtaine. J'ai l'impression désagréable de l'avoir déjà vu quelque part. Il crie le nom d'Hypereïdês, avec lequel il est venu faire la fête et à qui il faut absolument qu'il présente quelqu'un. Mon ami l'accueille à bras ouverts. Il le mène d'abord à son père, qui accepte volontiers les intrus parmi eux. Puis il m'appelle pour que je vienne les rejoindre. Je comprends que ce pochard bruyant est le fameux Léôkratês, qu'Hypereïdês me désigne comme le dernier de "sa bande des cinq". En l'observant de plus près, je le reconnais, dans un sursaut d'angoisse : c'est l'armateur vulgaire qui accompagnait le riche Athénien dans le bordel du Peïraïeus et qui a bien failli faire manquer toute l'opération magique en déclarant qu'en vérité, je ne valais pas une obole ! Son ami, l'inconnu aux huit drachmes, se tient depuis des semaines dans un recoin de mon esprit comme mon sauveur, le jeune homme délicat et fortuné qui m'a tirée une nuit de mon sommeil et à qui le destin réserve de racheter un jour ma liberté. La veille, dès que Nikarétê m'a annoncé l'imminence de mon premier banquet, je me suis mise à rêver que j'allais l'y retrouver, et pourtant, depuis le début de la soirée, je n'ai pas pensé à lui une seule seconde ! Je le cherche fébrilement du regard parmi le groupe de fêtards. Mais non, il ne s'y trouve pas. Pourquoi ce soulagement, au lieu de la déception ? J'ai tellement de gens à identifier, de codes à découvrir, je maîtrise tellement peu ce qui m'arrive

184

que je préférerais le rencontrer un peu plus tard, pour ne pas manquer la chance de le retenir, comme je l'ai fait dans ma cellule du Peïraïeus. S'il me tombe de nouveau sous la main, je ne veux pas le laisser s'échapper !

Et l'autre, le grossier Léôkratês, qui depuis le premier instant est mon ennemi intime, comment vais-je réagir, s'il se met à raconter à voix haute dans cette salle de banquet élégant que je ne suis pas une flûtiste mais une simple fille à marins ? Je me décide à lui glisser un coup d'œil plein de méfiance. Par bonheur, il ne m'a pas reconnue. D'abord il est trop saoul pour cela. Ensuite il est trop occupé à se disputer avec Hypereïdês. Chacun des deux noceurs vante à l'autre les filles nouvelles dont il a fait la connaissance dans la nuit. Léôkratês n'accorde pas un demi-regard aux deux trouvailles de son camarade, Stéphanê l'acrobate et Mélitta la flûtiste, tant il est impatient de lui présenter sa propre conquête : la déjà fameuse Myrrhina ! L'hétaïre la plus ravageuse qu'on puisse trouver actuellement dans tout Athênaï et la seule capable de rendre jalouses même les filles de Korinthos ! Bien que cette beauté, déclare l'armateur, n'ait pas vingt ans et ne soit sur le marché que depuis quelques saisons, ils savent tous les deux qu'elle est précédée d'une triple réputation d'excentricité, de rapacité et de lubricité particulièrement excitante. Eh bien, d'après lui, elle la mérite amplement ! Une tigresse ! Tellement occupée à le dévorer tout cru dès leur première rencontre qu'il a eu du mal à la persuader de s'interrompre, le temps de faire la connaissance de son ami Hypereïdês et du reste de sa bande. Bien sûr, elle a fait preuve d'un peu d'intérêt quand il lui a appris qu'ils comptaient parmi les jeunes gens les plus riches de la ville mais elle ne s'est montrée tout à fait convaincue que parce qu'il a ajouté qu'ils étaient aussi les plus fous !

Cette Myrrhina, je la trouve tout de suite antipathique. Autant j'ai été instinctivement attirée par Lagiskê, autant cette deuxième hétaïre que je rencontre dès ma première soirée, je la déteste. Celle-ci me menace vraiment. Elle s'est allongée sans façon sur la banquette où je me trouvais tout à l'heure, et dont elle occupe la place centrale, repoussant tous les autres occupants vers le bord. Sa peau très pâle met en valeur la splendide chevelure brune qu'elle porte entièrement dénouée, alors même qu'elle vient de la rue, et qui lui tombe jusqu'au bas du dos. Ses boucles torsadées, doivent lui demander beaucoup de soins. Elles paraissent presque douées d'un mouvement autonome, comme des anneaux souples de collier ou de boucles d'oreille qu'on s'attendrait à entendre s'entrechoquer lorsqu'elle secoue la tête. Cette fille est tellement pute que, même ses cheveux, elle a réussi à les transformer en bijoux de pacotille ! Lagiskê, c'est la trentaine épanouie, elle la vingtaine triomphante. La sensualité à l'état pur. Écœurante. Ça palpite de partout, ça ruisselle, de sa peau, de ses rondeurs, de ses paupières fardées. Elle est vêtue d'une tunique en soie d'Amorgos, comme Nikarêtê n'en possède qu'une ou deux dans sa garde-robe, rouge écarlate mais si fine qu'elle en paraît à certains instants d'un feu transparent. Le tissu tombe dans un bouillonnement de plis jusqu'à ses chevilles mais le pan droit, retenu sur l'épaule par une unique fibule dorée en forme de sirène, reste ouvert du haut jusqu'en bas. Si bien que, dès qu'elle lève le bras, on peut apercevoir les courbes somptueuses de ses seins et de ses hanches. À chaque geste, elle se dénude presque entièrement, dans un frémissement de pourpre d'autant plus vif qu'il ne dure que quelques secondes, puis se revêt aussitôt des plis complices du tissu, pour agacer le désir en lui laissant tout voir mais pas assez longtemps. De telle sorte que le regard, même celui d'une femme comme moi, ne peut s'empêcher d'attendre la vague de peau suivante, le nouveau creux d'écume d'où surgira la nudité, qu'elle fait à chaque fois précéder d'une oscillation des lourds rouleaux de sa chevelure, comme les premiers grondements du raz de marée de l'indécence. Elle porte des bijoux sur tout le corps, autour des bras et des chevilles, un collier, deux colliers, de lourdes boucles d'oreilles serpentines, des anneaux, des bagues. Elle tintinnabule tout entière et étincelle. Même si je me tiens à distance hostile, je sens que son parfum est aussi entêtant que ses bijoux sont lumineux. On comprend vite qu'il s'agit pour elle, quels qu'en soient les moyens, d'occuper tous les sens des hommes qui l'entourent, d'investir triomphalement leurs yeux, leurs oreilles, leurs nez, leurs doigts qui se tendent machinalement dans l'envie de toucher, leurs langues qui dardent presque toutes seules dans leurs bouches vers ces rondeurs immaculées, et leurs verges qui s'affolent pitoyablement au fond de leurs tuniques. Feignant de rester indifférente à ce désir qu'elle s'emploie pourtant avec tant d'insolent éclat à provoquer, elle ferme les yeux sur sa coupe, qu'elle boit presque d'un trait. Comme si, même à une coupe de vin, il s'agissait de faire l'amour. Comme si, même une coupe de vin, il lui fallait l'épuiser sans tarder. Tout ce qui l'entoure doit être vidé jusqu'à la dernière goutte. Puis elle la tend à Hypereïdês qui se trouve allongé à côté d'elle, et qu'elle ne connaît pas depuis cinq minutes, en s'appuyant voluptueusement contre sa hanche, pour qu'il fasse signe au petit échanson. Elle parle fort mais on n'entend rien de ce qu'elle dit. Peut-être elle-même ne distingue-t-elle pas le sens de ses paroles ? Ce n'est pas leur contenu qui importe, mais les torsades de sa voix qui enveloppent les mots, aussi obsédantes que celles de ses cheveux. À aucun moment dans cette exhibition permanente, elle ne me regarde.

Oui, cette hétaïre qui n'est qu'une putain, et qui a l'air d'aimer ça, je la déteste d'emblée, mais je dois reconnaître le pouvoir subjuguant de sa sensualité. Elle est tellement sexe que, face à elle, je me sens… Quoi exactement ? Admirative ? Furieuse ? Inquiète ? Jalouse ? Tout cela et bien pire encore. Dès mon premier banquet, je tombe sur une fille plus belle que moi. La certitude que j'avais quelques minutes auparavant de m'imposer dans ce monde, elle m'en dépossède. Je pensais naïvement pouvoir y réussir par ma seule présence, par le caractère surnaturel de ma beauté dont on me rebattait les oreilles depuis mon enfance et qui faisait que, même dans les moments terribles où je refusais de l'habiter, je me sentais toujours enveloppée par cette carapace, par ce don des dieux, que je pouvais accepter ou refuser mais qui ne me quittait pas. Cette égide qui m'enveloppait en permanence me rendait à la fois éblouissante et invisible, m'exposant mais me dérobant aussi. Là, dès l'abord, je doute. Si je n'étais pas l'unique ? Si ma beauté n'était pas divine, mais banalement humaine ? Je croyais que l'état de flûtiste ne serait qu'une étape sur le chemin royal qui me conduirait à devenir hétaïre et qui s'ouvrait devant moi, aussi rectiligne que la voie sacrée des Panathénées, depuis que, le matin de ma rencontre avec Nikarêtê, j'avais accepté l'idée de le parcourir. Mais, confrontée à la somptueuse Myrrhina, je découvre que je ne suis qu'une jolie fille parmi tant d'autres. Anonyme musicienne à deux drachmes, peut-être ai-je dès mon premier banquet trouvé ma place dans ce monde ? Je n'irai pas plus loin. Ils me feront souffler dans ma flûte et enrouler ma bouche autour de leurs sexes pendant quelques mois, quelques années au plus. Et puis ils me jetteront. Comme toutes les autres avant moi.

Hypereïdês s'est aussitôt désintéressé de nous, Stéphanê la jolie acrobate et la banale flûtiste, pour se consacrer à la torride nouvelle venue. "Myrrhina, la fameuse Myrrhina ! lui susurre-t-il. Je suis très honoré de te rencontrer enfin, j'ai tellement entendu parler de toi !

Si tu savais comme je suis impatient de te connaître mieux !" Elle le regarde avec ironie mais aussi avec gourmandise : "Ah bon, vraiment ?" Il tend vers elle ses doigts velus pour l'attirer à lui, comme il l'a déjà fait avec Stéphanê et avec moi, mais elle lui échappe. Se dressant sur ses pieds d'un bond, elle fait deux pas vers le centre de la salle : "Tu veux me connaître mieux ?" Elle ôte la fibule de sa tunique d'une seule main experte et, tandis que le tissu se répand à ses pieds, elle se retrouve entièrement nue, alors que les vieillards respectables sont encore là et que les divertissements honnêtes ne sont pas encore achevés. Elle bouscule le temps et les usages comme le reste, délibérément. Elle fait un tour complet sur elle-même pour que tous les convives puissent se rincer l'œil, même ceux qui n'en ont pas envie : "Voilà qui je suis, messieurs, tout le reste, ce n'est que du bavardage, alors bavardez !" Puis, ramassant sa tunique de soie précieuse, elle revient s'allonger à côté d'Hypereïdês stupéfait : "Tu disais que tu voulais faire plus ample connaissance avec moi ?" Elle se saisit elle-même de la main velue du jeune homme, feignant de l'attirer à elle dans le geste de la poser sur ses seins qu'il a tenté quelques instants auparavant, et la repousse aussitôt, d'une petite tape sèche, en riant : "Pourquoi pas, mon chéri, mais qu'est-ce que tu me donnes en échange ? Si tu veux peloter à l'œil, tu as tes deux petites flûtistes, là, elles sont pas mal et elles ont l'air d'être d'accord, les pauvres. Moi, on peut mater mais, pour toucher, il faut payer. Tu n'as pas d'argent, demandes-en à papa, il paraît qu'il en a. Ou alors présente-le-moi !" Hypereïdês éclate de rire : ces deux-là sont faits pour s'entendre.

Vrai moment de découragement. Je me retrouve toute nue, bien que, des deux, je sois celle qui a gardé ses habits. Toute fragile. Tout humaine. Dans mon désespoir, je jette un nouveau coup d'œil à ma trop belle et trop agressive rivale. Et puis voilà que je repense à ce que j'ai enduré pour en arriver là, face à elle, qui peut se permettre d'être exubérante parce qu'elle est déjà installée, et de bousculer les usages parce qu'elle a trouvé sa place. Je repense aux humiliations surmontées. Cette brune éblouissante, a-t-elle traversé les mêmes épreuves que moi, pour avoir le droit de se vautrer sur cette banquette et voir le moindre de ses caprices exaucé par les imbéciles qui l'entourent ? On discerne dans la conduite insolente de cette sotte une évidence facile, une inconscience de ce que son pouvoir et ses privilèges ont d'inespéré, qui ne peut lui venir que d'une enfance sans déchirure. Peut-être sa mère se trouve-t-elle encore à ses côtés, pour la conseiller, pour la guider dans cette voie tortueuse du plaisir ? Oh, sa mère, je l'imagine soudain ! Épouse d'artisan plongée dans la misère par le veuvage, ou même affranchie sans patron. Je la vois chérissant pendant des années, avec un soin jaloux, son unique trésor, sa ravissante petite fille, la nourrissant de la certitude que sa beauté future les rendrait un jour toutes les deux riches, si elles savaient en faire bon usage. La protégeant des tentatives de séduction du voisinage mais lui enseignant dès le plus jeune âge comment se comporter avec les hommes. Jamais Myrrhina n'a dû se sentir comme moi trahie, arrachée à son destin. Ce qu'elle fait là, s'avachissant sur la banquette où elle prend toute la place, c'est ce pourquoi elle est élevée depuis toujours. Accomplir sans état d'âme la destinée de putain triomphante qui lui était promise dès qu'elle est sortie du ventre et des rêves d'une mère sans mari. À vingt ans, elle a vingt ans de prostitution derrière elle. Et peut-être aussi les vingt de la jeunesse humiliée de sa mère. Moi, la novice, je n'en ai que deux. Bien sûr, elle est en avance sur moi, bien sûr, elle a déjà tout de ce à quoi j'aspire. Mais il lui manque ce trésor sombre que je garde bien protégé dans les replis de mon âme, derrière mes dents serrées, derrière les lèvres de mon ventre crispées même quand ils les forcent à s'écarter, ce petit coffre plein de fiel qui s'appelle la rage. C'est de cet acide que je teinterai mes tuniques d'apparat. Elles seront d'une pourpre bien plus éblouissante que la soie d'Amorgos dans laquelle s'exhibe cette brune stupide, elles auront la couleur du sang humain. Il est bien possible après tout que je n'aie jamais été protégée par Isodaïtês, le dieu que j'ai d'ailleurs renié à mon entrée dans la rude école de Nikarétê. Loin d'être divinement belle, je ne suis qu'humainement jolie, et moins encore que cette magnifique cruche. Mais, même réduite à cette condition mortelle, même dénuée de protection, même seule et pauvre, je réussirai ! Mon découragement ? Volatilisé ! Je ne me supporte que dans ces instants de révolte. Je me renouvelle mon serment d'être un jour allongée à mon tour sur l'une des banquettes à la place de ces deux hétaïres qui ne m'ont jeté qu'un seul regard distant pour deux, et qui n'ont pas vraiment pris en compte la présence de celle qui deviendra bientôt l'une de leurs plus redoutables rivales. Impossible pour ces deux jolies femmes, dont l'une se fane déjà avec élégance et l'autre s'épanouit dans la fleur somptueuse de sa bêtise, de se douter que la petite flûtiste anonyme qui les contemple avec admiration leur disputera bientôt les faveurs des hommes les plus riches. Je sourirai mais à l'intérieur ma grimace restera féroce.

Soudain, je le reconnais. À son regard posé sur moi. Le premier homme, celui qui m'a tiré du néant d'un geste de son doigt le long de ma joue. Il est là. Assis sur une banquette éloignée, couronné de lierre, il a dû entrer avec Léôkratês et les autres fêtards mais se désolidariser si vite de leur groupe bruyant que je ne l'ai pas remarqué. Même quand il est au milieu des autres, il n'est pas tout à fait avec eux. En tout cas, à partir du moment où je discerne son regard attentif, j'éprouve l'impression curieuse que le monde se met en place, qu'il s'ordonne, qu'il s'achève. Pourtant je devine qu'il ne m'a pas encore identifiée. Comme si, frappée par la grâce de mon profil, il savait seulement qu'il m'avait déjà vue, mais se demandait où. Lorsque je me tourne vers lui, ses mains esquissent machinalement le geste de modeler dans le vide les contours de mon visage. Aussitôt, son regard s'éclaire : "Lêtô." Oui, j'ai l'impression que c'est comme ça qu'il me reconnaît : de loin, avec ses mains.

Mais Hypereïdês met fin trop vite à ce premier échange. Il me force à me dresser sur mes pieds et m'entraîne vers le centre de la salle, comme Myrrhina l'a fait spontanément tout à l'heure : "À toi de te présenter, Mélitta, montre-nous qui tu es !" Je comprends son manège : me pousser à m'exhiber à mon tour pour reprendre l'avantage devant son ami Léôkratês. Timoklês, l'auteur de comédie, insiste aussi : "Allez, silencieuse flûtiste, mets-toi un peu à nu devant nous ! Comme ça, je pourrai deviner ton animal, parce que je n'y suis pas encore parvenu." Il se tourne à demi vers l'assistance : "J'hésite entre l'ombrageuse fille du cheval et l'obtuse fille de l'âne !" Tout le monde se met à rire. Leurs yeux sont braqués sur moi. Mais je perçois surtout ceux de l'inconnu du port qui ne me lâchent pas.

Me présenter, puisque j'y suis obligée ? Mais comment ? Sûrement pas en me déshabillant d'emblée, comme l'autre pute ! Parce que je crains d'être moins belle, oui, je l'avoue, mais pas seulement. Leur parler ? Leur dire que je suis Mélitta, fille de Nikarétê et de personne, âgée d'à peine deux mois, et puis leur cracher au visage que… Non, m'arrêter là, au bout d'une phrase. Le reste, qu'y comprendraient ces hommes élégants, qui ont toujours vécu libres ? Impossible de dire un mot. Bloquée. Timoklês esquisse un braiement d'encouragement, provoquant de nouveau les rires. Aucun des participants ne peut se douter de ce qui se passe en moi. À part peut-être l'inconnu là-bas. À part Hypereïdês qui me dévisage soudain avec curiosité. À part Stéphanê, qui s'est levée pour se placer sans bruit à mes côtés et qui… Qui quoi ? Oui, qui me tend mon aulos ! D'un mouvement discret du menton, elle me désigne Nikarétê, debout à l'entrée de la salle, en train de me faire les gros yeux. Peut-être ma maîtresse cherche-t-elle depuis longtemps déjà à attirer mon attention pour me signifier que le moment de mon numéro est venu ?

Mais oui, la voilà, la solution ! La seule façon de me présenter qui me convienne vraiment. Un air de flûte et un pas de danse. Bien jolis, bien sensuels, bien sans menace, bien sans mémoire. De toute façon, ils ne veulent rien savoir d'autre de moi. Pourtant, au moment où je m'apprête à souffler les premières notes, une inspiration me traverse. Les plantant là, je me précipite dans la pièce qui sert de loges. Lorsque je reviens au bout de quelques instants, bravant la colère probable de Nikarétê, j'ai posé de nouveau mon manteau sur mes épaules, pour m'en envelopper la poitrine et les hanches. Même mes yeux, je les recouvre de mes longues paupières. Et je ne m'isole pas ainsi pour leur jouer l'un des airs faussement exotiques que Nikarétê m'a enseignés, mais celui, plus essentiellement oriental, qui me suit depuis mes débuts. Celui que m'a transmis Manthanê et qui lui vient des montagnes lointaines d'Arménie. Celui que j'ai joué dans tous les moments importants de ma vie, même les plus terribles, et la dernière fois sur les marches du temple d'Erôs à Thespiaï, la nuit où… Celui que je m'étais juré d'oublier. L'air d'Isodaïtês. Le parèdre assassiné d'Anaïtis. Je le joue jusqu'au bout. Sans danser. En oscillant à peine sur moi-même. Lorsque j'ai fini, je prononce quelques-uns des vers peut-être maladroits de l'hymne au jeune dieu ailé qu'avait composé pour moi le jeune homme inspiré de Thespiaï. Puis je me tais.

Mes yeux restent fermés quelques instants dans le silence. Pour prolonger le charme et surtout pour ne pas être confrontée tout de suite au châtiment que mérite ma conduite. Je ne sais pas ce qui m'a pris. Peut-être l'hostilité du jeune Athénien austère qui se tient près de Lagiskê et du vieillard, peut-être la sensualité menaçante de l'hétaïre brune, peut-être le regard de l'inconnu du Port. J'ai dû en revenir à mes défenses anciennes. Je sais bien que cet écart ne peut que me valoir la colère de Nikarétê et une punition sévère en rentrant à la maison, voire l'exclusion de son école. Dès mon premier banquet, j'ai commis la plus terrible des fautes : ne pas jouer le jeu.

Pourtant, quand je me décide à rouvrir les yeux, j'ai la surprise de découvrir ceux de tous ces Athéniens élégants et superficiels fixés sur moi avec bienveillance. Presque avec respect. Encore plus que Stéphanê tout à l'heure, j'ai fait passer sur cette fête un souffle étrange. Seraient-ils capables, même lorsqu'elle se présente à eux sous un aspect aussi incongru que ma musique, de reconnaître le passage de la beauté ? De lui rendre l'hommage qui lui est dû, en gardant, eux qui aiment tant à parler, le silence ? Même en plein milieu d'un banquet, où ils sont venus se livrer ensemble à l'ivresse, au bavardage et au plaisir, sauraient-ils d'un seul coup se recentrer, dans la solitude que crée autour de chacun de nous cette bourrasque, pour laisser se développer en eux son fragile écho ? Dès le premier soir, ces Athéniens m'étonnent presque autant que je les déconcerte.

Au bout de quelques instants, ils se ressaisissent. Ils m'applaudissent. Timoklês s'exclame, pour faire de l'ironie et rester fidèle à sa profession de comique : "Joli, surprenant et euh, comment dire, rustique !" Hypereïdês ajoute : "Non mais, regardez-la maintenant qui ouvre les yeux, elle paraît encore plus surprise que nous !" Tout en parlant, il ne peut s'empêcher de poser la main sur moi, comme sur toutes les autres filles qui sont passées à sa portée depuis le début de la soirée, mais avec peut-être un peu plus de délicatesse. Il me saisit doucement par l'un des pans de mon manteau, et m'attire à lui jusqu'à ce que je sois forcée de m'asseoir de nouveau sur sa banquette : "Viens un peu par ici, que je t'attrape ! Sinon, déclare-t-il à la cantonade, est-ce qu'elle ne va pas détaler de nouveau hors de cette salle, cette sauvageonne, avec sa flûte et son grand manteau ? Est-ce qu'elle ne va pas se mettre à courir pour franchir la Double Porte et ne s'arrêter que dans les forêts sauvages de Thessalie d'où elle vient sûrement ? Tu vois, Timoklês, je l'ai mieux écoutée que toi, et maintenant je sais quel est son animal ! C'est la biche ! La compagne de la farouche Artémis, qu'il ne faut jamais surprendre nue si l'on ne veut pas en être cruellement puni, comme Actéon dévoré par ses chiens."

Là-bas, au centre du demi-cercle, même les deux vieillards, les deux célèbres professeurs de philosophie dont je n'ai pas retenu le nom, me regardent avec plus d'attention. Presque de la sympathie. L'un d'entre eux, celui qui n'est entouré que de garçons, fait remarquer à voix haute que je suis beaucoup plus belle ainsi cachée sous mon châle, à jouer cet air étrange, que je ne l'étais tout à l'heure à moitié nue. Que je leur révèle un autre visage d'Aphroditê, plus austère et plus mystérieux que celui de la sensualité vulgaire. Je pourrais presque incarner Aphroditê Ourania, la céleste, plutôt qu'Aphroditê Pandêmos, la populaire. Je ne réponds rien à tous ces hommes qui parlent de moi. Je suis encore trop farouche pour cela. Bientôt, je me le promets, je saurai opposer à chacune de leurs envolées un trait d'esprit acéré, comme une flèche de cette Artémis à laquelle ils me comparent. Mais, de toute façon, même si je leur disais quelque chose, ils ne m'écouteraient sans doute pas. Ils sont trop occupés à disserter à mon propos comme si je n'étais pas là.

Ne restent plus fixés sur moi que quelques regards insistants. Celui, encore furibond, de Nikarétê. Celui, toujours sûr de lui, du bel Euthias. Celui de l'inconnu du port, de plus en plus attentif. Et puis, à ma grande surprise, celui de l'autre hétaïre, la brune somptueuse et indifférente, que j'ai regardée tout à l'heure avec une animosité qu'elle me renvoie maintenant. Autant le regard de la blonde Lagiskê pouvait passer pour amical, autant celui-ci est hostile. J'en sens passer la lame sur mes cheveux, sur mes seins, sur mes hanches, comme si elle cherchait la place du défaut qui lui servira à m'assassiner. Elle accompagne son inspection d'une moue ouvertement méprisante. Mais voilà, elle ne sait pas à qui elle a affaire ! Elle m'a prise pour une flûtiste débutante et facile à impressionner, ce que je suis encore, bien sûr, mais déjà plus seulement. Autant la bienveillance de l'autre hétaïre m'a désarçonnée, autant l'agressivité de celle-ci me permet de réagir. Je ne la lui renvoie pas. Simplement je me mure, je me retire derrière le rempart de mes paupières, je m'enveloppe tout entière de mon armure d'absence. Je suis tellement habituée à réagir de la sorte à l'hostilité du monde et des êtres qui cherchent à me blesser ! Pffuit, en quelques instants, même si je suis toujours là, il n'y a plus personne. Mon adversaire se rend très vite compte qu'elle n'a plus de prise. Elle se retourne vers son amant du soir, Léôkratês, le riche et jeune armateur couronné de lierre qui fait toujours autant de bruit en buvant et en pérorant, elle l'attrape par le menton, le force à tourner la tête vers elle et à poser ses lèvres contre les siennes. Elle se saisit de sa main et la fait glisser pour la première fois à l'intérieur du pan libre de sa tunique vers ses seins. Ce qui m'étonne, c'est que, tout en paraissant s'occuper de l'homme, elle laisse son regard posé en coin sur moi. Comme si elle me surveillait ? Comme si elle voulait vérifier que j'ai bien saisi la portée de son geste ? Mais oui, elle est jalouse ! C'est elle la naïve ! Oh, si elle savait comme je m'en moque, de son gros balourd plein d'argent et de vinasse, dont l'animal ne peut être que le cochon ou le bœuf. Même si je n'ai pas songé un seul instant à lui en disputer les faveurs, tant on m'a présenté d'hommes nouveaux beaucoup plus intéressants et que j'ai aussitôt oubliés, je suis flattée de cette manifestation de crainte. Le fait qu'une fille aussi belle et manifestement aussi lancée dans le monde de la fête me témoigne de la jalousie prouve que je dois être assez attirante pour plaire aux Athéniens les plus exigeants. Dès mon premier banquet, je me découvre une ennemie dangereuse, mais l'hostilité de cette Myrrhina peut aussi me rassurer.

La prudence voudrait que je n'exprime rien de mes sentiments, ni ce que j'ai deviné de la réaction ridicule de ma rivale. Sûrement Nikarétê me recommanderait de détourner les yeux pour ne pas envenimer la situation. Mais je ne peux résister au plaisir de les tenir fixés sur ce trop ostensible baiser et de laisser, sur mes lèvres qu'aucun gros porc ne vient écraser, se dessiner une moue impertinente. Quand l'autre fille s'aperçoit que je me moque d'elle, au lieu de se fâcher, tout en maintenant la main de l'homme plaquée dans l'échancrure de sa tunique, elle écarte à demi sa bouche du baiser, tourne imperceptiblement la tête vers moi et… me renvoie un sourire ! Aussi vif et malin que sa réaction précédente était sotte. Il me semble même qu'elle m'adresse, dans un battement de ses paupières, un clin d'œil de connivence, juste avant de repousser en arrière sur la banquette le malheureux Léôkratês, qui n'a rien compris à ce qui vient de lui arriver. Il se félicite d'avoir posé gratuitement sa pogne sur le sein de la belle Myrrhina sans deviner que celle-ci s'est servie de lui comme d'un objet pour adresser un message à une rivale. Et cette femme indépendante, à qui l'hétaïre parle d'égal à égal au moyen d'un homme, c'est moi ! Il y a moins d'un quart d'heure, j'étais plongée dans le découragement et je me retrouve sur la crête de l'exaltation. Pourtant, je n'ai presque rien bu !

Tout ce qui se passe, je le perçois, au fur et à mesure, mais je ne le comprends pas pleinement, tant je ressens d'émotions contradictoires et fugaces. Pour les démêler tranquillement, j'aimerais pouvoir me réfugier dans notre petite loge, ou même, en obliquant de l'autre côté, vers le fond de l'étroit couloir, dans le jardin intérieur. Ce que je saisis néanmoins d'emblée, c'est que, contrairement à ce que m'a enseigné Nikarétê, un banquet n'est pas une cérémonie figée où s'enchaînent rituellement les danses des femmes et les discours des hommes. Cela, c'est l'apparence. La réalité, c'est un moment mouvant, fluide, où se mélangent sans cesse les regards, les gestes et les sous-entendus. Un endroit où les rapports fixés entre les êtres se modifient et évoluent. Où ce qui se joue entre les femmes est presque plus important que ce qui se joue entre elles et les hommes. Où les filles esclaves s'arrangent, dès qu'on leur en laisse le loisir, pour modifier le rapport de force qui les lie à leurs maîtres et à leurs amants, voire pour l'inverser. Où, dans une société hiérarchisée et codifiée à l'extrême, tout bouge sans cesse dans le flux multiple du désir. Oui, voilà l'unique loi du banquet athénien : tout bouge, même quand rien ne devrait bouger. Non, il y en a encore une autre : ceux qui dirigent y sont dirigés. Voilà pourquoi je souhaite si furieusement me faire ma place dans ce monde : pour la liberté souterraine qui y circule sous le rituel.

Nikarétê reprend le contrôle des opérations en faisant danser Lampitô et le jeune homme sur les amours d'Aphroditê.

Après cette exhibition érotique, beaucoup des invités s'éclipsent. Dont les deux philosophes et leurs cours rivales de jeunes gens sages. Lykourgos, malgré les sarcasmes d'Hypereïdês, décide de raccompagner leur maître Isokratês chez lui, en même temps que la blonde Lagiskê qui disparaît en me lançant un dernier doux regard, pour m'assurer que nous nous reverrons et que, cette fois-ci, nous nous parlerons. Aussitôt, Myrrhina lève sa coupe : "Maintenant que les vieux et les enfants sont allés se coucher, maintenant qu'il ne reste plus que nous, les filles de joie et les hommes de plaisir, faisons la seule chose que nous savons vraiment faire !" Hypereïdês lui répond en criant : "La fête !" Léôkratês, Timoklês, Kratês, et le reste de leur bande de fous, qui ont déjà beaucoup bu, se mettent eux aussi à rugir : "La fête, la fête, la fête !" Et puis ils entonnent un païan furieux en l'honneur de Dionysos et des autres dieux du délire. Dans cette confusion, seuls deux hommes restent silencieux : Euthias, son beau et menaçant sourire aux lèvres, toujours un peu trop sûr de lui et de moi. Et l'homme du port, qui reste en retrait mais ne me quitte pas des yeux.

Alors, comme je m'y étais préparée, mais de façon bien pire encore, tout dégénère.

14

ÉCLOSION DE LA DÉESSE CRAPAUD

Tout dégénère parce que, cette nuit de mon premier banquet, je trouve face à moi l'extravagante Myrrhina. Qui est aussi belle que moi et mon exact contraire.

Après avoir persuadé Hypereïdês, le maître des cérémonies, de nous faire boire encore un certain nombre de coupes de vin presque pur, soudain, sur un coup de tête, elle décide de m'agresser. Elle commence par me féliciter avec une chaleur pleine d'ironie pour le moment de poésie que je leur ai offert tout à l'heure, lorsque j'ai joué sur mon pipeau un air venu d'on ne sait où. "C'était, comment dire, ajoute-t-elle avec une moue dubitative qui inverse le sens du mot, joli ?" Elle ajoute : "Drôle d'idée quand même d'aller chercher son manteau pour s'y cacher." À partir de là, elle continue à s'adresser à moi mais c'est aux convives qui nous entourent qu'elle destine ses paroles : "Je vois deux possibilités. Soit tu es tellement sûre de la perfection de tes formes que tu peux te contenter d'en faire rêver les hommes, soit tu n'oses tout simplement pas t'exhiber, parce que tu redoutes que d'autres ici ne soient plus belles." Elle conclut dans un sourire carnassier : "Le seul moyen de le savoir, ce serait que tu fasses la même chose que moi, c'est-à-dire te montrer telle que la nature t'a faite." Aussitôt, ma rivale se dresse sur ses pieds. Elle est toujours entièrement nue depuis qu'elle s'est déshabillée pour narguer Hypereïdês. Elle s'avance lascivement à ma rencontre. Elle ondule devant moi. Elle me provoque. "Comment, Mélitta, tu as peur de te mesurer à moi ?" D'un geste, elle me propose de venir la rejoindre afin que les hommes puissent nous comparer à leur aise.

Timoklês bondit sur l'occasion : "Excellente idée, organisons un concours de beauté, comme celui entre les trois déesses ! Sauf que nous tous ici serons vos Pâris. Puisque nous nous trouvons à Athênaï, la plus belle sera élue démocratiquement !" Aussitôt, il prend Stéphanê par le bras pour l'obliger à aller se placer elle aussi au centre du demi-cercle. Mon amie finit par obéir sur l'injonction de Nikarétê. Les deux filles nues se tiennent côte à côte. Bien qu'elle soit très jolie, Stéphanê ne supporte pas la comparaison avec Myrrhina. Ce qui rend belle l'acrobate, ce sont ses mouvements souples : dans l'immobilité, ses formes agiles paraissent presque grêles. Timoklês et les autres insistent pour que j'aille compléter le tableau des Trois Grâces. J'hésite. La vérité, je ne peux plus me la cacher, c'est que j'ai peur de la beauté de Myrrhina. Nikarétê fronce les sourcils. Je me décide à faire quelques pas en avant. Mais je me place le plus loin possible de ma rivale, prenant soin de laisser Stéphanê entre nous deux. Au lieu d'enlever mon châle, je le serre encore plus frileusement contre ma poitrine. J'entends des murmures moqueurs dans l'assistance, où même mes partisans paraissent déçus que je n'ose pas me déshabiller.

Soudain, l'inconnu du port, qui observe toute la scène avec un sourire un peu distant, s'écrie à voix haute : "Mélitta, tu manques d'audace !" Il se lève et il s'approche de moi. Me prend doucement par les épaules pour me placer au centre du groupe (Stéphanê se décalant aussitôt avec souplesse). Puis il tend la main vers mon manteau. Je me raidis. Mais, au lieu de le faire glisser de mes épaules, et m'obliger ensuite à dégrafer ma tunique, il en saisit le rabat qu'il place sur mes cheveux. Il prend le soin, avec des gestes vifs et précis, d'en cacher les mèches sous cette capuche. Bien loin de me dénuder, il me dissimule encore plus, ne laissant à découvert que mon front et le profil de mon visage, qu'il incline vers la droite où se trouve Stéphanê. Après quelques instants de réflexion, il se penche pour m'obliger à avancer le genou gauche. Je compense spontanément le déséquilibre d'un mouvement de hanche, qui permet aux plis de ma tunique et de mon châle de tomber plus artistement d'un côté et de l'autre de ma jambe. L'homme se met à genoux pour arranger sur mes chevilles le tombé du tissu, dont ne dépasse que la nudité de mon pied dans ma sandale. Satisfait, il se relève et s'écarte de quelques pas, afin de mieux juger de son œuvre. C'est alors, tandis qu'il m'observe, que je saisis enfin ce qu'il cherchait à faire. Il m'a obligée à prendre la pose d'une statue, oui, mais moins dans l'idée d'épargner ma pudeur (une flûtiste de banquet ne peut éprouver un sentiment aussi absurde) que de retrouver la poésie de la première image qu'il a gardée de moi, lorsque j'étais assise sur la banquette sombre du bordel, ou peut-être sur la margelle du puits.

Lorsqu'il va se rasseoir, les autres spectateurs applaudissent, sensibles au charme étrange de la composition, la fille habillée entre les deux filles nues. Timoklês approuve : "Ah, très surprenant ! Laquelle allons-nous choisir, l'une des deux qui nous montrent tout ou bien celle qui ne nous montre rien ?" Les hommes votent à main levée. Stéphanê n'obtient qu'une seule voix, celle d'un jeune homme silencieux qu'elle remercie d'un regard. À ma grande surprise, entre moi et la brune, les votes s'équilibrent. Léôkratês a voté bruyamment en faveur de Myrrhina, mais Euthias s'est déclaré pour moi, d'un sourire entendu qui a entraîné derrière lui plusieurs des indécis.

Il ne reste plus que deux convives à ne s'être pas encore prononcés. Timoklês les presse de le faire, en commençant par Hypereïdês. Le regard de ce dernier passe de l'une à l'autre d'entre nous. Il s'amuse à se faire attendre. Ou peut-être hésite-t-il vraiment ? Soudain il se décide. Il déclare, d'une voix pâteuse, qu'il regrette vraiment de n'avoir pas trois mains. Mais enfin, de la première, il vote pour l'acrobate Stéphanê, dont la souplesse l'a ému tout à l'heure, lorsqu'elle a dansé au milieu des cerceaux enflammés, et de la deuxième… Eh bien, de la deuxième il vote pour Mélitta, la flûtiste mystérieuse, qui l'intrigue et qui le touche. Mais, ajoute-t-il au bout d'un instant, c'est de son membre dressé qu'il vote pour Myrrhina, tant sa verge est exaltée par l'exhibition spectaculaire de cette nudité ! Certains applaudissent sa bouffonnerie, d'autres la huent, cet idiot n'ayant pas fait pencher la balance. Timoklês lui déclare qu'il est vraiment lamentable pour un nouveau citoyen de n'être pas capable de faire un choix. Si sa génération se conduit ainsi à l'assemblée du peuple, Athênaï est encore plus mal partie qu'on ne le dit.

Alors il ne reste plus que l'inconnu du port.

Tout le monde se tourne vers lui, ce qu'il affronte d'un sourire paisible. "Praxitélês, mon ami, lui déclare le poète comique, le sort du concours dépend de toi. Ce n'est que justice, car ton art fait de toi un spécialiste de la beauté. Ton choix sera donc incontestable. Apollôn lui-même va parler par ta bouche. Pour laquelle votes-tu ?" Praxitélês commence par s'excuser aimablement auprès de Stéphanê de ne pas lui accorder sa voix parce qu'il n'a pas eu le plaisir de la voir danser tout à l'heure. "Et puis ?" s'impatiente Timoklês. L'inconnu, dont je viens d'apprendre le nom, continue à prendre son temps mais d'une manière bien différente d'Hypereïdês. Les yeux plissés, il nous détaille vraiment, allant de Myrrhina à moi sans que l'on puisse deviner ce qu'il pense, à la fois de plus en plus attentif et de plus en plus songeur. "La décision est particulièrement difficile, déclare-t-il soudain. D'abord parce que ces deux jeunes femmes symbolisent deux conceptions de la beauté féminine, tout le monde l'a compris, j'imagine. Mais aussi parce que, dans cette assemblée, je crois bien que je suis le seul à avoir vu l'une et l'autre dans leur plus simple appareil, ce dont je me souviens avec un trouble égal, bien que de nature différente.

— Ah bon ?" s'exclame Hypereïdês. Il ajoute : "Que tu aies été l'amant de Myrrhina, et même celui qui l'a lancée l'année dernière, tout le monde le sait ici. Mais l'autre, la petite Mélitta, la flûtiste qui fait ses débuts ce soir, toi, tu l'aurais déjà vu nue ? Et où ça, s'il te plaît ?"

Je ne peux m'empêcher de tressaillir et d'envoyer un regard suppliant à Praxitélês. Celui-ci n'hésite qu'un instant, avant de rétorquer, sur un ton de mystère enjoué : "En d'autres temps et d'autres lieux, sur lesquels elle et moi nous garderons le secret, j'ai eu ce que je considère comme un privilège." Hypereïdês n'a pas l'air de se satisfaire de cette réponse allusive mais, par bonheur les autres spectateurs l'empêchent de continuer à mener son enquête. Cette dangereuse curiosité sur mon passé ajoute encore pour moi de la tension à ce moment critique, dont je sens bien que dépend le reste de ma carrière de flûtiste à Athênaï, non pas dans le choix que va faire l'homme du port mais dans la grâce que je mettrai à l'accepter. "Ne nous fais plus attendre, Praxitélês ! s'écrient plusieurs des autres invités. Si vraiment tu es le seul à les connaître intimement, décide-toi, laquelle des deux est la plus belle ?"

Il me sourit. En me regardant droit dans les yeux, il déclare : "Eh bien... je dois reconnaître que Myrrhina est de loin la plus belle femme d'Athênaï, et peut-être de la Grèce, Korinthos y compris." Alors que je pensais qu'il allait me sauver, il m'assassine. Je reste sans voix. Ma cruelle rivale se met à danser de joie devant moi, en roulant des hanches et en m'adressant un regard de triomphe moqueur. Après quelques instants de silence, Praxitélês ajoute : "Mais la jeune Mélitta est plus qu'une femme : malgré son jeune âge, et le fait que ses formes soient moins pleines que celles de Myrrhina, elle a déjà ce petit quelque chose en plus que la simple beauté plastique et qui est ce que l'on pourrait appeler l'aura divine de la grâce. Donc, en tant que sculpteur, c'est à elle que je suis forcé d'accorder mon vote !"

Sauvée, choisie, élue, par le regard de cet homme dont je pensais qu'il me tuait. Ravie, épanouie, mais presque malgré moi. Je ne me réjouis même pas, tant je suis stupéfaite, et pourtant un sourire naît aussitôt sur mes lèvres. Sourire de connivence avec le Sculpteur et avec l'ordre du monde. Sourire de reconnaissance. Sourire de perfection absolue qui vient compléter ma beauté de la seule chose qui lui manquait encore, un peu de présence. Et aussi un peu de distance amusée par rapport à mon triomphe. C'est ce sourire-là, aux multiples et mystérieuses nuances, que tous les hommes applaudissent soudain et non pas moi. Je perçois cette évidence comme si j'en étais spectatrice. Je ne jette pas un regard à Myrrhina, qui s'est arrêtée net, mais ce n'est pas par mépris, non, plutôt parce que je suis trop occupée à me regarder moi-même de l'extérieur en train d'atteindre à cet achèvement inespéré. L'impitoyable Timoklês se met à parodier à ma place la danse de joie de ma rivale défaite. Il saisit la main de Stéphanê, celle de Lampitô, celles des petites filles, pour les entraîner dans le chœur qu'il mène tout autour de la salle en faisant le pitre. Il secoue un tambourin qu'il a ramassé dans un coin et se met à chanter : "Mélitta la flûtiste est notre déesse, Mélitta la flûtiste est notre maîtresse ! Praxitélês le sculpteur qui l'a vue toute nue nous a bien prévenus ! Myrrhina est vaincue, même si nous n'avons jamais vu, de la flûtiste Mélitta le divin petit cul !" Ayant à la fin de son couplet fait un tour complet autour des banquettes, il se jette avec toutes les danseuses à mes pieds, comme pour m'adorer. Il se tourne vers ma rivale : "Myrrhina, même toi qui es la plus belle femme du monde, reconnais ta défaite ! Prosterne-toi aux pieds de ta déesse. Tu n'es qu'Hélénê, et elle ton Aphroditê !" Boudeuse, Myrrhina esquisse un geste pour aller se rasseoir. Mais le farceur la saisit par la main et la force, malgré sa résistance, à s'agenouiller avec les autres devant moi, provoquant par ses efforts le rire de l'assemblée. Il est parvenu à transformer ce moment de grâce en une explosion de joie bouffonne. Malgré ma gêne, je me demande si je ne dois pas lui en être reconnaissante. Pendant un instant suspendu, tandis que tout le monde reste en place autour de moi, dans le tableau comique qu'il a réussi à substituer à celui du Sculpteur, ma méfiance commence à se relâcher et je suis sur le point de savourer vraiment ma victoire.

C'est alors que ce diable d'homme fait basculer la scène dans une autre direction, sans que je sache si je suis la victime de son goût pour l'improvisation ou s'il a tout manigancé contre moi depuis le début de son tour de salle. Il s'exclame : "Il est bien difficile de croire que cette simple fille, cachée sous son capuchon, soit notre déesse. Nous voulons une preuve ! N'est-ce pas, Myrrhina, que nous voulons une preuve ?" Il se met à soulever le bas de ma tunique. D'abord simplement au-dessus de mes chevilles. Puis en tentant de découvrir mes genoux : "Allons, sois gentille, divine Mélitta, montre-nous un peu tes jambes ! Montre-nous ce qui se trouve au-dessus et au milieu ! Le centre du monde, montre-le nous, que nous puissions l'adorer, nous qui sommes tes fidèles ! Nous y avons droit, maintenant que nous t'avons choisie !" Au début, je le repousse en riant. Mais il insiste. D'une seule main d'abord, puis des deux. Myrrhina, qui a compris son manège, se met, elle aussi, de la partie. Elle incite Stéphanê et les autres filles à soulever ma tunique par les côtés ou à m'attraper par les mains pour m'empêcher de me défendre. Maintenant, je me débats vraiment, en poussant des petits cris de surprise et d'agacement. Bientôt elles s'y mettent toutes, même la docile acrobate que je croyais mon amie, pensant peut-être qu'il ne s'agit que d'un jeu, ou se doutant qu'il s'agit de tout autre chose, mais y participant de leur plein gré, parce qu'elles sentent que le bouffon a raison, que les hommes et les femmes ici présents ont le droit de me voir nue, de voir mon sexe nu, bien en face, bien en vue. Que je dois le montrer, comme elles toutes ! Si je ne veux pas le faire, il faut m'y obliger ! C'est la loi, pas seulement celle du banquet mais celle du monde ! Le sexe des femmes vu, nu, cru, mangé cru, adoré, absorbé, exhibé, pénétré, rempli ! Et la première à subir cette loi divine doit être la déesse elle-même dans la personne de celle qui a été choisie pour l'incarner ! C'est pour cela qu'elles m'immobilisent, les filles, les femmes, pour me montrer aux hommes, pour me donner à eux, qu'elles m'entraînent de force, qu'elles me soulèvent, qu'elles me portent sur l'une de ces banquettes d'apparat délaissées par les sages, qu'elles m'y renversent de force ! Maintenant elles sont aidées par les jeunes gens qui se sont massés autour de moi, qui me retiennent par les épaules et par les hanches, pour m'empêcher de me redresser, toutes ces mains posées sur moi, chacune me touche, chacune a droit de me toucher. Myrrhina, Timoklês, et même, me semble-t-il, Hypereïdês qui rit de mes ruades et de mes soubresauts, et ce porc de Léôkratês, ils unissent leurs forces pour remonter ma tunique au-dessus de mes genoux. Ils n'ont plus que quelques centimètres à faire pour me dénuder entièrement mais ils prennent leur temps, afin de jouir encore plus de ma révolte, de mon impuissance de victime qui ne savait pas que son triomphe devait être sa défaite. J'entends la voix de Myrrhina qui me murmure à l'oreille : "Allez, ma jolie, tu as assez fait semblant de résister ! Laisse-toi faire maintenant, que nous sachions une bonne fois pour toutes ce que tu caches là-dessous, et qui ne doit pas être très différent de nous !"

Toutes les têtes moqueuses ou curieuses se sont rapprochées. Je distingue le sourire hautain d'Euthias, qui ne participe pas à ce jeu mais ne tente pas un geste pour me défendre. Le regard de l'inconnu, celui qu'ils ont appelé Praxitélês, celui qui m'a fait gagner le concours de beauté en leur donnant l'occasion de me soumettre à leur violence, où est-il ? Je ne le vois nulle part. Il se refuse peut-être à assister à cette scène dont lui, dans sa finesse, à la différence des brutes qui l'entourent, doit bien deviner qu'elle s'apparente à un viol, à une profanation, à une mise à mort, mais, au lieu de me protéger, il disparaît. Comme il l'a déjà fait une fois, après notre première rencontre au bordel. J'aperçois seulement le regard désapprobateur de Nikarétê, vers le fond de la salle. Je sais bien ce qu'elle doit se dire, ma réaliste maîtresse, elle se demande sûrement pourquoi je fais tant de manière, puisqu'après tout je ne suis qu'une flûtiste, que je serai bien obligée de leur montrer tout à l'heure ce qu'ils veulent voir maintenant et même de les laisser en jouir ! S'ils me blessent en me forçant à me dénuder, s'ils abîment la marchandise, non seulement j'aurai ce que j'ai mérité mais, en plus, je serai punie en rentrant à la maison ! Je me débats vainement comme dans un cauchemar, quelques derniers soubresauts, et puis je me laisse aller à leur emprise, en poussant un grand soupir d'horreur et de renoncement. Et de soulagement. Et d'acceptation. Oh non, non, oui, qu'ils voient mon sexe, qu'ils le voient mouillé de ma rage et de mon abandon !

Alors se lève, juste au-dessus de ma tête, le visage de Timoklês. Rouge d'excitation. La langue un peu tirée. Les yeux exorbités. Le cheveu et la barbe hideusement hérissés, les traits décomposés par le rire et par le désir, il ressemble dans son ricanement à l'un des masques de ses comédies : "Tu te prenais pour une déesse, mais tu n'es qu'une femme, tu as cru nous échapper mais nous tous, les hommes ici présents et les femmes aussi, nous allons te faire payer le prix de ton orgueil !" L'ordre grimaçant du monde. Sa bouffonnerie. L'envers comique de la violence. Son visage de farceur est lié à celui du guerrier blond. Cette illumination provoque en moi un dernier réflexe de rage. Les autres bourreaux, trompés par mon abandon, ont relâché leur pression, si bien que je parviens à me redresser à moitié et à libérer l'un de mes bras. Je gifle à la volée ce satyre sordide qui prétend me soumettre à son rituel de mascarade. Après cet ultime sursaut, je retombe en arrière dans les bras de mes tourmenteurs. Mais la violence de mon geste les a tous fait s'arrêter net. Comme s'ils se rendaient compte seulement maintenant de ce qui était en train de se passer. Ils s'écartent un peu de moi. Pas honteux. Réprobateurs. Ils me reprochent à moi de ne pas jouer le jeu. De sortir de l'ordre de la folie acceptable dans un banquet. Ma réaction est disproportionnée. Que va-t-il se passer ? Je mérite un châtiment. Ma maîtresse ne peut qu'intervenir et m'exclure à jamais de cette salle de banquet pour que j'aille voir ailleurs si les hommes m'y traiteront mieux.

Soudain, j'entends la voix calme du Sculpteur. Devançant Nika-rétê, il s'exclame : "Je crois, mon cher Timoklês, que tu as vraiment trop bu. Tu as mérité que cette jeune artiste te rappelle un peu sèche-ment à la raison. Ce que tu veux voir, ce que nous voulons tous voir, elle le montrera tout à l'heure, au moment voulu, tu ne crois pas ?" Timoklês, la main toujours plaquée sur sa joue, pâlit de rage. Puis il éclate de rire : "Je voulais m'amuser, c'est tout. Mais pour-quoi s'est-elle débattue ainsi ? Elle est folle ou quoi, cette gamine ? Qu'est-ce qu'elle veut nous cacher en fait ?" Il plaque quelques coups de poing sur son tambourin et puis s'arrête, comme frappé d'une nouvelle idée : "Tu as tort, Praxitélês, elle n'est pas une déesse, cette fille à la peau presque verte, et pas une femme non plus ! Peut-être qu'elle n'a pas voulu nous laisser soulever sa tunique parce qu'en dessous il n'y a rien ? Elle a peut-être un sexe, tu l'as peut-être vu, mais c'est comme si elle n'en avait pas ! Je crois qu'elle n'est qu'un monstre, une sirène, une bête aquatique ! Tiens, ça y est, j'ai trouvé ! Son animal, ce n'est pas la biche, qui vient boire à la mare et qui s'enfuit légèrement au moindre bruit, c'est le crapaud, qui plonge dans le marais et qui fait s'enfuir la biche par ses coassements !" Il se tourne vers moi : "Toi qui n'as l'air d'être grecque que de très loin, tu sais comment on dit « crapaud » dans notre langue ? Phrynê ! Voilà, c'est comme ça que je te baptise : Phrynê, la Déesse des Cra-pauds !" Il se met à coasser : "Phrynê, Phrynê, la fille crapaud à la peau vert d'eau ! Personne ne peut coucher avec Phrynê parce que sous sa tunique elle n'a pas de sexe ! Elle n'aime pas faire l'amour, elle préfère pondre des œufs ! Toutes avec moi, les filles, chantons et dansons pour la déesse des crapauds ! Koax, koax !" Myrrhina le suit aussitôt et les entraîne de nouveau dans leur chœur grinçant. Toutes les petites filles se mettent à coasser en riant : "Phrynê, Phrynê, Phrynê, la déesse crapaud ! Koax, koax !" Je les regarde sans réagir, les larmes aux yeux, les bras ballants. Après cette succession d'attaques grotesques, qui contrastent si incompréhensiblement avec le début raffiné du banquet, je me sens brisée, incapable de réagir. Je sais que j'ai perdu la partie. Ma première et dernière participation à la fête athénienne s'achève en un cauchemar comique, où Timoklês me met à mort en s'inspirant de la cruauté déchaînée de son maître Aristophanês. À un moment, j'ai failli gagner et puis j'ai été balayée par l'intervention conjuguée du bouffon et de la putain. Dans quelques instants, Nikarétê va m'entraîner hors de cette salle, elle va me chasser de son école, me revendre à un bordel, ou demander aux Cerbères de la débarrasser de moi ! Je me cache sous mon capuchon. J'entends le rire moqueur de Myrrhina : "Ah non, ne disparais pas de nouveau dans ta mare ! Viens danser avec nous, Phrynê la crapaude !"

Et soudain, une présence à mes côtés. Stéphanê. Mon amie s'est détachée du groupe de mes tourmenteurs et me prend par la main. Lorsqu'elle a participé tout à l'heure au groupe de ceux qui voulaient me dénuder de force, elle a essayé de me faire céder souplement à leur rage burlesque. Elle vient maintenant de nouveau me ramener dans le flux. Pour que je me laisse porter par le courant du monde. J'entends son murmure à mon oreille, comme tout à l'heure celui de Myrrhina. Son irrésistible murmure : "Courage, Mnasaréta ! Relève le défi !" Est-ce l'acrobate qui m'a donné mon vrai prénom ? Comment le connaît-elle ? Stupéfaite, je la laisse me conduire au centre du cercle formé par Myrrhina et par les gamines grimaçantes.

Et là, entraînée par elle, toujours encapuchonnée, je danse.

Oui, là, je danse !

Là, transportée dans les bras du désespoir, d'une allégresse divine, j'arrive à transformer les mouvements grotesques proposés par Timoklês en évolution gracieuse de reine grenouille.

Là, à la toute fin de la danse, d'un geste léger, j'enlève mon capuchon.

Là, je fais tomber mon manteau.

Là, je fais tomber ma tunique.

Là, je me montre nue.

Mais c'est moi qui, sans y penser, de ma propre volonté, me montre nue, pas eux qui me déshabillent !

Ils restent stupéfaits. Et puis ils m'applaudissent. Hypereïdês, le bel Euthias, le vulgaire Léôkratês, le Sculpteur, tous les autres. Et même Timoklês. Et Nikarêtê me regarde en souriant. Et même Myrrhina me regarde en souriant. Et moi aussi je les regarde en souriant. Mais à l'intérieur, je ne souris pas. J'ai les yeux secs et le sourire aussi fin qu'un couteau de sacrifice dont j'incise leurs gorges offertes. D'accord ! Pour vous, je ne serai que Phrynê, la reine des Crapauds. Ce surnom moqueur sera mon vrai nom de guerre. Je le porterai fièrement. Mais pour voir la transformation de Phrynê en Aphroditê, de la grenouille en déesse, désormais il faudra payer cher ! "Quant à toi, dis-je à l'auteur comique qui m'a si cruellement tourmentée, je te préviens que c'est la première et la dernière fois que tu vois ce miracle !" Je lui adresse mon plus beau coassement : "Bre ke ke ke ke kex koax koax !" avant de lui tirer la langue. Et, abandonnant sur le sol ma tunique, m'enveloppant de mon seul manteau, d'aller me réfugier hors de sa portée entre les bras d'Hypereïdês. Mon mouvement a été si juste et si gracieusement exécuté, que, même si tout le monde se moque de lui, l'amuseur professionnel ne trouve pour une fois rien à répondre. Je note aussi que mon ami aux doigts velus, qui s'est empressé de m'accueillir, n'ose plus, bien que désormais je sois nue sous mon manteau, me peloter.

Retour au calme. J'en ai besoin. Autant qu'eux. Ils boivent encore, ils bavardent toujours, je les écoute. Même Timoklês, que je viens de gifler alors que je ne suis qu'une esclave et qui m'en paraît presque reconnaissant, cherche à me faire rire. Mais je sais que ce n'est qu'un répit. Je dois me préparer à ce qui doit venir ensuite. Et qui sera, je le devine, encore plus éprouvant.

15

APHRODITÊ LES YEUX DANS LES YEUX

Et d'abord le "kottabe".

Nikarétê m'a expliqué en quoi consiste ce jeu très à la mode dans les banquets athéniens. Il s'agit à la fois d'une épreuve d'adresse et d'une déclaration amoureuse. Le joueur commence par boire sa coupe d'un trait, mais sans la vider entièrement. Puis, après avoir prononcé à voix haute le nom de la personne qui occupe ses pensées, il lance les dernières gouttes de vin contre un vase ou un récipient de métal, afin de prouver que son désir est capable de toucher au but et que l'être aimé lui appartiendra bientôt. Mais ce jeu, qui pourrait paraître banal, reste très athénien, m'a dit avec fierté la maquerelle. Car il ne s'agit pas seulement d'atteindre la cible, comme pourrait y parvenir n'importe quel ivrogne chanceux. Il faut encore que le geste soit net, que le bruit de la giclée de liquide heurtant le métal soit clair et vibrant, bref, que l'ensemble soit beau. Alors le vœu sera exaucé et le désir pleinement partagé. Hypereïdês est plus prosaïque : il décide que les hommes vont jouer entre eux au kottabe les filles à qui ils auront ensuite le droit de faire l'amour. "Ah oui ? s'exclame Myrrhina. Et moi aussi je fais partie du lot ?" Il la regarde par en dessous : "Heu... Oui.

— Et, évidemment, je n'ai pas mon mot à dire ?

— Heu... Non.

— Tu crois que je vais accepter d'être baisée pour rien comme une petite flûtiste ? Eh bien, tu as raison. J'espère que toi et tes petits camarades, vous savez viser juste au moins !"

Et elle éclate de rire.

Hypereïdês fait remplir chacune des coupes plates d'un vin qu'il décide de ne pas couper d'une seule goutte d'eau. Il impose à chaque participant de boire trois coupes de ce vin pur d'un seul trait avant d'avoir le droit de tenter sa chance. Ainsi, déclare-t-il en m'adressant un clin d'œil, seuls les disciples les plus endurants de Dionysos pourront obtenir les servantes les plus farouches d'Aphroditê ! Ce petit malin veut se donner toutes les chances, s'estimant meilleur buveur que ses camarades, à part peut-être Léôkratês, qui est cependant bien moins adroit que lui. J'ai l'impression, à la façon dont Hypereïdês me regarde, qu'il a décidé de viser la cible en prononçant mon nom, plutôt que celui de Myrrhina, qu'il laisse peut-être à son ami l'armateur, puisque ce dernier l'a amenée. Mais il sait déjà que, pour m'avoir, il va devoir affronter Euthias. Ce dernier continue à m'observer tranquillement, sans s'abaisser à discuter les conditions de l'épreuve, persuadé lui aussi de triompher.

La perspective de ce duel me flatte et me rassure, évidemment : malgré mon impair de tout à l'heure, Nikarétê sera satisfaite de constater que deux des jeunes gens les plus en vue se disputent mes faveurs. Dans ma situation, je ne peux m'indigner d'être le prix de leur rivalité, mais je m'en réjouis moins que je ne l'aurais cru la veille. Ce qui me trouble, c'est de ne pas être aussi indifférente que je le devrais au résultat d'un concours entre deux simples clients. Ce qui me trouble, c'est d'avoir une préférence. Ou plutôt d'en avoir deux. Si la partie de moi la plus raisonnable souhaite que l'emporte l'amical, l'animal, l'inoffensif Hypereïdês, l'autre ne peut s'empêcher d'espérer la victoire de son trop beau rival, de cet éphèbe si certain de me dominer.

Euthias demande la coupe le premier, comme si elle lui revenait de droit. Il la vide trois fois, sans se presser. Puis, il me regarde droit dans les yeux. Les miens se baissent d'eux-mêmes au bout d'un instant, et mes joues, qui rougissent malgré moi, ajoutent à ma confusion, en trahissant ma préférence secrète. Il prononce d'une voix claire : "Pour toi, Mélitta, la plus charmante des flûtistes que j'aie rencontrée depuis longtemps !" Dans les termes qu'il emploie, "charmante", "flûtiste", "depuis longtemps", je sens la double intention de me complimenter et de me remettre à ma place. Il est parfaitement juste, sûr de lui et du monde, dans ses mots comme dans ses gestes. Il saisit l'anse de la coupe avec élégance entre son pouce et son index, plie l'avant-bras dans un détachement, un arrondi parfaits, et la giclée de vin claque avec un bruit sec contre la paroi de métal du vase placé à l'autre bout de la pièce. Le geste a été si maîtrisé que l'assemblée éclate en applaudissements. Étourdie, je ferme les yeux pour tenter de réprimer les battements de mon cœur. Seul

Hypereïdês hausse les épaules avec assurance. Il lampe à trois reprises le vin, brandit à son tour la coupe : "Pour toi, Phrynê, la plus charmante des grenouilles que j'aie rencontrée depuis longtemps !" Mais il n'atteint qu'à moitié la cible. La gaucherie de son tir a été encore accentuée par le mouvement de Myrrhina, qui, au dernier instant, a feint de glisser de la banquette pour se rattraper à son bras. Dépité, le garçon m'adresse une grimace, tandis que la fille bat des mains.

Je ne veux même pas regarder Euthias. Je devine quel sourire, léger mais terriblement triomphant, il arbore. Oui, il va me remettre à ma place de petite flûtiste novice, que l'on baise avec un plaisir détaché et qui se fait baiser dans une soumission fiévreuse. La giclée de vin résonne encore à mes oreilles, elle a claqué comme un fouet de cuir rêche sur mes épaules. Serpent qui se détend pour me mordre tandis que je reste paralysée d'effroi, qui me tire de la distance confortable, de l'anesthésie des sens dans laquelle j'étais résolue à m'installer. Me voilà encore plus en danger que tout à l'heure, lorsque j'étais exposée aux assauts de Timoklês, parce que je pouvais au moins mépriser ce farceur grotesque. Tandis qu'Euthias, je ne peux que le redouter. Le redouter et le désirer, pour moi, c'est la même chose.

Et le Sculpteur, celui dont je croyais qu'il me sauverait, quel est son rôle dans cette scène ? Je ne me souviens plus du tout pour qui il joue. Peut-être refuse-t-il de participer à ce concours ? Peut-être prononce-t-il le nom de Myrrhina pour se faire pardonner de n'avoir pas voté pour elle tout à l'heure ? Ou peut-être se contente-t-il de me regarder ? Pris dans ses pensées. Emporté très loin. Sa rêverie de moi en déesse, debout dans mon manteau au milieu des deux nymphes nues, lui importe-t-elle déjà plus que la fille réelle qu'un autre va prendre sous ses yeux à sa place ? Emporté déjà par moi très loin de moi ?

Euthias me saisit le menton pour dégager son sexe durci de ma bouche. Il m'oblige à me retourner et m'installer à quatre pattes. Après avoir tâtonné un peu, il me pénètre en plusieurs poussées, fermement mais sans violence. J'entends Myrrhina, que Léôkratês s'apprête à renverser sur le lit d'à côté, le repousser en riant : "Attends, mon gros, je veux voir ça ! Je veux savoir comment la déesse crapaud fait l'amour !" Sans pudeur, elle vient s'allonger de tout son long sur notre banquette. Son visage, juste en dessous du mien, si près qu'il me touche presque. Levés vers moi, ses yeux m'observent attentivement. Prêts à se moquer. Ou à quoi d'autre ? Elle me regarde tandis qu'Euthias me chevauche. D'une voix paisible, elle me conseille à voix haute de me cambrer pour qu'il puisse aller et venir plus profondément. Voulant échapper à sa présence importune, je détourne les yeux, et je tombe sur ceux de Nikarêtê, qui, debout à l'entrée de la salle, m'observe elle aussi. Je suis prise entre ces deux regards de femmes qui me considèrent sans aménité. Qui guettent mes réactions. Qui me jugent. Mais ce n'est pas tout. Il y a aussi, je m'en rends compte en cherchant à fuir, de l'autre côté, venant de la rangée de banquettes qui nous font face, une troisième paire d'yeux. Ceux d'un homme cette fois. Ceux du Sculpteur. Plus bienveillants, peut-être, mais pas moins dérangeants. Je suis cernée de toutes parts. Ces regards aigus me repoussent contre le sexe dur qui m'empale. Une étrange panique me gagne. Pour leur échapper, il ne me reste qu'à fermer les yeux et à me réfugier dans mon obscurité.

Mais alors, je suis rendue à mes sensations. Tout aussi dangereuses. Je sens la verge d'Euthias qui se dilate encore en moi. Je perçois ce que cela signifie. Qu'il éprouve de plus en plus de plaisir à être ainsi debout, dressé, puissant, tandis que moi, je suis exposée devant lui à quatre pattes. Qu'il jouit d'enfoncer sa verge et de la faire ressortir de la vulve d'une fille qu'il pénètre sans même la toucher, sinon par ses deux mains posées calmement sur mes hanches. Il domine la situation. Bien qu'il se tienne dans mon dos, je sais qu'il ferme les yeux comme moi, mais lui de plaisir et non de honte, pour mieux accompagner l'élan intérieur de son désir viril, pour mesurer avec une ardeur maîtrisée toute l'étendue de sa liberté. J'entends ses inspirations de plus en plus profondes, de plus en plus aisées, et entre chacune d'entre elles, mes propres gémissements, heurtés, saccadés, contraints. Et puis sa voix : "Ouvre-toi, laisse-moi te prendre, si tu veux avoir du plaisir ! Tu peux te caresser aussi !" Sa voix d'homme. Sa voix grave, calme, presque douce, d'homme généreux et d'autant plus dominateur, qui dit à la petite esclave que, si elle veut jouir de lui pendant qu'il jouit d'elle, il lui en accorde le droit.

Mais je n'ai pas envie d'avoir de plaisir ! Je ne jouis jamais sous les assauts d'un homme, et cette nuit encore moins que les autres. J'ai obtenu ce que je voulais, j'ai bien fait mon travail, je peux m'estimer satisfaite d'être prise à la fin du banquet, comme une joueuse de flûte le doit pour être ensuite redemandée. Nikarêtê sera contente de moi. Je me suis montrée fidèle aux principes de ma maîtresse : il était tout à fait raisonnable de préférer être pénétrée par Euthias, qui est si maître de lui, si puissant que je n'ai aucun geste à faire, si habile que je n'ai pas vraiment à souffrir de son action, plutôt que par Hypereïdês, dont l'excès de vitalité maladroite m'aurait peut-être blessée. Mais pas question pour moi de plaisir. Pour cela, il faudrait que je me laisse aller. Pas question. Au contraire. Tout contrôler. Rester bien tranquille à flotter sur moi-même, très haut, très loin, là-bas, à la surface. D'ailleurs, comment pourrais-je m'abandonner ? Malgré mon habitude de ce genre de scènes, je suis gênée par ces regards que je sens posés sur moi. Regard de Myrrhina juste en dessous de mon visage, regard de Nikarétê, plus lointain mais aussi incisif, regard du Sculpteur. Il est toujours allongé sur la banquette à l'autre bout de la salle. Il pourrait faire signe à Stéphanê qui, après s'être occupée gentiment du jeune homme ayant voté pour elle, est libre. Mais, au lieu de cela, l'artiste ne me quitte pas des yeux, tandis qu'Euthias me prend. De toute façon, même si je voulais me donner du plaisir, il me serait difficile, sous les coups de boutoir de ce dernier, de me cramponner à la banquette d'une seule main afin d'amener l'autre vers mon sexe. Non, non, je perdrais l'équilibre et toute dignité. Ma dignité chèrement acquise d'hétaïre, et non de putain, qui se fait baiser, oui, mais toujours avec élégance.

Soudain, je sens qu'un doigt se pose sur mon sexe dont je viens de m'interdire l'accès. Et pas n'importe où. Exactement là où il faut. Là où je viens de me dire que le moindre contact serait dangereux. Un seul doigt, mais très insistant. Je ne peux m'empêcher de sursauter, d'ouvrir les yeux, et je comprends qu'il n'appartient pas à Euthias mais à Myrrhina, dont j'aperçois le sourire moqueur à moins d'une coudée de mon visage. Son autre bras s'enroule autour de mon épaule. Sa main force ma tête raidie à s'incliner vers elle et j'entends sa voix qui murmure tout contre mon oreille : "Détends-toi, ma belle, quand un homme te propose de prendre ton plaisir, il ne faut pas rater l'occasion, ce n'est pas si fréquent, petite sotte !" Elle me maintient serrée contre elle, comme tout à l'heure lorsqu'elle a cherché avec Timoklês à soulever ma tunique. Je voudrais me dégager, éloigner ma nuque de son bras, mon sexe de son doigt, qui continue à le caresser avec une implacable précision. Impossible ! Euthias se met à gémir et me donne de tels coups de bassin que je suis obligée de m'abandonner contre le corps de l'autre femme. Le doigt de l'hétaïre me caresse si habilement, si fermement, sans douceur mais en sachant exactement ce qu'il fait et où il veut m'emmener, que je ne peux me retenir de pousser un gémissement, puis un deuxième. "Ah, enfin ! susurre la voix de ma rivale, de ma complice, de mon ennemie, la voilà, la déesse crapaud qui se met à coasser, elle n'est pas insensible, elle est comme toutes les autres, finalement !" Puis, à voix haute, elle s'exclame : "Tu entends, Euthias, comme elle aime ce que tu lui fais ? Vas-y plus fort ! De plus près ! Rapproche-toi d'elle, bourre-la à fond !" Je sens soudain le buste d'Euthias contre mon dos, peut-être plaqué par la main ferme de Myrrhina. Ce changement d'angle fait que, soudain, le gland rond et pointu du jeune homme m'atteint juste dans mes tréfonds. Me faisant pousser un cri perçant, faisant pousser de la paroi fertile qui me tapisse à l'intérieur une plante de cri, fleur aiguë malgré moi jaillie ! Aussitôt à mon oreille la voix triomphante de Myrrhina : "Oui, comme ça, Euthias, tu l'entends, mets-la lui jusqu'au fond, ne la lâche plus, ne la laisse plus respirer, achève-la, domine-la ! Tu es le maître ! Crois-moi, mon grand, tu vas la faire crier, cette femelle, plus fort qu'elle a jamais crié !" Euthias réagit comme un cheval éperonné par la voix, il se cabre, s'enfonce en moi encore plus profond, prend le galop. Chacune de ces ruades, quand elle touche le sol meuble qui recouvre mes profondeurs et s'en extirpe à nouveau, m'arrache un cri qui devient presque incessant et inarticulé. Je perds complètement la tête et le contrôle de moi-même mais j'entends quand même la voix de Myrrhina, de ma terrible rivale amie tourmenteuse protectrice tueuse : "Oui, vas-y, mon beau ! Claque-la maintenant ! Fesse-la !" Elle m'insulte à sa place, me traite de putain, de salope, lui ordonne de me faire rougir les fesses et la tête de mon propre sang, de me faire voir la vie en rouge, de me noyer dedans, pour se faire jouir et moi aussi, en m'inondant de coups ! La voix crie elle aussi, comme si c'était elle qui me prenait à travers lui : "Tiens, tiens, comme ça !" Et je sens sur mes fesses tendues la main de Myrrhina qui claque : "Allez, vas-y, de plus en plus fort, qu'elle sente bien, cette chienne, comme ton plaisir monte ! Tu es Arês, mon beau, et c'est comme ça qu'il prend Aphroditê !" Les mains d'Euthias claquent l'une après l'autre sur ma croupe offerte, tandis que celle de Myrrhina continue par en dessous à me caresser encore plus impitoyablement. D'autres, peut-être, que je ne vois pas, celles anonymes de tous les hommes qui sont là à nous observer, à jouir du spectacle que je leur offre à mon corps défendant, se mettent à frapper mes fesses, mordent mon dos, mes épaules, mes flancs, tirent, pincent mes seins, mes cheveux, un déluge de coups précis et cuisants tombe sur tout mon corps au même rythme que ceux de la verge d'Euthias qui me cingle à l'intérieur et s'écrase en moi pour rebondir encore plus fort. Je ne peux articuler qu'un long cri de révolte, un long "non", avant d'être bousculée par la vague de mon sang agité de partout, et un flux énorme s'enroule à l'intérieur de moi, dans sa retombée il balaie tout sur son passage, le niveau monte, monte, monte, je suis submergée, noyée, fleur de sang gigantesque qui s'épanouit et dont les pétales liquides sont mes membres et l'étamine ma vulve et le pollen lumineux mes cris.

Et c'est la première fois
Que j'éprouve ça
Depuis deux ans qu'on me baise
J'en reste pantelante
Stupéfaite
Anéantie

Anéantie

Je reprends conscience de moi-même, encore tremblante, à quatre pattes, à moitié aveugle, mes cheveux, qui se sont dénoués pendant la bataille et qui se sont tout emmêlés, tombant sur mes épaules et sur mes yeux. Euthias s'est déjà retiré. Depuis longtemps peut-être. Me laissant ouverte les jambes écartées, la fente béante, exposée à tous les regards dont celui de Myrrhina, tout près. Et celui de Nikarétê, là-bas ? Et celui du Sculpteur, encore plus loin ? Effondrée sur la banquette, désarticulée, le sperme commençant à perler de mes lèvres et à dégouliner sur mes poils et le long de ma cuisse. Mais incapable de faire un geste pour me refermer. Qu'est-ce qui m'est arrivé ? Quelle est cette force qui s'est emparée de moi et que je n'ai absolument pas maîtrisée, qui au contraire m'a ravagée, et ce n'était pas seulement Euthias avec sa force virile ni Myrrhina avec sa science féminine, c'était quelque chose qui venait de moi, et qui venait en moi de bien plus loin que moi-même, cette rage désespérée de m'ouvrir toujours plus large pour être prise toujours plus profond, même si je devais en mourir. Cette pulsion incompréhensible, tellement délicieuse qu'elle en devenait effrayante, et qui venait détruire mes prétentions à dominer mon destin, à réussir ma vie en me servant des hommes. La ruse ultime d'Aphroditê. Son dernier tour pour m'humilier. Se jouer de moi. Réduire à néant tout ce que j'avais reconstruit pour lui échapper. Toute la puissance d'Aphroditê logée aux tréfonds même de ses victimes. Se peut-il que Nikarétê m'ait tout appris du plaisir sauf le plaisir ? Cette force-là, je le constate avec désespoir à l'instant même où sa vague se retire après m'avoir balayée, je n'arriverai jamais à en faire le tour, à la reconnaître ni la maîtriser. Alors que je viens de jouir pour la première fois, et peut-être d'assurer ma place parmi les hétaïres, j'ai envie de pleurer plu-tôt que de jubiler. J'écoute les derniers échos de la volupté, les seuls assez atténués pour être audibles à nos faibles oreilles. Et ce sont des sanglots. Les dernières gouttes du plaisir divin, je le devine, ne peuvent se muer qu'en larmes humaines.

Maintenant ce que j'entends, ce n'est plus que la voix sourde, horriblement sensuelle et joyeuse, de mon ennemie intime, Myr-rhina, la complice d'Aphroditê, qui m'appelle, depuis l'autre ban-quette : "Mélitta, ma chérie, viens me rendre le même service, viens me faire jouir, pour aider ce pauvre Léôkratês !" Franchissant à l'aveugle la distance qui nous sépare, la main de la jeune femme tâtonne sur mon visage, puis me tord le menton pour m'obliger à la regarder, allongée de tout son long sur le dos, tandis que Léôkratês, déjà couché sur elle, fourgonne entre ses jambes ouvertes en ten-tant maladroitement de la pénétrer. Non, non, je veux échapper à son emprise ! Même s'il est trop tard, me rebeller contre elle, qui n'est pas Aphroditê mais une simple putain trop savante ! J'écarte sa main, me lève, me traîne au hasard sur une autre banquette et me retrouve sans l'avoir voulu entre les bras d'Hypereïdês. Les yeux mi-clos, il me regarde approcher, et murmure, la bouche pâteuse : "Ah te voilà enfin ! Mais j'ai trop bu maintenant, c'est toi qui vas devoir tout faire." Soudain, je sais comment me venger de ce qui vient de m'arriver.

Je me saisis de sa verge et je la masturbe presque durement, tandis qu'il ne me lâche pas de son regard embrumé, de son sou-rire d'ivrogne vaguement goguenard ou suppliant. Puis, dès qu'il est assez dur, je me précipite pour le chevaucher avant qu'il ne débande. "Je te préviens, lui murmuré-je cruellement à l'oreille, je suis toute mouillée, mais pas grâce à toi, à cause du sperme de ton ami Euthias !" Celui-là, c'est moi qui vais le baiser, celui-là, c'est moi qui vais le ravager de plaisir ! Avec toute mon habileté profes-sionnelle, en me souvenant de tout ce que j'ai appris de Nikarétê et que j'ai oublié entre les mains d'Euthias et de Myrrhina. Sans rien y mettre de personnel, ni sentiment ni sensation, pour me prouver que je peux toujours, comme je m'en targuais la veille, faire jouir en tenant la jouissance à distance. Jouer avec virtuosité de la puissance d'Aphroditê mais sans me livrer le moins du monde à ses mains dangereuses. Au bout de quelques minutes, le jeune Athénien élégant finit par couiner, oui, couiner comme un porc et non comme un sanglier. Peut-être par éjaculer, je n'en suis même pas sûre. En tout cas, il ramollit à toute allure. Mais je reste quand même sur lui. À le chevaucher à l'arrêt. Le temps qu'il s'endorme. La bouche ouverte. Qu'il ronfle. Je le regarde s'abandonner, la bave aux lèvres, comme un tout petit enfant. Et je lui caresse les cheveux. Tendrement. Car lui est rassurant. Lui est inoffensif. Oui, je le préfère à Euthias. Lui pourrait être mon ami.

Et puis, à un moment, je lève les yeux, et je découvre ce regard toujours posé sur moi.

Je redécouvre ce regard toujours attentif.

Celui du premier homme.

Celui qui, sans s'en douter peut-être, m'a fait émerger du bloc de néant dans lequel j'étais enfermée, et qui m'observe maintenant évoluer dans le monde des vivants.

Celui qui me sculpte.

Pour la première fois depuis le début de la fête, et peut-être depuis que nous nous sommes rencontrés dans la nuit ignoble du bordel, son regard, je le lui rends. Aussi long. Aussi profond. Aussi rempli d'une énigmatique demande. D'une demande qui me reste énigmatique au moment même où je la formule et où je crois m'amuser seulement à provoquer un homme en train de me dévisager de manière trop insistante.

Il me fait un signe pour m'inviter à le rejoindre sur sa banquette, où il se trouve seul. A-t-il fait l'amour cette nuit ? S'est-il contenté de regarder les autres le faire ? De me regarder le faire aux autres ? M'attendait-il ? Je m'extirpe des bras d'Hypereïdês qui ronfle de plus en plus lourdement et je vais le rejoindre.

Mais je me tiens sur mes gardes.

Pourtant, au lieu de se jeter sur moi, il commence à me parler. Doucement. Paisiblement. À voix basse. En prenant son temps. En m'invitant à prendre le mien. Comme si j'étais une égale, une vieille connaissance. À mots couverts, pour ne pas m'embarrasser au cas où l'un de nos voisins nous écouterait dans son demi-sommeil, il me rappelle les circonstances de notre première rencontre. Ma silhouette sur la margelle du puits. Cette image qu'il a essayé de retrouver, au moment d'affronter ensemble la nudité de Myrrhina, en me recouvrant les épaules et les cheveux de mon châle pour se confronter à l'appel mystérieux que je lui propose depuis le premier instant. Soudain, il tend sa main droite vers moi. Pas pour me toucher, non, toujours pas. Pour me montrer une bague à son annulaire. Un simple anneau doré, à la taille un peu grossière, mais sur le chaton duquel est serti le profil d'ivoire très délicat d'une femme, qui me rappelle un peu la bague de ma mère, que Manthanê m'avait donnée et que l'on m'a ensuite volée. L'homme me dit : "C'est toi." Il ajoute : "C'est Lêtô." Un bijou qu'il a ciselé lui-même en témoignage de son premier chef-d'œuvre. Tandis que j'observe curieusement les traits du camée, dans lesquels je cherche sans la trouver vraiment une ressemblance avec les miens, il me raconte l'aide providentielle que je lui ai apportée au moment où il désespérait de parvenir à trouver la tête de la nymphe pour achever la composition de son premier groupe. Même si je ne saisis presque rien des tourments d'artiste qu'il évoque, je repense au secours qu'il m'a procuré de son côté sans le savoir, à ce geste du doigt sur ma joue qui m'a tiré du néant. Mais je ne lui en parle pas. Je l'écoute. Dès ce moment, je préfère l'écouter.

Il me raconte sa vie de sculpteur. Si je fais semblant de le comprendre, moi qui me moque de la sculpture, c'est pour qu'il continue à m'envelopper sans bouger du tissu protecteur de ses paroles. Il me dit qu'il est revenu d'Arkadie avec son père depuis quelques mois déjà, après être passé par Delphoï sur le chantier de reconstruction du grand sanctuaire d'Apollôn ravagé par un tremblement de terre. Sur les conseils de Kêphisodotos, il a sculpté une deuxième œuvre importante, un *Satyre versant le vin* qu'ils n'ont pas vendu mais exposé au milieu des chefs-d'œuvre de la rue des Trépieds. Le jeune artiste espère s'attirer par cette publicité la commande officielle d'un des sanctuaires de la cité qui lancera définitivement sa carrière. D'une voix détachée, mais dans laquelle je sens trembler un soupçon d'inquiétude, il me demande si j'ai vu son *Satyre* et ce que j'en ai pensé. J'hésite à répondre, quelques instants pendant lesquels je sens le corps du jeune homme se crisper imperceptiblement. C'est la première fois que je suis confrontée à la vanité d'un artiste, à sa fragilité. Je n'ai pas vu la statue de celui-ci, je n'en ai même jamais entendu parler. Mais je me souviens des leçons de Nikarétê : elle insiste pour que ses filles se tiennent au courant de l'actualité culturelle, les pièces jouées aux deux festivals d'hiver et de printemps, les œuvres exposées dans les temples ou dans les jardins. Moins par plaisir (les femmes comme nous n'ont pas de goûts personnels, elles se contentent de suivre ceux de leurs riches protecteurs) que par conscience professionnelle. Elle m'a souvent répété que les hétaïres qui se faisaient payer le plus cher n'étaient pas les plus belles, comme on pourrait le croire, mais les plus cultivées. Pas seulement parce que leurs riches clients s'ennuient moins en leur compagnie mais parce que, quand ils font l'amour à une femme raffinée, ils ont l'illusion d'investir aussi sa sensibilité, d'aller plus profond en elle qu'en pénétrant seulement son sexe. L'expérience de Nikarétê lui a prouvé à maintes reprises que les hommes, mêmes les plus vulgaires, sont prêts à faire des folies pour posséder non pas le corps d'une femme, mais son esprit. Si l'on ne comprend pas cela, m'a-t-elle dit souvent, on passe à côté d'un des ressorts les plus puissants de notre art.

Soudain, je repense à Lagiskê, l'hétaïre raffinée de tout à l'heure. Elle est allée déjà, j'en suis sûre, faire un tour dans la rue élégante des Trépieds pour admirer le premier coup d'éclat de ce jeune artiste à la mode. Alors, avec une assurance qui m'étonne moi-même, je prétends que je l'y ai accompagnée. Je murmure à l'oreille du Sculpteur inquiet, en retrouvant sans effort cette voix rauque et sourde qui lui a fait tant d'effet lors de notre première rencontre : "Oui, ton Satyre, bien sûr que je l'ai vu, j'ai même été très impressionnée, je ne suis pas parvenue à l'expliquer à Lagiskê sur le moment mais il m'a paru, comment dirais-je, plein d'audace et de maturité." Je crains qu'il ne découvre la supercherie en m'interrogeant plus avant sur les détails de son œuvre, mais il ne se permet qu'un très léger mouvement d'orgueil, avant de se détendre. Je parais avoir trouvé exactement les mots dont ce créateur profond mais naïf avait besoin pour être rassuré. Je préfère ne rien ajouter, par crainte de gâcher mon effet, tout en continuant évidemment à lui adresser le plus admiratif de mes sourires. Lui aussi me regarde un moment sans rien dire. Tout palpitant, les yeux plissés. Soudain, je sens que, dans ce moment de complicité que nous a procuré mon mensonge, il est sur le point de me confier quelque chose d'important. Oui, dans quelques instants, si je ne commets pas d'impair, il va révéler l'idée qui lui trotte derrière la tête depuis le début de cette conversation incongrue qu'il a entamée à la fin d'un banquet avec une simple flûtiste, les yeux dans les yeux, au lieu de me demander, comme les autres hommes, de me mettre à quatre pattes. L'explication de l'étrange conduite, à la fois attentive et distante, qu'il a adoptée à mon égard tout au long de cette fête.

Il hésite encore un peu, et puis il se lance. En quelques mots, il m'explique qu'il s'est attaqué depuis plusieurs semaines à une *Artémis* pour la colonie de Thourioï, en Grande Grèce, la première commande qu'on lui ait passée sans l'intermédiaire de son père. Il a reçu la visite d'un envoyé de cette ville lointaine, et pas n'importe lequel, le jeune acteur tragique Arkhias, l'un des plus doués de sa génération, dont j'ai peut-être entendu parler parce qu'il doit participer au printemps prochain à son premier festival des Grandes Dionysies. Eh bien, dans la tournée préparatoire qui devait l'emmener jusqu'en Orient, jusqu'à Ephésos, l'antique cité de la déesse, et Halikarnassos, la capitale ultramoderne de Mausôlos et d'Artémisia, l'émissaire de Thourioï a fait un détour par Athênaï spécialement pour le rencontrer, lui, Praxitélês. Arkhias lui a même versé un acompte suffisant pour acheter le bloc du marbre le plus précieux, qu'il le laissait choisir en totale liberté. Le jeune sculpteur, fier de commencer à voler vraiment de ses propres ailes, devrait se sentir plein d'énergie créatrice. Pourtant, une deuxième fois, au moment d'échapper à son père, au moment de s'échapper à lui-même pour aller vers du nouveau, il éprouve les mêmes affres d'impuissance que lorsqu'il a conçu sa *Lêtô*. Et, une deuxième nuit où il n'attendait plus rien, voilà qu'il me croise, par un hasard qui ne peut plus en être un. C'est pourquoi il se décide à me confier le projet qui l'obsède depuis le début de cette soirée, ou plus précisément depuis le moment où il m'a aidée à préciser mon attitude de statue habillée face à la nudité de Myrrhina. Plutôt que de me soutirer comme la dernière fois l'esquisse de mon visage et l'énigme de mes sourcils froncés, en me payant pour faire semblant de coucher avec moi, il me propose de louer mes services à la journée. Il ne me demandera rien d'autre que de me tenir debout silencieusement et de l'aider de ma dense immobilité à trouver en lui ce qu'il cherche partout en vain. Je prêterai mon visage à la déesse Artémis, comme je l'ai fait sans le savoir à la nymphe Lêtô. Il sent que je peux l'aider à trouver le secret de la fille, la Chasseresse, comme je l'ai aidé à trouver celui de la mère, la Chassée. Je serai la première femme réelle à poser devant un sculpteur pour incarner une déesse. Mais j'en suis capable. J'ai déjà accompli ce miracle, tout à l'heure, sous sa direction, pour triompher de Myrrhina. Je lui coupe la parole : "Je t'en prie, ce n'était qu'un jeu d'ivrognes ! Tu sais très bien que je n'ai rien d'une déesse !

— Quelle importance ? me répond-il, en me dévisageant avec une acuité qui me met soudain mal à l'aise. Ce qui compte, c'est que, lorsque je te regarde, je sens que je peux voir la déesse. En partant de toi, je peux aller vers elle, tu comprends ?"

D'abord, je ne sais que répondre. Je suis très étonnée de ce qu'il me propose. Flattée, bien sûr, même si je n'ai aucune connaissance en matière artistique, mais aussi presque désagréablement troublée. Dérangée dans l'ordre que je cherche à établir autour de moi, comme je l'ai été tout à l'heure par le plaisir que m'a imposé Euthias alors que je n'en voulais pas. Je me demande si je ne préférerais pas que ce Praxitélês me paye pour coucher avec moi, comme un client normal avec l'hétaïre que je voudrais être. Que me veut-il encore, celui-là, que veut-il tirer de moi, que veut-il me prendre ? Je suis trop pleine de méfiance, et depuis trop de temps, pour me prêter à son jeu. Je ricane : "Pourquoi tu me proposes ça à moi ?" Il ouvre la bouche mais je l'empêche de répondre : "Qu'est-ce que je suis pour toi, en fait ? Rien de plus qu'une petite flûtiste anonyme, n'est-ce pas ? Tu te dis que, pour une colonie lointaine de Grande Grèce comme Thourioï, une déesse modelée sur une putain, c'est bien suffisant ! Mais des filles comme celle que tu cherches, qui soient prêtes à te laisser prendre leur visage en même temps que leur corps, il y en a plein autour de toi. Moi, je n'ai pas envie de ça, je sens que je n'y arriverai pas. Je ne suis pas celle qu'il te faut."

Il se contente de sourire gentiment, se méprenant sans doute sur le sens de mon refus, se disant que, comme toutes les jolies filles de ma condition intermédiaire, flûtistes qui veulent être prises pour des hétaïres plutôt que pour des putains, je tiens à être un peu flattée avant de céder. Alors il se met à me parler de la qualité poétique de ma beauté, qui me rend tout à fait unique. Mais, à sa grande surprise, je ne réagis pas. Même pas par un tressaillement d'orgueil, semblable à celui qui lui a échappé tout à l'heure lorsque je lui ai confié mon admiration pour cette statue que je n'ai pas vue. Un peu déconcerté, il poursuit sa démonstration : "En tant qu'artiste, m'explique-t-il, je dois savoir trouver la beauté partout où elle se trouve. Tu n'es peut-être qu'une esclave aux yeux de la société mais, dans mon échelle de valeurs, parce que tu es divinement belle, tu es placée beaucoup plus haut qu'une fille de la famille des Alkmaïônidaï, qui est pourtant la plus illustre de notre cité ! D'un point de vue philosophique, je suis persuadé que, même si tu es esclave de naissance, tu ne l'es que par hasard. Tu aurais tout aussi bien pu naître fille de rois. C'est pourquoi, ajoute-t-il, je ne chercherai jamais à en savoir plus sur toi, ni sur ton passé ni sur ce qui t'a conduite là, sauf si tu as envie de me le confier. Je ne te poserai aucune question, je te le jure. Pour respecter ton silence, qui est si fort, mais surtout parce que je m'en moque. Parce qu'à mes yeux, tout cela n'a aucune importance. Parce que tu es ailleurs, comme moi. Tu me crois ?" Il est sincère, je le sais. Mais je reste distante. Hostile. Je n'ai aucune envie de prolonger la discussion sur ce point qu'il considère du haut de sa philosophie confortable d'homme libre. Pendant tout son discours, peut-être par gêne, ou pour entamer un rapprochement physique entre nous, il s'est mis machinalement à jouer de ses doigts avec les boucles désordonnées de mes cheveux. J'aperçois la bague. Le profil de femme qu'il m'a volé la première fois qu'il m'a vue. Il se tait. Il paraît attendre ma réponse.

Alors, je lui déclare, en me moquant presque ouvertement de lui : "D'accord, Sculpteur, je veux bien passer quelques heures avec toi simplement pour que tu me regardes. Si tu penses que c'est ça dont tu as besoin, c'est ton affaire. Moi non plus, je ne te poserai aucune question. Comme toi, parce que je m'en moque." Et puis mon sourire se fait cruel : "Mais tu envisages de me donner quoi, en échange de mon précieux temps ?" Sans relever le ton blessant de mes propos, il me rend mon sourire, rassuré. Il m'annonce qu'il me louera pour quelques heures de pose pendant la journée exactement la même somme que je demanderais pour une nuit entière d'amour. Je lui réponds : "Très bien mais ça, c'est pour Nikarétê, ma maîtresse. Tu t'arrangeras avec elle et elle sera sûrement ravie de ces conditions ruineuses. Mais à moi, qu'est-ce que tu donneras ? Pour me prouver qu'à tes yeux je suis plus qu'une esclave, et plus qu'une fille de la famille des Alkmaïônidaï, qui est pourtant la plus illustre de ta cité ?" Il me regarde soudain, avec curiosité, retrouvant peut-être dans ma voix l'écho de l'ironie déconcertante dont j'ai fait preuve la nuit de notre rencontre au Peïraïeus. Il plisse les yeux : "Qu'est-ce que tu veux cette fois ?" Sans un mot, je lui désigne la bague : "Je veux ça."

Dans un réflexe presque enfantin, sa main, s'écartant de mes cheveux, se réfugie derrière son dos. Puis, pour affronter mon sourire moqueur, il me la tend de nouveau, l'air détaché, en m'expliquant que ce camée est une pièce unique à mon effigie, certes, mais d'une exécution très maladroite, comme je m'en rendrai compte moi-même, si je l'examine avec un peu d'attention. Son premier essai en tant qu'orfèvre n'a aucun intérêt, ni financier ni artistique. Un simple souvenir qu'il tient à garder en permanence à son doigt du premier jour où il s'est prouvé que sa main pouvait être celle d'un artiste et pas seulement, comme son père, d'un artisan. "Une sorte de talisman, me dit-il, mais qui n'aurait d'efficacité que pour moi. Tu comprends ?" Je secoue la tête. Oui, bien sûr que je comprends. Un bijou magique, j'en ai eu un, moi aussi. Il conclut dans un sourire, croyant s'adresser à la flûtiste intéressée : "Une bague, ma jolie, si c'est ce que tu veux, je t'en offrirai une autre, beaucoup plus chère. Non, je sais, dès que j'aurai achevé mon *Artémis*, je graverai de nouveau ton profil sur une petite pastille de marbre, la plus précieuse que je pourrai trouver, tiens, je le choisirai du Pentélique pour ses reflets verts et luisants, et je te le ferai sertir sur un véritable anneau d'or fin. Ce sera un bijou vraiment précieux, et tu l'auras mérité, pour toute l'aide que tu m'auras apportée !" Je secoue la tête : "Non, c'est celui-ci que je veux. Sinon, je ne poserai pas pour toi. Je persuaderai Nikarétê de refuser ton offre. Elle m'écoute." Et, sans autre explication, je tends la main vers lui. Vers son talisman. Qui doit devenir le mien. Il me regarde, interloqué. Caprice de jolie fille ? Cupidité stupide ? Médiocrité d'âme ? Ou…

Ou tout le contraire ?

Soudain, il se décide. D'accord. Il ôte son bijou protecteur. Ouvre ma main, l'y fourre, et la referme, très vite, comme s'il avait peur de regretter cette bêtise l'instant d'après. Mais je déplie lentement mon poing et je lui présente la bague bien à plat sur ma paume. Provocation délibérée. Je souffle : "Mets-la moi toi-même au doigt !" Et lui, lui, oh, il s'exécute. En tremblant un peu. En suant. À cause de l'effort de volonté, et parce qu'il ne comprend pas très bien à quoi je suis en train de jouer. Ou parce qu'il le comprend trop bien. Deux gouttes dégoulinent avec lenteur de son front. Elles roulent comiquement, l'une sur le bord de son sourcil, l'autre sur l'arête de son nez. Mais il ne peut pas les essuyer lui-même, ses deux mains prises par le geste que je lui ai ordonné. Alors c'est moi qui les tamponne délicatement, l'une après l'autre, du rabat de ma tunique, avec la même tendresse amusée que j'ai admirée tout à l'heure lorsque la blonde Lagiskê a rendu ce service à son vieil amant, le bavard professeur de philosophie. Je sens, en le faisant, qu'il s'agit de mon premier geste d'hétaïre. Ces hommes-là, les penseurs, les artistes, les faibles puissants, c'est nous qui sommes chargées moins de les faire jouir que de les aider à aller au bout d'eux-mêmes, nous ne sommes pas seulement leurs vraies épouses mais aussi leurs mères, et leurs filles, et nous éprouvons toutes, à les servir, un orgueil stupide et une grande douceur. Le Sculpteur, en tâtonnant, arrive enfin à passer la bague à mon index. Il ne peut pas savoir qu'elle prend la place de celle de ma mère. Mais, une fois qu'il a fini, il garde ma main dans la sienne et je la lui laisse. Je le regarde la regarder. Je prends conscience, en même temps que lui, de la souplesse de mes longs doigts fins, de la douceur de cette peau cuivrée, sur laquelle il pose brusquement ses lèvres, dans un désir aussi soudain qu'impérieux d'entrer en contact avec elle. De la sentir, de la respirer, de s'en imprégner, s'en caresser, s'en délasser, s'en régénérer. Cette peau vivante, cette peau aussi étrangement douce et souple que la vie, parce qu'il avait presque oublié son goût et sa fraîcheur, et qu'il se rend compte seulement maintenant à quel point elle lui a manqué, depuis la dernière fois qu'il l'a touchée la nuit du Peïraïeus. Cette peau vivante dont il se demande s'il arrivera jamais à la rendre dans le marbre. Et je le laisse faire parce qu'il l'a mérité.

Parce qu'il est là où il doit être et où j'ai su le placer. Cet instant de frénésie. Ce baiser à peine contrôlé qui est son premier vrai baiser.

Je suis étonnée moi-même de la façon dont se déroule notre échange, de ce mode particulier de relation qui vient de se mettre en place spontanément pour la seconde fois. Oui, je lui impose de me faire des présents excessifs, déraisonnables, qu'il devrait refuser, mais c'est pour l'obliger à se débarrasser de ce qu'il croyait posséder, afin qu'il soit réduit à chercher une autre richesse en moi et en lui et dans l'écart qui nous lie. Je n'agis pas exclusivement comme une prostituée qui chercherait à dépouiller sans remords son riche client, il y a quelque chose d'autre dans mon insistance à lui demander des cadeaux, quelque chose qui est en accord avec ce qu'il me demande inconsciemment, avec ce dont il a besoin sans le savoir. Quelque chose qui tient plus, déjà, de l'initiatrice, de la muse, de la déesse Isis (dont je ne connais pourtant même pas le nom) que de la petite putain avide. D'emblée, je situe nos relations sur ce mode du don-défi, de la demande-appel, que je réinvente chaque fois que nous nous rencontrons. Dès le premier instant sur la banquette de pierre poisseuse du bordel et encore maintenant sur celle moelleuse du banquet, sans que ni lui ni moi ne comprenions exactement comment je m'y prends. Oui, déjà je commence à m'identifier à celle que je hais, que j'ai appris à considérer comme mon ennemie mortelle. La Grande Déesse de la destruction et de la recréation, celle du fécond carnage des désirs, des richesses et des illusions. Aphrodité.

Cette deuxième nuit, après le don de sa bague, nous commençons à faire l'amour. Et je découvre encore une autre vérité sur lui. Car, dans ces gestes-là, ces gestes physiques, c'est lui qui a le rôle actif, c'est lui qui décide, mais ses désirs, au lieu de me les imposer, il me les suggère avec politesse. Avec des gestes courtois, qui sont presque des caresses, avec des mots cérémonieux, il me demande si je veux bien prendre son sexe dans ma bouche. Au début, je crois que sa déférence n'est qu'une dérision, une façon mesquine de se venger de l'avoir forcé à me donner son bijou talisman. Puis je me rends compte qu'elle cache autre chose que l'envie de se moquer.

Oui, autre chose, mais quoi ? Je me le demande, tout en saisissant la hampe à peine durcie de son sexe dans ma main. Simplement le fait que, comme il me l'a dit un peu plus tôt, il respecte les putains et les flûtistes autant que les femmes de bonne famille et les épouses honnêtes ? Ou bien encore autre chose ? De plus pervers et de plus ambigu ? Nikarétê m'a parlé déjà de ces hommes respectables, dont l'une des fantaisies consiste à s'adresser à une prostituée avec la même déférence qu'ils le feraient à la gardienne de leur foyer, mais pour demander à celle-ci une pratique que celle-là serait en droit de leur refuser, parce qu'elle la jugerait honteuse. Ils trouvent du plaisir à ce détournement du langage, comme si, en introduisant des tournures de phrase urbaines dans un contexte qui ne l'est pas, c'était leur épouse pourtant absente qu'ils obligeaient à leur faire une fellation, à subir la sodomie, ou à les fouetter. Transformer par les mots la putain en épouse, et faire ainsi par les gestes une putain de l'épouse, voilà une volupté subtile que ceux qui nous forcent en nous enfonçant d'emblée leur verge dans la gorge ne peuvent comprendre. Je me dis que Praxitélês est sûrement l'un de ces raffinés frustrés, que ce sculpteur tient lui aussi pour le plaisir courbe.

Pourtant, même si je ne peux deviner tout ce qui passe par la tête de cet homme complexe, je sens que quelque chose d'autre encore, de plus profond, se cache dans son urbanité. Si, au lieu de me l'imposer, il me demande, et avec la plus exquise courtoisie dont il est capable, le seul service qui, à cette heure avancée de la nuit, convienne à son corps fatigué, c'est, me dit-il, parce qu'il a reconnu en moi une qualité supérieure qui transcende mon état. Il a tellement besoin de s'oublier dans la jouissance et je suis la seule qui puisse le comprendre assez pour le soulager de lui-même. Cette déclaration me fait ricaner intérieurement mais, en même temps, elle me touche. Ma fonction est de lui donner du plaisir, et Nikarêtê, ma sévère maîtresse, qui nous observe de loin, me punirait si je ne le faisais pas, si nous nous contentions de parler, mais j'aime qu'il me le demande. Qu'il me déclare, avec une conviction qui me pousse presque à le croire, que ma beauté, même à la fin de cette première nuit d'orgie où il m'a regardée être baisée déjà par deux autres hommes, garde à ses yeux quelque chose de si délicat qu'elle mérite que l'on s'adresse à elle avec un peu de cérémonie.

Et puis tout simplement, sa politesse, à laquelle je ne suis pas habituée, j'en profite. Pour la première fois de ma vie, peut-être, je prends le temps de regarder vraiment un sexe masculin, de très près mais avec distance. D'emblée, ce que je ressens, c'est du dégoût. Incontestable. Presque de la haine. Pourtant celui-ci n'est pas le plus repoussant de tous ceux dont on m'a forcée à approcher la bouche. Il est long, étroit, fragile même dans sa tension, parcouru de veines palpitantes comme le cou de l'animal où le sacrificateur s'apprête à plonger le couteau. Parfumé ? Oui, légèrement. En tout cas, il ne sent pas mauvais. C'est déjà quelque chose. Il n'est pas sale. Quand je le décalotte, son possesseur se met, presque machinalement, à me caresser les cheveux. Je reprends conscience de sa présence, là-haut. Tout en enveloppant son gland de mes lèvres, je lève les yeux vers lui, vers l'homme, vers le maître, vers le possesseur de cette tige de chair, de cette bourse de peau mal remplie et un peu fripée, que je tiens fermement dans ma main. Il pose sur moi un regard supérieur, bien entendu, mais curieux. Et doux. Je le sens à ma portée. À la fois fragile et distant dans sa curiosité même. J'ai soudain envie de le faire descendre un peu vers moi en chutant du haut de son érection, envie de lui donner du plaisir, pour le remercier de ses égards, oui, mais aussi pour l'obliger à s'abandonner. Pas m'en débarrasser le plus vite possible, tellement je n'aime pas ça, mais, pour une fois, m'y attarder jusqu'à tenir cet homme tout entier dans ma bouche. L'amener malgré lui à s'y rassembler, s'y comprimer, et puis le dissoudre, le désagréger. Le faire durcir et puis partir en lambeaux, que seules mes mains seront à même de réunir. Sucer sa queue, oui, en petite putain que je suis, mais lentement, artistement, divinement, comme il dirait, jusqu'à ce qu'il soit obligé de se remettre entièrement à moi. Je ne veux pas qu'il prenne son plaisir malgré moi à travers ma bouche mais le lui consentir avec une générosité royale. Qu'il sache que c'est moi qui le lui accorde en souveraine dispensatrice. Mais, alors qu'on me contraint à sucer des sexes depuis plus de deux ans, alors que j'ai appris quoi faire exactement de mes doigts, de ma paume, de mes lèvres, de ma langue, de mon palais, je découvre qu'en fait, je suis démunie. Malgré toute ma technique de putain, je suis encore totalement novice dans l'art du sexe. Du don et de l'abandon. De la mise à mort consentie, donnée parce que reçue. Oh oui, je suis encore si loin d'être une Chasseresse ! S'il le savait, il ne me demanderait pas de poser en Artémis ! Parce qu'intimement, je suis bien plus vierge qu'elle !

Pourtant l'homme commence à gémir. Dans ma rêverie, je me suis laissée aller à des caresses et des mouvements de langue dont je n'avais encore jamais eu l'idée. Alors je lâche prise. Je me fie à l'inspiration du moment. Je me retrouve soudain seule à seul avec ce jouet de chair. L'enrober de mes lèvres et de ma salive, pour le plaisir, en les faisant très douces, de le sentir devenir encore plus dur, le suçoter entre ma langue et mon palais comme une sucrerie, l'aspirer au fond de ma gorge mais pas trop, juste pour jouer à le dévorer, puis le mordiller du bout de mes dents, juger de sa résistance en faisant semblant de le mordre, le recouvrir et le découvrir de mes doigts, l'astiquer au creux de mes paumes bien serrées, le presser, le pétrir, et l'enfourner de nouveau dans toute ma bouche. Cette chose vivante dans laquelle l'homme se résume et que j'ai le pouvoir de faire changer de forme, la posséder. Avoir plaisir à me l'approprier, de ma bouche et de mes mains que je redécouvre par la même occasion. Là, contrairement à ce qui vient de m'arriver sous les coups de boutoir d'Euthias et de Myrrhina réunis, c'est un plaisir plus limité, plus circonscrit, mais que je domine. Que j'explore avec maîtrise. Toute-puissante. J'entends que l'homme étouffe un petit rire, qu'il murmure : "Oui, comme ça, c'est mieux, oh là là, tu es beaucoup plus douée que je ne le croyais !" Tiens, il ferait mieux de se taire, celui-là, de ne pas dire de bêtises, de ne pas trop me rappeler son existence, s'il veut que je continue à m'amuser avec ce petit bout de lui. Ou plutôt si ! D'accord, qu'il soit là, lui aussi, qu'il fasse le troisième avec moi et sa queue ! Je jette un coup d'œil vers le haut pour voir où il en est exactement. Où je l'ai amené sans y penser. Parce que maintenant je veux y penser. Il a toujours les yeux rivés sur moi mais, si j'y discerne encore cette douceur hautaine que gardent les plus tendres et les plus sensibles, dont ils ne parviennent presque jamais à se défaire entièrement, même à l'instant suprême, il s'y trouve aussi désormais une petite flamme qui vacille, affolée. Je le regarde avec défi. Je lui dis, muettement, mais il comprend très bien le message que mes yeux lui envoient : "Tu vas voir, petit bonhomme, si je suis douée, je suis une artiste, autant que toi, je vais te faire jouir comme on ne te l'a jamais fait !" Il murmure de nouveau : "Oh, là, là, quand tu me regardes comme ça, c'est encore mieux, ça devient franchement... franchement..." Il ne finit pas sa phrase. Il cherche l'adjectif. Mais il ne parvient déjà plus à se rattraper à quoi que ce soit de précis. Je ne le lâche plus des yeux, je ne le laisse plus me lâcher des yeux, je redouble d'efforts et de sollicitude et de soumission à la verge et de prise de possession de la verge et de l'homme qui me regarde au bout de la verge et qui se dresse tout seul au sommet de sa verge exposé à la houle du désir, et qui tente de se retenir, et puis qui est obligé de basculer, de jeter sa tête en arrière, de me quitter enfin des yeux, de m'abandonner dans son plaisir mais sans parvenir à m'échapper parce que, moi, oh oui, je le serre de près ! Il me jouit à longs traits dans la bouche. Avec des sursauts, des mouvements du bassin en arrière, comme s'il voulait me dérober son organe trop sensible. Mais je suis collée si souplement à lui que je l'accompagne dans chacune de ses ruades, et dans chacun des spasmes de son plaisir à l'intérieur de ma gorge. Chacun de ses sursauts d'agonie qui me servent à resserrer encore mon emprise sur lui, comme le sacrificateur qui maîtrise calmement les derniers soubresauts de la bête qu'il vient d'égorger. Ce que j'ai toujours détesté, là, cela me fait presque plaisir, ces giclées du sperme dans ma bouche qui sont la preuve de mon triomphe.

Et puis, j'ai un geste qui me stupéfie moi-même. Il vient à peine de finir de se répandre, toujours allongé sur la banquette, foudroyé, encore pantelant, comme moi tout à l'heure, et j'étais autant que lui maintenant incapable de bouger, mais là, oh, là, je me redresse, je marche à quatre pattes jusqu'à me pencher au-dessus de lui, pour l'embrasser sur les lèvres, bouche contre bouche, et ce qui se passe alors, parmi les derniers fêtards éveillés, personne ne le voit mais tout le monde le devine, je lui fais couler son propre sperme dans la bouche. Quand il le comprend à son tour, il a un ultime réflexe de rejet et puis il s'abandonne. Il avale. Il accepte. Il accepte que ce soit moi qui, à travers lui, éjacule dans sa bouche et non le contraire. Puis il se redresse à son tour, et, s'appuyant sur son coude, crache dans une coupe qui se trouve posée à côté de sa tête sur la petite table. Il regarde avec stupeur le sperme se mêler à la giclée de vin du kottabe qu'il s'est refusé à jouer. Il s'exclame d'une voix blanche, une voix métamorphosée par le plaisir, comme si sa semence avait commencé à féconder jusqu'à ses cordes vocales : "J'ai joui de quoi remplir une coupe, tu es folle ?" Et au lieu de se fâcher, il éclate de rire.

Et je sais très bien qu'il ne comprend rien à son rire. Encore moins que moi.

Ensuite, je me couche entre ses bras, mon dos pelotonné contre son ventre, ma main dans la sienne, en plaquant bien mes fesses sur ses hanches pour l'empêcher de se dégager. Mais il n'essaie pas. Il n'en a nulle envie. Tout au contraire. Dans cette position, nous nous endormons un peu tandis que les esclaves, sans accorder un regard aux hommes libres et aux putains pêle-mêle assoupis sur les banquettes, commencent à ranger silencieusement la salle du banquet avant d'aller enfin se coucher.

Peut-être que, dans mon rêve, je repense à ce qui vient de se passer ?

À ces nouveaux reflets aveuglants d'Aphrodité que je viens d'entrapercevoir, comme une image mouvante, trop brillante, indéchiffrable encore, qui n'a fait que passer et repasser sans que je parvienne à la fixer sur la surface dépolie du miroir de bronze. Ce miroir de peau et de sensations, d'idées fugaces et de souvenirs profonds, que manipule sans précaution la déesse pour se mirer, c'est moi. Ce que j'appelle moi et que je ne comprends pas. Je ne suis pas, je luis.

Ou peut-être que je ne pense même pas à ça, mais à rien ?

Car penser à rien, ou à moi entre les mains de la déesse du plaisir, c'est la même chose.

16

JEUNES FAUVES

Les heures, les jours, les semaines qui suivent mon premier banquet, je ne prends pas le temps de réfléchir aux expériences que j'ai traversées. À ce que j'ai découvert à propos des hommes et de moi-même.

Car je ne me souviens de rien. Enfin !

Ni du présent ni du passé.

J'oublie tout. Vraiment. Mnasaréta ni Thespiaï ne me hantent plus. Libérée !

La seule fois où je tente de reprendre mes esprits, c'est le jour où je demande à Nikarêtê l'autorisation de retourner dans la maison du Peïraïeus racheter avec mes premiers gains la petite Glykeïa. Bien que je sois accompagnée de Mentês, l'homme aux cicatrices, l'aîné des Cerbères, le plus effrayant et le plus rassurant des trois, je ne pénètre pas sans un frisson dans la grande salle humide du bordel. Elle me paraît minuscule mais aussi oppressante que dans mes souvenirs. Alkê, et même le Boskos, me font les honneurs de leurs appartements particuliers, au rez-de-chaussée, deux cellules à peine plus vastes et plus confortables que les autres. Sur leur ordre, mes anciennes compagnes descendent avec mauvaise grâce me saluer. À retrouver ces lieux et ces visages, je palpite littéralement d'angoisse. Le Boskos joue les civilisés. Mais, lorsque je mentionne le nom de Glykeïa, que je n'ai pas aperçue parmi les autres, il détourne les yeux d'un air gêné. Alkêê se hâte de parler à sa place : "La pauvre petite, elle n'était pas faite pour cette vie, surtout après ton départ, alors qu'est-ce qu'on pouvait en faire, tiens, on a réussi à la revendre, à un client assez gentil, dont la femme avait besoin d'une servante, un type d'Oropos, je crois." Je devine que, si elle parle autant, et d'une traite, c'est parce qu'elle ment. Plusieurs secondes d'horreur pure. Je n'ose pas insister. Je m'enfuis. Le Cerbère est obligé de me porter tout le chemin du retour vers la ville, dans ses bras puis sur son dos. Même lorsque je lui demande de descendre, au moment de traverser la foule de l'Agora, afin de ne pas attirer l'attention, mes jambes se dérobent sous moi. Et les mots sortent tout seuls de ma bouche. Je saoule le malheureux de paroles, en lui racontant l'histoire de la pauvre gamine, et la mienne, alors que je ne me suis jamais confiée à personne et qu'il est à peine capable de comprendre ma langue. Pendant tout le trajet, en maugréant, il essuie les larmes qui dégoulinent de mon visage et trempent ses épaules couturées de cicatrices. On sent que ce rude Thrace a fait beaucoup de choses pénibles dans sa vie mais que supporter les débordements de cette fille inconsolable est l'une de celles qui lui pèsent le plus. Pourtant, curieusement, j'ai l'impression qu'à partir de ce jour-là le garde du corps au visage balafré commence lui aussi, comme l'ont déjà fait ses deux acolytes, Adômas et Kistôn, le Tatoué et le Taciturne, à éprouver de l'attachement pour ma fragile personne.

Et, dès la nuit suivante, qui dure plusieurs mois, je me jette de nouveau dans la fête.

Mes amis, c'est-à-dire mes clients, qui sont de plus en plus nombreux, m'appellent Mélitta. "Mélitta chérie, toi qui mérites si bien ton nom, donne-moi encore l'une de tes caresses plus douces que le miel ! Donne-moi du plaisir et prends tout le reste à la place, mon argent et mon amour !" Je leur souris : "Merci, mon chéri", et je ricane à l'intérieur : "Ton argent, tu n'en as bientôt plus, et ton amour, je m'en moque !" Mes ennemis, tous ceux qui ne peuvent déjà plus se payer mes services, toutes celles à qui j'ai volé un amant pour le laisser tomber ensuite, me surnomment Phrynê. La Fille Miel ou la Reine des Crapauds, je les laisse me donner le nom qu'ils veulent. Aucun d'entre eux ne pourra se moquer plus cruellement de moi que je ne le fais d'eux dans le secret de mon cœur. Je m'amuse.

Tout en m'amusant, je deviens l'une des flûtistes les plus lancées de la nuit athénienne. Le prix de ma location dépasse rapidement les deux oboles réglementaires. Au début, les inspecteurs de la ville tentent de faire respecter la loi. Plusieurs jours de suite, nous sommes convoqués dans les bureaux de l'administration publique, afin que l'on procède à un tirage au sort entre les différents candidats qui veulent s'attacher mes services pour la soirée et que les dieux puissent faire ce choix important en toute connaissance de cause. Puis, subitement, plus de convocation. Plus d'engueulade entre deux citoyens furibonds, plus de petit magistrat qui s'arrache ses derniers cheveux complètement dépassé par les événements, plus d'action de grâce lancée à Zeus Hospitalier par le vainqueur, plus de menace proférée par le vaincu de déposer dès le lendemain une plainte pour haute trahison devant l'Assemblée nationale réunie en séance exceptionnelle, plus de badauds qui viennent assister à l'algarade comme à une pièce de théâtre, bref, plus rien d'athénien. Pourtant je suis toujours aussi demandée. En interrogeant mes clients, je finis par comprendre ce qui se passe. Nikarétê a pris les choses en main : elle s'est entendue avec les inspecteurs, dont elle graisse la patte en leur donnant un pourcentage sur les enchères qu'elle organise elle-même. Sous la surveillance des Cerbères, tout se passe sans histoire. Mes prix s'envolent. Même si je ne touche pas un sou de plus que les deux drachmes réglementaires (Nikarétê les défalque avec une honnêteté scrupuleuse des mille que je lui dois), dans ma vanité de petite sotte qui ne pense qu'à s'amuser je me réjouis de mon succès grandissant. Les nuits où nous ne parvenons pas à dormir, au retour des fêtes où nous avons brillé ensemble, Stéphanê, pelotonnée dans mon lit, s'en félicite avec moi. Si je continue à servir aussi docilement notre maîtresse, me murmure-t-elle, celle-ci finira sans doute, dans quelques années, moins de cinq peut-être, par m'affranchir. La voix de mon amie chuchotant à mon oreille vibre d'excitation. Elle doute d'être capable d'obtenir pour elle-même un pareil résultat mais elle est sincèrement heureuse de ma réussite, qui la rend presque encore plus fière que moi. Je lui souffle : "Écoute-moi : je te jure que dans un an, ou même moins, toi et moi, nous serons libres !" La douce, la souple, la docile acrobate sourit. Elle s'effraie aussi. Elle ne veut pas trop désirer par crainte d'être déçue. Elle sait que, quand on est esclave, un peu d'espoir fait vivre mais trop peut tuer. Certaines nuits, mes caresses parviennent à lui faire oublier son atavique prudence. Nous rêvons que, lorsque notre maîtresse nous aura affranchies, nous demanderons à nos amants de nous installer dans deux maisons mitoyennes. Nous passerons notre vie de fête en fête. Nous regarderons d'autres filles s'échiner à lancer le cerceau ou à souffler dans la flûte mais nous n'en jouerons plus que pour notre plaisir personnel. Pendant ce temps, sur les murs de la Double Porte, certains des graffitis en mon honneur s'accompagnent d'une enchère à deux chiffres. Il y a désormais dans la maison une nouvelle petite servante, appelée Herpyllis. J'ai persuadé Nikarêtê de la choisir parmi toutes les gamines qu'un marchand de chair humaine était venu lui proposer, parce qu'elle ressemblait un peu à Glykeïa. Elle m'est très attachée. Par pure forfanterie, je l'envoie chaque jour à la Porte afin de vérifier que mes prix grimpent. Lorsque c'est le cas, même si aucune de nous deux n'y gagne rien, nous dansons de joie. La finaude Nikarêtê nous regarde faire les folles avec bonhomie.

Enfin, un soir, toutes les propositions que l'on me fait dépassent la somme fatidique de huit drachmes et six oboles. L'une d'entre elles atteint même celle de vingt drachmes, plus de dix fois le prix normal, dans une surenchère qui fait jaser tout le quartier chaud. Peut-être le moment que j'attendais depuis plusieurs mois est-il arrivé ? Stéphanê, affolée, tente de m'en dissuader mais je demande audience à ma patronne. Celle-ci me reçoit sans méfiance. Pourtant, je m'efforce de ne pas me laisser plus désarçonner par son sourire bienveillant que par ce regard froid qui m'impressionnait tant à mes débuts dans son école. Avec des précautions, je lui annonce que je cesse officiellement d'être naïve. Désormais, j'exige de garder la moitié de mes gains. Un peu interloquée, elle commence par éclater de rire. Puis elle me rétorque : "Comme je le craignais un peu, ton succès te monte à la tête. Tu oublies un détail : même si tu gagnes de l'argent, même si tes clients te font fête, tu n'es qu'une esclave, et moi ta maîtresse ! Tous tes gains m'appartiennent, à part le petit pécule que je consens à te laisser, jusqu'à ce qu'un jour peut-être je décide de t'affranchir. Mais rien ne m'y oblige. Et cette entrevue ne m'y incline guère." Elle me rappelle qu'il lui suffit de claquer deux fois dans ses mains pour qu'apparaisse l'un des Cerbères qui me rappellera à l'obéissance que je lui dois. Plus aucune bienveillance dans son regard. Rien que l'ancien éclat dur. Que puis-je faire, sinon courber prudemment l'échine : "D'accord, maîtresse, tu as raison, je ne suis qu'une esclave." Puis redresser aussitôt la tête, en la regardant par en dessous : "Mais pour combien de temps ?" Et ajouter, avant qu'elle ne me coupe la parole : "Si tu ne consens pas à ce que je demande, je serai désespérée, je ne ferai plus aucun effort, et tu ne récolteras bientôt plus que deux drachmes par soirée, comme avant. Pourquoi ne pas profiter plutôt de moi, maîtresse, pas seulement de ma jeunesse, de ma fraîcheur, mais aussi de mon désir féroce de m'en sortir ? J'ai écouté tes leçons, maîtresse, je suis la meilleure de tes élèves : si tu ne me laisses pas gagner mon argent, un jour ou l'autre je parviendrai à convaincre l'un de mes clients de m'affranchir. Il négociera avec ton mari, de citoyen à citoyen, et vous finirez par baisser mon prix. Or, tu sais à quel point je suis orgueilleuse. Ce que je veux, c'est racheter moi-même ma liberté. Moi, je ne marchanderai pas. Tes mille drachmes, tu les auras, et plus vite que tu ne le penses, si tu me laisses faire, si tu me laisses commencer à prendre mon indépendance et me dire que, par mes efforts, je pourrai un jour m'affranchir moi-même. Crois-moi, ma chère Nikárétê, tu y gagneras autant que moi !"

L'aspect le plus provocant dans ce petit discours que je prépare depuis des semaines, coupe de vin après coupe de vin, question aimable posée à un riche prétentieux après réponse aimable donnée à un pauvre crétin, giclée de sperme après râle d'abandon, ce n'est pas de lui parler argent, mais de l'appeler "ma chère Nikárétê". Je sens qu'elle est offusquée par ce ton direct que j'emploie pour la première fois. On prend vite l'habitude d'être traité en maître par des esclaves, même quand on l'a été soi-même. Ses yeux se plissent de colère. Elle caresse l'idée de me balayer d'un geste de la main, et de donner l'ordre à l'un des Cerbères, à Kistôn le Taciturne, de monter cette nuit à l'étage du dortoir, un lacet à la main, pour m'apprendre définitivement le prix du silence. Mais cette maîtresse femme a appris à ne jamais céder à ses désirs, même à celui très doux de la vengeance. C'est le principe qui lui a permis de réussir dans la vie. Alors elle commence à réfléchir. Je l'ai tant observée, pendant ces mois de formation où elle me cassait et me reconstruisait méthodiquement, que je peux deviner ses pensées. Elle se demande s'il ne vaut pas mieux rester en bons termes avec moi, afin que mes futures relations dans le grand monde puissent un jour lui être profitables à elle aussi. Ce côté froidement calculateur de Nikárétê, c'est celui pour lequel je l'admire depuis que je lui appartiens. Mais je crois discerner aussi dans son attitude un sentiment nouveau qui ressemble à de la considération. Voire à une certaine jubilation, en me découvrant capable en quelques mois non seulement de vendre aux hommes vingt drachmes ce que j'étais forcée de leur accorder pour une obole, mais encore de lui réclamer ma part du gâteau. Néanmoins, elle parvient à se contrôler, ne m'adressant qu'un sourire poli mais froid. Elle tient à me montrer que, s'il n'y a plus de relation d'inégalité entre nous, disparaît aussi cette étrange tendresse maternelle qu'elle commençait à me manifester. Partenaires commerciales. Parfait, je préfère. Je lui rends son sourire. Le mien est copié sur le sien, comme tout le reste, mais il dépasse déjà de beaucoup son modèle : un peu moins forcé et bien plus élégant.

À partir de ce moment, j'occupe une position à part dans son "école". J'ai une chambre à moi, à l'étage du bas, une servante, Herpyllis, attachée à mon service exclusif. Je suis à demi indépendante, bien que je ne sois liée à aucun amant en titre. La docile Stéphanê n'ose plus venir me voir la nuit, parce qu'il faudrait prendre le risque de descendre l'escalier pour me rejoindre dans ma chambre. C'est moi qui, au petit matin, de retour d'une fête, monte la trouver dans le dortoir. Elle me souffle, tandis que je me glisse dans son lit : "C'est dangereux, tu sais, elle nous surveille." Je lui réponds, presque à voix haute : "Je m'en fiche." Et je l'oblige pour une fois à jouir sans mesure. Mais je sens que, désormais, je fais peur à l'acrobate. Je ne plie pas, j'essaie de courber les choses à ma volonté, j'oublie le secret d'esclave de la souplesse, je suis dangereuse. Autant pour moi que pour ceux qui oseraient m'aimer.

L'été qui suit mon premier banquet, je vois souvent le Sculpteur. Comme nous l'avons convenu, il me loue à la journée pour me faire poser dans son atelier, qu'il dirige pratiquement seul, Kêphisodotos passant le plus clair de son temps à la campagne depuis que son fils a obtenu sans lui la commande de l'*Artémis*. Praxitélês ne fait pas l'amour avec moi. Jamais. Interdit. Et c'est une grande déception. Car je m'ennuie à mourir en sa compagnie. Je ne retrouve rien de cette complicité muette fondée sur le défi qui nous avait unis lors de nos deux premières rencontres.

Pourtant, au début, flattée de fréquenter un artiste, je me suis prêtée au jeu avec beaucoup de bonne volonté. Je pensais qu'il allait me proposer de participer à son travail mais il ne m'en montre rien. Il me demande seulement de rester debout pendant des heures dans un coin d'une vaste salle saturée de poussière, où la chaleur est insupportable. Parfois, il ne fait rien d'autre que me regarder avec une intensité qui ressemble à de la colère. En plus, je dois brandir un arc. Totalement ridicule. Je ne sais pas du tout me servir de cet objet encombrant, qui pèse dix quintaux au bout de mon bras tendu et dont la corde me cisaille les doigts. Être Artémis, rien de plus désagréable ! La seule chose qui m'a toujours plu chez la fille de Lêtô, c'est qu'elle se débarrasse de tous ceux qui prétendent la contraindre, et voilà que, cette liberté enviable de la chasseresse, j'en suis privée même quand je l'incarne ! Je suis forcée de rester plantée devant un type hostile qui m'observe pendant des heures et n'a jamais l'air content de ce qu'il voit ! Tiens, si j'étais vraiment la déesse, je me serais retournée vers lui depuis belle lurette pour lui décocher une flèche entre les deux yeux ! Mais il s'est bien gardé d'en placer une seule dans ce carquois vide, dont la bretelle m'empêche de respirer en me passant en travers des seins. Ou bien je me serais enfuie dans la forêt. Mais je ne suis qu'une pauvre flûtiste ! Même pas une hétaïre, rien qu'une petite putain obligée d'incarner la plus vierge des déesses ! Pendant des heures, je remâche l'absurdité de mon destin. Parfois, le Sculpteur bondit vers moi en grognant, pour modifier sans un mot d'explication telle ou telle inclinaison de mon bras, ou la position de ma cheville gauche, qu'il soulève sans ménagement. Parfois aussi, il se met, tout en me jetant des coups d'œil encore plus furibonds, à pétrir un morceau de glaise posé sur un établi devant lui. Puis il entre dans une colère noire et détruit la chose informe qu'il a eu tant de mal à ébaucher. Je ne comprends pas ce qu'il fait, ce qu'il cherche, pourquoi il ne corrige pas patiemment la forme donnée au bloc de glaise, sans s'énerver, jusqu'à obtenir une ressemblance à peu près acceptable. Attend-il l'élan, ce moment où l'on est soulevé hors de soi que j'ai déjà ressenti une fois en dansant devant Manthanê et une autre fois en jouant de la flûte devant les Athéniens rassemblés pour mon premier banquet ? Si ce sculpteur mal embouché avait l'idée de demander des conseils à son modèle, je lui expliquerais, moi, comment faire l'artiste : lorsque je travaille un morceau de musique, je le mets patiemment en place, et c'est seulement ensuite, au moment de l'interpréter, que je cherche à m'envoler ! Alors que j'aime tant à rester immobile, je me sens, à partir du moment où ce tyran me l'impose, des envies irrésistibles de bouger. Alors que j'aime tant à rester silencieuse, je me sens, lorsqu'il s'impatiente même du souffle de ma respiration, des envies folles de raconter n'importe quoi.

D'ailleurs, je perçois bien que lui non plus n'est pas satisfait de notre tentative de collaboration. Ce qu'il cherche, en forçant à cette immobilité de statue une femme de chair et d'os, il ne le saisit pas lui-même, alors comment pourrait-il l'expliquer à quelqu'un d'autre ? Il se demande s'il est vraiment le premier sculpteur à faire poser un modèle. Sûrement Pheïdias et les maîtres que son père admire étaient-ils capables de se passer totalement d'une présence réelle pour atteindre à la beauté idéale. Mais les autres, les médiocres qui l'ont précédé, peut-être ont-ils déjà éprouvé le besoin de se rassurer en plaçant devant eux un corps dont la grâce les avait frappés ? Néanmoins, la pose ne devait être pour eux qu'un prétexte : ils devaient rapidement s'écarter de la personne qu'ils avaient sous les yeux et se servir simplement des quelques détails qui les avaient marqués pour aller vers une nouvelle occurrence, à peine différente, de la beauté classique, dont ils respectaient globalement les proportions et les formes apprises. Tandis que lui, il s'intéresse à la singularité ! Non, non, ce n'est pas exactement cela non plus. En fait, il ne cherche pas l'individualité concrète d'un être réel mais un je-ne-sais-quoi d'impalpable qui se situerait à mi-chemin entre elle et lui, et qu'elle lui permettrait seule d'atteindre, parce qu'il ne la trouve plus dans les canons de la tradition. Il ne se satisfait déjà plus des types admis de la représentation, parce qu'il cherche instinctivement quelque chose de toujours plus souple, plus fluide, plus alangui, plus indécis, et le charme extérieur de certains êtres, qui le frappent sans qu'il sache bien pourquoi, est le seul moyen d'accéder à cette beauté fragile qu'il sent palpiter à l'intérieur de lui. Le corps de l'autre comme unique porte d'accès à son âme. Et tout ça de façon empirique, sans règle. Les calculs des proportions, qu'il sait aussi bien que ses collègues, ne viennent qu'après.

Ce qu'il expérimente en se plaçant pour la première fois délibérément devant une femme réelle, ce serait déjà très compliqué de l'expliquer à un homme du métier. Alors à une petite flûtiste, dont la grâce silencieuse est bien sûr en lien avec cette quête, mais qui, à part cela, lui paraît si futile, si obtuse, si bête ! Mon corps, au lieu d'être comme il le souhaitait un appui pour se projeter plus loin, devient dans la pose, par sa pesanteur, sa raideur, un obstacle. Je ne l'aide pas, je le gêne. Il hésite. Il piétine. Il perçoit clairement mon impatience grandissante. Elle le trouble encore plus, l'exaspère, le prive de ses moyens. Il me paie très cher pour être pendant quelques heures un mannequin vivant, une énorme boule de glaise, alors ma maîtresse pourrait avoir au moins l'autorité de m'imposer l'immobilité absolue. S'il ne peut pas s'expliquer avec moi, parce que je ne comprendrais rien, il faudra qu'il mette les choses au point avec Nikarétê !

Pourtant, alors même que l'échec devient de plus en plus patent, il ne parvient pas à se détacher de moi, à prendre la décision, puisque malheureusement il a besoin d'un modèle, de se tourner vers une autre femme. Qu'est-ce qui l'en empêche ? D'abord des considérations pratiques. Pas évident d'arriver à mieux avec une autre hétaïre. Aussi frivole que celle-ci mais plus banale, comment arriverait-elle à incarner une vierge farouche, qui n'est justement pas une femme avertie mais une toute jeune fille sur le point seulement de devenir une femme, et d'autant plus dangereuse qu'elle craint de perdre, dans ce passage où elle se risque, son seul trésor, son intégrité, en passant sous le joug d'un homme ? Comment demander à une professionnelle du plaisir comme Myrrhina de redevenir vierge ? Peut-être une fille de naissance libre, éduquée à l'ancienne, pudique, orgueilleuse, pourrait-elle lui proposer ce qu'il cherche, si elle parvenait à saisir que la sauvage Artémis lui parle d'elle ? Mais il sait bien qu'il n'aurait aucune chance d'obtenir de son père ou de ses frères l'autorisation de faire poser une Athénienne de bonne famille. Jamais l'austère Phôkiôn par exemple n'accepterait de lui confier la moindre de ses nièces. Alors une orpheline, élevée par une mère pauvre, mais que la misère n'aurait pas encore trop abîmée ? Non, ce ne serait pas non plus satisfaisant. L'Artémis dont il rêve vit en pleine forêt, elle chasse les bêtes parce qu'elle en est une elle-même. Cette nuance de sauvagerie-là, aucune fille de l'Attique, ni citadine ni même paysanne, ne pourrait la lui transmettre, trop sage, trop civilisée et depuis trop de siècles.

Or, toutes ces caractéristiques contradictoires, cette extrême jeunesse et cette puissance très ancienne, cette fragilité, cette nervosité, cette violence, cette sauvagerie originelle et cette pudeur, il pressent que je peux lui en ouvrir l'accès. Que je les possède encore. Mais plus que pour quelques mois sans doute. Déjà je ne sais plus rester silencieuse, déjà je commence à avoir envie de bavarder à tort et à travers, ainsi que j'ai tenté de le faire avec lui à deux ou trois reprises, parce que mes stupides amants ont dû m'apprendre que c'était séduisant. Quel gâchis : moi qui suis une Artémis native, venue tout droit d'il ne sait quelle montagne lointaine, comme le révèlent ces morceaux de flûte que je me mets parfois à souffler sans raison, je commence à être civilisée. Humaine. Gâchée par la cité, par l'atmosphère courtoise de ses banquets. Pourtant, il me reste quelques-unes de ces brusques envolées de biche qui font partie intimement de la déesse des forêts. C'est dans mes dérobades, dans mon refus de poser qui l'exaspère et l'empêche de travailler, que je suis la plus intéressante. Oh, se dit le Sculpteur, en soupirant furieusement, parce que cette sotte, désormais aussi incapable que les autres d'une vraie concentration, ayant perdu la densité intérieure qui lui permettrait de s'offrir comme objet de contemplation, vient encore de changer la pose, et de modifier l'équilibre des lignes en bougeant son arc, c'est trop compliqué ! Trop difficile ! Il n'arrivera jamais à trouver la position juste ni moi à la garder.

Mais il refuse d'abandonner. Il s'acharne sur son modèle, contre son modèle, pour d'autres raisons plus profondes encore. Parce qu'il se souvient de sa première réussite, du visage de Lêtô qu'il m'a volé et qu'il a réussi à emporter loin de moi, creusé à la hâte dans sa mémoire mais surgissant sous ses yeux dès qu'il les fermait, jusqu'à l'atelier de Mantineïa où il a pu le fixer définitivement dans le marbre, en s'attirant les louanges étonnées de son père. Il se souvient de quelque chose d'autre de plus troublant encore : le corps tordu de la flûtiste sous les coups de boutoir du jeune homme lors du banquet, sous les doigts de l'autre hétaïre, sous les flèches de sa propre volupté. Il a encore dans l'oreille mes cris suraigus de bel animal affolé se débattant dans le piège du plaisir. Oui, se dit-il, ce corps possédé, ces cris d'angoisse autant que de jouissance, ils font partie profondément d'Artémis, ils sont la hantise de la déesse vierge, ce à quoi elle veut désespérément échapper. Ce filet du désir masculin dans lequel, si elle s'y empêtre, la Chasseresse se métamorphosera à son corps défendant en bête chassée. En biche voluptueusement (pour l'autre mais pour elle aussi) égorgée. Elle s'offrira à l'étreinte du prédateur et son sang sera bu, dans les soubresauts de l'agonie, à même les lèvres palpitantes de sa blessure. Elle consentira à être dépecée vivante et dévorée toute crue par son vainqueur. Pour éviter cela, qu'elle pressent, qu'elle redoute, qu'elle espère, la déesse des forêts, lorsqu'elle se risque à la lisière de la clairière, préfère sortir très vite les flèches de son carquois et transpercer de loin celui qui l'aura surprise à son bain solitaire de lumière. Lui jeter ce trait, qu'elle porte toujours avec elle, plutôt qu'un regard en réponse au sien, pour ne pas courir le risque mortel de souhaiter qu'il vive et qu'il s'approche. Cette réaction-là, ce jeune sang qui ne fait qu'un tour, lorsque la fille comprend qu'il s'agit de sa vie ou de sa mort, de sa liberté ou de son esclavage, cette décharge d'agressivité féminine retournée comme une flèche vers ce désir qui la menace, c'est peut-être ce que le Sculpteur voudrait faire deviner dans le geste suspendu de son *Artémis saisissant son arc*. C'est peut-être ce qu'il devine en moi, la petite flûtiste plus fragile et plus farouchement silencieuse que les autres. Ma hantise d'être dépossédée, voilà ce qu'il voudrait me voler.

Et aussi me révéler.

Mais évidemment, il n'y parvient pas.

Et moi, l'esclave, la fille de plaisir futile qui ne me doute pas que cet artiste incapable de s'expliquer a tout compris de moi mais qui sait seulement qu'il m'ennuie à mourir, je soupire et je m'impatiente. Au début de l'automne, je n'accepte plus ces séances de pose que sur les injonctions expresses de Nikarétê. Je n'en attends plus rien.

Autant je me morfonds avec le morose Praxitélês, autant je m'amuse avec l'exubérant Hypereïdês. De tous mes clients, il est celui qui me loue le plus souvent. Il a commencé sa brillante carrière de "logographe" et je suis le clou de chacune de ses fêtes. En ma compagnie il lui est particulièrement doux de jeter par les fenêtres l'argent gagné à défendre l'innocence incontestable d'un citoyen violeur, l'honneur bafoué d'un métèque qui s'est fait rouler en achetant un garçon, le droit inaliénable et sacré d'un propriétaire disputant à son voisin les limites d'un champ de navets. Ses connaissances d'un soir viennent en foule boire son vin et écouter sa flûtiste préférée. Rares sont ceux qui, comme le bel Euthias, l'aiment assez pour lui reprocher de commettre son talent dans des affaires de droit privé indignes de lui, au lieu de le mettre au service de l'intérêt général. Hypereïdês leur répond, dans un éclat de rire auquel je fais volontiers écho, qu'après mûre réflexion, l'intérêt général, il s'en moque. D'ailleurs, la cité n'a pas l'air d'avoir besoin de gens qui s'en soucieraient. "Et puis, dit-il à Euthias, tu es déjà là ! Avec ta belle gueule, tes grands principes et tes épaules d'athlète, tu n'auras pas de mal à balayer les politiciens qui encombrent la tribune. Quant à ces procès minables que je gagne, mes censeurs peuvent les critiquer mais ce sont eux qui me permettent de traiter royalement mes amis. Même les vrais, même ceux qui, comme Kratês ou comme toi, ont un cœur désintéressé et une bourse vide ! Alors buvons ! Mélitta va nous jouer un petit air doux comme le miel, et puis, toi et moi, camarade, nous allons la regarder danser comme elle le mérite, en silence !"

Ce garçon-sanglier, lui et son avidité, son groin, ses poils exubérants, plus je les fréquente, plus je les apprécie. Il trouve un grand plaisir à me faire amicalement l'amour ou à me laisser le lui faire. Je sais qu'il se ruine aussi pour Myrrhina, dont il me raconte en long et en large les prouesses sexuelles, afin d'exciter mon ardeur au combat, et pour quelques autres, dont il ne me dit rien, parce qu'il se doute que je les trouverais nulles. Il met un point d'honneur à s'épuiser entre nos bras multiples mais je crois que ce qu'il aime, en réalité, plus encore que l'amour, c'est la fête. Certains soirs, il sait qu'il est en train de s'embarquer dans une beuverie lamentable ou dans une dérive risquée à travers le quartier chaud du Port mais il ne peut pas s'empêcher de larguer les amarres. Nous sommes faits pour nous entendre. J'aime m'amuser avec une rage encore plus féroce que la sienne. Pourtant, ce que mon ami l'orateur préfère par-dessus tout, ce à quoi je trouve moi aussi, à ma grande surprise, un plaisir très doux, c'est, après la fête et après l'amour, bavarder. De tout et de rien. Mais juste lui et moi. Il s'amuse à me faire parler, et moi la silencieuse, je me plais à lui répondre.

Pourtant nos relations ont très mal commencé de ce point de vue. Dès notre deuxième rencontre, il commet l'erreur de m'interroger sur mon passé afin de s'apitoyer sur mon sort. Aussitôt, je me referme. Je lui donne l'ordre d'une voix sans réplique de ne plus jamais aborder le sujet. Il n'ose pas protester, tout en se disant que c'est incroyable, quand même, de se laisser enguirlander par une petite esclave, surtout quand on la loue aussi cher. Comme il est plus fin qu'il ne veut le paraître, il sent bien qu'il s'agit de tout autre chose que d'une bouderie de fille publique, furieuse d'être ramenée à un passé peu reluisant. Qu'il y a là un secret, dont je n'ose pas m'approcher, alors qu'il se trouve au centre de moi-même. Il se jure de tout faire à l'avenir pour éviter que cette jeune beauté fantasque, si drôle et si malheureuse, ne replonge à cause de lui dans un silence dont on ne sait jamais ni où ni quand elle sortira.

Alors, la nuit suivante où il réunit assez d'argent pour que j'accepte, à contrecœur, et sur l'ordre de Nikárêtê, de danser de nouveau devant lui et ses amis, dès le début du banquet, il me prend à part. Il s'engage à ne plus jamais me questionner. Il tient promesse. Il ne se délecte plus que de mes aventures récentes avec mes autres clients. Quand je me sens en confiance, et je commence à l'être de plus en plus entre ses bras velus, j'ose parler. Je révèle un esprit satirique qui me surprend parfois moi-même, dont je m'amuse comme s'il n'était pas le mien. J'ai, lorsque j'improvise, des formules assassines pour me gausser de la prétention de tel ou tel, du luxe vulgaire de sa maison, de ses fausses largesses ou de ses lubies sensuelles. Mais mes récits sont toujours brefs. Des portraits tracés à la pointe sèche du stylet. C'est Hypereïdês qui, ensuite, devant le groupe de ses amis, leur donne de la couleur et de l'ampleur, du brillant, comme le peintre qui rehausse la composition de son élève. Je l'écoute, charmée de retrouver mes propres anecdotes, mais transformées, élargies, rendues à la fois plus souriantes et plus significatives. Un soir où je l'en félicite sans trop d'ironie, il m'assure qu'il y trouve lui aussi son profit. À broder ainsi à partir de mes confidences les plus crues de fille de plaisir, il expérimente une autre vérité que celle de la forfanterie masculine qu'il connaît si bien pour en être lui-même la victime. Il a l'impression de poursuivre dans mes bras sa formation d'avocat. Je suis l'un de ses trois maîtres de vérité : si le vieux Platôn lui a appris la philosophie et le vieil Isokratês la politique, la toute jeune Mélitta lui apprend la société, dont elle lui montre les dessous peu reluisants.

Quand j'ai fini de lui raconter mes nuits, c'est lui qui prend le relais. Je trouve moi aussi beaucoup de plaisir à l'écouter revivre ses procès ou ses virées nocturnes entre garçons dans d'autres quartiers que ceux que je fréquente. Ou bien les mêmes quartiers mais vus par un homme, vus par lui, avec son énergie, son appétit. Hypereïdês est doué pour la vie. Il est doué pour le plaisir, beaucoup plus que moi. Il m'en donne la nostalgie. Je découvre, serrée dans les bras un peu trop robustes de ce garçon, dans ses murmures un peu trop joyeux, tandis que nous reposons tous les deux allongés sur le lit d'une salle de banquet, et qu'autour de nous les autres convives ahanent encore ou ronflent déjà, ce que je n'aurais jamais cru possible avec un homme : l'amitié. L'amitié amoureuse. Non, pas amoureuse, mieux que ça, l'amitié vénale : désintéressée et fraternelle. Lorsqu'il chuchote à mon oreille, tout en prenant doucement entre deux de ses doigts velus la pointe d'un de mes seins menus, je m'adoucis, je m'amollis, je m'attendris comme je ne me doutais pas moi-même que j'en étais capable. En plus, il me paye pour m'oublier, ce qui me rend l'oubli plus délectable encore.

Une nuit, je m'égare dans nos murmures confiants jusqu'à faire descendre la main de mon ami garçon entre mes cuisses. Là, c'est quelque chose d'autre qui commence de nouveau à s'ouvrir. Là, c'est la fleur liquide qui déploie ses pétales vers l'intérieur, le calice dans lequel je commence à me noyer, la plante carnivore qui me lèche les babines et réclame avidement son pesant de chair fraîche, celle du garçon, la mienne. Mais voilà que cet idiot s'arrête pour une fois de murmurer. Il fait le curieux, l'attentif, au lieu de laisser les choses aller d'elles-mêmes. Malgré ce qu'il m'a dit de son expérience des hétaïres et des prostituées, il paraît découvrir cette caresse. Il se montre trop ostensiblement zélé, trop maladroitement répétitif, trop rivé sur le bord pour me plonger tout à fait dans mon lac intérieur. Vite, je reviens à moi. Je me dépêche d'écarter sa main, de faire glisser son sexe durci à l'intérieur de mon ventre, pour qu'il oublie ce que j'ai tenté de lui montrer en se laissant embarquer dans les oscillations de son égoïste plaisir. Néanmoins, bien que jeune homme, il est rempli à mon égard de beaucoup de curiosité. Quand il a un peu repris ses esprits, il me souffle : "Intéressant." Il ajoute : "Il faudra que tu me montres comment te faire ça jusqu'au bout une autre fois." Je promets, tout en me jurant à moi-même le contraire. Mais ce sanglier-là, que les autres hommes commencent à redouter pour sa brutalité, pour les emportements injustes où le pousse parfois son sens même de la justice, pour ses imprévisibles éclats de colère, je commence à l'aimer, moi, pour sa douceur. Pour son envie d'aller mettre son groin et ses doigts dans tous les endroits où les autres ne vont pas. Je commence à le chérir. Comme un frère. Non, les frères chez nous ne savent pas aimer. Alors comme qui ? Je ne sais pas.

Pendant cette première année de mes débuts à Athênaï, je me plais aussi en la compagnie d'Hypereïdês parce qu'il me permet de rencontrer peu à peu ses amis. Me faisant entrer en fraude dans ses rêves de garçon, il me permet d'échapper au petit monde des flûtistes et des hétaïres, dont je ressens déjà l'étroitesse. Grâce à lui, je me mets à fréquenter ceux qu'il appelle, avec une dérision joyeuse qui cache sa fierté, la "bande des cinq", les "nouveaux Athéniens", les "jeunes lions d'Athênaï". Ils se veulent les plus beaux, les plus ardents, et les plus impérieux représentants d'une génération de jeunes gens en colère. L'abaissement moral de leur cité les rend tellement furieux qu'ils ne savent pas encore si elle méritera qu'ils se battent pour lui rendre sa dignité ou s'il leur faudra tracer leur chemin vers l'épanouissement en dehors d'elle. Peut-être, se disent-ils, serons-nous les premiers Athéniens à ne plus rêver d'Athênaï ? À considérer que les principes les plus sacrés de la démocratie ne sont que des mots d'ordre désuets, qui n'ont plus aucune valeur tant ils ont été galvaudés ? Ces jeunes gens trop remuants se sentent à l'étroit dans le cadre de la vieille cité mais ils ne savent pas encore par quoi il leur faudra la remplacer. À cette époque-là, ils m'amusent, ils me charment, mais je ne les prends pas vraiment au sérieux. Je les considère seulement comme des fils de famille prétentieux, dont je n'écoute le spirituel bavardage qu'autant qu'il m'est nécessaire pour leur soutirer leur argent, ou celui de leurs parents.

L'un d'entre eux, pourtant, me paraît différent des autres. Aussi intéressant qu'eux et encore plus exaspérant. Il s'appelle Kratês. Plus jeune de quelques années, il n'a pas rencontré ses camarades pendant leurs deux années de formation militaire mais à l'école de Platôn. Car la première chose étonnante le concernant, c'est qu'il soit intimement lié à ces jeunes Athéniens, alors qu'il est Thébain. Les deux cités se vouent une haine féroce dont Hypereïdês m'explique volontiers l'origine : quatre ou cinq générations auparavant, lors de la grande guerre contre l'Empire perse, Thêbaï a préféré s'allier avec les Barbares plutôt que de se ranger sous les ordres légitimes d'Athênaï. Mais je me doute que cette trahison n'est qu'un prétexte. En réalité, les deux voisines se détestent depuis toujours parce qu'elles se ressemblent et que chacune veut la même chose : dominer la Grèce. Kratês, bien qu'il y soit né, méprise Thêbaï plus encore que ses copains athéniens. Il méprise aussi Athênaï, même s'il n'ose pas encore le leur dire en face. Il méprise toute cité. Tout lien social. Kratês ne se dit pas, comme certains des sages dont il est venu suivre l'enseignement, un "cosmopolite", un "citoyen de l'univers". Non, citoyen, c'est encore trop pour lui. Juste un "clochard de l'univers".

Cet étrange jeune homme, d'après ce que me raconte Hypereïdês, était autrefois l'unique héritier d'une famille richissime. Mais un jour, quelques semaines après la mort de ses parents, il se rendit au théâtre, pour assister, au milieu de tous les Béotiens obtus qui se prétendaient ses amis, à la représentation d'une pièce de l'Athénien Euripidês. Celle consacrée au roi paria Têlêphos. Il vit se dresser devant lui le souverain en guenilles, le guerrier dont la blessure puante ne guérit jamais, le boiteux mis au ban de la société, et il l'entendit non pas se lamenter mais se glorifier de cette misère qui lui permettait de vivre plus près de l'état de nature, dans un dénuement forcé et radical. Il comprit aussitôt, foudroyé par la révélation, que ces paroles-là ne s'adressaient dans cette foule qu'à lui. Que ce manteau déchiré serait le sien et le vagabondage de l'ancien roi sa recherche exclusive. Il l'annonça publiquement, on se moqua de lui, il vendit tous les biens de sa famille pour réaliser presque deux cents talents d'argent, on cessa de se moquer. Mais, au lieu de les distribuer à ses proches, en fou encore un peu raisonnable, il s'en débarrassa au hasard, dans la rue. Ses caisses entières de pièces d'or, il se mit à les jeter à pleines poignées derrière lui tout en marchant. Sans se retourner ni regarder quels seraient les insensés qui se pencheraient pour les ramasser et qui s'entretueraient pour en avoir plus. Il fit ainsi deux ou trois fois le tour de la ville en semant à la volée son argent pour récolter la pauvreté, au milieu d'un attroupement de plus en plus énorme. Quand le creux de sa tunique fut vide, il se mit tout nu. Ne gardant pour le voyage qu'un manteau de laine râpeux, il franchit l'une des Sept Portes, sous les huées de la foule qui se rendait bien compte qu'il lui avait distribué sa fortune non par générosité mais par mépris. Il marcha, à travers la montagne et la plaine, tout droit vers la patrie d'Euripidês et de Sôkratês, qui lui aussi ne possédait qu'un manteau. Il y arriva aussi loqueteux, éclopé et heureux que Têléphos. Prêt, dès qu'il aurait refait ses forces, à jeûner avec férocité et nourrir son âme exclusivement de philosophie. Ce type-là, ce mal élevé, ce mal lavé, s'il m'intrigue, c'est peut-être parce qu'il est exilé, comme moi. Loin de son destin tout tracé, dont il s'est arraché de son propre mouvement. Le premier que je vois tenter de vivre libre, en dehors de tout lien avec la cité, au cœur même de la cité.

Mais lui ne recherche assidûment ma compagnie que pour pouvoir se payer ma figure. Gifler mon joli minois de ses sarcasmes, c'est sa façon de prendre du plaisir. Au début, sans méfiance, pensant qu'il va s'en réjouir comme les autres, je lui témoigne de la curiosité. Et même une certaine attirance. D'autant plus méritoire pour une fille comme moi qu'il est pauvre et qu'il paraît n'avoir aucune envie de remédier à cette tare. Je découvre vite que le seul luxe qu'il s'autorise, c'est celui, gratuit, de m'injurier en public. Il m'adresse la parole sans l'urbanité qui caractérise les fêtes de la bonne société athénienne, sans ce raffinement de simplicité et d'enjouement dont ses membres sont si fiers qu'ils se font un devoir de la respecter en toute occasion, même lorsqu'ils sont adversaires déclarés. Ces Athéniens trop polis peuvent, le jour, se déchirer à l'assemblée politique ou se faire les pires vacheries dans leurs affaires, lorsqu'ils se retrouvent le soir dans un banquet, ils mettent un point d'honneur à tempérer leurs haines d'une exquise bonne humeur. Sauf Kratês le Thébain. Lui, il m'agresse en paroles, moi et tous ceux qu'il méprise, c'est-à-dire la quasi-totalité de ses contemporains. Malgré mon irritation, je ne peux m'empêcher de continuer à m'intéresser à son cas. Je sens qu'il est comme moi : il respecte encore les règles établies mais plus pour très longtemps. Même physiquement. Hirsute, il peaufine le contraste avec ses camarades en soignant son débraillé autant qu'eux leur élégance. Il est très fier de marcher pieds nus dans la rue, à travers la boue et la merde, qu'il ramène dans les maisons élégantes où l'entraînent ses amis, laissant partout où il passe son empreinte sardonique. Il se fait une gloire de porter chaque jour, à même la peau, le manteau de laine grossier des travailleurs manuels que Sôkratês a mis à la mode chez les intellectuels. Celui de Kratês, en plus d'être sale, est tout déchiré. Je suis sûre qu'il lui a fallu beaucoup d'efforts pour le transformer en une pareille loque mais, au moins sur ce point, il dépasse son idole.

À part lorsqu'il me coupe la parole, les rares fois où j'ouvre de moi-même la bouche, il intervient dans la conversation surtout pour se moquer du bel Euthias et de ses prétentions à réformer la politique de la Cité. Quand il est particulièrement satisfait d'une de ses incisives formules, il claque des mâchoires, comme s'il se réjouissait de planter ses dents dans les illusions de ceux qui lui tiennent encore lieu d'amis. Non, je dois être juste : ceux à qui il fera toujours l'amitié de les déchirer jusqu'à l'os. Parfois, je ne peux m'empêcher de le trouver touchant. Ses yeux inquiets, qui cisaillent l'air autour de lui dans toutes les directions, comme s'il voulait se défendre contre une attaque imprévue, puis qui s'agrippent à ceux de son interlocuteur avec une rage si intense qu'elle en paraît presque de l'angoisse, laissent pressentir que cette chair fragile, ces os, cette moelle et ces faux désirs qu'il broie sans pitié, sont encore les siens. Il a les gestes brusques de celui qui n'a pas encore, malgré tous ses efforts, discipliné ses propres élans ni trouvé la paix. Le refus radical est un chemin difficile pour un jeune homme. Surtout, ne puis-je m'empêcher de penser avec un sourire cruel, lorsqu'il se trouve en présence d'une fille aussi jolie que moi, aussi superficielle et aussi chère !

Une nuit, où je suis en train de boire en compagnie d'Hypereïdês et de Timoklês, l'auteur comique, qui commence à se faire une gloire d'avoir été giflé en public par une célébrité comme moi et qui m'en remercie par un sourire complice dans chaque fête où il me croise, nous avons recommencé à jouer au portrait. Je déclare à mon ami le sanglier que son Kratês est un chien. Un chien sans maître mais qui rôde à la lisière des villes humaines dont il n'ose s'écarter, parce qu'il y trouve sa nourriture et la chair fraîche dont il ne peut s'empêcher d'avoir envie. Hypereïdês éclate de rire : "Tu entends, crie-t-il à Kratês en l'appelant d'un grand geste du bras, tu veux jouer au chien méchant mais cette jolie moraliste t'a deviné, tu n'es peut-être qu'un toutou en mal de caresses !" Puis il m'explique que j'ai parfaitement deviné l'animal du jeune Thébain. Car ce dernier, après avoir commencé comme tout le monde par se mettre à l'école d'Isokratês, puis à celle de Platôn, ne trouvant dans aucune des deux le dénuement auquel il aspire, vient de céder de nouveau à sa pulsion extrémiste. Sous la colonnade dépouillée du Kynosargês, le gymnase du "Chien Blanc", que l'on a construit à l'extérieur de la cité, au pied de la colline du Lykabêttos, pour que les bâtards puissent s'y entraîner sans se mêler aux fils de famille, il s'est mis à fréquenter depuis peu les disciples faméliques du vieil Antisthénês. Il ne jure plus que par l'un d'entre eux, un étranger louche du nom de Diogénês, arrivé récemment dans la ville, et qui paraît un clochard encore plus sarcastique que les autres. Kratês s'est rapproché de nous avec empressement en entendant prononcer le nom de ce Diogénês. D'après lui, le nouveau venu est le successeur de Sôkratês que tous les vrais amoureux de la philosophie attendaient avec impatience, parce qu'il refuse d'avoir une maison et qu'il dort à même son vieux manteau replié en deux sur le dallage du portique de Zeus, ou bien partout ailleurs où le sommeil le prend. "Oui, je comprends, ne puis-je m'empêcher d'ironiser, la poussière, les fruits pourris, les déjections, dans lesquels tu te contentes de marcher pieds nus, ton nouveau maître les a choisis comme matelas ! C'est une merveilleuse preuve d'intelligence !" Kratês ne prend pas la peine de répondre à ma provocation. Il déclare avec emphase qu'il a enfin trouvé sa voie, et qu'il n'aspire plus désormais qu'à devenir un Cynique, un philosophe-chien, qui déchirera à belles dents les principes au nom desquels les hommes s'étourdissent de vaine gloire. Après s'être débarrassé de tous ces oripeaux, il se tiendra dans le seul état authentique : tout nu sous le soleil ! "C'est ça, ricane Timoklês, et, en attendant ce jour de gloire, le rebelle Kratês participe encore aux banquets que donnent ses amis. Mais en méprisant leur futilité, évidemment. En crachant dans les plats dont il se régale et sur les jolies esclaves qu'il baise en notre compagnie !

— Pas du tout, rétorque le garçon-chien, et il découvre ses canines dans ce sourire presque aimable qu'il s'autorise seulement lorsque nous parlons de lui. Je bois du vin dans ces coupes qui vous coûtent si cher exactement comme je boirais de l'eau à même une citerne. Pour l'unique raison que le hasard me donne là de quoi étancher ma soif. Ces jolies flûtistes que vous invitez, je les laisse me soulager d'un besoin naturel exactement comme pourrait le faire n'importe quelle pute de cimetière. Ou même, de façon tout aussi efficace, le creux de ma main. Je ne leur accorde pas plus d'importance. Qu'elle soit laide ou qu'elle soit belle, parfumée ou puante, harnachée de tous les vêtements et les bijoux que vous lui achetez, ou toute nue, telle que la nature l'a faite, une femme, ce n'est jamais pour moi qu'un trou !" En prononçant ces derniers mots d'une voix agressive, Kratês me regarde, non plus avec un sourire mais une grimace de mépris. Il ajoute : "Comme elles n'ont rien appris, qu'est-ce que ces femelles peuvent bien désapprendre ?" Il ne peut s'empêcher de se livrer à ce qui est son activité favorite dans les fêtes que nous fréquentons ensemble, c'est-à-dire me montrer à quel point il me considère comme le produit le plus inutile d'une société ivre de son luxe. Sans se rendre compte que nous avons au cœur la même rage. Que, de tous les hommes présents, c'est avec lui, le chien, que je pourrais le mieux me comprendre, depuis que j'ai accepté pour me venger de devenir une chienne. Mais cela, je ne parviens pas encore à me le formuler. D'ailleurs, même si j'avais l'occasion de m'en expliquer avec lui, je ne suis pas sûre que ce jeune philosophe expéditif, qui prétend balayer tous les préjugés, pourrait admettre qu'une femme ait quoi que ce soit à lui remontrer. Le mépris dont il se targue, c'est un acide qui ravage tout, les illusions, les faux-semblants, mais aussi les vérités les plus fragiles. Je sais seulement qu'il m'horripile autant qu'il m'intéresse et qu'il éprouve à mon égard le même sentiment ambigu. Mais qu'aucun de nous deux n'est assez fin pour dépasser notre mutuelle exaspération et attendre que la vie nous permette un jour de nous rapprocher.

Pendant les quelques semaines qui suivent sa conversion, ses amis continuent à l'entretenir. À le nourrir et parfois, quand il a la faiblesse de les écouter, à le loger. Ils tentent de le convaincre d'accepter la proposition que vient de lui faire, par l'entremise d'Hypereïdês, leur ancien professeur, Platôn, qui a toujours montré de l'intérêt pour la pensée mordante de Kratês, alors même que celui-ci était le seul de ses élèves qui se permettait parfois de le contredire. Le vieux maître lui propose de l'accueillir comme invité dans son école de l'Akadêmeïa. Il n'aura pour payer son séjour, qui durera autant de temps qu'il le souhaitera, qu'à présenter quelques comptes rendus de lecture comme les autres disciples pauvres. Dans ce lieu clos, isolé de la cité mais encore tout près d'elle, Kratês pourra se consacrer en toute liberté à sa passion de la philosophie. Le jeune homme, au lieu de remercier, hausse les épaules : "Je vénère l'exemple de Sôkratês mais je déteste ce qu'en a fait Platôn. Toute cette pensée bien compliquée, bien repliée sur elle-même ! Tout ce système irréel et absurde !

— Et alors, lui rétorque Hypereïdês, s'il te permet de le critiquer et de tracer ton propre chemin ? Il me l'a assuré ! Peut-être que ce qu'il te demande et que ne peuvent pas lui apporter ses autres élèves, c'est ton sens de la contradiction ? C'est d'être le jeune fantôme exaspérant de son Sôkratês qui l'empêcherait de céder à son goût du système ?"

Moi aussi, je fais ce que je peux pour empêcher Kratês de glisser sur la pente fatale de la clochardise. Une nuit, je le prends à part. Serrant les dents, je franchis son tir de barrage, la volée de flèches de ses remarques sur le tissu de mes tuniques, sur la quantité de mes bijoux qui serait inversement proportionnelle à la qualité de ma conversation. Dès qu'il s'arrête pour reprendre sa respiration, je lui dis : "Tais-toi un peu pour une fois, mon petit Kratês ! Les gens vont bien finir par se douter que, si tu m'insultes avec tant de plaisir, c'est parce que tu me désires. En tout cas, moi, ça fait longtemps que je le sais. Alors voilà ce que je te propose : si tu acceptes ce poste, et que tu viens pour une fois à une fête correctement habillé, parfumé, après t'être lavé les pieds et l'esprit, je coucherai avec toi. Gratuitement. Toutes les fois que tu en auras envie. J'accepterai même que tu m'insultes en me baisant, si ça te rassure. Qui sait, puisque je ne suis qu'une femelle, ça m'excitera peut-être moi aussi ?" Pour une fois, je lui ai cloué le bec. Il déglutit : "Tu parles sérieusement ?

— Je n'ai jamais été aussi sérieuse. Tu me prouves que tu t'intéresses à moi en m'injuriant en toute occasion, n'est-ce pas ? Eh bien, moi, pour la même raison, je te fais cette proposition. Totalement inédite, je te le signale, pour une flûtiste aussi cupide que j'ai déjà la réputation de l'être. Sache que je n'ai jamais consenti une réduction à personne, pas même à Hypereïdês, qui est mon ami. Pour toi, mon ennemi, ce sera gratuit."

Je me hâte de me lever pour aller danser, avant qu'il ait eu le temps de reprendre ses esprits. Lorsque je me retourne, il me regarde toujours. Les épaules basses, la mâchoire pendante. Je suis ravie de mon petit effet.

Pendant plusieurs jours, je n'ai aucune nouvelle. Et puis, une nuit, ses amis m'apprennent qu'il a choisi. Il a refusé définitivement la proposition de Platôn. Au lieu d'une chambre confortable dans le jardin de l'Akadêmeïa, il est allé partager la nouvelle résidence de son mentor Diogénês : une des jarres vides du temple de Kybélê. Je hausse les épaules. "Oh, qu'on ne me parle plus de ce chien crasseux ! Plein de puces et d'idées stupides, qui le démangent et qui l'empêchent d'être heureux !

— Allons bon, Mélitta, qu'est-ce qui t'arrive ?"

Personne ne comprend pourquoi je suis furieuse. Je déteste qu'un homme refuse mes propositions, surtout quand elles sont aussi inconsidérées. Je déteste découvrir des limites à mon jeune pouvoir. Que ma folie puisse se heurter à une autre folie, encore plus radicale. Cela m'angoisse. Cette nuit-là, je danse pendant des heures et je ne suis pas loin d'être saoule. J'ai envie d'avoir envie de vomir. Pendant plusieurs semaines, nous n'entendons plus parler du Cynique. Hypereïdês, en soupirant, m'apprend seulement que notre ami est en train de dépasser l'exemple de ses maîtres : si Sôkratês questionnait les gens, si Diogénês se moque d'eux, lui, il les insulte carrément. Il ne sera content que lorsque les Athéniens, pour réduire ce Thébain au silence et s'éviter la peine de lui faire boire la ciguë, lui briseront l'échine en lui jetant des cailloux. Comme ça, il sera sûr d'être vraiment devenu un chien.

Un soir, pourtant, nous le voyons débarquer en plein milieu d'une des fêtes que donne notre ami l'avocat. Amaigri, poussiéreux, fiévreux, presque huileux de crasse, les yeux cernés, atrocement puant, et toujours aussi furibond. Il paraît avoir enfin réussi à transformer en loque son corps tout entier et pas seulement son manteau. Timoklês lui demande, tout en lui faisant courageusement une place sur sa banquette : "Ah bon, tu fréquentes de nouveau les banquets, c'est fini, le dénuement ?" Mais Kratês se contente de hausser les épaules : "J'ai faim." Et il ajoute, d'une voix sourde : "Ne te trompe pas, pauvre crétin qui passes ta vie à essayer de faire rire des crétins, je suis toujours le même. Que j'accepte ma nourriture d'Hypereïdês ou que je la trouve dans une poubelle, elle me nourrit. C'est tout ce que je lui demande. Ce soir, les poubelles étaient vides, alors je viens vers vous."

Puis il ne dit plus rien. Il mange.

Mais il ne boit que de l'eau. C'est sa manière de nous montrer qu'il n'a rien perdu de son orgueil, ni de sa passion exclusive de l'ascétisme.

Ensuite il se lève. Il va s'en aller. Personne n'ose le retenir, sauf moi. Je me débrouille pour le rattraper et lui barrer le passage, en plissant le nez de dégoût : "C'est ça que tu as choisi ?

— Oui.

— Nous ne coucherons jamais ensemble alors ? Tant mieux pour moi, tu sens vraiment trop mauvais. Je ne te regretterai pas. Mais toi, oui, tu me regretteras. Mon image parfumée viendra se moquer de toi quand tu seras tout seul la nuit dans ta jarre. Tu le sais ?"

Il me bouscule pour passer et me jette par terre. Je pousse un cri mais il ne se retourne même pas. Je voudrais me redresser, et l'insulter une dernière fois : "C'est moi qui te refuse, pas toi. Parce que ton sexe pue la mort et tes idées aussi !" Mais je n'en ai pas la présence d'esprit. Lorsque les autres se précipitent pour me ramasser, je parviens à faire semblant de sourire, en leur demandant si leur ami n'est pas devenu fou. Je me doute bien que nous ne le reverrons plus. Quelques banquets seulement, de loin en loin, quand il aura trop faim. Avant, bien sûr, qu'il n'ouvre sa propre école, comme ils le font tous lorsqu'ils sentent la vieillesse approcher, afin de se repaître de la chair fraîche de jeunes gens aussi naïfs qu'il l'ont été. Il deviendra lui aussi un relativement gras maître du dépouillement. Je ne sais pourquoi cela me rend triste. Je demande à grands cris que l'on brûle des parfums.

À la différence du maigre Kratês, qui fait tous ses efforts pour me fuir, un autre des jeunes hommes de la bande, le mieux nourri de tous, recherche ma compagnie. Mais celui-ci, instinctivement, je m'en méfie. Je suis bien obligée de le laisser me toucher, et il ne s'en prive pas, dès que nous nous trouvons réunis sur une banquette, mais je réussis chaque fois à esquiver ses avances. Lorsqu'il se fait trop pressant, je me réfugie entre les mains protectrices d'Hypereïdês, ou même entre celles dangereuses d'Euthias. Tout plutôt que de me laisser grimper dessus par cet animal veule et pesant de Léôkratês. Même s'il ne s'en souvient plus, même s'il ne m'a jamais reconnue, je n'ai pas oublié le mépris avec lequel il m'a traitée, la première fois que nous nous sommes rencontrés dans la maison du Peïraïeus.

Je sais qu'il attend patiemment son heure, s'essayant avec une maladresse obstinée à me flatter, me faire rire, me faire boire. Il ressemble un peu à son ami intime Hypereïdês, dont il est la version sombre, la version laide, inquiétante. Dont il est l'ombre qui partout l'accompagne. Velu lui aussi, déjà barbu, mais le menton un peu empâté malgré son jeune âge, il porte un collier d'or au-dessous du collier de barbe, et un gros anneau carré à la main droite. Sa voix est aussi épaisse que ses manières. Lorsque dans un des premiers banquets où je fais vraiment sa connaissance, Timoklês me demande : "Alors quel animal, notre Léôkratês ?", je m'exclame sans plus réfléchir : "Un bœuf !" Le comique et moi, nous éclatons de rire, tandis que Léôkratês hausse les épaules avec résignation, en me dévisageant de son air le plus faussement bovin. Même ses sourires me font frémir. Je sais bien qu'il feint d'être aimable parce qu'il a envie de coucher avec moi, mais qu'il pourrait devenir, si l'occasion s'en présentait, d'une méchanceté crasse, sans finesse ni pitié. D'ailleurs Hypereïdês lui-même nous met en garde : "Ne sous-estimez pas notre bon gros Léôkratês, en le prenant pour le bœuf qu'il veut bien paraître ! Il se moque de tout ce qui nous tient encore à cœur, de façon bien plus radicale encore que Kratês. La politique le fait sourire et la philosophie bâiller. Il n'est pas seulement le plus riche de nous tous, mais aussi le plus apte à jouir sans aucun frein de sa richesse ! Ou de la mienne ! Vous avez remarqué que c'est toujours moi qui l'invite, parce qu'il préfère fréquenter les fêtes des autres qu'en donner lui-même ? La cupidité chez un riche est un vice, mon cher Léôkratês, le seul des tiens que je ne te pardonne pas !"

Ce dernier laisse encore s'élargir le sourire d'autosatisfaction avec lequel il écoute ce portrait complaisant. Hypereïdês enchaîne, en le regardant dans les yeux : "Moi qui suis le seul ici à le connaître vraiment, je le vois plutôt en taureau qu'en bœuf." Il se tourne vers nous : "Je l'ai fait entrer dans notre groupe, non seulement parce que, tous les deux, nous allons voir les filles ensemble et qu'il est l'un des rares à savoir boire autant que moi, mais parce que, dans les opérations militaires, il est redoutable. Si tu veux t'en sortir au combat, il faut rester à côté de lui, et pas du noble Lykourgos ou du vaillant Euthias. Tu ne mourras pas pour la patrie mais au moins tu ramèneras ta lance et ton bouclier intacts, ainsi que ceux de trois ou quatre autres fuyards." Léôkratês éclate de rire : "Je prépare la bataille suivante, moi. Et puis, si on finit par perdre la guerre, on pourra toujours s'arranger pour revendre les armes, n'est-ce pas ?"

Pendant toute cette conversation, il cherche à glisser ses doigts de plus en plus loin sous ma tunique. Hypereïdês, malgré mes regards furieux, ne s'offusque pas que son ami me tripote en même temps que lui. Peut-être ces deux pourceaux se satisferaient-ils de sentir leurs pattes velues se rencontrer sur mes seins ? D'autorité, j'enlève la main de Léôkratês et je passe le bras d'Hypereïdês autour de ma taille. Moi, je ne partage rien. En tout cas, pas avec lui. Le garçon-bœuf comprend le message et s'incline sans mugir la moindre protestation. Mais il ne se retire pas vraiment. Ses doigts feignent de jouer distraitement avec la fibule de ma tunique, guettant la prochaine occasion de s'introduire de nouveau sous le tissu. Il se dit qu'en affaires, seule la persévérance paie, que l'argent et la patience finissent par tout acheter, que posséder ce qui s'est longtemps refusé est d'autant plus délectable. Ce raffinement érotique est l'un des rares que son âme de commerçant puisse goûter. Alors il attend. Il sait qu'un jour il aura l'occasion de me baiser et qu'il lui faudra ne pas la manquer, pour jouir de ma marchandise mais aussi me faire payer d'un seul coup tous les retards de livraison que je lui aurais fait subir.

Un soir de printemps, Hypereïdês me présente le cinquième et dernier de ses intimes. Je l'identifie aussitôt. C'est le jeune homme mince qui était assis sur la banquette d'un des deux vieillards, à côté de l'hétaïre blonde, la nuit de mon premier banquet, et qui ne m'a pas jeté un seul regard. Cette fois, il me salue poliment mais avec froideur. Avec une distance dont je sens d'instinct que je n'arriverai jamais à la combler. "Ce noble jeune homme s'appelle Lykourgos, s'exclame Hypereïdês. Un aristocrate, un vrai de vrai, de l'illustre famille des Etéoboutades. Oui, je sais, ça ne te fait ni chaud ni froid, mais pour nous, Athéniens, ça veut dire quelque chose ! Avec Euthias, il est le seul parmi nous à être digne de la génération des guerriers de Marathôn, qui ont combattu les Barbares à un contre dix et qui ont gagné. Il est le plus jeune d'entre nous et le dernier à croire encore aux anciennes valeurs. La fraternité, l'honneur, tout ça, lui, ce fou, il vit encore dedans. Tu sais comment il aime qu'on le surnomme ? Le Lacédémonien. Tant il admire l'éducation austère que l'on prône là-bas. Mais elle ne lui suffit pas : il voudrait qu'à l'entraînement du corps se joigne une ascèse de l'esprit, capable de lui donner la même endurance. Voilà ce que devrait être Athênaï pour lui : une Lakédaïmôn de l'âme. C'est pourquoi le jour il fréquente les écoles et la nuit, au lieu de baiser les filles comme moi, il annote les poètes tragiques. Tu vois que, dans son genre, il est aussi fou que Kratês. Un Kratês qui n'aurait même pas eu besoin de se débarrasser de sa richesse tant il la domine. Un Kratês intégré à la société, qui n'aurait pas besoin de la fuir tant il est indemne de ses compromissions. Il dort seul lui aussi, non pas enroulé dans un manteau troué mais sur un matelas rigide de principes. Le jour où il se décidera à entrer en politique pour aider Euthias, Athênaï sera sauvée. Mais, pour l'instant, il est comme moi, il déteste cette idée. Notre démocratie réelle, c'est lui qui la méprise le plus. Il pense que la cité ne veut pas vraiment être sauvée, parce que cela lui demanderait un effort de volonté dont elle n'est plus capable. Alors, comme il n'a rien d'autre à faire, à part administrer ses domaines familiaux, il continue à se forger l'âme d'un chef, jour et nuit, en attendant le moment d'agir qui ne viendra peut-être jamais. Ce qu'il espère, je crois, c'est la grande catastrophe, l'occasion terrible qui sera seule capable de nous forcer à sortir de notre léthargie pour nous remettre radicalement en question."

Lykourgos ne réagit ni aux compliments, ni aux pointes d'ironie. Il écoute calmement son ami faire son portrait comme s'il s'agissait de quelqu'un d'autre. Puis, après un dernier sourire poli, il détourne la tête. Ce jeune homme lointain, dont je sens qu'il reste distant alors que nous nous trouvons allongés côte à côte sur la même banquette, m'impressionne par sa densité physique. Bien qu'il soit le moins costaud d'entre eux tous, encore moins peut-être que le maigre Kratês, je ne sens rien de féminin en lui. Mais une virilité plus frêle, plus intense, plus concentrée que celle de ses camarades, et à laquelle je dois m'avouer que je suis très sensible. Pourquoi cette attirance sourde, ce malaise, dès que j'entre en contact, même de loin, avec Lykourgos ? Soudain, je sais pourquoi. Qui il me rappelle. Phaïdros. Le jeune poète cavalier de Thespiaï, qui dégageait cette même impression d'énergique fragilité et à qui j'ai réussi à ne plus penser depuis des mois. D'un seul coup, j'ai la nausée. Je transpire. Toute pâle. Hypereïdês qui me regarde avec curiosité me demande : "Qu'est-ce qui t'arrive, ma belle, c'est Lykourgos qui te met dans cet état ?" Il me faut toute ma science d'hétaïre, apprise dans les dures leçons de Nikarétê, pour ne pas céder au vertige. Je parviens à me reprendre. Je souris. Hypereïdês se remet à plaisanter : "Tu sais, pour arriver à le séduire, il faudrait que tu te déguises en garçon. Et, encore pire pour toi, que tu te mettes à la philosophie ! Quand il n'étudie pas les poètes tragiques, il ne s'intéresse qu'aux éphèbes qui entourent Platôn et Isokratês. La seule femme qu'il touchera jamais sera l'Athénienne de pure souche, dans le ventre de laquelle il plantera quelques jeunes mâles athéniens, à qui apprendre par cœur les valeurs militaires et les chœurs des quatre-vingt-treize tragédies de Sophoklês. Tu vois que tu n'as guère de chance." Je parviens à articuler, avec une petite moue désinvolte : "Dommage." Hypereïdês s'exclame : "Tiens, je voudrais bien voir ça ! L'irrésistible Phrynê s'attaquant à l'incorruptible Lykourgos. À propos, nous avons oublié notre tradition, tu ne m'as pas encore dit quel serait son animal ?"

J'ose à peine tourner les yeux vers le frêle et impérieux jeune homme. Pourtant, ce que je perçois de sa personnalité et peut-être aussi ce détour en pensée par ma jeunesse à Thespiaï, qui m'a amenée à frôler le souvenir de mon père et de la ferme où il élevait en liberté ses troupeaux, me fait trouver d'emblée la réponse. L'animal le plus noble et le plus farouche, celui qui porte les jeunes gens bien nés au combat où il est prêt à mourir avec eux, celui qui n'appartient à personne qu'au maître qu'il s'est donné, celui qui n'a peur de rien à part son ombre, celui qui est cher à mon cœur, comme à celui d'Epiklês avant moi : le cheval. L'ombrageux Lykourgos, depuis qu'il m'a saluée, ne m'a pas regardée une seule fois. Tout à sa conversation élevée avec les autres jeunes gens de la bande, il ne s'est même pas rendu compte que, chuchotant et lui jetant des coups d'œil dérobés, nous continuions à parler de lui. Lorsqu'il s'en va, très tôt, avant que la fête ne dégénère, je me doute déjà que je ne le reverrai pas avant plusieurs mois. D'ailleurs, contrairement à ce que j'ai laissé entendre à Hypereïdês en faisant la maligne, jamais je n'oserai tenter ma chance. Ce garçon-là me rend timide. Il est le seul à pouvoir encore susciter dans la flûtiste de banquet que je suis devenue ce sentiment ancien et il ne le sait même pas. Douloureux miracle.

Et puis, évidemment, dans ce groupe des cinq "jeunes lions d'Athênaï", soudés par l'année qu'ils viennent de passer ensemble en tant que patrouilleurs, réunis encore plus étroitement par toutes les fêtes où ils se rencontrent depuis qu'ils sont citoyens, et où ils tournent à des distances diverses autour de moi, en premier et en dernier, il y a Euthias.

Lui, je le vois presque aussi souvent qu'Hypereïdês. Je le désire. Je le déteste. Il me trouble. Il m'irrite. Il est le seul que je pourrais aimer d'amour, en trahissant dès mes débuts la promesse solennelle faite à Nikarétê si, par bonheur, il n'y avait pas entre nous cette première expérience que je n'ai évidemment pas oubliée, cette découverte presque désagréable, presque humiliante, du plaisir que sa verge dure (et les doigts souples de Myrrhina) m'ont fait connaître quasiment malgré moi. Je sais que cette chose est là, en moi, comme en mes partenaires, qui sont tout autant mes adversaires, mais je me garde soigneusement de l'y susciter. Ou, si je ne peux éviter de m'en approcher, notamment lorsqu'Euthias me baise, je trouve toujours le moyen de m'esquiver à la dernière minute, pour ne pas me confronter de nouveau à ce que je considère comme une force avilissante. Une sensation d'anéantissement dont je pourrais presque dire, si j'avais la force de creuser le paradoxe, qu'elle fut aussi violente et aussi hostile que... Non, il ne m'est pas possible à l'époque de formuler cette pensée : je peux seulement me dire que je tomberais sûrement amoureuse d'Euthias s'il n'y avait pas entre nous le viol de l'orgasme.

C'est pourquoi, lorsque j'apprends qu'il doit assister à une fête, ou qu'il m'a louée pour la nuit, je tremble, je palpite, je transpire, mais je ne sais si c'est de rage ou de désir. Je redoute, autant que je l'espère, d'apercevoir son profil régulier de statue. Parfois, dans mes rares instants de lucidité, celle que je trouve au creux de mes rêveries les plus profondes, je me dis que ce que j'aimerais, oui, ce que j'aimerais vraiment, ce serait lui faire du mal autant qu'il m'a fait de bien. Me venger de lui parce qu'il m'a fait jouir alors que je n'en avais aucune envie. Pourtant, en même temps, je ne peux m'empêcher de le trouver de plus en plus beau, de plus en plus radieusement, solairement, cruellement beau. Apollôn. Le dieu archer. Qui ne transperce de ses flèches ses victimes que parce qu'elles sont consentantes, qu'elles attendent, qu'elles acceptent, qu'elles espèrent le trait dont il les déchire. Euthias est de plus en plus sûr de lui. Âgé de vingt ans, sortant à peine de l'éphébie, il est le seul de son groupe d'amis à s'être lancé d'emblée en politique. Tous ceux que, sans en avoir l'air, j'interroge à son propos lui prédisent l'avenir le plus brillant. Je sais qu'il a déjà eu une fois l'occasion de monter à la tribune creusée à même le rocher de la Pnyx, pour prendre la parole devant l'assemblée du peuple entière. J'éprouve un plaisir presque coupable à l'imaginer dans ce moment-là : gravissant un à un les degrés de pierre de l'escalier, dont on me dit qu'il est très étroit, tentant avec peine, pour une fois, de maîtriser les pulsations de son cœur, qui bat sûrement plus fort lorsqu'il s'apprête à parler devant les hommes que lorsqu'il prend les femmes. Et puis, parvenu au sommet, levant la tête pour regarder en face, sans trembler, les milliers de citoyens réunis dans l'hémicycle. D'après ce que m'a raconté Hypereïdês, notre ami n'a proposé ce jour-là à ses concitoyens que de décerner une couronne à un ambassadeur méritant. Mais depuis, il se prépare à développer devant eux un discours de politique générale, inspiré des idées de leur maître, le grand Isokratês. Il veut obliger les Athéniens à sortir de leur déclin pour penser de nouveau l'union de la Grèce. Il veut se dresser face à eux, armé de sa seule voix jeune et forte, pour leur parler de l'affrontement inévitable, non pas avec Thêbaï ou Lakédaïmôn mais avec le monde barbare. Plaider, en frémissant d'impatience virile, pour qu'Athênaï reconstitue sa flotte et prenne de nouveau la tête des îles grecques, afin de ressusciter l'Alliance détruite dans le désastre honteux de la guerre du Péloponnèse. Le bel Euthias se rêve en stratège, qui conduirait les Grecs enfin réunis à affronter une nouvelle fois le menaçant Empire perse, cette fois-ci pour l'attaquer et libérer les cités jusque sur la frontière du fleuve Halys. Et moi, la malheureuse, l'idiote, je ne peux m'empêcher en secret d'être fière de lui. De m'emplir de son orgueil et de sa force. Alors que je n'y ai aucune part, alors que cela concerne un tout autre aspect de sa vie que celui auquel il me donne accès. Jamais ne lui passerait par la tête l'idée absurde de discuter avec une flûtiste de son grand projet politique, ni d'aucune autre de ses plus hautes ambitions. D'ailleurs, il serait stupéfait d'apprendre que je m'y intéresse, tant je marque devant lui mon peu de curiosité pour les bribes que j'en saisis, lorsqu'il les développe à voix haute devant Hypereïdês et les autres "jeunes lions". Sans doute serait-il flatté d'apprendre qu'une fille aussi futile que moi se prend à se passionner en secret pour la politique à cause de lui. Or, je ne veux surtout pas le flatter. C'est pourquoi je le traite, lui et ses rêves de jeune idéaliste prétentieux, avec la plus totale indifférence.

De toute façon, en public, dans les fêtes, il me regarde à peine, même quand je suis assise à côté de lui. Ce qu'il cherche, c'est se retrouver seul à seul avec moi. Il y est déjà parvenu à trois ou quatre reprises, en déboursant chaque fois plusieurs dizaines de drachmes pour se ménager un moment de tête à tête dans ma chambre de la maison de Nikarêtê. Il sait très bien que son père n'acceptera jamais qu'il introduise une hétaïre sous le toit familial, surtout avant qu'il ait conclu mariage avec une Athénienne libre et qu'il lui ait fait le rejeton mâle qui assurera leur commune descendance. Il ne dispose pas encore d'assez d'argent personnel pour pouvoir m'installer dans une maison où je pourrais le recevoir quand il le souhaiterait. Pourtant, il ne peut s'empêcher d'imaginer qu'il m'établit comme sa maîtresse officielle et exclusive. Rêverie obsédante, absurde, qu'il se reproche autant que moi la mienne lorsque je l'imagine montant à la tribune pour dompter les Athéniens par sa seule parole. Ce qu'il veut, de façon de plus en plus impérieuse, ce n'est pas parler avec moi (il ne me trouve jamais aussi belle que dans mon silence, à condition d'être sûr que je ne m'échappe vers personne d'autre que lui), ce n'est pas perdre son temps à bavarder, se moquer, rire avec moi, comme il sait que cet idiot d'Hypereïdês aime tant à le faire et s'en donne les moyens grâce à l'argent de ses procès. Non, ce qu'il veut, c'est simplement, mais absolument, me posséder. Lui qui est si beau que les filles libres osent se retourner sur lui lors des processions religieuses, que même les marchandes de l'Agora se taisent lorsqu'il passe, que n'importe quelle putain accepterait de le recevoir gratuitement, que les hétaïres les plus courues font des folies pour se l'attacher, jamais il n'a souhaité, avec une ardeur si douloureuse, posséder quelqu'un. Et en plus une simple esclave. C'est à n'y rien comprendre. D'ailleurs il ne cherche pas à comprendre. Il se contente de vouloir, sans savoir exactement ce qu'il veut. De me vouloir, sans savoir exactement ce qu'en moi il veut. Par exemple, il veut que je joue de la flûte, n'importe quel air, même mon chant oriental en l'honneur d'Isodaïtês, si c'est ma fantaisie, mais à condition que ce soit pour lui seul. Il veut que je chante mais uniquement à son intention. Dans ces moments-là, il tient à chanter avec moi. Et à m'apprendre, pendant des heures, les vieilles comptines attiques qu'il psalmodiait gamin avec les femmes dans le gynécée de sa mère, pour retrouver ce délicieux appui sur une voix féminine qui permettait à sa voix d'enfant de monter plus haut et qui étend aujourd'hui vers l'aigu la portée de sa voix grave. Non, non, en fait, il cherche quelque chose d'encore plus originel que le chant de son enfance : mêler sa voix d'homme à ma voix de femme, imprégner ma voix de la sienne, imprimer à toute force sa voix dans la mienne pour la modifier et lui donner sa forme. Prendre ma voix. Il veut que je danse en son honneur exclusif, même la chorégraphie rituelle des sept voiles d'Anaïtis, la déesse orientale dont il consent à ce que je lui raconte par mes gestes l'histoire, à condition que je le laisse jouer à être mon parèdre tout-puissant. Il veut que je me déshabille lentement devant lui seul. Il veut que je m'agenouille devant lui seul. Sans personne d'autre autour de nous. Rien que moi et lui, rien que sa verge et ma bouche. Et puis ensuite, enfin, il ne veut plus rien d'autre que ce qu'il me fait, là, sous ses yeux, dans le jeu de nos deux sexes. Sa volonté s'apaise enfin dans l'action lorsqu'il me prend, toujours dans la même position, me demandant de tendre les fesses vers lui, mais de lui présenter aussi mon visage, la joue posée sur l'un des coussins de la banquette, à demi tourné vers lui, pour qu'il puisse y lire l'étendue et la progression de son pouvoir. Il se plaît à dominer en amour comme en politique mais également à se montrer généreux. Il veut faire du bien à sa flûtiste autant qu'à sa cité, dans le libre déploiement de sa puissance mâle. Il n'aime pas cette position seulement parce qu'elle lui donne le plus intensément la sensation de me posséder, mais aussi parce qu'il sait, je le lui ai dit, il m'a forcée à le lui dire, j'ai feint d'être forcée à le lui dire, que c'est celle que je préfère. Quand je gémis : "Plus fort, plus près, bourre-moi, claque-moi, fesse-moi !", il me fait bien volontiers rougir la peau, pour son plaisir à lui mais aussi pour le mien. Aussi n'est-il pas du tout surpris lorsque je me mets à crier, d'une voix suraiguë, comme je l'ai fait le premier soir, sous les yeux de Myrrhina, ceux de Nikarétê et ceux, lointains, du Sculpteur. Mes cris déclenchent presque invariablement son éjaculation.

Et aussi, d'une certaine manière, sa déception.

Qu'il ne comprend pas. Qu'il ne s'avoue pas.

Et moi, non plus, je ne comprends pas bien ce qu'il cherche. Ce que je m'efforce de lui donner, de toute ma science d'hétaïre, sans m'avouer que je commence à me lasser. Je sens bien qu'il a de plus en plus besoin de faire l'amour avec moi, même s'il se refuse à le reconnaître, mais j'ignore qu'il tente de retrouver précisément ce que je cherche à fuir, et presque avec la même hantise : ce moment de complétude parfaite de notre première fois. Ce moment aussi cruellement inoubliable pour lui que pour moi. Où il a eu l'impression d'être totalement embarqué dans le plaisir, le corps (par l'éjaculation) et surtout l'esprit (par la certitude exaltante du plaisir imposé autant que ressenti). Or, cette exultation de la jouissance partagée, rien dans son éducation de jeune Athénien libre ne la lui rend obligatoire, ni même désirable. Elle est une surprise. Un présent inattendu des dieux. La ruse qu'Aphroditê lui réservait, en lui donnant précisément ce qu'il n'attendait pas et qu'il ne pourra désormais s'empêcher de chercher de nouveau en vain, parce qu'il n'en saisit pas vraiment les causes. Notre première fois, il la revoit en imagination comme un moment de fusion originelle où nous avons été tous les deux seuls, isolés du monde, il supprime (et en cela, il a tort) les doigts et la voix de Myrrhina, ainsi que les regards lointains de ma maîtresse et du Sculpteur. Il cherche désespérément à reproduire ce qu'il croit être un moment indépassable de solitude à deux, mais le plus loin possible de l'atmosphère d'un banquet, en m'isolant du reste du monde, en me bloquant entre ses hanches et le matelas pour m'empêcher de m'échapper. En me murmurant qu'il faut que je me donne entièrement pour qu'il puisse me posséder entièrement. Oh, il devrait m'attacher, me bander les yeux, me bâillonner, pour que j'atteigne à cet état d'aveugle dépendance qu'il désire, de réduction absolue à mon sexe. Et lui-même devrait fermer ses yeux, boucher ses oreilles, bloquer sa respiration jusqu'à la syncope, se réduire à n'être plus que la fente aveugle de son gland dans le gouffre de ma vulve. Mais il se trompe chaque fois de chemin pour aller vers ce qu'il cherche, il se perd. Ses yeux, au lieu de les fermer, il les ouvre encore plus grand, pour jouir du spectacle que je lui donne, la croupe offerte et gémissant malgré moi. En amour désormais, comme en politique, ce jeune homme trop beau et trop sûr de lui est un nostalgique, qui recherche un âge d'or disparu, une plénitude de la sensation révolue, qu'il se croit seul, par son contrôle total sur la situation, par sa maîtrise de mâle, capable de restaurer. Jamais plus depuis cette première nuit il n'est parvenu à retrouver un tel sommet de plaisir. Il est amoureux, oui, si intensément qu'il a du mal à le reconnaître. Amoureux et donc, si intimement qu'il n'a aucune chance de se l'avouer, déçu.

Moins par moi que par lui-même.

Il se sent humilié de cette déception qu'il ne maîtrise pas mais qui, malgré ses efforts, s'empare sourdement de lui dès qu'il a fini d'éjaculer. Qui, dès l'éblouissement, infuse en lui le poison noir du manque.

C'est pourquoi il fait le fier.

Le soir où, pour la première fois, nous arrivons ensemble à une fête, Euthias est heureux, rassuré par cette marque de préférence que je lui accorde aux yeux de tous et qui fait de lui presque mon amant en titre, bien que tout le monde sache qu'il n'en a pas les moyens. Alors il perd la mesure avant même d'avoir bu. Il raconte longuement à ses amis, devant moi, la façon brutale dont il me prend et dont j'aime être prise. Malgré les regards ironiques d'Hypereïdês, qui s'attend à ce que je me mette en colère, je ne démens pas. Lorsque mon ami le sanglier apprend que je m'apprête à passer la nuit entière avec Euthias, il proteste : "Mais enfin, Mélitta, comment peux-tu envisager une chose pareille ? Passer la nuit avec ce jeune prétentieux qui te traite en public comme une femelle, toi qui te dis toujours si soucieuse de ton indépendance ? Je ne te comprends pas !" Je lui souris : "C'est pourtant simple. Je joue à l'hétaïre mais pour l'instant, ne l'oublie pas, je ne suis qu'une esclave. Ton ami paye très cher ma propriétaire pour se donner l'illusion pendant une nuit d'être mon maître, et celle-ci me conseille de prendre mon plaisir exactement comme il me le donne. Si les hommes sont stupides, mon rôle n'est-il pas de les pousser à l'être toujours plus ?" Mais

Euthias me demande : "Ah bon, vraiment, il n'y a rien d'autre ?" Je souris toujours, sans lui répondre. Hypereïdês se tourne vers lui : "Tu la payes combien ?

— Trente drachmes.

— Tant que ça ?

— Elle ne les vaut pas ?

— S'il s'agit seulement de soumettre une femme, comme tu t'en vantes, tu pourrais pour bien moins que ça trouver ce qu'il te faut dans un des bordels du Port. Nous irons ensemble une nuit.

— Tu ne comprends vraiment rien, Hypereïdês. Ce que je veux, c'est la soumettre, elle, qui ne se soumet à personne d'autre qu'à moi !"

En disant ces derniers mots, Euthias passe sa main par-derrière sur ma nuque, crispe ses doigts dans mes cheveux et tire lentement ma tête en arrière pour me forcer à la poser sur le coussin de la banquette. J'ouvre un peu la bouche pour pousser un cri mais il pose ses lèvres sur les miennes. Dès que j'ai compris qu'il veut m'imposer un baiser devant Hypereïdês, j'ouvre encore plus la bouche. Quand il a fini, je pousse même un petit gémissement d'aise, si lascif que son rival, piqué au vif, se lève pour aller s'allonger ailleurs, le plus loin possible de nous. Je déclare à Euthias : "Je te remercie, tu vois, grâce à toi, notre ami n'hésitera pas la prochaine fois à me payer lui aussi trente drachmes." Une ombre de grimace crispe un instant les traits réguliers de mon amant. Je prends ma revanche sur le baiser qu'il m'a imposé devant tout le monde.

Euthias, malgré sa forfanterie, sent bien qu'Hypereïdês vit lui aussi une relation forte avec moi. C'est pourquoi il affecte de le mépriser : "La vérité, dit-il à son ami, c'est que tu parles avec elle parce que tu n'oses pas seulement la baiser comme une chienne. Comprends-moi bien, pas la chienne qu'elle est en général, je sais très bien que Mélitta est une fille fière, et même, je n'hésite pas à le dire, intelligente. Non, la chienne qu'elle aime être quand on la baise. Tout le reste, tout ce que tu vis avec elle, ce n'est que du bavardage." Pourtant, il redoute que cette relation de camaraderie érotique qu'Hypereïdês et moi paraissons nous amuser à développer fête après fête, ne soit, dans le fond, plus confiante et plus aboutie que celle qu'il peut m'imposer lors de nos rares tête à tête. Il craint que je ne trouve entre les bras accueillants de son camarade un épanouissement plus subtil mais pas moins vrai que l'extase sensuelle qu'il me procure. Peut-être est-ce par inquiétude qu'il aime tant se vanter devant moi de me posséder. Il m'en parle de plus en plus souvent et je l'écoute sans jamais rien dire : "Si Hypereïdês est ton ami, m'explique-t-il, comme tu le prétends, moi, je suis ton maître, ton vrai maître. Je rêve de t'affranchir, oui, mais uniquement pour que tu puisses redevenir entre mes bras mon esclave consentante. Je ne parle pas avec toi, c'est vrai, et tu te tais quand je parle. Mais avec moi au moins tu peux devenir la femelle que tu es profondément. Tu y prends plaisir. Cette vérité des corps, les mots de ton rassurant ami ne pourront jamais la travestir. Je te fais plus jouir que lui. Parfois tu cries à en réveiller la moitié de la ville, et il faut qu'Hypereïdês soit bien sourd, ou bien saoul, bien égaré dans quelque bordel sordide, pour ne pas entendre ces cris que tu pousses dans la soumission, pour ne pas en être jaloux, pour ne pas reconnaître définitivement ma supériorité. Dis-moi, si tu l'oses, que j'ai tort !"

Je ne le lui dis pas. Je le laisse parler sans l'interrompre. Malgré les regards suppliants d'Hypereïdês, je ne démens jamais Euthias. Alors, un soir où je suis en train de danser au milieu de la salle et où je me montre particulièrement inspirée, Hypereïdês finit par trouver la parade, et par mettre un comble à l'angoisse de son triomphant ami : "Regarde-la, notre Mélitta ! Tu sais ce qu'elle est en train de faire là ? Elle mime l'amour. C'est ce qu'elle a appris à faire : jouer magnifiquement la comédie, pour nous exciter ou pour nous rassurer. Tout le monde sait ça, mon pauvre, sauf toi. La seule chose qu'on peut leur demander, c'est de simuler tellement bien qu'on finit par l'oublier." Mais Euthias hausse les épaules : "Rien à voir avec ce qui se passe entre elle et moi." Hypereïdês insiste : "Pourquoi ? Parce qu'elle crie un peu plus fort dans tes bras que dans ceux des autres ? Mais tu la payes pour ça, c'est ce que tu lui demandes et elle le sait très bien ! Si tu parlais un peu plus avec les femmes, au lieu de te contenter de les baiser, tu saurais qu'elles font toutes ça pour nous faire plaisir, ou pour se débarrasser de nous, surtout celles dont c'est le métier.

— Les autres, oui, si tu veux, mais elle, je sais qu'elle ne fait pas semblant.

— Ah bon ? Comment tu peux en être sûr ?

— Nous n'avons qu'à le lui demander. Dès qu'elle aura fini de danser.

— Mais qu'est-ce que ça prouvera, pauvre naïf ? Elle te dira ce que tu auras envie d'entendre. Surtout devant moi, parce qu'elle sait que ça m'énerve !"

Ils me regardent encore quelques instants mimer en public l'amour que je leur fais à tous les deux. Euthias reprend la parole : "Tu as raison, ne lui parlons pas maintenant. Demande-le lui, toi, un jour où je ne suis pas là. Mais jure-moi d'abord que tu me diras la vérité sur sa réponse. Si elle t'avoue qu'elle fait semblant, je te connais, ça te fera trop plaisir de m'en informer. Si, au contraire, elle reconnaît qu'elle crie vraiment, jure que tu me le diras, sans mentir ni inventer n'importe quoi, comme tu n'en es que trop capable ! Jure-moi que tu me rapporteras les mots exacts qu'elle aura employés !"

Il lui fait répéter avec solennité la formule de son serment. Je les regarde de loin. Je sais qu'ils discutent de moi. De là où je suis, perdue dans la musique, je n'entends pas ce qu'ils disent. Je peux faire semblant de ne pas le deviner.

La fête suivante, Euthias ne paraît pas. Si bien qu'Hypereïdês peut me prendre à part pour me demander la vérité. "Euthias se vante devant tout le monde que tu cries quand il te baise. Et que tu lui demandes de te baiser encore plus fort. Et de te claquer les fesses. Que c'est ça qui te fait jouir. Quand il te traite comme une chienne. Moi, j'ai prétendu, pour clouer le bec de ce crétin, que tu simulais le plaisir, comme vous, les hétaïres, vous êtes accoutumées à le faire. Seuls les benêts aveuglés par leur propre beauté prennent vos manifestations les plus spectaculaires au sérieux. J'ai juré de lui rapporter ton avis sincère là-dessus. Alors dis-moi la vérité : tu fais semblant de crier ou pas ?" Je n'hésite à répondre qu'un instant : "Non, je ne fais pas semblant, je crie vraiment." Mon ami me regarde stupéfait : "Enfin, Mélitta, ma chérie, ce n'est pas possible ! Comment, toi qui es si farouche, toi qui es si, enfin, si libre, oui, je sais, tu ne l'es pas encore, mais, dès que j'aurai assez d'argent ce sera une réalité, toi qui es déjà si indépendante, comment peux-tu aimer qu'il te baise comme ça, comme une esclave soumise, et qu'il s'en vante en plus, ce porc ? Et ne pas lui en vouloir, et continuer à crier, et ne pas même faire un petit peu semblant ?" Je lui souris paisiblement : "Parce que c'est comme ça.

— Oui, eh bien même si c'est comme ça, tu pourrais au moins me faire un peu plaisir, à moi aussi ! Si je suis vraiment ton ami, tu pourrais me faire la faveur de mentir et m'avouer que tu fais semblant.

— Non.

— Mais pourquoi ? J'ai juré de lui rapporter ta réponse, tu comprends ? Elle va le rendre encore plus puant de suffisance ! Il se prend déjà pour Périklês, ce crétin, bientôt il va se prendre pour Apollôn en personne !

— Je sais. Mais je dis toujours la vérité."

Hypereïdês me regarde avec un air si désappointé que, portant sa main à mes lèvres, je l'embrasse gentiment. J'aime bien le désarçonner lui aussi et confronter mon rassurant camarade de jeu à l'énigme embarrassante du plaisir. Puis je flatte ses doigts aux phalanges velues de la pointe d'un de mes seins menus pour me faire pardonner de lui avoir dit la vérité sur ce que je ressens intimement. Or, je mens. Bien évidemment, je fais semblant de crier. Ou, du moins, je passe aux cris alors que je n'en suis à l'intérieur qu'aux gémissements. Parce que je sais qu'alors Euthias va se déchirer très vite, rassuré, épanoui, et qu'ainsi je n'aurai pas à jouir vraiment, à mourir vraiment comme je serais contrainte de le faire, s'il continuait, sous les coups de poignard de sa verge, sous les claques de sa main sur mes fesses qui me feraient brusquement virer au rouge sang à l'intérieur de la tête. Je n'aurai pas à affronter de nouveau Aphroditê. Je reste prudemment à la lisière de son territoire, sur le seuil de son temple, sans avoir à gravir les escaliers pour me retrouver face à face avec sa statue atrocement souriante. Je reste sur le rivage à l'abri de sa mer d'écume. Lorsque je ne réussis pas à me tenir aussi loin, lorsque je me retrouve embarquée malgré moi, je me tiens prudemment cachée sous l'orbe exagérée de ces cris que je pousse trop haut, trop vite, trop fort, et que je fais sortir de ma gorge pour ne pas avoir à les laisser jaillir de mon ventre. Repliée au creux de cette vague qui se lève au-dessus de moi dans sa crête saisissante mais retombe bien au-delà sans me broyer vraiment.

Lorsque je me mens ainsi, je parviens à tromper jusqu'à la déesse. C'est pourquoi je ne peux dire la vérité à personne, même pas à Hypereïdês qui est en train de devenir mon seul ami et que je désespère de mes confidences.

En fait, je ne m'en sors pas, de tout cela, de tous ces mensonges. Alors, je danse, je souffle à pleins poumons dans ma double flûte, je suce, je baise, je fais la fête. Euthias parle de plus en plus souvent de me racheter à Nikarétê. Même si je sais qu'il ne possède pas le dixième de l'argent nécessaire, la pensée de lui appartenir me préoccupe, sans que je me l'avoue. Ai-je vraiment envie de devenir l'esclave sexuelle de ce faux Apollôn ? Mais, si j'étais honnête, ce n'est pas ainsi qu'il faudrait que je me pose la question. Ce serait plutôt : n'en ai-je vraiment pas envie ? Alors je fais tout ce qu'il faut pour ne pas avoir à y réfléchir trop longtemps.

Et puis un jour, tous ces atermoiements sont balayés.

17

LA CHASSERESSE

C'est un matin où Praxitélês le sculpteur, après quelques mois où je n'ai plus entendu parler de lui, est venu me chercher encore plus tôt que d'habitude. Un matin d'hiver qui ressemblerait pour lui au printemps, plein de lumière neuve, d'énergie et de résolution, mais où je n'ai accepté de le suivre qu'après avoir fait jurer à Nikárêtê de venir me tirer de ce guêpier sous un prétexte quelconque à l'heure du déjeuner. Je me traîne derrière le Sculpteur, toute maussade et mal réveillée, encore prise dans les relents de la fête de la veille. La bouche pâteuse, les cuisses encore imprégnées peut-être du sperme d'un de mes amants, je vais incarner pendant plusieurs heures de torpeur une vierge ! Même si l'atelier ne se trouve qu'à quelques rues de la maison de Nikárêtê, mes yeux clignent dans la lumière qui me blesse. D'ailleurs, ce matin-là, malgré son regain d'espoir et toutes les promesses qu'il s'est faites, dès que j'ai pris la pose nouvelle qu'il m'indique, le Sculpteur retombe dans son engourdissement, pris entre ma masse de refus et cet envol rebelle qu'il voudrait exprimer.

Alors, enfin, il se décide à me parler. Il m'explique ce qu'il ressent d'Artémis, cette position d'attente de la chasseresse, aussi hostile que je le suis à cette heure de réveil, mais moins tournée vers elle-même, plus aux aguets. À la fois dangereuse et en danger. Voilà, c'est ça : dangereuse parce qu'en danger ! Il s'échauffe, il s'anime, il s'ouvre à moi, il a l'impression fugitive de parvenir à me faire partager son rêve. Je le regarde, immobile. Saisie pour une fois à l'orée de la clairière. Enfin à portée. Vais-je le laisser approcher ? Il en a un instant l'espoir. Puis il me dévisage avec plus d'attention et s'aperçoit que la stupide bête que je suis continue à ne comprendre rien. Oui, réprimant un bâillement, je lui envoie par en dessous un regard morne d'incompréhension. Voire de mépris. La flèche mortelle que je lui décoche à la volée, c'est la certitude aveuglante qu'il m'ennuie même quand il parvient à s'expliquer, comme si ce qu'il venait de me dire n'avait aucun sens pour moi. Ou, pire encore, comme si j'avais très bien compris mais que je m'en fichais ! Comme si ses plus hautes ambitions artistiques ne valaient pas à mes yeux une heure de sommeil, un air de flûte, une gorgée de vin. Comme si je continuais de placer plus haut une nuit de fête qu'un matin de pose, alors même qu'il vient de m'en expliquer le sens profond ! Maintenant, je cligne les yeux à cause du soleil, je détourne la tête, je cherche un endroit où me rendormir, en le laissant là, seul avec son désir absurde d'atteindre je ne sais quelle vérité dont je me désintéresse. Je ne suis même pas effrayée par sa colère. Je ne me sens pas en danger. Il découvre alors la plus cruelle des vérités que je suis chargée de lui apprendre sur Artémis : la déesse n'a pas peur du désir masculin, comme il croyait l'avoir découvert, mais elle s'en moque. Elle n'est plus vierge depuis longtemps, oh non, pas plus que moi ! Elle a fait l'amour il y a une éternité dans les taillis avec quelque Pan de passage mais elle ne perd plus son temps à se soumettre à un mâle parce qu'aucun d'entre eux n'a rien de mieux à lui proposer que ce qu'elle s'offre à elle-même : ses courses sans fin ni but dans les bois. Ses errances stériles, oui, mais libres, et bien plus voluptueuses. Artémis : la déesse redevenue délibérément vierge ! Non par ignorance mais par expérience du sexe masculin ! Voilà ce que dit mon regard indifférent au Sculpteur, le trait dont je le transperce et je le tue.

Puis je lui bâille au nez, de nouveau, mais cette fois-ci franchement, en faisant du bruit, sans même mettre ma main devant ma bouche. Je suis divine, certes, mais uniquement dans ma vulgarité sans borne, mon infinie bêtise, mon incapacité totale à comprendre ses tourments humains ! Alors, soudain, il lui faut chasser cette idée insupportable d'une déesse qui aurait choisi délibérément de s'incarner dans une putain pour se moquer de lui, il lui faut s'en débarrasser en la traversant. Il se jette sur moi. Il me maintient les bras en arrière, s'introduit à coup de genoux entre mes jambes et me pénètre de force, sans même m'ôter ma tunique, ni profiter de mon corps, alors qu'il éprouve pourtant souvent un désir fou de le dénuder et qu'il ne se l'interdit depuis des semaines que pour mettre toute son énergie au service de son art. Ce qui durcit ici son sexe, ce qui crispe ses mains, ce n'est rien d'autre qu'une pulsion de rage. Que la volonté irrépressible de me faire mal. Me tordre comme une boule inerte d'argile. M'obliger, comme l'autre y est parvenu d'emblée, à pousser ces cris de plaisir affolé, me métamorphoser malgré moi d'Artémis méprisante en biche prise au piège.

Je suis désarçonnée par sa violence, puis effrayée. Je saisis instantanément qu'il ne se contrôle plus et je juge préférable de ne pas résister. Je me laisse aller en arrière. Mais je ne fais pas un geste et ne pousse pas un cri, tandis qu'il me pénètre, m'arrangeant seulement pour qu'il ne me blesse pas. Très vite, il se rend compte qu'il est incapable de me faire vraiment mal. Tout autant que de me faire vraiment du bien. Pourquoi ? Que s'est-il passé en moi ? Qu'est-ce que j'ai vécu ? Quel est mon secret ? D'où est-ce que je viens ? Les pointes de ces idées ne font que l'effleurer et c'est lui qui se met à crier, qui se déchire dans une jouissance si aiguë qu'elle en est presque douloureuse. Tandis qu'il en reste pantelant, je le fais basculer sans ménagement sur le côté et me dégage d'entre ses jambes. Je me redresse, rajuste posément le chignon de ma chevelure, et lui déclare : "Tu as eu tort de faire ça, je me débrouillerai pour ne plus jamais revenir, même si tu offres une fortune à Nikarétê." Puis je me lève et vais m'accroupir au fond de l'atelier, d'où je chasse, d'un simple claquement de langue sans réplique, deux ou trois des assistants de Praxitélês. Ils s'y sont réfugiés pour faire semblant de ne rien voir lorsque leur patron s'est jeté sur moi, en se disant sûrement que, s'il se décidait enfin à me baiser, ça le mettrait de meilleure humeur et que la vie redeviendrait plus supportable pour eux, comme aux temps paisibles de son père. Au bout de quelques minutes, je me relève, je reviens vers lui, qui se tient toujours assis près de son établi, la tête posée entre ses mains. Mais, au lieu de lui dire quoi que ce soit, ne serait-ce qu'une insulte ou une menace, je continue mon chemin et je sors sans un mot de l'atelier. Je m'enfuis, alors que je ne suis après tout qu'une esclave, et que j'ai reçu de ma maîtresse Nikarétê l'ordre d'attendre qu'elle vienne elle-même me chercher.

Le Sculpteur reste sans bouger. Ce n'est pas à ma désobéissance qu'il pense ni à l'impudence de mes dernières paroles. Il est stupéfait d'avoir éprouvé un tel plaisir à me violer, alors qu'il s'est toujours abstenu du moindre acte de brutalité, même à l'égard d'une esclave. La première fois déjà où il m'a prise, deux ans auparavant, dans la cellule sordide du port, n'y avait-il pas quelque chose de cet ordre ? Pourquoi, pourquoi ça, depuis le début, entre moi et lui ? Pourquoi cette violence à côté de l'appel poétique de la grâce ? Qu'est-ce que ça veut dire ? Il est consterné aussi de se retrouver ensuite avec un tel dégoût au cœur. Un tel sentiment de gâchis. Il devine, sans comprendre exactement d'où lui naît cette certitude, qu'en me brutalisant, il vient de s'interdire de créer son *Artémis*. Et ceci au moment même où cette chance lui était offerte. Il lui fallait accepter l'illumination que je lui proposais et non se rebeller, transcender son mouvement de rage contre mon indifférence, qui était celle de la déesse, dans une énergie créatrice. Mais il le comprend trop tard. Maintenant, inutile de chercher une autre modèle. C'est fichu. Le destin ne le veut plus. Il ne lui reste plus qu'à affronter l'humiliation suprême, la vraie, la seule qui compte aux yeux d'un artiste : renoncer à la commande. Et même tout abandonner. Obliger son père, alerté par les plus anciens de ses praticiens, à sortir de sa retraite pour tenter de sauver l'atelier et à reprendre son fils présomptueux sous son aile de copiste. Artémis vient de laisser Actéôn la violer, oui, mais c'était la ruse suprême de la déesse, sa vengeance, pour mieux lui montrer que son sexe n'avait aucun véritable pouvoir sur elle. Puis, le laissant déchaîner les chiens de son dégoût contre lui-même, elle s'en va sans même accorder un regard à sa lamentable agonie.

Soudain, aussi brutalement qu'il s'est jeté sur moi tout à l'heure, l'artiste délicat donne un coup de poing dans le bloc d'argile qui se tient devant lui posé sur son établi, comme pour détruire jusqu'au souvenir de toute forme inutile.

Il me rattrape au moment où j'arrive devant la Double Porte, prête à sortir de la ville et à marcher dans la campagne au hasard, pour exhaler mon dépit, avant de revenir chez Nikarêtê. Cet homme libre s'excuse humblement devant l'esclave que je suis et qui l'écoute, l'air buté. Il me demande ce qu'il peut faire pour être pardonné, propose de m'offrir un bijou, une pièce de tissu, une pâtisserie, une maison, un esclave, n'importe quoi. Il cherche à m'entraîner vers le marché de l'Agora tout proche, et ne se décourage pas lorsque je hausse les épaules avec colère. Alors il change de tactique. Il me dit qu'il voudrait me montrer quelque chose, me supplie de l'accompagner, me saisit par le bras, ne le lâche pas, m'entraîne un peu malgré moi sur la Voie Sacrée. Je le suis seulement parce que je ne veux lui laisser aucun prétexte de se plaindre de moi à Nikarêtê, lorsque je refuserai de revenir dans son atelier. Nous dépassons l'Agora. Arrivés au pied de l'Akropolis, nous nous engageons sur la droite, dans la rue des Trépieds, où les vainqueurs des concours du théâtre tout proche ont pris l'habitude de faire édifier des monuments commémorant leurs triomphes et d'y exposer les statues des dieux qu'ils ont commandées aux plus grands artistes. Nous marchons sans dire un mot. Je ne sais pas où nous allons mais je m'en moque. J'ai hâte de voir s'achever cette promenade inutile et de pouvoir rentrer chez moi pour dormir. À peu près au milieu de la rue, il me retient par la tunique : "Regarde !"

J'étais en train de passer devant la statue de ce jeune homme sans lui accorder un regard. Pourtant, dès le premier coup d'œil, je suis sensible à la beauté de ce corps masculin puissant et harmonieux. Ou plus exactement déjà puissant, malgré son extrême jeunesse, mais encore harmonieux. Je ne peux m'empêcher de noter en tressaillant qu'il m'évoque, dans sa santé, celui, honni et désiré, d'Euthias. Le Sculpteur m'apprend qu'il s'agit de son *Satyre versant le vin*, la statue que j'ai prétendu avoir déjà admirée, à la fin du banquet où j'ai retrouvé Praxitélês et où je rêvais d'entamer avec lui une relation d'égal à égal qui nous serait à tous les deux profitable. Son premier chef-d'œuvre, ou plutôt le deuxième après la *Lêtô et ses enfants* du temple de Mantineïa, dont je porte à mon majeur le talisman protecteur. Voyant que je ne peux m'empêcher d'admirer le corps de marbre, l'artiste se met à m'en parler avec fierté. Il m'explique l'audacieuse recherche d'équilibre entre la jambe gauche qui s'avance et le bras droit qui se lève très haut pour verser le vin. Il m'aide à voir comment ce double mouvement met le corps en rythme et le structure autour de la position de la hanche. Il me montre aussi comment, dans le visage du garçon en train de servir poliment son amant, le sourire élégant, humain, athénien, contraste avec les oreilles pointues qui dardent à travers la chevelure. Il me dit qu'on l'a félicité pour avoir osé présenter un satyre bestial sous la forme d'un éphèbe gracieux, alors que, peut-être, il avait voulu faire exactement le contraire : révéler dans l'éphèbe gracieux le surgissement du satyre bestial. Le premier instant de la métamorphose, encore cachée au milieu de la chevelure. "De même qu'une hétaïre, ajoute-t-il en se tournant vers moi, est la plus urbaine des femmes mais aussi une nymphe, une fille farouche des forêts et des sources qu'il faut capturer. Le seul intérêt de nos banquets n'est-il pas d'essayer de civiliser cette irruption de la sauvagerie, du désir animal qui gît au fond de chacun de nous, pour la mettre en mots et en gestes, et faire de son déchaînement une apparition charmante ?" Je souris à ce détail malicieux des oreilles pointues que je n'avais pas aperçu au départ et de l'explication ironique que l'artiste m'en donne.

Alors, rassuré par ma réaction, il me prend par le bras, en pleine rue. Je le lui laisse, je ne sais trop pourquoi. Nous nous mettons à marcher au milieu des statues. Il continue à me parler de tout et de rien, comme si nous étions, non pas un homme libre qui vient de violer une esclave, mais de vieux amis. Il me parle de lui. Pour s'excuser d'avoir forcé mon intimité, prétend-il m'offrir la sienne ? Je saisis d'emblée ce que ces confidences ont d'incongru, mais, puisque je ne peux y échapper, j'essaie d'en profiter : ce n'est rien d'autre qu'une balade sans but dans la sculpture un matin à Athênaï, un épisode inattendu et très doux après celui brutal de tout à l'heure, un petit fragment détaché de temps qui me fait oublier de bâiller parce qu'il est dans la droite ligne de mon sommeil, en tout cas quelque chose de beaucoup moins ennuyeux qu'une séance de pose. Je veux bien faire semblant de marcher quelques pas avec lui dans son rêve en plein air. Le Sculpteur me parle de son enfance de petit Athénien, de ses promenades avec son père dans cette même ville et des explications que lui donnait Kêphisodotos sur les œuvres d'art d'Alkaménês ou de Kallimakhos, exposées à tous les carrefours, dans tous les sanctuaires et les jardins. Je l'écoute sans rien dire. Il finit par se taire, se demandant à quoi je pense lorsque je laisse naître sur mes lèvres ce sourire aussi inattendu que ses confidences. À qui ? À mon propre père ? Il se souvient qu'il m'a juré lors de mon premier banquet de ne jamais m'interroger sur mon passé et il sait maintenant que c'est faux, qu'il lui faudra absolument trouver un moyen de me faire parler de moi. De se donner, sans me brusquer, un chemin d'accès à ce très doux et très fragile sourire humain, qui n'a rien à voir avec Artémis, ni avec aucune autre déesse. Ou alors peut-être avec Aphroditê ? L'un de ses visages les plus fugaces et les plus mystérieux, mais dont il sait déjà qu'il lui faudra un jour le recréer dans la pierre ? Lorsque je m'aperçois qu'il m'observe avec cette intensité, je me ferme, le sourire s'efface. Alors vite, vite, il se remet à me parler de lui.

D'ailleurs il y trouve un étrange plaisir. Jamais il ne s'est ouvert ainsi à personne. Il me raconte qu'il est, depuis son enfance, "sculpteur de père en fils". Son grand-père, Praxitélês l'ancien, dont il ne se rappelle rien, sinon son nom et quelques œuvres à la mode antique, très raides et frontales, fut le premier. Son père Kêphisodotos, le poursuivit. Lui-même aura un fils, qu'il appellera, selon l'usage, Kêphisodotos et qui sera sculpteur. Celui-ci aura un fils qu'il appellera, selon l'usage, Praxitélês et qui sera sculpteur. Cette lignée de sculpteurs selon l'usage, cette chaîne familiale du destin tout tracé, il m'avoue qu'il a eu parfois envie de la briser. Il a rêvé, avec un frisson de plaisir coupable, de vendre cet atelier que lui transmettrait bientôt son père, d'oublier les arcanes du métier, la connaissance des matériaux, celle des outils de la taille, celle des opérations compliquées de la fonte et du moulage du métal, oui, tous ces secrets de famille patiemment accumulés, il a désiré les laisser se perdre, afin de faire place nette dans son esprit. Devenir, comme les autres jeunes gens bien nés de son âge, n'importe quoi, un orateur ou un stratège. C'est seulement au moment où il a accepté l'idée de n'être pas sculpteur qu'il s'est rendu compte à quel point il aimait la matière, la pierre notamment, le marbre, sur lequel il se plaît ne serait-ce qu'à poser la main pour le sentir vibrer, comme le flanc d'un animal. Alors, me dit-il, il a trouvé mieux que trahir son destin familial : le revendiquer mais en le transformant. Non, il ne se contenterait pas, comme ses ancêtres, d'être un artisan qui copie les types établis, il serait un artiste qui les inventerait. Il ne se contenterait pas de façonner la matière comme il l'aurait appris, mais, avant, il la rêverait. Il dessinerait au hasard sa rêverie dans la pierre en prenant le risque de la gâcher, d'abîmer des blocs très chers en suivant à l'aveugle dans les veines du marbre les courbes qui se déplient dans sa propre tête. Mais pour atteindre à ça, à son rêve d'adolescent, ce qu'il est en train de découvrir lors de ses premiers pas d'artiste adulte, c'est qu'il a besoin d'un corps réel, comme d'un appui pour structurer l'élan de son propre imaginaire. Le Sculpteur continue à s'adresser à moi mais peut-être profite-t-il de mon silence pour se parler de lui-même à voix haute ? Peut-être est-ce la première fois qu'il esquisse le tracé de sa recherche, et pour cela aussi, il lui faut l'aide de quelqu'un d'autre ?

En tout cas, il est surpris que je l'écoute. Mon attention paraît si profonde qu'il oublie ce qu'il a découvert lors de nos séances de pose, c'est-à-dire que je ne suis qu'une petite flûtiste frivole incapable de saisir quoi que ce soit de sa propre grâce. Il me demande si je comprends ce qu'il veut me dire, avec cette idée d'un destin tout tracé qu'il s'agirait non pas d'effacer mais de détourner. Je secoue la tête : oh oui, je comprends très bien, mieux même encore qu'il ne pourrait s'en douter ! Alors il se tait, pour que je me mette à parler à mon tour, pour que je lui explique quel était cet obscur destin que je me suis mise à détracer de façon si éclatante sous leurs yeux à tous depuis quelques mois. Mais je reste silencieuse. Malgré le rapprochement inespéré qu'ont créé entre nous ses confidences, je refuse de me livrer. Comme je me suis déjà dérobée devant Hypereïdês, qui est mon seul ami, ou du moins ce qui s'en rapproche le plus, et devant ma compagne Stéphanê. Inutile d'insister. Le Sculpteur a la finesse de le saisir. Pour dissiper le moment de gêne que mon refus est en train d'installer entre nous, il se saisit de ma main et il l'embrasse doucement. Il est aussi surpris que moi de ce geste de tendresse. Nous nous remettons à marcher au hasard. Où allons-nous ? Nous longeons le sanctuaire de Dionysos et la galerie du théâtre. Retournons-nous vers le quartier du Kérameïkos, en contournant l'Akropolis ? Me ramène-t-il chez moi ? Vais-je pouvoir enfin dormir ? Je n'en ai presque plus envie. Il se tait et je voudrais qu'il se remette à parler.

Soudain, en arrivant au pied des derniers lacets de la voie sacrée qui monte vers la citadelle, il me dit : "Tiens, viens, si tu as le courage, je veux encore te montrer quelque chose." De nouveau, il me prend subrepticement la main et je la lui laisse. Après le dernier tournant encore un peu ombragé, nous montons péniblement côte à côte les marches de pierre blanche étincelante du grand escalier, presque désert à cette heure brutale, puis, nous glissant par l'une des portes monumentales, nous traversons la fraîcheur des Propylaïa. Il ne jette pas un regard à la statue éblouissante et colossale d'Athêna en armes, qui se dresse devant nous, et moi non plus. Nous obliquons sur la droite pour pénétrer dans un petit sanctuaire. Celui, m'explique-t-il, d'Artémis Brauronia, l'immémoriale maîtresse des ours et des bêtes sauvages. Il me désigne, de loin, derrière l'autel, sous une galerie, une statue très ancienne. Ses formes roides, à peine émergées du bloc de bois sombre, ses yeux effilés, sous la masse des manteaux rituels qui couvrent sa tête et ses deux bras tendus, me rappellent soudain l'*Erôs* du temple de Thespiaï. Je frissonne involontairement à ce souvenir. Praxitélês me regarde avec curiosité mais, fidèle à sa promesse, il n'insiste pas. Je ne sais pas ce qu'il voulait me montrer dans cette représentation à peine humaine mais je refuse de faire un pas de plus pour m'en approcher. Alors, changeant encore d'idée, s'adaptant souplement à mes réticences, il me conduit au pied du Parthénôn, la demeure immense de l'autre déesse vierge, Athêna. Il me désigne là-haut, sur l'une des métopes de la façade, dans la frise du combat des dieux et des géants, ce qu'il m'explique être une représentation différente d'Artémis. Non plus la nymphe rustique mais la puissante fille de Zeus. Elle est en train de décocher une flèche à un ennemi écroulé à ses pieds, qui tente encore de la menacer d'un rocher brandi à bout de bras. Praxitélês souligne l'attitude majestueuse de la déesse mais aussi sa raideur frontale. Là, devant le chef-d'œuvre miniature conçu par l'école de son illustre devancier, il me confie qu'il voudrait montrer autre chose dans la fille de Lêtô que ce que Pheïdias y a vu : le moment où la jeune déesse n'est pas encore une Olympienne, où elle parcourt encore les forêts en sauvageonne, où elle s'apprête seulement à saisir la flèche du carquois pour se défendre de loin du premier homme qu'elle croise. Il me parle aussi de la position qu'il recherche depuis des jours en ne faisant que la pressentir, de cet équilibre entre les forces de tension, de ce double mouvement de la course et de l'arc brandi qu'il voudrait donner à ce corps féminin, et qui ne serait pas le même que celui dont il a réussi à animer les épaules et les hanches masculines du jeune satyre.

Je ne réponds pas, bien sûr, mais je n'ai plus l'air de m'ennuyer. Je continue à écouter ses explications, protégée par la pénombre du grand temple, la tête levée vers la frise, les yeux rivés sur le bas-relief du vieux maître que ce jeune fou prétend dépasser. Alors il me confie son rêve le plus audacieux : créer une sculpture qui non seulement serait capable de représenter le mouvement dans l'immobilité, dans l'instant de suspension rêveuse contenant déjà son explosion ou dans l'instant de repos alangui le résumant encore, mais qui, de plus, romprait de manière si radicale avec le modèle classique de la frontalité qu'elle pourrait être vue sur toutes les faces, qu'elle ne serait plus organisée en fonction du regard fixe du spectateur mais l'inviterait lui aussi à se mettre en mouvement. Double révolution, dont Praxitélês se dit que d'autres sculpteurs de sa génération, à Argos, en Iônie, doivent être en train de la rêver eux aussi. Ils en sont encore tous à déchiffrer malaisément au fond d'eux le message qu'ils sont chargés d'adresser à leur époque : si la statue immobile bouge et que le spectateur bouge lui aussi, c'est que rien ne reste en place, c'est que tout change, c'est que le monde mouvant n'a plus de centre !

Est-il possible que ce rêve d'artiste me parle ? Et de quoi ? De moi ? Pourquoi suis-je si attentive tout à coup ? Je tressaille, comme le premier soir dans le bordel du Port, lorsqu'il a passé son doigt le long de ma joue. Je me tourne soudain vers lui et je le surprends par l'éclat de mon regard, rempli de… de quoi ?… de connivence ? Qu'a-t-il réveillé, au moment même où il croyait me lasser ? C'est moi maintenant qui le prends par la main : "Viens, j'ai une idée, retournons à ton atelier."

Dans l'éclat inattendu de ce jour d'hiver, nous dévalons les escaliers, les lacets de la voie des Panathênaïa, puis nous longeons en hâte la citadelle sacrée, je le mène vers l'Agora populeuse que je traverse dans sa plus grande largeur sans ralentir ma course de chasseresse lancée à travers la ville à la poursuite de sa vision. Je parais ne pas remarquer les regards admiratifs des badauds ni entendre les quolibets des marchandes que suscite mon passage parmi les différents étals, comme si j'étais trop concentrée ce matin-là pour y prêter la moindre attention. Lorsque nous arrivons à l'atelier, nous y trouvons Nikarétê, venue accomplir sa promesse. Elle nous regarde approcher stupéfaite. Je lui dis seulement : "Reviens ce soir." Puis, sans même attendre la réponse interloquée de ma maîtresse, je me tourne vers Praxitélês : "Nous déjeunerons plus tard, trouvons d'abord la pose !" Celle de notre *Artémis*. La jeune fille de dix-huit ans qui suit son chemin personnel et ne s'arrête jamais de courir même pour décocher ses flèches, la jeune fille qui tue tous ceux qui veulent l'empêcher d'aller où elle va seule, et qui ne sait ni où elle va ni celui qu'elle s'apprête à tuer, tant elle est prise dans le vertige de sa course. "Je comprends l'idée, dit mon regard au Sculpteur, je me prête à ta rêverie parce que je la partage, à toi de la concrétiser maintenant dans ta science du double mouvement, sers-toi de moi !" Mais je ne lui offre pas seulement mes membres à modeler comme une matière inerte. Je l'aide à élaborer la position des jambes dans l'élan suspendu de la course : l'appui de la gauche bien posée sur le sol et l'envol de la droite qui n'y tient plus que du bout des orteils. Je trouve même l'idée de décaler un peu le pied gauche, comme si la déesse avait fait un écart à cause de la surprise ou de la peur mais se reposait d'autant plus fermement sur lui pour se relancer sans dévier. Dans la même fièvre, nous inventons le geste des deux bras : la déesse ne brandit pas encore l'arc, qu'elle tient négligemment baissé au bout de sa main gauche mais, de son bras droit levé, elle casse le poignet en arrière vers le carquois, d'où ses doigts vont extraire une flèche dans le début gracieux du geste de mort. La tête d'Artémis Phrynê, je la tourne elle aussi vers le côté droit, complètement ouvert, d'où vient l'homme ou le fauve qui prétend m'arrêter. Voilà, le visage un peu incliné, négligemment orienté vers ce qui n'aura détourné mon attention qu'une seconde à peine avant d'être abattu dans le fourré. Mes yeux se font perçants mais mon visage reste impassible. Ou presque. Je laisse s'esquisser sur mes lèvres une ombre de sourire cruel. À moins que ce ne soit une moue de dédain ? Ou bien une grimace de frayeur ? À toi de voir, Sculpteur ! Ce que Praxitélês voit, c'est que la position est à la fois intensément dynamique et parfaitement équilibrée. Mais que la tension de ce double mouvement est bien différente de celle du corps masculin du satyre, car la jambe, le bras, la tête, les hanches de cette femme, tout s'ouvre vers le même côté, vers ce qui s'approche de l'extérieur, vers ce qui pourrait être intimement accueilli mais qui va être repoussé. Voilà ! Voilà, le double mouvement féminin, c'est ça, il l'a trouvé, nous l'avons trouvé, enfin !

Mais soudain, au moment où le Sculpteur s'apprête à bondir vers le bloc d'argile pour y fixer à toute allure ce miracle, catastrophe, je défais tout, en m'écriant : "Non, non, ça ne va pas !" Quoi, qu'est-ce qui se passe, qu'est-ce qui ne va pas ? Pourquoi ai-je détruit la position sublime que nous venions à peine d'inventer ? Suis-je incapable de la tenir plus de quelques secondes ? Mes doigts, mais qu'est-ce qu'ils font ? Mes doigts à toute allure, comme la première nuit lorsqu'ils ont défait mon chignon, là, ils relèvent ma tunique très haut au-dessus de mes genoux, ils la serrent sur mes hanches d'une deuxième ceinture, en plus de celle que je porte sous les seins, et qu'ils inventent à partir d'un de mes rubans de cheveux. Puis mes doigts vont se saisir du manteau dont je me suis débarrassée tout à l'heure, en entrant dans l'atelier, et ils cherchent comment en vêtir la voyageuse, ils tâtonnent un peu, pour finir par en jeter simplement le pan sur mon épaule gauche (ce qui équilibre le carquois passé à droite) et le nouer sur ma poitrine. Bien sûr, ils ont raison, le vêtement, cette façon de le porter à la hâte accentue encore l'impression de mouvement précipité ! Mais ils ne s'arrêtent pas là. Ils défont ma chevelure, oui, oui, comme la première nuit, la même énergie, ils rassemblent mes cheveux en un chignon tiré vers l'arrière de ma tête, qui l'allonge encore et accentue la fluidité du reste. Incroyable, j'ai tout compris ! Tout ce que je trouve, vêtement, coiffure, va dans la bonne direction ! Je dis encore : "Il faudra un diadème sur le devant de la tête, car cette jeune fille est une déesse, mais ce sera son seul bijou !" Alors je me débarrasse des miens, je les jette à la volée sur l'établi, tous ces cadeaux d'hommes précieux qui parent et alourdissent mon cou, mes coudes, mes doigts, mes chevilles, mes oreilles. Je ne garde que la bague protectrice du Sculpteur. Voilà, j'ai fini ! Libre ! Légère, comme dans l'enfance, et d'un dépouillement divin ! Essentiellement pauvre comme une déesse qui n'a besoin de rien posséder ! Kratês serait content de moi, pour une fois. Mais Kratês, je m'en moque ! Dans l'allégresse de cette énergie créatrice qui me possède moi aussi, je n'ai pas une pensée amère pour ce petit philosophe hargneux qui vient de refuser mes avances, simplement un sourire en passant. Nul d'entre eux ne me retient plus de quelques instants. Alors seulement je reprends de moi-même la pose. Le Sculpteur s'attend à devoir me corriger mais je retrouve exactement la position, dont mon corps de danseuse a gardé le souvenir, dont il a saisi toutes les tensions signifiantes. Praxitélês n'a plus qu'à modifier l'équilibre du bras tendu, et encore, à peine. Nous avons trouvé en moins d'une heure tout ce qu'il a mis des semaines à chercher. Nous ne nous sommes pas dit plus de trois phrases pour élaborer ensemble ce mouvement complexe. Il faudra qu'il réfléchisse à tout ça, tout ce qui vient de se passer, devant lui et avec lui, à toute allure.

Mais il n'est évidemment pas temps de réfléchir.

Il voit que, bravement je tiens la position seule.

Alors, pour se montrer aussi courageux que moi, il cesse de réfléchir et de s'éparpiller et il se met à pétrir la glaise. Tout entier concentré. Réduit à ses deux yeux, ses deux mains, et les nerfs qui les relient.

C'est une course de vitesse.

Et qui dure longtemps.

Je fatigue.

Il le voit bien.

Il me propose de manger.

Je ne réponds rien.

Je suis là mais je suis partie.

Où ?

Pas le temps ni le droit de se le demander : il me doit, il se doit d'arriver au bout. Il pétrit tout à la va-vite malgré l'engourdissement douloureux de ses poignets et de ses épaules. En me regardant, moi, son brave petit soldat de modèle, serrer les dents, il esquisse l'expression mais sans choisir encore entre le sourire et la grimace. Peut-être le sourire des dieux n'est-il pour les mortels qu'une grimace ? Il n'a pas le temps de s'attacher vraiment au visage. Il se jure qu'il y reviendra. Il va vite. Toujours plus vite. Se ruant à la poursuite de son Artémis qui, miraculeusement, le laisse la contempler sans le transpercer de sa flèche de fatigue. Les plis incroyables du tissu, toute cette marée de mouvements qui se concentre sur le ventre de cette jeune fille agitée de remous contraires, il les réussit en les survolant, attentif surtout à leur élan. Là aussi, il faudra qu'il revienne et qu'il y passe beaucoup de temps. Là est le centre caché et bouillonnant.

Et moi, je pense à quoi, en tenant la pose ? À rien d'autre qu'à la tenir sans faiblir. Ni me raidir. Car ce mouvement immobile, qui met en jeu tout mon corps souple, il me fait plaisir. Je tente de jouir de chacune de ses composantes, le poignet plié, le bras droit levé, le menton pointé dans la même direction, le déséquilibre subtil des deux jambes, et les hanches, dans lesquelles tout se concentre et tout se résout. Surtout ne pas forcer. Laisser le mouvement en moi circuler. Je pense à ce que Praxitélês m'a expliqué le matin du rythme du corps, mais, ses analyses de sculpteur, je me les reformule en danseuse. Oh oui, danse immobile de cette pose ! Geste si difficile à tenir, mais dont j'aime la grâce, dont j'aime la violence contenue ! Oh oui, comme j'aime être Artémis ! Je détestais cela hier, où je ne comprenais rien, et aujourd'hui, j'adore ! J'adore être la déesse vierge libre ! J'adore avoir le pouvoir de me défendre ! J'adore être sur le point de tuer ! Pour donner plus d'intensité à mon geste, j'essaie de me représenter l'homme-animal qui me surprend et que je vais abattre avec désinvolture. Curieusement, le premier visage qui me vient à l'esprit est celui d'Euthias. Le bel Euthias trop sûr de lui et de moi ! L'aigle Euthias, quel plaisir encore plus délicieux que celui qu'il me force à prendre j'aurai à le transpercer, à lui pénétrer le cœur de ma flèche, quel plaisir surtout à échapper à son étreinte, à reprendre ma course sans même jeter un coup d'œil au rapace abattu sur le sol ! Oh, légèreté de cette idée qui dilate mes membres d'allégresse et m'empêche de ressentir la fatigue de la pose ! Je ne perds pas plus de deux flèches à transpercer à la file ce porc de Léôkratês et ce chien hargneux de Kratês, j'aimerais que le cheval Lykourgos apparaisse dans le vallon pour le foudroyer d'un trait plus distant et plus hautain encore que lui et regarder le farouche animal se rouler dans la poussière ! Mais il reste invisible et, à sa place, c'est le sanglier Hypereïdês qui pointe le bout de son groin. Celui-ci, d'un sourire, je l'épargne, car il sait courir à mes côtés sans me ralentir de son piétinement et tous les deux, nous allons notre chemin à travers les futaies que nous ravageons d'un commun élan. Je ne sais pas moi-même où notre frénésie nous mène ! Mais, soudain, je débouche, à l'orée de la forêt, devant le temple tapi au creux de la montagne, celle de mon enfance, et là, là, je découvre qui je suis venue tuer ! Avec qui je suis venue du bout du monde régler mes comptes d'immortelle ! Lui, le guerrier blond, le lion, le fauve et faux Akhilleus ! Il se dresse devant moi, alors que je m'approche comme la foudre de la porte du sanctuaire, et je dois faire très attention à ne pas raidir mon geste pour garder cette fluidité implacable de la vierge fille de Lêtô ! Et voici que déjà la flèche est partie. A jailli de moi. La pointe s'enfonce à travers la gorge du guerrier, qui, les mains crispées sur la hampe, les yeux affolés – ces yeux, oh ces yeux de l'homme-lion qui meurt comme un mouton, fou de terreur, je les ai déjà vus –, bascule en arrière dans un flot de sang. L'élan de mon cri de triomphe me fait courir encore plus vite ! Si je m'arrêtais, pour satisfaire humainement ma vengeance, je lui trancherais la gorge, avec la dague qui naît dans les replis de ma ceinture et qu'il faudra que j'indique au Sculpteur, parce qu'elle fait aussi partie d'Artémis. Je lui sectionnerais les deux mains et les deux pieds et le sexe, verge et testicules, que je lierais autour de son cou. De sa crinière réunie en un chignon hâtif, sur lequel j'essuierais mes mains poisseuses, j'attacherais son cadavre à la croupe du sanglier qui m'accompagne et je le traînerais à travers les broussailles et les épines de la forêt, jusqu'à ce que ses membres rompus se défassent et que son corps entier parte en morceaux, afin de ne pas laisser l'ombre de mon tourmenteur s'apaiser dans le repos dû aux morts. Et rien de tout cela, de la réalisation foudroyante de ma vengeance, tous ces cadavres d'hommes gisant sur mon chemin, n'aura marqué d'une seule goutte de sang ma tunique immaculée ni mes cuisses découvertes ! Mais je ne m'arrête pas, je sais où je vais maintenant ! Tout là-bas, au sommet de la montagne sacrée où s'achèvera d'elle-même ma course, m'attend mon père, Zeus tout-puissant, et le jeune homme poète et lumineux, Phaïdros Apollôn, qui n'est plus mon amoureux mais mon frère jumeau. Oui, ce sont eux que je vais rejoindre dans leur triomphe ! Puisqu'ils ne peuvent pas retrouver ma trace, c'est moi qui dois aller me jeter dans leurs bras ! Et là, je me reposerai enfin !

Soudain, après cette exultation de rage immortelle, qui m'a fait perdre la conscience du moment présent, la fatigue humaine de la pose me tombe d'un seul coup sur les épaules. Retour à la réalité. Mon bras levé, mon poignet tordu, mes orteils raidis, ma jambe gauche lourde, tout me fait mal, je crispe les lèvres, je serre les dents, je tente de m'accrocher à des pensées rationnelles pour échapper au fil épuisant de ma rêverie. Je repense au rythme extérieur du corps et aux explications du statuaire, qui ne me regarde presque plus à cet instant, tout entier à son affrontement avec la glaise. Quelle place donner à ce dernier dans mon fantasme d'Artémis ? Quel est son animal, quel est son rôle dans mon bestiaire masculin ? Je l'ignore. Pourtant il m'a prise de force ce matin, comme les autres. Je devrais lui en vouloir autant qu'à eux. Mais à cette violence-là qu'il a tenté de m'imposer, j'ai complètement échappé. J'en ai triomphé sur le moment même. Aucune revanche à en prendre. En tant qu'homme, il n'a aucun pouvoir sur moi, n'étant capable de m'inspirer ni de la peur ni du plaisir. Quel est alors ce sentiment que j'éprouve pour lui depuis notre conversation de la matinée, depuis notre première rencontre dans le bordel du Port, et qui est encore différent de l'amitié qui me lie à Hypereïdês ? De la curiosité ? Oui, voilà, de la connivence, parce que nous nous ressemblons, et de la curiosité, parce qu'il m'échappe. Il est aussi différent de tous les autres Athéniens que je le suis de mes collègues hétaïres. Il cherche son chemin au milieu d'eux comme moi. Tous les deux, nous ne savons pas encore bien où nous voulons aller mais nous poursuivons notre quête avec une obstination aveugle. Je pourrais éprouver quelque chose qui ressemblerait à de l'affection, si pareil sentiment ne m'était pas interdit. En tout cas, je suis sûre que ce n'est pas de l'amour. Le dangereux amour, contre lequel la prudente Nikarétê m'a si souvent mise en garde. Non, Praxitélês ne me menace pas. Il me rassure. Il m'intrigue. J'aime qu'il soit là-bas, à quelques mètres de moi, pris dans son étrange fièvre personnelle, qu'il ne me regarde plus que pour de brefs coups d'œil de vérification et que ce soit quelqu'un d'autre que moi qu'il cherche à voir. Oui, j'aime ça, moi, l'hétaïre vaniteuse, qu'il m'oublie. Parce qu'alors je peux être moi-même. Replonger dans mon rêve comme lui dans le sien. Des images de mon enfance se confondent avec celles de notre matinée, mes courses sur les chemins cailloteux de la montagne sacrée avec notre promenade sur les dalles de la voie des processions. L'éclair blanchâtre des yeux de la statue de bois sombre, *Artémis* d'Athênaï ou *Erôs* de Thespiaï, les deux formes vagues de la divinité à peine sorties de la nuit d'ébène. Je ne pense plus à rien, tant je suis fatiguée, je me sens tout engourdie, je me perds dans ma rêverie, je cherche en vain un carrefour où me reposer dans la forêt du passé et de l'avenir, je ne suis plus une déesse mais une pauvre petite fille humaine, et c'est déjà miracle que je sois parvenue jusque-là si loin à l'intérieur elle s'évanouit celle que j'ai suivie et moi aussi je vais m'évanouir je tombe debout

debout

je tombe

Mais lui, le sculpteur, le guerrier, qui se bat avec sa glaise, qui dans ce combat singulier a oublié jusqu'à l'existence de son alliée, qui ne s'est rendu compte ni de mon exultation ni de ma faiblesse, il ne me tient pas quitte et ne s'arrête pas avant d'avoir fini l'ébauche. Puis la fatigue, qu'il a ignorée pendant toutes ces heures, alors même qu'il en clignait des yeux et que ses poignets pétrissant la glaise lui faisaient mal, elle s'abat sur lui aussi, d'un seul coup. Ça se passe à l'instant précis où l'obscurité apaisante du soir d'hiver parvient à s'allonger tout entière dans l'atelier. Alors le Sculpteur, posant la tête en avant contre son établi, pousse un grand soupir : "Fini !"

Et moi, comme si j'attendais ce signal, je me laisse glisser par terre. J'y reste étendue.

Artémis succombant à la flèche.

Il se dit que ce doit être très beau, ce foudroiement, qu'il devrait lever les yeux pour me voler cette pose abandonnée en vue d'une prochaine statue. Par exemple celle d'une des filles de Niobê victimes d'Artémis. Mais il n'en a pas la force. Et puis il ne doit plus rien me voler. C'est la leçon. Me laisser tout donner. Il s'allonge lui aussi sur le sol de tout son long. Il ne voit pas que je me rétablis à grand-peine sur mes genoux, que je me rassemble, que je me traîne à quatre pattes, comme une femelle grosse, pour voir l'ébauche de ce que nous avons créé ensemble. Je murmure quelque chose. Il se redresse un peu, sur les coudes. Nous contemplons la chose, l'être, cette Artémis de glaise, que ses dimensions réduites font ressembler à un enfant ou à une naine mais qui nous paraît déjà bien plus puissante que nous. Puis nous nous regardons. Nous nous sourions. Cette idée étrange qui lui passe par la tête, ne vient-elle pas de la mienne et ne s'apprête-t-elle pas à y retourner, dans notre circulation d'émotion : pris tous les deux par la fièvre d'art, ne venons-nous pas de faire ensemble quelque chose d'aussi intense que l'amour ? Il se laisse de nouveau aller en arrière. Je me penche au-dessus de lui. L'ombre de mon visage et de mes cheveux qui se dénouent le pousse à rouvrir les yeux. Qu'est-ce que je veux lui dire ? Il est prêt à écouter tous mes secrets. Ceux que j'invente spécialement pour lui. Oh, quel est ce regard que je lui envoie depuis le fond de l'obscurité, si doux, se dit-il, si infiniment doux, si nostalgique, si tendre, qu'il croit bien en mourir, s'il n'est pas déjà mort. Rien de la cruelle Artémis dans ce regard ! Ou alors Artémis se penchant au-dessus de l'homme qui a osé s'offrir à sa flèche pour la surprendre un instant mais qu'elle vient délibérément de manquer ? Ceci s'est-il jamais passé ? Il tend l'oreille. Il rassemble ses dernières forces pour deviner les mots sur mes lèvres. Que cherche-t-elle à lui dire, la petite flûtiste qu'il a obligée à tenir la pose pendant un après-midi entier après l'avoir brutalisée le matin ? Mais je ne parle pas. Je ne parle jamais, et sûrement pas avec des mots. Je continue à pencher la tête, doucement, doucement, il sent mes lèvres se poser sur les siennes. Et ma main aussi, se dirigeant le long de son ventre vers son sexe du même mouvement lent. Qu'il interrompt, parce qu'il est importun, mais sans brutalité, juste pour me prévenir : "Tu sais, j'ai tellement faim d'un seul coup que je n'arriverai à rien."

Je continue à lui sourire. Je ne lui dis pas que c'est dommage. Que c'est une belle occasion manquée. Que tous les deux nous la regretterons.

Le soir même, c'est par Euthias que je me laisse prendre. Et par le plaisir. Plus volontiers que je l'ai jamais fait depuis le premier banquet. Comme si j'avais moins besoin des mains de Myrrhina pour le subir que de celles d'Artémis pour l'accepter ? Comme si la déesse vierge me permettait de commencer à me réconcilier avec la jouissance ? Grâce à la confiance en moi-même que j'ai tirée de cette pose guerrière tenue intensément et de cette rêverie qu'elle a ouverte en moi ? En fait, je n'ai pas tellement envie d'approfondir cette idée. Juste de profiter de cette force intérieure presque inconsciente. Je n'aime pas les idées mais les énergies. Je me sens bien dans celle-là.

Les semaines suivantes, je ne retourne dans l'atelier du Sculpteur qu'une seule fois, pour poser avec des bottes de voyageuse, presque masculines, et non plus avec des sandales. C'est moi qui, un petit matin où je reviens d'une fête donnée dans une propriété près du bois d'Akadêmos couvert de rosée, ai eu l'idée de ce détail. Je revois volontiers Praxitélês dans des banquets mais je ne m'intéresse guère, au-delà de la simple politesse, à son travail. Ni à celui préparatoire de Sthennis et de Démétrios, les plus capables de ses praticiens, pour dégrossir au marteau le bloc et pour y transcrire les proportions du modèle de glaise qu'il leur a confié, ni à celui de taille, ni à celui de la finition qu'effectue le maître lui-même et qui dure très longtemps. Si Praxitélês passe déjà des jours avec ses aides à cerner de leurs outils les formes précises, il aime encore plus à polir lui-même sans fin les reliefs, jusqu'à ce que sa main puisse glisser insensiblement d'un plan à l'autre. Oui, le poli est pour lui presque l'opération la plus longue. Il pourrait la prolonger sans jamais s'arrêter. Il faut souvent qu'Androsthénês, le plus âgé et le plus raisonnable de ses assistants, lui fasse comprendre sans le heurter qu'il est temps de livrer l'œuvre pour qu'il se résigne à s'en détacher, à ne pas atteindre la perfection du marbre, qui serait la peau. Il passe des centaines, des milliers d'heures, sur son *Artémis chasseresse*, des nuits entières à polir ses bras et ses cuisses nues et à creuser sa chevelure. Oh, la chevelure ! C'est l'un des aspects du corps féminin qu'il aime le plus à affronter, parce que s'y mêlent la douceur de la courbe et la violence de la mèche, le travail du ciseau et celui du trépan. Parce qu'il s'y trouve confronté à une complexité qui est, bien plus encore que celle des plis de la tunique, le moyen d'accès de ce sculpteur à la féminité. Plus le marbre devient lisse et brillant, plus la chevelure se tourmente, moins il parvient à se détacher de son *Artémis* !

C'est pourquoi, même s'il ne m'en laisse rien deviner, dans les fêtes où nous nous croisons, il est vexé que je ne manifeste pas plus de curiosité pour l'avancement de notre travail. Comme si je considérais qu'après la séance de pose, mon office était achevé. Que je n'avais pas à me soucier du résultat artistique puisqu'il ne me concernait pas. À cette époque-là, il est toujours sur le point de me suspecter de manquer de profondeur. Non parce que je suis une hétaïre (au contraire, il sait bien qu'il faut chercher parmi elles les femmes les plus intelligentes de la Grèce et que certaines sont très cultivées) mais parce que, dans la conversation et le commerce des idées, je préfère, à la différence de mes collègues, même les moins fines, me taire. Mon attitude, mes brusques prises de distance, que n'éclairent pas mes paroles, le désarçonnent souvent. Comment comprendre que cette fille, qui a posé pour incarner une déesse, qui sait que sa beauté va être immortalisée par l'un des sculpteurs les plus habiles d'Athênaï, comment comprendre surtout qu'après une séance de pose si intense, où elle s'est montrée si active, comment comprendre qu'elle ne marque aucun intérêt pour l'achèvement de l'œuvre ? Parfois, pourtant, il oublie que je suis sûrement bête et il me soupçonne d'avoir peur. Peur de quoi exactement ? De me voir enlaidie ? Ou, au contraire, incarnée dans la pierre, plus belle que je ne suis en réalité, et pour jamais ? Parce que la statue restera, mais pas moi, et qu'on l'admirera encore, quand je serai vieille et que plus personne ne voudra me regarder ? Ou quoi d'autre encore ?

En tout cas, si je ne me souviens plus de cette séance de pose, lui y pense sans cesse. Tout en polissant et réchauffant la pierre froide jusqu'à se donner l'illusion qu'elle va se mettre à respirer, il médite sur ce qui s'est passé entre nous. Sur ce que je lui ai permis de trouver. Sur mon étrange façon d'agir. Il repense à mon courage pour tenir la pose, les dents serrées, et il en sourit avec tendresse. Il me revoit m'écroulant de fatigue sur le sol exactement en même temps que lui, juste après qu'il a murmuré le mot de notre commune délivrance, "fini". C'est l'un des moments de son souvenir qu'il préfère, cette certitude qui l'a envahi alors, et dont il est sûr que je l'ai partagée, même si, de mon côté, je parais l'avoir totalement oubliée, qu'ensemble nous avions fait beaucoup mieux que l'amour. Il repense à cet autre moment, où je me suis penchée sur lui, où je lui ai donné ce lent baiser, où ma main s'est dirigée sur le même rythme infiniment doux vers son sexe. Il comprend que j'allais, non pas me laisser prendre, comme par Euthias la nuit du premier banquet, non pas me laisser infliger la volupté, mais nous la donner. Il aurait pu avoir le privilège d'être aimé par Artémis réconciliée avec elle-même. Il regrette amèrement de m'avoir interrompue dans mon geste.

Tout en polissant les cuisses de marbre nues de la vierge divine, en creusant les plis compliqués de la tunique au creux du ventre, il s'interroge sans fin sur mon passé humain de joueuse de flûte, dont il sait très bien que je ne lui parlerai jamais. Qu'ai-je vécu pour être aussi silencieuse ? Aussi fantasque ? Aussi méfiante ? Aussi rebelle ? Il n'est pas naïf, il peut bien deviner certains des éléments de ce passé, en recoupant des indices. Ce râpeux accent béotien que l'on entend, malgré mes efforts pour l'adoucir, les rares fois où je m'anime en parlant. Ce qu'il a entendu raconter des combats qui ont ravagé ma région les années précédentes. Et puis mon âge. Notre première rencontre dans le bordel du Peïraïeus aussi. Mais se douter ne lui suffit pas. Il voudrait savoir. Tout savoir. Tout partager. Or il ne peut que s'émouvoir dans son coin, à côté de mon silence hostile, qui le poursuit même quand je suis loin de lui. C'est pourquoi il passe tant de temps à polir les cuisses agiles de la déesse et la courbe pure de ses seins, soulignés par la lanière du carquois mais bien cachés sous le manteau de voyage. Pas en rêvant de me toucher mais de m'empêcher d'avoir été touchée par des mains qui ne m'auraient pas méritée. Parce qu'il aimerait que j'aie pu être Artémis, que j'aie pu m'échapper dans la forêt et me défendre de mes flèches ! En pensant à la fille trop fragilement réelle, il affermit de son ciseau le bras que l'immortelle lève dans un geste non de défense mais de gracieuse menace, son fin poignet de marbre dur qui se tend sans effort vers le carquois mortel. La seule chose dont il n'ose pas trop s'approcher, c'est le visage, qu'il laisse curieusement presque aussi brut que la chevelure, sans le polir. Comme s'il n'était pas encore prêt. Comme s'il ne savait pas choisir encore entre le sourire et la grimace. De mon visage, Artémis ne lui a guère plus appris que les sourcils froncés de Lêtô.

Pour échapper à cette rêverie torturante nourrie par mon silence, il repense au moment de promenade qui a précédé la séance de pose. Il en garde un souvenir si doux qu'il me propose souvent de recommencer à nous balader dans Athênaï comme dans une immense galerie de statues. Lorsque je ne me sens pas trop fatiguée par ma nuit de fête, dont il doit comprendre qu'elle est ma journée de travail, j'accepte parfois. Toujours à ma façon : gracieusement, sans marquer d'enthousiasme et parce qu'il me paie. Je le laisse s'offrir le plaisir de m'instruire. Il m'explique l'histoire de son art telle qu'il commence à la percevoir. Il revient sur les leçons que lui donnait son père lorsqu'il était enfant, mais désormais il les comprend de l'intérieur et les transforme. De Pheïdias, il passe à Myrôn, aux efforts qu'a déployés le rebelle de la génération précédente pour échapper à l'immobilité frontale de ses maîtres en saisissant un corps humain au beau milieu de l'action. Ce que son prédécesseur a trouvé dans la tension, lui, Praxitélês, commence à se douter qu'il devra le chercher dans l'abandon.

J'écoute ses explications en silence, sans jamais l'interrompre ni poser de question, sans jamais montrer d'impatience ni de curiosité. Malgré ses efforts, il ne ressuscite jamais cette attention qu'il avait su éveiller en moi le matin où nous avions visité l'Akropolis avant de commencer la séance de pose décisive. Pourtant, il déploie des trésors d'intelligence pour m'expliquer la sculpture. Il doit s'avouer, avec un peu de dépit, que le professeur trouve beaucoup plus d'intérêt que l'élève à son enseignement. Ses tirades m'ennuient peut-être mais lui, elles le passionnent. En tentant de me faire saisir sa recherche, à moi qui n'y connais rien, il se la formule avec de plus en plus de netteté. Mais mon silence le dérange. Il parvient parfois à le trouver intense mais, souvent, il le juge pesant. C'est pourquoi nos matins de promenade à travers la sculpture sont à la fois si doux et si frustrants. Il revient ensuite avec plus d'ardeur inquiète au poli de son *Artémis*, qui, comme la course de la déesse, ne s'achèvera jamais. Tout en se remettant au travail, quelques instants après que je l'ai quitté, il se dit qu'il aimerait connaître une femme aussi intuitive que moi, mais avec laquelle il pourrait discuter, échanger, avoir une vraie complicité. Avec moi, il ne l'a pas trouvée mais, grâce à moi, il en sent le besoin. Il est prêt désormais à rencontrer la femme de sa vie, qui n'aura rien à voir, bien entendu, avec cette jeune Athénienne de bonne famille que son père le presse d'épouser. Non, ce sera sûrement une hétaïre. Elle sera à la fois son modèle, comme moi, et sa confidente, comme je refuse de l'être. Ce ne sera sûrement pas Myrrhina, aussi belle que moi, plus intelligente qu'elle ne veut l'avouer mais qui s'amuse tellement à paraître sotte qu'elle le devient parfois. Ce pourrait être une femme comme Lagiskê, spirituelle et attentive, si elle n'était pas déjà prise.

Et puis, un matin, je l'étonne. Il est obligé encore une fois de revoir son jugement sur moi. La veille au soir, dans une fête où nous nous trouvions tous les deux par hasard, il a annoncé à l'ensemble de la compagnie que son *Artémis chasseresse* était enfin achevée. Dès le lendemain, et pour quelques jours, elle serait exposée dans son atelier, où tout le monde pourrait la découvrir avant que les envoyés de Thourioï, qui ont annoncé leur venue pour le festival de printemps, n'en prennent livraison. Bien que je sois le modèle dont il s'est servi pour sculpter la déesse, ce qu'il a appris à tous ceux qui l'ignoraient encore, je n'ai laissé paraître qu'une indifférence polie ou, au mieux, une très légère gêne. Je me suis contentée de lui envoyer l'un de mes sourires les plus absents. Pourtant, le lendemain, à l'aube, moi qui me lève rarement avant midi, je me présente à son atelier. Si tôt qu'aucun visiteur ne se trouve encore là, ni même le Sculpteur. "Il n'y a personne, reviens plus tard", me dit en grognant le gardien de nuit que j'ai fini par tirer du sommeil. Je lui donne assez d'argent pour lui rendre le sourire et il accepte, après m'avoir conduite à travers l'atelier désert, de me laisser seule en compagnie de la déesse de marbre, tandis qu'il va finir sa nuit dans son coin.
Lorsque le Sculpteur, un moment après, arrive à son tour dans l'atelier, il m'aperçoit de loin en train de faire lentement le tour de la statue. Je reviens en arrière. Puis je repars. Mon manège se prolonge. Je suis plongée dans une réflexion si profonde que je ne me suis pas rendue compte de sa présence. Le Sculpteur se garde bien d'attirer mon attention. Il veut profiter de ce moment qu'il attend depuis longtemps, dont il a si souvent rêvé mais qu'il n'espérait plus, surtout après mon absence de réaction de la veille : me surprendre en train de contempler l'une de ses œuvres, et particulièrement l'une de celles que je lui ai inspirées, m'observer en train de découvrir la façon dont il m'a regardée et dont il a su, mieux qu'aucun de mes

amants, exprimer ma beauté. Ce pourrait être un moment puissamment doux, un moment de pur fantasme, mais il est surpris de constater que cela reste un peu douloureux. De loin, il ne parvient pas à deviner ce que je pense, alors qu'il aimerait tellement que je lui montre enfin à quel point je l'admire ! Malgré sa certitude d'avoir produit un chef-d'œuvre, malgré son désir enfantin d'être rassuré, il n'ose pas venir me déranger. Quelque chose l'en empêche, de plus fort encore que la vanité ou que la timidité. Quelque chose dans mon attitude gracieuse mais énigmatique. Je me suis arrêtée en face de la statue, je reste plantée devant elle, je la regarde longuement, les yeux dans les yeux. Qu'est-ce que je fabrique maintenant ? Le Sculpteur s'approche tout doucement, sans faire de bruit, et il s'aperçoit que je suis en train, non, que mes doigts sont en train, s'étant mis à bouger de façon autonome, comme il les a déjà vus faire plusieurs fois, lorsque je suis prise par une inspiration, oui, que mes doigts sont en train de dénouer les rubans de mes cheveux, dont ils se servent ensuite comme d'une double ceinture pour attacher sous mes seins et sur mes hanches, ma tunique, qu'ils ont relevée au-dessus de mes genoux. Il comprend soudain qu'ils essaient de retrouver le costume et la pose de la chasseresse. Lorsqu'ils y parviennent, je sors de mon immobilité, mon corps tout entier se met à bouger. Et à… à quoi faire ? À improviser quelques pas de danse devant Artémis ? Oui, la fille humaine dansant devant sa forme divine figée dans le marbre, qui paraît l'observer à son tour du coin de son œil fixe, ce pourrait être une jolie scène mais le Sculpteur est frappé presque désagréablement par l'intensité qu'elle dégage. Et qui vient de mon air grave. Presque triste. Comme si je me livrais, non pas à une facétie, ou à un hommage respectueux, mais à un rituel. Lorsque j'ai fini, je salue la statue en m'inclinant légèrement. De nouveau aussi immobile qu'elle. Je laisse au Sculpteur l'occasion d'intervenir, mais il hésite, il voudrait trouver un moyen de me faire comprendre finement qu'il m'a observée en train de danser, mais, fatigué par sa nuit d'insomnie, il n'y parvient pas. Et puis des visiteurs aussitôt commencent à arriver, en groupes de plus en plus nombreux. Se précipitant vers lui pour le féliciter après avoir à peine regardé son œuvre, et quelquefois même avant, ils l'empêchent de s'approcher de moi. Il perçoit seulement que je me hâte de me perdre dans la foule. Au bout d'un moment, je tente même de m'éclipser de l'atelier. Il est obligé de me courir après pour me rattraper à l'instant où je vais sortir : "Alors ?" Je ne dis rien, me contentant de sourire. Et puis si, quand même : "C'est très beau." Quoi, c'est tout ? Mon sourire s'élargit : oui, c'est tout, c'est très beau, je sais que tu voudrais que je te parle, que je te flatte, que je te rassure, mais que puis-je te dire d'autre avec des mots pour t'exprimer mon émotion, je t'ai déjà tout montré avec ma danse, dont j'ai parfaitement vu que tu l'observais, avec ce geste poétique que j'ai peut-être accompli plus pour toi que pour moi ? Si tu ne comprends pas ça, tant pis, tu n'auras rien d'autre, va retrouver tes amis qui sauront bien, eux, t'étourdir de leurs compliments ! Mettant une fin abrupte à mon doux sourire, je lui tourne le dos. "Quelle drôle de fille", pense-t-il, interloqué, en me laissant m'en aller.

Mais je reviens sur mes pas. Et là, je me mets à parler, à toute vitesse : "C'est très beau, vraiment, j'ai bien perçu la tension du double mouvement, mais le dos est moins travaillé, non ? Tu te souviens de ce que tu me disais, que tu voulais faire une statue que l'on pourrait voir sur toutes les faces, ce n'est pas encore tout à fait ça, je crois." Il est tellement stupéfait qu'il ne trouve rien à répondre. En tout cas, il ne peut plus se plaindre que je n'écoute pas ses explications. Je le plante de nouveau là. Mais non, je rebrousse chemin encore une fois, pour lui lancer : "Et le visage ?" Cette fois, il parvient à articuler : "Ah oui, en effet, le visage." Il se sent obligé de se justifier : "Il est volontairement à peine ébauché, tu comprends, c'est un effet. Je veux dire, entre le sourire de l'affirmation et la grimace du refus, tu vois, je n'ai jamais vraiment réussi à savoir quel était le visage de cette Artémis." Plus il ajoute, sur un ton plus enjoué, tentant de redevenir un Athénien aimable : "Peut-être que je n'ai pas encore assez bien regardé le tien ?" Nous nous dévisageons un instant en silence.

Et puis j'éclate de rire.

Ou plutôt non : j'éclate de sourire.

D'un sourire mutin, aussi faux que le précédent était vrai. Je fais comme Praxitélès, je joue de nouveau mon rôle, je redeviens une hétaïre légère, je maîtrise très bien cette expression pleine d'une grâce innocente, je sais l'effet qu'elle produit sur les hommes, plus ravageur que mes moues les plus lascives. Me dressant sur la pointe des pieds, je lui glisse à l'oreille, d'un ton aussi spirituel que le sien : "Alors, Sculpteur, il faudra que tu sois plus attentif la prochaine fois, s'il y en a une évidemment." J'ajoute à voix haute, à la cantonade, à destination de tous les indiscrets qui se sont approchés de nous : "Je poserai peut-être encore devant toi, si tu as besoin de moi pour une autre déesse mais je te préviens, maintenant que tu vas être considéré comme le meilleur sculpteur de la ville, je vais conseiller à Nikarétê d'augmenter sérieusement mes prix !" Tout le monde se récrie. Je me sauve, cette fois-ci pour de bon, le laissant au milieu de ses admirateurs, déboussolé par cette dernière badinerie autant que par la gravité sourde de ma danse solitaire. Par cette incapacité qu'il ressent à établir avec moi dans la réalité un vrai contact, après toutes ces heures passées de son côté à me poursuivre, à tenter de retrouver le moment de communion de notre séance de pose. L'absente. La fuyante.

Mais je reviens encore quelques heures plus tard. Comme si je ne me décidais pas à le laisser tranquille.

Je suis accompagnée cette fois de Nikarétê, de Stéphanê, de Lagiskê, et de quelques autres hétaïres célèbres. Nous sommes entourées par toute une cour de jeunes gens beaux et de riches clients. Tous ces imbéciles qui font de son atelier le dernier endroit à la mode fatiguent le Sculpteur, je le sais, mais, dans le brouhaha des conversations, je me débrouille pour le regarder plusieurs fois et je n'ai même pas besoin de sourire pour que mes œillades le transpercent de leur douceur. Je nous fais le cadeau secret de passer tout l'après-midi seule avec lui au milieu des autres. Le soir aussi. Il donne un banquet à ses intimes pour fêter son œuvre. J'y fais mon apparition très tard, escortée de mon sanglier garde du corps, Hypereïdês. Mais ce dernier a le bon goût de ne pas lui disputer mes faveurs au kottabe. Alors je m'occupe de sculpter mon Sculpteur dans l'abandon du plaisir avec beaucoup de dextérité, beaucoup de ferveur ou seulement de tendresse. Je le fais mourir mais je ne meurs pas avec lui. Je reste bien vivante à lui donner la mort et puis à le regarder renaître. Les yeux d'Artémis sont doux, il ne peut le nier. Je ne me suis pas dégagée lorsque j'ai senti qu'il allait éjaculer, pour le finir à la main, comme je le fais désormais avec mes autres clients. Au contraire, je me suis plantée sur sa verge de toute la pesanteur de mes hanches et de mes cuisses afin qu'il jouisse très profondément en moi. Et maintenant, au lieu de basculer sur le côté, je reste accroupie au-dessus de lui. La reine des grenouilles sur son trône nénuphar. Si longtemps qu'il finit par sentir le filet frais de son sperme, la langue suintante du serpent, qui se glisse entre nos cuisses de ma vulve sur son pubis. Il s'agite, parce que ce contact n'est pas particulièrement agréable. Mais, au petit sourire que je lui adresse alors, ou que je m'adresse à moi-même, tout en me faisant encore plus pesante pour l'empêcher de se dégager, il se demande si je n'ai pas attendu délibérément ce moment. Afin que nos ventres soient unis par ce liquide visqueux ? Et voir s'il est capable de recevoir ce contact d'une matière gluante et étrangère que je suis forcée de subir moi aussi ? Alors il accepte, comme la fois déjà où je lui en ai fait couler une giclée dans la bouche. Il me confronte au marbre et moi au sperme. Il se laisse lier par les fils de l'unique araignée que forment nos deux bas-ventres. Il me laisse me coller à lui de sa propre glu. Il sent mon corps et le sien qui s'alanguissent, qui se mélangent, dans cet assoupissement et cette moiteur, plus que dans l'ardeur de tout à l'heure. Il sent que je m'endors et que lui aussi glisse dans le gouffre réparateur, quelques secondes après moi. Que je nous fais à tous deux le cadeau de cette plongée commune. C'est ma manière étrange de le remercier pour la fièvre de notre séance de pose que ce repos pris ensemble dans la toile du sommeil. Tous les deux inextricablement mêlés dans nos songes et dans nos sécrétions intimes. Puisque ce n'est pas Erôs qui nous lie, j'ai décidé que ce serait Hypnos. Parce que le sommeil est une autre forme d'amour et la seule que je m'autorise.

III

LA VIE DORÉE

18

LES AMIS DE BANQUET

Pendant les mois qui suivent, bien que je sois encore officiellement son esclave et que je demeure dans sa maison, Nikárété me laisse presque entièrement libre de mes mouvements. La nuit, je continue de découvrir avec ivresse le monde du plaisir et, l'après-midi, je sors très souvent en compagnie de Myrrhina et Lagiskê. De rivales, les deux hétaïres deviennent presque mes amies, même si, nos conditions restant différentes, je ne peux avoir avec elles la même complicité qu'avec la petite acrobate Stéphanê. Hypereïdês nous surnomme les Trois Grâces. Nous nous donnons rendez-vous au bain public, où chacune de nos apparitions se transforme en exhibition. Surtout à cause de Myrrhina d'ailleurs. Souvent, cette spectaculaire fofolle traverse entièrement nue la salle d'entrée qui donne sur la palestre où s'entraînent les hommes, en réclamant à grands cris plus de pâte à soude ou d'eau chaude. Le directeur, se précipitant pour l'obliger à retourner dans le bain des femmes, jure ses grands dieux que cette fois, il va l'expulser, mais il se garde bien de mettre sa menace à exécution contre celle qui est devenue l'une des principales attractions de son établissement. Myrrhina n'est plus depuis longtemps l'amie en titre de Praxitélês, dont on commence à dire qu'il est amoureux de moi ou qu'il va se marier. Elle n'a pas gardé plus de quelques semaines Léôkratês : "Tu comprends, m'a-t-elle expliqué, ce jeune cochon, il est trop vigoureux et trop radin : je mettrais trop de temps à le ruiner ou c'est peut-être lui qui finirait par avoir ma peau !" Elle a repris sa liberté qu'elle aime par-dessus tout et qu'elle jette à la figure de tous les hommes en même temps que ses tuniques de soie rouge feu. Lagiskê est plus sage mais l'éclat amusé de ses yeux donne à nos délires leur véritable profondeur. Toutes les trois, nous rions tellement, en compagnie de nos servantes, que nous ne manquerions pour rien au monde ces après-midi au bain, qui sont la partie la plus délicieuse de notre existence d'hétaïre.

Un jour, pourtant, Lagiskê arrive très en retard au rendez-vous. Lorsqu'elle nous rejoint près de la vasque des ablutions, les yeux rougis mais la voix calme, elle nous annonce ce qui l'a retenue : après dix ans de vie commune, où elle était sa maîtresse officielle et où il passait la plupart de ses nuits dans la maison qu'il lui avait offerte, Isokratês vient de rompre. À plus de soixante ans, il a enfin décidé de se marier. Le scandale aux yeux de l'opinion publique n'est pas qu'il le fasse à cet âge, et avec une femme de trente ans plus jeune que lui, mais qu'il ne s'y soit jamais résolu auparavant. Pour un personnage public qui prétendait incarner toutes les valeurs de l'hellénisme, il y avait là quelque chose de pas très grec. Il épouse une certaine Plathanê, la fille d'un sophiste très connu. Cette Athénienne de souche lui apporte en dot son nom, sa fortune, ses alliances familiales, et un trésor encore plus précieux que tout cela : deux garçons. Ils ne sont pas de lui, évidemment, mais il va se dépêcher d'en faire les héritiers légitimes qui perpétueront les rites autour du foyer de sa maison. Le vieil intellectuel fera ainsi d'une pierre deux coups, en régularisant sa situation avec la société de ses ancêtres aussi bien qu'avec celle des vivants. Il pourra enfin se consacrer entièrement à son œuvre. Lui qui essaie en toute occasion de se conduire en honnête homme et qui aime les situations claires, il préfère rompre toute relation avec Lagiskê. D'ailleurs, c'est l'une des conditions posées par Plathanê et puis il sent que ses forces déclinent. Mais il laisse à sa maîtresse une grosse somme d'argent et la petite maison dans laquelle il l'avait installée, avec tous les esclaves qui l'habitent. Personne ne peut rien lui reprocher, ni les citoyens ni les hétaïres.

Myrrhina tente quand même de se moquer de ce vieux professeur de morale trop naïf : il croit malin de se caser avec une femme pourvue de deux fils qui ne sont pas de lui, ni de son précédent mari, et dont tout le monde sait que le troisième, à naître dans cinq ou six mois, sera celui d'un de ses esclaves. Mais Lagiskê sourit à peine. Au bout d'un moment, elle nous avoue qu'elle a conseillé elle-même à Isokratês de la quitter mais qu'elle hésite à accepter les cadeaux d'adieu qu'il veut lui faire. "Ah bon, s'exclame Myrrhina stupéfaite, moi, j'aurais fait tout le contraire : j'aurais accepté les cadeaux et ensuite je me serais débrouillée pour l'empêcher de se marier !" Lagiskê ne répond pas. Il me semble qu'à travers la vapeur de la salle du bain, dans la lumière rasante qui tombe par une lucarne ouvragée, ses yeux brillent avec trop d'intensité. Je crois même deviner une larme perlant au creux de ses paupières encore subtilement maquillées. Myrrhina a dû la remarquer elle aussi, car elle s'exclame : "Enfin ma chérie, tu n'es pas amoureuse ? Pas de ce vieux bonhomme ? Il a quarante ans de plus que toi au moins ! Il pourrait être ton père ou même ton grand-père ! Non, ce serait trop dégoûtant, rassure-moi en me disant que tu couchais seulement avec son argent, sinon, je ne pourrais plus être ton amie !" Lagiskê lui répond sur un ton enjoué, derrière lequel elle tente de dissimuler son chagrin : "Isokratês était l'homme le plus intelligent que j'aie jamais rencontré et, pour vous dire la vérité, j'aime encore plus parler avec les hommes que coucher avec eux." Myrrhina se récrie. J'interviens pour la première fois dans la conversation : "Si tu aimes vivre avec lui, pourquoi lui as-tu conseillé de se marier ?" Elle me regarde avec surprise : "Il lui fallait des descendants légitimes, je ne l'avais que trop retardé. Il m'a donné dix ans, je ne pouvais pas lui demander plus.

— Attends, reprends-je, laisse-moi comprendre, toi, qui es une hétaïre, tu sais bien, une femme qui ne pense qu'au plaisir et à l'argent, tu vas par amour jusqu'à renoncer à lui ? C'est toi qui lui as donné dix années, et tes plus belles, de vingt à trente ans ! N'as-tu pas remarqué qu'il te lâche au moment..." Je vais ajouter étourdiment : "Au moment où l'on commence à voir tes premières rides" mais je parviens à me taire et Myrrhina me sauve la mise, en s'exclamant : "Lagiskê, tu es une vraie héroïne de tragédie. Tu es encore plus admirable qu'Alkestis et encore plus sotte : tu acceptes de te sacrifier pour un Admêtos qui n'est même pas ton mari !" Les yeux de Lagiskê se remettent à briller, tandis que ses fossettes se creusent sur l'un de ses mystérieux sourires : "Oui, je me sacrifie, tu as raison, au moins pour le moment. Nous en reparlerons dans quelques mois. La sévère Athêna, qu'il honore par son mariage, est puissante, d'accord, mais la tendre Aphroditê aussi. Notre déesse ne m'a pas retiré sa protection, elle me conseille seulement la patience...

— Ah d'accord ! s'écrie Myrrhina, en éclatant de rire, tu n'as pas renoncé à récupérer ton vieux bonhomme !" Lagiskê m'adresse un clin d'œil. Je comprends que l'hétaïre blonde est comme mon amie l'acrobate : elle ne rompt pas, et, quand elle plie, elle fait seulement semblant. C'est par la voie de l'apparente soumission, que ces femmes sages font leur chemin dans ce monde d'hommes. Lagiské nous éclabousse toutes les deux pour mettre un terme à la conversation. Pourtant, après le bain, tandis que nous nous reposons, elle redevient mélancolique. Se tournant vers moi, elle me glisse : "Il faudrait quand même qu'Aphroditê ne perde pas trop de temps pour venir à mon secours. Regarde !" Elle me montre le coin de ses yeux : "J'ai tellement pleuré cette nuit que ma première ride est apparue au grand jour. Jusque-là, j'avais toujours réussi, je crois, à la faire passer à peu près pour une ombre sous le maquillage." Je me garde bien de la détromper mais je me souviens de ma première impression, le soir où je l'ai rencontrée, lorsque j'ai découvert ces brindilles au coin de ses yeux. Prise d'un élan subit, je passe mon doigt sur ses paupières et je me penche pour les embrasser. "Voilà, cette première ride, elle a disparu ! Aphroditê ne t'oubliera pas, je te le jure." Ce n'était qu'un geste de tendresse un peu sot mais Lagiskê paraît le considérer avec un sérieux qu'il n'a pas. Elle me murmure soudain : "Tu lui parleras pour moi ?" Il y a un tel élan naïf dans cette question que j'en reste interdite : "Qu'est-ce que tu veux dire ?" L'autre rougit : "Je ne sais pas." Heureusement, Myrrhina intervient : "Elle veut que tu intercèdes en sa faveur auprès de moi. Car je suis Aphroditê en personne, si j'en crois ce que me disent mes amants. Ou les vôtres !"

Cet après-midi, qu'a préludé la note mélancolique jouée par Lagiskê, s'achève sur le mode de Myrrhina, en jeux bruyants, en cris aigus et en rires. Nous jouons aux conspiratrices. Maintenant que notre blonde amie est de nouveau libre, les hommes n'ont qu'à bien se tenir, nous allons nous unir pour faire des ravages dans leurs rangs. Nous dresserons une liste des Athéniens les plus riches et nous nous les partagerons. À chaque banquet, nous séduirons un nouveau fils de famille et nous nous jurons d'avoir ruiné chacune un banquier d'ici les prochaines Anthéstêria, les fêtes des Fleurs que l'on célèbre en l'honneur de Dionysos au début du printemps. Nous allons donner raison à Timoklês, l'auteur comique et le devin, qui, alors même que nous étions encore fidèles à nos amants respectifs, a fait rire toute la cité, en nous surnommant, au lieu des Trois Grâces qu'avait proposé Hypereïdês, les Trois Parques : l'une soupèse votre bourse, l'autre en tire le cordon pour l'ouvrir, et la dernière la jette une fois vide ! Au moment où nous nous apprêtons à quitter le bain, Myrrhina nous demande de nous agenouiller à côté d'elle. Prenant nos servantes à témoin, nous prononçons devant Aphroditê et Erôs le serment solennel de notre alliance sacrée contre les Athéniens fortunés et nous jurons de commencer notre œuvre divine le soir même, au banquet que donne ce dépensier d'Hypereïdês pour fêter le succès de sa dernière plaidoirie.

Tandis que nous nous séparons, afin d'aller chacune de notre côté endosser notre tenue transparente de combat et notre harnachement de bijoux (nous en avons bien pour deux heures), Lagiskê nous avoue qu'elle ne pensait pas s'amuser autant le jour de sa rupture avec Isokratês. Moi aussi, je reviens particulièrement détendue du bain, plus joyeuse que je l'ai jamais été, presque exaltée. Les moindres sorties en compagnie de Myrrhina se révèlent souvent plus épuisantes qu'apaisantes mais elle a réussi, cet après-midi-là, à m'insuffler son énergie fantasque. J'ai envie de poser sur la société qui m'entoure les mêmes yeux irresponsables et lucides que mon amie. J'envisage avec joie la nuit qui va suivre. Je suis résolue désormais à y chercher, non plus une revanche amère mais simplement le plaisir. Je veux profiter de la vie dorée qui s'ouvre devant moi pour quelques années et qui s'achèvera lorsque je commencerai, comme Lagiskê, à voir apparaître au coin de mes yeux mes premières rides. Alors seulement il sera temps de me faire du souci. Pour le moment, je n'ai pas encore vingt ans, je suis jeune, je suis belle, la cité s'offusque de mes audaces mais les accepte. Encore esclave, je me sens déjà en esprit une hétaïre indépendante. Je suis prête désormais à faire confiance à la vie, et à ouvrir enfin entièrement mon âme à l'irrésistible futilité de ce monde.

C'est dans cet état d'esprit euphorique que j'arrive à la maison de Nikarétê. Ma maîtresse, le visage fermé, ne me jette qu'un coup d'œil, les autres filles se serrent peureusement dans la grande salle et même les trois Cerbères paraissent désarmés.

Le visiteur n'a pourtant rien d'impressionnant : un homme d'assez petite taille, tout rond, les cheveux un peu dégarnis, l'air si bonhomme, si patelin, si inoffensif, qu'il m'a paru presque sympathique au premier abord. Mais Stéphanê m'apprend qu'il s'agit d'un certain Androtiôn, dont le nom seul suffit à la faire trembler. Depuis qu'il s'est fait voter les pleins pouvoirs par l'assemblée du peuple pour collecter les taxes, notamment celle sur la prostitution, il s'est acquis dans cette tâche rebutante (chacun faisant tout ce qu'il peut pour échapper à l'impôt) une inédite réputation de brutalité. À l'égard des métèques, bien sûr, mais aussi de certains de ses concitoyens, chez qui, lorsqu'ils ne sont pas du même bord politique que lui, il se fait un plaisir de perquisitionner, en ameutant tout le quartier. D'ailleurs, il est accompagné de deux archers officiels et d'une dizaine de serviteurs, qui se sont répandus dans toute la maison afin d'en dresser l'inventaire. Le bonhomme est d'autant plus inquiétant que sa voix reste parfaitement calme. Après avoir salué l'honnête citoyen Hipparkhos, il a pris Nikárété à froid : il lui a déclaré qu'il était de notoriété publique qu'elle flouait l'État, en louant certaines de ses filles beaucoup plus cher que le tarif officiel mais en n'acquittant la taxe que sur le prix plancher. Je me rends compte que ma maîtresse est un peu inquiète : au lieu de le prendre de haut, elle se met à négocier humblement avec le collecteur. Elle lui propose de régulariser sur-le-champ sa situation, tout en ajoutant bien sûr un dédommagement pour s'excuser de ce malentendu. À ma grande surprise, le petit bonhomme monte sur ses grands chevaux. Tandis que sa voix part dans les aigus, il se scandalise qu'on prétende ainsi le corrompre. Je me dis : "Pas de chance, nous sommes tombés sur le seul magistrat honnête de la cité !" Nikárété se récrie, tentant de réparer sa bévue, mais l'autre, sans se laisser couper la parole, poursuit jusqu'au bout son petit discours outragé : cette attitude n'est pas tolérable, éructe-t-il, surtout de la part d'une affranchie, qui devrait montrer un scrupule religieux à respecter les lois de la cité lui faisant l'honneur de l'accueillir. Pareille malhonnêteté mériterait le fouet mais Androtiôn se contentera de saisir ses meubles. Je suis très surprise de l'attitude d'Hipparkhos, le mari, qui se contente d'assister à la scène en spectateur, l'air gêné. Regrette-t-il lâchement de ne pas s'être remarié avec une citoyenne ? À moins qu'il ne s'agisse d'une stratégie élaborée à l'avance entre les époux en cas de problème ? Je vois bien que Nikárété, tout en se confondant en excuses, continue à dévisager le collecteur d'un œil pénétrant. Je suis presque rassurée de constater que cette maîtresse femme, tout en feignant l'affolement, garde la tête froide : elle doit sûrement penser comme moi qu'une tirade aussi vertueuse cache quelque chose. Mais quoi ? Que peut bien vouloir cet austère représentant des finances publiques ?

Lorsqu'elle surprend le regard qu'il nous glisse par en dessous, à Stéphanê et à moi, qui continuons à chuchoter dans notre coin, elle se dit qu'elle a trouvé. La faiblesse du collecteur de taxe, ce n'est pas l'argent, mais les jolies filles ? Parfait, il ne pouvait pas mieux tomber ! Se penchant vers le magistrat avec un sourire de connivence, elle lui propose que sa plus belle pensionnaire, la déjà célèbre Mélitta, ici présente, vienne lui remettre en personne l'amende et dîne chez lui le lendemain soir, ce qui lui permettra d'avoir le temps d'inviter quelques amis. Mélitta animera sa soirée gracieusement, en grande tenue d'hétaïre et sans qu'il lui en coûte rien. À la surprise de Nikarétê, le collecteur fait la moue en me regardant. Je n'ai pas l'air de suffire aux appétits de ce nain ridicule. Il n'accepte de céder aux prières de ma maîtresse qu'à la condition qu'une deuxième fille, Stéphanê, qu'il montre grossièrement du doigt, se joigne à la première, car il craint qu'une seule flûtiste, si célèbre soit-elle, ne joue pas assez fort pour lui faire oublier la voix du devoir. C'est à ce prix seulement que Nikarétê sauvera ses meubles. "Enfin, nous verrons, conclut Androtiôn de sa voix mielleuse, au moment de s'en aller avec ses serviteurs et les deux archers, encore faudra-t-il que tes petites protégées fassent correctement leur métier."

Après le départ de l'insupportable bonhomme, Nikarétê me lance un regard appuyé : "Je ne me fais pas de souci pour Stéphanê, mais j'espère que toi, Mélitta, tu te montreras raisonnable. J'exige, tu entends, j'exige que tu te prêtes sans rechigner aux fantaisies de cet Androtiôn ! À toi d'éviter qu'elles ne deviennent trop répugnantes. Mais, si tu te souviens de mes leçons, tu sauras le contrôler." Elle ajoute, d'une voix plus conciliante : "Je sais très bien qu'il est indigne de toi, et des gens que tu fréquentes désormais. Mais ici, il s'agit d'une question de vie ou de mort, tu peux nous sauver ou nous perdre toutes. Et puis, il n'est peut-être pas inutile de mettre dans sa manche un collecteur de taxe. Tu devrais y réfléchir." Elle insiste : "Je peux compter sur toi ?" Je ne réponds rien. Stéphanê m'envoie un regard suppliant pour m'inciter à plier. Nikarétê conclut, en faisant un geste vers Mentês, l'aîné des trois Cerbères, l'homme au visage couturé de cicatrices qui m'a accompagnée au Port pour tenter de récupérer Glykeïa et dont j'ai inondé l'épaule de mes larmes : "Je peux compter sur ton obéissance, n'est-ce pas ?" Le terrible Cerbère avance d'un pas dans ma direction. Sans que son visage manifeste la moindre expression, il pose sa main lourde sur ma nuque. Mais soudain, de façon complètement inattendue, il penche un peu la tête vers moi et me murmure : "Allez, va, petite, cède, il n'y a rien d'autre à faire, et ça nous évitera à tous des embêtements." C'est ce murmure-là, plus peut-être que le regard de Stéphanê, les menaces de Nikarétê ou le regard hostile d'Hipparkhos, qui me décide à ne pas me révolter. Je regarde ma maîtresse dans les yeux : "D'accord, Stéphanê et moi, nous allons nous occuper de ton collecteur. Nous allons te le sucer à mort, lui et tous ses amis, tellement que leurs cheveux vont blanchir d'un seul coup ! J'espère que tu me compteras cette prestation pour au moins vingt drachmes. Tu es satisfaite ?" Nikarétê sourit. Mais je vois qu'elle n'est qu'à demi rassurée, se disant sans doute qu'il sera plus prudent de faire accompagner les deux filles par un autre des Cerbères, Kistôn, le plus intraitable, celui que je contrôle le moins. Car elle me connaît. Enfin, un peu. À vrai dire, la seule chose qu'elle sache avec certitude sur mon compte, c'est que je suis toujours capable de surprendre, même lorsque je parais céder.

Elle a raison de s'inquiéter. Malgré le ton léger sur lequel j'ai prononcé ma dernière forfanterie, je me sens profondément humiliée. Non parce que ce minable ne m'a pas jugée digne de lui suffire (de cela, je trouverai bien pendant la soirée un moyen de me venger), mais parce que je me vois brutalement ramenée à ma condition. Même si je fréquente les hommes les plus raffinés et les femmes les plus apparemment libres, même si nous faisons les folles aux bains publics, même si je peux avoir l'illusion en cette brillante compagnie que c'est moi qui mène le jeu, je ne suis en réalité qu'une putain. Une esclave dont on peut user à sa guise et se servir comme d'une monnaie d'échange. Frayer avec le grand monde ne me permet pas d'échapper à la soumission : cela m'en rend seulement l'idée plus insupportable. Je sais très bien que coucher avec cet Androtiôn, si vulgaire soit-il, n'est pas pire que d'enchaîner les passes avec des marins, comme j'étais obligée de le faire deux ans auparavant au Peïraïeus. Mais, contrairement à ce que je me disais en revenant du bain, j'éprouve toujours autant de haine à l'égard de cette cité d'Athênaï, qui peut à la fois vous exalter l'esprit par la conversation de ses jeunes gens, le talent de ses artistes, la liberté de ses mœurs, et continuer à utiliser avec un cynisme brutal votre corps comme une marchandise. Qu'est-ce qui la caractérise le plus, Euthias le jeune lion idéaliste et Praxitélês le sculpteur, ou le Boskos et Androtiôn, le collecteur corrompu ? La salle des banquets de la maison élégante d'Hypereïdês ou le bordel municipal du Port ? D'un seul coup, au moment même où j'allais m'en débarrasser, le laisser glisser de mes épaules pour me livrer au plaisir de me montrer nue, mon dégoût me colle de nouveau à la peau, plus étroitement que jamais, comme une tunique invisible enduite de poison. Je me sens de nouveau plongée, malgré la fraîcheur du péristyle de la belle maison de Nikarétê et les parfums du bain que je viens de prendre avec mes amies, dans l'obscure puanteur de ma cellule. Je suis tellement en colère contre le monde que j'en viens à gifler ma suivante, Herpyllis, simplement parce qu'elle me rappelle l'autre petite, Glykeïa, que j'ai sacrifiée sans parvenir à échapper à mon passé. Ensuite, je suis obligée de perdre du temps à la consoler pour ne plus être importunée par ses pleurs. J'exècre les victimes autant que les bourreaux !

C'est dans cet état d'esprit maussade que je me mets en chemin pour aller faire la fête chez Hypereïdês, précédée par la torche d'un serviteur et suivie par la présence menaçante d'Adômas, le troisième des Cerbères, celui dont le sexe tatoué pénètre chacune des petites élèves de Nikarétê pour leur apprendre la parfaite soumission. Je vais retrouver ma petite bande de faux amis, les "jeunes lions", qui ne sont que d'égoïstes animaux libres, ainsi que mes compagnes Lagiskê, Myrrhina, et quelques autres des plus brillantes hétaïres d'Athênaï, qui, harnachées de leurs tuniques coûteuses et de leurs bijoux, ne sont que de vulgaires objets de consommation : on les jettera dans quelques mois lorsque d'autres filles plus neuves seront apparues sur le marché. Je souris à tous, bien sûr, je suis là pour ça, mais je dis à peine bonjour. Je n'ai envie de confier à personne ce qui m'arrive, comme s'il s'agissait d'une honte. D'ailleurs, il s'agit d'une honte. Je ne me mêle pas aux conversations, si ce n'est par ce que Praxitélês appelle ma présence divinement absente. Pour une fois, cette formule creuse dit la vérité : au milieu d'eux, je ne suis pas là. Je suis ce que je resterai jusqu'à la fin de mes jours, même si je parviens à racheter ma liberté : une étrangère, une exilée. D'ordinaire, si je ne parle guère, j'écoute volontiers, prenant plaisir à assister aux joutes d'esprit que ces jeunes gens mènent pour mes beaux yeux. Ce soir-là, je méprise l'esprit. Derrière chacun de leurs mots élégants, j'entends la voix de fausset d'Androtiôn.
"Hé, toi, tu me dis pas bonjour ?"
Celui qui m'interpelle est un type que je n'ai jamais vu dans ces fêtes où je connais maintenant tout le monde. Tunique grossière, manières frustes, visage puissant, marqué, brutal. D'emblée, j'ai perçu qu'il était dangereux. Depuis mon entrée dans la salle de banquet, il ne me quitte pas des yeux. J'ai feint de ne pas le remarquer, tout en m'enquérant discrètement de son identité. Un ami de Léôkratês, paraît-il, dont personne n'est capable de me citer le nom. Je me suis installée au hasard, le plus loin possible de lui. Mais Euthias, qui m'a aperçue lui aussi, me réclame avec insistance. Si je vais le rejoindre, je me rapprocherai aussi de la banquette où se

tient allongé le menaçant inconnu. Et alors ? Qu'est-ce que je risque, sous la protection de mon amant, dont la seule présence empêchera l'importun de m'adresser la parole ? Je me décide à bouger, et je parviens à m'asseoir près d'Euthias sans que l'autre ait réussi à m'intercepter. Mais, alors que je suis déjà installée, le type, se penchant brusquement vers moi, m'apostrophe à voix haute, sans se gêner : "Alors, comme ça, tu me reconnais pas ?" Je suis bien obligée de tourner la tête vers lui. Je le dévisage de plus près. Jamais vu de ma vie ce paysan. Avec la politesse exquise et glaciale qui doit caractériser une hétaïre même lorsqu'elle se trouve exposée à la vulgarité des hommes, je m'apprête à lui déclarer que je n'ai pas encore eu l'honneur de lui être présentée, mais il reprend en ricanant : "Moi, je te connais bien. Je m'appelle Démadês. Lorsque nous nous fréquentions, tu n'avais pas de nom, on te surnommait la Muette ou un truc comme ça. À cette époque-là, tu travaillais dans l'un des bordels du Port, peut-être celui d'Antidôros, ou même pire, je me souviens plus très bien. En tout cas, je te revois, assise dans un coin sombre, avec ton manteau sur les cheveux, c'était plutôt bizarre pour une pute !"

Je le laisse parler sans réagir. Pétrifiée. Voilà ce que je redoute le plus depuis mes débuts dans ce monde privilégié : être démasquée. J'ai imaginé cette scène des dizaines de fois, préparé des dizaines d'esquives différentes, et là, je n'en trouve aucune à ma disposition. Peut-être à cause de la rudesse de son attaque, qui détonne dans un banquet, peut-être parce qu'encore sous le choc de la scène précédente chez Nikárétê, je suis moins souple qu'à l'ordinaire. Peut-être aussi à cause de la présence d'Euthias à mes côtés, que j'ai senti sursauter, dont le corps a réagi plus violemment que le mien à l'agression. Mon amant se penche à son tour brusquement vers l'inconnu : "Comment, qu'est-ce que tu viens de dire, tu peux répéter ?" Mais celui-ci se détourne pour réclamer au petit esclave qu'il remplisse sa coupe de vin. Après l'avoir bue, posément, il m'adresse de nouveau la parole, sans répondre à Euthias, qu'il n'a peut-être pas entendu et dont il continue en tout cas à ignorer délibérément la présence : "Je t'ai souvent baisée, tu te souviens pas ? Faut dire que t'avais pas vraiment l'air de t'intéresser à ce que tu faisais. Très jolie mais une bûche. Aucun avenir comme pute. C'est pourquoi je suis un peu surpris de te retrouver ici. Il paraît que tu t'appelles Mélitta maintenant et que tu es devenue l'une des flûtistes les plus courues de la ville ? Après tout, pourquoi pas ? La vie réserve de ces surprises !" Il me parle à voix haute, mais sans aucune agressivité, comme si nous menions une conversation de bon ton. Peut-être plusieurs des invités sont-ils en train de l'écouter ? Je n'ose même pas tourner la tête pour constater l'étendue des dégâts. Je sens simplement les hanches et le buste d'Euthias contre moi, je devine à leur tension que mon amant, qui a repris le contrôle de lui-même et qui ne veut pas faire scandale en pleine salle de banquet, afin de ne pas ébruiter la raison de l'altercation, s'interdit de sauter à la gorge de l'inconnu. Peut-être aussi le laisse-t-il parler parce qu'il est retenu par la curiosité, par le désir impérieux de l'écouter jusqu'au bout, et même de le relancer en le questionnant, pour apprendre enfin la vérité sur mon passé dégradant ? Aux yeux d'Euthias, bien sûr, il existe une différence radicale entre la condition d'une hétaïre élégante, qui accepte de recevoir une fortune pour accorder ses faveurs à un jeune homme aussi brillant que lui, et celle d'une vulgaire pute du Peïraïeus. Tandis que moi, je viens de découvrir, grâce à Androtiôn, qu'il n'existait entre elles qu'une superficielle différence d'habillage.

Ce Démadês, sorti tout droit de mes Enfers pour mettre un comble à mes tourments, continue tranquillement : "Je suis comme toi, j'en ai vécu des galères : j'ai fait le matelot, le docker, et même le videur de bordel, avant de travailler pour Léôkratês. Pourtant, un jour, bientôt, moi aussi je serai célèbre ! Et riche ! Tellement que je pourrai dépenser plusieurs dizaines de drachmes à baiser avec toi, comme je le faisais avant pour une obole. Mais j'espère que, cette nuit-là, tu seras un peu plus performante !" Il éclate de rire. Un rire vulgaire, sonore, prolongé, mais sans aucune volonté de blesser, encore pire, épouvantablement complice. Euthias, qui ne sait pas du tout comment réagir, qui se demande si le plus simple ne serait pas de céder à son impulsion et de jeter sa coupe de vin au visage de celui qui n'est même pas mon insulteur, tente, par une pression discrète de son bras sur mes hanches, de me faire comprendre que je devrais me lever pour aller m'asseoir sur une autre banquette, celle d'Hypereïdês par exemple, en le laissant s'occuper de cet importun bavard. Mais je ne réagis pas. Parce que je n'ai aucune envie de les laisser seul à seul parler de moi, et permettre à mon amant, dont j'ai déjà deviné la jalousie, d'en apprendre encore plus sur mon compte. Mais surtout parce que je suis redevenue une bûche. La muette. L'absente. Alors Euthias parvient à choisir la solution la moins humiliante, pour lui et peut-être aussi pour moi. Au lieu de balancer sa coupe à la figure de ce Démadês, il la boit, posément, ainsi que l'aurait fait peut-être le grand Périklês, s'il avait entendu un concitoyen tenter de salir devant lui l'irréprochable Aspasia. Puis il se détourne, pour commencer avec nos voisins une nouvelle conversation, comme si la nôtre n'avait aucune importance, comme si elle n'existait tout simplement pas. Il me laisse me débrouiller seule avec mon passé.

Démadês se penche encore un peu plus dans ma direction, presque jusqu'à tomber de sa banquette, et c'est alors seulement que je me rends compte qu'il est à moitié saoul, ce qui explique sans doute que, ne parvenant plus à déguiser sa vulgarité, il se montre si brutal et si sincère. Il me déclare, d'une voix pâteuse mais moins sonore, qui ne chercherait désormais à s'adresser qu'à moi : "Il faut rire, ma belle ! Il faut pas avoir honte ! Tu as été pute, et alors ? Tous ces jeunes gens bien riches et bien nés, ils peuvent peut-être te mépriser, mais c'est parce qu'ils ne connaissent pas la misère. Moi, je peux te comprendre. Tous les deux, on est pareil, pas vrai ? La seule différence entre nous, c'est que moi, je n'ai pas honte de ce que la vie m'a amené à faire. Moi, honte ? De rien, jamais ! C'est ma morale personnelle. Parce que si j'étais à leur place, d'ailleurs je le serai bientôt, je serais capable de faire l'élégant, et le prétentieux, et l'intègre, aussi bien qu'eux. Tandis que s'ils avaient été à la mienne, ils n'auraient peut-être pas eu les couilles de s'en sortir. Oui, ma belle, c'est la vérité, toute crue ! Pareil pour leurs femmes. Ces épouses honnêtes, ces petites jeunes filles délicates, si elles avaient été à ta place, dans le bordel du Port, elles auraient été noyées. Et toi et moi, on sait bien ce qu'il y a d'affreux et de réel derrière ce mot, n'est-ce pas ? Mais voilà, toi et moi, on a échappé à la noyade, et maintenant qu'on est sur le bord, on est prêt à tout pour se faire une belle place au soleil !" Il ajoute, dans un sourire dont je ne parviens pas à décider s'il est cruel ou bienveillant : "Tu sais pourquoi je t'ai parlé si fort, tout à l'heure ? Parce que j'ai cru voir qu'il te restait encore un dernier petit reste de timidité, et que ça m'a fait rire, ou que ça m'a désolé. Le jour où t'auras plus rien à cacher, t'auras plus rien à redouter non plus. Tu ne seras libre que quand tu te seras débarrassée même de la honte !" Tout en l'écoutant déblatérer, je regarde avec plus d'attention les rides précoces que l'expérience a creusées sur son visage d'homme de peine, et qui sont si différentes de celles, délicates, de Lagiskê : elles ressemblent à des incisions brutales faites à coups de couteau. Qui est-il, ce diable d'homme, un démon railleur ou protecteur ? Il clôt son petit discours sur une ultime grossièreté : "D'ailleurs, tu n'as vraiment pas à rougir de ton passé, ma jolie. Tu vois, même si tu étais totalement nulle comme pute, on avait quand même beaucoup de plaisir à te baiser !" C'est ce sarcasme qui me donne la force de réagir. Cette fois-ci, je lui rends son sourire complice et vulgaire, oui, je rentre dans son jeu pour lui souffler : "J'espère que tu en as bien profité, alors, parce que tu n'es pas près de recommencer." Il hésite un instant, puis se contente de m'adresser un clin d'œil : "Qui sait ?" Au moment où il se détourne pour demander de nouveau du vin, je parviens à me lever. À lui échapper. À lui et aux questions d'Euthias.

Je me réfugie auprès de la souple Stéphanê. Je tente de me persuader que cette rencontre désagréable est un signe que le hasard m'envoie, afin de lutter contre le sentiment d'abattement qui s'est emparé de moi depuis que j'ai appris que, le lendemain soir, j'allais servir de distraction au minable collecteur. Ce Démadês est peut-être l'envoyé grimaçant du destin arrivant pile à son heure pour m'aider à franchir une nouvelle étape et me débarrasser définitivement de la honte ? Mais, sur le moment, je n'y parviens pas. Je me sens surtout humiliée par la connivence que ce matelot égaré dans le monde élégant des banquets a cru possible d'établir avec moi. J'ai l'impression que la vie m'envoie une succession de coups de poing en pleine figure au moment où je lui adressais un sourire de réconciliation.

Hypereïdês, là-bas, à l'autre bout de la salle, me réclame à grands cris et je suis bien obligée d'aller le rejoindre. Malgré sa finesse de viveur, il ne perçoit pas le changement dans l'humeur de celle qu'il croit son amie. Il me demande, avec son exubérance habituelle, de venir m'asseoir à côté de lui car il a un besoin urgent de mes services : "Je suis en pleine controverse avec Lykourgos, me crie-t-il, et pour une fois pas sur la politique, non, sur un sujet qui doit t'intéresser beaucoup plus : l'amour. Depuis un moment nous nous disputons pour savoir ce qu'un homme libre doit estimer le plus, entre l'amour des femmes et l'amour des garçons. Moi, tu me connais, je vous défends mais Lykourgos a un allié très jeune et très puissant. Si tu ne viens pas m'aider par ta présence silencieuse, j'ai bien peur qu'ils ne triomphent !" Oh, cette conversation de banquet m'horripile déjà avant d'en avoir saisi le premier mot ! Hypereïdês, qui défend les femmes, prétend m'utiliser lui aussi comme un objet, pour donner plus de force à son discours, et, dans l'humeur où je me trouve, ce mouvement oratoire me paraît répugnant. Je n'en

montre rien, évidemment. Je note la présence, à côté de Lykourgos, d'un jeune inconnu, qui est exactement l'opposé du matelot
vulgaire : un éphèbe si beau, si pur, si noble qu'on dirait Erôs en
personne. Et puis j'aperçois, parmi les invités massés sur les banquettes proches, ou même assis sur le sol pour assister de plus près
à la discussion, Timoklês, l'auteur comique, qui me raille parce qu'il
me désire, et Léôkratês, l'armateur, qui me flatte pour la même raison, mais dont les compliments me sont plus désagréables que les
moqueries de l'autre. Mes ennemis se sont-ils rassemblés ce soir pour
me donner le coup de grâce ? Je voudrais m'enfuir mais je m'approche. Je traverse leur groupe et je viens m'asseoir à côté d'Hypereïdês, en hétaïre prête à tout affronter pour accomplir son devoir
d'élégante légèreté.

Hypereïdês me désigne du doigt à Lykourgos, dont j'ai toujours
redouté l'esprit cassant autant qu'admiré la distance hautaine :
"Regarde comme cette femme qui s'approche est belle ! Regarde
comme les courbes de son corps s'harmonisent naturellement avec
les droites du nôtre. C'est Aphrodité en personne, dont les yeux doux
sont invincibles, parce qu'ils disent la vérité du monde. Aimer les
femmes, c'est aimer la nature, c'est aimer l'ordre de l'univers. Aimer
en nous ce qui nous lie aux bêtes et à toutes les choses vivantes qui
vont par deux. Tout nous invite à nous unir sans réfléchir avec ces
créatures charmantes, si décevantes soient-elles souvent par ailleurs,
je te l'accorde, mon cher Lykourgos. D'ailleurs, la cité aussi nous le
demande. Jusqu'à preuve du contraire, c'est avec elles et non avec
des garçons que nous pourrons avoir les descendants qui assureront sa permanence !" Allongé bien confortablement sur sa banquette, un bras passé autour de ma taille, que je lui abandonne de
bonne grâce, il pérore encore pendant un moment sur cette idée
d'un amour pour les femmes sanctifié par la nature aussi bien que
par la société. Lykourgos, lui, ne m'a gratifiée que d'un bref regard
lorsque je me suis approchée. Il continue de fixer ses yeux impa-
tients sur l'orateur, ne paraissant s'apercevoir de ma présence que
lorsque celui-ci tend la main dans ma direction pour appuyer ses
arguments. Pourtant sont venues s'asseoir à mes côtés, attirées par
l'ardeur de la discussion, Myrrhina, qui m'a entouré les épaules de ses
bras, et Lagiskê, une main posée sur mon genou. Nous formons un
très joli tableau, illustrant avec une silencieuse éloquence les paroles
de mon ami. Nous en sommes bien conscientes nous-mêmes. Mes
deux camarades adressent à ces hommes qui les admirent les plus

aimables de leurs sourires, pour leur montrer comme elles sont bien disposées à leur égard, tout en gardant sûrement à l'esprit notre serment du bain public. Hypereïdês s'arrête enfin. Léôkratês l'approuve bruyamment : "Excellent, je vote pour toi, camarade, je vote pour les femmes !" L'imbécile !

C'est à Lykourgos de parler. Mais d'abord il se tait. Il se contente de désigner le tout jeune homme qui se trouve assis modestement sur la banquette à ses côtés. Ce dernier garde les yeux fixés sur le sol, avec une retenue et une grâce que je ne peux m'empêcher de jalouser, mais qui font sourire mes deux compagnes. Myrrhina nous murmure à l'oreille : "Regardez ce petit puceau, comme il est mignon, comme il fait l'innocent, on en mangerait !" Après quelques instants de silence, Lykourgos s'adresse à Hypereïdês : "Ne trouves-tu pas, en toute justice, que le corps de Ktêsiphôn est aussi beau que celui de ta Mélitta ? Et plus parfait, parce qu'il incarne la force et elle la faiblesse ? Or, ne serons-nous pas tous ici d'accord pour dire que la force est une valeur supérieure à la faiblesse ?" Après ce préambule, dans lequel il n'a pas hésité à m'attaquer directement, Lykourgos commence à développer ses arguments. Ces idées rebattues, il leur donne une puissance nouvelle, les accumulant d'une voix nette, avec une violence froide que son calme fait d'autant plus ressortir : "Oui, l'amour pour les femmes nous ravale précisément au rang des animaux, qui n'éprouvent qu'un désir physique les poussant à perpétuer leur espèce, mais qui ignorent totalement le désir spirituel. Oui, il est légitime d'épouser une femme et de lui faire des enfants, on le doit à sa famille et à sa cité, mais il est indigne, et souvent ridicule, d'aimer la femelle dans le ventre de laquelle vous plantez votre descendance. Elle n'a pas de culture, pas d'éducation, elle ne peut que vous tirer vers le bas, vers ses préoccupations matérielles ou superficielles. Elle ne peut que vous faire perdre votre âme. Au contraire, aimer un garçon, lorsqu'il n'a pas encore de barbe au menton, c'est aimer non pas son corps mais son esprit, c'est le former, l'éduquer, lui transmettre ses valeurs, lui apprendre à se battre et à être un citoyen. C'est enfin, lorsqu'il est devenu l'homme accompli dont on rêvait, le laisser aller, en se montrant une dernière fois supérieur à son propre désir. Avec le jeune Ktêsiphôn, cet après-midi, j'ai parlé philosophie et politique. Et elle – il me désigne soudain d'un mouvement du menton un peu insultant –, ta fameuse Mélitta, qu'a-t-elle fait ? Rien d'autre sûrement que se prélasser au bain public !"

Il continue sur le même ton, en me regardant fixement, avec la même insistance qu'il mettait tout à l'heure à m'éviter, et avec le même évident mépris : "Et puis tu me parles de nature mais, cette femme-là, qu'a-t-elle de naturel ? Regarde-la seulement ! Ces plâtras de fard qui lui couvrent les joues, ce blanc de céruse, ce rouge, ces traits de noir et de bleu sur les paupières, tout ce qui recouvre le moindre centimètre de sa peau ! C'est la beauté de ce jeune homme qui est naturelle ! Lui, il montre son visage tel qu'il est : le fidèle miroir de son âme. La longue tunique presque transparente de ta Mélitta, dont les replis compliqués agacent le regard et le détournent de la vérité du corps, compare-la avec la simplicité de celle de ce jeune homme : elle laisse voir simplement ses jambes et ses épaules parce que celles-ci, qu'il a soumises aux exercices de la palestre, n'ont rien à dissimuler. Il n'a pas consacré plus de cinq minutes à s'habiller, tandis qu'elle, après toutes ces heures passées à s'échanger les derniers ragots au bain avec ses petites camarades, je te parie qu'elle en a consacré encore au moins deux à se parer ! Voilà une journée bien remplie, vraiment, et bien utile ! Ta Mélitta n'est qu'un artifice ! Elle n'évoque pas la pure Artémis, celle des déesses qui se rapproche le plus d'un jeune homme, comme a voulu nous le faire croire ce génial menteur de Praxitélês, mais simplement la captieuse Aphroditê ! Tandis que lui, il est Apollôn en personne, ou le jeune Hermês ! Ce garçon est vrai et cette femme entièrement fausse !" Timoklês l'applaudit et s'exclame : "Il y a là-dedans quelques formules dont je pourrai me resservir, si tu me le permets, mon cher Lykourgos. Moi, je vote pour toi." Il se tourne vers nous avec un sourire faussement contrit : "Désolé, Mélitta, et vous aussi, mesdemoiselles, j'adore baiser les filles mais je vote pour l'amour des garçons, qui est moralement bien supérieur !" On sent qu'il prend sa revanche, et qu'il a plaisir à nous gifler en public toutes les trois parce que nous sommes trop chères pour lui.

Myrrhina lui tire la langue et Lagiskê se contente de hausser les épaules, en lui décochant le plus ironique de ses sourires. Hypereïdês, de son bras passé autour de ma taille, se rend compte que je tremble de colère. Alors, posant son autre main sur mon épaule, à la fois pour me calmer et m'encourager, il s'exclame avec drôlerie : "Mélitta va parler, ce qui ne lui arrive pas souvent ! Écoutez tous, mes amis, le discours de Mélitta en faveur des femmes !" Oh, oui, oui, je vais sortir de ma réserve, pour une fois, et jeter à la face de ce crétin prétentieux de Lykourgos tout ce que j'ai sur le cœur !

Mais je me sens agitée de sentiments tellement violents et tellement contradictoires que je n'arrive pas à ouvrir la bouche pour les laisser sortir l'un après l'autre posément. Je sais qu'il me faut faire l'effort de me calmer. Je dois me montrer aussi hypocrite et faussement souriante que Lykourgos m'a accusée de l'être, parce qu'après tout je ne suis qu'une esclave, tandis que lui, il est un homme libre, un aristocrate, un grand personnage. Il peut se moquer de moi en ma présence, faire sous mon nez ma caricature, mais il ne supporterait sûrement pas que je me livre au même petit jeu moqueur. Ensuite, si beaucoup de ses propos m'ont paru révoltants d'injustice, ses moqueries sur mon costume d'hétaïre m'ont blessée. Sincèrement. Je me souviens qu'à mes débuts dans l'école de Nikarétê je méprisais autant que lui ces tuniques transparentes et ce maquillage. J'ai fini par m'y habituer mais n'ai trouvé de la fierté à m'en parer que depuis peu. Lykourgos vient de railler mon costume avec cette voix impérieuse qui était la mienne il y a quelques mois, lorsque, malgré ma condition de putain, je gardais encore au fond de mon âme un peu de mon innocence de fille libre. Mélitta vient d'être déchirée en public, déshabillée et exhibée, non tant par Lykourgos que par Mnasaréta, la jeune fille inflexible que j'ai été un jour, la rebelle qu'on ne pouvait pas faire plier, juste briser. Si la fille en moi regarde la femme avec dureté, et même avec mépris, la femme considère la fille avec une impuissante nostalgie. J'ignore comment la faire revenir au jour, cette gamine austère et indomptable, dont je sais pourtant que, malgré mes efforts pour la tuer, elle survit tout au fond de mon âme, dans l'ignoble cellule humide où elle continue à se cogner et s'asphyxier en une interminable agonie. L'essentielle Mnasaréta, l'impossible Mnasaréta, comment la sauver ? Comment réconcilier celle que je suis obligée d'être avec celle que je suis vraiment ? Voilà tous les sentiments contradictoires, la colère, la honte, l'accablement, la révolte, le dégoût de moi, qui m'agitent et qui me paralysent.

Et qui me condamnent au silence.

Alors Myrrhina prend la parole à ma place, dans l'un de ces éclats de rire et de bijoux qui lui sont coutumiers : "Mélitta préfère se taire parce qu'elle est trop indignée pour répondre. Moi non plus, je ne ferai pas de longs discours. Oui, je suis superficielle, tu l'as dit, et j'en suis fière, c'est mon unique profondeur. Je passe beaucoup de temps à ma toilette et en plus j'adore ça. Je te propose un petit concours, mon cher Lykourgos, pas en paroles mais en actes. Laisse-moi m'occuper de ton jeune ami cette nuit, comme toi, tu t'en es occupé cette journée. Tu lui as parlé en détail de ta philosophie, moi, je lui exposerai la mienne à ma façon. Au matin, nous lui ferons décider devant témoins lequel de nous deux lui aura le mieux appris la vie, lequel lui aura le plus dilaté, je ne dis pas seulement le corps, mais aussi l'âme. Qu'en penses-tu, mon mignon ?" D'un geste vif, elle saisit le jeune homme au menton. Pour la première fois depuis le début de la conversation, Ktêsiphôn lève les yeux mais les rabaisse bien vite, et il semble à toute l'assemblée qu'il rougit un peu. On s'esclaffe gentiment. Lagiskê prend alors la parole. Elle déclare avec un fin sourire, mais en regardant Lykourgos droit dans les yeux : "Tu prétends que les femmes n'ont aucune culture ni aucune raison et que c'est pour cela qu'elles sont inférieures. D'abord, aucune raison, qu'en sais-tu ? Même les plus savants de tes philosophes, que j'ai écoutés aussi attentivement que toi, curieuse de ce qu'ils avaient à dire sur mes semblables, ne paraissent pas d'accord sur ce point. Ensuite, aucune culture ? Pourquoi ne donnez-vous pas à vos filles la même éducation qu'à vos garçons ? Auriez-vous peur que les femmes ne se révèlent plus intelligentes que vous et que vous ne soyez bientôt obligés de vous pomponner pour leur plaire ?" À cette seule pensée, tous les hommes éclatent de rire. Lykourgos s'incline, avec une soudaine bonne grâce, devant ces deux oratrices qui, chacune à leur manière et en quelques phrases, ont réussi à mettre l'assemblée de leur côté. "Lorsque je stigmatisais le manque de culture des femmes, reprend-il d'une voix radoucie, je ne parlais pas pour toi, Lagiskê, qui, digne en cela d'Aspasia, te montre aussi cultivée que belle, et qui as suivi pendant longtemps les leçons d'Isokratês, le maître des maîtres, le plus fin et le plus subtil de nos professeurs. Je ne parlais pas non plus de celles d'entre vous qui n'ont pas eu besoin de fréquenter les écoles de rhétorique pour être capables de joindre le geste à la parole, afin de lui donner plus de force persuasive." Il s'est tourné vers Myrrhina pour lancer ce dernier trait d'esprit. Voilà, la conversation est en train de redevenir l'un de ces aimables badinages, dont les Athéniens sont si friands et par lesquels ils arrivent à désamorcer les plus terribles controverses, en restant dans le domaine de l'enjouement qui doit caractériser le banquet.

Mais l'incorrigible Timoklês, revenant à la charge, transgresse cette règle tacite et se livre à son plaisir favori de mettre les pieds dans le plat : "Enfin il faut bien reconnaître que la plupart des femmes sont sottes. Soit qu'elles parlent pour ne rien dire, soit qu'elles se taisent les rares fois où elles devraient parler." Nouvelle pique contre moi, que l'on avait un peu oubliée, dans l'assaut d'esprit précédent, même si je me trouve au centre du tableau. Mais, cette fois-ci, puisque cette provocation m'est adressée par l'auteur bouffon de comédies et non par le fils de famille puissant et vindicatif, ma colère peut déborder : "Tu crois, m'exclamé-je que je ne sais rien parce que je ne dis rien ? Alors je suis bien différente de toi, mon cher Timoklês, qui, en bon auteur comique, parles à tort et à travers de tout ce que tu ne connais pas, et notamment des femmes." Je lui ai répondu sur le même ton agressif que lui, ce qui fait sourire tous les convives mais les met aussi mal à l'aise. Je continue comme si je ne percevais pas cette gêne : "Tout ce que je sais, j'ai dû l'apprendre seule. Mes connaissances, dont tu ne peux même avoir idée, cher Timoklês, m'ont coûté bien des larmes et bien des grincements de dents, et c'est pourquoi j'hésite souvent à en parler devant des privilégiés innocents comme vous." Tout le monde est stupéfait de m'entendre m'exprimer ainsi, moi qui reste d'ordinaire silencieuse, et de cette voix rauque qui détonne dans l'atmosphère légère du banquet. Soudain, j'aperçois Démadês, le matelot en bordée chez les riches, qui se tient debout derrière leur groupe, parce qu'il n'y a plus de place sur les banquettes. Il me regarde, un sourire d'approbation ironique aux lèvres. "Je ne suis qu'une femme, continué-je, une hétaïre du même âge que ce jeune homme pudique et pourtant j'ai l'impression d'être dix fois plus vieille que lui ! Oh bien sûr je n'ai pas étudié comme vous les beautés de la philosophie, mais j'ai appris tellement de choses laides sur vous, les hommes, sur vous, les fameux, les vertueux Athéniens, sur vous, les…" Ils m'écoutent tous sans oser m'interrompre, je reprends ma respiration pour continuer à leur cracher à la figure ce fiel qui m'étouffe. Puis mes yeux tombent sur Lykourgos, sur sa mâchoire qui se crispe, et je parviens, au dernier instant, à me contenir : "Mais ces vérités amères, mon cher Timoklês, elles blesseraient peut-être vos oreilles d'hommes et de citoyens qui, en réalité, sont bien plus délicates que les miennes." Ma bouche se referme. C'est fini. Silence. Lykourgos me dévisage, très pâle, les yeux sombres. Je me dis qu'en mettant en cause "les vertueux Athéniens", j'ai touché en lui une corde sensible, peut-être la même que celle qu'il a fait vibrer douloureusement en moi lorsqu'il s'est moqué de mes tuniques transparentes et de mon maquillage hypocrite d'hétaïre. Je suis soulagée de m'être arrêtée à temps, de ne pas avoir continué à provoquer un être aussi susceptible que moi mais beaucoup plus puissant. Ses amis prétendent qu'il n'oublie jamais une offense, et qu'il trouve toujours le moyen, même des mois après, de s'en venger. Surtout quand il a l'impression qu'elle ne le vise pas lui personnellement mais la grandeur de sa cité. Ce nationalisme vindicatif amuse beaucoup Hypereïdês. Il m'a confié en riant l'un des projets les plus sérieux de Lykourgos, qui envisage d'intenter un procès à Arkhias, le jeune acteur tragique à la mode, lors de son prochain passage dans la cité, parce que ce dernier, non content de n'être pas Athénien, a osé modifier une tirade de la pièce du grand Euripidês qu'il joue en tournée.

D'ailleurs, mon ami le sanglier paraît le seul à trouver amusante la pâleur subite de son camarade et instructive ma sortie contre les Athéniens. Il insiste : "Allez, n'hésite pas, chère Mélitta, dis-nous ce que tu sais sur nous ! Nous sommes de grands garçons, notre philosophie nous a rendus assez lucides et assez forts pour être capables de tout entendre. N'est-ce pas Lykourgos, mon ami ?" Celui-ci est obligé d'approuver d'un signe de tête. Alors, soudain, je me lance. Contrairement à ce que je m'étais promis et que me conseillerait la prudente Nikarétê, je leur dévoile ce qui me pèse sur le cœur : ce soir, j'écoute de jeunes gens riches critiquer la superficialité des femmes, mais, la nuit suivante, pendant qu'ils dormiront sur leurs deux oreilles, ou qu'ils continueront à lire pieusement leurs philosophes et leurs tragédiens, moi, la fille légère, je serai obligée de coucher, malgré ma répugnance, avec Androtiôn, collecteur de taxe et pourri officiel, afin qu'il renonce à saisir les meubles de ma maîtresse. D'ailleurs, s'il s'attaque à elle, plutôt qu'aux citoyens qui n'ont pas payé l'impôt, c'est parce qu'elle n'est qu'une affranchie. "Votre Athênaï, m'exclamé-je, dont les grands idéaux vous rendent si fiers, c'est cela aussi ! Cette vénalité-là, pas celle des hétaïres qu'il est si facile de railler, et même de faire chasser de la cité, non, celle de vos propres magistrats, qui, parmi vous, s'occupe, je ne dis pas de la critiquer, ce qui ne vous coûte rien, n'est-ce pas Timoklês, mais de la supprimer, en réformant les lois ? Vous ne vous attaquerez à Androtiôn que dans le cas où il faudrait défendre l'un de vos amis, ou parce qu'il serait d'une coterie politique opposée à la vôtre. Mais s'il a l'habileté de ne magouiller que contre des femmes ou des étrangères, vous serez trop contents de le laisser faire !"

Je regarde Lykourgos droit dans les yeux. Il reste muet. Pétrifié d'indignation. Non par ce qui m'arrive personnellement (après tout, à ses yeux, je ne suis qu'une putain) mais par ce que je révèle de la corruption des institutions. Hypereïdês, lui, continue de sourire : je ne lui apprends rien de neuf sur les petits magistrats et il pourrait m'en révéler bien pire sur ce qui se passe au sommet de l'État ; c'est du haut jusqu'en bas qu'il faudrait qu'un Hêraklês se décide à nettoyer les écuries d'Augias ! Euthias, qui est venu nous rejoindre à son tour et qui se tient debout devant moi, négligemment appuyé sur l'épaule de son camarade, blêmit, plus encore que Lykourgos. Mais pas d'une noble colère, motivée par le souci sacré du bien public, non, d'une simple rage personnelle. Ce qui révolte sûrement ce jeune idéaliste désireux de consacrer sa vie à la politique, c'est que je sois obligée de coucher avec un porc comme Androtiôn. Je lui lance : "Vous me couvrez de caresses, de cadeaux, de compliments, vous vous rassurez en vous disant que je fais l'amour avec vous librement, mais, en fait, je ne suis qu'une esclave. La réalité, c'est ça, Euthias, pas tes belles paroles !" Il ne trouve rien à me répondre. Saisissant ma double flûte, je me lève, je m'écarte de ce cercle impuissant de jeunes gens élégants, je me place au centre de la salle, et, fermant les yeux, je me mets à jouer. Je n'ai pas besoin d'écouter leurs vaines protestations mais de me hisser seule jusqu'à cette hauteur où, dans la grâce tempétueuse de la musique et de la danse, je vais pouvoir m'oublier un peu. Je suis soulagée d'avoir parlé et, pourtant, je regrette de l'avoir fait. D'avoir révélé aux autres une partie des secrets qui me concernent. Pourquoi n'ai-je pas gardé mon mystère, derrière l'apparence lisse de mon sourire ? À quoi bon ? Qu'est-ce que cela peut me rapporter de leur avouer ma vérité ? Ces jeunes gens fortunés parlent beaucoup mais ils agissent peu. Ils ne sont pas, comme moi, rivés par une chaîne invisible au réel humide. Pas lâchés seuls dans le marécage comme une pauvre reine grenouille. Ils peuvent comprendre, sans doute, mais sûrement pas partager.

Pourtant, au moment où je m'apprête à m'en aller, Hypereïdês me saisit par la main et me force de nouveau à m'asseoir sur la banquette autour de laquelle ils sont rassemblés. En leur nom à tous, il tient à me remercier de leur avoir confié pour une fois mes soucis. Bien sûr, il est persuadé qu'une flûtiste aussi habile que moi saurait se tirer à son avantage de la mission délicate que lui a confiée sa maîtresse. Il s'exprime en termes volontairement choisis pour m'arracher un sourire. Dès qu'il voit qu'il y a réussi, il redevient soudain sérieux : "Mais, si tu veux, tes amis peuvent se charger d'agir à ta place, c'est à cela qu'ils servent." Léôkratês se hâte d'intervenir : "Quelques pièces d'or, données avec la discrétion nécessaire, et ce chien te mangera dans la main. Laisse-moi te rendre ce service. Ou peut-être même que je pourrai lui proposer une petite part dans la concession de la mine dont je me suis porté acquéreur et que notre ami Euthias va me faire accorder, afin qu'il laisse définitivement tranquille ta maîtresse ?" Euthias le coupe avec colère : "Cet Androtiôn a simplement besoin d'une bonne volée de coups de bâtons, et ça, avec quelques serviteurs, je m'en chargerai volontiers !" Lykourgos le corrige d'un mince sourire : "Bâtonner un magistrat ? Ce serait plus efficace, s'il continue à faire le méchant, de le menacer d'un procès pour corruption avant sa reddition de comptes." Hypereïdês reprend la parole : "Laisse-moi faire, Phrynê, je n'en ferai qu'une bouchée, de ton collecteur de taxe ! Je considérerai cela non seulement comme un acte de salubrité publique mais aussi comme un petit exercice d'éloquence judiciaire." Il ajoute, à voix plus basse : "Et, moi, je ne demanderai à Nikarêtê aucune compensation gratuite. Tu n'auras à coucher avec moi que si tu en as envie." Je le remercie du sourire qu'il réclame. Puis je leur déclare que je préfère régler le problème moi-même. "Mais pourquoi ?" insiste Euthias. Hypereïdês complète sa pensée : "Pourquoi, charmante Mélitta, as-tu tellement peur de dépendre des autres que tu préfères te mettre dans des situations qui te répugnent plutôt que de faire appel à eux ?" Je ne réponds pas. Je leur échappe à tous.

Le lendemain soir, la rage au cœur, je me fais belle. Je me maquille exactement comme m'a reproché de le faire Lykourgos jusqu'à ce que plus aucun centimètre de mon vrai visage n'apparaisse. Je me couvre de tous mes bijoux et me cache derrière ma tunique la plus transparente. J'oblige Stéphanê à se mettre elle aussi en grand équipage. Lorsque Nikarêtê voit surgir ces deux idoles étranges à la lumière des torches qui nous attendent dans la cour, elle reste stupéfaite : "Vous n'en faites pas un peu beaucoup pour ce minable ?
— Si, beaucoup trop. Le minable ne va pas s'en remettre."
Nikarêtê sourit et nous laisse partir. Androtiôn et ses convives, quand un serviteur nous introduit dans la salle étroite où doit avoir lieu le banquet, se taisent. Pétrifiés par la stupeur plus encore que par l'admiration. Puis le collecteur se lève pour nous conduire avec toute la solennité dont il est capable jusqu'à son lit de table, où il nous fait l'honneur de nous asseoir chacune à côté de lui. Bien qu'il s'efforce de jouer au grand seigneur, il se montre presque humble au début. Pourtant, les deux splendides hétaïres (qu'il a obtenues gratuitement, grâce à ses relations, ne peut-il s'empêcher de glisser à ses

invités) se prêtent si volontiers à son jeu, elles chantent, dansent, jouent, animent la soirée, le traitent en maître de cérémonie si aimablement, qu'il finit par se laisser aller au plaisir de triompher devant ses amis. Tout en se promettant, le finaud, de tirer de Nikarêtê d'autres occasions semblables à l'avenir. Oui, nous lui servons à boire, à lui et à tous ses invités, avec tant de grâce qu'il se promet mille délices pour la dernière partie de la soirée. Il trouve la flûtiste bien belle, mais peut-être trop belle, trop impressionnante, tandis que la petite acrobate, elle, hé, hé, hé, enfin, la flûtiste quand même, hein, on ne va pas cracher dessus, ce n'est pas tous les soirs qu'on a l'occasion de se farcir Aphroditê en personne ! Mais nous lui servons à boire, à lui et tous ses invités, avec tant de zèle qu'il se dit qu'après tout, il serait bien bête de choisir entre nous quand il peut nous avoir toutes les deux, l'une après l'autre, nous sommes là pour ça, pas vrai ? Bien sûr, et nous lui servons à boire, à lui et à tous ses invités, avec tant de reconnaissance que, la voix pâteuse, il nous redemande pour la dixième fois nos deux prénoms, parce que tout à l'heure, au kottabe, il compte bien nous prouver son habileté, en buvant deux coupes, voilà, comme celles que nous lui remplissons en ce moment, et il en prendra une dans chaque main, comme ça, afin, oups, pardon, de lancer les giclées en même temps, pour qu'il n'y ait aucune des deux qui soit dévasandéjaavantagée, enfin, hum, bon, vous m'avez compris, les filles, c'est, c'est quoi déjà vos prénoms, merde ? Après les lui avoir sussurés à l'oreille, "moi, je suis Aphroditê, et elle, c'est Artémis, tu ne nous reconnais pas ?", nous lui servons à boire, à lui et à tous ses invités, avec tant d'inépuisable bienveillance qu'il finit par s'écrouler sur la banquette, la bedaine en avant et le nez dans les coussins. Les autres convives s'effondrent de même.

Les deux hétaïres, désolées que la fête soit déjà finie, ne peuvent que laisser ronfler leurs hôtes. Avant de s'en aller, le devoir accompli, elles rappellent les serviteurs, afin qu'ils rangent la salle de banquet. Soudain, l'une d'entre elles – je crois bien que c'est moi – fait le signe de s'approcher à deux des plus jeunes parmi les hommes qui s'affairent. Elles leur déclarent, tout en soulevant leurs tuniques courtes (par chance ils sont à peu près propres), qu'elles sont venues pour faire correctement leur métier mais que, les invités étant défaillants, il va falloir qu'ils les suppléent. Puis, s'allongeant sur le dos d'Androtiôn, lui enfonçant la tête encore plus profond dans les coussins, les deux déesses se font farcir, non par les maîtres, mais par les esclaves. Et l'une d'entre elles – je crois bien que c'est encore moi – trouve à consommer sa revanche un plaisir assez doux.

Le lendemain, Androtiôn vient se plaindre. La voix non plus mielleuse, mais pâteuse et placée très haut dans le fausset de la fureur. Ses reproches ainsi exprimés sont très amusants. Je feins de m'en étonner pour l'exaspérer encore plus : "Tu dormais, mon cher. Ma maîtresse nous avait ordonné de faire l'amour. Nous avons fait l'amour.

— Avec des esclaves !

— Ce qu'ils possèdent t'appartient, n'est-ce pas ? Donc celles qu'ils ont possédées t'ont appartenu. D'ailleurs, leurs verges ne nous ont pas paru serviles. Ils t'ont représenté très honorablement, je tiens à te le dire. Tu n'as pas à rougir d'eux."

Même les impénétrables Cerbères ne peuvent s'empêcher d'esquisser un sourire. Même Nikarétê, qui me fait pourtant les gros yeux. Car mes sarcasmes mettent un comble à la rage du collecteur : "Ah, d'accord, ah, c'est comme ça, ah, ah, ah, d'accord, ah !" Il met presque dix minutes à reprendre son souffle.

Mais là tout change. De sa voix de nouveau affreusement posée, comme lors de sa précédente visite, il ordonne calmement à ses serviteurs de saisir les meubles et, sortant de sa tunique l'arrêté officiel, menace Nikarétê d'une expulsion immédiate de la cité si elle tente quoi que ce soit pour s'opposer à la saisie. Cette fois-ci, le mari cuisinier sort de sa réserve, et, s'affolant tout à coup, il tente de faire revenir Androtiôn à la raison. Mais son statut de citoyen ne parvient pas à fléchir le magistrat drapé dans son humiliation. Le collecteur traite Hipparkhos aussi rudement que s'il n'était qu'un affranchi et lui jure que, s'il tente un seul geste, il le fait arrêter sur-le-champ par les archers et traîner en prison. Le maître, se contenant à grand-peine, se retourne vers moi et me montre le poing. Sorti dans la rue pour diriger en personne les opérations, Androtiôn fait le plus de bruit possible, afin que la honte de Nikarétê se répande dans tout le quartier, malgré les efforts désespérés que fait la malheureuse pour le calmer. C'est un tableau très amusant : ma maîtresse et son mari glissent dans chacune des oreilles du magistrat les montants de plus en plus astronomiques des pots-de-vin qu'ils s'engagent à lui verser, sans parvenir à l'empêcher de gueuler ses ordres aux serviteurs qui s'affairent, tandis que mes compagnes entament un chœur de déploration. Moi, dans l'affolement général, je continue à jouir du spectacle. Je trouve même une étrange satisfaction à voir

Nikarétê se décomposer ainsi sous mes yeux. Lorsque les sbires du collecteur s'attaquent à ma chambre et y raflent mes vêtements les plus précieux et mes bijoux, je leur recommande simplement de les manipuler avec la plus grande délicatesse. Il faut dire que je suis la seule à savoir ce qui va se passer ensuite. J'ai envoyé depuis un bon moment déjà la petite Herpyllis prévenir Hypereïdês. Avec un sourire supérieur, j'attends l'arrivée de mon sauveur. Il met un petit peu plus de temps que prévu à intervenir mais je le connais, il est toujours en retard, pas de quoi s'affoler.

Évidemment, lorsque Nikarétê et son mari sont de retour dans leur maison vide, où les autres filles pleurent de frayeur et d'impuissance, je dois subir leur colère, dont les échos se répercutent contre les murs dégarnis. Mais au désespoir furibond de l'une, aux menaces que me jette l'autre de me vider lui-même de mon sang comme une truie et de me couper en morceaux, je continue d'opposer mon sourire supérieur. Nikarétê m'observe, tandis que son mari ne se lasse pas de me promettre mille tourments. Soudain, elle a une réaction curieuse : elle me rend mon sourire. "D'accord, me déclare-t-elle d'une voix radoucie, j'ai compris ton manège. Tu attends que l'un de tes puissants protecteurs se manifeste, n'est-ce pas ?" Elle tend sa main vers ma nuque pour me saisir aux cheveux : "Mais il ne viendra pas, tu n'as pas encore compris ?" Elle ajoute avec un ricanement : "Tu as vraiment cru que tes clients défieraient pour tes beaux yeux un magistrat, même s'il ne s'agit que d'un simple collecteur de taxe ? Ils ne sont pas aussi naïfs que toi !" Sa voix se fait horriblement amère, tandis qu'elle continue à me tirer la tête en arrière et qu'elle approche sa bouche de la mienne, comme si elle voulait verser directement le poison de ses paroles dans ma gorge : "Tu sais, j'en ai connu, moi aussi, et bien avant toi, de ces gens haut placés qui se prétendaient mes amis ! Ah oui, ma petite, parlons-en, de nos amis de banquet ! Tu vois, la nuit, ils sont prêts à se tuer pour nous mais, le lendemain, ils ne sont jamais là quand nous avons besoin d'eux ! Dans cette ville de beaux parleurs, on ne peut compter que sur soi ! Tu l'as oublié ? Tu n'es qu'une esclave, et eux des hommes libres ! Pourquoi te feraient-ils autre chose que des promesses ?"

Au début, je l'écoute à peine. L'âcre expérience qu'elle veut m'obliger à avaler, je ne la goûte que du bout des lèvres, parce que pour moi, elle n'a aucune saveur. Puis, peu à peu, le sens venimeux de ses paroles se diffuse dans mon esprit, il se relie au retard d'Hypereïdês dont je refusais jusque-là de m'inquiéter, et, soudain, l'illumination se fait ! C'est comme une décharge de poisson torpille ! Comme une nausée qui me retourne brutalement le ventre et l'esprit ! Mais bien sûr, elle a raison : Hypereïdês n'est lui aussi qu'un de ces "amis de banquet" dont elle me parle ; en lui faisant stupidement confiance, je nous ai tous perdus ; il ne se déplacera pas pour ramener Androtiôn à la raison ; Euthias ne viendra pas non plus me tirer des griffes de Nikarétê et de son mari ; je n'existe pour eux que la nuit ; dans leur vie normale, je n'ai aucune place ! Ma maîtresse me regarde blêmir : "Ah ça y est, tu as enfin compris, pauvre idiote, tu vois que tu n'es pas plus maligne que les autres !" Je sens que, malgré sa colère, malgré sa ruine, elle jubile presque de pouvoir prendre sa revanche sur moi et sur mes impertinences. Elle prolonge à plaisir la scène de mon humiliation. Elle empêche son mari de me frapper, refuse de me livrer à lui, mais uniquement, me déclare-t-elle, parce que, dès le lendemain, elle ira me vendre elle-même sur le marché aux esclaves du Port, pour récupérer un peu de l'argent que je lui ai fait perdre. De nouveau, je serai esclave de la plus basse condition, de nouveau, je serai putain. Punie pour m'être crue plus précieuse que je n'étais. Retour au bordel que je n'aurais jamais dû quitter.

D'un seul coup, après l'illumination de la vérité, c'est l'angoisse noire qui m'éblouit, qui étend son filet poisseux sur moi. Pourtant, au moment même où je me rends compte à quel point j'ai été naïve, je refuse de regretter la façon dont je me suis vengée d'Androtiôn. Je refuse de pleurer devant Nikarétê. Ce serait pourtant le seul moyen de l'amadouer, s'il était encore temps. Mais non, je veux continuer à sourire, jusqu'au bout, jusqu'à mon dernier instant de fille presque libre. Je veux faire résonner encore à mes oreilles les ronflements du collecteur tandis que je me cambrais sur son dos pour mieux m'offrir à ses serviteurs. Eux et moi, nous avions sur les lèvres le même sourire de connivence tacite et de revanche sur le sort, qui est le sourire des esclaves, tandis qu'ils se mordaient l'intérieur des joues pour ne pas gémir trop fort et réveiller leur maître. Moi aussi, je vais me mordre les joues, afin de ne pas pleurer, sous les insultes cinglantes de Nikarétê, qu'elle accompagne maintenant de gifles. Je tenterai de retrouver le chemin de mon ancienne indifférence à la douleur. Plutôt crever que regretter ce que j'ai fait !

Mon exécution publique devant Herpyllis et Stéphanê, qui n'osent pas intervenir, et devant toutes les autres filles de l'école, dont certaines se réjouissent peut-être, est interrompue par un brusque vacarme. Des coups que l'on frappe à la porte de la cour, plus violents encore que les gifles de Nikarétê. Guidés par un serviteur, les esclaves d'Androtiôn font de nouveau leur apparition. Ils rapportent les meubles, les objets, les vases, les vêtements, demandant poliment où ils doivent les placer. Tandis que Nikarétê, aussi stupéfaite que moi, s'occupe avec son mari de les aider à remettre sa maison en ordre, j'accueille Hypereïdês, qui fait habilement son entrée quelques minutes après les autres, pour parachever son petit effet théâtral. Je me jette à son cou et il éclate de rire. Puis il me déclare que nous venons tous les deux de nous faire un ennemi mortel en la personne du collecteur Androtiôn mais que ce dernier lui a paru aussi froussard que vindicatif. "Dès que j'ai pu lui mettre la main dessus, ajoute-t-il, il ne m'a pas fallu plus d'un quart d'heure pour le convaincre de restituer à ta maîtresse ce qu'il lui avait indûment confisqué. Ou peut-être dûment, mais, de toute façon, tout le monde s'en fiche, n'est-ce pas ? J'ai récupéré aussi tes tuniques et tes bijoux, et ce n'était que justice, je me demande vraiment ce qu'un affreux bonhomme comme lui aurait pu en faire de gracieux. Sûrement pas les donner à sa femme ou à ses filles, qui auraient été bien incapables de les porter." Après m'avoir reposée sur le sol, il ajoute : "Tu ne sais pas le plus drôle, ou le plus affligeant ? Ce n'est pas la perspective d'une plainte pour corruption qui l'a effrayé, non, il a dû en voir d'autres dans sa carrière publique. Mais il a été paniqué à l'idée que l'anecdote de la fin du banquet, où tu as fait l'amour sur son dos avec ses esclaves tandis qu'il ronflait, ne parvienne aux oreilles d'un Timoklês et ne fasse rire les vingt mille spectateurs réunis dans le théâtre au prochain festival de comédie. On dirait que, dans l'Athênaï d'aujourd'hui, on n'est plus honnête que pour éviter le ridicule."

Nikarétê fait son retour dans la grande salle. Elle remercie Hypereïdês. Ce dernier lui sourit et l'assure qu'instruit par la mésaventure d'Androtiôn, il n'exigera pas qu'elle lui prouve sa reconnaissance en lui prêtant gracieusement Mélitta. Les esclaves du collecteur, avant de s'éclipser, paraissent discuter entre eux. Soudain l'un d'eux se détache du groupe de ses camarades. S'approchant furtivement de moi, il me saisit la main. Avant que j'aie eu le temps de réagir, il la porte à ses lèvres, puis à son front. Sans ajouter un mot, ils s'enfuient tous. Hypereïdês, d'abord interloqué, me sourit : "Je vois que tu t'es fait un ennemi mais aussi quelques fidèles. On dirait que tu les choisis selon une autre logique que celle qui est communément admise dans notre cité. Dis-moi, charmante Mélitta, toi qui fais alliance avec les esclaves plutôt qu'avec les collecteurs d'impôt, tu vis dans quel monde ?" Je ne réponds pas. Je suis aussi déconcertée que lui par ce geste incongru. Je me dis que ces esclaves veulent seulement me remercier de leur avoir offert la possibilité inespérée de faire l'amour à deux jolies jeunes femmes élégantes. Ils ont bien compris que je ne m'intéressais pas à eux, que je satisfaisais seulement une vengeance personnelle, mais ils s'en moquent, ils ont profité de l'occasion et j'aurais fait pareil à leur place. Entre nous, les esclaves, il ne s'agit pas de respect, ni de compréhension, ni de reconnaissance. Impossible. Pas de place pour les sentiments dans notre réalité. Néanmoins cette réaction étonnante se fixe dans un coin de ma mémoire, à côté de celle de Lagiskê, lorsque j'ai embrassé ses paupières pour effacer ses rides au nom de la déesse.

D'ailleurs, je ne suis pas au bout de mes surprises.

Quelques heures plus tard, j'apprends que Nikarêtê, qui avait intercepté Herpyllis à son retour, était au courant avant moi de l'intervention d'Hypereïdês. Lorsqu'elle m'a foudroyée par sa vérité sur "les amis de banquet", par sa promesse de me vendre le lendemain sur le marché du Port, par les gifles qu'elle m'a distribuées si généreusement, elle se contentait elle aussi de prendre sa revanche sur une esclave un peu trop indépendante. Elle ne m'a pas seulement montré qu'elle pouvait jouer la comédie avec un art encore plus consommé que le mien, elle m'a aussi donné une petite leçon utile. Car il est très rare de rencontrer chez les hommes libres un allié comme Hypereïdês, dont les belles promesses soient effectivement suivies d'effet.

Mais l'événement le plus surprenant de tous mettra encore plusieurs semaines à se produire. Mes démêlés avec le collecteur de taxe vont entraîner un nouveau bouleversement dans ma condition d'esclave. Et cette fois-ci ce n'est pas Hypereïdês qui va jouer le premier rôle dans cette évolution inattendue.

19

IVRESSE SANS VERTIGE

Le bel Euthias, l'orgueil de sa cité, est sur le point de s'avouer qu'il a commis la folie de tomber amoureux d'une esclave. Non, non, plaide-t-il encore devant son assemblée intérieure, ce n'est pas de l'amour mais du désir, un peu trop exclusif seulement. Pourtant, il supporte de plus en plus mal que j'appartienne à d'autres hommes, surtout, tente-t-il de se rassurer, quand ils sont indignes de lui. Les révélations de Démadês sur mon passé de putain, la pensée que j'ai failli coucher avec ce minable Androtiôn et que j'ai laissé les serviteurs de ce dernier me prendre, lui sont si cuisantes qu'il projette encore plusieurs semaines après de les faire bastonner tous, le magistrat et le citoyen matelot autant que les esclaves. Il trouve une volupté amère à s'imaginer qu'il ne commet pas cette basse besogne aux gens de sa maison mais qu'il dirige en personne le tabassage, au risque de compromettre sa future carrière politique. Il se soulage à casser en rêve les gueules vulgaires qui m'entourent et le tourmentent. Ensuite seulement il parvient à raisonner. Il se dit qu'il est temps d'agir concrètement pour mettre un terme à la menace que fait peser sur sa hauteur d'âme, sur cette équanimité qu'il voudrait digne de Periklês, la condition servile de la flûtiste qu'il ne peut s'empêcher de désirer. D'emblée, il se heurte à un problème : le manque d'argent. Il ne dispose pas encore de la fortune paternelle et il s'est juré, même si leur ami Léôkratês lui propose de moins en moins discrètement un pot-de-vin pour se faire attribuer la concession d'une mine, de ne se mêler des affaires de l'État qu'avec l'honnêteté scrupuleuse d'un Solôn. Le mythique fondateur de la démocratie a pris pour lui depuis quelques semaines les traits rudes et la parole brève de Phôkiôn, le seul homme politique vivant qu'il ne considère pas comme un pourri ou un médiocre. Or, le vainqueur de la bataille navale de Naxos, que le peuple nomme chaque année de force à la tête de l'armée parce qu'il refuse de s'y présenter, l'incorruptible stratège qui a déjà l'autorité d'un vieillard alors qu'il n'est guère âgé de plus de trente ans et qui veille sur les débuts de son cadet avec la bienveillance impitoyable d'un père, l'a bien mis en garde : pour être intègre dans sa vie publique, on doit commencer par l'être dans sa vie privée. Ceci n'est guère possible lorsque l'on fréquente une hétaïre. Mais Euthias a fait semblant de ne pas comprendre l'avertissement de son jeune aîné, en se targuant de l'exemple de son autre maître, Isokratês, le vieux professeur de rhétorique et de morale, qui a entretenu pendant des années la sage et belle Lagiskê avant de se décider à se marier. Euthias se persuade qu'il pourra concilier son désir pour moi et son amour pour Athênaï, en devenant le guide éclairé de l'une et le maître bienveillant de l'autre.

Après s'être demandé pendant des semaines où trouver l'argent sans se compromettre, il finit par trouver la solution : proposer à son ami intime Hypereïdês de dépenser pour une fois les gains de ses plaidoiries de façon intelligente, en s'associant avec lui, afin de me racheter en commun à Nikarétê. Son alter ego accepte avec enthousiasme cet arrangement tordu. Un soir de printemps, au bord du bassin intérieur de la demeure de ma maîtresse, où ils attendent que j'aie fini de me parer, ils peaufinent le contrat d'exclusivité qu'ils projettent de m'imposer. Hypereïdês se délecte des clauses matérielles de leur copropriété. Par exemple, il prévoit que leur amie habitera dans la maison qu'ils loueront pour elle en leur nom commun, et que chacun d'eux aura le droit d'y passer deux nuits à la suite, sauf, ajoute-t-il toujours pratique, celles de ses périodes menstruelles qu'elle leur indiquera et qui ne seront pas intégrées dans le décompte, pour éviter que l'un des deux amants ne soit lésé. "L'entretien ruineux de cette jolie fille, c'est nous désormais qui y subviendrons intégralement, enchaîne-t-il dans un grand rire. Et à parts égales, j'imagine ?" Euthias approuve d'un signe de tête, tout en se demandant comment il s'y prendra pour contribuer aux dépenses d'une hétaïre aussi lancée que moi. Mais il chasse cette pensée importune. On verra bien. Lui, ce qui le motive, c'est de détailler les articles réglant les devoirs de leur future esclave : "D'abord, Mélitta s'engagera à ne paraître à un banquet qu'accompagnée de l'un ou de l'autre de nous deux. Ensuite, enchaîne-t-il, elle n'aura de relation avec un autre homme que si l'un de ses maîtres l'y autorise, et ceci uniquement pendant la période des deux jours où elle lui appartiendra, sous peine de voir le contrat rompu et d'être vendue sur le marché aux esclaves du Peïraïeus, chacun de ses possesseurs touchant alors la moitié du prix de sa vente." Hypereïdês regarde son ami avec curiosité. Mais il n'a pas le loisir de lui demander pourquoi il se plaît à envisager d'emblée mon châtiment plutôt que les délices de ma possession. À cet instant, je fais mon entrée sous le péristyle et, sans se concerter, les deux jeunes hommes changent brusquement de sujet de conversation. Ce qu'ils ne savent pas, c'est qu'Herpyllis passait sous la galerie quelques minutes auparavant. Elle a surpris leur discussion, et, le lendemain midi, à mon réveil, elle me la rapporte dans son intégralité. Je ne sais que penser de leur idée de me racheter à deux. Dois-je m'en réjouir ? M'en indigner ? M'en inquiéter ? Leur projet me rapproche-t-il du mien, qui est de racheter ma liberté le plus vite possible, ou bien m'en éloigne-t-il ? Je bâille. Je préfère ne pas m'occuper de cette idée dérangeante de devenir l'esclave particulière de mes deux amants les plus proches tant que je n'y serai pas confrontée directement.

Euthias, lui, y pense sans cesse. Il ne peut se libérer un seul instant de la douce perspective de faire de moi sa chose exclusive, même en copropriété. Il se persuade qu'il ne sera pas jaloux de me partager avec Hypereïdês. D'abord parce que son ami intime est digne de lui. Ensuite parce qu'il ne se sent pas vraiment menacé par ce rival-là : il se juge plus beau, plus ardent, et puis il sait qu'Hypereïdês expérimente avec moi une relation différente de la sienne, plus proche de l'amitié érotique que de la passion amoureuse. Non, non, la vérité, il ne parvient à se l'avouer que dans certains rares instants de lucidité, la vérité, c'est qu'il désire ardemment me posséder mais qu'il est presque rassuré de ne pas me posséder seul. De n'avoir pas ainsi la liberté de céder entièrement à ses désirs. Peut-être parce qu'il se méfie de lui plus encore que de moi. En bon Athénien, il estime le plaisir mais il méprise l'amour, surtout lorsque ce dernier s'adresse à une femme. Par cet étrange contrat d'exclusivité partagée, Euthias va pouvoir se livrer à la volupté apaisante d'être le maître absolu de celle qu'il désire, tout en gardant, ne serait-ce qu'aux yeux de ses amis et de ses parents, un semblant d'indépendance. Bien que Periklês soit son modèle, il ne souhaite pas s'humilier comme son grand homme le fit trop souvent dans la relation quasi conjugale qu'il entretenait avec sa concubine Aspasia. Euthias se souvient du dépit, presque du sentiment d'humiliation personnelle, qu'il éprouva la première fois où, adolescent, il entendit raconter cette anecdote dégradante sur son héros : un jour, celui-ci fondit en larmes devant l'assemblée du peuple, en suppliant ses concitoyens d'admettre en leur sein les bâtards qu'il avait eus de l'étrangère de Milêtos, alors que, quelques années auparavant, il avait fait passer lui-même le décret stipulant que désormais la mère d'un Athénien devrait être Athénienne. Euthias répugne aussi à se souvenir que Périklês discutait avec Aspasia d'égal à égal. De toute façon, ce n'est sûrement pas cela qui le menace. Euthias n'envisage nullement de me faire des enfants (même si, dans un ou deux de ses moments d'abandon, cette idée incongrue affleure doucement à sa conscience, lui causant un tel effroi qu'il se dépêche de la plonger de nouveau sous la surface pour la noyer). Il n'aime guère non plus discuter avec moi (d'ailleurs, je ne parle presque jamais). La seule chose dont il ait envie, ou besoin, c'est de me posséder. Oui, un besoin de plus en plus dévorant dont seul le fait de me partager avec l'un de ses amis peut le protéger.

Hypereïdês, de son côté, accepte volontiers la proposition d'Euthias. Bien sûr, il est déjà assez riche pour entretenir à lui seul une hétaïre, mais l'idée de devenir le copropriétaire avec son meilleur ami de leur meilleure amie l'amuse beaucoup. Elle le conforte dans l'idée que le destin n'est pas très raisonnable. Elle l'excite aussi, il doit le reconnaître. Pour revenir à des sentiments moins troubles, il se dit qu'il aura bientôt le plaisir de m'affranchir lui-même et que je lui en serai délicieusement reconnaissante. Il tente de persuader Euthias que mon destin n'est pas de rester esclave bien longtemps. Contrairement à son camarade, il ne redoute pas que je redevienne libre. Car j'ai déjà dû l'être, même si je garde obstinément le silence là-dessus. Où ? Quand ? Qui étais-je avant ? Hypereïdês s'interroge à voix haute sur mon destin mais Euthias ne l'écoute guère : lui ne s'intéresse ni à mon passé ni à mon avenir, tant mon présent l'obsède. Hypereïdês réfrène sa curiosité, qu'il sait m'être importune, et Euthias sa jalousie, car c'est lui-même qu'elle dérange.

Quant à Nikarétê, je lui ai rendu service en sauvant des griffes du collecteur Androtiôn sa maison de prostitution (qu'elle préfère appeler son école). Et puis, malgré les sommes de plus en plus importantes que je lui rapporte, elle se rend compte qu'elle n'arrivera plus à me contrôler bien longtemps. Alors, elle accepte avec empressement de se débarrasser de moi, pour la somme de mille cinq cents drachmes qui lui permettra d'oublier son manque à gagner en rachetant une dizaine de nouvelles petites filles à former.

Ma propriétaire et ses deux acheteurs se rencontrent sans moi (même si, depuis les confidences de ma servante, les conciliabules des deux garçons me font deviner quelque chose) et ils concluent rapidement l'affaire. Pourtant, après une brève négociation sur le montant de la transaction (mille deux cents drachmes, qu'Hypereïdês versera d'un seul coup à l'achat, Euthias lui remboursant au fur et à mesure sa part), ils décident de soumettre leur proposition à la personne qui en est l'objet, bien que rien ne les y oblige légalement. Ils ne me voient donc pas comme une simple esclave que l'on s'échange. Que suis-je exactement pour eux, à ce moment-là, moi la fille de moins de vingt ans, dont ces deux jeunes hommes viennent de négocier avec cette femme non pas l'affranchissement mais le rachat et à qui ils vont proposer, non sans une certaine inquiétude, de devenir leur esclave sexuelle privée ? C'est ce qu'aucun ne saurait préciser. En tout cas, ils tiennent tous les trois à ce que je sois consentante.

Et notamment, ajoute Euthias (mais uniquement dans sa tête, parce qu'il rougirait d'exprimer à voix haute cette remarque, dont il a l'impression qu'elle fait de lui le jaloux ridicule d'une des dernières comédies de Timoklês) que j'accepte en toute connaissance de cause l'article qui m'interdit de paraître à un banquet ou de faire l'amour à un troisième homme sans leur autorisation expresse. Peut-être ainsi ne serai-je pas tentée de les tromper et ne seront-ils pas contraints de me punir ? Étrange rêverie, qu'il ne parvient à chasser qu'au bout de quelques instants, et dans laquelle il se voit obligé par ma propre désobéissance de m'exposer, attachée, enchaînée, aux yeux de tous, non pas sur le marché du Port tout proche, mais sur celui de Dêlos, ou même d'une de ces îles encore plus lointaines que fréquentent les marchands des pays barbares dans leurs longues robes bigarrées. On dit qu'ils ne s'y procurent de la chair humaine que pour fournir leurs prêtres en victimes à sacrifier, et à dévorer ensuite, en hommage à leurs dieux cruels, dans d'affreux banquets rituels. Pourquoi Euthias éprouve-t-il un frisson de répugnance si délicieux à imaginer le moment où, en propriétaire offensé, il se trouverait forcé de me livrer, malgré mes supplications, à des acheteurs sanguinaires ? S'il creusait encore un peu plus profond en lui, ne découvrirait-il pas qu'il ne souhaite me posséder que pour pouvoir enfin se débarrasser de moi ? Que, tout au fond de son désir pour moi, de son amour pour moi (même s'il refuse encore ce mot pour caractériser ce qu'il éprouve à l'égard d'une esclave), gît désormais le besoin passionné de me détruire ?

Après avoir laissé Nikarétê m'exposer les termes du marché, les deux amis attendent ma réponse. Ils sont un peu inquiets. À tort, sans aucun doute. Il est clair que, si je raisonne un peu, je ne peux que me féliciter de leur proposition. Elle m'assure le sort le plus enviable dont puisse rêver une fille de ma condition, c'est-à-dire devenir la maîtresse entretenue de deux jeunes hommes amoureux et fortunés. Mais ils savent tous les deux (et même tous les trois avec Nikarétê) que j'ai ma propre façon de réfléchir, qui, toujours, les surprend. D'ailleurs, ils ne se trompent pas. Je ne saute pas au cou de mes protecteurs, comme le ferait Stéphanê, pour les remercier de m'accorder au bout de quelques mois à peine la sécurité à laquelle aspirent toutes mes compagnes. Je ne me hâte pas non plus, comme le ferait Myrrhina, de leur demander où se trouvera la maison qu'ils comptent me louer, voire, s'ils m'aiment vraiment, me donner, ni combien j'aurai de serviteurs, ni qui m'achètera mes bijoux, mes vêtements, qui payera pour les fêtes que j'organiserai. Non, je garde l'un de ces longs silences qui font déjà ma légende, moi que l'on commence à dire aussi belle mais aussi obtuse qu'une statue. Même si mes yeux sont posés sur eux, ils se rendent bien compte qu'en fait, je ne les regarde pas. Que je suis tournée vers l'intérieur de moi-même. Avec qui, se demande Hypereïdês, cette fille bizarre, qu'ils connaissent finalement si mal, est-elle en train de discuter, dans cette négociation muette qui se prolonge ? Ce délai finit par être insultant, s'agace Euthias, aussi bien pour Nikarétê, à qui elle appartient encore, que pour les deux citoyens qui lui font l'honneur de vouloir devenir ses maîtres !

Soudain, je me décide à parler. De la voix souveraine dont, esclave mutique, je ne me sers qu'en certaines occasions, lorsque je dicte mes conditions. Et voici la chose étonnante que je leur déclare : ce contrat d'exclusivité, si favorable pour une fille comme moi, et dont je ne peux que les remercier, eh bien, je le refuse en l'état. Je ne l'accepterai peut-être que s'ils y ajoutent la clause suivante : "Il ne sera que d'un an." J'insiste : "À la fin de l'année, je serai libre." Et je mets à fixer les circonstances de mon affranchissement la même précision qu'eux à régler les conditions de ma servitude. Mes deux maîtres ne me l'octroieront pas généreusement à la fin de la période prévue, mais chacun des deux me versera chaque mois, en plus des frais de mon entretien, la moitié d'un pécule, fixé au douzième de la somme qui me servira, une fois l'année révolue, à leur racheter moi-même ma liberté. Elle se monte à six cent quarante-huit drachmes, soit le montant exact de la dette qu'il me reste à rembourser à Nikárétê. Chacun de mes deux amants propriétaires me versera donc vingt-sept drachmes par mois, pas une de plus, pas une de moins, afin que je puisse lui échapper à la fin de l'année. À la grande surprise de Nikárétê, Hypereïdês accepte aussitôt d'un battement de paupières. Mais Euthias hésite. Alors, me tournant vers lui, j'ajoute une deuxième clause, encore plus abracadabrante : lorsqu'ils auront officiellement accompli les formalités d'affranchissement, je pourrai, s'ils me le demandent et si je le souhaite moi-même, en tant qu'hétaïre libre et non plus en tant qu'esclave, reconduire le contrat d'exclusivité avec eux pour une nouvelle période d'un an. Et je prononce, en lui adressant mon sourire le plus énigmatique, une phrase qui le pétrifie : "Les conditions de ce renouvellement seront exactement les mêmes. Si je le trompe en tant qu'affranchie, Euthias gardera le droit de me vendre sur le marché lointain de son choix, comme si j'étais toujours son esclave." Je suis surprise moi-même par la légèreté avec laquelle je joue non seulement de ma future liberté, qui est mon unique but depuis tant de mois, mais aussi de la jalousie de ce jeune homme, dont je pressens pourtant à quel point elle peut être menaçante. Pourquoi me soumettre ainsi à son désir de possession, qui est ce que je déteste le plus au monde ? S'agit-il uniquement de le convaincre d'accepter ma première condition ?

En tout cas, si je voulais le surprendre, je n'ai pas manqué mon but. Euthias reste interdit. Tout à l'heure, il s'est arrangé pour que ce soit Hypereïdês qui énumère les termes du contrat. Comment une simple petite flûtiste, se demande-t-il, a-t-elle pu deviner que cet article-là venait de lui, Euthias, et non de son camarade ? Qui donne à cette inquiétante magicienne l'accès à ses rêveries les plus secrètes, dont il ose à peine lui-même suivre le sombre cours ? Puis il se raisonne. Sans doute veux-je simplement, par défi, l'assurer que je serai irréprochable ? En lui jurant fidélité sur ma propre liberté, je tiens à donner aux yeux de tous une preuve éclatante de mon attachement pour lui, et même la plus belle, la plus folle que pourra jamais accorder à un homme une femme qui connaît vraiment l'esclavage. En me livrant pieds et poings liés à lui, en me remettant entre ses mains prédatrices et hésitantes, qui ne savent pas trop elles-mêmes si elles me veulent du bien ou du mal, je lui avoue à quel point je suis amoureuse. Pourtant, au lieu de jouir du sentiment de plénitude que mon étrange cri du cœur pourrait faire naître en lui, il reste mal à l'aise. Moins à cause du sens des mots que de cette voix sourde que j'ai prise pour les prononcer, pour lui jurer fidélité exclusive, à lui, et non à Hypereïdês. Ce jeu dangereux de possession, d'esclavage volontaire, qui ne concerne pas seulement le corps mais aussi l'âme, et dont il commence à se douter qu'il implique réciprocité, je ne le joue qu'avec lui. J'y déploie plus de science encore qu'il ne m'en croyait capable. De lui seul, je sais flatter la jalousie, alors qu'il croyait avoir pris le soin le plus scrupuleux à me la cacher. Être jaloux d'une hétaïre, quelle folie, oui, et quelle honte de rêver sans cesse de la vendre plus encore que de la prendre ! Mais que je le sache, que je le dise, que j'en joue, c'est encore plus... Encore plus quoi ? Affreux ? Délicieux ? Les deux ? L'idée que j'aie percé son secret ne fait qu'accroître son trouble. Voilà, c'est tout cela que je peux lire dans le regard stupéfait du bel Euthias à l'annonce de la seconde de mes clauses.

Du côté de Nikarétê, je devine aussi une grande agitation, bien qu'elle tente de la dissimuler. Mais je déchiffre ma maîtresse plus facilement que mon amant, parce qu'elle m'est plus proche. D'abord, elle est offusquée par le ton que j'ai adopté et qu'elle ne tolérerait d'aucune autre de ses protégées. Ce n'est pas la première fois que je l'emploie (elle se souvient avec amertume de la conversation où je lui ai extorqué la moitié de mes gains et de mon attitude lors de la perquisition d'Androtiôn). Il lui donne l'impression exaspérante d'être soumise à son esclave. Elle a eu tellement de mal à sortir de sa condition qu'elle n'est pas prête à accepter avec la même indifférence que ces deux jeunes citoyens, qui ont toujours été libres, la manière désinvolte dont je renverse les rôles. Elle tient à rester jusqu'au bout ma maîtresse précisément parce qu'elle a connu elle aussi la servitude. Mais son indignation a aussi une autre cause : si elle ne s'étonne pas, pour l'avoir déjà vu pratiquer souvent, de ce contrat d'exclusivité partagée, où plusieurs hommes mettent en commun leurs moyens afin de devenir les propriétaires légaux d'une esclave trop chère, en revanche les deux clauses que je prétends y introduire lui paraissent anormales, et, pour dire le mot, choquantes. Oui, dans l'esprit de cette maquerelle, ce que mes propos heurtent le plus, c'est le goût des convenances sociales. A-t-on jamais vu une fille mettre ainsi, de son propre chef, un terme à son esclavage ? Et se replacer ensuite, par sa seule volonté de femme libre, dans la servitude ? Qu'est-ce que ça signifie, cette façon révoltante que j'ai de tout mélanger ? Qu'est-ce qui me permet de mépriser ce qui lui a coûté, à elle, tant de soins et tant de larmes ? Nikarétê se force à sourire devant ces deux clients fortunés mais c'est en masquant sa colère. Et puis, tout au fond d'elle-même, il y a quelque chose d'autre encore. Malgré la satisfaction apparente que lui procure l'excellente affaire réalisée sur leur dos, elle ressent presque de la tristesse. De l'inquiétude. Un sentiment d'abandon. À cause de moi ? Parce que je vais la quitter ? Pourquoi s'est-elle autant attachée à moi, qu'elle a réussi à former mais jamais véritablement à contraindre ? Que suis-je à ses yeux ? Sa fille adoptive, même si elle ne me l'a jamais avoué ? Quelle est cette étrange emprise, que je parviens à établir sur les autres malgré mes silences, ou peut-être à cause d'eux, et dont cette femme à la tête froide se sent-elle aussi la victime ?

Hypereïdês est le seul à sourire avec franchise. Lui, il aime que je l'étonne. Bien sûr, il se doute que je suis déjà en train de leur échapper, en n'acceptant de ne devenir leur esclave qu'à mes conditions. Mais il se dit que, le jour où je m'affranchirai définitivement du pouvoir des hommes, la relation d'amitié qu'il aura su établir entre nous lui laissera beaucoup plus de chances de rester proche de moi que la dépendance forcenée dans laquelle veut me maintenir Euthias. Il aura beaucoup moins à perdre que son ami de me voir racheter ma liberté à la fin de cette année qui promet d'être délicieuse.

Après ce moment d'hésitation, chacun d'eux, pour ses propres raisons qu'il garde secrètes mais dont il se demande si je ne les ai pas percées à jour, finit par accepter les deux clauses étranges que j'ai ajoutées à leur contrat. Mais je les surprends encore une fois en exigeant soudain une dernière journée de réflexion, avant de leur donner ma réponse définitive. Un peu inquiets, ils se résignent à ce nouveau délai.

J'y songe toute la nuit sans parvenir à trouver le sommeil.

Et le lendemain matin, je me rends de mon propre chef dans l'atelier de Praxitélês, où je ne suis plus retournée depuis l'exposition de l'*Artémis*.

"Tu acceptes que je devienne leur esclave personnelle ?
— Et toi, me répond-il calmement, tu l'acceptes ?
— Est-ce que j'ai le choix ?
— Qu'est-ce que tu me proposes alors ?"
Ma voix se fait plus impatiente : "J'ai déjà la moitié de la somme qu'il me faut pour racheter ma liberté à Nikarétê. Donne le reste. Affranchis-moi. Je poserai pour toi. Autant que tu voudras.

Gratuitement." Il me regarde un instant et puis il soupire : "Je ne peux pas.

— Pourquoi ? Tu n'as pas l'argent ?

— Je vais me marier."

Il m'explique qu'il va épouser une Athénienne de bonne famille, la fille d'un maître potier extrêmement réputé, qui possède un atelier à Athênaï et un autre à Tanagra, une cité alliée de Béôtie déjà réputée pour la qualité de sa céramique. Le jeune sculpteur pourra concevoir les modèles des statuettes de terre cuite qui seront ensuite reproduites à la chaîne dans l'atelier de son beau-père. Ce mariage permettra à deux lignées d'artisans prospères depuis plusieurs générations d'unir leurs forces et de développer leurs affaires. Ni Kêphisodotos ni les parents de sa future femme, ni son oncle, le fameux Phôkiôn, qui, malgré son jeune âge, fait un peu figure de patriarche, n'accepteront qu'il consacre une partie importante de ses gains à établir une hétaïre l'année même où il conclut une alliance aussi stratégique. Dans quelque temps, lorsque la jeune épouse sera installée et la descendance assurée, il fera ce qu'il voudra, en homme libre. Mais là, non, impossible. La pérennité de la famille passe avant tout. N'importe quelle femme, n'importe quelle hétaïre, n'importe quelle Grecque, le comprendrait. Ah oui ? Eh bien, figure-toi que je ne suis pas n'importe quelle Grecque ! Alors ne te marie pas, imbécile ! Rachète-moi ! Épouse-moi ! Je sais très bien ce que tu vas me rétorquer. Que je ne suis pas Athénienne, que les enfants que tu auras de moi seront des bâtards sans nationalité. Mais je te regarderai dans les yeux et je te demanderai de ma voix de déesse : "Et alors ?" Ces deux mots résonneront dans ta tête (et alors, et alors, crois-tu que c'est ton destin personnel qui m'importe, celui de ta famille réelle, ne sais-tu pas que je peux t'apporter beaucoup plus, pas à toi mais à celui qui compte en toi, pas à l'Athénien, pas au fils de son père, pas au sculpteur fils de sculpteur depuis des générations, mais à l'artiste) et leur écho ravagera tout le reste.

Oui, voilà ce que je devrais lui dire. Ce que je devrais laisser sortir de ma bouche, de l'endroit de ma gorge d'où naissent les accents souverains. Mais, au lieu de cela, je détourne les yeux, et je lui déclare, d'une voix vibrant seulement du dépit de la fille facile à qui l'on refuse une faveur : "Puisque c'est comme ça, je ne poserai jamais plus pour toi ! Je ne coucherai jamais plus avec toi ! Pendant un an, mes nouveaux maîtres me l'interdiront et ensuite, quand je serai libre, c'est moi qui ne voudrai plus !" Je me retourne vers lui, et mon regard méprisant lui déclare la même chose que le ton de ma voix : "Tout est fini entre nous. Notre histoire d'amour, dont les marchandes sur l'Agora et les gens bien intentionnés commençaient à peine à jaser, est morte, avant même d'être vraiment née. Mais c'est toi qui l'as tuée !" Dans ses yeux à lui, je crois lire quelque chose qui ressemble à de la tendresse, à de la supplication, presque à du désespoir. Mais non, non, ça ne marche plus, ça ne me suffit plus ! Inutile de te fatiguer mon vieux ! J'en ai assez de ces hommes amoureux, qui ne sont pas capables de tout risquer pour m'avoir, et notamment pas leur position de citoyen dans leur fichue cité !

Quelques heures plus tard, j'accepte la proposition exclusive d'Euthias, qui est aussi accessoirement celle d'Hypereïdês.

C'est ainsi que la fille connue depuis presque trois ans à Athênaï sous le double sobriquet de Mélitta et de Phrynê cesse d'être flûtiste dans l'école de Nikarêtê et devient d'un seul coup l'hétaïre privée d'Euthias et d'Hypereïdês. Le jour où je quitte ma chambre chez mon ancienne maîtresse pour emménager quelques ruelles plus loin dans la jolie petite maison qu'ont louée pour moi mes amants, tout en faisant mes adieux aux autres filles et aux trois Cerbères, dont mon préféré, Adômas, je ressens de la nostalgie plus que de la joie. Je m'en trouve moi-même ridicule. Praxitélês ne daigne pas paraître au banquet que je donne pour fêter mon installation et où je l'ai invité par provocation. Mais, à part lui et Kratês, tout le monde est là. Mes amies, Stéphanê, Lagiskê, Myrrhina, Lampitô, et la petite Herpyllis que j'ai rachetée à ma maîtresse, se réjouissent à ma place de ma promotion et du tour heureux que prend ma vie. Même Hipparkhos le cuisinier, qui doit renoncer définitivement à l'espoir de me faire passer à la casserole mais à qui j'ai confié le soin de nourrir la compagnie, se fend d'un vœu de réussite, en me caressant la gorge d'un sourire aussi tranchant que ses couteaux.

D'ailleurs, les débuts de mon ménage à trois sont très agréables. Mes deux amants prennent l'habitude de passer un moment ensemble dans mon lit, à la fin des deux jours de l'un qui marque aussi le début des deux jours de l'autre. Ces brèves heures d'intimité complète sont ce que chacun de nous trois, sans jamais se l'avouer, trouve de plus doux dans notre nouvelle situation. Ces garçons si différents se complètent si bien que je me demande à voix haute s'ils ne forment pas à eux deux un amant parfait. Eux aussi se félicitent de n'éprouver aucune jalousie l'un envers l'autre. Euthias s'en montre le plus loquacement satisfait. Quant à moi, je me révèle assez souple pour donner à chacun ce dont il a intimement besoin, passant sans trouble de la complicité érotique aux violences de l'amour. Dans nos moments à trois, chacun de mes maîtres peut profiter de ce que je suis pour l'autre, de ce reflet de moi qu'il n'est pas capable de susciter et qu'il envierait sûrement à son rival s'il n'en partageait ainsi les prémices ou l'achèvement. Euthias peut se relâcher un peu dans l'apaisement amical que je procure à Hypereïdês, et celui-ci s'étourdir des derniers échos de l'extase déchirante dans laquelle me plonge son ami intime.

Finalement, ce à quoi l'un comme l'autre se plaît le plus n'est pas de me faire l'amour à deux mais de bavarder ensemble devant moi, sous mes yeux brillants, dans mon souffle. Si Hypereïdês éprouve un vif plaisir à nous dévoiler les détails les plus croustillants des procès en cours, soulevant devant nous la tunique sévère de la justice pour en exhiber les guiboles velues, Euthias éprouve une émotion plus subtile, très apaisée et très pure, à nous éclairer les arcanes les plus secrets de la politique. En nous exposant longuement ses idées, comme si je pouvais les comprendre aussi bien qu'Hypereïdês, il se donne à lui-même l'illusion voluptueuse, et qu'il n'aurait jamais cru pouvoir goûter, de s'exprimer non seulement devant Périklês mais aussi devant Aspasia, remontés ensemble des Enfers pour l'écouter. Euthias, pendant ces quelques mois, voit sa carrière politique démarrer aussi brillamment que celle d'Hypereïdês dans le monde judiciaire. Il commence à jouer un rôle aux côtés de ceux qui, formés par Isokratês et cornaqués par Phôkiôn, tentent depuis une dizaine d'années de remettre sur pied ce qu'ils appellent la "Seconde Ligue de Dêlos". Une sorte de nouvelle alliance entre Athênaï et les Iles, où chacune garderait son indépendance, même s'il va de soi, pour cet Athénien, que sa cité en assurerait la direction. "Nous sommes les seuls, s'exclame-t-il, tandis que sa voix vibre d'une énergie qui me trouble, oui, nous sommes les seuls capables de forcer les Grecs des deux côtés de la mer à s'occuper des véritables enjeux. Et quels sont ces enjeux ? me demande-t-il (mais j'ai déjà deviné qu'il réclamait de moi seulement que je l'écoute), les incessantes rivalités entre Thêbaï et Lakédaïmôn ? Ou bien, ajoute-t-il en se tournant vers Hypereïdês, les médiocres intérêts commerciaux défendus par ce profiteur d'Euboulos ? Vous n'allez quand même pas me dire qu'une cité ne doit parler que par la voix de ses commerçants et de ses banquiers, comme si ces gens-là étaient capables de s'intéresser à autre chose qu'à leurs profits ! Pendant ce temps, Artaxerxês Mémnôn est en train de réarmer. Lui, le Grand Roi, il est fidèle au vieux rêve perse de réduire la Grèce à une satrapie comme une autre. Quelle cité peut lutter pour défendre notre modèle ? Une seule, la nôtre, comme aux temps glorieux de Marathôn. C'est ce que disait déjà Isokratês, notre professeur, lorsqu'il peaufinait devant ses élèves éperdus d'admiration son *Panégyrique d'Athênaï*. Tu te souviens, n'est-ce pas ? demand-t-il à Hypereïdês, qui sourit à ce souvenir commun de leurs années de formation. Aujourd'hui, nous, les jeunes, reprend-il en se rengorgeant devant moi, nous devons dépasser notre vieux maître en faisant entrer sa vision dans le réel, et en forçant la Grèce à devenir ce qu'elle a failli être au lendemain des guerres médiques, un monde multiple mais uni. Oui, le voilà, le véritable enjeu pour notre génération ! Tu sais comme moi, Hypereïdês, mon camarade, qu'il n'y a que les ringards pour se laisser enfermer dans le vieux nationalisme. Notre avenir à tous, Mélitta, le tien comme le nôtre, ne se jouera plus à l'intérieur des cités, mais au-delà, dans leur union ! Moi, poursuit-il en se frappant la poitrine, je veux élaborer le système qui permettra à nos cités, trop faibles pour aborder seules les changements du monde, de s'unir vraiment. La fédération, militaire, économique, politique, la génération précédente l'a déjà ratée une fois mais je sais qu'elle est notre seule chance de survie, non seulement face à l'immense Empire perse mais aussi face aux royaumes du Nord, à ces roitelets de Thessalie qui parlent à peine le grec mais qui prétendent remplacer Thêbaï dans l'hégémonie mortelle sur la Grèce ! Voilà, c'est ce projet fou que j'ai dans la tête ! C'est à ça que je veux consacrer ma vie !"

Il reste un instant en suspens, le buste et les bras tendus vers l'avant, dans une pose remplie d'énergie virile, et puis il se laisse aller en arrière sur les coussins, les mains croisées derrière la tête, un sourire rêveur aux lèvres, pour nous laisser le temps de l'applaudir. Mais je sens que cet orgueilleux est sincère lorsque, couché dans mon lit comme s'il était debout à la tribune, il développe ses idées devant Hypereïdês et aussi devant moi. Il s'avoue presque qu'il rêve de m'y intéresser. Que je sois captivée. Que je l'admire. Que je le rassure. Pourtant, lorsqu'il se risque à me glisser un coup d'œil au milieu de ses envolées rhétoriques, il voit bien que mon visage se ferme, que mes yeux se détournent, que je réprime mes bâillements. Ce qu'il ne sait pas, c'est que ce discours, je l'ai déjà entendu mille fois dans ma vie d'avant, oh, bien sûr, pas de façon aussi éloquente, ni avec une telle hauteur de vue, mais je sais trop bien où il mène. Alors délibérément je me claquemure, je m'absente. Euthias, humilié, se dit qu'il m'ennuie autant qu'Hypereïdês me fait rire. Il sent les pointes de la jalousie chercher de nouveau dans sa poitrine, en tâtonnant, l'accès à son cœur.

Peu à peu il s'aigrit. Alors qu'au début de notre cohabitation, il nous racontait tout en détail, même les négociations diplomatiques les plus absurdement compliquées avec la moindre bourgade des îles lointaines, il finit par nous cacher jusqu'aux secrets honteux qui me concernent. Pour payer sa part de l'entretien de sa maîtresse sans quémander de l'argent à son père, il doit se résoudre à monnayer sa nouvelle influence politique. Il fait voter discrètement l'attribution d'une nouvelle concession minière à leur ami commun, Léôkratês, et une couronne à un triérarque vaniteux. Il est furieux de devenir aussi corrompu que ces vieux politiciens qu'il exècre, à cause de moi qu'il ennuie. Il me le fait payer cher. Dès qu'Hypereïdês s'est éloigné, et quelquefois même en sa présence, il me fait crier vraiment, de douleur et non plus seulement de plaisir. Il m'humilie parce qu'il se compromet pour moi et que je ne le sais même pas. Parce qu'il a renoncé (mais en se jurant que ce n'était que provisoire, que cela ne durerait pas plus que mon contrat d'exclusivité d'un an, et même moins, si jamais il arrivait à me prendre en faute et à me jeter en pâture aux barbares cannibales), oui, parce qu'il a renoncé pour moi qui m'en moque à tous ces principes d'intégrité morale et de grandeur qu'il envoyait à la figure du monde quand il n'était qu'un éphèbe en formation. Il se conduit à cause de moi non en Periklês mais en vulgaire Alkibiadês. Il sait qu'il donne ainsi raison à son ennemi intime, Kratês, dans son mépris de la politique et de tous ceux qui ont la prétention stupide de s'y livrer. Comme il rougirait sous les sarcasmes du jeune Cynique, si celui-ci, qui réussit de son côté depuis plusieurs mois à vivre au fond d'une jarre en accord avec ses principes, venait à apprendre ses magouilles ! Il s'imagine dans une situation encore plus humiliante, accablé par le silence hautain de Lykourgos, qui révère tant la politique qu'il refuse de s'y compromettre, ou par le regard consterné de leur ancien maître, Isokratês, qui ne comprendrait pas comment le plus brillant de ses disciples peut se livrer à de pareilles bassesses, surtout pour une femme. Il n'ose pas non plus se confier à l'indulgent Hypereïdês parce que celui-ci n'a jamais su se refuser un bon mot d'ivrogne. Euthias, qui a toujours cru en l'amitié désintéressée, commence à se méfier de ses amis. Et tout cela à cause de moi, dont il peut de moins en moins se passer !

Alors il commence à se disputer avec son partenaire, même si c'est encore sur le ton de la plaisanterie. Parce qu'il s'en veut de perdre son âme en politique, il se drape dans ses valeurs pour reprocher à son camarade d'oublier les leçons de leur maître : Hyperereïdès est devenu en quelques mois l'un des avocats les plus réputés d'Athênaï parce qu'il a beaucoup de talent, mais ce salaud ne le met pas au service du bien public ! Au lieu de se battre pour la démocratie, il perd son temps à défendre des cocus, des margoulins, des métèques, des coupables dont la seule justification est d'être riches ! "Ah non ! proteste Hypereïdès, c'est parce que je les crois tous innocents que j'arrive à en persuader les juges. Et c'est au moment où ils me rétribuent que je m'aperçois avec stupéfaction qu'ils sont riches. D'ailleurs l'argent qu'ils me donnent, j'en nourris aussi mes camarades. Tiens, notre Mélitta, que j'ai achetée à moi tout seul, je la partage avec toi de moitié mais je l'entretiens pour les trois quarts, n'est-ce pas ? Et quelle importance ? Tu ne vas pas me reprocher d'aimer tellement la vie que j'aide ceux qui m'entourent à l'aimer aussi ? Je croque, d'accord, je croque tout ce que je peux mais au moins, je partage !"

Et moi, l'inconsciente Mélitta, la cruelle Mélitta, la fille-miel qui se colle à tout ce qu'elle touche et qui l'englue, séduite par tant de bonne humeur et tant d'énergie, je choisis mon camp : j'éclate de rire au nez d'Euthias. Alors ce dernier se rue sur moi. Devant son ami, il m'ouvre, il me force, il me blesse. Pour que je cesse de rire. Pour que je pleure. Il éjacule sa rage au plus profond de moi. Il cherche à oublier qu'il va devoir demander à son associé de prendre en charge seul ce mois-ci l'entretien de leur concubine, n'ayant pas réussi à faire voter la reddition de compte d'un petit magistrat malhonnête qui devait lui rapporter de quoi payer sa part.

Hypereïdès, de son côté, continue de me traiter avec plus de douceur, en bon camarade. Mais il n'est pas toujours disponible, même dans les deux jours qui lui sont réservés. Il se montre de plus en plus sensible au charme absorbant de Myrrhina, qui vient parfois me demander la permission de me le voler pendant la période où il m'appartient. J'y consens volontiers. Le plaisir le plus parfait que j'éprouve, c'est de me retrouver seule dans la maison que mes deux hommes me louent. Là, je ne pense à rien. Je jouis de mon bonheur.

Ou, du moins, je devrais en jouir.

Mais, parfois, je m'avoue que je m'ennuie.

Pourtant, si je suis moins sensible que les premiers mois aux plaisirs de la vie d'hétaïre, je parviens à ne plus me souvenir du tout que je rêvais d'une autre existence. Je respecte très fidèlement le contrat d'exclusivité, notifiant à chacun de mes deux propriétaires les propositions qui me sont faites. Euthias les refuse toutes. Hypereïdês, lui, m'en octroie certaines, sur lesquelles il touche une commission. Mais il ne m'autorise jamais que des vieux, ou de jeunes crétins réputés pour leur manque d'esprit. Bref, des clients qui n'ont aucune chance de devenir des rivaux et sauront seulement me donner le regret de notre amitié érotique.

Oh, tous ces masques grimaçants qui m'entourent, qui me cernent !

À la fin de l'hiver, je participe pour la première fois à leur grande "Fête des Fleurs" en l'honneur de Dionysos, le dieu du vin. Malgré le nom poétique qu'elle porte, il ne s'agit que d'une grande débâcle de vomi. Pendant trois jours, ils percent les jarres où le vin fermente depuis la dernière vendange, et, tandis que les flots de ce faux sang, à l'odeur aussi écœurante sous les premiers rayons du soleil que le vrai, inondent les rues poussiéreuses de leur ville, ils peuvent se saouler et régler leurs comptes à peu de frais avec leurs voisins, avec les puissants du jour ou avec nous, les femmes de plaisir trop chères pour eux. Ils organisent même des concours pour cela ! Il leur suffit de se rendre méconnaissables en se peinturlurant le visage aux couleurs criardes du dieu de la vinasse, de se le tartiner de lie, de boue, d'écorce, de sable, de je ne sais trop quoi, de sang, de sperme, de glaires, afin de se faire un masque repoussant qui est l'exact contraire de la face de lune artificieusement immaculée d'une hétaïre. Alors ils peuvent se laisser aller, sous les yeux de la foule hilare, aux sarcasmes, aux gambades et aux plus immondes vulgarités. Dans leurs parades grotesques, tout le monde s'amuse, tout le monde s'insulte, tout le monde se débonde, sauf moi. Oh, j'en aurais à leur dire, des vérités plus répugnantes que leurs mensonges mais, comme un insecte fragile sur le point d'être emporté, je reste à la surface du tourbillon boueux de leur joie. Je ne la comprends pas. Ou peut-être n'osé-je pas la comprendre ? Je ne survis chaque jour qu'en contrôlant tout, mes paroles, mes silences, mes réflexes, mes désirs : peut-être ai-je trop peur de ce qui sortirait de moi si je me laissais aller ?

Pourtant, je joue parfaitement mon rôle dans ces fausses réjouissances échevelées. Je suis choisie pour donner sa récompense au grand gagnant du "concours des Cruches", celui qui parviendra à boire le plus vite possible ses trois litres de vin nouveau. C'est Hypereïdês qui, par bonheur, devance de quelques gorgées Léôkratês. Après l'avoir sucé avec ardeur, je fais gicler très haut son sperme, tandis qu'il rote triomphalement sous les hourras du public. J'en ris à gorge déployée mais les dents serrées. La vérité, c'est que je suis déçue par toutes ces processions en l'honneur de Dionysos, le dieu de l'extase, même par celle moins frénétique où nous, les putains et les hétaïres, accueillies au milieu d'un cortège de respectables matrones, accompagnons solennellement à la lueur des torches la femme de l'archonte-roi, qui va faire l'amour avec l'incarnation du dieu dans le grand temple ouvert pour cette seule nuit. Je ne perçois là-dedans que de la superficialité, du conformisme, de la bêtise, aucune trace de fièvre ni de spiritualité sincère. Je me sens encore plus étrangère aux réjouissances privées qui suivent les cérémonies publiques, et dans lesquelles je ne retrouve que l'ordinaire de mes nuits en plus vulgaire.

Mais la suite est encore pire. Le troisième jour de la fête, le silence succède brutalement au bruit. Mes voisins accueillent respectueusement leurs morts dans leurs maisons et les nourrissent de galettes avant de les renvoyer jusqu'à la fin de l'hiver suivant dans leur royaume glacé. Moi, je n'ai pas de morts à pleurer. Juste des disparus. Des arrachés à moi. Ils ne hantent pas les rues d'Athênaï et je ne sais pas dans quel recoin de ma mémoire ils se cachent. Comment les accueillir. Comment les nourrir. Comment leur donner congé. J'en viens à regretter le vacarme.

Maintenant, j'entends d'autres gémissements. Sortant de ma torpeur, j'ouvre un peu les yeux, assez pour apercevoir une dizaine de femmes en train de pleurer bruyamment, prosternées devant un jeune homme à la peau très pâle et à la longue robe immaculée, qui se tient allongé sans vie sur un lit de végétation fraîchement coupée. Mais il s'agit seulement d'une grossière effigie de cire à taille humaine. Des parfums d'orient et des aromates âpres assèchent encore l'atmosphère, m'empêchant presque de respirer. Les trilles douloureux des flûtes résonnent sur les terrasses de toutes les maisons du voisinage où mes compagnes m'entraînent tour à tour, tandis que le plein soleil tape sur nos nuques. Le cruel astre mâle brûle jusqu'à leur absence de racines les plantes éphémères que nous avons fait pousser en huit jours dans des coupes et que nous exposons à ses caresses mortelles. Mais que fais-je là, au milieu de ces mères et de ces filles gémissantes qui ne sont pas mes parentes, à pleurer un mort qui n'est pas le mien ? Ah oui, je me souviens. C'est une autre farce. C'est une autre fête. C'est un autre rite. Réservé aux femmes, celui-là. Épouses respectables et filles de joie mêlées, nous avons toutes investi la grande salle du banquet d'où ont disparu les hommes. Peut-être cette jeune personne à la tunique éteinte, à côté de laquelle je suis agenouillée, est-elle la respectable demoiselle que va épouser Praxitélês, de même que Lagiskê est peut-être étendue de tout son long sur les dalles dans les bras de la femme légitime d'Isokratês ? Et eux, nos seigneurs et maîtres, où sont-ils ? Nous les avons chassés de leurs maisons. Alors, comme mes compagnes d'un jour, je feins de me prêter ardemment au jeu. Les cheveux lâchés, la tunique dénouée, je pleure toute la journée la mort d'Adônis, le jeune amant d'Aphrodité tué à la chasse par le sanglier de la farouche Artémis. Peut-être ces sanglots sonores, peut-être ce deuil bruyant m'exalte-t-il un peu plus l'âme que la joie de Dionysos ? Non, à peine. Je ne me sens pas concernée. Ce chagrin que l'on prête à Aphrodité, à la déesse toute-puissante, il me fait rire. Je sais bien, moi, qu'elle ne pleure jamais, la déesse de l'amour, et qu'elle n'aime personne.

Ces hululements, si je m'amuse à les pousser, c'est parce qu'ils emplissent la ville de nos voix lugubres de femmes et qu'ils couvrent, celles des hommes en train de discuter là-bas, dans leur assemblée politique, de je ne sais quelle intervention militaire contre un allié un peu récalcitrant. Depuis quelques jours, ils se prennent tellement au sérieux ! Cent fois plus que d'habitude, si c'est possible ! La guerre les excite autant que nous l'amour, même lorsqu'il ne s'agit que de menacer Kéôs, une île du Sud si minuscule que personne n'en avait jamais entendu parler, en tout cas pas moi, avant qu'elle ne fasse mine de se révolter contre leur Ligue. Alors les cris de douleur des femmes qui dérangent les hommes dans leur folie meurtrière, je leur ouvre grand ma bouche, mais je leur ferme mes oreilles et mon âme. Je ne sors de ma réserve que pour la partie la plus secrète de la fête, celle à laquelle participent les putains mais pas les épouses, dans l'intimité honteuse et fervente de la nuit. Celle où nous déshabillons le bel éphèbe humain que nous avons choisi pour incarner le jeune dieu mort, où nous le couchons sur son lit de fleurs et de cresson humide, et où, par nos caresses savantes, nous le ramenons à la vie. Dans notre maison, c'est Euthias qui, après s'être déchaîné en paroles à l'Assemblée nationale contre les habitants de Kéôs, joue le rôle du charmant Adônis. Je mets un tel cœur à l'ouvrage, pour lui prouver que mon pouvoir est égal au sien, pour le faire renaître au plaisir et oublier tout le reste, que j'en fais sourire mes compagnes. Mais je ne le ressuscite pas seulement en prenant son sexe dans ma bouche. Oh non, au bout d'un moment, je me mets à le chatouiller aussi, à le gratouiller, à le papouiller, comme une Myrrhina. Jusqu'à ce que, se tortillant, il éclate de rire, lui et toute l'assemblée. Ce qui est à leurs yeux le plus sacré, je me sens assez forte désormais pour en faire une farce !

La vérité, c'est que, dans les nuits de ce printemps et de cet été d'Athênaï, j'attends autre chose. Quoi ? Je ne le sais pas. Quelque chose en tout cas que les dieux révérés par ces Athéniens ne paraissent pas en mesure de me donner. N'y a-t-il rien dans Adônis en dehors de la mort d'un trop délicat jeune homme ? N'y a-t-il rien dans Dionysos en dehors de ces processions de braillards avinés ? N'y a-t-il rien dans Aphroditê en dehors de cette languissante déesse du désir ? N'y a-t-il rien dans ces divinités que le peu qu'en ont compris les Grecs ? La mort, les braillards avinés, la soumission, oh, je connais tout ça ! J'ai dû subir tout ça ! Mais n'y a-t-il rien au-delà ? Rien qui parlerait à mon âme de ce désir confus qui l'agite de traverser la mort, de dépasser la fête, d'inverser la soumission ? De voir s'ouvrir lumineusement devant moi ce chemin que, dans ma vie réelle, je cherche toute seule en tâtonnant depuis plus de deux ans ? Rien qui me parlerait de rébellion, de victoire, de plénitude féminine ? Rien qui m'indiquerait la direction et me permettrait de découvrir enfin ce à quoi j'aspire ? Comment pourrais-je me réconcilier avec Aphroditê, puisque cette déesse, toute-puissante pour briser les femmes, se fait toute soumise devant les hommes ?

Même l'Aphroditê Pandêmos, l'Aphroditê de tout-le-peuple, dont la prêtresse me choisit une deuxième fois pour accomplir le sacrifice rituel, même l'Aphroditê universelle du désir réconcilié, elle ne peut me satisfaire. Moi, je n'aspire pas à une déesse de la réconciliation mais de la vengeance ! Une Aphroditê aussi indomptable que son ennemie et son contraire, Artémis, la vierge chasseresse qui a lancé le sanglier meurtrier contre Adônis ! Oh oui, une Aphroditê putain vengeresse !

Et puis, après ces quelques mois d'agitation et de fausse ferveur religieuse, voici que s'ouvre devant moi la courbe calme d'un sentier. Il mène, à travers la partie secrète d'un jardin, vers le centre du monde : un temple et une maison soigneusement cachés dans les arbres.

C'est le soir. Je suis en train de visiter avec Euthias, Hypereïdês, Lykourgos, et quelques autres, la fameuse école de Platôn, dont ils ont tous les trois suivi quelques années auparavant l'enseignement. L'après-midi, nous avons assisté à l'une des conférences ouvertes au public dans le grand gymnase. Elle a été prononcée par un tout jeune homme, dont Euthias prétend qu'il est l'un des plus brillants disciples du vieux maître. Arrivé à peine un an auparavant d'une ville perdue au fond d'une province lointaine du nord, et déjà chargé des cours de rhétorique et de logique, il est capable, paraît-il, de disserter avec autant de science sur l'astronomie ou la médecine. Il s'appelle Aristotélês. Lykourgos, qui a eu l'occasion de discuter avec lui théâtre et politique, doit reconnaître qu'il a été surpris par l'ampleur de la culture et par la profondeur des vues de ce provincial. Mais ma curiosité pour le jeune savant s'est un peu éteinte lorsque mes amis m'ont appris que, malgré son intelligence lumineuse, il était laid. Des jambes torses et une poitrine étroite, peu de barbe mais un cheveu sur la langue. Pas très grec, quoi. On dit que son manque de grâce ne l'empêche pas d'être apprécié du maître, qui aime pourtant que ses disciples soient beaux. Le vieux Platôn surnomme celui-ci avec affection "le Lecteur" et se tourne vers lui dès qu'il s'agit de préciser une référence. C'est pourquoi la foule cultivée s'est pressée à sa première conférence publique. Avec le sens particulier de la provocation qui caractérise l'école de l'Akadêmeïa, quelques semaines à peine avant le grand festival de Dionysos, le disciple avait choisi de traiter du théâtre comique. Le spécialiste Timoklês avait aussitôt réservé une place au premier rang, en répétant partout qu'il devait se dépêcher d'apprendre de la bouche du petit génie de la philosophie ce qu'était une comédie avant d'avoir écrit sa trentième pièce.

La conférence du jeune professeur m'a ennuyée mortellement, bien qu'il fût moins laid que mes amis ne le prétendaient. Il a pontifié sur les règles du rire en zozotant mais à part Timoklês et moi, ce détail a paru n'amuser personne. En revanche, je suis vivement frappée, sans savoir d'abord pourquoi, par notre promenade dans la propriété de Platôn, son école privée, qui jouxte la palestre publique du bois d'Akadêmos où se donnent les conférences, et que nous propose aimablement de visiter le conférencier, après que nous l'avons félicité. C'est un lieu clos, à l'écart de la ville, fermé par une enceinte comme le sanctuaire d'une divinité. Une sorte de monde idéal et bien protégé. "L'Akadêmeïa, m'explique le disciple avec un calme enthousiasme, est organisée selon ses propres critères, qui n'ont rien à voir avec ceux du reste de la société. Ici, par exemple, plus de riches ni de pauvres !" Il observe ma moue dubitative avec un sourire, comme s'il s'attendait à cette réaction, et il continue sans se démonter : "Les élèves de notre école peuvent s'acquitter de leur séjour, non pas en payant, comme dans celle d'Isokratês, mais en se chargeant des conférences publiques ou même des cours privés réservés aux autres disciples. Autrement dit, seul celui qui n'a aucune connaissance à soumettre à l'examen de tous, seul celui qui n'est riche d'aucun savoir ni d'aucune curiosité, n'a pas sa place dans l'École. En tout cas, pas avant d'avoir parcouru le monde en s'instruisant pour revenir proposer aux autres le résultat de ses découvertes." Le jeune philosophe continue de me présenter la grande œuvre à laquelle il participe, avec une fierté presque naïve que je perçois sous sa pondération et qui me rend soudain émouvant jusqu'à son cheveu sur la langue. D'ailleurs, la suite de ses explications m'intéresse encore plus que le début. Car, nous dit-il, "ici plus d'Athéniens ni d'étrangers ! Seulement des amoureux de la sagesse universelle, capables de remettre leur savoir en question". Je sens qu'il éprouve un plaisir particulier à lancer cette phrase au visage de jeunes Athéniens, lui qui, venant d'une cité plus humble encore que la mienne, a dû s'agacer souvent de subir la morgue de ces privilégiés nés dans la capitale de l'esprit. Au bout d'un instant, il ajoute, à voix plus basse, comme s'il s'adressait à moi seule : "Et même, ici, plus d'hommes ni de femmes !" Je lui jette un regard surpris. Il prétend que deux représentantes de mon sexe font désormais partie de l'école en tant que disciples ; si elles restent invisibles aux regards des visiteurs, refusant de se montrer lors des conférences publiques, c'est uniquement par choix personnel, pour ne pas attirer l'attention sur elles ni se laisser distraire de leurs travaux.

Lykourgos et mes autres amis commencent aussitôt à discuter de l'évolution étonnante de l'école de Platôn. Mais je ne les écoute plus vraiment. J'aurais envie de m'écarter pour errer seule sous les frondaisons de la propriété. Ce qui me touche le plus, ce ne sont pas les explications d'Aristotélês, mais le silence qui se dégage du lieu. Même si je le parcours au milieu d'un petit groupe de jeunes gens bruyants, il me procure une impression de calme rassurant, presque palpable. J'aime l'idée que, le monde extérieur n'étant que désordre, injustice, violence, guerre, rapt, Platôn ait créé, juste à côté du chaos, le lieu, à la fois idéal et concret, où se consacrer à la recherche de l'harmonie. Sans doute, comme nous explique le jeune conférencier avec un rien de condescendance, le Maître espère-t-il que ses élèves, une fois achevée leur formation, se répandront à travers le monde grec pour y instaurer, dans les cités elles-mêmes et non plus seulement dans le temple clos du savoir, l'ordre et la justice qu'ils y auront approchés. Mais ce rêve de philosophe, je ne le suis pas jusque-là. Moi qui ai enduré le chaos, moi qui l'ai souffert dans ma chair, je me contente d'être sensible à l'atmosphère de paix profonde qui se dégage de cette retraite. La doctrine de Platôn, sur laquelle s'interrogent mes amis, à vrai dire, je m'en moque. Ma façon de la comprendre, c'est de la percevoir physiquement à travers les dimensions rectangulaires de la palestre, à travers le cercle parfait de l'Observatoire, à travers les chemins sinueux des promenades qui, s'enfonçant de plus en plus profond dans ce sanctuaire de la pensée, menant d'abord à la bibliothèque, puis aux appartements des disciples (Aristotélês nous ouvre l'étroite cellule qu'il y occupe comme chacun de ses camarades), conduisent enfin les privilégiés jusqu'à la demeure du Maître. C'est là que se donne l'enseignement oral réservé aux seuls initiés. L'élève se contente de nous la montrer respectueusement de loin, à travers le bouquet d'arbres qui l'isole. Il nous désigne aussi le temple d'Apollôn lui faisant face et dont nous n'apercevons que le toit. Maison du maître et sanctuaire du dieu sont le centre double de cette propriété qui constitue un univers en réduction. "Que nul n'entre ici s'il n'est géomètre" : les jeunes gens m'ont invitée tout à l'heure à déchiffrer la formule, qu'ils connaissaient par cœur, sur le fronton du portail d'entrée. Moi, ce n'est pas en géomètre mais en danseuse que j'ai perçu ce parcours vers la vérité symbolisé par l'organisation concentrique de l'école. Platôn, pour moi, ce ne sera jamais que les pelouses harmonieuses de l'Akadêmeïa. Mais, pendant plusieurs heures, je reste sous leur charme. Prise dans leur choc de calme. Je n'arrive pas à saisir pourquoi cette visite m'impressionne tant. Je sais seulement qu'il y a là un signe, à moi seule adressé. Quelque chose frappe discrètement à la porte de ma conscience et voudrait me délivrer son message, à travers cette sensation physique de plénitude que m'a procurée la propriété du philosophe.

Bizarrement, c'est Kratês qui me fournit la réponse, le soir même, pendant le banquet que Lykourgos donne chez lui en l'honneur du conférencier étranger. Notre Chien fou a évidemment refusé d'aller écouter celui dont il considère peut-être qu'il lui a volé sa place à l'Akadêmeïa, bien qu'il l'ait lui-même refusée. Il a juré de ne pas se montrer non plus à la fête, alors que le maître de maison a envoyé un serviteur lui délivrer cérémonieusement son invitation au milieu des clochards qui squattent les abords du temple de la Grande Mère. Pourtant, pendant le repas, nous apercevons Kratês se glisser dans la salle du banquet, encore plus famélique et plus sardonique qu'auparavant. Il nous salue de loin, nous évitant le douloureux privilège de humer les progrès qu'il fait dans le dépouillement. Il s'est octroyé le plaisir gratuit de venir se moquer de l'école de Platôn au nez et à la barbe rare d'un de ses disciples, afin de cracher de plus près sur ce que tout le monde encense. À un moment, je l'entends s'exclamer que, lui, il n'a pas besoin de s'enfermer au fond d'une école pour devenir sage mais seulement de sortir à l'air libre dans un rayon de soleil. Et il ajoute : "Je n'ai pas besoin d'une Akadêmeïa pour échapper à la déception d'Athênaï !" Je suis foudroyée par cette formule, comme par beaucoup d'autres de Kratês, qui est pourtant persuadé que je suis beaucoup trop bête et beaucoup trop femme pour ne serait-ce que les écouter. Ce sarcasme m'illumine, m'ouvrant la véritable fonction de la propriété de Platôn : fournir aux déçus de la cité réelle le modèle miniature d'une contre-cité, posée juste à côté de la première. Pendant ce temps, Hypereïdês et ses amis se sont mis à interroger le jeune étranger sur les royaumes du Nord qu'il a visités avant de venir étudier à Athênaï. Et notamment sur le plus lointain, le plus mal connu, le plus instable et le moins grec de tous, celui de Macédoine, qu'il connaît mieux que les autres puisqu'il vient de révéler que son propre père était le médecin personnel du roi Amyntas. Je ne les écoute pas vraiment. Je reparcours en imagination les jardins de l'Akadêmeïa, au bras de Kratês (qui dans la réalité, depuis son exil intérieur au fond de sa jarre poussiéreuse, ne me dit jamais plus de trois mots) afin qu'en ironisant sur cette école, il me permette de mieux comprendre son enjeu. Je m'absente, je suis, comme d'habitude, en retard de quelques heures sur ma vie, ou en avance de quelques mois.

Ce qui me fait revenir à la conversation, c'est un nouvel aboiement du Chien méchant. Précédé par son odeur écœurante, il n'a pu s'empêcher pendant mon absence de se rapprocher d'Aristotélês et, maintenant, les deux jeunes philosophes sont en train, non pas de discuter posément, mais de s'engueuler comme des marchands de poisson. Ils parlent de la cité. Ils parlent de l'esclavage. Le jeune conférencier, ignorant peut-être que la flûtiste assise gracieusement à ses côtés qui, malgré sa distraction, veille au moindre de ses désirs avec une politesse raffinée, est elle-même une esclave, affirme tranquillement que certains êtres humains sont faits par nature pour obéir et d'autres pour commander. Nous ne sommes à ses yeux qu'une masse anonyme d'outils animés, incapables de raisonner. Je laisse mon regard fixé sur lui avec une telle intensité qu'il s'arrête en plein milieu d'une phrase. Je ne peux m'empêcher d'intervenir dans la conversation : "Hypereïdês m'a appris cet après-midi que ton maître, Platôn, avait été vendu comme esclave par le tyran de Syrakousaï, un jour où il lui cassait un peu trop les pieds de ses conseils, et qu'il n'avait recouvré la liberté que parce qu'il avait été racheté par un admirateur. Ce signe du destin ne lui a-t-il pas donné à réfléchir, ni à toi non plus ? Dirais-tu que Platôn, pendant les quelques semaines où il a été esclave, était né pour obéir ?" Hypereïdês éclate de rire en voyant la mine du jeune philosophe : "Oui, notre Mélitta ne parle pas souvent, mais lorsqu'elle ouvre la bouche, il faut toujours se méfier." J'ajoute avec une ironie gracieuse : "Bien que je sois une esclave, j'oublie parfois que je suis née pour obéir. Je te prie de m'excuser, jeune maître, tu n'es pas obligé de me répondre."

Le philosophe, avec un sourire aimable de supériorité intellectuelle, me rétorque qu'il peut très facilement lever mon objection : il suffit de distinguer entre l'esclavage de nature et l'esclavage de convention, produit par certaines circonstances extérieures, comme la guerre ou la volonté d'un tyran, et que… Il s'apprête sûrement à se lancer dans une longue dissertation mais le Cynique lui coupe brutalement la parole : "Ton discours, tu veux que je te dise, c'est de la merde ! La vérité, c'est que l'esclavage n'a aucune justification rationnelle, et que, si tu remontes à l'origine, il est toujours le produit de la violence. Sa seule nécessité est pratique : la cité en a besoin pour vivre, c'est tout ! Si tu supprimes l'esclavage, tu supprimes la cité. Eh bien pourquoi pas, qu'attendons-nous ? Mais non, toi, je parie que tu en es encore à vouloir la sauver. Tu retardes, mon vieux ! Toutes tes connaissances ne te servent qu'à maintenir l'ordre établi, alors que c'est le système entier qu'il faut jeter à la poubelle ! Moi, je n'ai plus besoin de la cité, plus besoin de l'esclavage, plus besoin de tous tes bouquins ni de toute ta science. Sous le soleil, chacun est nu, chacun est libre ! Partons de ça, mon vieux, après avoir bazardé le reste, et voyons ce qu'on peut reconstruire ! Peut-être rien d'ailleurs mais ça vaudra mieux que le tout actuel !"

Je veux remercier Kratês d'un sourire mais je m'aperçois qu'il se moque bien de moi. Ce n'est pas pour me défendre qu'il a parlé mais pour asséner sa haine de plus en plus radicale de la cité sur le crâne de quelqu'un d'intelligent qui y croit encore. Il continue à se battre à coups de sarcasmes contre l'autre jeune philosophe qui lutte à coups de raisonnements. Je ne leur fais pas la grâce de les écouter jusqu'au bout, tout en restant poliment les yeux fixés sur eux, pour qu'ils oublient jusqu'à ma présence. Je recommence à rêvasser. À chercher dans ma rêverie la solution à ce problème qui les agite tous, Aristotélês qui a tout lu comme Kratês qui ne veut plus rien lire, le vieux Platôn comme le jeune Euthias, la solution à ce problème qui me concerne de bien plus près qu'eux, moi, l'hétaïre qui bâille discrètement à leurs côtés mais qui ai failli être la victime du chaos mortel dans lequel ils se débattent et n'en ai réchappé que par miracle. Que faire pour échapper aux impasses du monde des cités, à son ordre injuste, son incapacité à se réformer, ses violences, ses guerres fratricides, ses horreurs ? Sûrement pas, comme Kratês le préconise, tout détruire, pour n'être plus qu'un individu debout sous le soleil. Parce que, quand tu es une femme isolée dans ce monde d'hommes et de fauves, tu ne peux qu'être broyée. Une victime, nécessairement, je suis bien placée pour le savoir. Alors se construire soi-même, sans leur demander rien, une autre mini-cité installée invisiblement en plein cœur de la leur et qui ne reconnaîtra d'autre règle et d'autre fraternité que les siennes ? Une société féminine secrète ? Un contre-pouvoir qui contrebalancera le leur ? Une Akadêmeïa des femmes, où l'on ne prendra pas en compte seulement l'esprit mais aussi le corps ? Un deuxième modèle se propose aussitôt à mon esprit : le thiase, la confrérie religieuse, comme il en existe déjà pour Dionysos, ou pour d'autres dieux furieux à peine grecs. Mais ces groupes instables, qui pourraient parler à mon âme par leur frénésie plus que l'école de Platôn par sa rationalité, n'ont pas de lieu à eux : ils investissent la cité ou la campagne lors de certaines nuits de fulgurance et de désordre, comme celles de la Fête des Fleurs que j'ai vécues avec répugnance quelques semaines auparavant, parce que les réjouissances officielles maintenaient son énergie dans les limites d'une vulgarité rassurante, et puis ils se dissolvent, ils se replongent dans la cité, ils s'y reperdent. Tandis que l'Aka-dêmeïa est installée à demeure, proposant un contre-modèle per-manent qui s'élabore dans la durée. Moi, ce soir-là, je commence à rêver d'une solution qui unirait ces deux modèles différents de l'école et du thiase. Je pressens les anneaux d'un corps étranger lové au creux de la cité, qui tirerait parti de sa chaleur mais saurait mordre en cas d'attaque. Ce projet n'est encore qu'une petite poche de venin inemployé dans un recoin de mon esprit.

Pendant tout le reste de la fête, je rêvasse. Un peu distraite, nau-séeuse, non seulement parce que je suis encore incommodée par la proximité de Kratês, dont j'ai à peine remarqué qu'il venait de se lever et de nous planter là, au moment où le banquet commençait vraiment, mais parce que je suis tombée enceinte d'un corps étran-ger dont je ne parviens pas à distinguer les formes. Au bout d'un moment, pourtant, revenant un peu à la réalité, je note qu'Aristo-télês, le jeune conférencier, s'est lui aussi abstrait de la conversation générale. Mais ce n'est pas à cause de ma remarque sur son maître, ni parce que les coups de gueule du Chien ont réussi à le réduire au silence. Non, je crois remarquer qu'il est sensible au charme d'Herpyllis, ma jeune servante. Âgée d'à peine quatorze ans, elle n'est plus depuis quelques mois la gamine terrorisée que j'ai fait acheter à Nikarêtê parce qu'elle m'en rappelait une autre. Herpyl-lis est en train de devenir elle-même. Une très jolie fille, pleine de douceur, de calme et de résolution. N'ayant aucune confiance dans le mari de Nikarêtê, le Cuisinier, c'est entre les mains ter-ribles mais précautionneuses d'Adômas que je l'ai fait passer, c'est à son sexe délicatement tatoué que je l'ai confiée, pour qu'il réap-prenne à ma petite protégée tout ce qui lui avait été inculqué de force. Lorsque je sors de ma rêverie, je me rends compte qu'Her-pyllis ne se tient plus de mon côté de la banquette. L'étranger l'a appelée vers le sien, où il l'a même fait s'asseoir. Ils bavardent familièrement à voix très basse. Il lui pose des questions que je n'entends pas, bien que je sois installée tout près d'eux, et sou-rit avec indulgence de chacune ses réponses. Un moment aupa-ravant, ce philosophe affirmait que les esclaves n'étaient que des objets et voilà qu'il discute, sans montrer aucune gêne ni aucune distance, avec l'un de ces êtres de nature inférieure. Il est même, parmi tous les convives du banquet, moi y compris, celui qui paraît le moins soucieux des convenances sociales. Comme ils sont étranges, comme ils sont incohérents, ces philosophes, ces Grecs, ces hommes ! Même les plus raisonnables d'entre eux ne valent que par leurs contradictions.

Percevant soudain que sa maîtresse la regarde, Herpyllis tourne la tête vers moi et se met à rougir. Le jeune philosophe m'adresse alors la parole avec une courtoisie pleine d'autorité : "Excuse-moi, belle Mélitta, d'avoir distrait ta servante. Elle et moi, nous venons de découvrir que nous étions originaires de la même petite ville lointaine du rivage de Macédoine, Stageïra, aujourd'hui disparue. C'est un hasard extraordinaire !" Herpyllis répète, dans un souffle : "Stageïra." Il enchaîne : "Tous les deux, nous n'avons eu la chance que d'y vivre notre enfance. Nous nous la racontons." Elle sourit. Plus doucement que tristement. Je la regarde pétrifiée. Ai-je seulement pensé à lui demander d'où elle venait ? Ce qu'elle avait vécu pour se retrouver à mes côtés ? Quelle catastrophe l'avait arrachée à sa bourgade du bout du monde ? Je suis tellement noyée dans la douleur de mon propre passé, ou plutôt je veux tellement m'écarter de son bord néfaste pour me sentir enfin en sécurité, que je ne pense pas à m'intéresser aux autres, à leurs secrets peut-être trop semblables aux miens. Je reproche à ce philosophe de mépriser les esclaves, mais lui, en quelques minutes, s'est plus rapproché de la mienne que je n'ai jamais eu l'idée de le faire. Alors je leur rends leur sourire, à tous les deux. Et je permets à Herpyllis de rester à bavarder assise sur la banquette du côté du philosophe, à séjourner encore un moment sur ce petit morceau de leur Stageïra qu'ils ont réussi à recréer sans rien nous demander au milieu de nos bavardages. Je les laisse revivre le bonheur perdu de leur enfance puisqu'ils le peuvent encore. Moi, je me méfie plus que tout de la nostalgie. Dès que j'entends dire qu'un étranger est originaire de l'ancienne Thespiaï, je le fuis. Mais si ces deux-là veulent se livrer à ce plaisir dangereux, c'est leur problème. Je m'en moque, après tout. C'est eux qui auront à en souffrir ensuite, pas moi.

Lorsque vient le moment du kottabe, dont on apprend les règles à ce jeune homme du Nord qui ne les connaît pas encore, il me demande très poliment l'autorisation de prononcer, en jetant le vin de la coupe, le nom de ma servante. Il ajoute qu'il aimerait, si je le permets évidemment, moi qui ne suis pas seulement une esclave mais aussi une maîtresse, et contre rétribution… J'ai bien perçu l'ironie enjouée de sa dernière phrase et je lui réponds sur la même note : "Tu aimerais que je te loue un moment cet outil animé qu'est Herpyllis pour t'en servir à ta convenance ?" Il rétorque qu'évidemment, ce ne sont pas ces mots-là qu'il emploierait pour parler de sa concitoyenne. Je continue à ironiser : "Ce sont pourtant ceux dont tu nous as enseigné tout à l'heure qu'il fallait qualifier ce type d'êtres humains, auquel nous appartenons, elle et moi, et qui sont nés pour servir." Il se contente de sourire, sans répondre, afin de ne pas risquer d'envenimer la situation. Il me laisse habilement triompher, pour que je cède à sa demande. Mais je ne veux pas lui rendre la victoire aussi facile. Alors je lui lance : "Vingt drachmes ! C'est cher mais, comme tu viens de le reconnaître, cette esclave est ta concitoyenne. La nostalgie, pour des exilés comme nous, est hors de prix." Je suis un peu étonnée qu'il ne discute pas, acceptant mes conditions d'un simple hochement de tête. "Je vois, lui dis-je sur un ton moqueur, que le fils du médecin personnel d'Amyntas ne fait pas partie des élèves les plus pauvres de son école. D'ailleurs, je n'aurais pas pu accepter que tu me payes en conférence publique, même pour m'expliquer l'amour. Et pourtant, j'imagine que, sur ce sujet comme sur le reste, tu as déjà tout lu." Encore une fois, il veut bien sourire de mon sarcasme. Parfait, il est obstiné, et peut-être digne de ma servante. Je crois que je peux mettre un terme à mon assaut d'ironie. Devenant soudain sérieuse, je lui glisse, d'une voix plus sourde, et plus grave : "Bien qu'elle ne soit qu'une esclave, serais-tu d'accord pour que nous lui demandions son avis ?" Il me répond dans le même souffle : "J'allais te le demander." J'aime cette réponse, même si elle m'étonne un peu de la part de celui que je préférais considérer jusque-là comme une froide machine à raisonner, un outil animé capable seulement d'analyse mais pas de sentiment.

Ils n'ont pas fini de me déconcerter, les deux enfants retrouvés de Stageïra. À ma grande surprise, Herpyllis accepte le marché, rouge de confusion. Ce qui m'amuse, ce n'est évidemment pas qu'elle accepte (je viens de lui glisser qu'elle toucherait la moitié des vingt drachmes de la rétribution) mais qu'elle rougisse. Pourquoi ? Que se passe-t-il entre ces deux-là, que tout sépare, la condition, le savoir, les préoccupations, le quotidien ? Y a-t-il quelque chose d'autre qui les réunisse que le village mythique de leur enfance ? Je ne peux m'empêcher de les observer tandis qu'il commence à la déshabiller. Je suis touchée de la délicatesse que met ce jeune philosophe, trop raisonnable, trop abstrait et même pas beau, à défaire la ceinture de ma jeune esclave. À défaire la fibule qui attache sa tunique courte comme s'il s'agissait du long péplos pudique d'une épousée. À écarter en tremblant les pans du tissu pour glisser ses mains vers les deux seins de la jeune fille. Je suis troublée aussi de l'émotion de cette dernière, qui, encore plus rougissante, les yeux fermés, les mains posées simplement à plat sur les coussins, la respiration palpitante, se laisse faire, se laisse dénuder, oubliant avec bonheur tous les gestes savants qu'elle a appris auprès de moi. Une évidence me frappe soudain : n'est-ce pas la première fois, en presque cinq ans de prostitution, que je vois un homme et une femme faire l'amour ? Contrecoup brutal de cette illumination, comme le rouleau sombre de la vague qui s'écrase sur la nuque du naufragé après l'éclair de l'écume, moi, la maîtresse, je me sens soudain noyée dans le flot d'une jalousie brutale à l'égard de mon esclave. Pourquoi elle ? Pourquoi pas moi ? Qu'a-t-elle de plus que moi ? Qu'a-t-elle de moins ? Qu'est-elle prête ici à abandonner ? Ces questions incongrues me suffoquent. Au moment où le jeune philosophe renverse tendrement sur les coussins la petite servante qu'il feint d'épouser, je ne peux supporter plus longtemps leur indécence pudique, je détourne la tête, je me rue sur Hypereïdês, qui bascule à son tour en arrière dans un éclat de rire. Tandis que je chevauche mon ami avec l'énergie du désespoir, je ne peux m'empêcher de guetter dans mon dos les gémissements mêlés des deux amants que j'ai autorisés à s'unir. Et je crie, je crie plus fort qu'Herpyllis, jusqu'à m'en déchirer les oreilles, pour ne plus entendre son plaisir.

Ensuite, tandis que je suis encore assise sur la croupe de mon ami sanglier, les coudes dressés, à soulever mon épaisse chevelure pour me donner un peu d'air, et faire saillir mes seins, parce que je sais qu'il me trouve très provocante ainsi, et que je veux que tout le monde me trouve très provocante, que tous les hommes bandent à mourir pour moi et ne puissent plus détacher leurs yeux de moi, Hypereïdês, qui reprend son souffle avec peine, me glisse : "Tu es vraiment folle, toi ! On croit que tu n'es pas là et puis… Mais je ne me plains pas, remarque : un moment, j'ai même cru que j'étais devenu Euthias !" Tiens, où est-il, celui-là, mon amant jaloux ? Déjà parti en ambassade sur son île lointaine ? Encore à ses préparatifs de mort ? Qu'il aille se faire tuer là-bas, au lieu d'y envoyer les autres, si c'est ce dont il rêve ! Je ne ferai pas un geste pour le retenir ! Bon débarras ! Oh où es-tu, cette nuit, Euthias, saurais-tu m'aimer, comme ce jeune philosophe pourtant mille fois moins beau que toi, si je me laissais aimer ? Hypereïdês, qui m'observe toujours, en train de m'éventer furieusement, remarque avec finesse : "Tu es vraiment belle, comme ça, tu le sais d'ailleurs, mais, c'est bizarre, tu arrives à être à la fois excitante et, comment dire, morose ! Voilà, c'est le mot qui convient : morose. Je me demande bien à quoi tu penses." Il ajoute, dans un sourire : "Tu n'étais quand même pas jalouse de ta petite servante, que ce philosophe n'a prise sans doute que parce que tu n'avais pas l'air de t'intéresser à lui. Non, ce ne peut pas être ça. Alors quoi ? Dis-moi, divine Mélitta, tandis que tu me chevauchais avec cette fougue, tu allais où ? Vers quel sommet de toi seule connu, en te servant de moi pour ton escalade ? Tu ne veux pas me le dire ?" Il se redresse sur ses coudes et, approchant son visage tout près du mien, il me murmure à l'oreille : "Tu ne veux pas me le dire enfin ?"

Non, je ne veux pas. Ou plutôt, non, je ne peux pas. Je pose mes deux mains sur ses épaules, afin qu'il bascule de nouveau en arrière, qu'il s'éloigne de moi, qu'il garde ses distances. Et puis, soudain, je me rapproche de lui. Sans préméditer le geste, je me penche pour l'embrasser. Doucement. Est-ce que j'agis ainsi pour l'empêcher de parler ? Ou pour le remercier de sa curiosité, même si je ne peux la satisfaire ? En me retenant un instant contre lui de sa main posée sur ma nuque, il murmure de nouveau : "Oh, quelle félicité inattendue, voilà qu'elle m'embrasse sur la bouche, la sublime Mélitta, voilà qu'elle pose sur mes lèvres les ailes frémissantes des colombes d'Aphroditê ! Mérité-je pareille faveur divine ?" Et puis il lâche prise en souriant et me laisse me redresser. C'est pour cela qu'il ne me mérite pas. Ce geste de tendresse, que je n'ai pas calculé et qu'il n'a pas su retenir, d'où me vient-il, je ne sais, à qui s'adresse-t-il, je ne sais, mais en tout cas pas à mon ami Hypereïdês, le charmant, le fidèle Hypereïdês, qui n'est mon maître que de nom. Aussitôt après, je me sens de nouveau accablée par une vague de rancœur. Je me jure que je m'opposerai sans explication à ce qu'Aristotélês, ce logicien arrogant, ce péquenot venu du Nord, couche de nouveau avec ma servante. Ou alors, il faudra qu'il paye très cher. Si cher que tout le patrimoine de son père le médecin et toutes les conférences qu'il devra donner à l'Akadêmeïa n'y pourront suffire, même s'il lit à lui tout seul pour son maître tous les rouleaux de manuscrits du monde et même s'il est obligé de le quitter pour s'épuiser en leçons particulières données à de jeunes imbéciles fortunés ! Oui, même s'il devient le crétin le plus cultivé du monde et un ex-futur génie de la philosophie ! Le plus savant ne peut être aussi le plus innocent, le plus rationnel ne peut être le plus touché par la grâce, le plus conscient des hiérarchies ne peut être le plus favorisé par le sort, voyons, Aristotélês, ce serait trop injuste ! Alors j'incarnerai pour vous deux la déesse terrible de la justice, l'incarnation méprisante du destin. Toi qui justifies l'esclavage, tu devras t'humilier devant maîtresse plus puissante que toi, et reconnaître qu'homme libre, tu es né pour obéir. À la déesse femme. La déesse que je sers, la déesse qui palpite en moi, qui n'est pas celle de l'amour ni de l'évidence, mais celle de la vengeance et de l'amertume ! Ta charmante Herpyllis, elle pleurera en pensant à votre nuit unique où elle a joué à la fausse vierge, et à votre enfance disparue dans votre patelin de bouseux lointains. Et puis elle t'oubliera. Par nature, elle est faite pour ça, pas pour obéir, pour oublier. D'ailleurs, ça vaudra mieux pour elle. Sinon, elle finira une pierre au cou dans l'eau du Port. Kistôn-le-Taciturne, le plus froid des trois Cerbères, dont je louerai les services d'exécuteur des basses œuvres, s'en chargera très bien ! Ou moi. Oui, tiens, c'est moi qui me ferai le plaisir de lui passer la corde autour du cou, si elle refuse de perdre la mémoire ! Moi, qui suis la plus implacable des quatre têtes de Kerbéros, sa tête-fille ! Moi qui veille en montrant les dents, les cheveux dénoués, les seins nus, la bave aux lèvres, sur les berges glaciales du Styx ! Moi qui suis un monstre femme, les plus terribles de tous !

Quelques semaines après la conférence, mes deux amants m'emmènent assister à une représentation dans le grand théâtre de Dionysos, au milieu de tous les citoyens réunis pour l'un des grands festivals annuels. Il commence, comme d'habitude, par une reprise d'un des trois Tragiques de la génération précédente, parce qu'il faut bien rappeler aux auteurs et aux spectateurs d'aujourd'hui qu'ils ne feront jamais mieux que leurs grands anciens. Cette fois-ci, c'est *Hékabê*, l'une des pièces d'Euripidês les plus fameuses, paraît-il. Je suis foudroyée, comme Kratês le Thébain le fut en son temps par le roi clochard Têléphos. Moi, c'est par la jeune princesse Polyxénê, la dernière fille de la vieille reine d'Iliôn que les Grecs emmènent en esclavage après le saccage de sa ville. Le fantôme d'Akhilleus vient de se lever pour arrêter l'armée prête à s'embarquer et réclamer qu'on égorge cette vierge sur sa tombe. Devant Odysseus qui la réclame, devant sa mère qui tente désespérément de le fléchir, elle, au lieu de tomber à genoux et de supplier, elle se redresse fièrement. Elle n'accepte pas la mort, elle la réclame. Parce que, déclare-t-elle dans une tirade dont chaque vers est une flèche vibrante tirée droit dans mon cœur, vivre dans l'esclavage lui est plus odieux que de mourir dignement et sans avoir cédé. Elle choisit son destin, elle ne le subit pas. Ce n'est pas, comme Kratês, mon avenir que je vois sous son masque de spectre s'avancer pour s'adresser à moi seule au milieu de vingt mille personnes, mais mon passé. C'est Mnasaréta, la petite Thespienne, qui, dans la longue robe bigarrée d'une princesse troyenne, vient me réclamer des comptes, sous le soleil impérieux du théâtre, parce que je refuse de penser à elle la nuit dans mes rêves. Ai-je eu raison de céder ? De pactiser ? De choisir la vie ? Cette existence futile d'hétaïre, qu'est-ce que j'en fais de noble, de fort, de fier ? Je me mets à pleurer, sous les yeux stupéfaits d'Euthias, et sous ceux interrogateurs d'Hypereïdês.

Le responsable de mon émotion, mes deux amants m'apprennent qu'il s'appelle Arkhias, un jeune acteur tragique qui vient de Thourioï. Je me souviens que j'ai déjà entendu mentionner son nom l'automne précédent, puisqu'il était l'émissaire de sa ville venu commander au Sculpteur la statue d'Artémis. Un vrai virtuose de la scène, m'explique Hypereïdês enthousiasmé, qui vient de faire des débuts magistraux devant le difficile public athénien en interprétant à lui seul tous les personnages secondaires de la pièce d'Euripidês. Il a chanté avec le même talent la douleur de la jeune Polyxénê, pleurant dans les bras de sa mère avant de se révolter, puis celle de l'infâme roi barbare, Polymestôr, à qui Hékabê et ses servantes ont crevé les yeux pour le punir d'avoir tué le dernier fils de Priam qu'elle lui avait confié. Une telle maîtrise chez un si jeune interprète, capable aussi bien de phraser avec noblesse que de chanter avec lyrisme, d'incarner les femmes aussi bien que les hommes, lui vaudra à coup sûr, dans quelques années, lorsqu'il aura l'âge de tenir les rôles principaux, le prix d'interprétation à ces mêmes Grandes Dionysies. Euthias, haussant les épaules, m'apprend que cet acteur possède un autre talent, bien plus important que celui du théâtre : lui qui est déjà, malgré son jeune âge, l'un des citoyens les plus célèbres de sa cité, il s'est vu confier une ou deux fois, lors de ses tournées qui l'amènent de son Occident natal jusqu'aux villes cosmopolites d'Orient, des missions diplomatiques, dont on dit qu'il s'acquitte avec une habileté de comédien professionnel. Il ne paraît d'ailleurs pas hostile à Athênaï, la capitale du théâtre, et mon amant croit possible de l'inciter, en lui faisant décerner une couronne ou bien en lui promettant ce futur prix d'interprétation dont parlait Hypereïdês il y a un instant, à plaider de retour chez lui la cause de l'Alliance. Je suis tellement prise dans mon émotion que les révélations d'Euthias sur cet acteur, qui croit bon de ne pas se limiter à Euripidês mais de jouer aussi un rôle secondaire dans les intrigues politiques, ne m'intéressent guère. En revanche, lorsqu'Hypereïdês me propose d'aller saluer l'interprète bouleversant de la princesse troyenne, j'accepte avec fièvre.

Sans même assister aux représentations des pièces contemporaines qui suivent la reprise, nous nous pressons avec la foule élégante sous le portique du temple de Dionysos jouxtant le théâtre pour fêter les comédiens à leur sortie de scène. Arkhias est déjà là, dans son costume aux longues manches chamarrées, le masque sanglant de Polymestôr encore relevé sur le front, en pleine conversation avec Praxitélês qui, en tant que chorège, a financé la représentation de sa pièce et risque bien, grâce au talent du jeune interprète, de gagner le trépied du vainqueur. Hypereïdês, se précipitant vers eux, les interrompt pour féliciter l'acteur avec son habituelle emphase. Me désignant d'un geste théâtral, il s'exclame : "Voici la belle Mélitta, que tu as fait pleurer d'émotion dans ton interprétation de Polyxénê !" Tandis que le sculpteur me dévisage avec surprise, le comédien se rengorge. Pendant toute la conversation, il me jette des coups d'œil insistants pour voir si je continue à l'admirer. J'y suis toute prête, parce qu'il est joli garçon, mais sa conversation me déçoit. Sur le personnage de la jeune rebelle à qui il vient de prêter de tels accents, il ne me propose que quelques pathétiques platitudes. Je me dis que ce coq vaniteux est profond seulement sur scène, lorsqu'il se cache derrière son masque, lorsqu'il se sert de sa voix de ventre pour faire résonner des phrases qui ne sont pas de lui. Tout le reste du temps, il est creux, il est vain, il est vide. Comme moi. Hypereïdês, qui a l'air de beaucoup goûter la présence de ce jeune génie superficiel, à moins qu'il ne se contente de servir les intérêts diplomatiques d'Euthias, l'invite à fêter son succès le soir même en brillante compagnie. Praxitélês, que je n'ai pas revu trois fois depuis qu'il a refusé de me racheter, décline l'invitation, trop accaparé par les préparatifs de son mariage. Moi, je l'accepte, bien évidemment. C'est mon travail d'embellir leurs fêtes de ma présence. Et puis j'ai trop peur, ce soir-là, de me retrouver seule avec moi-même, en compagnie de Polyxénê et de Mnasaréta, les deux vierges farouches qui haïssent autant l'une que l'autre le compromis. Le jaloux Euthias me demandera peut-être de faire jouir Arkhias au nom de la Ligue et je le ferai docilement.

Voilà, c'est ma vie pendant ces premiers mois où j'appartiens à mes deux maîtres. Des caresses, des fêtes, de l'ivresse sans vertige. Et puis, de loin en loin, dans toute cette existence trop lisse, des petites échardes de sens, irritantes et d'autant plus douloureuses. Je tente de me dissimuler mon insatisfaction profonde et j'y parviens le plus souvent.

Pourtant, une nuit, même si je ne suis plus tourmentée par les rêves depuis que je trône en tant qu'esclave reine dans la belle maison claire qu'ont louée pour moi mes deux amants, je finis par craquer. Le voile de ma réussite se déchire et j'apparais à l'air libre, toute nue, hideusement fragile.

20

LE RÊVE DE L'INDÉPENDANCE

C'est un soir où je me trouve seule avec Hypereïdês, après qu'Euthias lui a laissé la place à la fin de ses deux jours. Mon premier propriétaire ne s'est pas attardé, se montrant même distant pendant tout le temps qu'il a passé avec moi. J'ai bien vu qu'il me faisait l'amour quasiment sans y penser. J'en ai été mortifiée, et aussi, d'une certaine manière, touchée. Presque attendrie par cette douceur que je ne lui connaissais guère et qui me le rendait, dans sa distraction même, plus proche. Il n'a rien voulu me dire de ce qui lui occupait l'esprit et qui, pour une fois, n'était pas moi. Puisqu'il m'échappe, j'ai soudain envie de le récupérer. Je découvre à quel point je suis attachée à lui ou, plus simplement, je ne supporte pas qu'il se montre aussi absent que moi, et qu'il se satisfasse soudain de l'invisible distance que je maintiens d'ordinaire entre nous.

Quoi qu'il en soit, Hypereïdês finit par m'avouer ce que son ami lui a confié sous le sceau du secret. La situation politique est encore plus grave qu'on ne le supposait. Leur fameuse Ligue est en danger. Des messagers ont appris au Conseil la veille que les habitants de Kéôs, dont on pensait qu'ils n'oseraient pas entrer en sécession ouverte mais préféreraient prudemment renouveler leur serment d'alliance, ont massacré les envoyés spéciaux d'Athênaï et le petit corps expéditionnaire qui les escortait dès leur débarquement. Ainsi, pour faire bonne mesure, que tous les partisans de la cité sur l'île. "Si Euthias était ailleurs même entre tes bras, m'explique Hypereïdês, c'est sûrement parce qu'il méditait le discours qu'il doit prononcer demain. Le conseil a convoqué l'assemblée du peuple dans l'urgence en plein après-midi pour gagner quelques heures et Euthias est l'un des orateurs qui a demandé à s'exprimer. Ce sera la chance de sa vie. Le premier coup d'éclat de sa carrière politique." Notre ami compte bien convaincre Athênaï de se lancer enfin à corps perdu dans l'action. S'étant éloigné depuis quelques semaines de Phôkiôn, que, malgré son prestige militaire, il trouve trop timoré, et s'étant rapproché des radicaux, il va proposer qu'Aristophôn, un baroudeur réputé pour son efficacité brutale, soit envoyé dans les plus brefs délais sur l'île révoltée pour y faire cesser définitivement les troubles. Euthias souhaite même l'accompagner en personne afin de se charger du côté politique de l'opération. Il est urgent de rétablir l'ordre à Kéôs, afin de ne pas laisser la contestation contre l'Alliance se propager. Car celle-ci est trop fragile encore pour résister. Si elle disparaît, c'en sera fini de l'espoir de voir les Grecs s'unir pour se préparer aux véritables luttes à venir. La petite flamme de la liberté grecque se sera éteinte de nouveau.

Hypereïdês, en m'exposant les idées de son ami intime, croit ne se livrer qu'à un exercice de rhétorique, l'un de ces monologues enflammés dans lesquels cet avocat teste sur moi ses capacités oratoires (quand je m'endors, c'est qu'il est vraiment trop long). Ordinairement, je ne sors de ma torpeur qu'après la péroraison, lorsque, commençant à bavarder à bâtons rompus, abandonnant les idées abstraites et prenant pour cible au jeu cruel des portraits la personnalité privée de nos ennemis ou, encore mieux, celle de nos amis, nous dessinons avec les pinceaux noirs de la dérision les tableaux de la vie secrète d'Athênaï sur le mur ocre de la nuit. Tant qu'il parle politique, je me tais. Je l'écoute en silence, ou bien je pense à autre chose, il ne sait pas exactement. Mais ce soir-là, tandis qu'il s'efforce, par défi, de rendre passionnant à sa futile maîtresse le grand projet de leur ami, de lui faire saisir l'urgence des raisons pour lesquelles ce dernier envisage de la quitter pendant plusieurs semaines et de s'embarquer dans une expédition militaire où il risquera peut-être sa vie, je sors brusquement de ma réserve : "C'est bizarre quand même…

— Qu'est-ce qui est bizarre, ma belle ?" me demande Hypereïdês, surpris. Ma réponse fige sur ses lèvres son sourire de supériorité bienveillante : "Vous, les Athéniens, vous n'avez ce mot de liberté à la bouche, vous prétendez que c'est par elle que la Grèce se distingue des Barbares, mais vous êtes incapables de l'accorder aux autres cités, qui pourtant ne vous demandent que cela. Alors je me demande si votre amour de la liberté et votre fameuse démocratie ne sont pas qu'un leurre. De belles paroles, par lesquelles vous tentez de dissimuler aux autres la réalité de votre pouvoir et dont vous vous étourdissez peut-être vous-mêmes."

Hypereïdês, pris de court, garde quelques instants le silence. Puis, pour reprendre l'avantage, pour me prouver que ce n'est pas lui et son ami qui sont des idéalistes naïfs mais moi, il change brusquement de tactique oratoire. Posant un coude sur l'oreiller, il me regarde bien en face, un petit sourire cruel aux lèvres : il aurait bien dû se douter qu'une hétaïre ne croirait pas aux grands mots, pas plus à ceux de la politique qu'à ceux de l'amour. Alors, puisque je suis avertie, il va me montrer la réalité toute nue : "Ces cités alliées, qui d'après toi réclament la liberté à laquelle elles ont droit, en fait, elles sont manipulées. Ce sont des instructeurs thébains qui ont poussé les villageois crédules de Kéôs à égorger nos ambassadeurs et certains de leurs propres compatriotes, afin de remplacer notre protectorat par le leur. Or, Kéôs n'est pas une petite île lointaine, comme tu le crois, elle se trouve à un jour de navigation à peine. Si nous laissons les Thébains s'en emparer, ils nous menaceront par le sud. Pas question pour nous de les laisser contrôler l'une des routes de la mer. Ce n'est peut-être pas une question de liberté pour la Grèce mais de survie pour Athênaï. Donc, Euthias voit juste : nous n'avons pas d'autre choix que d'aller égorger en retour les éclaireurs thébains et ceux des habitants de Kéôs qui ont fait l'erreur de se laisser embarquer dans la sécession. Crois-moi, nous ne leur ferons aucun quartier, parce que nous ne pouvons pas nous le permettre !" Hypereïdês pense que ces paroles vont mettre un terme à la discussion. Non seulement par la brutalité de son évocation du massacre à venir, mais encore parce qu'il sait que je déteste Thêbaï encore plus que lui. D'une haine viscérale, sur laquelle j'ai toujours refusé de m'expliquer mais qui fait que, d'ordinaire, je ne supporte pas que l'on prononce le nom de cette cité devant moi. Si les Athéniens méprisent les Thébains, moi, je les exècre. Pourtant, ce soir-là, en le regardant froidement (lui ou Euthias l'absent, qui n'a pas voulu me parler et à qui je m'adresse à travers son ami), je lui déclare : "D'accord, je préfère quand tu parles comme ça. Je te trouve plus sincère que dans tes grandes tirades sur la liberté. Mais, du point de vue des habitants de Kéôs, quelle différence, dans votre façon de vous mêler de leurs affaires, entre vous, les Athéniens, qui vous prétendez les défenseurs de la démocratie, et les Thébains, que vous accusez de ne se battre que pour imposer leur hégémonie fanatique ? Aucune, à part quelques grands mots pompeux ! Dans la seule réalité qui compte, celle du sang que l'on verse ou que l'on épargne, Euthias n'est qu'un Thébain !"

Là, je vois bien que le visage d'Hypereïdês se ferme. Cette fois, je l'ai choqué. Je sens qu'il faut que je m'explique. Que je prolonge la discussion afin de l'amadouer. Peut-être trouvé-je aussi, à exprimer pour la première fois mes idées personnelles, une satisfaction amère, une ivresse bien plus dangereuse que celle du vin ? Sans doute. Mais il y a quelque chose d'autre encore dans mon brusque désir de parler, quelque chose de plus essentiel, de plus secret, de plus douloureux. Je suis tellement oppressée par ces souvenirs, je les garde enfouis depuis tant de mois, qu'il est urgent de m'en libérer, si je veux me donner une chance de survivre vraiment. Je me refuse à me confier, j'éprouve à cette seule idée une peur presque panique, et, en même temps, je n'attends plus qu'un prétexte. L'exaspération que je ressens face au nationalisme agressif de mon ami me fournit l'impulsion dont j'avais besoin pour oublier mes réticences. Soudain, je me mets à lui raconter mon père. Le rêve de liberté naïf du Thespien qu'a fait renaître en moi celui des habitants de Kéôs. Ce faisant, je lui livre mon propre passé. Tel qu'il me vient. Tel qu'à ce moment il me submerge et me ravage, les mots pour ainsi dire coulant tout seuls de moi. Ces souvenirs, je les retrouve intacts. Ou plutôt, en les voyant se solidifier à peine sorti de ma bouche comme d'un creuset, je les découvre. Je comprends tout ce que je n'avais fait que ressentir dans mon enfance et j'éprouve un terrible plaisir à ordonner cette composition, surgie de ma mémoire, plus violente et plus pathétique que tous les groupes jamais sculptés par Praxitélês.

Quant au bavard Hypereïdês, quant à l'Athénien vexé, il m'écoute jusqu'au bout, la joue posée sur son coude, la bouche ouverte, sans dire un mot. Pétrifié. Bouleversé. Le jeune homme sait qu'en une ou deux occasions précédentes, il a mis un terme à mes confidences par une remarque maladroite. Il se dit qu'il ne faut surtout pas intervenir, même pas bouger, ni respirer, pour ne pas faire s'enfuir l'animal farouche qui est en train de sortir sous ses yeux de la forêt du passé. Ce n'est pas tant le Thespien Epiklês que je lui raconte mais son enfant, Mnasaréta, l'absente. La fille libre qu'il aime à travers moi sans jamais l'avoir rencontrée.

"Ce soir, lui dis-je, je crois que je dois te parler de mon père. Il s'appelait Epiklês. Tout ce que tu as besoin de savoir, c'est qu'il n'était pas originaire de Kéôs, même s'il ressemblait beaucoup à ses habitants, mais de Thespiaï, une petite bourgade de Béotie. Dans sa jeunesse, il avait parcouru l'Orient immense pour y faire la guerre. Dans son âge mûr, il en était revenu, avec quelques poignées de pièces à l'effigie de Dareïos, deux serviteurs barbares et une enfant. Qui était moi. J'étais sa fille et j'étais son fils. Même si je n'avais pas l'âge de saisir le sens de ses paroles, il me racontait tout. Ce qu'il m'a confié, ce que je veux te transmettre, c'est qu'après son retour à Thespiaï, ce baroudeur, qui en avait pourtant beaucoup vu, fut stupéfait de retrouver intactes l'étroitesse et la férocité de vos querelles grecques. Thespiaï se déchirait entre les partisans de Lakédaïmôn et ceux de Thêbaï, quelques Thespiens même étaient partisans de ton Athênaï mais aucun à part lui, me disait mon père, n'était partisan de Thespiaï.

Quels étaient ses rêves à ce moment-là, ceux qu'il ne trouvait à confier qu'à mon imagination d'enfant ? Où en était-il de sa réflexion, lui le Grec qui avait voyagé bien plus que nous tous réunis, lui le vrai Odysseus moderne ? Maintenant que j'ai moi aussi un peu vécu et que je suis capable de m'approcher en pensée de lui, je me le demande. Dans sa jeunesse, il avait vu l'aristocratie spartiate, les quelques centaines d'Égaux sans égaux qui disparaissaient d'eux-mêmes tant ils se montraient incapables d'intégrer des forces nouvelles. Leurs chefs, me disait-il, étaient prêts à éliminer sans pitié tous ceux qui voudraient réformer leur cité en partageant ses terres, dans leur obstination suicidaire à ce que rien ne changeât jamais. Tu les connais aussi, ceux-là, n'est-ce pas, il en reste une poignée, repliés au fond de leur Péloponnèse sur leurs privilèges du passé. Puis, dans son âge mûr, Epiklês a vu ce que tu ne verras jamais, le Roi et les roitelets de l'Empire achéménide qui règnent sur des myriades de peuples divers. Contrairement à ce qu'affirme la propagande grecque, m'expliquait-il, les Perses laissent libres leurs sujets, respectant leurs coutumes et leurs dieux et même leurs chefs, à l'unique condition, évidemment, que ceux-ci reconnaissent qu'ils sont placés plus bas qu'eux dans la hiérarchie éternelle fixée par Ahura Mazda, car l'univers entier, sa terre et son eau, appartiennent de droit au Dieu des Perses et au Roi des rois son représentant. Pourtant, Epiklês savait, pour avoir vécu en mercenaire de leurs querelles, que ces souverains garants de l'ordre cosmique ne régnaient parmi les hommes qu'en se faisant empoisonner ou étrangler les uns les autres. Non, non, me murmurait-il, les cités grecques ont besoin de tout, sauf d'un roi. Plutôt leurs divisions incessantes que cette hypocrite et sanglante unité-là.

Alors à quoi rêvait mon cher Epiklês après son retour à Thespiaï ? Eh bien, à rien ! Et c'était très bien ainsi ! Au bout de quelques mois, il a renoncé à agir pour sa cité. Il s'est désintéressé de la politique, s'est replié sur lui-même, sur sa famille et sur les richesses qu'il avait rapportées de ses années de mercenaire. Il s'est satisfait d'élever des chevaux, dont il me disait souvent qu'ils lui paraissaient des êtres plus libres que les hommes, parce qu'ils n'acceptent de porter leur cavalier que lorsque celui-ci sait les entraîner dans son rêve. Si la cité n'était plus capable de proposer à ses citoyens une aventure qui les transportât au-delà d'eux-mêmes, tant pis pour elle ! Chacun pour soi, lancé dans son aventure strictement personnelle ! Tu vois que je suis sa digne fille. Mais je trouve qu'il te ressemble aussi un peu, Hypereïdês, du moins à celui que tu pourrais être un jour, si tu avais le bonheur d'oublier complètement ta cité, comme tu l'as entrepris en ma compagnie.

Mais attends, je vais un peu trop vite. Je me souviens que, les premiers temps, il ressemblait à celui que tu es encore aujourd'hui, et à notre ami Euthias : il ne désespérait pas encore tout à fait de la Grèce. Or, voilà que se produit un événement qui l'empêche de basculer dans le désengagement : l'année même de notre retour, on se met à parler de Thêbaï, que nous détestons tous, lui autant que nous, mais, à cette époque-là, c'est pour en faire l'éloge. Chaque fois qu'on évoque devant lui la renaissance de la cité déchue du Dragon, mon père dresse l'oreille. Il apprend qu'une poignée de conjurés, menée par un jeune noble du nom de Pélopidas, vient d'investir la citadelle sacrée de la Kadmeïa, et d'en chasser la garnison spartiate qui l'occupait depuis trois ans. Tu te rappelles cela ? Moi, j'étais encore toute petite mais je m'en souviens comme si je l'avais vécu, tellement Epiklês m'a raconté ce fait d'armes. Il était passionné par ce qu'il entendait dire de la vieille cité ennemie. En quelques mois à peine, la voilà capable de se relever. Évidemment, après s'être libérée de la garnison spartiate, elle impose les siennes aux autres villes de Béotie, à part Plataïa, qui parvient à rester indépendante, et à part nous, les Thespiens, qui ne sommes que la dernière place forte occupée par les Lacédémoniens. Mon père m'explique que Thêbaï, sous l'impulsion de son jeune chef, a réorganisé son armée, soumis ses familles aristocratiques rivales à la nécessité de la guerre et à la puissance publique. De toutes ses explications, la seule qui me frappe à l'époque c'est lorsqu'il me parle du fameux Bataillon Sacré, commandé par Epameïnôndas, le frère d'armes de Pélopidas, aussi retors et aussi brillant que lui, de ces quatre cents guerriers élevés en commun depuis l'enfance, qui font tout ensemble, la guerre et l'amour, et détruisent sans pitié tout ce qui n'est pas eux. D'instinct, ceux-ci m'effraient.

Pas mon père. Il rêve de voir de l'intérieur comment Thêbaï redevient Thêbaï, comment l'antique cité échappe à son déclin pour se révéler la plus redoutable des puissances militaires montantes, capable de rivaliser même avec Lakédaïmôn. Il voudrait observer la cohésion de son système politique, de cette oligarchie imbue d'elle-même mais qui sait ne pas s'effrayer de ses couches populaires, et puiser en elles les éléments de valeur qui concourront à sa puissance, sélectionnant parmi les jeunes pauvres les plus ambitieux (comme il l'a été lui-même autrefois), les plus arrogants, les plus durs au mal, pour en faire des soldats d'élite. Alors, quand il en est là de ses cogitations sur Thêbaï, mon père se retrouve proche de son adversaire de toujours. Ménôn, le fils de Philostratos, le chef des propriétaires fonciers, celui qui, dans leur jeunesse, lui a volé par le prestige de sa naissance sa place à la tête du détachement thespien. Les deux hommes mûrs, s'efforçant d'oublier qu'ils ont été rivaux à mort, entretiennent des relations cordiales, lorsqu'ils se croisent au Conseil de cette cité trop petite pour chacun d'eux. L'autre feint de le traiter d'égal à égal. Il tente même discrètement, maintenant qu'Epiklês est riche et puissant, de le rallier à ce qu'il appelle la cause sacrée de la Béotie : se ranger derrière Thêbaï, et entraîner Thespiaï dans l'alliance que cette dernière veut mettre sur pied. Parce que Thêbaï est comme vous, tu le sais, Hypereïdês, depuis toujours elle veut sa Ligue. Pour contrer celle de Lakédaïmôn, pour contrer la vôtre, pour résister aux royaumes du Nord qui menacent la Béotie sur ses frontières. Elle aussi, exactement comme vous, même si elle sait moins bien le dire, pense qu'elle est la seule légitime. Mais mon père hésite. Il ne veut pas céder, comme son ancien rival, à une admiration qu'il juge servile. Et puis il doute que Thêbaï, dont il reconnaît qu'elle est en train de se régénérer de l'intérieur, soit capable de rompre avec ses vieilles mesquineries extérieures, avec sa façon brutale, obtuse, d'opprimer les autres villes de Béotie. La Ligue que Thêbaï prétend réinventer sera-t-elle une alliance libre ou seulement, comme celles d'Athênaï et celle de Lakédaïmôn avant elle, une oppression déguisée ? Thêbaï sera-t-elle capable de respecter la liberté de Thespiaï, plus que vous, les Athéniens, vous êtes capables de respecter celle de Kéôs ? Tu la comprends, lorsque je la pose ainsi, la question qui se pose à mon père ? C'est cela, son doute mortel ! Plusieurs fois, pourtant, il est sur le point de basculer et de se convertir à l'alliance thébaine. Par admiration sincère pour l'ennemi, pour cette génération exceptionnelle et pour ses deux chefs, qui sont en train de donner à leur peuple la même indépendance puissante qu'il rêve de donner au sien. Mais lui, ce but, il désespère de l'atteindre jamais dans le cadre de sa cité trop étroite. Thespiaï, se demande-t-il, est-elle digne de la liberté ? Ne mérite-t-elle pas seulement d'être soumise à une cité plus grande, plus forte, plus moderne ? La Ligue béôtienne, n'est-ce pas le seul moyen pour Thespiaï d'échapper à sa propre médiocrité ?

Il lutte devant moi contre cette idée coupable. Il la chasse avec de plus en plus de difficultés, tant il est exaspéré de découvrir que sa génération divisée refait les mêmes erreurs que celle de ses pères. Qui aura le courage de s'emparer du pouvoir pour tout changer ? Peut-être après tout, se dit-il, Thespiaï et la Grèce ont-elles besoin d'un homme fort, d'un tyran, pour les obliger à se dépasser elles-mêmes ? Non, non, Epiklês se défend contre sa propre faiblesse, contre cette lâche tentation de la force, et il revient à son vieux discours sur la liberté des cités, pour ne pas se renier lui-même, ni perdre totalement espoir. Il soliloque pendant des heures, comme le misanthrope qu'il commence à devenir, en s'occupant de ses chevaux, et d'Azniva, notre vieille jument, la seule des trois bêtes qui l'ont accompagné dans son retour d'Arménie à être encore vivante, ou devant moi, sa petite fille, qui boit ses paroles. Aujourd'hui, certaines d'entre elles, je les retrouve dans votre bouche, à vous, les jeunes Athéniens. C'est pour ça que je ne veux pas vous écouter. Parce que je vous comprends trop bien.

Lui, à Thespiaï, personne ne le comprend. Personne dans la ville ne sait vraiment que faire de ce baroudeur étranger, enrichi mais à moitié fou, qui se fait construire une grande maison vide dans le faubourg du temple d'Aphroditê Mélaïna, le long des remparts, en face du cimetière. Ménôn a fini par se lasser de ses rebuffades. Il joue au jeu des portraits avec mon père, en l'absence de ce dernier évidemment. Il décrit Epiklês comme un taureau stupide, dont le projet politique se réduit à charger les soldats étrangers. "Et ensuite ? ajoute-t-il, en imitant les rudes inflexions de la voix de son rival, eh ben ensuite, on verra !" Je suis la seule désormais à écouter mon père jusqu'au bout, même si moi aussi je me rends compte qu'il est un peu bizarre et si ses emportements m'effraient presque autant que les autres. Pourtant, il tente encore de développer ses idées devant ses concitoyens. Il accroche ses interlocuteurs par le bras, tandis qu'ils grimpent pour le fuir les degrés du minuscule bouleutérion, l'hémicycle du Conseil édifié en pleine pente à l'un des bouts de l'agora. Il leur déclare : "Quand on aura chassé les Lacédémoniens, on s'alliera avec les cités voisines, Plataïa et les autres ! Oui, on gardera la Ligue béotienne, mais une ligue qui sera vraiment libre, une fédération où chaque cité aura voix égale, et où après s'être fait la guerre pendant des siècles, on construira la paix ! On se proposera en modèle au reste de la Grèce, et s'il y a une guerre à faire, on la fera contre le Grand Roi pour libérer une bonne fois les Grecs d'Asie ! Tous ensemble mais tous libres !" Ou plutôt voilà ce qu'il pense mais qu'il ne parvient pas à expliquer clairement, dans la bouillie de paroles exaltées qui sortent de sa bouche et qu'il n'arrive à dérouler en bon ordre que devant moi, quand je pose sur lui mes yeux éblouis et patients. "Ah oui, lui rétorquent les Thespiens agacés, et, avant de faire à toi tout seul la guerre au Grand Roi, qui habite son palais de Sousa à l'autre bout du monde et qui n'a jamais entendu parler de nous, tu peux nous expliquer ce que, dans ton espèce de ligue, tu fais de Thêbaï, qui est à nos portes ?

— Ce que je fais de Thêbaï, leur lance Epiklês furieux, je, je, je, eh ben, je m'en tape, de Thêbaï !"

Alors, on hausse les épaules et l'on se détourne de lui. Il devrait leur crier de loin : "Peut-être que j'autorise Thêbaï à rentrer dans ma Ligue ? À condition qu'elle n'ait qu'une voix égale aux autres et qu'elle reconnaisse l'indépendance de la Béotie !" Mais c'est déjà trop tard, plus personne ne l'écoute, tous les citoyens influents se réunissent à l'autre bout du bouleutérion, autour de Ménôn, qui est devenu le porte-parole raisonnable des Thébains. Epiklês assiste encore parfois au Conseil. Mais, la plupart du temps, accablé, il se tait. Même moi, je l'écoute moins, parce que je me suis mise à vagabonder dans la montagne avec les garçons, ou que, parfois, j'accompagne aux côtés de Manthanê la procession des filles vers le sanctuaire des Muses.

Le vieil Amphiaros, l'oncle de sa femme, le chef des partisans d'Athênaï, est le dernier citoyen qui accepte encore de discuter avec lui. Il tente patiemment de le ramener à la raison. Si les Thespiens les plus responsables cherchent à se placer sous la protection d'une cité puissante, c'est parce qu'ils ont le courage de regarder les yeux ouverts la vérité sur laquelle ce guerrier voudrait fermer les siens : Thespiaï n'a aucune chance de survivre seule. Quand on est faible, que vous reste-t-il sinon la sagesse de choisir votre maître, celui qui vous dominera mais sans vous opprimer ? Tu comprends, Hypereïdês, tu comprends, jeune Athénien, toi qui as toujours vécu libre ? La liberté absolue, ce n'est qu'un mot creux. Dans la réalité, il n'y a que de bons et de mauvais maîtres, ceux qui parlent de la liberté et ceux qui la respectent : ce ne sont pas souvent les mêmes. Voilà, c'est ça, la réalité du monde. Cette nuit, j'ai l'impression que le vieil Amphiaros parle pour toi, Hypereïdês, parce qu'il a une vérité à te transmettre sur les habitants de Kéôs. Et à moi aussi, peut-être, il a quelque chose à dire, dans un autre ordre d'idées. Moi qui rêve de liberté comme mon père mais qui ne suis pour l'instant que votre esclave, oui, même si tu n'aimes pas ce mot, votre esclave à toi et à Euthias, mais qui vais peut-être devoir décider entre vous deux dans quelques mois lequel sera le moins pire des maîtres. Tu crois que ce sera toi que je choisirai, bien que je t'aime et te désire moins que lui ? Tu crois que je serai assez raisonnable pour te préférer ?

Mon père, lui, au conseil de Thespiaï, a choisi son camp. Désormais, il s'assied près d'Amphiaros. S'il se range en apparence du côté d'Athênaï, ce n'est pas par amour de votre démocratie, qui, pour cet ancien chef de guerre, ne signifie que le pouvoir abject de la populace, mais parce que, des trois cités hégémoniques, vous êtes à ce moment-là la moins puissante. Et que, excuse-moi de te le dire en face, depuis toujours il vous méprise. À ses yeux, vous représentez le passé, et Lakédaïmôn aussi. Thêbaï, c'est le présent. Mais l'avenir, qui est l'avenir ? Ménôn, les rares fois où Epiklês se dresse pour parler, le traite de fou dangereux, de va-t-en-guerre imbécile, qui ne sait que manier les armes et pas les idées, mais mon père est le seul à deviner que Thêbaï n'arrivera pas à imposer durablement sa brutalité à la Grèce, parce que cette cité, qui reste étroite même dans sa puissance, n'a pas de grand rêve fédérateur à lui proposer. Alors qui dit l'avenir ? Lui, Epiklês de Thespiaï, que personne ne connaît et que personne n'écoute même dans son village ? Oui, lui, il a un grand rêve, même s'il ne sait pas le formuler, la fédération des cités vraiment libres, qui rajeunirait le vieux projet d'union sacrée contre l'Empire perse ! Mais il sent bien qu'il lui faudrait trouver d'autres rêveurs de sa sorte, qui parleraient mieux que lui. Philourgos, son hôte à Plataïa, la cité alliée de l'autre côté de la montagne, la seule à avoir toujours tenté de préserver son indépendance, l'écoute avec politesse mais sans véritable enthousiasme. Car Plataïa, depuis le flanc sud du Kithaïrôn, regarde vers vous, vers Athênaï plutôt que vers les autres bourgades de Béôtie. Plataïa vous fait confiance, comme depuis toujours, même si vous l'avez déjà déçue plusieurs fois, et abandonnée face à Thêbaï à deux reprises. Alors mon père se retrouve seul, avec cette bouillie de grand rêve dans sa tête qu'il n'arrive même pas à faire partager à une poignée de paysans béotiens ! Peut-être se dit-il qu'au lieu d'apprendre la guerre, il aurait dû apprendre la parole, comme le voulait son frère Timolaos ! Peut-être regrette-t-il de s'être moqué si cruellement de son cadet, qui était dans la vérité bien plus que lui ? Peut-être finalement un orateur est-il plus puissant qu'un guerrier, parce que ce sont les mots qui soulèvent les guerriers ? Peut-être, contrairement à ce que croyait mon père jeune homme, les mots créent-ils la lutte plus que les armes, en lui donnant forme et sens ? Oui, il me dit cela, je crois m'en souvenir maintenant, lorsqu'il arrive à le penser, et il vous donne raison par avance, à toi Hypereïdês, à Euthias et à Lykourgos, et à vous tous, les jeunes Athéniens, qui avez appris à manier les mots et pas seulement les armes, comme ces idiots de Spartiates que vos philosophes admirent tant encore. Mais cette arme suprême des idées, vous avez la responsabilité de l'utiliser à bon escient, en lançant la Grèce dans la bonne direction. Tu comprends ce que j'ai à te dire, Hypereïdês ?

Mon père, tout en se repliant sur lui-même, a quand même réussi, au cas où, à constituer autour de lui une petite milice d'une vingtaine de jeunes gens, aussi brutaux qu'il l'était dans sa propre jeunesse. Mais à quoi bon leur apprendre à se battre, se demande-t-il, s'ils ne s'en servent jamais que pour bousculer à la sortie du Conseil ces collaborateurs bedonnants, qui ne sont même pas partisans de Thêbaï mais seulement du commerce avec Thêbaï ? Tandis que ses miliciens, presque livrés à eux-mêmes, sèment la panique sous les fenêtres des filles les jours de réunion publique et font du grabuge dans les ruelles de leur petite cité, en attendant l'occasion toujours remise au lendemain de la libérer, lui, leur chef silencieux et de plus en plus distant, il s'interroge. Sur son passé. Au lieu de s'enrôler dans l'armée du Spartiate Agêsilaos, n'aurait-il pas dû accepter le conseil de son frère et venir ici, à Athênaï, apprendre la parole ? Sa vie eût été complètement différente… En pleine assemblée, tandis que le réaliste Ménôn discourt des relations à établir concrètement avec Thêbaï, l'ancien baroudeur Epiklês se laisse aller à rêvasser : "Si j'avais été moins sûr de moi, si j'avais écouté Timolaos, que se serait-il passé ?" Il commence à imaginer une autre de ses destinées potentielles, où il aurait vieilli aux côtés de son jeune frère, où ils auraient peut-être choisi d'élever paisiblement des chevaux. Tu vois, c'est dans ces rêveries-là que je le préfère, mon père. Jamais, je crois, je ne me sentirai plus proche de lui. Au moment du vote, Amphiaros est souvent obligé de lui donner un coup de coude pour qu'il revienne à la réalité et qu'il pense à lever la main.

Oui, voilà, c'est comme cela qu'au bout de quelques mois, Epiklês finit par renoncer totalement à la politique. Il ne s'occupe plus que vaguement de sa milice, il déserte le Conseil et même l'agora, il fuit sa maison des remparts, il se replie dans sa ferme. Il ne parle plus qu'à la vieille jument Azniva, à qui il raconte ses autres destins possibles et qui l'écoute en ruminant rêveusement.

Et puis il me regarde, moi, sa fille, en train de devenir une fille. Il me regarde danser et grandir.

Je suis le seul être qui l'arrime à cette réalité-là et à la trop petite Thespiaï, il me le dit parfois, dans ses moments d'attendrissement ou de découragement que nous partageons pourtant de plus en plus rarement. Si sa vie avait été différente, il n'aurait pas aujourd'hui le mélancolique bonheur d'entendre la fille de Bathimandis jouer de la double flûte. Dans la pénombre lumineuse du péristyle de sa belle maison, où il vient seulement pour me voir, il devine les mouvements de ce jeune être fluide qui apparaît de plus en plus souvent à travers moi. Oui, un être étrange mais au charme radieux malgré la couleur dérangeante de sa peau. Jaune ou verte selon les soleils. En tout cas trop foncée. Lorsqu'il me complimente sur ma grâce naissante, dans sa voix j'entends de l'orgueil mais aussi presque de la stupéfaction. Ce qu'il perçoit, bien qu'il soit incapable de se le formuler, c'est que j'incarne la perfection miraculeuse du mélange, que j'allie à la rude rigueur des traits de mon père l'inexprimable douceur courbe de ceux de ma mère, dont le souvenir le remue encore. Moi, sous son regard, je m'acharne à faire bouger mes doigts sur le double tuyau de l'aulos, et j'y parviens de mieux en mieux. Lorsque j'ai fini, je le dévisage à mon tour sans rien dire, de mes grands yeux presque jaunes eux aussi, ou presque gris. Je guette un compliment. Et lui, qui ne sait flatter personne, il invente pour moi des griseries insensées, même lorsqu'il n'a pas écouté une seule note des airs aux modulations bizarrement sensuelles que j'ai tenté de lui jouer. Le petit animal étrange guette avec avidité ses caresses et il les lui donne sans se faire prier, lui qui, à part ses chevaux, ne sait que bousculer les autres et les rudoyer. Ma beauté commence à le remplir d'orgueil et, en même temps, d'inquiétude. Ne suis-je pas trop parfaite ?

En tout cas trop pour ce village de Thespiaï ? Il s'amuse de ce que Manthanê ma nourrice lui raconte de mon caractère de gamine, et il s'en agace. Si je me conduis toujours devant lui avec la douceur que l'on demande aux filles, je laisse aussi trop souvent éclater face aux autres l'impétuosité d'un garçon. Mon père y retrouve peut-être comme un écho de cette rage juvénile qui l'a poussé à s'enrôler dans l'armée contre le Grand Roi pour fuir la bourgade étriquée qu'il prétendait aimer. Parfois, m'attirant contre lui, il me demande : "Alors, qu'allons-nous bien pouvoir faire de toi, ma fille, si tu continues à te comporter ainsi ?" Et j'entends qu'il pense : "Que vais-je bien pouvoir faire de toi pour éviter qu'ils ne t'abîment ?"

Désormais, je crois que je lui pose un problème. Pas le même que celui de Thespiaï, qu'il a renoncé à résoudre, mais un autre, tout aussi embêtant. Un soir où je prélude devant lui sur la flûte grave avec une habileté nouvelle un morceau inconnu, dont pourtant il lui semble reconnaître par bribes la mélodieuse nostalgie, il se demande pour la première fois : "Saura-t-elle se satisfaire d'un mariage avec un garçon de Thespiaï ?" Cette question-là, il ne me la pose évidemment pas. C'est Manthanê qui, quelque temps plus tard, me confiera les interrogations intimes de mon père sur moi. Quatorze ans, oui, quatorze ans déjà que nous vivons ensemble. Toutes ces années, j'ai écouté ses soliloques et lui mes trilles. Et ce fut une sorte de bonheur. Le seul qu'il s'autorisait. Mais voilà que j'ai bientôt l'âge qu'il me donne à un autre, il le constate avec surprise, et presque avec angoisse, car il ne sait absolument pas qui choisir. Qui voudra ou plutôt qui sera digne (dans quel sens poser cette double question, il ne le sait pas), de cette fille déjà beaucoup trop belle malgré sa peau trop foncée ? Il est moins délié que toi, l'Athénien, il n'est pas capable de penser pleinement ce qu'il éprouve, c'est-à-dire à la fois la fierté d'avoir une fille et le regret de la perdre. Alors il s'exclame : "Ah, si tu étais un garçon, ce serait tellement plus simple !" Et moi, je ne comprends pas. Sur le moment, quand il me dit cela, je me ferme. Je lui en veux, pour la première fois de ma vie. Je commence moi aussi à avoir des secrets pour lui.

Tandis que je continue de jouer (maintenant, quand je prolonge une note, je sais placer mon souffle bas dans ma gorge, je sais le faire rouler entre mes joues sans déformer grotesquement mes traits, parce que, même quand je joue de l'aulos, je veux rester belle), il revient à cette idée ennuyeuse de mariage. Non, personne autour de nous n'est digne de moi, ni de lui. Le candidat le plus raisonnable, ce serait Mégaklês, le fils de Ménôn. Son père l'a forcé à s'engager dans la garde personnelle de son adversaire pour savoir ce qui s'y trame. Mais cet idiot, surpassant les attentes paternelles, déploie les plus sincères efforts pour plaire à son nouveau chef. "Ou plutôt, à travers moi, sourit Epiklês, à la belle et farouche Mnasaréta." Ce jeune sot paraît ignorer que faire la cour à son père n'est pas le meilleur moyen de toucher le cœur d'une fille, même lorsqu'elle est plus docile que moi. Pourtant, à cette époque, Epiklês, qui ignore mon rêve d'être choisie pour danser les fêtes d'Erôs, a bien remarqué que je m'efforçais de devenir la plus conformiste, la plus sage, la plus grecque de toutes les vierges de Thespiaï. Je ne cours presque plus du tout la montagne, je me suis à peu près complètement repliée dans la grande maison qu'habite ma belle-mère et je fréquente de moins en moins la ferme où lui vit la plupart du temps. Les rares fois où je m'y trouve par hasard, je ne prête jamais la moindre attention aux exercices des miliciens, comme si ces jeunes hommes et moi, nous vivions dans deux mondes parallèles. Mégaklês y déploie tous ses efforts en vain. Ce garçon est fort comme un bœuf et aussi bête. Même ses sentiments sont simplistes. Il n'est pas capable d'aimer, seulement de désirer, avec une évidence bestiale. Mon père, dans sa logique de guerrier, se dit qu'il en ferait un bon hoplite mais sûrement pas un cavalier. "Voyons, se demande-t-il pourtant en cessant de sourire, ne serait-ce pas un bon calcul de donner ma fille à ce jeune crétin pour me concilier son père ?" Se lier par un mariage à une famille riche et influente, compléter l'œuvre de réintégration dans la société de Thespiaï qu'il a entreprise en épousant la nièce d'Amphiaros, ajouter l'alliance stratégique du chef du parti thébain à celle déjà conclue avec celui du parti athénien, quel triomphe ce serait pour lui, que l'on présente comme un soudard stupide ! Oui, je suis cela aussi désormais, moi sa fille chérie, un dé dans son cornet qui peut, s'il le lance avec habileté, lui permettre de ramasser la mise !

Ou plutôt je devrais être cela. Ce raisonnement politique ne lui procure, au lieu de la satisfaction du devoir accompli, qu'un frisson de répugnance. Tout Thespien, tout père de famille raisonnable considérerait une union de sa fille avec le fils de Ménôn comme le couronnement de sa réussite sociale, mais Epiklês y perçoit instinctivement la preuve de son échec. Le dernier reniement de sa jeunesse. S'il hésite encore à chasser l'idée de son esprit, c'est pour une autre raison. Il est bien placé pour savoir que ces mariages arrangés peuvent se révéler, contre toute attente, les plus heureux. Oui, bien sûr, se dit-il, mais la princesse Bathimandis, malgré ses caprices, était, par son éducation comme par son année de service dans le temple d'Anaïtis, plus souple que sa fille. Quant à lui, le capitaine mercenaire, dix années de guerres et de voyages avaient raidi son corps mais aussi assoupli son âme. Il avait déjà tellement vu et tellement appris, ou plutôt tellement désappris, qu'il était prêt à tous les compromis pour s'entendre avec la jeune Perse. "Tandis que ce jeune crétin noble et grec, ce propriétaire fils de propriétaire, tout farci de ses certitudes provinciales, il me la rendra malheureuse !"

Alors à qui d'autre ? À Phaïdros, le fils aîné d'Amphiaros, le chef du parti d'Athênaï, qui a lui aussi envoyé par politique ses deux garçons suivre l'enseignement guerrier d'Epiklês ? Celui-là est souple et intelligent. Retrouvant le fil de mes propres rêveries mythologiques, mon père se dit que, si Mégaklês n'est qu'un épais Ajax, Phaïdros est un subtil Odysseus. Ou un Orpheus, car on dit qu'il est musicien et poète. Est-ce la raison pour laquelle le guerrier Epiklês éprouve à son égard une instinctive réticence ? Parce que le jeune homme maîtrise ces mots qui le fuient ? N'est-ce pas plus simplement parce qu'il reconnaît dans ce garçon la même orgueilleuse indépendance qu'il possédait autrefois et qu'il doit accepter désormais de laisser incarner par un être plus jeune et très différent ? Comme il est douloureux, pense Epiklês, quand on s'est vu en Akhilleus, de vieillir sans avoir vraiment connu sa guerre d'Iliôn et de se dire qu'on ne sera bientôt plus aux yeux des autres que le vénérable Nestôr ! De toute façon, Phaïdros ne lui a jamais laissé paraître le moindre signe d'intérêt pour moi. Ajoute-t-il à ses autres qualités la discrétion ? Une pudeur virile très grecque à laisser s'exprimer ses sentiments ? Ou bien fait-il déjà l'amour ailleurs ? Mon père chasse Phaïdros de sa pensée pour une autre raison encore : ce dernier a un jeune frère qui l'accompagne partout. Cela ramène Epiklês à sa propre jeunesse, cela le met mal à l'aise, le replongeant dans cette culpabilité sourde qu'il éprouve depuis la mort de Timolaos lors de la première escarmouche où il l'avait entraîné.

Alors qui choisir pour sa fille, puisqu'il faut être père et choisir ? Il pousse un tel soupir d'agacement que, m'arrêtant de jouer, je le dévisage avec inquiétude. Nous avons été tellement proches à un moment qu'une idée étrange lui passe par la tête. S'il rompait le silence qui s'installe entre nous pour me pousser à lui confier moi-même lequel de ces deux garçons je préfère ? Ou même s'il en est un troisième qu'il n'aurait pas aperçu, Euthynos, le fils cadet d'Amphiaros peut-être ? Oui, pourquoi ne me demanderait-il pas qui des trois est celui que j'aime ? Ou du moins, s'il est vrai qu'une fille vierge ne peut éprouver de sentiments pour l'un de ces garçons sur lesquels elle ne lève jamais les yeux, qui des trois est celui qu'elle pourrait aimer ? Mais ces quelques mots-là lui sont encore plus pénibles que les autres. Comment un père pourrait-il aborder un tel sujet avec sa fille ? Il ricane de gêne tout seul à cette idée et je perds de plus en plus contenance. Il s'en rend compte et, voulant me rassurer, il me passe comme autrefois le doigt le long de la joue. Mais je n'ose plus tendre le mien en retour pour reconnaître sa cicatrice.

Alors, d'un signe de tête, il m'ordonne de continuer à jouer. Il vient de trouver la seule idée qui puisse l'apaiser : il va en parler à Manthanê ! Celle-ci me sert de mère beaucoup plus que la femme de Thespiaï qu'il a épousée en secondes noces. Il s'étonne même que la fine mouche n'ait pas encore abordé avec lui ce sujet, alors qu'elle lui a fait comprendre à mots couverts, il y a quelques mois, que sa fille était devenue femme. Il faut qu'il aille l'un de ces jours pro-chains trouver son affranchie dans le sanctuaire d'Erôs où elle habite désormais (car l'habile Kappadocienne a réussi, sans qu'il sache bien comment elle s'y est prise, à en devenir prêtresse, s'intégrant finale-ment mieux que lui dans la société pourtant fermée de Thespiaï). Il essaiera de la sonder pour savoir ce que je lui ai confié de mes rêves. Mais cette solution lui paraît à peine plus simple que de me parler directement. Epiklês sait bien qu'il n'est pas très doué pour la finesse, surtout face à une sphinge aussi retorse que son ancienne servante. Ah, là, là, se dit-il en souriant à demi, le cœur des femmes, n'est-ce pas pour un pauvre soldat comme lui une énigme encore plus redoutable que l'évolution de la Grèce ?

Voilà, l'obsédant air de flûte est achevé. Laissant Epiklês seul assis face à moi, qui reste plantée devant lui, les bras ballants, la taille souple. Qu'attends-je de lui ? Le choix d'un mari, ou simplement, comme quand j'étais petite, un compliment rassurant ? Désormais, je joue mieux qu'aucun flûtiste des montagnes, et même qu'aucun musicien qu'il ait jamais entendu en Arménie, mais il n'a pas reconnu la mélodie. Il m'en demande le titre. Je rougis sans répondre, puis je bredouille quelque chose dans lequel il croit discerner le mot "Iso-daïtês" que prononce quelquefois ma nourrice. Ce morceau, l'ai-je composé moi-même ? En suis-je déjà là, à créer les morceaux que je joue ? "Malheureuse, pense-t-il, ne vas-tu pas chercher, comme ton père, à inventer ta vie ?" Pour la première fois, il n'ose pas me prendre dans ses bras pour me donner des caresses : "Ah, se répète-t-il, si j'avais eu un fils, ce serait tellement plus simple !"

C'est au moment où je me prépare ainsi à danser pour les fêtes d'Erôs et où mon père croit avoir à se soucier seulement de mon mariage, qu'Epiklês le guerrier, brusquement, sort de sa retraite. Comme un vieux sanglier, qui, du fond de sa tanière, entend, pour la première fois depuis longtemps, le silence déchiré au loin par la voix hargneuse des chiens.

Un terrible matin d'automne ressemblant pourtant à tous les autres, la cité voisine de Plataïa, qui, pendant toutes ces années, est la seule à n'avoir subi l'occupation ni de Lakédaïmôn ni de Thêbaï et qui manifeste de plus en plus ouvertement son intention de sortir de la Ligue béotienne pour rejoindre la vôtre, est attaquée à l'improviste. Le détachement thébain massacre les hommes en train de travailler sur le versant de la montagne dans les champs ou dans les vignes. Les rescapés, vieillards, femmes et enfants, s'enfuient en Attique où ils sont accueillis avec stupéfaction. La ville est rasée, son territoire annexé. Le message de Thêbaï est clair : tel sera le châtiment de toute cité de Béotie qui refusera l'hégémonie.

Epiklês n'est pas effrayé comme ses concitoyens. Seulement consterné par le sort de la bourgade voisine, avec laquelle il entretient des pourparlers depuis plusieurs années et qui lui sert de modèle dans son rêve de libération. Il apprend la mort du sage Philourgos, son hôte à Plataïa, se renseigne pour tenter de racheter sa femme et son jeune fils mais sans parvenir à découvrir sur quel marché aux esclaves ils ont été entraînés pour y être vendus. Désormais, il est sûr d'une chose : contrairement à ce que veut leur faire croire ce traître de Ménôn, Thêbaï n'a pas changé, de même que vous, aux yeux des habitants de Kéôs, vous demeurez les anciens oppresseurs. Pendant ces jours de frayeur collective, je retourne à la ferme pour me rapprocher de la présence rassurante de mon père. Je l'entends comme autrefois ouvrir son cœur à la vieille Azniva, qui ne sort plus guère de l'écurie mais qui est le seul être à l'avoir jamais écouté aussi attentivement que moi. "Que faire ? s'interroge Epiklês, en posant son front contre l'encolure de la jument. Continuer à m'occuper de tes congénères, en les élevant non plus pour les monter au matin de la révolution mais pour les vendre le plus cher possible aux armées d'occupation thébaines ? Laisser Thêbaï chasser Lakédaïmôn pour installer cette Ligue béotienne que je subirai en la moquant autant que mes concitoyens ? Chercher le bonheur comme eux, chacun pour soi dans le cercle choisi de ses réseaux d'amis, en laissant notre vieille cité péricliter ? Peut-être pourrons-nous être heureux sous Thêbaï, même si ses impôts et ses garnisons sont dix fois plus pesants que ceux de Lakédaïmôn ?" Oui, mon père se demande à voix haute si le retrait n'est pas la seule sagesse possible, dans ce temps nouveau où tout nous dépasse, à part nous-mêmes. Et j'imagine, Hypereïdês, que, devant la menace de votre intervention, bien des habitants de Kéôs ce soir se posent la même question que lui. Moi aussi, je me la pose, à ma façon. Mais la vieille jument, élevée en liberté dans les plaines d'Arménie, bronche, et, soudain, Epiklês se souvient que, s'il n'a jamais été un sage, il fut autrefois un guerrier.

Alors, de nouveau, il se jette dans la bataille. Cet hiver-là, il retourne au Conseil. Il ne parle pas, non, il gueule, il tranche. Cela, il sait faire. Une seule solution, clame-t-il, en regardant Ménôn d'un air féroce : détruire Thêbaï, avant qu'elle ne nous détruise, comme elle a détruit Plataïa. Oui, détruire, détruire, c'est la seule solution, radicale, désespérée, et tous ceux qui plaident le contraire sont des traîtres. Tuer, violer, vendre, pour ne pas l'être ! S'allier à Lakédaïmôn, puisqu'Athênaï est incapable de protéger ses alliés ! Comme avant, comme depuis des générations ! Après, pour inventer quelque chose d'autre, on verra. Après, toujours après. Malédiction grecque. Incapacité non pas à penser le changement, mais, quand on l'a pensé, à le réaliser. Après, quand Thêbaï sera détruite, on pourra inventer la liberté ! Thêbaï est, plus que le symbole, la cause unique du mal grec ! Lorsqu'il plaide la destruction de l'ennemi, lorsqu'il tente de décrire les temps nouveaux qui commenceront ensuite, Epiklês n'est pas tout à fait convaincu lui-même par sa vision. Mais en tout cas, se dit-il, quitte à mourir, autant mourir debout, les armes à la main !

Il fait hâter, sur l'autre flanc de la montagne, la construction de la tour carrée d'Askra, qu'il avait presque laissée à l'abandon, et il réactive son camp d'entraînement dans sa ferme. Plus de cent hommes de tous âges se forment désormais sous sa férule à la guerre inévitable. Tous les garçons de la ville, malgré la rigueur de l'entraînement, rêvent de faire partie de cette belliqueuse milice. La guerre approche, au grand galop confus des messagers qui vont et viennent entre Thêbaï, Lakédaïmôn, Athênaï et nous. Mais la fête d'Erôs aussi arrive, dans le battement d'ailes plus doux et pourtant presque aussi rapide du printemps, qui fait bourgeonner par vagues les arbres aux flancs de la montagne. C'est la belle saison : celle de l'amour et celle de la guerre, puisque vous ne vous battez pas pendant les rigueurs de l'hiver, puisque vous n'aimez pas mourir dans la boue ni le froid, puisqu'en Grèce, depuis toujours, le plaisir et la violence se déchaînent en même temps. Les femmes de Thespiaï se demandent avec angoisse lequel des deux dieux qui planent au-dessus de notre ville viendra le premier s'y poser, Erôs ou Arês. Je prie avec ferveur pour que ce soit l'incarnation locale de l'universel Isodaïtês, qui se sera déplacé spécialement pour moi. Ma chorégraphie en son honneur est presque prête. Il ne me manque plus que quelques pas !

Manthanê, les prêtresses, les anciennes, qui savent ce que veut dire la guerre pour les femmes et pour les cités vaincues, le prient avec plus d'angoisse que moi, en espérant sa paisible victoire. Elles se doutent bien que les discussions politiques, dont les hommes refusent de leur parler dans l'intimité de la chambre conjugale, ce qui est le plus inquiétant de tous les signes, se font plus belliqueuses que jamais, mais elles se persuadent que les hostilités ne pourront éclater pendant cette période de cérémonies religieuses. Même lorsqu'un détachement thébain vient camper devant les portes de la ville pour bloquer la garnison spartiate et empêcher toute communication avec la plaine, tandis que, de notre côté, les troupes de mon père renforcent encore leurs patrouilles, afin de contrôler les routes de la montagne jusqu'à la Tour Carrée, les femmes ne désespèrent pas totalement. Une telle foule de pèlerins étrangers doit se rassembler dans quelques semaines à peine à Thespiaï au moment de la fête que jamais les Thébains n'oseront attaquer la cité, par peur de s'aliéner tous les peuples de la Grèce et tous ses dieux. Ils seront obligés d'ouvrir les rangs de leurs soldats pour laisser passer les fidèles en procession vers le temple. Les femmes n'ont plus que l'espoir de la trêve sacrée pour imposer la paix. "Sans les dieux, me murmure Manthanê, les hommes seraient entièrement livrés à leur désir de mort. Et nous, les femmes de Thespiaï, nous ne pouvons compter que sur celui d'entre eux qui paraît le plus fragile et le plus fugace. Mais, ajoute-t-elle aussitôt en souriant, Erôs, dans sa souple puissance, est plus rusé qu'Arês, tu peux garder confiance en lui." Le sourire de la Kappadocienne suffit à me rassurer.

D'ailleurs, à l'approche de la cérémonie, brusquement la tension se relâche. Même le méfiant Epiklês paraît moins soucieux. Oui, c'est certain, se disent les femmes, la guerre pourra être évitée ! Bien sûr, les Thébains, qu'elles haïssent autant que leurs maris, sont capables de tout mais pas de commettre un sacrilège ! De mon côté, je sens que je parviens de plus en plus aisément à distraire mon père de l'urgence du combat et à l'entraîner dans ma propre exaltation. Il prend le temps, entre deux plans de défense de la ville, de s'intéresser à moi, de m'écouter lui raconter les derniers préparatifs de la chorégraphie sacrée. Il me pose des questions. Personne, même les officiers les plus proches de sa garde, n'ose venir le déranger quand il se trouve en compagnie de sa fille. Comme quand j'étais enfant, il me passe la main sur le visage, suivant de son index le tracé de ma joue, mais il me dit que je suis devenue aussi belle que ma mère. Jamais il ne m'a parlé ainsi. Je rougis. Je m'enfuis. Je triomphe.

Alors Epiklês se lève à son tour et sort de la salle pour aller rejoindre ses hommes. Dès que je ne peux plus l'entendre, il pousse un profond soupir. De découragement ou bien de soulagement. Peut-être les deux. Il sait bien que les femmes se trompent comme toujours et que la guerre ne pourra être évitée. Il s'en réjouit. Il se dit que, comme sa fille la danseuse, il s'apprête à vivre le moment décisif de sa vie. Ce moment unique où soit l'on se trouve, soit l'on se perd. Il ne sait pas si cela aura lieu avant ou après les fêtes d'Erôs (après, ce serait mieux) mais cela aura lieu !

Et encore plus vite que prévu. Lakédaïmôn a décidé d'intervenir une bonne fois pour toutes, afin de réduire à néant les prétentions de Thêbaï. Les cités, qu'elle avait fait entrer de force dans sa Ligue, et qui n'attendaient qu'un signe pour se révolter, se sont aussitôt mobilisées contre elle, si bien que la coalition en très peu de temps peut compter sur une armée de dix mille hommes, dont mille Spartiates. Et surtout quatre cents des sept cents Égaux restants, menés par le roi Kléombrotos lui-même. Oui, le combat décisif approche ! Tous les adversaires traditionnels de Thêbaï se sont enfin alliés, à part vous, les Athéniens, qui refusez toujours de vous ranger sous les ordres de Lakédaïmôn. Dans la séance de crise du Conseil, Epiklês, tourné vers son beau-père Amphiaros, le chef de vos partisans, le père de Phaïdros, parle pour une fois en termes nets. Défection décevante, oui, mais pas décisive. Athênaï, malgré ses belles paroles, est en train de manquer sa chance de participer à l'instauration de la liberté ? Eh bien, la Béôtie saura se défaire de Thêbaï sans elle ! Les temps nouveaux ont commencé ! Pour ne pas laisser à Ménôn l'occasion de se ressaisir, Epiklês prend l'initiative dès la sortie du Conseil. Il sait qu'un détachement spartiate s'approche avec la mission de chasser les Thébains qui bloquent depuis quelques semaines les portes de la ville. Sans même en référer à Sphodrias, l'officier commandant la petite garnison d'occupation, les hommes de la garde d'Epiklês, dont le nombre se monte à presque deux cents désormais, attaquent à l'aube le cantonnement ennemi. Ils l'occupent sans coup férir, parce que les Thébains se sont enfuis pendant la nuit. Quand les renforts spartiates arrivent, le travail est déjà fait.

Le signe qui renseigne le mieux mon père sur l'urgence de la situation, c'est que Sphodrias et les Lacédémoniens ne paraissent pas furieux de n'avoir pas eu à se battre eux-mêmes, tant ils ont hâte de participer à la bataille, la vraie, la grande, qui se prépare dans la plaine. Ils récupèrent presque tous les soldats de leur garnison, ne laissant sur place qu'une poignée de malchanceux, et s'en vont sans même attendre la réunion du détachement régulier thespien, en lui donnant rendez-vous, ainsi qu'à Epiklês et à tous ceux de ses villageois qui voudront combattre à leurs côtés, près de la bourgade fortifiée de Leuktra. Mais ils ne paraissent pas accorder beaucoup d'importance à ces renforts. Un de leurs deux Rois et la moitié de leurs Égaux, c'est plus que suffisant. Si la victoire n'est pas certaine, ils sont sûrs en tout cas de n'avoir besoin de personne d'autre qu'eux-mêmes pour triompher ou périr. Epiklês comprend que Lakédaïmôn est de retour, son orgueil atavique plus vivant que jamais, comme au matin de chacun des combats décisifs qu'a dû mener cette cité de guerriers depuis des siècles. Alors oui, se dit-il, voilà le moment unique, la chance de sa vie !

Mais c'est peut-être aussi à cet instant-là, tandis que mon père regarde s'éloigner en toute hâte les Lacédémoniens, qu'une pensée, réprimée depuis des semaines par l'urgence des mesures à prendre, force l'entrée de sa conscience. Pendant sa jeunesse, il a fait la guerre à leurs côtés mais c'est la première fois qu'il va participer à l'une de leurs batailles en tant qu'homme marié, en tant que père, en tant que citoyen. S'il est vaincu, Thespiaï sera détruite, sa femme, ses fils, et surtout moi, sa fille chérie, violés, tués ou vendus. Un doute affreux l'effleure : en s'aventurant dans la mêlée au lieu de s'occuper tranquillement de ses chevaux, ne prend-il pas le risque, en cas de défaite, de causer ma mort ? N'est-ce pas comme s'il me tuait lui-même ? Et, à travers moi, sa femme, Bathimandis, une seconde fois ? Mais non, contre-attaque-t-il aussitôt, c'est en restant lâchement plongé dans son inaction qu'il causerait mon malheur.

Philourgos, son hôte de Plataïa, qui n'était pas un guerrier mais un négociateur, a fini égorgé dans sa propre maison, laissant sa femme et son fils tomber en esclavage, parce qu'il n'avait pas pris le risque de se préparer au combat. Qu'Epiklês s'engage ou non, le destin de sa famille est lié à celui de Thespiaï. Alors autant les défendre lui-même ! Mais, désormais, après cette seconde d'hésitation, l'enjeu de son moment décisif est clair. Il ne s'agit plus seulement de conquérir la liberté de Thespiaï mais de tuer sa fille ou bien de lui donner une deuxième fois la vie. Même le terrible bataillon sacré des Thébains a-t-il autant à mettre sur le plateau de la balance ?

Il se hâte de rentrer dans la cité pour réunir le détachement régulier abandonné à lui-même, lui adjoindre sa milice et tous les volontaires qui lui paraîtront valoir quelque chose à la guerre. Il sait qu'il n'a plus un instant à perdre, après toutes ces années d'inaction ! Mais il se voit aussitôt obligé de sacrifier à la populace un peu de son temps si précieux. Le ressentiment à l'intérieur des remparts, maintenant qu'ils ne sont plus ni surveillés par les soldats de la garnison lacédémonienne ni menacés par ceux du campement thébain, est immense. La violence, surtout celle des faibles et des lâches, se déchaîne. On parle de massacrer les traîtres et tout particulièrement Ménôn, le chef des propriétaires et des collaborateurs. Epiklês et son contingent doivent s'interposer entre la foule et ce dernier, qui n'est plus défendu, devant le portail de sa maison, que par son fils, quelques parents et quelques serviteurs.

Le jeune Phaïdros, qui se trouve parmi les gardes d'Epiklês, lui demande l'autorisation d'envoyer son cadet chercher au plus vite son père, Amphiaros, le chef des partisans d'Athênaï. Alors qu'Epiklês, furieux, a déployé sa troupe et s'apprête à faire charger la foule de ses concitoyens, le vieillard arrive, tout essoufflé, et lui réclame quelques minutes pour tenter de rétablir le calme. S'avançant seul entre les émeutiers et les miliciens, il lève son bâton et le silence se fait. Aussitôt, il attaque. En paroles. Bien sûr, il comprend et partage la colère légitime de ses concitoyens mais il leur reproche de penser à se venger avant même d'avoir triomphé. "Avant de punir les Thespiens qui le méritent, il faut nous débarrasser définitivement des Thébains, et ça, c'est un peu plus difficile, vous le savez tous ! Notre seul moyen d'y parvenir est de rester unis ! Pour nous venger de Thêbaï, qui veut depuis toujours notre perte, pour nous venger de ses violences, de son arrogance, il faut détruire non pas la maison de Ménôn mais l'orgueilleuse Kadmeïa elle-même ! Ce que le destin nous propose, c'est d'aller occuper Thêbaï, nous qui avons si longtemps été occupés !" Epiklês, tout en rageant devant le temps perdu, ne peut s'empêcher d'admirer le pouvoir dont dispose par sa parole ce vieil homme au souffle court mais à l'esprit ferme. Amphiaros parvient peu à peu à calmer la populace et à contenir sa colère, plus sûrement que lui-même ne l'aurait fait par ses armes, parce qu'au lieu de tenter de la briser, il l'utilise, la détourne, la canalise. Mon père, l'éleveur de chevaux, comprend que le vieillard est en train de passer sur l'encolure de la foule la bride de ses mots. À la fin de sa harangue, Amphiaros propose de garder Ménôn en otage. Celui-ci sera placé en prison dans sa propre maison sous la surveillance de l'armée régulière. Après la victoire, les traîtres seront jugés comme ils le méritent. Mais pas avant ! Puis il donne rendez-vous à tous ceux qui veulent se battre sur l'agora, où Epiklês choisira ceux qui seront capables de l'accompagner pour défendre l'honneur des Thespiens dans la bataille qui se prépare, et lui, Amphiaros, ceux qui resteront mobilisés sous ses ordres derrière les remparts. Lorsque l'émeute se retire, Ménôn, leur jetant un regard sombre, se voit contraint de les remercier tous les deux, l'orateur et le guerrier, d'avoir sauvé sa vie et celle de son fils. Mégaklês s'avance vers eux et supplie Epiklês de l'emmener au combat, en se souvenant qu'il a été le plus zélé de ses miliciens. Mais celui-ci le renvoie durement, parce que le devoir d'un fils est de rester aux côtés de son père, de le protéger et de partager son sort humiliant.

Tandis que le vieil Amphiaros et Euthynos, son cadet, restent dans Thespiaï pour assurer l'ordre, mon père ne garde autour de lui que les trois cents Thespiens les plus résolus. Il prend le temps de trancher la gorge d'un animal sur l'autel du temple d'Hêraklês en contrebas de la ville, puis, déjà en armes, fait ses adieux à sa famille. Le cimier de son casque, comme celui d'Hektôr, effraie le plus jeune de ses deux fils qui se met à pleurer. Nous savons tous par cœur l'*Iliade* et nous reconnaissons la scène que nous sommes en train de vivre. Le guerrier me salue en dernier. Il me jure qu'après la bataille, il reviendra me voir danser dans le sanctuaire d'Erôs. Ce sera le jour de notre commun triomphe dans une Thespiaï enfin libre. Alors l'avenir pour nous deux pourra commencer.

Phaïdros, le fils aîné d'Amphiaros, est l'un des cavaliers qu'Epiklês a choisis pour l'accompagner. Il lui confie même l'un de ses plus beaux chevaux, qu'il a appelé Xanthos, comme celui d'Akhilleus, à cause de sa crinière blonde. Phaïdros, le tenant par la bride, se tient devant moi quelques instants. Il voudrait me saluer à son tour et me faire comprendre que, bien qu'il ne m'ait pas adressé la parole trois fois depuis notre enfance, s'il part à la guerre et s'il s'est juré d'en revenir, c'est moins pour Thespiaï que pour moi. Mais le jeune poète ne trouve plus ses mots. Aucune scène non plus dans l'*Iliade*. Alors c'est moi, la fille pudique, qui, sortant de notre immobilité, agit pour nous deux. Je me jette vers lui. Évidemment pas pour le prendre dans mes bras ni l'embrasser, ce ne serait pas imaginable. Mais, lui saisissant la main, j'y glisse l'amulette de la Bonne Fortune que Manthanê me fait porter depuis toujours accrochée à une chaîne autour de mon cou. Le garçon, dans son trouble, ne reconnaît pas le bijou mais devine le sens de ce geste. Il ne prononce pas un mot mais, relevant les yeux, il a un tel élan silencieux vers moi (comme si son âme sortait de son corps pour se jeter dans mes bras) que je ne peux plus douter qu'il soit amoureux de moi autant que je le suis de lui. D'ailleurs, je ne suis pas la seule à être saisie par cette révélation. Nos mouvements à tous les deux, mon impulsion, son tressaillement, ont été d'une si vive maladresse que Manthanê et même Epiklês ont saisi ce qu'ils trahissaient. Jetant un regard par en dessous vers ma nourrice, je l'aperçois qui me sourit et qui me désigne, d'un mouvement des paupières, mon père. Alors je m'arme de tout mon courage, j'ose dévier mon regard dans sa direction et j'ai le bonheur de voir qu'il sourit lui aussi. D'un seul coup, je me sens investie d'une telle allégresse, d'un tel soulagement, que je ne peux que tourner les talons et m'enfuir. Dans ma course légère, je me retiens pour ne pas esquisser des pas de danse. Ma joie est trop intime et trop forte, je leur ai laissé deviner trop de choses secrètes pour ne pas aller me cacher. Mais je sais que tout est dit, que tout est compris, que tout est décidé, sans un mot, à la thespienne. En Grèce, il n'y a que vous, les Athéniens qui parlez, les autres, depuis des siècles, se comprennent, s'aiment, vivent, meurent sans rien dire. Désormais seule la guerre peut m'empêcher d'être heureuse et la guerre sera gagnée puisque c'est mon père qui la fait !

Oh, tandis que je continue à glisser mon récit nocturne dans l'oreille de l'Athénien Hypereïdês, je revis ce moment avec Phaïdros, ce jour très doux que j'ai tenté si férocement d'oublier. Peut-être ne raconté-je tout mon passé que pour revivre cet instant-là ? Que pour m'approcher, une dernière fois, de Mnasaréta, la gamine cachée dans l'appartement des femmes, les jambes flageolantes et incapables pour une fois de danser, les deux mains posées au creux de ses seins que personne n'a encore jamais touchés, pour sentir les battements de ce cœur qu'elle ne parvient plus à maîtriser, parce qu'il est celui d'une fille aimée de celui qu'elle aime ? Bientôt, on fera de moi une putain, puis je ferai de moi une hétaïre, mais je ne suis encore qu'une petite jeune fille grecque comme toutes les autres, très amoureuse et très respectueuse. Cette pudeur de la fille sage, personne parmi mes amis d'aujourd'hui ni parmi mes détracteurs ne pourrait s'attendre à la trouver en Mélitta la flûtiste mielleuse, ni en Phrynê la scandaleuse. Pourtant, c'est elle qui donne son vrai sens au reste. Je crois que même Hypereïdês s'en rend compte : dans cette seconde de silence suspendu, il ose à peine m'attirer contre lui pour m'empêcher de trembler.

Mais cette nuit-là, me retrouvant entre ses bras, je me hâte de revenir à ce qui intéresse le jeune Athénien, à ce qui le concerne dans mon passé, c'est-à-dire à la guerre, c'est-à-dire au parcours de mon père l'indépendantiste. Car, pendant que la petite Mnasaréta défaille de joie à l'étage des femmes, les hommes de Thespiaï continuent de se préparer à la mort qu'ils vont donner ou recevoir pour leur liberté. Même Aram l'Arménien, qu'Epiklês a délié depuis longtemps du devoir qui incombe à l'affranchi de défendre son ancien maître, a repris lui aussi sans un mot son arc. Il se tient debout, prêt à courir derrière les cavaliers, comme au temps de sa jeunesse. Mon père, dissimulant son émotion, va en personne lui chercher un cheval, afin qu'il puisse galoper à ses côtés. Alors Aram se tourne vers Manthanê et les deux époux se disent adieu à leur façon, sans bouger ni parler, rien qu'en se regardant. Lorsqu'Epiklês revient, tirant le cheval par sa longe, il détourne la tête, et il attend humblement que les deux Barbares veuillent bien prendre conscience de sa présence.

Maintenant, depuis longtemps, les guerriers sont partis. Je me dis que les trois hommes que j'aime le plus au monde chevauchent ensemble vers la plaine où ils doivent se heurter à l'épouvantable Bataillon Sacré. Je n'ai pas quinze ans et me voilà redoutant la défaite de mes protecteurs, la mort lointaine de mes guerriers au combat. Confrontée pour la première fois à cette angoisse qui tient toutes les femmes de Grèce, je parviens à m'en libérer comme elles le font depuis toujours : je me persuade que, si je les aime avec une pureté et une fidélité absolues, avec une confiance sans faille dans leur courage et dans leur chance, si je ne doute à aucune seconde d'eux ni de la protection des dieux, alors ils reviendront triomphants. C'est de la qualité de l'amour des femmes que dépend le retour des hommes.

C'est au fond de notre impuissance, c'est en nous y plongeant toutes ensemble sans trembler, c'est en nous y noyant jusqu'à nous oublier, que nous trouverons la magique puissance de les sauver. En compagnie de Kallisthénia, ma belle-mère, dont je me rapproche instinctivement, de Manthanê et de toutes les servantes nos égales, je prie avec ferveur les dieux de notre foyer. Tout à l'heure, nous irons rejoindre les autres femmes de la cité devant les temples publics de Zeus, d'Apollôn et d'Artémis Agêmona, la chasseresse qui conduit ses fidèles à travers les passages dangereux. Nous tenterons une sortie à l'extérieur des portes de la ville vers celui d'Hêraklês, dont j'imagine depuis toujours que la statue ressemble à l'instructeur qui forma jadis mon père et qui, pour cela, m'est plus familier que les autres. Avant cela, prosternée dans ma chambre de tout mon long, à la perse, comme m'a appris à le faire ma nourrice, j'implore mon dieu particulier, Isodaïtês, d'animer mes trois hommes du désir de revenir sains et saufs pour m'aimer. Je chasse férocement toute autre pensée. Moi aussi, la fille de Thespiaï, comme les femmes de Kéôs qui doivent être en ce moment rassemblées dans leurs temples, comme celles de toutes les cités menacées, je suis une guerrière qui se bat pied à pied pour notre territoire, le vrai, le sanctuaire intérieur, celui de notre âme commune menacée, à laquelle j'accède par la porte des femmes, les deux battants d'ivoire immaculé de la prière qu'ouvrent les gémissements et les fumées de l'encens. Après les supplications collectives, m'isolant de nouveau dans la solitude de ma chambre, je danse. Je me force à danser et à jouer de l'aulos, comme si de rien n'était, afin que la vaillance de ma conduite incite les dieux à faire pencher la balance du côté de Thespiaï.

Je ne pense pas au-delà de la mort des guerriers et du combat spirituel à mener pour les garder en vie, pour les entourer d'un bouclier protecteur qui empêchera Arês de les distinguer dans le poudroiement de l'assaut. Je n'envisage pas ce qui arrive aux femmes restées vivantes lorsque leurs hommes sont morts. Les autres, mes aînées, y pensent pour moi. Manthanê y pense. Elle l'a déjà vécu, lorsque, à mon âge à peu près, elle a été enlevée du temple où elle servait Isodaïtês par les pillards arméniens. Alors elle prie, elle prie sans discontinuer, en essayant de retrouver à mon contact la ferveur de l'innocence. Les filles se rapprochent des mères, effrayées, avides de puiser de la force dans leur calme rassurant, mais les mères elles aussi serrent leurs filles autour d'elles, pour s'envelopper de leur dénuement, pour puiser à la source même, dans leur fragilité, la force de pureté capable seule de créer le halo impalpable de la puissance féminine. Cette vérité-là aussi, je la transmets à Hypereïdês, au jeune homme qui m'écoute étonné. Je lui murmure que, s'il ne comprend pas cette idée, il ne comprend rien, il reste à la porte de Thespiaï gardée par la troupe implorante de ses mères et de ses filles, il reste au large de l'île de Kéôs, sans espoir de rentrer jamais dans l'âme de Mnasaréta ni d'aucune autre femme. Ni de saisir l'essence même de la vie.

Pendant deux jours entiers, ma cité vit sans nouvelle, le souffle suspendu. Et puis, au soir du troisième, une rumeur la parcourt. Les hommes sont de retour !

Mais ce que nous voyons alors ne nous rassure pas vraiment. Les guerriers sont tous là, tous vivants, tous intacts, tous indemnes – Phaïdros à leur tête au côté de mon père et d'Aram. Mais leurs visages n'expriment ni l'exaltation de la victoire ni l'abattement de la défaite. Que s'est-il passé ? Les sages de la cité se rassemblent spontanément, non au bouleutérion, mais dans la demeure d'Epiklês. Tous les chefs sont là, sauf évidemment Ménôn, toujours tenu en prison avec son fils dans sa propre maison. Moi, je me suis glissée dans un coin de la grande salle. Les hommes sont tellement préoccupés que personne ne songe à me chasser pour me faire rejoindre la foule des femmes et des enfants qui se rassemble dans la rue. J'écoute avec les Anciens mon père raconter l'étrange chose qui leur est arrivée sur le champ de bataille de Leuktra.

Epiklês parle une bonne partie de la nuit, d'une voix rauque, terrible, précipitée, qui résonne de nouveau ce soir à mon oreille. Lorsque mon père ne parvient pas à trouver ses mots, c'est Phaïdros qui les lui souffle. J'en éprouve, malgré ma frayeur, une immense fierté. Suspendue à leurs lèvres, je m'imagine chevaucher à leurs côtés et vivre leur combat, terrible expérience qui dépasse les possibilités d'une fille de quatorze ans. Cette nuit, je la réinvente pour toi, Hypereïdês, je la saisis de l'intérieur et au présent pour te la transmettre, même si je doute qu'un jeune Athénien comme toi puisse la comprendre.

Les guerriers thespiens dès leur arrivée dans cette plaine où les deux armées se retrouvent face à face et qui est située à peu près à égale distance de Thêbaï et de leur cité sont cruellement déçus. Malgré les états de service d'Epiklês dans l'armée d'Agêsilaos, malgré l'attaque du poste thébain devant leur ville, le roi Kléombrotos ne prend pas la peine de le recevoir en personne. Un de ses aides de camp lui indique sèchement la place où devront se cantonner ses troupes, au pied d'une colline, sur l'aile gauche, très loin du centre de la plaine qu'occupent les Lacédémoniens face au gros de l'armée thébaine ; ils seront placés sous l'autorité de Kléonymos, le fils de Sphodrias, qui sera leur officier de liaison et qui leur donnera l'ordre d'intervenir au moment opportun. Puis il le salue d'un bref hochement de tête. Epiklês est plus furieux que vraiment étonné : il pratique depuis si longtemps la morgue laconique des guerriers de Lakédaïmôn !

Néanmoins, l'important, c'est d'être là ! Epiklês emmène ses hommes rejoindre la place qui leur a été fixée tout au bout de l'aile gauche. Kléonymos se révèle n'être qu'un tout jeune homme tentant de cacher sous sa rudesse qu'il n'a jamais connu le combat. Preuve supplémentaire du mépris des Spartiates à l'égard de leurs alliés, que de n'avoir même pas désigné pour les encadrer un soldat expérimenté, capable de prendre des initiatives en cas de besoin. Epiklês revoit brusquement celui qu'il était vingt-trois ans auparavant, le soir qui précéda sa première bataille au bord de l'Hermos. Peut-être déguisait-il sa peur sous la même arrogance ? Il choisit de ne pas répondre par la brusquerie à celle du jeune Spartiate. Il vaut mieux que ce dernier ne lui soit pas d'emblée hostile si jamais il s'avère nécessaire qu'un homme mûr prenne les choses en main.

Le lendemain, au lever du soleil, Epiklês, escorté de Phaïdros et d'Aram, grimpe à cheval la colline pour y rejoindre l'officier spartiate. Et là, stupéfaction ! L'armée thébaine a disparu ! Il n'en reste plus, de ce côté-ci de la plaine, que trois ou quatre bataillons d'arrière-garde, à peine quelques rangs de soldats clairsemés. Les Thébains se sont-ils enfuis pendant la nuit, effrayés par le nombre largement supérieur de leurs adversaires ? Se peut-il que le principal ennemi soit désormais Lakédaïmôn ? Tandis que ces pensées défilent dans l'esprit d'Epiklês, il éprouve une jubilation folle mais aussi presque de la déception. La Béotie, libérée sans combat, n'aura pas eu besoin de lui. Les Thébains, par leur couardise, l'ont privé du triomphe qu'il n'attendait plus ou d'une mort glorieuse.

Mais, au bout de quelques instants, en étudiant plus attentivement le champ de bataille, Epiklês se rend compte que leurs ennemis ne se sont pas du tout enfuis. Simplement, leur nouvelle position est très étrange, presque absurde. La majeure partie de leurs forces, au lieu d'être déployée dans la plaine en huit rangs compacts, comme il se doit, pour faire face à l'ensemble de l'armée adverse, s'est massée pendant la nuit sur le flanc droit du champ de bataille, face aux meilleures troupes de Lakédaïmôn, là où se tient le roi Kléombrotos. Tout à fait sur l'aile droite, Epiklês croit deviner le fameux Bataillon Sacré ; juste devant s'est entièrement regroupée la cavalerie thébaine, au moins mille cinq cents cavaliers, derrière lesquels les Béotarques paraissent avoir concentré l'essentiel de leurs hoplites : quarante rangs de soldats, face aux huit du bataillon spartiate, car Kléombrotos, lui, en bon stratège, a disposé son armée à rang égal sur toute la plaine.

Qu'est-ce que cela veut dire ? Une seule conclusion s'impose : quarante rangs de Thébains se sont réunis pour tenir le choc face aux huit des Lacédémoniens, tant ils redoutent la supériorité militaire des Égaux ! Mais, se dit Epiklês, c'est une tactique à courte vue, absolument stupide ! À quoi bon résister sur l'aile droite s'ils sont enfoncés au centre et sur le côté gauche, tous les deux dégarnis ? C'est alors qu'une évidence humiliante traverse l'esprit du Thespien : les Thébains méprisent tellement le gros des troupes de la Béôtie qu'ils n'ont laissé que quelques poignées d'hommes devant les six mille hoplites alliés et concentré toutes leurs forces face aux sept cents Égaux ! Kléonymos, qui a déjà compris depuis plusieurs minutes, ricane : "Tu vois que ce fameux Epameïnôndas a regroupé ses troupes pour tenter de résister à l'attaque de notre roi." Il ajoute avec condescendance : "Mais ne t'inquiète pas, nos alliés béôtiens auront part à la victoire. Nous vous lâcherons comme des chiens de chasse pour les poursuivre à travers la plaine." Ce gamin arrogant mais bien formé tire la seule explication rationnelle de la tactique déconcertante du Béotarque, pourtant réputé pour sa finesse.

Phaïdros baisse la tête. Pas Epiklês. Son sentiment d'humiliation est si cuisant qu'il refuse absurdement de se ranger à la raison. Pendant quelques secondes, il continue de fouiller au fond de son orgueil pour en ramener une autre explication, n'importe laquelle, qui lui permettrait de sauver la face. Et soudain… Soudain, quoi ? Un nom, lui traversant l'esprit, jaillit de ses lèvres, comme tout à l'heure le cri de surprise lorsqu'il n'a pas vu les troupes thébaines se dresser face à lui : "Tégyraï !"

Ni Phaïdros ni Aram n'ont compris de quoi il parlait mais le Lacédémonien, lui, sursaute : "Qu'est-ce que tu dis ?

— Tégyraï !"

Le regard de Kléonymos se fait soudain plus sombre. Il a très bien saisi, lui, à quoi le Thespien faisait allusion : l'escarmouche de Tégyraï, une olympiade auparavant, la première défaite cuisante d'un détachement lacédémonien devant les Thébains. Ceux-ci déjà moins nombreux, pris au piège dans le défilé d'une montagne près du lac Kopaïs. Pélopidas qui, n'ayant plus d'autre choix, avant d'être taillé en pièces, passe brusquement à l'attaque pour enfoncer par surprise les premières lignes spartiates et s'échapper, en utilisant le Bataillon Sacré comme un bélier qui détruit tout devant lui. Mais, après avoir miraculeusement forcé le passage, au lieu de s'enfuir, il revient en arrière, et là, avec le reste de l'armée thébaine qui l'attendait stoïquement, il prend les Lacédémoniens en tenaille pour les mettre en déroute. L'humiliation de Tégyraï explique que les Égaux soient venus en si grand nombre à Leuktra laver l'affront. Pourtant, ils paraissent n'en avoir tiré aucune leçon, ni tactique ni morale ! Malgré le mouvement de colère de Kléonymos, Epiklês continue à crier, en montrant le champ de bataille : "Le bélier de Tégyraï ! Tu ne comprends pas, tu ne le vois pas, là, sous tes yeux, en plus grand, en plus effrayant, le bélier de Tégyraï ?" Non, Epameïnôndas n'a pas regroupé ses troupes pour repousser seulement l'assaut de Kléombrotos, et retarder une inévitable défaite due à son infériorité numérique, mais il a l'intention de passer lui-même à l'attaque, en concentrant toutes ses forces d'un côté pour y retourner l'avantage du nombre. Il devient alors, sur un seul flanc mais le flanc décisif, supérieur à quatre contre un ! Il se met à la tête d'un bélier énorme de deux mille cinq cents guerriers qui, mené par la cavalerie et le Bataillon Sacré, détruira l'aile droite des Lacédémoniens et n'aura plus ensuite qu'à tailler en pièce le reste de l'armée alliée désorganisée ! Epiklês, voulant échapper à l'humiliation devant l'officier spartiate, a cherché une explication à la conduite absurde d'Epameïnôndas et il l'a trouvée ! La tactique du Béotarque lui paraît maintenant lumineuse. D'une audace mais d'une lucidité folles. S'il gagne son pari de détruire l'aile de Kléombrotos, et de tuer le roi, car jamais celui-ci ne s'abaissera à reculer (le Thébain est donc capable de jouer même sur l'orgueil du Lacédémonien), le génial stratège reprend d'un seul coup la maîtrise du combat et, d'une bataille perdue d'avance, en infériorité numérique, face à la meilleure des armées grecques, il fait un triomphe définitif !

Cet éclair de lucidité a procuré à Epiklês presque de la joie. Celle de se venger de la morgue du jeune Kléonymos et des autres rebuffades qui lui ont été infligées par Sphodrias et Kléombrotos depuis le début des opérations. Celle surtout, presque divine et amère, de deviner le plan de l'ennemi, en pénétrant dans son esprit ! Il repense à Hektôr autour des remparts de Troie qui, ne trouvant plus à ses côtés l'ombre de son frère, voit se déchirer brusquement le voile de l'illusion et devine qu'Akhilleus et Athêna se sont joués de lui ! Epiklês sent soudain les nuages noirs du désastre s'accumuler au-dessus de sa tête comme sur celle du héros troyen. Les dieux, en lui prêtant leur lucidité, ne lui ont accordé que quelques minutes de temps humain pour réagir, et renverser le cours du destin. Il doit absolument convaincre Kléonymos, qui n'est qu'un gamin obtus, de voir comme lui la bataille par l'œil des dieux et d'opposer au plan d'Epameïnôndas un autre plan, aussi imprévu et aussi irrésistible. Or, que reste-t-il comme solution, sinon justement d'attaquer les Thébains sur ce flanc gauche où ils ont été obligés de dégarnir exagérément leurs rangs, afin de les envelopper d'un mouvement tournant et de rétablir la supériorité du nombre ? Epameïnôndas a tablé sur le rapport de force psychologique dans l'armée adverse, sur le fait que les alliés béotiens n'oseraient jamais attaquer les premiers et se contenteraient de suivre un mouvement dont l'impulsion devait venir nécessairement des Lacédémoniens placés à leur droite. Il faut donc jouer sur cette faiblesse, la seule de son plan magistral, et le surprendre vite, très vite, avant qu'il n'ait pu le mettre en œuvre ! Mais le jeune officier lacédémonien hausse les épaules : "Thespien, tu veux gagner la bataille à toi tout seul ?

— Souviens-toi de Tégyraï !

— Arrête de m'importuner avec Tégyraï ! Nous sommes venus régler les comptes de Tégyraï !"

Epiklês pense que, pour régler les comptes d'une défaite, il faut en avoir analysé les causes. Inutile de perdre l'instant de répit que lui ont accordé les dieux à discuter avec ce jeune idiot trop raisonnable, si aveuglé par son orgueil qu'il ne voit même pas ce qu'on lui met sous les yeux. Mon père lui tourne le dos et dévale la pente de la colline, suivi de Phaïdros et d'Aram. Ceux-ci, sans oser rien dire, se demandent ce que leur chef a en tête. Rien, sinon l'exaltation du désespoir. Plus qu'une seule solution. S'adresser directement aux chefs des bataillons alliés de l'aile gauche pour les convaincre de lancer tous ensemble, eux qui représentent le plus gros des troupes et qui sont forts de presque sept mille hommes, l'assaut préventif.

C'est alors seulement qu'Epiklês, dégringolant de la colline mais s'élevant au-dessus de la panique qui le gagne, de sa peur de la défaite imminente, saisit qu'il tient là la chance de sa vie. Oui, il est bien dans son instant décisif! Son rêve de réaliser sans les puissances hégémoniques l'union libre des petites cités de la Grèce, il a l'occasion de le faire advenir d'un seul coup sur le champ de bataille! Battre Thêbaï sans Lakédaïmôn sous les yeux des Lacédémoniens! Si les dieux lui ont donné la lucidité de deviner le plan d'Epameï-nôndas quelques instants avant tous les autres, c'est pour lui fournir l'occasion, non de convaincre un officier inexpérimenté, mais de saisir son destin aux cheveux et de changer à lui tout seul le cours de l'histoire en fédérant la Béôtie dans la plaine de Leuktra! Il est prêt à donner sa vie pour ce combat, si les dieux la réclament, après s'être contenté de donner l'impulsion initiale. Peut-être est-ce un autre chef de Thespiaï qui récoltera la gloire, peut-être ce jeune Phaïdros qui l'accompagne et le comprend? Oui, si les dieux le désirent, il laissera la gloire à Phaïdros, de même qu'il va lui donner sa fille! Ayant renoncé à lui-même, plein d'un enthousiasme sacré, il se hâte en compagnie du jeune homme de parcourir à cheval les rangs alliés, pour trouver les chefs, leur expliquer le plan du Béotarque et le seul moyen de le contrer, en conquérant du même coup la liberté!

Mais justement à cause de son enthousiasme et de sa lucidité, parce qu'il voit tout en même temps, il dit tout en même temps, et, sous les yeux désolés de Phaïdros, qui tente bien de l'aider d'une parole de-ci de-là, tout se mélange, tout devient confus, sa vision divine devient bouillie humaine, personne ne le croit, personne ne veut voir! Même les rares qu'il parvient à éclairer un peu sur la tactique d'Epameïnôndas, préfèrent ne pas bouger tant que les Spartiates ne donneront pas l'impulsion de l'attaque, ces chefs plus avisés que les autres se ménageant peut-être quelques chances de négocier avec le vainqueur ennemi au cas où, comme le prétend ce fou, les Thébains redresseraient assez leur situation désespérée pour l'emporter. Oui, tout, l'aveuglement des uns, la lâcheté des autres, l'indécision de tous, mais surtout sa propre incapacité à partager sa vision, tout concourt à lui faire manquer la chance de sa vie! Même s'il a renoncé à lui-même, il est rendu à ses propres limites, parce qu'il n'a jamais pris le temps de les dépasser. Pour la dernière fois, Epiklês regrette de ne pas avoir appris la parole autant que les armes. Lui qui croyait qu'il allait devenir Akhilleus, il comprend qu'il est de l'autre côté, du côté des perdants, des Troyens, et il connaît le désespoir amer d'Hektôr et de Kassandra. Et je le partage avec lui ! C'est fini ! Avant même que cela ait commencé, c'est déjà trop tard, c'est déjà manqué ! Il s'imagine un instant chargeant à lui tout seul le front thébain, avec ses trois cents malheureux Thespiens, pour forcer malgré tout le destin en lançant le mouvement de l'attaque. Mais il sait bien que ce serait absurde. Les autres chefs béotiens retiendraient leurs troupes et le laisseraient aller au massacre. Il n'a pas le droit de sacrifier les guerriers qui lui ont été confiés dans un assaut perdu d'avance. Il doit lui aussi penser à l'avenir de Thespiaï qu'il faudra défendre après la défaite. À sa propre famille, sa femme légitime, ses enfants en bas âge. Et puis à celle qui vient en dernier parce qu'elle n'est que la fille d'un premier lit mais qui, dans son cœur, occupe la première place, à moi, Mnasaréta. Il doit s'occuper déjà de me protéger quand tout sera perdu.

Voilà, après ce moment d'exaltation divine, il comprend qu'il va lui falloir redevenir humain et sauver ce qui peut l'être.

Accablé, il grimpe de nouveau sur la colline d'où l'on découvre tout le champ de bataille. Alors qu'il était investi quelques minutes auparavant d'une énergie surhumaine, il se sent rempli désormais d'une angoisse mortelle, d'un dégoût poisseux des autres et de lui-même. Il ne lui reste plus qu'à regarder (et toi aussi, Hypereïdês, qui chevauches avec moi en compagnie des autres dieux cruels sur des nuées au-dessus de sa tête) la bataille de Leuktra devenir l'une des plus fameuses de tous les temps, le triomphe d'un génial tacticien sur un général honnête, le début de l'hégémonie de Thêbaï, la ruine totale de Lakédaïmôn, et la fin des rêves de la Béôtie. Tout ça en quelques heures. Tout ça en quelques instants. Dans cette illumination divine, nous qui avons bu avec Epiklês l'amer nectar de l'omniscience, nous voyons toutes ces actions humaines se dérouler en accéléré. La bataille ne dure que quelques prodigieuses secondes. Bataillon Sacré de Pélopidas contre Égaux de Kléombrotos. Le combat titanesque pourrait être indécis si nous n'en connaissions pas l'issue avant même qu'il ne commence. Regarde-la, la vague thébaine envelopper le rocher spartiate et le noyer définitivement. Ce n'est pas tous les jours que tu as l'occasion de contempler l'Histoire d'en haut, n'est-ce pas, Hypereïdês, et de voir depuis ton poste d'observation l'avenir submerger le passé ! Quel dommage, hein, que tu ne puisses prolonger cette ivresse pour découvrir à l'avance ce que l'expédition que vous vous apprêtez à lancer contre la minuscule île de Kéôs va apporter à ta cité, en quoi elle va marquer soit le salut de votre Ligue, soit le début de sa fin, le début de la fin d'Athênaï, parce que, comme les Spartiates à Leuktra, vous n'aurez pas su changer ! Qui peut savoir ?

Le roi Kléombrotos et ses Égaux, comprends bien cela, Hypereïdês, comprends bien cela qui peut te servir un jour, non pas malgré leur bravoure, mais à cause d'elle, et cela stupéfie encore le guerrier Epiklês au moment où il nous le raconte dans la grande salle de sa maison de Thespiaï, cela le désespère, oui, *à cause* de leur bravoure le roi spartiate et ses quatre cents Égaux sont massacrés jusqu'au dernier. Alors le Bélier Sacré, faisant volte-face, se retourne contre le centre de l'armée alliée, qui, malgré sa supériorité en nombre, n'a pas progressé pendant tout ce temps devant le reste de l'armée thébaine. Voilà, Epameïnôndas a déjà gagné son pari. Tout le reste, ce seront encore des milliers de morts pendant des heures de carnage, mais totalement inutiles, parce que tout est déjà fait, tout est déjà écrit. Le jeune officier spartiate, Kléonymos, qui, livide, regarde le désastre, donne à Epiklês d'une voix sourde l'ordre d'intervenir. Mais mon père, à la stupéfaction de Phaïdros et d'Aram, refuse sèchement. Les mots maintenant jaillissent de sa bouche clairs et nets et drus, parce qu'ils ne sont plus prononcés par un homme qui cherche à convaincre, mais par un dieu qui constate sans faiblesse, par le prophète Apollôn lui-même. "Ah, jeune insensé, tu ne voulais pas que les Thespiens contribuent à votre victoire, eh bien ils ne partageront pas votre défaite ! Mais je t'annonce que, ce soir, tu ne seras pas simplement mort (tu vas mourir courageusement, je te fais confiance, tu es fabriqué pour cela depuis ton enfance), tu auras aussi par ta bêtise causé la perte définitive de ta cité. Non seulement parce que la moitié de ses ultimes Égaux seront tombés sur le champ de bataille mais surtout parce qu'elle n'aura pas voulu s'adapter à la nouvelle façon de combattre, plus mobile, plus audacieuse, plus innovante, que lui ont proposée les Thébains. Lakédaïmôn va mourir sous tes yeux d'avoir été trop courageuse et trop peu intelligente, bref, d'avoir été trop Lakédaïmôn ! Ce qui l'a fait vivre si longtemps la fait mourir aujourd'hui. Et toi, entre les mains de qui les dieux ont remis un instant le sort de l'Histoire, à cause de cette raideur même qui t'aurait permis de devenir autrefois l'un de ses héros, tu te seras révélé l'un des instruments aveugles de sa ruine." Évidemment Epiklês ne dit rien de tout cela. C'est seulement dans sa tête que les dieux parlent. Il se contente de monter sur son cheval et, sans jeter un regard sur l'issue inévitable de l'assaut qui fait rage, il donne l'ordre à ses troupes de se retirer au plus vite. Ses trois cents soldats, muets de stupeur ou de honte, chevauchent pendant plusieurs heures pour être les premiers à apporter la nouvelle de la défaite à Thespiaï et ne pas y laisser la panique s'installer.

Et moi, la jeune fille, je suis consternée comme tous les hommes présents par le récit d'Epiklês, même si je ne parviens pas encore à en envisager comme eux toutes les conséquences. En même temps, je ressens de la fierté pour la prescience dont il a fait preuve sur le champ de bataille, en étant le seul des Béotiens à deviner la ruse du général thébain. Et puis aussi, au milieu de l'angoisse, je ne peux m'empêcher d'éprouver une autre pointe de joie, encore plus secrète : Phaïdros, sur la colline de Leuktra, a pris place au côté de mon père comme son aide de camp le plus capable et le plus fidèle. Et il s'est tenu derrière lui même au moment de raconter.

Maintenant, la suite aussi, il faut que je te la dise, n'est-ce pas, Hypereïdês, pour accomplir ma mission, pour te faire entrer dans l'âme du Thespien et dans celles des femmes de Kéôs ? Alors écoute bien !

La confirmation de la défaite arrive par un messager au cours de cette même nuit, tant est courte la distance entre Leuktra et Thespiaï. On envisage dans la panique toutes les solutions pour échapper à la colère des Thébains et au sort de Plataïa. Faut-il se barricader à l'intérieur de la ville ? Ou bien s'enfuir dans les recoins tortueux de la Montagne, en abandonnant la cité et le temple d'Erôs à la fureur des ennemis ? Sur la proposition d'Amphiaros, on se résout à libérer Ménôn, qu'il a été sage d'épargner, et on le supplie d'aller aussitôt négocier auprès des Béotarques. L'aube se lève sans qu'Epiklês, qui veille en personne sur les remparts, ait fermé l'œil, Phaïdros et Aram toujours à ses côtés. À plusieurs centaines de mètres de là, à l'étage de notre grande maison, moi non plus je n'ai pas dormi : je veille par ma ferveur sur eux trois.

Ménôn et son fils reviennent dès le milieu du jour. Ils nous apportent des nouvelles rassurantes. Considérant que Thespiaï n'a pas vraiment participé à la bataille, Thêbaï consent à l'épargner. Un murmure de soulagement parcourt les rangs des Anciens. Ménôn lève la main pour rétablir le silence. "Mais, continue-t-il avec autorité, les Béotarques imposent plusieurs conditions : non seulement Thespiaï devra entrer dans la Ligue béotienne et reconnaître l'hégémonie de Thêbaï, mais elle accueillera dans ses murs et à ses frais une garnison permanente. Elle désarmera ses guerriers et remettra aux Thébains les soldats restants de la garnison lacédémonienne. Chaque fois que la Ligue déclarera la guerre, elle devra fournir un contingent d'hoplites et de cavaliers, qui seront choisis par le commandant thébain lui-même. Enfin, elle prouvera sa bonne volonté en accueillant des représentants officiels de Thêbaï aux Fêtes d'Erôs, qui devront se tenir à la date habituelle mais seront placées sous le patronage de la Ligue, de manière à déclarer à tous les Grecs et à tous les Dieux présents l'alliance indéfectible entre les deux cités."

Les Anciens échangent des coups d'œil pour savoir ce qu'il faut penser de ces conditions. "Plutôt clémentes, non ? Plutôt acceptables, non ? Dépêchons-nous de dire oui avant qu'Epameïnôndas ne se fâche et ne durcisse son discours !" Les murmures d'approbation enflent sur les travées du petit bouleutérion. Mais soudain Epiklês se dresse, bien planté sur ses deux jambes, et ce mouvement, accompagné de celui de ses soldats massés de chaque côté du petit hémicycle, suffit à ramener le silence. Parcourant lentement l'assemblée du regard, il se contente de jeter d'une voix éclatante six ou sept mots : "Autrefois, les Thermopylaï !" puis "hier Plataïa !", enfin, après avoir laissé passer quelques instants, "aujourd'hui Thespiaï ?". Il n'ajoute rien. Il se rassied. Dans un silence très lourd. Car tout le monde a compris l'allusion à la traîtrise atavique des Thébains, qu'ils ont révélée lors de la première guerre médique en conduisant eux-mêmes les Perses à travers le défilé des Thermopylaï pour prendre à revers les soldats de Léônidas, et dont ils ont fourni la dernière preuve quelques semaines auparavant en détruisant notre voisine.

Au bout d'un moment, Amphiaros se lève à son tour. Se tournant vers mon père, il lui demande calmement : "Avons-nous le choix ?" Ménôn en profite pour reprendre l'avantage et s'indigner : "À qui la faute, si nous sommes maintenant soumis à Thêbaï au lieu d'être ses alliés ?" Il regarde mon père avec une telle hostilité, qu'il n'a pas besoin d'ajouter un mot pour l'accuser ouvertement d'être le seul responsable du malheur de leur cité. Confusion générale. Epiklês, serrant les dents, se retient de ne pas se jeter sur Ménôn pour l'égorger en pleine séance. Il voit bien qu'il n'a pas les moyens d'entraîner Thespiaï dans une résistance qui d'ailleurs, au milieu de la débâcle actuelle, ne mènerait à rien. Il faut céder, provisoirement, en veillant à ne pas tout lâcher, ni l'honneur ni la possibilité matérielle d'une révolte future. Alors il se replie sur la position qui lui paraît essentielle : il accepte l'occupation thébaine mais il refuse fermement de désarmer sa milice ; quant aux gardes lacédémoniens qui ne sont qu'une poignée, ils devront se débrouiller seuls pour rentrer chez eux mais il veillera à ce qu'ils ne soient pas livrés aux Thébains, dont on connaît la férocité. Il annonce que ses hommes occuperont le cantonnement spartiate en attendant l'arrivée de la garnison thébaine et ne se retireront que lorsque cette installation se sera déroulée sans violence ni traîtrise.

L'accord se fait. Ménôn, après avoir recueilli les serments, repart aussitôt avec son fils pour rendre compte en personne aux Béotarques de l'acceptation de leur ultimatum, qu'il s'efforcera de présenter comme presque complète. Pendant ce temps, Epiklês chasse les derniers gardes lacédémoniens en pleine nuit, leur adjoignant Phaïdros pour les conduire jusqu'aux limites du territoire de la cité. Ce dernier est de retour dès le petit matin, annonçant que les soldats qu'il escortait ont préféré tenter de rallier les débris de leur armée plutôt que revenir seuls à Lakédaïmôn, où les attend l'opprobre. Il est heureux, d'ailleurs, qu'ils l'aient déchargé de sa mission, lui permettant de rentrer dans Thespiaï pour se trouver aux côtés d'Epiklês et de ses camarades à l'arrivée des Thébains.

Pendant toute la journée, et celle du lendemain, on attend le retour de Ménôn. Les femmes devant les temples prient. Les hommes aussi. Je danse. Mon père me regarde en silence.

Le surlendemain à l'aube, Ménôn et son fils Mégaklês arrivent. Ils ne sont pas seuls mais accompagnés d'un détachement thébain, composé d'une cinquantaine de soldats seulement, qui montent prendre garnison dans Thespiaï. Ménôn annonce que le Béotarque a accepté de laisser leurs armes aux Thespiens mais l'a chargé personnellement de veiller à ce que l'installation de la garnison se passe dans les meilleures conditions possibles ; si ses cinquante soldats sont mal accueillis, Epameïnôndas considérera que Thespiaï continue la guerre et enverra d'autres troupes. Les guetteurs qu'Epiklês avait placés sur la route de la plaine se hâtent de lui rapporter ces nouvelles. Désireux de montrer sa bonne volonté, mon père sort avec une poignée de ses miliciens devant les remparts pour y accueillir en personne Ménôn et les Thébains. À l'intérieur, il a laissé Phaïdros avec l'ordre de refermer la lourde porte de la Plaine au moindre problème. Mais l'entrevue se passe sans encombre. Le chef thébain, Gorgidas, fils de Ménês, le salue courtoisement au nom du Béotarque Pélopidas, qui a entendu parler de lui et qui viendra personnellement lui rendre visite, dès que la situation lui en laissera le loisir, peut-être même avant les fêtes d'Erôs. Les soldats ne sont que cinquante mais beaucoup, dont leur chef, appartiennent au Bataillon Sacré. Epiklês s'inquiète de l'envoi d'un corps d'élite pour une opération de cantonnement. Gorgidas ne peut s'empêcher de soupirer. "Nos chefs, qui ne connaissent pas tes véritables intentions, sont prudents, mais, crois-moi, Thespien, je ne souhaite pas plus que toi faire un long séjour dans ta ville. Si tout se passe bien, dès que possible, d'autres soldats du rang viendront nous relever." Le jeune homme a l'air si sincèrement désolé d'être bloqué au fond d'un poste de garde perdu en pleine montagne, alors que la guerre n'est peut-être pas tout à fait terminée dans la plaine, qu'Epiklês, songeant à l'impétuosité de sa propre jeunesse, ne peut s'empêcher de sourire. Ménôn lui aussi sourit avec indulgence.

Les trois hommes, suivis de leurs soldats, entrent dans la ville. Les Thébains s'installent dans le poste de garde qu'occupaient la veille encore les derniers Lacédémoniens. Bref face à face des deux troupes en armes, la milice d'Epiklês qui s'en va, les Thébains qui arrivent. Ménôn et Gorgidas, les yeux fixés sur Epiklês, attendent qu'il donne à ses hommes l'ordre du repli. Mon père hésite un instant. Une pensée amère, un souvenir importun, lui passe sans doute par l'esprit : la caserne, qui se trouve installée depuis des lustres sur la petite place juste à côté de la Porte de la Plaine, ne sera restée vide que quelques heures ; c'est la deuxième fois qu'Epiklês assiste à l'entrée d'une garnison étrangère, celle de Lakédaïmôn dans sa jeunesse, celle de Thêbaï dans son âge mûr, les deux n'apportant à Thespiaï qu'une même servitude. Sa mâchoire se crispe : il sait bien qu'il est impossible de résister. Soudain, Gorgidas dégaine sa dague et, sans prévenir, la lui plonge dans la gorge. Par réflexe, Epiklês parvient à parer le coup qui ne lui entaille que l'épaule. Comme s'ils n'attendaient que ce signe de leur chef, une partie des Thébains se rue sur les Thespiens pour les bousculer vers l'intérieur de la ville, tandis qu'un autre groupe, se précipitant vers la Porte, massacre les quelques gardes qui étaient en train de la refermer et se hâte d'ouvrir en grand les deux vantaux. Aussitôt, un terrible cri de guerre retentit. En quelques instants, plusieurs centaines d'autres soldats ennemis se précipitent à l'intérieur des remparts. Ils n'ont pu arriver jusque devant les remparts sans se faire remarquer qu'en massacrant les guetteurs et tous ceux des Thespiens qu'ils ont trouvés aux champs. Epiklês est brusquement traversé par l'image de son vieux père gisant égorgé au milieu de la cour de sa ferme. Dans la confusion qui l'entoure, il cherche Ménôn des yeux, et l'aperçoit, l'arme à la main, en train de combattre avec les Thébains. Malgré sa blessure à l'épaule, Epiklês se rue instinctivement vers lui, pour au moins entraîner ce traître dans le désastre, mais il est repoussé.

Alors il comprend que tout est perdu. Plus aucun espoir de fermer les portes, ni d'arrêter le gros de l'armée thébaine, qui se répand déjà dans les rues, en passant au fil de l'épée tous les habitants se trouvant sur son passage. Epiklês ne parvient à rassembler autour de lui que les deux fils d'Amphiaros et une dizaine de gardes. L'œuvre à laquelle il a consacré les deux dernières olympiades, constituer une armée thespienne autonome, est balayée en quelques minutes, dès le premier vrai combat, perdu à cause de la trahison de Ménôn mais aussi de sa propre négligence. Sa vie vole en éclat sous ses yeux. Tandis que des pensées de désespoir et d'abandon défilent dans sa tête, il continue d'agir mécaniquement. Crie par-dessus la mêlée l'ordre de repli vers la Porte de la Montagne. Donne à ses derniers compagnons la consigne de se disperser pour sauver leurs parents et de se retrouver le plus vite possible près du temple d'Erôs, au-dessus de la ville. Phaïdros envoie Euthynos, son frère cadet, prévenir leur père, mais reste aux côtés d'Epiklês. Avec l'énergie du désespoir, ils parviennent à se ruer hors du cantonnement et à se frayer un chemin vers le quartier du temple d'Aphroditê Mélaïna. Ils atteignent notre maison alors que les premiers Thébains s'acharnent contre la porte. Aram, qui a organisé la résistance avec les serviteurs, est parvenu à retarder les assaillants. Epiklês leur tombe dessus parderrière. Mêlée confuse.

Nous, à l'intérieur, les femmes et les enfants, nous nous sommes réfugiés à l'étage dans la grande salle paisible du gynécée où j'ai appris à tisser si laborieusement. Je me tiens debout au sommet de l'escalier, brandissant un tabouret de servante, dont je compte bien fracasser le crâne du premier assaillant. Celui que je vois arriver, couvert de sang, c'est mon père. Et, derrière lui, Phaïdros. Epiklês ne me laisse même pas le temps de me jeter dans ses bras, il rassemble tout le monde, et nous entraîne, au bas de l'escalier, vers le fond de la maison, en escaladant le muret du jardin intérieur, à travers les ruelles étroites qui serpentent le long des remparts. Les femmes courent sans savoir où les hommes les conduisent. Dans le sanctuaire d'Erôs ? Plus haut dans la montagne ? Mais, au moment où nous atteignons la porte de l'Hélikôn et où nous allons pouvoir nous échapper, nous sommes rattrapés par une vingtaine de guerriers thébains que conduisent Ménôn et Gorgidas. Mon père est avec Phaïdros, Aram et deux autres Thespiens les seuls guerriers survivants. Quelques esclaves sont armés de simples couteaux ou de gourdins. Les hommes tentent une dernière résistance mais, en quelques minutes, ils sont encerclés, blessés, désarmés.

Aussitôt, Ménôn s'approche d'Epiklês. Il l'insulte, le traite de fou. C'est à cause de lui et de son entêtement stupide que Thespiaï subit ce sort. Puis, tandis que plusieurs soldats thébains lui maintiennent la tête en arrière, il lui plante sa dague dans la gorge, qu'il cisaille comme celle d'un mouton de sacrifice. Je ne parviens même pas à hurler. Bruit mou de la lame qui s'enfonce dans la gorge de mon père, craquements lorsqu'elle déchire le cartilage, gargouillis ignoble du sang qui jaillit. Les yeux fous d'Epiklês, ses derniers spasmes entre les bras des soldats qui le maintiennent. Mais quelque chose d'autre, un geste vif à côté de moi attire mon attention, je tourne la tête et découvre que Phaïdros vient de subir le même sort des mains du jeune chef thébain qui lui a tranché la gorge avec son épée et qui, penché sur lui, le regarde tranquillement agoniser. Pétrifiée par l'horreur et par la panique, je reste les yeux fixés sur le corps de mon amoureux étendu par terre et qui tremble encore. Sa tête presque détachée sous la violence du choc. Sa gorge béante dans une hideuse grimace. Le corps de mon père est jeté sur le sol à côté de celui de Phaïdros et des deux autres jeunes gardes. Et moi, je crie, sans qu'un seul son ne parvienne à sortir de ma bouche.

Et cette image, les corps de Phaïdros et de mon père égorgés à mes pieds comme des bêtes sacrifiées, que j'ai obstinément refusée depuis plus de six années, maintenant elle est là !

Je ne veux pas le croire mais je ne peux plus le nier.

Ils sont morts depuis des années !

Ils ne viendront jamais me chercher !

Alors je m'arrête de parler. Mais je crie encore. Je crie dans ma tête. Je palpite de la tête aux pieds dans ce cri muet.

Et Hypereïdês, qui me sent trembler entre ses bras, tandis que je me vide devant lui de cette image, n'ose lui non plus, pour une fois, rien dire.

C'est un silence très long.

Je finis par relever la tête, les yeux brillants non pas de larmes mais de colère, la voix vibrante : "Voilà, je n'irai pas plus loin. Je t'ai dit tout ce que j'avais à te dire. Mais tu comprends pourquoi, lorsque je vous entends, Euthias et toi, parler d'aller mater la rébellion de Kéôs, instinctivement, je me sens du côté de Kéôs."
Nouveau silence.

Cette fois-ci plus court. Parce que, comme je ne sais pas comment en sortir, et lui non plus, soudain, je me penche vers lui. Je lui saisis le menton : "Tu ne sais plus quoi dire, pour une fois, petit Athénien ?" Je lui souffle à l'oreille : "Continue à te taire, alors, et aime-moi ! Fais-moi oublier tout ça, dont je ne sais plus maintenant pourquoi je te l'ai raconté mais que j'aurais mieux fait de ne pas me rappeler, comme me l'avait conseillé mon ancienne maîtresse Nikarêtê, qui connaît bien la vie." Je prends sa main pour la glisser d'autorité sous ma tunique entre mes jambes. Puis je fais ce qu'il faut pour qu'il aille et vienne le plus longtemps possible en moi. Mais je ne veux pas de plaisir. Je veux de l'oubli. Les gestes précis et rassurants du sexe me servent souvent à cela et cette nuit plus que jamais.
Ensuite, lorsque, malgré son trouble, il a joui, et que j'ai sombré, il me regarde longtemps dormir. Peut-être que, dans mon sommeil sans rêve, je le regarde me regarder ? Il essuie les larmes qui coulent de mes yeux, maintenant que je ne suis plus là pour les retenir. Lorsque je lui parais un peu apaisée, il se lève. Peut-être que, dans mon sommeil sans rêve, je l'accompagne ?
Peut-être qu'après ce que je lui ai confié, je n'ai pas envie qu'il m'abandonne ?
Peut-être qu'après ce que je lui ai confié, il est tout rempli de ma présence et m'emmène sans même le savoir avec lui ?
Peut-être que c'est à moi de veiller sur lui et non pas le contraire, à moi la femme de l'escorter dans sa tâche d'homme et de le protéger, comme je n'ai pas su assez le faire avec mon père et avec Phaïdros ?

21

LE PETIT MATIN DU DÉSENCHANTEMENT

Dans mon sommeil, je vois Hypereïdês qui sort de ma maison et qui marche sans une torche pour l'éclairer, sans un serviteur pour lui frayer le chemin, dans les ruelles obscures du Kérameïkos. Elles sont peuplées d'ombres, familières ou hostiles, qui tentent de le retenir mais qu'il traverse pour une fois à grands coups d'épaules. Il finit par déboucher sur l'Agora, dont d'ordinaire il aime à la folie l'agitation. Déserte à cette heure avancée, son esplanade irrégulière, découpée en tous sens de monuments et d'échoppes, est pourtant assez vaste pour le baigner, dès qu'il a dépassé l'autel des Douze Dieux, dans la clarté de la lune. Il s'arrête un instant. Il s'expose à cette solitude qu'il fuit d'habitude avec frénésie. Puis, longeant les bâtiments officiels et les baraques des marchands, il parcourt la Voix Sacrée. Chaque année, la procession des Panathênaïa y défile dans sa montée vers l'Akropolis, où toute la cité rassemblée offre à la déesse le péplos que les plus pures de ses filles ont tissé et teint d'un safran triomphal. En la remontant à cette heure où elle est totalement vide, il ressent, pour la première fois, de la distance par rapport à ces fêtes officielles. Il se sent un peu comme un Thespien qui se promènerait dans les ruines abandonnées d'Athénaï.

Arrivé au carrefour, il ne tourne pas comme d'habitude pour rentrer chez lui. Il a besoin de respirer. De se purifier les idées à l'air libre dans la netteté du matin. Alors, empruntant la rue des Trépieds, ne jetant qu'un coup d'œil au *Satyre* de Praxitélês, bien que des idées aussi étranges que les deux cornes de l'éphèbe de marbre commencent à bossuer son crâne de jeune Athénien, Hypereïdês contourne la colline et passe le long du mur qui le sépare du sanctuaire de Dionysos et de la galerie du théâtre. Cela encore le ramène vers moi : de l'autre côté de cette enceinte, le jour de l'ouverture du festival, j'ai pleuré sur la noblesse humiliée de la troyenne Polyxénê, alors que cette nuit, en lui confiant le désastre de ma propre cité, je n'ai pas versé une larme. Pourquoi ? Il plonge dans une rêverie un peu confuse. Lorsqu'il en émerge, il se dit qu'il est terrible d'écouter les femmes parler de la guerre, comme le grand Euripidês a su le faire en son temps. Terrible mais nécessaire : sinon, un homme n'a rien à dire de vraiment profond, ni sur la scène ni à la tribune de l'assemblée. Il pense alors à Euthias. Peut-être notre ami est-il encore lui aussi éveillé à cette heure matinale, en train de peaufiner les phrases de son intervention ? "Oh Euthias, s'exclame-t-il à voix haute, tu aurais dû rester avec nous ! Il aurait fallu que tu écoutes notre Mélitta te raconter Thespiaï et Kéôs, plutôt que d'aller écrire ton discours !" Il se remet à marcher. Maintenant l'écho de mes sanglots et celui de mes murmures le poursuivent dans le silence. Je lui ai fait comprendre de l'intérieur les désirs, la rage, la peur des habitants de Kéôs mieux que tous les orateurs pacifistes, le bêlant Euboulos et toute sa bande d'eunuques négociants. Je lui ai fait entendre la voix rauque du réel que j'ai su opposer au grand rêve d'unité abstraite de son camarade.

Hypereïdês boucle, sans même s'en rendre compte, le tour complet de la citadelle sacrée, sur laquelle il ne peut s'empêcher de garder les yeux rivés. Il aperçoit sous plusieurs angles la statue dorée de l'Athêna guerrière qui en garde l'entrée, la pointe de sa lance et le cimier de son casque luisant dans les lueurs de l'aube naissante. Déesse non plus protectrice mais de plus en plus hostile. Grâce à moi, aux accents de mon récit, il franchit une étape décisive dans le décentrement. Il se met brusquement à repenser au passé glorieux d'Athênaï qu'on lui a rabâché pendant son enfance, puis pendant ses années d'éphébie, et dont même les cours de Platôn, malgré leurs réquisitoires contre les errements de la démocratie, n'ont jamais réussi à le détacher tout à fait. Mais cette nuit, il le saisit de façon différente. C'est ma voix qui se met à parler en lui et qui lui en fait entendre une autre version, plus dérangeante encore que celle des philosophes. Il se met à penser aux Athéniens (et à lui-même avec eux) à la troisième personne. Il dit "ils" et non plus "nous" et, d'un seul coup, cela change tout. Il revoit toute l'histoire de sa cité, non plus de ce point de vue surplombant d'Athénien critique dont il était si fier, mais carrément du point de vue des autres, des alliés, des colonisés, dont il ne partage plus seulement les idées mais aussi les sentiments violents.

S'il commence par ressentir de l'admiration et de la reconnaissance, très vite il éprouve aussi du mépris. Oui, d'accord, c'est vrai, les Athéniens furent les seuls à tenter vraiment de penser la Grèce, lors des débuts euphoriques de la première Confédération, qui réunissait les îles et les deux continents au sortir de la Grande Guerre contre le Perse Xerxês, juste après le triomphe de Salamine. Il se souvient très bien qu'avec Euthias, il a souvent regretté de ne pas avoir vécu, plutôt que la médiocrité actuelle, cette époque exaltante de la libération, qui, même dans cette aube lucide où tout se décolore, reste aussi vive et pure que les couleurs éclatantes des temples de la citadelle. Mais ensuite, les Athéniens retombèrent dans leur nationalisme étroit. Ils commencèrent à se servir de la Confédération au lieu de la servir. Déplaçant de Dêlos le Trésor commun des alliés, ils l'enfermèrent derrière les lourdes portes de leur Akropolis, en prétendant qu'il y était plus en sécurité loin des razzias des mercenaires perses, mais c'était en réalité pour y puiser de quoi construire ces temples étincelants. La splendeur de ce Parthénôn, qui luit là-haut de tout son bleu et de tout son blanc dans le petit matin du désenchantement, elle n'est que la preuve éclatante de leur forfaiture. Les Alliés n'eurent plus le droit que d'apporter leur tribut, comme des vaincus qu'on fait semblant de respecter, une fois par an, lors de la grande fête mensongère d'Athêna. Ce matin, c'est avec leurs yeux remplis de dépit qu'Hypereïdês voit Athênaï se donner à elle-même le spectacle de sa propre puissance. Il voit les Athéniens, dans leur orgueil, envoyer sur les îles alliées des soldats et des colons pour y dicter leur loi. Il les voit trahir leurs propres idéaux. Eux qui avaient réussi la Résistance, manquer la Libération. Eux qui avaient réussi le combat contre les Perses, manquer le combat contre eux-mêmes.

Que se passa-t-il ensuite, se demande Hypereïdês, lorsqu'Athênaï acheva de se persuader qu'elle était l'unique capitale de la liberté ? Lorsqu'elle prétendit imposer aux autres la puissance de ses images fabriquées à la chaîne dans ses ateliers de potiers et de sculpteurs ou sur la scène de son théâtre ? Eh bien, se répond-il à lui-même avec ma voix, avec les sentiments que j'ai déposés en lui tout à l'heure, les cités et les îles commencèrent à la haïr en secret. Et quand la rage fut assez forte, à la grande surprise d'Athênaï, elle explosa au grand jour. Les Alliés les uns après les autres se rebellèrent et ce n'était que justice. Lakédaïmôn prit la tête de la révolte contre l'ancienne place forte de la révolte devenue celle de l'oppression. Ce fut l'inéluctable et libérateur désastre athénien. Athênaï défaite au nom de ses propres valeurs. Et depuis ? Depuis, rien, se dit-il dans un grand soupir désolé, épuisé par cette promenade autour de l'Akropolis et des temples luisants de l'imposture, qui l'a entraîné si loin de lui-même et l'a ramené à son point de départ, sous le regard narquois du Satyre cornu. Depuis, Lakédaïmôn, et maintenant, Thêbaï. De pire en pire. Les Grecs se déchirent, les Grecs s'oublient et la Grèce est en train de manquer sa chance d'advenir vraiment.

Alors que faire ? se demande-t-il, en tentant de reprendre son souffle et de dissiper les nuées de découragement et de fatigue qui lui obscurcissent l'esprit, appuyé contre la base de la statue, tournant enfin le dos à l'orgueilleuse citadelle qui le domine de toute sa hauteur. Est-il encore temps d'inventer une Athênaï capable de s'excuser des égarements colonialistes de la première Ligue, pour proposer enfin une nouvelle relation à ses anciennes colonies opprimées ? Oui, ce serait le seul moyen que la deuxième Ligue dépasse la première et devienne une vraie confédération ! Mais il y a urgence ! Cette nuit-là, Hypereïdês pressent que, si sa génération n'est pas capable d'inventer ça, alors non seulement la nouvelle Alliance est vouée à l'échec mais Athênaï elle-même s'écroulera, car elle ne sera plus assez puissante pour résister aux royaumes du Nord ! Le monde grec est si las de ces guerres incessantes entre les trois cités qui se disputent l'hégémonie, il aspire si désespérément à autre chose ! Soit la liberté, soit l'asservissement. Soit être libre vraiment, soit être soumis vraiment, à une puissance assez brutale pour ne plus lui laisser le choix et faire son unité malgré lui. Soit Athênaï donne enfin de la valeur à ses propres mots, soit elle sera balayée. "Oui, bientôt il sera trop tard, se répète Hypereïdês avec angoisse, en rentrant enfin chez lui, à la fois épuisé et exalté, et moi, qu'est-ce que je peux faire ? Si cette fille m'a fait assez confiance pour me livrer ainsi un pan de son passé, alors que d'habitude, elle se tait si farouchement, c'est qu'elle voulait me confier une mission. Laquelle ? Ne va-t-il pas être temps de me mettre à parler pour dire enfin quelque chose ? Pour transmettre cette voix bouleversante de la Thespienne et de son père à ceux des Athéniens qui seront capables de l'entendre ? Et déjà, à Euthias ?"

Alors, après quelques heures de repos, où il n'a pas réussi à dormir un seul instant, il se précipite chez son camarade. Il doit absolument lui parler avant que ce dernier ne soit sorti pour prononcer son grand discours devant l'assemblée ! Mais Hypereïdês, malgré sa hâte, fait un détour par ma maison, dans laquelle je suis à peine en train d'émerger du sommeil, étonnée de ma solitude, honteuse ou seulement nauséeuse de mon orgie de paroles. M'accordant à peine le temps de me parer, il m'entraîne presque de force chez notre ami. Hypereïdês veut que je sois là et que je lui donne du courage, au moment de se mettre à parler vraiment politique. Il a le trac de prononcer un discours dans lequel il va s'engager enfin tout entier, même si ce n'est que devant un auditoire de deux personnes. Il a besoin, dit-il, que je le soutienne de mon regard, qui peut être aussi profond et aussi rauque que ma voix. Sans doute aussi, d'un point de vue plus personnel, lui qui sait n'être que le deuxième de mes amants tient-il à me faire constater qu'il ne se défile pas face à son rival mais qu'il a le courage de répondre à l'appel de mon récit. Je ne comprends pas grand-chose à son exaltation mais je le laisse me tirer dans la rue par la main, ne serait-ce que pour ne pas me retrouver toute seule dans ma grande maison vide, face aux deux morts dont j'ai commis la folie de ressusciter le souvenir.

Nous arrivons chez Euthias. C'est la première fois que je pénètre dans la demeure familiale de celui qui se prend pour mon seigneur et maître. Je sais que ses parents, qui me redoutent, ne m'y accueillent que parce que je suis accompagnée d'Hypereïdês. Mon amant lui-même est surpris de cette visite que nous lui rendons pendant les deux jours où je ne lui appartiens pas. Ravagé par le trac, soumis à la pression de son père, qui se rengorge de fierté à l'idée que son fils va prendre la parole devant l'assemblée et qui va sûrement lui reprocher de distraire le moindre moment de ses ultimes préparatifs, il prend néanmoins le temps de nous entraîner dans sa chambre, pour écouter ce que nous avons à lui dire de si important.

Enfin, ce qu'Hypereïdês a à lui dire (moi, je les écoute, maussade, en me taisant). Le Sanglier attaque bille en tête. Sans mentionner mon récit, il confie à son ami qu'il a passé toute la nuit à faire le tour de la colline sacrée et à repenser aux événements de Kéôs. Bien sûr, il ne nie pas que les ambassadeurs d'Athênaï et leurs partisans aient été massacrés par traîtrise mais, avant de réagir par la violence à la violence, ne faut-il pas s'interroger ? "Pourquoi, demande-t-il à Euthias, pourquoi les habitants de Kéôs, qui ont intérêt autant que les Athéniens à une alliance contre le Grand Roi, pourquoi se rebellent-ils contre ceux qui prétendent leur apporter le salut ? Pourquoi, malgré nos promesses d'il y a dix ans, prêtent-ils l'oreille à ce que leur murmurent les partisans de Thêbaï, à savoir que la liberté n'est qu'un prétexte dont se sert une nouvelle fois Athênaï pour leur imposer son oppression politique et son exploitation économique ? Voulons-nous leur laisser croire que ce mensonge est la vérité ? Alors envoyons-leur Aristophôn et son corps expéditionnaire ! Imposons notre démocratie par les armes, et, dans quelques mois, même si nous avons rétabli l'ordre à Kéôs, nous aurons sur les bras la révolte semblable d'autres îles et d'autres cités. Nous aurons tué l'Alliance en prétendant la sauver de force."

Hypereïdês raconte encore à son ami qu'en revenant chez lui, après son errance hallucinée autour de l'Akropolis, il n'a pas réussi à dormir. Lui aussi, comme Euthias, il s'est mis à relire le *Panégyrique d'Athênaï*. Dans ce discours déjà ancien, leur maître Isokratês avait tout prévu, même Kéôs et les difficultés présentes. Ne leur a-t-il pas confié souvent, à la fin de ses cours, que, pour de jeunes Athéniens épris d'idéal, le plus grave danger était de manquer de patience ? Que la liberté ne s'impose pas par la force et dans l'urgence, mais par un lent travail sur les esprits ? Et c'est pourquoi, ajoutait le professeur en souriant, un intellectuel comme lui est bien plus efficace qu'un militaire, même si les bellicistes tentent de vous vendre l'idée contraire. D'ailleurs, poursuivait-il, Homêros, le Vieux Poète le savait déjà, lorsqu'il racontait dans l'*Iliade* que les Troyens redoutaient beaucoup plus le rusé Odysseus, qui savait réfléchir, que le courageux Ajax, qui ne savait que se battre. Une cité qui compte sur ses soldats pour imposer ses idées aux autres, répétait-il à ses disciples, est vouée à l'échec. Celui inéluctable de Thêbaï, malgré ses succès actuels, et celui tout aussi inévitable d'Athênaï, si nous trahissons une nouvelle fois les principes universels que nous avons su formuler mais que nous nous révélons, à chaque occasion, désespérément incapables d'appliquer.

"Alors, reprend Hypereïdês avec force, après ce moment où il a réussi à tirer un sourire à son camarade en évoquant les conversations avec leur vieux maître, le véritable enjeu des événements dramatiques de Kéôs, il est là : savoir résister à la tentation expéditionnaire d'Aristophôn, oublier le sang versé, même si c'est le nôtre, faire preuve de la hauteur de vue nécessaire pour redonner à la seconde Ligue des fondations enfin solides. Athênaï n'a le droit de commander à ses alliés que parce qu'elle a le devoir de placer ses propres intérêts après les leurs ! Voilà l'exigeante leçon morale qu'il faut retenir d'Isokratês !" C'est pourquoi Hypereïdês est venu persuader son ami et son frère d'âme de plaider devant l'assemblée pour la modération. Pour l'envoi à Kéôs, non pas d'un corps expéditionnaire commandé par ce soudard obtus d'Aristophôn, mais d'une vraie ambassade ! Appuyée par des soldats, bien sûr, afin de se faire respecter, mais ayant expressément pour mission politique d'écouter, de négocier, et de réécrire le traité. De cette ambassade, lui, Euthias, pourrait prendre la tête. "Tu dois aller à Kéôs, insiste Hypereïdês, non pas pour réprimer mais pour commencer à refonder l'alliance ! Bien que tu sois encore jeune, tu es le seul qui ait l'énergie et l'intelligence nécessaires !"

Hypereïdês ne défend pas les habitants de Kéôs seulement par fidélité à Isokratês, mais aussi par tendresse pour moi. Bien que j'aie accepté de l'accompagner, il remarque que je ne parais pas plus m'intéresser à cette conversation qu'à toutes celles où ils parlent politique. Il ne peut guère se douter de ce que je ressens : troublée de me trouver pour la première fois dans la chambre d'Euthias, mais dissimulant derrière un sourire de façade cette émotion intime, que je suis surprise moi-même d'éprouver avec une telle profondeur, je feins de les écouter en restant comme d'habitude légèrement lointaine et suprêmement indifférente. Alors, pour achever de convaincre son ami dont il sent qu'il a du mal à renoncer à sa logique guerrière, pour ne pas laisser se perdre l'un de ces beaux développements pathétiques auxquels il n'a jamais su résister, même dans le plus minable des prétoires, mais aussi pour m'obliger à être avec eux, Hypereïdês se met à parler de moi. Il commence à raconter à son ami ce que je lui ai confié la nuit dernière du rêve d'Epiklês de Thespiaï.

Il n'obtient pas du tout le résultat escompté. Autant il a été lui-même bouleversé par la lueur sinistre que j'ai jetée sur mon passé, autant Euthias, qui l'écoutait jusque-là avec intérêt, presque en hésitant, en vacillant dans ses certitudes, paraît, au seul nom de Mélitta, se cabrer et revenir en arrière. Peut-être ce parfait Athénien ne supporte-t-il pas qu'une femme ait quoi que ce soit à lui apprendre en politique ? Peut-être mon amant est-il trop douloureusement attaché à moi pour accepter qu'une quelconque révélation ne vienne modifier notre relation instable, qu'un coin aigu de ma personnalité ancienne ne vienne appuyer directement sur son cœur à vif, ce qui explique pourquoi, s'il est des deux le plus amoureux, il s'est montré aussi, depuis le début, le moins curieux ? Peut-être est-il tout simplement vexé que ce soit à Hypereïdês et non à lui que je me sois confiée ? En tout cas, il se crispe, il se ferme, il hausse les épaules. Thespiaï ? Rien à faire ! Le passé de Mélitta ? Rien à faire ! Cela ne concerne que notre vie privée ! Quel rapport avec l'urgence de la situation à Kéôs et les intérêts supérieurs d'Athênaï ?

Hypereïdês devrait insister pour faire de ce bloc brut de confidences un vrai développement oratoire. Mais il n'en a pas le temps. Lorsque je comprends qu'en osant prononcer le nom d'Epiklês, il envisage d'exhiber sans pudeur le souvenir de mon père, je sors soudain de ma retraite. Presque brutalement, je lui intime l'ordre de se taire. Jamais, depuis le soir de nos tout débuts où il avait cherché à forcer mes confidences, je ne l'avais regardé avec cette expression, non plus d'indifférence affectueuse mais d'infranchissable hostilité. Il avait oublié, ne m'ayant plus connue ensuite que dans l'alanguissement des fêtes de l'été athénien où il s'endormait entre mes bras, à quel point, moi, la fille si fragile, si hésitante jusque dans mes brusques coups de tête, je pouvais, d'un seul coup, devenir un bloc de dureté. En plein milieu d'une phrase, Hypereïdês se tait, un peu honteux, saisissant qu'il est en train de me trahir, que je ne lui ai confié une bribe de mon passé qu'à la condition tacite qu'il n'en parlerait jamais à personne. Il se demande s'il n'est pas par son indiscrétion en train de nous condamner pour toujours au badinage et au jeu des portraits.

C'est le silence. Le silence des deux bavards pour une fois muets, des deux amis dressés pour la première fois l'un contre l'autre. Et moi, entre eux, au lieu de désamorcer la tension comme une bonne hétaïre devrait le faire, de les apaiser l'un et l'autre d'un même sourire charmeur, je me rétracte dans ma coquille parce qu'ils viennent de toucher ma peau à vif et je les laisse se regarder avec colère.

Alors Euthias me surprend. Faisant un effort sur lui-même, il parvient à se détendre. Ils se remettent à discuter mais c'est mon amant cette fois qui cherche le dialogue : "Que faut-il faire, Hypereïdês ? Tu me fais hésiter et maintenant je me demande ce que je dois proposer tout à l'heure. En tout cas, il y en a un que notre conversation amuserait beaucoup, s'il l'entendait : c'est ton ami Léôkratês ! Tu sais ce qu'il m'a confié ? Que l'intervention militaire d'Aristophôn pouvait rapporter beaucoup à sa fabrique d'armes, puisqu'il venait de conclure un marché avec l'État, mais qu'une ambassade du pacifiste Euboulos favoriserait tout autant ses autres affaires d'import-export avec les Iles. Bref, ce profiteur m'a bien fait comprendre qu'il s'était arrangé pour gagner sur les deux tableaux. Il ne considère l'Alliance que comme un moyen de faire de l'argent. Le reste, la démocratie, la liberté, il s'en moque, il nous le laisse. Son cynisme te fait sourire ? Tu prétends mépriser ces commerçants, à qui nous avons abandonné le souci de notre intérêt général, bien qu'ils n'aient d'autres valeurs que leurs intérêts particuliers, mais, dans le fond, tu ne fais rien pour leur reprendre Athênaï, dont ils se servent avec ta complicité passive !

— Je préfère prendre le risque de ne rien faire que d'aller massacrer les habitants de Kéôs sans savoir pourquoi.

— Moi, j'ai envie d'agir, même si je me trompe ! De me battre pour sauver cette Ligue, si imparfaite soit-elle. Notre génération a la chance de voir renaître Athênaï et l'union de la Grèce, après le désastre absolu de la Guerre du Péloponnèse. Je ne suis pas comme Kratês, moi, j'y crois encore !

— D'accord. Je te soutiens. Je vais avec toi à Kéôs si c'est pour négocier.

— Négocier ? Parler face aux Thébains ? Mais tu vis dans quel rêve, Hypereïdês ?"

Leurs paroles s'impriment profondément en moi. Après la tension de tout à l'heure, c'est un moment plus apaisé, où l'un comme l'autre fait la grâce à son camarade d'écouter ses arguments et de tenter de les comprendre. Ils cherchent ensemble le bien commun. Et moi, je reviens sans effort avec eux au milieu de cette pièce réelle, parce que j'ai soudain l'impression de les y découvrir tels qu'ils étaient dans l'innocence de leur jeunesse, avant de me connaître. J'en éprouve presque de la nostalgie. Euthias voudrait comme moi que cette conversation ne s'arrête jamais et qu'il n'ait pas à nous quitter pour partir vers l'assemblée. Isolé avec les deux êtres qu'il aime le plus au monde dans la demeure familiale où il a toujours vécu, sentant à ses côtés ma présence silencieuse mais pour une fois bienveillante, ainsi que celle rassurante de son ami, il en oublie presque les magouilles de politicien véreux dans lesquelles il a commencé à plonger les mains pour contribuer à l'entretien de ma maison. Par exemple le fait que c'est lui qui a permis à Léôkratês d'obtenir le marché public d'armement et qu'il touchera une nouvelle commission s'il parvient à faire voter l'envoi d'une expédition à Kéôs. Il se retrempe dans notre discussion comme dans une eau fraîche qui lui fait du bien. Une eau de raison dans laquelle il peut se purifier des sentiments troubles qu'il éprouve à mon égard. Il pense soudain à ce bain que prennent chaque soir les jeunes gens de Lakédaïmôn dans l'Eurotas pour se délasser des fatigues de leur journée de soldat : lui, l'Athénien, il se plonge dans une rivière de mots pour oublier les élans confus de nos nuits, leurs suées de désir et d'angoisse. Pour redevenir le jeune homme solaire qu'il a été mais que, malgré les apparences, et malgré ses propres déclarations enflammées à Hypereïdês, il craint de n'être déjà plus. Comme un Dionysos, qui, cessant de dodeliner de la tête dans les flammes des torches érotiques, s'assiérait au petit matin pour jouer posément de la lyre politique et redevenir Apollôn.

Puis, comme il n'est plus temps de parler mais pas encore de se lever pour aller à l'assemblée, que nous sommes jeunes, qu'il a peur, que je suis là pour le rassurer, ou seulement le délasser, Euthias pose la main sur moi. Bien que ce ne soit pas le jour où je lui appartiens, Hypereïdês le laisse faire. Moi aussi. Mon amant se trouble de me faire l'amour dans la chambre de son enfance. Il me retourne gauchement sur les coudes. Puis il invite son ami à l'aider dans son entreprise amoureuse en me prenant par-devant, tandis qu'il me pénètre comme d'habitude par-derrière. Peut-être, s'ils s'y mettent à deux, leurs mains, leurs épaules, leurs hanches, leurs langues, leurs cuisses, leurs verges seront-elles assez multiples pour me forcer dans ma retraite ? Mais ils n'y parviennent pas. En m'abandonnant, je me dérobe encore. Euthias le sent bien. Alors, comme moi la veille, enfermé en lui-même, il ne cherche plus que l'oubli. Il me crie son oubli, au risque de tirer tout le monde de sa sieste dans la maison familiale. Il se le crie à lui-même.

Peu après, je dors ou je fais semblant. Euthias est toujours éveillé et Hypereïdês aussi. Mon ami dit à mon amant en le regardant dans les yeux : "Cette fille-là, tu vois, elle n'est pas comme les autres ; on ne la prend que si elle y consent. Peut-être ne sommes-nous pas ses maîtres, mais seulement les gardiens chargés provisoirement de veiller sur elle ?" Il ajoute en souriant : "Moi, en tout cas, ça me convient bien, d'être son sanglier domestique. Tu devrais essayer de te tenir d'elle à la même distance que moi, c'est un peu frustrant mais aussi très doux, je t'assure." Hypereïdês passe son index velu sur ma joue, retrouvant sans le savoir le geste qu'avait mon père avant de commencer ses récits. Il se demande si je suis en train de rêver à Epiklês et si c'est pour cela que je fronce les sourcils dans mon sommeil. Euthias ne répond rien.

Mais quelques heures plus tard, sous le soleil à peine déclinant de l'Assemblée extraordinaire, il plaide avec clarté pour l'intervention militaire. De toute façon, il s'était trop avancé du côté des bellicistes pour pouvoir changer d'avis au dernier moment. Il obtient par un vote massif du peuple d'accompagner Aristophôn afin de régler définitivement le problème de Kéôs et des autres Îles du Sud qui pourraient être tentées de la suivre.

Les jours suivants, le cœur soudain allégé, se laissant envelopper dans la fierté de son père et l'inquiétude rassurante de sa mère, il fait ses préparatifs. Il se dit que, moi aussi, de mon côté, sans un regret, je m'apprête à le quitter. La fin de mon année d'engagement auprès de mes deux maîtres coïncide avec le début de l'expédition : j'ai demandé à racheter ma liberté la veille du départ des soldats. Hypereïdês y a consenti aussitôt, dans un sourire bienveillant. Euthias a fini lui aussi par me donner son consentement, à condition que la cérémonie soit rapide : il n'a que quelques instants à distraire des tâches d'homme d'État qui l'accaparent et l'empêchent même de passer entre mes bras ses deux dernières nuits de propriétaire légitime. Hypereïdês est obligé de beaucoup insister pour qu'il accepte de faire une apparition à la fête que je donne le soir de mon affranchissement. Euthias est persuadé que je refuserais de conclure un nouveau contrat d'exclusivité avec lui, même si, par malheur, il disposait d'assez d'argent pour me le proposer. Mais il s'en moque désormais. Il a trouvé lui aussi le moyen de se libérer de moi : la guerre, le sang, les larmes. À Kéôs, il sera enfin seul. Enfin lui. Lorsqu'il reviendra triomphant de son expédition, il m'aura oubliée. Il sera redevenu l'homme libre et indépendant qu'il était avant de me rencontrer. Le jeune dieu en promesse. Alors, à mon tour, je me mettrai à le poursuivre, à quémander ses faveurs, à dépendre de lui, mais il se jure d'avance qu'il ne fera pas l'erreur de retomber entre mes bras.

Ainsi, ce n'est pas seulement le sort de l'Alliance mais son destin personnel que l'éphèbe athénien va défendre à une journée de mer loin de moi sur la route du Sud.

22

LES YEUX FERMÉS MON VISAGE

Mais, pendant toute cette année où je suis l'esclave personnelle d'Hypereïdês et d'Euthias, ce ne sont pas mes deux maîtres qui occupent le plus mes pensées. C'est lui, encore lui : le Sculpteur. Lui que j'ai manqué, lui avec qui j'ai coupé les ponts mais lui dont je sens en permanence, à travers la foule, les yeux posés sur moi.

Pourtant, depuis qu'il s'est marié, il travaille beaucoup et ne cherche pas une seule fois à me revoir. Ni à me faire poser ni à coucher avec moi. Même si je lui ai promis que je me débrouillerais pour que mes nouveaux propriétaires m'en refusent l'autorisation, je suis vexée qu'il ne me le propose pas. Une pensée folle me vient certains matins où je rentre plus tard que d'habitude, ou bien certains soirs de lassitude : partir, en laissant tout derrière moi, vers Thourioï, la cité lointaine de Grande Grèce à laquelle il a vendu notre statue, et me placer de nouveau face à elle, comme je l'ai fait dans l'atelier le jour de la présentation publique. N'étant encore qu'une esclave qui ne s'appartient pas, je suis obligée de réfréner cette lubie, qui n'est peut-être qu'un mouvement narcissique, le désir naïf de m'admirer sous les traits d'une déesse, parce que l'étain poli de mes miroirs et les yeux respectueux de mes amants ne me suffisent plus. Pourtant, je fais parfois quelques pas de plus dans la forêt de cette rêverie dangereuse, jusqu'à m'approcher des marches du temple secret où m'attend la statue de la chasseresse farouche. Je pressens que je voudrais m'admirer devant elle, non pas telle que je suis devenue, telle que je me suis fabriquée, mais telle que j'aurais pu être et que le Sculpteur a été seul à me voir. Désir fou de retrouver ma statue pour ne pas m'oublier tout à fait. Non, non, pas question de l'admettre, vite, je reviens en arrière, dans la clairière lumineuse de ma belle maison de femme entretenue, je saisis mon miroir, j'y fais jouer le soleil pour m'éblouir et me ramener à l'éclat de ma prospérité. Ou bien je sors pour retrouver mes amies au bain public et m'éclabousser avec elles de jeux et de scandales.

Je n'aime pas non plus m'avouer que, si je rêve d'aller voir la statue à Thourioï, c'est pour ne pas l'oublier, lui, le Sculpteur, que je croise si peu dans notre vie réelle à Athênaï. À travers son œuvre, je voudrais rester en contact avec lui. Il me manque. C'est moi qui ai sèchement rompu, lorsqu'il a refusé de me racheter, mais j'ai l'impression d'avoir été abandonnée. J'ai la nostalgie de lui, que j'ai si peu connu. Bien qu'il soit encore vivant et qu'il demeure dans la même ville que moi, il est devenu l'un de mes absents.

Mes sentiments à son égard, dans ce moment de vacance où je ne le rencontre presque jamais, continuent d'évoluer, de se métamorphoser, de s'épurer. Même si je m'en défends, il est le seul homme à m'impressionner vraiment, alors que je commence à être entourée de personnages célèbres. Pourtant, lorsque je laisse ma rêverie se fixer sur lui, je sens bien qu'il ne me plaît pas, en tout cas pas physiquement, ou pas beaucoup. S'il m'occupe encore plus depuis que je ne le vois plus, c'est parce qu'il me subjugue, oui, c'est le mot exact, il me subjugue, moi, la rebelle, à sa façon autoritaire et lointaine. Je ne le désire pas, ou pas beaucoup mais il réveille mon besoin très ancien d'admirer. Ce n'est pas un sentiment si facile à décrypter pour une fille d'à peine vingt ans, surtout dans ce milieu où l'on me demande de réfléchir le moins possible afin de laisser les autres disserter sur moi à leur aise. Mais je devine pourtant qu'une des choses qui me trouble chez le Sculpteur, c'est précisément qu'entre nous deux la relation de fascination s'inverse. Et j'aime déjà tellement cela, que les relations s'inversent ! Surtout celle-ci, la vénération, où l'homme admire la femme et l'oblige à se taire pour mieux l'admirer. Après m'avoir amusée, désormais elle me pèse. Avec Praxitélês, même s'il n'a rien d'une femme, pour une fois, je suis l'homme. C'est moi qui le recherche. Moi qui le courtise. Moi qui, me promenant au hasard accompagnée de toute ma cour dans la rue de son atelier, ose parfois les y entraîner l'air de rien, juste pour saluer l'artiste, avec le faux enjouement d'une habituée des lieux parfaitement à son aise. Je sais que je le dérange dans son travail mais je prie les dieux qu'en me reconnaissant au milieu de ce groupe d'importuns bruyants, il veuille bien se déplacer pour m'accueillir. Et quelquefois, mais pas toujours, j'ai le bonheur qu'il le fasse.

J'éprouve une émotion encore plus subtile, lorsque l'un de ses assistants, Sthennis, qui cherche à me charmer, ou Androsthénês qui me fait la tête, m'informe que le maître est absent. Parce qu'alors, repoussant d'un geste ceux qui prétendent m'escorter, je vais me promener seule à travers les ébauches et les moulages. Cela m'est très doux, bien que je sois souvent dépitée de découvrir quelque *Artémis* ou quelque *Lêtô* dont le visage ne ressemble pas au mien, et quelques autres figures mythologiques que je ne suis pas assez cultivée pour identifier mais dans lesquelles j'ai la douleur de reconnaître les traits ou le buste d'une de mes rivales. Oui, je préfère qu'il ne soit pas là quand j'ose entrer dans son atelier, pour éprouver le plaisir interdit de pénétrer à son insu dans son cerveau d'artiste, d'y surprendre ses secrets et ses goûts d'homme, et de m'approcher, sans qu'il le sache, de ce qui est vraiment lui.

Lorsque je passe nonchalamment au milieu de mes admirateurs dans la rue des Trépieds devant son *Satyre*, le jeune homme au sourire distant et aux cornes sauvagement pointues, je m'arrête parfois avec une fausse indifférence pour écouter les sottises qu'ont à en dire les autres, tout en rêvant à ce que le Sculpteur lui-même a bien voulu m'en révéler un matin de promenade. Je me trouble parfois de le croiser en personne à l'improviste sur l'Agora, lors d'une cérémonie publique, d'un départ vers une fête, lui adressant un signe discret de mon éventail, auquel il ne répond pas toujours. Je tente, les soirs de banquet où je sais qu'il est invité lui aussi et où je m'arrange pour arriver en retard, d'inciter adroitement Hypereïdês ou Euthias à s'installer le plus près possible de sa banquette, même si je sais très bien que mes deux amants, tout en admirant son œuvre, ne recherchent guère sa compagnie, car les grandes idées politiques ou les potins judiciaires l'indiffèrent autant qu'ils les passionnent. Je perçois confusément que cet homme constitue pour moi le même mystère, à la fois attirant et un peu agaçant, que je représente aux yeux des autres. Une présence absente. Il ne fait jamais l'effort de m'adresser le premier un sourire ou un compliment, alors que j'en suis accablée par tous les imbéciles qui m'accompagnent. Il ne prend jamais la peine de me faire présenter par un serviteur une coupe de fruits, comme mes admirateurs s'en disputent la faveur avec une assiduité exaspérante. Je pourrais m'en vexer et je m'en vexe parfois. Je suis furieuse qu'il m'ait autant oubliée après avoir obtenu de moi ce qu'il voulait, le reflet de la déesse dont il m'a dépouillée en m'abandonnant à mon sort. Je le traite d'ingrat et je jure de me venger par une rebuffade publique à la première occasion. Mais ce mouvement d'humeur ne dure pas. Je me résigne à ce qu'il soit le seul à ne m'adresser aucune marque d'intérêt alors qu'il est le seul dont je les attends. C'est moi, chaque fois, qui dois faire les premiers pas, l'effort des premiers mots, qui sont parfois rapidement les derniers, tant nous ne trouvons à nous dire que des banalités sur la douceur de l'air du soir, le festival de théâtre qui approche, l'arrivée des ambassadeurs de l'Alliance.

Jamais nous ne reparlons de l'*Artémis*. Je n'ose pas. Et lui ? Même si la fille réelle que je suis ne l'intéresse plus, cette figure-là en moi, l'Artémis, elle doit quand même avoir du prix pour lui, non ? Alors pourquoi ne m'en parle-t-il pas ? J'en viens à interpréter son silence de mille manières différentes. Est-ce aussi parce qu'il ne me complimente jamais sur la finesse des tissus de mes tuniques que je les porte de moins en moins transparentes ? Parce qu'il ne remarque jamais le travail précieux de mes bijoux que je m'en dépouille peu à peu ? Réduite à l'essentiel, à la bague qu'il m'a donnée et qui remplace celle de ma mère, je voudrais parfois ne plus exister que sous son regard exigeant.

Peu à peu, je remarque un changement dans son attitude. Même lorsque, par hasard, dans une fête, nous nous tenons côte à côte, nous restons éloignés l'un de l'autre, mais je sais qu'il ne va pas me quitter des yeux. Qu'il va me regarder sans rien dire avec une intensité obsédante. Pour m'examiner, me juger, à l'aune de ce que j'ai été pour lui un matin dans son atelier ? Ou bien, au contraire, me trouver encore un petit peu belle dans la réalité ? Je ne sais pas. Ce regard n'est pas bienveillant, il n'est pas hostile, il est juste profond. Je finis par m'y habituer, par le rechercher presque. Praxitélês m'observe mais c'est lui qui m'intrigue. À quoi pense-t-il en me regardant, je me le demande comme les autres se demandent à quoi je pense en ne les regardant pas. Nous sommes deux reflets de la même énigme. Il est aussi silencieux, aussi rêveur, aussi absorbé en lui-même que moi, lancé lui aussi dans une quête dont je me souviens, pour l'avoir partagée une fois, à quel point elle est malaisée, à quel point ses contours sont mal définis. C'est en cela, son inquiétude, qu'il me ressemble le plus. Et puis, dans cette ville où, de l'assemblée à l'Agora en passant par les différentes salles où se tient chaque jour le tribunal, de l'école de Platôn au nord à celle d'Isokratês au sud et jusqu'aux entrepôts du Port, dans cette ville où l'on n'admire rien

406

tant que les divers commerces du langage, la recherche du Sculpteur ne passe pas par les mots, et en cela, il m'est proche.

Est-ce pour cette raison que, me trouvant exposée à son regard sans complaisance, je me sens pourtant rassurée ? Oui, voilà, rassurée, c'est le deuxième mot qui convient après celui de subjuguée. Je me sens à la fois abandonnée, confortée et complice. Un autre solitaire, que je peux accompagner, non pas d'un de ces sourires légers qu'il ne me rend pas toujours mais d'un de ces gestes denses que je trouve parfois. Il cherche son chemin silencieux dans la tempête de cette ville bavarde en gardant les yeux fixés sur moi comme sur une étoile lointaine. Le seul qui, pendant ces quelques mois de vide, m'observe avec une aussi muette fixité, parce qu'il méprise le langage autant que le Sculpteur, mais pour des raisons bien différentes, c'est Léôkratês l'armateur. Son regard vulgaire. Son regard étouffant. Autant que le serait, pesant sur le mien, ce corps d'homme épais dont il cherche à m'imposer l'idée, ses aisselles, son ventre velu, sa verge, que j'imagine large et plate comme la tête d'un serpent se dressant au-dessus du mulot qu'il s'apprête à avaler. Ce regard m'exaspère et m'effraie autant que celui du Sculpteur m'intimide et m'exalte. Lorsque j'en parle à Hyperereïdès, ce dernier éclate de rire, et je n'en dis rien à Euthias, parce que je me méfie de la violence de ses réactions. C'est aussi pour échapper à l'insistance malodorante de Léôkratês que je me baigne si volontiers dans l'attention purificatrice de Praxitélês.

De plus en plus souvent, j'en viens à m'exposer moi-même de loin, le temps d'un banquet, à l'examen de ces yeux d'artiste, à ce feu revigorant et aussi exigeant que celui qui fixe le bronze dans le moule. Pour lui plaire, je m'efforce de donner à chacun de mes gestes d'hétaïre, chacune de mes attitudes codifiées, une grâce plus intense et plus voluptueuse à la fois. Je sais très bien que je cours le risque alors de devenir apprêtée, maniérée, artificielle, moi qui n'aime rien tant que le naturel, mais je parviens parfois, pendant quelques minutes, me tenant en équilibre sur la crête, à être parfaitement juste, et parfaitement courbe. Et lui, le Sculpteur, il le remarque aussitôt. Son œil exercé perçoit de l'extérieur cette plénitude du geste que je ressens de l'intérieur. Alors il me sourit. À moi ou à celle qu'il voit surgir de moi. En pleine rue, ou sur un lit de banquet, à l'insu de tous ceux qui ne savent pas regarder, je prends pour lui fugitivement la pose. Je redeviens sous ses yeux cette pensive incarnation de la grâce que je pourrais être aussi et, le temps lumineux d'un geste, je ne m'oublie plus. Mnasaréta. Celle-qui-se-souvient-de-sa-valeur. Je ne mérite mon nom ancien que lorsque le Sculpteur pose les yeux sur moi. C'est un jeu tacite qui nous réunit. C'est une danse. C'est une danse faite d'attitudes quotidiennes, et si lente – quelques gestes épars – qu'elle en est presque immobile. C'est une muette, secrète, intense chorégraphie amoureuse que je ne poursuis par fragments que pour lui, en plein milieu de la foule, de fête publique en fête intime, sans que nos voisins ne se doutent de rien.

Mais cette parade d'amour, incessamment recommencée, ne débouche sur aucun vrai contact. Il ne fait jamais un geste en retour. Je cherche à m'en contenter, à goûter le plaisir subtil de la grâce qu'il m'autorise sans imaginer d'au-delà. Son regard, c'est celui du dieu lointain de ma jeunesse, dont il me permet même de ne pas préciser l'image ni le nom. Une parade d'amour mais sans amour. Donc sans danger.

Ce que j'ignore, c'est qu'il ne fait pas que me regarder. Quand je ne suis pas là, j'existe encore plus, sous ses yeux fermés.

Ce qu'il voit : son premier vrai portrait.
Même pas un buste, une simple tête.
Mais née de l'écume.
Elle a surgi un jour d'un fragment de marbre jeté au rebut dans un coin de l'atelier. Tandis qu'il rêvait sans but, cet éclat l'avait frappé peut-être par sa forme vaguement allongée, par les brusques ondulations de l'arête où le marteau l'avait détaché du bloc et qui pouvait évoquer une chevelure, par le poli naturel d'un angle esquissant peut-être un nez. Ses mains durent le ramasser et commencer à le tailler par distraction. Soudain, revenant un peu à la réalité, il finit par se rendre compte de ce qu'elles étaient en train de faire surgir de la pierre : un visage. Et pas n'importe lequel. Ni celui d'Artémis, ni celui de Lêtô, non, simplement mon visage humain. Il s'arrêta, figé par la surprise. Pourquoi ses mains faisaient-elles naître le profil de cette petite flûtiste avec laquelle il n'avait couché que deux ou trois fois ? Oh, bien sûr, il m'avait découverte un matin de pose exceptionnel, et puis j'avais réussi une fin de banquet confuse à lui soutirer sa bague de Lêtô, il se souvenait même de m'avoir croisée plus de quatre années auparavant sous le rayon d'un soleil lointain dans l'arrière-cour d'une maison du Port. Mais il s'était beaucoup éloigné de moi ces derniers temps, nous avions presque perdu contact, depuis que je lui avais fait cette proposition absurde de racheter ma

liberté plutôt que de se marier. Je vivais maintenant dans l'entourage de ces deux jeunes gens à la mode, dont l'un par son énergie puissante et l'autre par son impérieuse beauté, l'intéressaient mais aussi le fatiguaient, dont il se disait qu'il faudrait les obliger à se taire, eux et tous leurs amis, pour qu'ils eussent vraiment quelque chose à exprimer. Oui, à un moment, il avait été proche de moi, ou il aurait pu l'être, mais désormais, il se sentait très loin. Et c'était dans cet éloignement que je surgissais du marbre sans crier gare ? C'était au moment où j'étais la plus distante de lui que la pierre lui donnait ce qui en moi lui avait toujours échappé jusque-là, même dans les deux statues qu'il avait inventées en me prenant pour modèle ? Ce dont il n'avait jamais réussi à saisir qu'un éclat fugitif, un plissement des sourcils, un sourire-grimace, et qui, là, s'il ne raisonnait pas, s'il se laissait faire, comme l'outil stupide que doit savoir être un sculpteur, allait lui être accordé miraculeusement : mon visage ? Qu'est-ce que ça pouvait bien vouloir dire ? En tout cas, dans cette distance, pour la première fois, il commençait à me voir. Moi, et pas une autre en moi, pas une déesse. À me comprendre. À me saisir de l'intérieur. En laissant sa pensée divaguer au rythme de ses mains, il prenait vraiment conscience que, de la petite putain malhabile, de la petite flûtiste anonyme, la vie cherchait à créer sous ses yeux une hétaïre somptueuse, exactement comme de ce bloc de pierre mal dégrossi et jeté dans un coin s'ébauchait la précise splendeur d'un visage. Le destin me sculptait, autant que lui.

Et puis, au sortir de cette première prise de conscience, Praxitélès comprit qu'il ne lui fallait pas s'interroger plus avant sur moi, mais seulement laisser ses mains penser à sa place. Il eut quand même peur de gâcher le miracle. Après ce moment de découverte spontanée, il renonça à me tailler directement dans la pierre, il préféra m'ébaucher d'abord, non pas à la glaise, comme il avait toujours procédé depuis ses premières têtes de nymphe, mais à la cire. Ce morceau de marbre encore presque brut qui me contenait pourtant en puissance, il le posa au-dessus de son établi, pour rester en contact avec lui et ne pas le quitter des yeux, tandis qu'il laissait ses mains par en bas, sans presque les regarder, informer la matière molle.

C'est à ce moment-là qu'il commença à me dévisager : pour vérifier les découvertes de ses mains.

Et, depuis, il le fait avec tellement d'insistance qu'il prend le risque que je m'en aperçoive et que je m'en offusque, ou m'en agace. Et qu'aussitôt, suivant mon habitude, je me dérobe. Mais il ne peut pas faire autrement.

Maintenant, chaque fois qu'il me croise dans la vie réelle (parfois nous sommes invités aux mêmes fêtes futiles, ou parfois aussi je traverse son atelier pour le saluer amicalement, comme je me rendrais aux bains, ou dans n'importe quel lieu à la mode, sans me douter le moins du monde, dans ma légèreté de mondaine, du travail profond qu'il a entrepris sur moi), il me détaille. Il prend ma mesure. Il m'explore sans me toucher. Au début, je ne me rends compte de rien. Puis, au bout d'un moment, il lui semble que j'ai perçu son manège, peut-être deviné son secret. À sa grande surprise, sans lui demander la moindre explication, je me prête au jeu, comme je l'ai déjà fait lors de la séance de pose pour l'*Artémis*. Par cette complaisance tacite, inespérée, je lui permets une nouvelle fois de trouver ce qu'il cherche. Pendant ces quelques semaines où il me sculpte de mémoire, et vérifie ensuite sur moi, la femme réelle, ce que son souvenir a inventé, il approche enfin son secret. Ce qu'il est le premier artiste à chercher : la personnalité du modèle, son individualité profonde. C'est-à-dire ni l'idéal du type, dont le modèle ne serait qu'à peine le prétexte, ni la ressemblance purement extérieure de l'individu, mais quelque chose de plus subtil, qui est ce qu'il ressent, lui, de la personne qui l'émeut, comme un reflet projeté à mi-distance entre lui et l'autre, auquel il ne pourrait accéder qu'en se laissant porter sans réfléchir par son émotion. Comme si les mains puissantes de son trouble d'artiste, s'appliquant directement sur le visage de son modèle, pouvaient le refaçonner un peu, de même que l'amoureux affine et exalte d'une caresse le tracé d'une paupière ou la courbe de la bouche qu'il aime. Ce que Praxitélês ressent de moi, ce qu'il a deviné d'emblée, dès le premier instant (moi assise sur la margelle du puits) mais qu'il cherche maintenant délibérément, ou plutôt qu'il laisse délibérément ses mains chercher au hasard, c'est ce que je ne montre jamais à personne : cette absence, cette douceur un peu triste, cette fragilité, ce regret, et, en même temps, cette présence immédiate, souple, instinctive, cette sensualité qui s'offre et qu'il faut absolument retenir.

Mais cette double et antagoniste façon d'être au monde, cela ne s'explique pas. Cela se cherche dans la cire, cela se donne dans la matière brute. Dans le bloc de marbre qu'il reprend un beau matin et dans lequel il retranscrit toutes ses découvertes sans même en reporter les mesures. Cela commence à se sublimer tout à la fin, par le poli de la pierre, sur laquelle il passe si doucement son ciseau qu'il en supprime toutes les arêtes, à part celle très droite et très grecque du nez, passant insensiblement d'un plan à l'autre, de l'amande ouverte de la paupière à la pommette à peine saillante mais qui donne quelque chose d'oriental à ma beauté, et de la pommette à la joue délicate, puis aux lèvres très fines, bien serrées, et au menton un peu charnu. Par contre la chevelure, la chevelure sauvage et folle, bien que contenue à grand-peine, assagie dans un chignon compliqué, oh, celle-là, il la marque presque durement au trépan, il en entaille la pierre, il l'incise brutalement, et ça, c'est la fille rebelle qu'il sent aussi en moi. La fille rebelle qu'il ne force plus mais qu'il investit de l'intérieur en se laissant bousculer par la houle de ses boucles et de ses mèches. La fille rebelle qu'il devient violemment de l'intérieur en laissant se tordre à l'air libre ses cheveux.

Poussé par l'inclinaison spontanée du fragment de marbre, il m'a représentée le visage légèrement penché, les yeux regardant tout près mais à mes pieds, ou peut-être plutôt dans le vague. Une attitude fascinante, parce qu'à la fois je m'offre, je me laisse admirer, et je semble attendre qu'on fasse autre chose que m'admirer. Mais quoi ? Quel mouvement serait à la mesure de ma douceur et de ma nostalgie, quel mouvement ne serait pas indigne de moi ? Sûrement pas pencher le visage à la rencontre du mien, pour me saisir aux lèvres et m'embrasser de force. Quoi d'autre alors ? Tendre simplement la main, non pas même la main mais un doigt, qui passerait le long de ma joue pour la reconnaître, en espérant que cette caresse ne m'effraierait pas ? Ne s'est-il pas déjà montré capable une fois de ce geste délicat et décisif ? N'est-il pas en train de l'accomplir une deuxième fois depuis plusieurs semaines, ayant remplacé son doigt par son marteau, puis par son ciseau le plus fin ? Autre idée étrange qui traverse sa conscience : faudra-t-il renoncer, pour compléter son œuvre, à me toucher vraiment ?

Accaparé par la beauté du visage, il esquisse à peine le reste du buste, qui semble s'extraire à grand-peine du marbre. À peine indique-t-il la rondeur des épaules et la plongée vers les seins.

Puis, un soir, après avoir passé des jours et des jours à soigner le contraste entre le poli infiniment doux de mes traits et la violente complexité de ma chevelure, quand il comprend qu'il a fait un portrait à la fois plus beau que moi et totalement moi, qu'il a réussi à saisir ma beauté intérieure, quand il comprend qu'il a fini, alors… alors il sent qu'il manque encore quelque chose. La dernière touche. Celle de la vie. Mais quoi ? Quel geste final trouver pour être Pygmaliôn, et mieux que Pygmaliôn ? Un sculpteur qui, se débarrassant même de l'orgueil de croire qu'il donne vie à sa Galatéïa, saisirait qu'il lui rend seulement celle dont elle a été privée ? Il n'ose plus y toucher, ne serait-ce que lever le marteau pour trouver un nouvel angle d'attaque, ni l'effleurer de la plus légère de ses râpes. Et pourtant, ce n'est pas ça. Pas encore ça. Alors quoi ? La badigeonner de ces couleurs crues, le blanc de la peau, le noir des cheveux et des yeux, le rouge des lèvres et des joues, l'or des bijoux, dont la tradition veut que soient recouvertes les statues pour donner l'illusion grossière de la vie, soin auquel il attache si peu d'importance que d'ordinaire il le remet à ses assistants ? Non, non, et encore non, surtout pas ça ! Alors quoi ? Il se couche à même son établi, enroulé dans son manteau, dans son rêche découragement.

Le lendemain matin, en se levant, il a trouvé. Ses mains sans le consulter se saisissent précautionneusement du visage de marbre qu'elles ont su esquisser sans lui, elles l'enveloppent à même le manteau froissé par la nuit confuse, et lui donnent l'achèvement qui lui manque en l'apportant à un autre artiste pour qu'il prenne le relais. Pour que ce soit un autre qui apporte la touche finale. Devenir Pygmaliôn en se dépossédant de Galatéïa. Comme une mère met au monde l'enfant qu'elle a porté pour qu'il lui échappe. Déposant son ciseau, Praxitélês confie son œuvre au pinceau du plus raffiné des peintres. À Nikias en personne, qui a le même âge que lui, et le même talent. Qui est à la fois son seul rival, bien que s'exprimant avec d'autres matériaux que lui, et le seul artiste que ce visage a la cruauté de réclamer. Arrivé dans l'atelier du peintre, le sculpteur l'aperçoit assis devant son chevalet, plongé dans une concentration profonde parce qu'il est en train de donner la touche finale à une coupe de fruits. Praxitélês le salue à peine. Il lui demande tout à trac s'il veut bien dérober un moment à ses propres œuvres pour achever celle-ci qu'il lui apporte enveloppée dans son manteau. Il s'agit de trouver les nuances exactes de ma peau, de mes cheveux, de mes lèvres. Et surtout de mes yeux. "Quelque chose, tu vois, lui dit-il, comme l'éclat des yeux de la lune ! Ou celui des yeux de la mer ? D'ailleurs, ce doit être le même, puisqu'Aphroditê est liée à la fois à l'une et à l'autre. Tu vois que ce que je veux dire, n'est-ce pas ? Des yeux qui auraient la luisance énigmatique du désir, sa surface changeante et sa profondeur." Nikias, dérangé dans son travail, finit par tourner la tête vers son collègue pour lui demander s'il n'est pas devenu un peu fou. Mais il reste la bouche ouverte. Saisi par la beauté hypnotique de ce visage de marbre que l'autre lui présente. Il le reconnaît aussitôt : Mélitta, l'hétaïre, que l'on appelle aussi Phrynê et… et qui d'autre ?

Dès que le Sculpteur l'a laissé seul à seul avec ce visage, Nikias se met à l'ouvrage, remettant à plus tard l'achèvement de sa coupe de fruits. Il passe presque autant de temps à peindre ce buste qu'à exécuter un tableau entier, car il veut être au niveau de ce qu'il perçoit d'emblée comme un chef-d'œuvre absolu. Et pourtant cette tête n'est pas reliée à un corps, cette commande n'en est même pas une et ne pourra en rien contribuer à sa célébrité, puisqu'il ne sait même pas si Praxitélês compte l'exposer. Il travaille pour la simple beauté du geste. Il mêle avec patience la sandaraque, la suie et la cire chaude pour obtenir le vernis qui rendra non seulement la teinte exacte de ma peau, mais surtout son éclat. À la lumière du souvenir des rares fois où il m'a vue, il la fait vibrer entre le miel, l'olive, et le bistre et il lui faut toute sa science des mélanges chromatiques pour en saisir les nuances. Il trouve plus facilement le lie-de-vin luisant de ma chevelure, sous le blond artificiel des hétaïres qu'il rejette avec mépris. Il cherche longtemps le cinabre subtil de mes lèvres, et plus longtemps encore le gris aux légers reflets de malachite de mes yeux. Quand il a fini, le peintre apporte lui-même le buste dans l'atelier du sculpteur. Il dépose précautionneusement leur œuvre commune sur l'établi, qu'il a déplacé sous la fenêtre, afin que tombent sur elle en la baignant les rayons obliques du soleil. Ils la regardent en silence les regarder de ses doux yeux de lune et de mer.

Oui, elle est là, stupéfiante de vie, mais d'une vie plus vivante, dans sa palpitation et son rayonnement, que celle des humains ordinaires !

C'est moi. C'est tout moi et c'est beaucoup plus que moi. La plus belle fille du monde, ce que tout le monde peut voir que je suis déjà, et la plus belle femme, ce que je ne suis pas encore tout à fait et dont Praxitélês se demande si je le serai jamais. Une hétaïre, oui, évidemment, mais aussi une vierge, la plus pure, la plus douce, la plus présente, la plus disparue. Je ne lui ai jamais parlé de Mnasaréta mais Nikias et lui viennent de s'en approcher, sur leur chemin à eux, plus près que ne l'ont jamais fait Hypereïdês en m'écoutant et Euthias en me forçant. Et puis c'est la présence lumineuse de quelqu'un d'autre encore. Quelqu'un qu'il ne parvient pas à nommer. Quelqu'un qu'il ne connaît pas mais qui le connaît intimement. Quelqu'un de si puissant que sa puissance peut se dire à travers l'émanation fluide de la douceur.

Oui, c'est ainsi, pendant cette année où j'appartiens à d'autres qu'en regardant mon visage surgi de la pierre, le Sculpteur tombe vraiment amoureux.

23

PREMIÈRE NUIT DE LIBERTÉ

Pendant que l'éternité de ses ailes frémissantes se posait quelques instants dans l'atelier du Sculpteur, le temps a continué de passer dans le reste d'Athênaï. Les contrats, même les plus fous et les plus contraignants, se sont achevés. Hypereïdês et Euthias viennent de prononcer devant témoins – Lykourgos pour eux et Hipparkhos, le mari de Nikarêtê, pour moi, car je n'ai pas osé faire appel à Praxitélês – les formules de l'affranchissement. Ils m'ont proposé de me vendre symboliquement à un dieu, comme il est d'usage chez eux lorsque l'on veut éviter à l'esclave d'avoir à payer quoi que ce soit. Ma maîtresse symbolique serait bien évidemment Aphroditê. Cette dernière marque de générosité, je l'ai appréciée à sa juste mesure : en les remerciant avec effusion mais en la refusant sans appel. Je ne veux plus appartenir à personne, même pas à une déesse, et je tiens à racheter moi-même ma liberté, grâce au pécule que je leur ai extorqué chaque mois. À la fin de la cérémonie officielle, je les invite à la fête que je donne le lendemain soir, dans la maison que je viens de louer pour mon propre compte (mes économies du temps de Nikarêtê et les gains qu'Hypereïdês m'a permis de réaliser pendant l'année où je l'ai servi y suffisent largement). Ils sauront à ce moment-là si j'accepte de conclure un nouveau contrat d'exclusivité d'un an, et avec lequel d'entre eux. Ils ne se font guère d'illusion sur ma décision. Hypereïdês clame partout qu'il est heureux que je cesse d'être son esclave pour devenir son amie et Euthias se tait, en hâtant ses préparatifs de départ.

Mais ils n'en sont pas moins tous les deux stupéfaits par le tour que prend le premier banquet de leur affranchie.

Il marque la fin de mes six années d'esclavage. Une année de chute libre qui m'a entraînée jusqu'à Korinthos mais dont j'ai

415

presque réussi à enfouir le souvenir au fond de ma mémoire. Une autre année secrète, honteuse, où j'ai touché le fond du gouffre au Peïraïeus. Et puis ces quatre années publiques d'une lente remontée vers la lumière à Athênaï. Je suis désormais une hétaïre indépendante, l'égale de Myrrhina et de Lagiskê, l'une des rares femmes de Grèce à ne dépendre d'aucun maître ni d'aucun homme. J'ai vingt ans et je peux me dire que j'ai atteint mon but. Alors je leur annonce que je change de nom de guerre. Je cesse définitivement d'être Mélitta, la fille-miel inventée par Nikarétê pour leur plaire, et je deviens Phrynê. Oui, j'ai mis plus de six années à m'extirper comme un têtard de mon enveloppe gluante mais je suis bien décidée à faire payer au monde tout ce qu'il m'a fait subir dans l'obscurité précédente. Ces Athéniens réunis autour de moi, ils n'oublieront jamais le sobriquet dont ils m'ont affublée pour se moquer et que désormais je revendique : Phrynê la Grenouille, la fille de l'écume et de la vase. Ma peau n'est pas blanche comme celle des autres mais se moire selon les nuits de reflets perturbants. Sans plus la cacher sous des couches de maquillage, je vais les obliger à en désirer la teinte exacte, qu'ils appelleront marbre verni ou jeune bronze, pour oublier qu'elle est seulement jaune ou même verte. Les hommes devront payer cher l'honneur de se métamorphoser l'espace d'une nuit en crapauds mâles, afin de coasser leur plaisir au bord de ce marais où je les attire et qui longe le Styx.

Dans cette première fête chez la Reine Crapaude, ce sont les hommes qui sont assis sur les banquettes à côté des femmes allongées, les hommes qui tendent aux serviteurs les coupes des femmes en train de discuter, et c'est parmi les femmes qu'est choisie la maîtresse de cérémonie. Le sort, encore plus caustique que moi, se prononce pour Myrrhina. Celle-ci entre dans mon jeu sans que j'aie besoin de rien lui expliquer. Sous ses ordres, les hommes doivent danser devant les femmes, jouer de la flûte et du tambourin afin de les charmer, se déshabiller pour qu'elles les admirent à leur aise. Pendant qu'elles définissent gravement l'amour, ils les écoutent, entièrement nus, drapés dans ce silence qui les habille si bien. Pendant qu'elles critiquent devant eux, comme s'ils n'étaient pas là, la vanité et la fatuité masculines, ils tentent de garder, sans se crisper, leur doux sourire, qui est la seule arme dont ils disposent afin de leur prouver qu'elles ont tort. Même Hypereïdês trouve par moments la farce plus amère que drôle.

Mais, au milieu de ce charivari burlesque, se produit un événement encore plus étrange et qui, d'un seul coup, rétablit le silence. Sans que rien ne l'ait annoncé, un buste de marbre fait son entrée, porté à bout de bras par Adômas, celui des trois Cerbères de Nikarétê dont je loue le plus souvent les services. Les rires s'arrêtent. Moi aussi, je demeure sans voix. C'est un buste de femme, dont le poli merveilleux, la délicatesse du vernis, le doux éclat du regard, l'élégance du port de tête, prennent d'autant plus de relief entre ces mains tavelées de tatouages. Le serviteur fait lentement le tour des banquettes avant de s'arrêter devant moi. Il m'adresse un clin d'œil puis il m'annonce qu'il me présente le cadeau offert par Praxitélês le sculpteur pour fêter ma liberté.

Alors je me regarde.

Ou je suis regardée par moi.

Subjuguée moi-même par le reflet de ma beauté, je m'aime d'emblée dans cette image de marbre, beaucoup plus encore que je ne le fais en réalité. Je m'aime enfin absolument. Lorsque le Sculpteur apparaît à son tour (il m'avait affirmé qu'il ne viendrait pas), accompagné du peintre Nikias, les deux artistes s'arrêtant timidement ou avec orgueil à l'entrée de la salle, je leur demande, à voix haute : "Mais qui est cette femme si divinement belle, je veux la connaître !" Tout le monde pense qu'il ne s'agit que d'un trait d'esprit trahissant ma coquetterie, mais c'est le contraire : jamais je n'ai été plus sincère. Bien sûr, je me reconnais, comme tout le monde, et en même temps je me découvre. Cette expérience troublante, si j'étais vaniteuse, je dirais qu'elle n'est pas totalement agréable. Mais je ne suis pas vaniteuse, contrairement à ce qu'affirme ma légende naissante. En tout cas pas devant ce buste. Le Sculpteur, en s'installant à mes côtés, me sourit sans répondre, ravi de son effet. Je lui souffle, à voix basse, pour qu'il soit le seul à entendre : "C'est pour cela que tu m'observais si attentivement depuis des semaines ?" J'ajoute, d'une voix que je voudrais légère mais que je ne peux empêcher de vibrer du rauque de l'émotion : "Continue à me regarder alors, je t'interdis désormais de m'adresser la parole." Je me penche pour l'embrasser. Pas sur les lèvres, non. Juste au coin, sur la joue. Un tel geste spontané, j'en ai si rarement. Un tel élan. Il est venu en dehors de moi. C'est le don d'Aphrodite lorsqu'elle remercie celui de ses fidèles qui l'aime comme elle le souhaite : l'effleurement de la tendresse. Les autres convives réclament à grands cris qu'on place le buste à côté du modèle. Lorsque c'est fait, ils restent silencieux.

Puis l'un d'entre eux (Timoklês ?) finit par dire : "Praxitélês, tu es un génie. Tu as réussi l'impossible : rendre notre Mélitta, pardon notre Phrynê, encore plus belle qu'elle n'est."

Hypereïdês et Euthias, deux des orateurs les plus brillants de leur temps, ne parviennent pas à sortir de leur silence pour trouver à leur tour une belle phrase : ils savent très bien qu'ils ne peuvent pas lutter, qu'ils n'atteindront jamais à ça. Qu'ils ne poseront jamais sur cette femme, qu'ils aiment pourtant sans doute chacun à sa manière, un regard d'une telle intensité. Hypereïdês finit par le reconnaître avec bonne grâce. Euthias continue à se taire. Il se félicite une fois encore de partir à la guerre.

Un peu plus tard dans la soirée, Praxitélês m'avoue à quel point il s'est reproché de ne pas m'avoir affranchie lorsque je le lui ai demandé. Aujourd'hui, c'est lui qui implore mon aide : maintenant que s'achève l'année que je devais à mes deux maîtres, maintenant que je suis libre de mes choix, il me supplie d'accepter de signer avec lui le même contrat d'exclusivité. Sa voix tremble autant que la mienne tout à l'heure, lorsque je contemplais son œuvre. Je la regarde encore, en laissant l'écho de ses mots résonner en moi, et puis je lui réponds d'un seul mot : "Non !

— Pourquoi ?"

Je me contente de tourner la tête vers lui et de le dévisager. Il essaie de lutter contre ce regard mais il finit par baisser les yeux. Il s'est senti honteux mais, le pire, c'est qu'il n'a pas vraiment saisi pourquoi.

Puis la fête reprend. Et les conversations. Cette diablesse de Myrrhina a prévu une dernière attraction. Un kottabe inhabituel, où les hommes ne vont pas jouer mais être joués : seules les femmes tiendront la coupe et lanceront les gouttes de vin pour choisir leur amant de la nuit. Myrrhina manque de s'étrangler de rire en voyant les têtes déconfites, ou légèrement inquiètes, de mes invités. Elle me tend la coupe : "À toi de commencer, belle Phrynê. Le nom que tu prononceras, personne, même moi, ne te le contestera. Profites-en !"

Je saisis l'anse de la coupe plate entre mon pouce et mon index, je la brandis dans ce geste ample et gracieux qu'ils observent avec admiration. Je considère un instant, là-bas, le plat de cuivre à la forme parfaitement circulaire, aux reflets sombres. Il est comme un miroir. C'est mon reflet, lointain, vacillant, entre ceux indistincts des autres convives, qui va me servir de cible. Je vais l'atteindre et le gifler, le transpercer d'un trait de vin, dont le bruit de fouet va leur arracher à tous un cri de stupeur. Même pas besoin de viser pour être sûre de toucher juste. Mais j'ignore toujours absolument le nom qui va jaillir en même temps de mes lèvres.

Oui, lequel de ces hommes va choisir Phrynê, en éjaculant la giclée de vin qu'elle se lance à elle-même ? Quel est, de ces trois hommes, Euthias, Hypereïdês, Praxitélês, non pas celui que je préfère mais celui dont je préfère la femme qu'il voit en moi ? Celui que, les mains posées à plat sur les coussins, je voudrais laisser en rougissant dénouer ma ceinture de vierge, émue comme une jeune épousée, comme ma petite Herpyllis dont j'ai été si jalouse, pour commencer enfin l'année de mes vingt ans ma vie de femme libre ?

Vais-je prononcer, comme je le devrais, le nom d'Euthias, qui va s'en aller le lendemain et que je ne reverrai peut-être jamais ? Mon amant, qui m'aime avec fureur ? Celui qui me ferait jouir si j'acceptais de jouir ? Celui qui s'adresse à mon corps, le seul capable de le faire parler un peu, en poussant des cris dans sa langue natale et inarticulée ?

Ou bien vais-je prononcer le nom d'Hypereïdês, qui va rester ? Mon ami, qui m'aime avec générosité, avec finesse ? Celui qui s'adresse le mieux à mon esprit, celui qui sait m'écouter et m'accepter, celui qui s'intéresse à moi, à la fille réelle que je suis, à celle que j'ai été ?

Vais-je prononcer le nom de Praxitélês, que je rencontre parfois et qui me regarde sans cesse ? Mon maître, qui m'aime avec distance ? Celui qui s'adresse à mon âme, celui qui m'exalte et me confronte à ma beauté, celui qui me parle sans les mots d'égal à égal ?

Et si, pour les surprendre et me surprendre, je prononçais plutôt le nom de Lykourgos qui me méprise ? Celui de Kratês qui me rejette ?

Celui de Myrrhina ? Que je laisserais me caresser comme le soir du premier banquet mais à qui je rendrais désormais avec la même fougue ses caresses, au nez droit et à la barbe bien taillée de tous ces hommes grecs, scandalisés par le plaisir que nous nous donnerions sans eux ?

Si je prononçais mon propre nom ? Celui du buste que Praxitélês vient de m'offrir, qui n'est pas Phrynê mais Mnasaréta, la fille de presque quinze ans qui se souvient encore de sa valeur mais que personne de vivant n'a jamais connue ? Si je prenais ce buste dans mes bras, si je posais ma bouche sur ses lèvres serrées pour les ouvrir, si je passais mon doigt sur sa joue, si je caressais mon sexe de l'arête dure de son nez, de la pointe de son menton charnu, sous leurs yeux stupéfaits à tous ?

Si je prononçais le nom de Phaïdros, dont plus personne à part moi ne se souvient ? Qui était moins célèbre mais tout aussi beau et prometteur que ces jeunes Athéniens, et qui… Non, pas cette idée, pas cette nuit !

Mais lequel de ces hommes vivants s'adresse comme lui à mon cœur ? En ai-je encore un ? La sage Nikarétê m'a recommandé à mes débuts de ne jamais tomber amoureuse. C'est le seul de ses conseils, je le sais, j'en suis sûre, que je respecterai toujours. Dois-je m'en féliciter ou le déplorer ? Pourquoi, alors que j'accède enfin à la liberté, ne suis-je pas heureuse ? Quelle revanche me reste-t-il à prendre ? Quelle épreuve à traverser ? J'ai peur de n'aimer plus personne parce que je serais devenue incapable d'aimer. L'absente à soi-même, c'est le nom que je donne à ce buste sans nom. Maintenant, je voudrais pouvoir reposer la coupe sans prononcer un mot. Myrrhina, par sa facétie, m'a prise au piège, comme la nuit de mon premier banquet, il y a plus de quatre ans. Je me suis amusée de la tête de nos amants, lorsqu'ils ont appris que nous allions choisir parmi eux à notre fantaisie mais je me sens à cet instant encore plus mortifiée qu'eux. Reposer la coupe, m'absenter définitivement ? Oh non, ce serait une lâcheté ! J'ai payé trop cher le droit de tenir le premier rôle dans ce jeu.

Alors, soudain, je trouve. Je prononce à voix haute : "À toi, Isodaïtês !" et mon geste est si léger qu'ils sont tous stupéfaits de la violence avec laquelle le vin claque contre la coupe. Je leur explique ensuite qui est Isodaïtês, le dieu oriental auquel m'a vouée ma nourrice, le dieu volatil qui permet à une fille comme moi de ne se fixer sur aucun des hommes qui lui plaît mais de les prendre tous, l'un après l'autre, avant de les abandonner.

Dans la nuit qui suit mon premier banquet d'hétaïre indépendante, dans la pénombre où gisent tous ces hommes dévastés et où s'affairent en silence les silhouettes des esclaves, je m'éveille brusquement. J'ai vingt ans, je suis libre, et pourtant je palpite d'angoisse.

Non je ne suis pas libre.

Pas encore.

De qui étais-je en train de rêver ?

IV

LA PRÊTRESSE D'ISODAÏTÊS

24

LE TEMPS DES SCANDALES

"Phrynê aux bains, Phrynê aux bains !"
Leurs voix dehors. Voix d'hommes et de femmes mêlées. Voix jeunes. Voix riches. Elles me réclament. Mes deux meilleures amies, Lagiskê et Myrrhina, accompagnées de l'acrobate Stéphanê, sont venues me chercher chez moi, dans la première maison que j'ai louée en mon nom, à quelques pas de celle de Nikarétê, au cœur du Kérameïkos. Elles se trouvent au milieu de tout un groupe d'hétaïres et de jeunes gens à la mode, qui créent un attroupement dans la rue, attendant que je sorte pour les accompagner aux bains publics, comme chaque après-midi.
"Phrynê aux bains, Phrynê aux bains !"
Mais, ce jour-là, je me fais attendre. Au milieu de mes servantes qui me regardent interloquées mais n'osent pas me poser de questions, je continue à jouer languissamment sur ma double flûte. Un air de mon enfance que je cherche à retrouver, plein de vent et de montagne. Comme si je n'entendais pas les voix d'aujourd'hui qui m'appellent. Depuis le départ d'Euthias pour la guerre, j'ai acquis la liberté de réaliser tous mes caprices et je ne m'en prive jamais. Les Athéniens commencent à retenir les plus marquants, ceux qu'ils comprennent le moins. Dans leurs bavardages, ils les transforment, les déforment, se les approprient, tandis que mon corps de putain de luxe leur échappe. Ils me dénudent sur la scène de leur théâtre et me rhabillent d'anecdotes légendaires. Que révèlent-elles de moi ? La futilité d'une fille stupide qui croit que sa beauté lui donne tous les droits ? La désinvolture d'une fille rebelle n'hésitant pas à provoquer le pouvoir masculin et la société conservatrice qui l'a faite reine, mais sur laquelle elle ne règne qu'en souveraine étrangère, haïe autant qu'admirée ? J'agis sans jamais m'expliquer.

"Phrynê aux bains, Phrynê aux bains !"

Mes admirateurs crient de plus en plus fort. Myrrhina, j'en suis sûre, les incite à créer le scandale. Ces mondains désœuvrés ne regrettent pas d'avoir fait l'effort de se lever avant le coucher du soleil, tant ils sont ravis d'ameuter tous les artisans du quartier. Lagiskê, qui ne saisit pas bien mon évolution, doit s'inquiéter de mon brusque accès de mélancolie (un chagrin d'amour ?) et pousser elle aussi les fêtards à scander mon nom. Mais ils ont beau faire du grabuge, je refuse de paraître.

Je viens de décider d'une nouvelle provocation : ne plus être provocante ! Négligeant le costume et le comportement réglementaires des hétaïres, je ne me vêtirai désormais que de tuniques opaques qui envelopperont complètement mon corps. Il deviendra impossible aux Athéniens d'apercevoir la moindre parcelle de ma peau nue. Ma plus grande beauté consistera à ne rien leur en montrer. Mais je ne deviendrai pas pour autant une femme honnête, l'une de ces Athéniennes de noble naissance qui se confinent avec un orgueil lugubre au fond de leurs gynécées. Oh non, pas question ! Même quand mes longs vêtements dissimuleront mes formes, leur étoffe restera luxueuse et leurs couleurs plus éclatantes encore que celles des autres filles de joie. Des pourpres encore plus sanglantes, des safrans encore plus irritants, des bigarrures encore plus insensées ! Autre provocation : je porterai la tunique à l'orientale, pourvue de longues manches qui recouvriront mes bras et seront serrées au poignet, comme seuls le font en Grèce les prêtresses de Dionysos et les acteurs de tragédie. Je couvrirai mes cheveux et mon visage d'un voile rutilant, d'où ne jailliront que mes yeux furibonds d'idole qui les fixeront, ou, pire encore, qui les ignoreront. Ils pourront bien se moquer de la théâtralité ridicule de mon accoutrement, me traiter de Mêdeïa de pacotille, de sorcière de farce, non seulement je leur déroberai mon corps mais je leur jetterai au visage que mon esprit ne leur appartient pas ! Prostituée plus pudique qu'une vierge de bonne famille mais ouvertement étrangère. Âme distante entièrement protégée dans une armure de tissu, et qui se promènera pour les agacer dans tous leurs lieux publics, leurs rues, leurs places, leurs sanctuaires. Quand je serai fatiguée ou qu'il fera trop chaud, j'envelopperai l'une de mes servantes dans l'un de mes costumes et je l'enverrai se balader dans leur ville à ma place. Quelquefois même, j'en expédierai plusieurs en même temps, dans des quartiers différents, pour qu'ils me croient douée d'ubiquité. Je les obséderai. Mes voiles magiques hanteront leurs rues. Mes doubles peupleront leurs rêves et leurs cauchemars. Ceux d'entre eux qui en auront les moyens dilapideront leur fortune à me désentortiller fébrilement de cette masse de refus exaspérant qui recouvrira mon corps autrefois nu et, à la fin, ils découvriront qu'en dessous, il n'y a plus rien. Qu'en fait, je n'existe pas. Les plus malins mettront du temps à s'en douter.

"Phrynê aux bains, Phrynê aux bains !"

Au bout d'une heure, tandis que le rassemblement menace de tourner à l'émeute, la porte de ma maison finit par s'ouvrir. Mais elle ne laisse entrer que mes amies, le mufle d'Adômas (il a fini par passer définitivement à mon service) suffisant à faire reculer la foule des jeunes gens qui se ruaient à l'intérieur. Assise à l'ombre du péristyle, mon aulos à la main, j'accueille les deux hétaïres et l'acrobate d'un sourire qui les rassure. Pourtant, je leur annonce que, désormais, je ne les accompagnerai plus aux bains. "Pourquoi ? proteste aussitôt Myrrhina, on y semait une si jolie pagaille !" Stéphanê me conseille elle aussi d'être raisonnable. Les bains publics, la palestre ne sont pas seulement notre terrain de jeu, mais aussi notre terrain de chasse, où nous pouvons nous faire remarquer de nos futurs clients. Je me contente de hausser les épaules : "Désormais, les plus riches font le déplacement jusque chez moi. Ils se passent le mot. Les autres, autant les éviter, n'est-ce pas ?"

Myrrhina essaie encore de me persuader de revenir sur ma décision. Elle, plus le temps passe, plus elle se plaît à faire scandale. Elle adore se montrer le plus nue possible mais elle aime surtout que nous le soyons ensemble. Pas seulement quand nous faisons l'amour, aussi quand nous marchons dans la rue, quand nous allons en procession à une fête privée, quand nous mangeons trois olives sur un morceau de galette frottée d'huile dans une gargote que notre simple halte suffit à mettre à la mode pendant toute la saison. Elle voudrait que chacune de nos apparitions aux bains soit un événement inoubliable. Une scène de comédie, tragiquement cruelle pour les rombières et les pisse-froid qui n'aiment pas voir trois jolies filles montrant leurs seins et leurs cuisses à tous les passants. Notre vie entière doit être une provocation bruyante et joyeuse. Ça ne durera que quelques années, bien sûr, mais après notre passage, la cité ne sera plus jamais la même, les tuniques y seront devenues encore plus transparentes et les esprits se seront affinés d'autant. Ce sera notre manière de changer la face du monde : en la faisant rougir ! Quand nous serons vieilles et moches, nous continuerons à hanter toutes nues leurs places publiques en mendiant une obole ou une gorgée de vin, et nous leur imposerons le spectacle de notre commune déchéance. Même fripés, elle jure que ces foutus Athéniens n'oublieront jamais les seins de leurs Trois Grâces. Ensuite il sera temps d'aller semer la panique aux Enfers, pour voir si vraiment les morts n'ont plus que du jus de navet dans les veines, comme le raconte cette vieille barbe d'Homêros, ou s'il ne leur reste pas une dernière petite goutte de sperme à offrir à trois jolies ombres assoiffées. Myrrhina essaie tous les tons, depuis la supplication jusqu'au sarcasme. À la fin, elle reste les bras ballants. La pauvre, c'est la première fois que quelqu'un lui résiste. Qu'elle éprouve ce qui pourrait ressembler à de la frustration. Ou à une prémonitoire nostalgie.

Lagiskê ne dit pas un mot. Elle se contente de me regarder, en plissant les yeux dans l'un de ces doux sourires entendus dont elle a le secret. Je sais très bien ce qu'elle pense. Que je n'ai pas, comme le croit Myrrhina, renoncé à la séduction. J'adopte seulement une autre tactique, qui démontre ma connaissance désormais parfaite du désir masculin. Le moyen le plus habile de les faire fantasmer n'est-il pas justement de leur en montrer le moins possible, à une époque où les autres filles croient malin d'en faire toujours plus dans l'exhibition ? Myrrhina se dévoile pour faire causer mais mon invisibilité ne se révélera-t-elle pas encore plus efficace ? Oui, Lagiskê, qui perçoit dans ma décision une façon plus subtile de mettre en avant ma nudité, est la plus fine de mes compagnes de jeu. Mais elle l'est peut-être trop pour deviner la simple vérité : je me cache parce que je n'ai plus toujours envie de jouer.

Pendant cette période, mes amis notent que je fréquente de moins en moins les banquets, alors que je découvrais leur liberté avec volupté l'année précédente, lorsque j'étais encore esclave. Il m'arrive de refuser des invitations prestigieuses. "Qu'est-ce que son absence veut dire ?" s'interrogent les fêtards devant ma banquette vide. Que je me suis déjà lassée de leurs raffinements vains ? Que je rêve d'autres cérémoniaux et d'autres fêtes plus secrètes ? Ou que je cherche simplement à cultiver ma légende naissante d'indifférente mystérieuse, qui ne se montre que rarement et jamais là où on l'attend ?

Pourtant, un soir, l'austère Lykourgos donne un banquet et j'accepte d'y paraître en compagnie d'Hypereïdês. J'y fais scandale de manière totalement inattendue, en prenant mon hôte à son propre piège : j'y exhibe pour la première fois mon visage au naturel, sans aucune trace de maquillage, ni blanc de céruse ni rouge sur les joues. Les hommes, tout en admirant la parfaite souplesse de ma peau, qui n'a nul besoin d'artifice pour cacher la moindre irrégularité, se sentent mal à l'aise face à ce visage diurne qui s'offre à eux dans la nuit. L'absence de fard fait paraître incongru celui des autres hétaïres, souligne cruellement ce que leur visage peint a d'artificiel. À côté de moi, on dirait que les autres femmes se sont affublées de masques comiques, qui rendent ridicules jusqu'à leurs amants. L'ensemble même du rite du banquet paraît soudain absurde. Pour les venger tous, Timoklês jette que Phrynê n'a pas besoin de blanc ni de rouge, puisque sa peau est naturellement peinte en jaune. Je feins de ne pas l'avoir entendu. Je sais qu'ils rient tous de moi dans mon dos mais qu'ils resteront pétrifiés, dès que je tournerai la tête vers eux, pour les dévisager avec l'insolente gravité qui me caractérise désormais. Mes yeux, étrangement sombres sous leurs longs cils naturels, n'ont même pas besoin d'être bordés de noir pour les noyer, plus irrésistiblement que ceux des autres femmes, dans les abîmes humides du désir.

D'ailleurs, quelques soirs plus tard, sur une impulsion, je reviens à un maquillage discret. Pour ne pas m'interdire non plus le plaisir du mensonge ni celui de la métamorphose. Mais je le fais au début sans trop réfléchir, presque en catimini. Je mettrai encore du temps avant d'oser affronter dans mon dialogue intérieur l'intransigeance morale de Lykourgos et ma propre obsession du naturel. Avant de comprendre que transgresser l'impératif de l'artificialité, en ne me maquillant jamais, est une autre façon de m'y soumettre. Que m'interdire la fantaisie de farder mes paupières est une autre façon de me refuser d'être moi-même.

Dans l'ombre profonde du cimetière, le profil du jeune mort sur la paroi blanchâtre du vase funéraire. Son regard est posé sur moi, figé dans sa mélancolie. Les ahanements des putes tout autour de moi font palpiter l'obscurité. Ils se mêlent à mes propres cris de plaisir et de douleur. Mais que fais-je là ? Je fuis, comme d'habitude ! Je fuis encore, je fuis toujours !

Depuis que j'ai racheté ma liberté, j'ai échappé au bel Euthias, refusé le génial Praxitélês, maintenu mes distances avec l'éloquent Hypereïdês. Alors l'armateur Léôkratês (dont je ne parviens jamais à oublier qu'il est lié presque autant que le Sculpteur à la nuit de mon

427

réveil au fond du bordel du Peïraïeus, dans cette grimace assassine qu'il eut pour signifier que je ne valais pas une obole) croit qu'il est temps de jouer sa chance. Il se fait plus insistant, plus férocement mielleux. Une nuit, dans un banquet où il réussit à se glisser sur ma banquette et à se débarrasser, en les faisant trop boire, de tous ceux qui m'escortent, il se découvre soudain. Il me murmure qu'il va me confier son secret, à condition que je promette sur ma vie de ne le redire à personne. Avant que j'aie eu le temps de répondre, il commence à parler. Discours préparé, dont il a peut-être pesé chaque mot, chaque accent improvisé, avec Hypereïdês, son âme damnée, pour mieux me séduire. Il me souffle que, s'il me comprend mieux que tous nos amis, c'est parce qu'il est le seul, comme moi, à avoir connu l'esclavage. Même si cette expérience fondatrice remonte à plusieurs générations et s'il s'est arrangé pour en faire disparaître la moindre trace. "Il y a quelque temps, poursuit-il à voix basse, je me suis acheté pour pas très cher un passé de citoyen athénien, avec plusieurs générations d'ancêtres dûment consignés sur les registres officiels d'un dème de campagne. La panoplie complète ! Mais tu sais quel était le vrai nom de mon grand-père ? Eh bien, il n'en avait pas ! Il était esclave de naissance et on l'appelait Phrygios, le Phry-gien. Sûrement parce que l'un de ses aïeux, dans la nuit des temps, était originaire de cette région, où il avait été capturé et vendu. Mais Phrygios était tellement plus intelligent que son maître qu'il a fini par gérer toutes ses affaires à sa place. Il a même eu la ruse de le faire à peu près honnêtement, c'est-à-dire de continuer à l'enrichir tout en le dépouillant. Ce benêt de citoyen, plein de reconnaissance, s'est cru obligé de l'affranchir, tout en continuant, bien sûr, à l'appeler Phrygios, non par dérision mais pire encore, par habitude. Son fils, mon père, a été le premier de notre famille à posséder un nom bien à lui. Avant de mourir, mon grand-père le lui a imposé pour lui rappeler en permanence sa mission sacrée. Tu sais comment il l'a appelé ? Khrysês. Celui-qui-a-de-l'or. Phrygios lui a légué aussi son sens des affaires. Mon père a été ainsi l'un des rares affranchis à avoir obtenu la citoyenneté pendant la guerre civile, parce qu'il a subventionné si royalement les démocrates du Peïraïeus qu'après la victoire même un peuple aussi versatile que celui d'Athênaï n'a pas osé revenir sur sa promesse. Mais je peux t'assurer que le vieux ne s'est pas engagé par conviction politique ! La démocratie, il s'en fichait, il me l'a souvent dit en riant. Mon père ne m'a jamais trans-mis qu'une seule règle mais elle vaut plus à mes yeux que tous les traités de philosophie : « Un affranchi n'a pas d'idées, qui sont un luxe inutile d'homme libre, il n'a que des intérêts. » Tu sais pourquoi le vieux Khrysês s'est battu contre les Trente Tyrans ? Parce que ces idiots-là, Kritias et toute sa clique de réactionnaires stupides, en assassinant les affranchis, les métèques, les étrangers, pour mieux les voler, voulaient l'empêcher de faire ses affaires. Après la libération, dans les banquets démocratiques, il racontait, avec un sourire faussement naïf : « Moi je n'avais rien contre les Trente, on aurait pu s'entendre. Qu'ils me jettent en prison, d'accord, qu'ils me fassent boire la ciguë sans même un procès, passe encore, mais qu'ils m'empêchent de charger mes bateaux, ah ça non ! » Le bonhomme faisait rire tout le monde mais, dans le fond, il était sérieux. La politique, pour ce vieux renard, n'a jamais voulu dire que guerre, révolution, ennuis, baratin, et surtout retards de livraison ! Je suis le premier de ma famille à être né d'une femme libre, mais j'ai de la mémoire, je porte le souvenir vindicatif de générations et de générations d'esclaves. Alors je vais prendre ma revanche pour eux tous. Tu sais que j'hériterai bientôt de l'atelier d'armes de mon père, je m'occupe déjà des bateaux qui servent à exporter nos marchandises et à ramener ici des matières premières. Grâce à ton amant Euthias, j'ai obtenu il y a quelques mois la concession d'une mine d'argent dans le Laureïon. Mais je ne m'arrêterai pas là. Le fils de l'affranchi, le petit-fils de l'esclave, il finira banquier sur l'Agora, tu peux me croire. Alors je tiendrai entre mes mains tous les maillons de la chaîne, financement, production, diffusion, et je n'aurai plus besoin de tous ces oisifs inutiles. De tous ces jeunes gens de bonnes familles qui croient qu'ils me font un honneur en me fréquentant. Évidemment, je continuerai à leur prêter de l'argent à des taux prohibitifs qu'ils ne pourront pas refuser. Je me suis juré qu'avant d'avoir trente-cinq ans, je rachèterai la maison de Kritias à sa famille de nobles arrogants et ruinés, qui ont voulu assassiner mon père simplement parce qu'il était plus actif et plus doué qu'eux. Ce sera ma manière de régler définitivement les vieux comptes familiaux avec la tyrannie. C'est comme ça que je suis démocrate, moi : je mets les aristos sur la paille ! Par la même occasion, j'en profiterai pour racheter la moitié du quartier du Kérameïkos, où j'habite comme toi, ma chère Phrynê, et je ferai raser toutes ces vieilles bicoques d'artisans simplement pour pouvoir y donner de plus grandes fêtes, où je t'inviterai. Si tu veux, nous les donnerons ensemble, ces fêtes. Tu les organiseras et je les paierai. Nous rendrons notre luxe inoubliable. Je mets toute ma fortune, si durement acquise par moi et par mes ancêtres, à tes pieds, qui sont aussi délicats que le reste de ta personne. Faisons-en notre commune revanche sur le sort ! Je gagnerai de l'argent sur leur dos, conclut-il, et tu seras chargée de le dépenser !"

Cette nuit-là, je laisse Léôkratês m'approcher. Pour la première fois, il m'intéresse. Je me demande pourquoi il me confie la vérité sur ses origines qu'il dissimule si jalousement à tous les autres, à part peut-être Hypereïdês. Cherche-t-il à ce que nous devenions complices, en partageant le secret honteux de nos passés respectifs ? Estime-t-il qu'une affranchie ne peut moralement se refuser à un fils d'affranchi, comme si ce statut commun créait entre nous une sorte d'union sacrée contre ceux des hommes libres qui le sont depuis toujours ? Pourtant, je continue à me méfier. Je crois percevoir dans certains de ses gestes grossiers le fond de sa personnalité. Même s'il me propose d'user librement de sa richesse, je devine ce qu'il pense, dans les replis de son âme brutale, sous cette aspiration inattendue à la confiance qui le pousse vers moi et qui l'émeut peut-être lui-même : il me désire tellement qu'il éprouvera encore plus de plaisir à me jeter ensuite, lorsqu'il aura trouvé le moyen de me posséder. Au moment où il s'abandonne à cet épanchement, peut-être espère-t-il déjà que le sort lui donne l'occasion de se venger de mes précédentes rebuffades, en me piétinant à mort après que je me sois offerte. Oui, dès qu'il aura satisfait cet appétit qui lui tient lieu de désir, il n'aura pas envie de me compter longtemps dans sa collection. J'ai beau être belle, il se dégoûtera de moi aussi vite que des autres, de tous ces garçons et ces filles dont son ami Hypereïdês raconte partout qu'il se débarrasse aussitôt après les avoir pénétrés. Dans sa soif féroce de revanche, Léôkratês consomme les humains comme les coupes de vin : gratuitement, s'il le peut, ou sinon en négociant des prix de gros sur le marché aux esclaves du Peïraïeus. Dès qu'il les a épuisés, il les envoie croupir dans sa mine du Lauréïon. Lorsqu'il s'est dégoûté d'un corps, il n'aime pas qu'un autre en profite. Il prétend que cela perturbe sa digestion. Son vrai luxe consiste à jeter au rebut les êtres qu'il aurait pu aimer et dont il n'a que joui. Il faut avoir connu soi-même la servitude, ne serait-ce que dans la mémoire de ses ancêtres, pour perdre son temps à briser des esclaves, à défaut d'hommes libres. Léôkratês est persuadé comme moi (ou plutôt comme je le serais si je n'avais pas rencontré la souple et généreuse Stéphanê) que, dans le monde des opprimés, il n'y a pas de mémoire ni d'entraide. Ceux qui s'en sortent écrasent les autres pour mieux sentir comme c'est bon de s'en être sortis.

La solidarité est un mot dont l'armateur méprise le sens. Voilà peut-être la véritable raison pour laquelle je ne l'aime pas. Il est mon double masculin. Mon reflet satisfait et ventripotent. Ce que je serai une fois ma fortune définitivement faite : une mère maquerelle dans l'âme. Je déteste voir ainsi mon avenir s'étaler sous mes yeux. Un soir, dans un précédent banquet, tandis qu'Euthias était en train de pérorer sur la nécessité pour les jeunes de sa génération de s'engager en politique, Léôkratês s'est approché pour me souffler à l'oreille : "Il nous fatigue, celui-là ! Que chacun s'occupe de soi, c'est le seul moyen que tout le monde soit heureux. Ou du moins ceux qui le méritent. Les autres, on s'en fout, non ?" Pour la première fois, malgré ma répugnance, j'ai ri avec lui. Un rire partagé, qui fit grincer nos dents pointues et que j'ai encore dans l'oreille. Deux individualistes aussi féroces peuvent se comprendre, certes, mais pas s'aimer. Juste, parfois, se détruire. Depuis plusieurs mois, je sens que Léôkratês attend l'occasion en bandant avec patience.

Cette nuit-là, il estime que son secret de famille vaut bien que je lui abandonne un de mes seins. Je repousse sa main, un peu moins sèchement que d'ordinaire. Je lui réponds que sa proposition est tentante mais que j'ai besoin d'y réfléchir. Il n'insiste pas. Il sait que la principale vertu d'un homme d'affaires est l'obstination et qu'une nuit ou l'autre, je finirai par lui accorder ce qu'il désire. Les deux après-midi qui suivent sa confidence, il vient me relancer jusque chez moi. Je lui fais les deux fois répondre que je n'y suis pas. Pourquoi prendre ce malin plaisir à le fuir ? Pourquoi ne pas m'en débarrasser en couchant avec lui au lieu d'exaspérer son désir et prendre ainsi le risque de m'en faire un ennemi ? Ne dirait-on pas que je me soumets aux préjugés des hommes libres, en me refusant au seul parmi eux qui ne soit pas de pure naissance athénienne, ou que je partage le mépris atavique qu'éprouvent ces propriétaires fonciers et ces intellectuels pour le commerce et la vile circulation de l'argent ? Je ne saurais répondre moi-même. Ma méfiance à l'égard de Léôkratês est une question d'instinct. Quelque chose en lui, dans sa personnalité, dans son physique, dans le contraste inesthétique entre la mollesse de son menton et la brutalité vulgaire de ses gestes, dans sa façon aussi de me sourire en feignant le respect, me répugne. C'est curieux, parce que, jusque dans ses particularités intimes, ces poils qui lui couvrent déjà la poitrine et le ventre, il ressemble à mon ami Hypereïdês. Ce que je supporte de mieux en mieux chez l'un, ce que j'ai même fini par aimer, me dégoûte chez l'autre toujours plus violemment. J'ai presque fait ma paix avec les hommes, sauf avec Léôkratês. Celui-ci, je lui en veux encore, alors qu'il est le seul dont j'ai pourtant toujours réussi à éviter qu'il ne posât la main sur moi. Je lui dissimule à peine mon mépris. La deuxième fois où je refuse de le recevoir, je continue à jouer de la flûte et à m'amuser bruyamment avec mes amies dans mes appartements privés, au moment où, dans le vestibule tout proche, Herpyllis lui explique que sa maîtresse est sortie. Je suis sûre qu'il nous entend nous moquer de lui, derrière la paroi si fine qu'il pourrait presque la traverser pour me broyer de ses grosses pognes avides. Mais je ne peux empêcher mon rire de jaillir trop fort et de traverser les cloisons. J'en suis effrayée moi-même mais aussi étrangement soulagée. Voilà, comme ça, il a compris. Même s'il cherche ensuite à se venger, il ne reviendra pas me poursuivre jusque dans mon intimité. Il se tiendra à distance, c'est tout ce que je lui demande.

Après ces deux échecs, il ne se présente plus à ma porte mais ma victoire n'est que provisoire. Il prépare pire, je le sens. Quand je pense à lui, à ses mains se tendant vers mes seins, à ses appétits et à ses confidences, j'ai une seule envie : me barricader chez moi. Hypereïdês, qui vient m'inviter à la fête qu'il donne pour célébrer un nouveau succès dans une affaire d'adultère mal engagée, doit me jurer, pour que j'accepte d'y paraître, que son camarade de virées se trouve loin d'Athênaï en voyage d'affaires. Évidemment, Léôkratês fait son entrée en plein milieu du banquet. Dès l'instant où je l'aperçois, je soupçonne un traquenard dont Hypereïdês, que je croyais mon ami, s'est fait le complice. Je me dis d'abord que je vais leur échapper à tous les deux, en prétextant je ne sais quelle migraine. Et puis non, ce soir, pour une fois, j'ai vraiment envie de faire la fête ! Je ne vais pas me priver de ce plaisir de plus en plus rare à cause de l'obstination vulgaire d'un porc qui n'a aucun pouvoir sur moi ! Je me force à rester pour me prouver que je suis libre. Léôkratês commence par se tenir à l'écart, assis modestement sur une banquette du bout de la salle, où il a rejoint deux invités de bas rang, sans chercher à s'approcher de moi, qui me trouve allongée à la place d'honneur, à côté du maître de maison. Pourtant, vers la fin du banquet, celui-ci s'esquive sur un prétexte et, comme s'il s'agissait d'un mouvement préparé, Léôkratês se glisse prestement à sa place. Je suis furieuse. Je me jure de ne plus jamais faire confiance à ce traître d'Hypereïdês !

Pour l'heure, je ne peux empêcher Léôkratês de me renouveler ses avances. Cette fois, le balourd s'essaie au lyrisme sensuel : assez haut pour être entendu des autres convives, il déclare qu'il vénère en moi l'incarnation sublime de la déesse de l'amour, qu'il met à mes pieds non seulement sa fortune mais aussi sa vie. Puis, dans un trait galant sûrement prémédité lui aussi (c'est l'une des choses qui m'agacent le plus chez lui), il m'affirme qu'il est prêt à faire toutes les folies pour une nuit avec moi, même celle d'oublier qu'il sait compter ! Si ce banquier en est à préférer la poésie à l'arithmétique, je ne vais pas pouvoir m'en débarrasser avec autant de désinvolture que les fois précédentes. D'ailleurs, il joue si parfaitement son rôle de client devant le public que je n'ai aucune raison valable de ne pas tenir le mien. Il va falloir que je lui propose un rendez-vous discret chez moi, pour lui fixer un tarif, ou que je rompe définitivement avec les usages de cette société, en renonçant à la place que j'ai réussi à m'y faire. Je me heurte pour la première fois, de façon tangible, aux limites de ma liberté d'hétaïre. Dans cette situation codifiée, je n'ai guère de moyen d'échapper à l'emprise de ce corps qui me répugne. Une seule échappatoire : prétendre que, même si j'ai accepté de paraître à cette fête, je suis indisposée, pour obtenir ainsi quelques jours de délai. Mais ce ne serait pas vrai. Au contraire, je me trouve dans ces jours sensibles de mon cycle, où la sourde répulsion que j'éprouve d'ordinaire pour le corps obscène de cet homme pourrait se muer aussi bien en une franche exaspération qu'en une excitation trouble. Ensuite, de toute façon, il reviendra à la charge. Oh, comment me débarrasser enfin de lui ?

Alors, brusquement, j'adopte la seule conduite raisonnable pour une hétaïre dans ma position : je cède. Je décide même de mener la transaction au vu et au su de tous, bien que cette attitude puisse paraître inconvenante au milieu d'un banquet élégant. Je laisse l'armateur me caresser le bras, la joue, y poser quelques baisers, puis, stupéfait de me voir lui sourire aimablement, glisser sa main dans l'échancrure de ma tunique, tout en continuant à bredouiller son hymne à Aphroditê. Je le coupe en plein milieu d'un vers : "D'accord, mon chéri, c'est quand tu veux !" Il en reste saisi, sans doute s'attendait-il à devoir réciter beaucoup plus qu'une demi-strophe de l'ode en mon honneur achetée à un poétaillon à la mode. "Ah bon ?

— Oui, si tu te mets à déclamer, je ne peux plus résister. Fixe ton prix. Mais fais vite."

Je me souviens brusquement de ma première scène de négociation, avec Praxitélês, dans le bordel. Léôkratês y assistait déjà, en tant que spectateur. Cette nuit-là, je m'étais laissé entraîner par une inspiration, tandis qu'ici, face à l'armateur, je reste très froide. Lui aussi d'ailleurs. Sourire matois, ses yeux qui se plissent. Une négociation commerciale en pleine salle de banquet : je ne respecte guère les usages, mais, après cette incursion hasardeuse dans le lyrisme, il est soulagé de se retrouver dans son élément. Il se dit qu'il est prêt à faire une folie, certes, comme il me l'a promis, mais à condition qu'elle ne soit pas trop folle : "Trente drachmes."

Cent quatre-vingts oboles. Cent quatre-vingts fois le prix d'une putain de bordel public. "Évidemment, pense-t-il, cette gamine, qui a l'air de s'y connaître plus en argent qu'en poésie, va m'en proposer cinquante. Ce qui serait franchement exagéré. Elle est belle, d'accord, mais aucune fille, même la plus inventive, ne vaut une telle somme. Je crois que nous allons pouvoir nous mettre d'accord à quarante." Grand seigneur, il me fera déjà un sacré cadeau ! Mais il aura conclu cette affaire qui l'obsède depuis plusieurs mois et l'empêche de se consacrer l'esprit tranquille à ses autres entreprises commerciales.

"Trente drachmes ? C'est un prix royal, je te remercie !" Il ne peut s'empêcher d'esquisser un sourire rusé : décidément, je suis plus naïve qu'il ne le croyait. J'ajoute, d'un ton tranquille, en lui rendant son sourire : "Mais, pour toi, ce sera une mine."

Il sursaute. Quoi ? Est-ce que je deviens folle ? Cent drachmes ! Six cents oboles pour une nuit d'amour, dans un monde où un artisan en gagne deux pour une journée de travail ! Jamais personne n'a osé demander une somme aussi insensée, aussi scandaleuse, aussi (il cherche dans sa pensée le mot exact) indécente ! Timoklês, qui s'est approché discrètement, dans l'espoir de surprendre la conversation de ces deux personnalités en vue, dont il subodore qu'elles ne s'aiment pas, ou que l'une n'aime pas l'autre, se récrie. Bientôt toute la salle est au courant de la nouvelle provocation de Phrynê, et de la somme exorbitante qu'elle ose demander au malheureux Léôkratês. Celui-ci, retrouvant ses réflexes de négociant, a retiré précipitamment sa main du sein que je lui avais offert dans un mouvement de générosité suspecte. Comme s'il s'agissait d'un tissu de qualité, certes, mais qu'un marchand de l'Agora, après vous l'avoir mis de force dans la main, vous prenant pour un Béotien stupide, essaie de vous vendre ridiculement cher. Il me fait la leçon, m'explique qu'on n'a jamais intérêt en affaires à proposer un prix si élevé qu'il peut faire penser à l'acheteur qu'on se moque de lui. Je lui réponds : "Je ne me moque pas de toi, au contraire !" Je continue à lui sourire, en lui décochant un regard chargé à la fois d'une sensuelle humidité et d'une ironie sèche : "Tu prétends me vénérer mais je constate que tu respectes encore plus ton argent. Je suis une déesse à tes yeux, tu viens de me le murmurer en iambes raffinés, tes doigts de poète posés sur mes seins. Sache qu'Aphroditê est une divinité jalouse, qui ne partage avec personne le cœur de ses fidèles, et surtout pas (je cligne de l'œil à l'intention de l'auteur comique qui continue à nous écouter sans se gêner) avec ce vieil aveugle malodorant de Ploutos !"

Timoklês applaudit à mon trait d'esprit et, se retournant vers les autres banqueteurs, il leur transmet, en la mimant et en la déformant, la conversation entre l'hétaïre et l'armateur, où celui qui se fait plumer est, comme l'on peut s'en douter, l'homme d'argent. Léôkratês, comprenant que la situation lui échappe, me jette un regard indigné. Il se lève et, sous les regards moqueurs, quitte la salle du banquet, furieux d'avoir à négocier son désir en public avec une folle. À ce moment, Hypereïdês fait son retour sur la banquette. Se rendant compte, à l'agitation qui parcourt encore ses invités, qu'un événement inattendu s'est produit, il me demande de quoi il s'agit. Timoklês lui raconte à ma place toute la scène, comme s'il s'agissait déjà d'un extrait de sa prochaine comédie, Aphroditê la déesse de l'amour se jouant par caprice de Ploutos le dieu de la richesse. Hypereïdês s'étrangle de rire mais il me considère avec stupéfaction. Dans son regard, il y a de l'admiration pour le caractère spectaculaire de la dérobade, mais aussi un peu d'incompréhension. Pourquoi m'acharner à refuser un homme aussi riche, un amant aussi impétueux, il peut en témoigner pour avoir couru les filles avec lui de nombreuses nuits, et surtout un adversaire aussi vindicatif ? "Non, vraiment, je ne te comprends pas.

— Ne cherche pas. Tu es trop intelligent, tu ne peux pas tout comprendre."

Il me regarde longuement. Puis, changeant complètement de ton, il me déclare que, depuis que je suis folle, je lui parais encore plus désirable. Lui aussi me murmure que cette nuit, je suis belle comme Aphroditê en personne et qu'il se prosterne à mes pieds. Peut-être veut-il seulement vérifier que les faveurs refusées à Léôkratês, je continue à les lui accorder ? Je le repousse sans ménagement : je lui en veux de sa traîtrise, même s'il fait l'innocent. Malgré ses avances de plus en plus pressantes, je refuse catégoriquement de passer la nuit dans son lit. Je lui souffle pour l'énerver : "Oui, mon chéri, moi aussi ce soir, j'ai très envie de faire l'amour, encore plus que toi peut-être ! Mais, à cause de ta bêtise et de ta méchanceté, je m'en passe-rai. Ça t'apprendra à me jouer des tours !" Me levant, je le plante là, avant même la fin de son banquet, suivie par les yeux envieux, amusés ou réprobateurs, de tous les convives.

Pourtant, lorsque je me retrouve seule dans la nuit, escortée d'Her-pyllis, ma petite servante trop sage, et d'Adômas, le Cerbère tatoué, au milieu du silence que rompent seulement les craquements de la torche, je me rends compte que je n'ai pas menti à Hypereïdês. J'ai vraiment très envie de faire l'amour. Qu'est-ce qui m'a échauffée ainsi ? La tiédeur du premier soir d'été ? Les flatteries de ces hommes qui me poursuivent de leurs ardeurs, même s'ils ne sont pas ceux dont je rêve ? Le murmure sensuel de ma propre voix, cette voix en moi qui s'est fait entendre pour la première fois depuis longtemps, lorsque j'ai confié mon désir à Hypereïdês pour me jouer de lui, en nous refusant à tous les deux le plaisir de l'apaiser ? Ou bien la satisfaction intime d'avoir encore échappé à Léôkratês et de l'avoir humilié cette fois-ci devant tout le monde ? La caresse de ses gros doigts sur la pointe de mon sein me paraît délicieuse maintenant que je repense à la façon dont il a retiré sa main dans un sursaut, en répétant, stupéfait : "Une mine ?"

J'en souris encore en croisant deux fêtards éméchés, vêtus de la tunique courte et du long chapeau des Péripoloï. D'une voix pâteuse, ils me lancent quelques mots obscènes. Oh, ils ne s'approchent pas, ils ne sont même pas véritablement insistants, mais ils ont le tort de me déranger dans ma rêverie voluptueuse. Je m'arrête et je leur adresse un regard furibond. Mon garde du corps se contente d'exhiber, dans le repli de son manteau d'esclave, le nerf de bœuf dont il est prêt, sur un mot de ma part, à leur frotter les côtes. Voire, s'ils insistent, à briser leur mâchoire de citoyens malappris. Geste désinvolte mais qui, joint à son apparence patibulaire, suffit en géné-ral à calmer les plus importuns. Les deux jeunes crétins, dégrisés, reculent. "Non, non, attendez un peu ! Vous croyez que vous allez vous en tirer comme ça ?" C'est moi qui, saisissant la torche, fais un pas dans leur direction. Pétrifiés, ils n'osent plus bouger. À la lumière mouvante des flammes, je les dévisage. Sont-ils au moins beaux, pour se permettre de m'adresser la parole, à moi qui, cette nuit, suis, d'après les avis les plus autorisés, Aphrodîtê en personne ? Même pas. Deux banals petits mâles en goguette, fils de cordonnier ou de marchande de légumes qui, vivant pendant leur année de patrouille le seul moment un peu héroïque de leur existence, se croient tout permis lorsqu'ils croisent une femme la nuit. L'un d'entre eux, pourtant, un peu plus fin peut-être, ressemble vaguement au jeune homme aimé dans une autre vie, il y a des siècles, à Thespiaï, et dont le reflet, certaines nuits, me poursuit encore sur le visage gracile d'Athéniens inconnus. Mais, en ce qui concerne celui-ci, la ressemblance est bien vague. Elle n'est sûrement due qu'aux reflets mouvants de la torche. Et l'autre, n'ose-t-il pas ressembler un peu au terrible guerrier blond ? Non, même pas. Juste une mâchoire épaisse d'animal. Rien d'autre que des bœufs, pourvus malgré eux d'une queue. Leurs visages ne méritent que d'être démolis à coups de matraque, anéantis, rendus au chaos.

Pourtant, avant de lâcher le Cerbère qui leur broiera les os, je veux leur expliquer le sens de la catastrophe divine s'abattant sur eux : "Vous qui osez m'insulter, vous savez quel est mon nom ? Phrynê. La déesse grenouille, la fille la plus chère de votre ville de crapauds. Largement au-delà de vos moyens. Les fêtes que je fréquente, vous n'êtes même pas capables de les imaginer en rêve ! Savez-vous ce que je viens de demander à l'armateur Léôkratês, qui voulait seulement poser la main sur mes seins ? Une mine, six cents fois le prix de la pute que vous auriez pu vous payer pour passer la petite envie qui vous tient lieu de désir ! Largement plus que vous ne palperez jamais dans toute votre vie de minables merdeux !" Comment, citoyens d'Athênaï, qu'entends-je ? Que distingué-je à travers vos bredouillements confus ? Des mots d'excuse, ou bien peut-être, on peut rêver, quelques borborygmes de révolte ? Je lève de nouveau la torche pour les faire taire, et soudain, dans le silence habité de la nuit, le silence d'avant la tempête que je vais déchaîner, j'entends résonner ma voix. La plus rauque de mes voix. Elle leur déclare, en même temps que naît sur mes lèvres un sourire divin qu'ils ne peuvent sans doute pas distinguer, tant ils sont éblouis par l'éclat de la flamme que je leur projette au visage : "Mais pour vous, charmants jeunes gens, ce sera une obole chacun." Sans attendre leur réponse, je fais quelques pas vers l'entrée du cimetière. Ils n'osent pas me suivre. Je me retourne : "Une obole chacun mais à une seule condition. C'est que vous me baisiez comme une fille à une obole !

Dépêchez-vous, c'est maintenant ou jamais !" Ne vous excusez pas. Ne me respectez pas. Ne me parlez pas. Ne faites même pas attention à moi. N'ayez pour moi aucun égard. Je ne vous demande qu'une seule chose : baisez-moi ! Comme une pute. En tirant de moi votre plaisir d'homme. Mon plaisir de femme, je n'ai pas besoin de vous pour le prendre. Juste besoin de votre queue, pas de vos hommages.

Je me faufile derrière le monument commémoratif d'une escouade de héros disparus corps et âme, tout un tas de pauvres idiots sûrement morts sur un champ de bataille avant d'avoir assez fait l'amour. Les deux jeunes vivants, après un bref conciliabule, et quelques coups de coudes dans les côtes pour se donner du courage, se risquent prudemment à me suivre en territoire inconnu. Je les entraîne dans les profondeurs du cimetière, au-delà de la ligne des tombes officielles, dans l'enchevêtrement des sépultures anonymes où officient d'autres filles publiques, dont on entend partout les murmures et les grognements. Leur intimant d'un geste de la main l'ordre de s'arrêter, mais tournée franchement vers eux, je prends le temps de m'enduire la vulve, l'intérieur du vagin et même l'anus, en y enfonçant mon doigt, de cette huile visqueuse dont je continue à me fournir auprès d'Alkê et dont je porte une fiole en permanence dans le creux de ma tunique. Je vois bien qu'ils détournent les yeux devant cette opération que j'accomplis sans aucune pudeur et cela me fait sourire. Puis, je m'allonge dans l'obscurité contre une stèle. La torche, qu'Adômas, le Cerbère hideusement tatoué, brandit à demi pour éclairer la scène sans trop attirer l'attention, jette parfois une flamme plus haute. Alors j'aperçois, sur le lécythe de pierre laiteux autour duquel j'ai enroulé mes bras afin de mieux résister aux coups de bassin de mes deux clients, le profil pensif d'un jeune guerrier appuyé sur sa lance. À qui ressemble-t-il, ce rêveur mélancolique qui m'observe en train de me faire enfiler comme une chienne par deux de ses futurs collègues ? La finesse de ses traits n'évoque-t-elle pas elle aussi ceux de Phaïdros, qui fut égorgé devant moi au fond d'une de ces ruelles de Thespiaï dont les ruines doivent disparaître maintenant sous les ronces ? Ou bien même, dans l'apaisement de la mort, ceux du guerrier blond, qui est peut-être lui aussi tombé au combat depuis longtemps, vidé de son sang comme un porc, et tout pâle ? Tandis que moi, je me fais prendre par deux queues bien vivantes ! Pendant que l'une me pénètre, je suce l'autre avec ardeur mais sans ménagement. Puis je lui ordonne, à cette dague de chair, de me poignarder par-derrière. Pendant qu'elle s'y risque, tout en la guidant de la main, je l'encourage en termes crus : "Oui, vas-y, tu es bien dure, bien raide, bien pointue ! Alors encule-moi ! N'aie pas peur, tu ne seras pas la première, d'habitude je n'aime pas ça, mais ce soir, j'ai envie de te sentir là ! Sois prudente au début, mais, dès que tu sentiras que tu y es, enfonce-toi bien profond et bien fort ! Tu entends : je veux te sentir tout au fond !"

Puis, j'élève la voix vers le possesseur de ce sexe dont, dans l'obscurité, je ne distingue le visage qu'en reflets fuyants. "Et toi, là-haut, tu m'écoutes ? Insulte-moi ! Je veux entendre ta voix maintenant ! Qu'est-ce que tu fabriques, tu es là ou pas ? C'est toi qui me baises ou pas ?" Mais le jeune homme, tout en besognant, reste silencieux. Je dois me résigner à ce que ma propre voix soit la seule à proférer les râles et les insultes. Tandis que je lui donne sans me lasser l'ordre de me violenter, le malheureux n'ose pas me demander de me taire. Afin de lui permettre, dans le silence, d'entendre son propre souffle. De reprendre ses esprits et le contrôle des opérations. De saisir pleinement ce qu'il est en train de faire et qu'il ne perçoit que par brusques élans : baiser pour une obole la plus belle femme dont il aura jamais l'occasion de croiser le chemin. C'est dommage, il parvient à peine à éprouver l'excitation qui le traverse. Pourtant, dans les instants de pause où je cesse de m'adresser à lui pour grogner et gémir, il finit quand même par s'échauffer. Par se laisser aller à la violence de son désir. Par me défoncer vraiment. Et c'est ainsi, par le cul, que je jouis, entre les tombes, sous la queue du vivant et sous le regard du mort, ne cessant définitivement de parler que pour me mettre à crier comme une bête, ma douleur, ma rage, mon plaisir, mon soulagement. Comme l'une de ces chiennes à moitié hyènes qui hantent les cimetières, lorsque leurs mâchoires déchiquettent la nuque d'un rat ou celle d'un cadavre anonyme qu'elles ont fébrilement déterré, pendant les quelques secondes où elles oublient les pierres que les gardiens et les putains ne vont pas manquer de leur jeter et se laissent traverser par la fulgurance déchirante de leur faim. Mes hululements obscènes font sursauter le garçon qui en éjacule à moitié de surprise. Et peut-être de peur. Quand il se retire, je bascule sur le dos, pesamment, et, les jambes toujours écartées, la main posée sur ma vulve velue à l'intérieur de laquelle vibrent encore les dernières ondulations du plaisir, je leur éclate de rire au nez.

Les deux jeunes gens me regardent avec stupeur. Choqués par le tableau que je leur présente, dans ce geste encore plus obscène que celui de tout à l'heure, lorsque je me suis enduite sous leur nez de pommade protectrice. Puis, tout en rajustant leur tunique et en remettant sur leur tête leur chapeau rond pour reprendre contenance, ils se laissent emporter presque mécaniquement par la violence de ma réaction : eux aussi se mettent à rire. Oh, bien sûr, ce n'est qu'un ricanement, par lequel ils tentent de se persuader qu'ils m'ont bien baisée, qu'ils ont dominé la situation, néanmoins, dans la stridence commune de leur voix, c'est le seul moment où ils sont un peu en harmonie avec moi, avec ce trille étrange de plaisir que je leur ai fait cracher, presque malgré eux, par la flûte double de leurs corps, et qui s'achève sur une note si aiguë qu'ils n'auront plus jamais l'occasion de la rejouer. Ils s'arrêtent de rire avant moi. Nous nous regardons en silence. Craquements de la torche. Ne sachant pas trop comment mettre fin à cette scène gênante, n'osant pas s'éclipser sans rien dire, croyant bêtement qu'il peut y avoir entre nous une sorte de communication humaine, l'un d'entre eux, le plus jeune, celui qui ressemble au Thespien, celui qui paraît le plus fin, mais qui est peut-être le plus grossier, me souffle : "Heu… Merci." Je bondis sur mes pieds. Ce mot maladroit est plus insultant que toutes les injures qu'ils n'ont pas osé proférer. Pas de merci ! Pas de reconnaissance ! Pas de vénération ! Vénérer une femme, c'est l'autre moyen que vous avez trouvé pour la mépriser. "Tenez, leur craché-je, puisque vous m'avez fait jouir, c'est moi qui vous paye ! Une obole chacun !" Me baissant pour ramasser les pièces que je leur ai demandées tout à l'heure, en bonne professionnelle, de poser à l'avance devant moi sur la tombe pour me donner du cœur à l'ouvrage, je les leur jette au visage. Pas avec violence, non, même pas, avec un mépris finalement assez doux. Ils ont un mouvement de recul, puis de colère, mais comme le garde du corps, qui a observé toute la scène sans un mot, fait un pas en avant pour leur montrer qu'il est prêt à brandir de nouveau son nerf de bœuf, ils s'éclipsent. Sans ramasser l'argent. Je m'en vais à mon tour, les cuisses encore humides d'une des excitations les plus violentes et les plus incompréhensibles que j'aie jamais ressenties, et toutes gluantes de sperme. Suivie du Cerbère Adômas, qui, levant plus haut sa torche, me lance pour une fois un regard étonné, mais sans se permettre aucune réflexion. Les deux oboles restent à luire dans la poussière de la nuit, seuls témoins de cette scène absurde, sous le regard mélancolique du jeune mort.

Ah non, quelques instants plus tard, la petite servante, revenant en arrière, d'un geste preste, les glisse dans le creux de sa tunique, avant de rejoindre d'un bond le Cerbère et sa torche rassurante. Herpyllis n'est pas intéressée, elle est sage : elle tient à ce qu'au moins un geste sensé ait été accompli cette nuit.

Les deux gamins racontent le lendemain dans toute la ville qu'ils ont baisé la fameuse Phrynê dans le cimetière du Kérameïkos pour une obole. Lorsque le riche Léôkratês apprend la nouvelle chez son barbier, il refuse d'abord d'y croire, puis il se précipite chez moi. Dès qu'il m'aperçoit sous le péristyle, au milieu de mes femmes, en train de répéter paisiblement un air de flûte, il laisse éclater sa fureur. Comment ? À lui je demande une mine et à ces deux bouseux, une obole ? Mais est-ce que je ne peux pas vendre mon corps de manière raisonnable ? Est-ce que je ne peux pas respecter les règles du commerce international et cesser, alors qu'il est un armateur respecté pour sa rouerie dans tous les ports de Sicile et d'Iônie, de le faire tourner en bourrique ? Intimant d'un geste l'ordre à Adômas de ne pas intervenir, je le laisse éructer tout son saoul. Puis je lui réponds calmement : "Tu n'as pas compris ?

— Comprendre quoi ? Qu'est-ce qu'il y a à comprendre, à part que tu es folle ?

— C'est pourtant simple, écoute : quand j'aurai de nouveau envie de faire l'amour, à toi aussi je demanderai une obole. Tu n'as qu'à être patient." J'ajoute : "La nuit dernière, après ton départ, j'avais envie qu'on me baise, et aujourd'hui, j'ai envie qu'on me respecte. Donc, si tu continues à crier, je te fais chasser de ma maison. Si tu veux discuter calmement, assieds-toi là et raconte-moi plutôt, en ami, ce que tu as fait de ta journée. Je t'écouterai et puis je jouerai pour toi le morceau de flûte que je suis en train de retrouver. C'est un vieil air de chez moi." Et je conclus en souriant : "À la fin de cette journée délicieuse que nous aurons passée à bavarder, si tu veux coucher avec moi, ce sera deux mines. Soit deux cents drachmes, soit mille deux cents oboles." Il me regarde interloqué. Ce doit être la première fois de sa vie que quelqu'un arrive à lui faire perdre la boule en lui parlant d'argent. Je peux être fière de moi. Il ne me reste plus qu'à lui donner le coup de grâce. Sa tête hagarde sera un beau trophée de chasse à clouer dans ma salle de banquet. "Rentre chez toi, Léôkratês, ta femme t'attend, crois-moi, tu n'es pas de taille. Ou bien trouve-toi une petite concubine qui te donnera l'exclusivité de ses caresses pour pas trop cher." Il parvient à bégayer : "Mais, Phrynê, ma chérie, ma déesse, c'est avec toi que j'ai envie de coucher !

— Je sais. Alors si tu es prêt à me donner deux mines, je te demanderai un talent d'argent. Soixante mines, six mille drachmes, trente-six mille oboles. Trente-six mille fois le prix normal, tu entends ? Et pourquoi ? Simplement parce que tu me désires ! Pour que tu me désires encore plus ! Que tu me désires tout à fait ! Si jamais tu étais prêt à me donner la somme déraisonnable d'un talent d'argent, je te demanderais un talent d'or, soit dix talents d'argent, six cents mines, soixante mille drachmes, trois cent soixante mille oboles. Et ainsi de suite, jusqu'à ce que tu sois prêt à m'abandonner toute ta fortune, la fabrique de ton père, la concession de la mine où tu fais mourir au travail la foule anonyme de tes esclaves, les navires qui portent au loin tes marchandises et la puissance de ton nom d'homme libre, tes deux maisons. Et même à me vendre ton Athénienne de femme et tes futurs citoyens d'enfants, afin que je les prostitue. Je veux que tu sois prêt à te ruiner pour une nuit avec moi. Au matin, je te chasserai de chez moi. Obligé de recommencer à partir de rien ta vie, et celle de ton père et de tous tes ancêtres esclaves. Parce que tu n'aimes que l'argent, je veux tout ton argent. Si tu fais ça pour moi, j'aurai peut-être envie de faire l'amour et ce sera encore meilleur, crois-moi. Qu'en dis-tu ?"

Il me regarde sans parvenir à articuler un seul mot, et je me retiens de rire, tant les yeux lui sortent de la tête. Qu'est-ce qui le rend fou, l'ami Léôkratês, l'armateur à qui tout réussit, qui méprise les hommes libres autant que ceux-ci ont méprisé son père, orgueil contre orgueil, est-ce de trop bien me comprendre, ou de ne pas me comprendre du tout ? Même lorsque je tente de lui parler argent, je m'adresse à lui dans une langue étrangère. Alors, maintenant qu'il est à ma merci, par simple cruauté, pour l'achever, ou au contraire par bienveillance, pour le rassurer, je lui donne enfin un peu de mépris compréhensible. J'ai la faiblesse de vouloir qu'il sache d'où je sors la dague de déraison qui lui cisaille la jugulaire : "Bien sûr je ne te demande ce prix exorbitant que parce que tu es un gros porc vulgaire, qui n'avait pas envie de moi quand tu pouvais m'avoir pour une obole dans la maison du Peïraïeus. Oui, je sais que tu t'en souviens. Puisque tu n'as pu t'empêcher de rappeler ce souvenir à nos amis, à Hypereïdês et à Euthias, qui me l'ont rapporté, et sans doute à bien d'autres. Moi aussi, tu vois, j'ai de la mémoire. C'est en l'honneur de notre très vieille et très précieuse amitié que je suis prête à te ruiner !"

Oui, il devrait me remercier parce qu'il peut me regarder avec haine maintenant. Une haine adressée à une femme aussi raisonnable que lui, et pas à une folle. Or, c'est seulement d'êtres de raison que l'on peut tirer vengeance. Léôkratês s'enfuit, les cheveux se dressant sur sa tête de rage autant que sa verge au creux de sa tunique. Arrivé chez lui, il tombe sur la plus tendre de ses petites esclaves. D'une gifle il la jette au sol, puis il la viole, là, dans le vestibule, sans même avoir refermé la porte donnant sur la rue. Ce qui fait murmurer la domesticité : le maître aurait pu au moins déflorer la gamine dans une des chambres de la maison, ou dans le cellier, plutôt qu'ainsi, en l'exposant au regard moqueur des servantes de la maison voisine. Léôkratês devient officiellement mon ennemi mortel. Il se jure qu'il m'aura un jour et même pas pour une obole, pour rien ! L'obligeant Hypereïdês tente de nous réconcilier à plusieurs reprises, en prenant notre différend à la blague, mais il n'y parvient pas. Il s'inquiète pour moi. Dans certains instants de lucidité, je me dis moi aussi que j'aurais dû être plus prudente. À d'autres moments, je me réjouis d'avoir pris ma revanche sur ma première rencontre avec l'armateur. Le reste du temps, je m'en moque.

Un autre de mes ennemis intimes, Timoklês le comique (l'un de ceux qui me devine le mieux même s'il n'a jamais eu l'heur de m'approcher, puisque j'ai juré publiquement de ne coucher avec lui que le jour où il écrirait une tragédie capable de me faire pleurer d'émotion) scandalise son public de petits artisans et de paysans pauvres en leur révélant que je réclame une mine pour une nuit. Et encore, ajoute-t-il, ce tarif doit désormais être en dessous de la vérité, puisque les prix de la Déesse Crapaud montent sans cesse et n'ont d'autres limites que celles de la folie des Athéniens. Un autre satiriste me surnomme "Sesthos", le Crible, parce que je prends tout le blé de mes amants, en ne leur laissant que la paille. Mais ce que Timoklês et ses collègues révèlent de pire, ce n'est pas que mes tarifs soient extravagants, c'est qu'ils varient suivant mon humeur. Ils racontent sur la scène du théâtre, devant tous les étrangers, une autre anecdote du même genre : un jour, en pleine rue, un groupe de graves ambassadeurs rhodiens m'adresse la parole ; l'un d'eux, me barrant le passage, me propose une grosse somme d'argent ; je refuse avec arrogance ; puis, revenant sur mes pas, je me tourne vers le plus jeune, le plus frêle, le plus modestement habillé, celui qui se tient quelques pas derrière les autres et qui n'a rien dit, lorsqu'ils m'ont abordée : "Et toi, tu ne veux pas coucher avec moi ?

— Je n'ai pas d'argent.

— Pour toi, ce sera gratuit."

Et j'enlève le gamin sous les yeux de ses protecteurs humiliés qui, pour se venger, repartent sans avoir conclu d'alliance avec la cité. C'est ainsi que je provoque l'irritation des Athéniens les plus sérieux et les sarcasmes de leurs poètes comiques. On dirait que j'y prends plaisir. L'anecdote est sûrement fausse, je n'en ai gardé aucun souvenir mais elle contribue durablement à ma légende sulfureuse, faisant rêver les jeunes hommes pauvres mais indignant la majorité de leurs concitoyens bedonnants, respectueux de la hiérarchie, des intérêts de l'État et du juste prix des choses.

Dans la barbe grise et souple de Grylliôn, j'aime à nouer des perles. Il fait partie du conseil de l'Aréopagos, la plus ancienne, la plus prestigieuse et la plus inutile de leurs institutions. On ne peut y entrer qu'à la condition d'avoir occupé les plus hautes charges publiques et d'être âgé d'au moins trente-cinq ans. Mon amant Grylliôn est ainsi l'un des hommes les plus respectables de la ville, et pourtant je l'entretiens, moi, la petite hétaïre de vingt ans. C'est vraiment le monde à l'envers. Rien que pour cela, je l'adore. Il a beaucoup d'allure avec sa belle barbe bien taillée et son front olympien, il fait un crétin très présentable, qui tient sa place dignement dans mes banquets. Il se trouve être le dernier représentant d'une famille tout à fait antique et presque complètement ruinée dans les déboires territoriaux que connut Athênaï sur sa frontière avec la Béôtie à la génération précédente. Alors je lui donne chaque mois un peu d'argent, afin qu'il raconte en termes fleuris à mes petites camarades les séances de son Aréopagos et celles, beaucoup plus agitées et amusantes, de l'assemblée du peuple. Je me paye un homme politique comme eux une danseuse. On murmure sur l'Agora que je fais des folies pour cet homme mûr, mais, rapidement, je lui retire le droit de me toucher, sinon pour m'effleurer la main lorsque je lui tends son pécule. Grylliôn, qui est, familialement et culturellement, inapte à toute mauvaise conscience, me remercie de lui permettre, par amour de la démocratie, de poursuivre sa grande œuvre politique. Peut-être le trouvé-je rassurant dans son inconscience et sa prétention ? Peut-être même la façon désuète dont cet Aréopagite habite son époque, et dont il incarne de sa barbiche péricléenne le passé d'Athênaï, m'évoque-t-elle Epiklês de Thespiaï, le guerrier égorgé pour avoir cru à ce vieux rêve des cités indépendantes qui date du temps des guerres médiques ?

Pendant que je m'amuse avec Grylliôn, l'incarnation prémonitoire de ce qu'Euthias sera dans vingt ans, je n'ai toujours aucune nouvelle de mon jeune amant. Est-il encore en train de massacrer les habitants de Kéôs ? Est-il passé sur une autre île pour continuer son œuvre sanglante de pacification démocratique ? Ou bien ce retard signifie-t-il des difficultés, des dangers, des embuscades ? Pourquoi cette idée me fait-elle frissonner ? Pourquoi ne parviens-je à ressentir à quel point je lui suis attachée que dans la déchirure de son absence ? Peut-être au contraire a-t-il été contraint par les événements à évoluer, comme moi, à négocier, à parler au lieu de tuer ? Serais-je autant troublée par un Euthias pacifiste ? Pour le savoir, je voudrais qu'il revienne. Oui, je voudrais qu'il soit là, lui, son sourire supérieur et sa verge prétentieuse, dressée bien raide et bien dure devant moi, pour comprendre enfin ce que j'éprouve à l'égard de ces deux principaux attributs de la virilité. Je voudrais qu'ils me tirent de l'ennui d'être une femme libre.

Hypereïdês n'a pas plus de certitudes que moi sur le sort de notre ami. Ou alors il ment et refuse de rien me dire. De toute façon, je ne le vois plus beaucoup, lui non plus. Je lui tiens encore rigueur du traquenard qu'il m'a tendu avec Léôkratês. De son côté, il fait semblant de pouvoir m'oublier dans les bras accueillants de Myrrhina ou dans ceux d'une autre fille tellement chère qu'il est obligé de ne penser qu'à elle quand il la baise.

Je reçois aussi parfois Démadês. Je n'ai jamais oublié la façon dont, lors d'un de mes premiers banquets, l'ancien matelot m'a salutairement humiliée par ses confidences importunes sur mon passé de putain. Il m'a fait honte de ma propre honte, en me donnant une leçon mémorable : "Eh, ma belle, toi et moi, nous savons ce qu'est la misère, c'est pour ça que nous avons le droit de les regarder dans les yeux, tous ces privilégiés !" Cette phrase s'est imprimée au fer rouge dans ma mémoire. Mais je ne laisse jamais s'approcher de moi qu'avec un frisson d'appréhension celui qui a su cautériser si violemment ma blessure d'orgueil. Par bonheur, il n'a pas souvent assez d'argent pour se payer mes faveurs. Pourtant, comme il me l'avait prédit, il est en train lui aussi de faire son chemin parmi les riches. De simple marin, il est devenu tribun. Un démagogue à la mode, un indépendant, qui ne fait vraiment partie d'aucun camp. Il mène sa barque en fonction du vent mais il sait entraîner le peuple dans ses louvoiements par son talent inné à improviser des réparties cyniques. En faisant rire les Athéniens, il leur permet d'exprimer au grand jour leur égoïsme et leur féroce bon sens. Par exemple, malgré l'antipathie qu'il éprouve à l'égard d'Euthias (il appelle ce dernier par dérision mon "noble amant"), Démadês s'est rallié bruyamment à l'idée d'aller exterminer les gens de Kéôs. Afin, me dit-il en ricanant, "de leur apprendre à respecter un peu plus l'idée qu'Athênaï se fait de leur liberté". Lorsqu'il s'exprime ainsi, il me fait sourire et il me glace le sang. Par ailleurs, il est l'un de ceux qui me baisent le moins mal.

Et Praxitélês ? Je ne le fréquente plus dans ces premiers mois de ma liberté. Je crois qu'il est blessé que j'aie refusé de conclure un nouveau contrat d'exclusivité avec lui. De mon côté, je lui en veux toujours d'avoir refusé de me racheter à Nikarétê, quand je pouvais encore échapper aux griffes amoureuses d'Euthias. Je crois que je ne lui pardonnerai jamais d'avoir refusé de m'épouser quand je n'étais qu'une petite flûtiste étrangère, et que ce choix aurait signifié quelque chose de fort.

Un jour, un de ses serviteurs vient frapper à ma porte et me prie de la part de son maître de passer à son atelier. Je me dis que le Sculpteur va me demander de poser de nouveau pour lui et je refuse sèchement. L'esclave me déclare que Praxitélês s'attendait à cette réaction mais qu'il m'attendra néanmoins jusqu'au coucher du soleil, et encore le lendemain et les jours suivants. Dans l'après-midi du troisième jour, poussée par le désœuvrement, je vais au rendez-vous. J'ai pris soin de me faire accompagner de Stéphanê qui, bien qu'elle soit restée esclave chez Nikarétê, est devenue ma seule véritable intime (j'emmène la souple acrobate partout où j'ai besoin de faire semblant d'être parfaitement à mon aise). Je suis escortée aussi de quelques admirateurs que j'ai choisis pour leur alliance rassurante de futilité et de causticité.

Or, Praxitélês ne veut pas me proposer de poser mais me montrer une statue déjà achevée. Sa première *Aphroditê*. Il nous explique, un petit sourire de fatuité aux lèvres, qu'il a voulu rivaliser avec Alkaménês dans la grâce de l'attitude : les doigts de la déesse, se posant négligemment sur ses cheveux, y fixent une aiguille, dont elle va se servir pour nouer en chignon ses mèches lourdes ; elle les tient encore dans la conque de ses deux paumes, tandis qu'elle jette un regard un peu distrait à l'enfant qui, les bras tendus, lui présente un miroir. L'ensemble de la pose fait saillir les seins sous les plis mouvants de la tunique. Cette *Aphroditê à sa coiffure* est sans aucun doute un chef-d'œuvre, digne du maître qu'est devenu Praxitélês depuis que nous ne nous voyons plus.

Un peu interloquée, je découvre que j'ai, à mon insu, joué mon rôle dans sa dernière création : le visage et le corps de la déesse sont manifestement les miens. Les autres spectateurs me reconnaissent dès le premier coup d'œil mais je suis la seule à identifier le moment précis que l'artiste a choisi de représenter. Celui, secret, de notre première rencontre, la nuit où il est venu me chercher au fond du bordel du Peïraïeus. Il s'est inspiré de l'instant de grâce encore inconsciente où, tenant mes cheveux dans le creux de mes paumes, je les ai dénoués devant lui, sans savoir exactement ce que je faisais. C'est, me dis-je aussitôt, dans un éclair un peu amer, parce que ce geste ne m'appartenait pas tout à fait que ce sculpteur indiscret a pu l'utiliser si librement. Nos amis, même les plus vains, se récrient d'admiration. Ils me déclarent que je dois être fière d'avoir inspiré à ce génie une œuvre d'art aussi sublime. La vanité, et la fausse modestie, oh, je m'essaie bien à les jouer ! Mais je parviens à peine à dissimuler mes véritables sentiments, qui sont exactement à l'opposé : déplaisir, irritation, gêne. Désormais, Praxitélês n'a plus besoin de ma présence réelle pour se servir de moi. Avoir modelé mon visage pendant des semaines en me regardant de loin n'était pas, comme je l'ai cru naïvement, un moyen pour lui de se rapprocher mais de s'éloigner définitivement, en me volant la seule chose qui l'intéresse : mon reflet. Pourtant, malgré mon dépit, je suis obligée de m'avouer qu'une fois encore il a réussi à dépasser ma simple apparence extérieure pour capturer quelque chose qui tient à ma présence intime, à ma façon d'être au monde, à ma distance.

Je lui en veux pour une autre raison, plus essentielle, qui suscite en moi non de la colère mais une sourde angoisse : il a représenté Aphroditê sous mes traits sans me demander mon avis. Mes admirateurs m'affirment qu'il n'a fait que concrétiser ce que tout le monde pressent en me regardant, à savoir que je suis en train de devenir l'allégorie vivante de la déesse de l'amour. Ce qui n'est que mauvaise flatterie dans la bouche de ces poètes de pacotille, désireux de s'attirer mes faveurs, prend, dans ce bloc de pierre à forme humaine, une dimension presque menaçante. On me force à devenir l'incarnation d'une divinité qui reste mon ennemie personnelle. Encore une fois, elle me dépouille de moi-même. Après avoir ravagé mon âme, elle me dérobe mon corps. Elle lui subtilise ce qu'il a de plus beau, de plus extérieur, de plus fugace, elle le fixe, elle le rend éternel, elle m'en dépossède et moi, ensuite, la fille réelle, elle m'abandonne à la solitude et à la mort. Vidée de ma substance. D'où ma stupeur. D'où ma frayeur. Un instant naît en moi le désir fou de me saisir d'un marteau et de démolir moi-même cette forme divine. De lui briser le nez, lui casser les bras, lui trancher les seins, lui mutiler les cuisses.

Ou bien gifler ce sculpteur impudent qui me dévisage en guettant ma réaction ? Je ne parviens pas à la lui déguiser tout à fait. Il en est à la fois flatté (parce que je suis jalouse de ma propre beauté) et déconcerté (par l'hostilité de mon regard). Peut-être aussi est-il dépité, du moins je me plais à l'imaginer, en constatant qu'un effort de plusieurs semaines, qui lui a coûté tant de journées de fièvre, à lui, à ses assistants et au peintre Nikias, ne lui vaudra même pas la récompense d'une nuit d'amour ? Au contraire, je fais sous ses yeux des avances à son collègue, qui n'est pas seulement un artiste novateur mais un jeune homme charmant, de plusieurs années moins âgé que Praxitélês et que je n'ai pas encore eu l'occasion d'inscrire à mon tableau de chasse. Devant son rival, je demande au peintre de venir chez moi le lendemain, afin que je puisse le remercier comme il le mérite, et le ton de ma voix laisse deviner à quel point je suis désireuse de lui faire goûter la fraîcheur de cette peau qu'il a si bien rendue par son vernis. Quant au Sculpteur, il n'a qu'à demander son salaire à Aphroditê pour avoir su donner à son œuvre cette dimension éternelle du marbre qui ne me concerne pas.

Praxitélês parvient à m'attirer dans un coin de son atelier pour me reprocher ma cruauté mais je ne le laisse pas ouvrir la bouche. Je lui lance : "Qui t'a permis de me représenter en Aphroditê, alors que tu ne sais rien de ce que cette déesse représente pour moi ?" Ses yeux s'écarquillent de surprise mais je continue : "Tu t'es approprié mon reflet, eh bien, tu peux en faire ce que tu veux, je te le laisse. Mais ce qu'il y a dessous, c'est-à-dire moi, ça, tu n'y toucheras plus jamais !" Il croit au début que je m'amuse à jouer le dépit, qu'il ne s'agit que d'une comédie de jolie fille vaniteuse qui veut qu'on la flatte. Lorsqu'il se rend compte que ma colère et mon chagrin ne sont pas feints, il tente de se faire pardonner une faute dont il ne saisit pas les véritables causes. Il va jusqu'à s'excuser d'avoir créé un tel chef-d'œuvre. Il me supplie : même si les prêtres du sanctuaire de l'Aphroditê Pandêmos, qui lui ont commandé cette statue, lui ont déjà versé une avance, il est prêt à les rembourser et à la marteler lui-même, malgré sa crainte de commettre une profanation. Oui, il le fera, si c'est ce que je lui demande, pour prouver qu'il me préfère, moi la vivante, à celle qui n'est que mon reflet de pierre ! Mais je refuse, en haussant les épaules d'exaspération. Je sais bien que cette œuvre est beaucoup trop belle pour qu'on la détruise ! Et puis la vie de cet artiste génial m'est trop précieuse pour que je le laisse prendre le risque de s'attaquer à l'image d'une déesse une fois achevée. Il fallait ne pas s'y risquer, c'est trop tard maintenant, elle existe ! Cette beauté dont il m'a dépossédée, elle ne nous appartient plus, pas plus à lui le sculpteur qu'à moi le modèle !

Je le plante là, tout seul avec son admirable et muette statue, au milieu de mon groupe d'admirateurs, qui n'ont rien compris à nos éclats de voix. Stéphanê doit sûrement me prendre pour une ingrate ou pour une folle.

Quelques semaines plus tard, Aphroditê se venge. À sa manière : non pas en m'atteignant moi, la coupable, mais en frappant à l'aveugle autour de moi.

Mon amie l'acrobate tombe brusquement malade. La flèche que lui a décochée Erôs sur l'ordre de la déesse est celle de la fièvre mauvaise, qui tue souvent les filles de plaisir en pleine jeunesse. Lorsque je vais la visiter chez Nikarétê, je ne la reconnais pas. Les traits tirés, le teint cireux, une maigreur qui lui dessine sous la peau comme le masque de la mort, brûlante, dévorée. D'affreuses gouttes de sueur puantes germent sur sa peau et souillent son drap. Je ne jette qu'un coup d'œil à son visage émacié – qui s'incise pourtant dans ma mémoire – avant de détourner obstinément les yeux. Pourquoi elle, pourquoi pas moi ? Elle était si souple, si vivante, si à l'aise, elle pliait sans jamais rompre, et voilà que la malheureuse se tord dans ses vains efforts pour échapper à la poigne du dieu de la mort, qui la force, qui la viole, là, devant moi, impuissante ! Ce qui me déchire le cœur, c'est son angoisse. Elle a tellement peur de mourir ! Dans une rémission de son délire, elle me reconnaît, et s'accroche à moi de tout ce qui lui reste de force. Elle me supplie d'intercéder pour elle auprès d'Aphroditê, notre déesse, qui seule peut la sauver. Comme si j'avais ce pouvoir ! Pourquoi croient-ils tous cela ? Simplement parce que je suis belle ? Absurde ! Mais, de manière tout aussi folle, j'ai la certitude que c'est moi qui la tue. Par mon blasphème, par ma démesure, par mon hostilité humaine à la puissance divine. Mon amie Stéphanê est punie de ma révolte contre l'ordre du monde. Elle en subit la violence dans sa chair tendre qui est en train de se décomposer vivante sous mes yeux. Je lui promets tout ce qu'elle veut et je sors de sa chambre épouvantée. J'éprouve un instant la tentation de céder à la supplique de la pauvre petite, d'aller sacrifier à Aphroditê sur l'autel de son temple populaire, où j'ai déjà accompli deux fois le rituel aux côtés des filles de Nikarêtê. Ou bien de me jeter aux pieds de la statue qui se trouve encore dans l'atelier de Praxitélês. Mais je n'en ai pas la force. Lâchement, je me persuade que, si la déesse entend une prière manquant de sincérité, si elle me voit en train d'immoler une bête immaculée alors que je suis souillée de ma colère contre elle, elle rendra la souffrance de Stéphanê encore plus cruelle. La seule chose qui m'est permise, c'est de devenir invisible. Me faire oublier d'elle et du monde. Je m'enferme chez moi, je refuse de retourner voir mon amie, je tire des trilles si aigus de ma flûte qu'ils couvrent jusqu'à l'écho des râles de la malade.

Après deux jours d'agonie, où Stéphanê réclame sans cesse mon intercession, le brutal Thanatos finit par lui briser la nuque et l'arracher à la vie, dans un dernier sursaut de désespoir. Je repense à son rêve d'acheter avec nos gains une maison près de Milêtos, de l'autre côté de la mer d'Iônie, où elle aurait recueilli sa mère après l'avoir miraculeusement retrouvée vivante. Je repense aussi à la première fois où je l'ai vue, sous le péristyle de l'école de Nikarêtê, passant avec grâce entre les rayons du soleil et les poignards de son cerceau, dont les pointes n'avaient réussi qu'à lui entailler légèrement l'épaule. Oui, sa simple présence me rassurait, elle était mon agile modèle pour me frayer un chemin dans ce monde sans perdre mon temps à me raidir de révolte. Je m'accroche à son sourire pour oublier sa grimace finale. Je repense à nos murmures, à nos soupirs dans mon lit, quand Nikarêtê me rudoyait, quand, lors de mes premières fêtes, face à mes premiers clients, je me sentais étrangère et incapable de réussir. Je repense à tous les moments de désespoir où sa joie m'a aidée à survivre. Ce qu'elle incarnait, c'était l'innocence, une sorte d'accord intègre mais apaisé avec l'ordre du monde. Une réconciliation, dont, sans elle, je me sens totalement incapable. J'insiste auprès de mon ancienne maîtresse pour la laisser me charger des cérémonies funéraires de celle qui est restée jusqu'au bout son esclave docile. Je me débrouille pour lui trouver une place, malgré son statut, dans le grand cimetière du Kérameïkos, tout près de l'endroit où je me suis fait baiser comme une chienne par deux vivants stupides. Je lui érige un joli monument : une petite acrobate de marbre du Pentélique s'apprête pour l'éternité à y lancer son cerceau. J'en ai confié l'exécution à Sthennis, l'un des assistants de Praxitélês, mais le résultat est d'une grâce si touchante qu'on dit que le maître, par amour pour moi, y a mis la main. Je n'ai même pas la force de l'en remercier.

Oh, mes jours d'insolent triomphe sont de telles nuits de défaite ! L'atmosphère d'Athênaï devient irrespirable pour moi. Je me sens poursuivie par la haine de la déesse et de mes ennemis humains. Enveloppée par les ragots de l'opinion publique, séparée de mes amants ou brouillée avec eux, causant la perte de ceux que j'aime. Certains soirs, j'ai envie de hurler d'angoisse dans ma maison luxueuse, lorsque la nuit tombe et se referme sur moi comme un piège sans issue.

Euthias est toujours absent. Quelques jours après la mort de Stéphanê, je me surprends à penser à lui. À l'étreinte puissante de ses bras, seule capable de me faire oublier ma solitude. À son amour jaloux, seul capable de me faire oublier que je suis incapable d'aimer. Je me surprends à rêver de lui. Tout en armes, étincelant de sang et de lumière, l'épée dressée ! Mais n'est-ce pas plutôt lui qui tente de m'appeler au secours, sans qu'aucun son ne parvienne à franchir ses lèvres ou à toucher mes oreilles ? Sous sa gorge ne vois-je pas se dessiner une autre bouche béante, qui me sourit atrocement, avant de laisser jaillir un flot obscène de sang ! Pendant ces jours où je vacille au bord du gouffre, Hypereïdês file le parfait amour avec Myrrhina. Celle-ci a réussi à nous réconcilier. Elle me l'envoie certaines nuits pour me distraire de mon chagrin mais il n'a rien d'autre à me proposer que son amitié et son exubérance. Rien de suffisant pour me faire oublier mon propre dégoût. Je ne pleure pas. Jamais. Ma flûte pleure pour moi à me déchirer les oreilles et celles de mon entourage. C'est bien suffisant.

Et puis une nuit, enfin, le silence se fait.

25

AGONIE

Au matin, je me réveille avec le nom de "Korinthos" sur les lèvres. Malgré mes efforts, le nom de cette ville refuse de me quitter toute la matinée, jusqu'à ce que le Sculpteur me rende visite. C'est la première fois que je le vois depuis la cérémonie funéraire de Stéphanê. Je crois que je me doute de ce qu'il va me proposer avant même qu'il ouvre la bouche : l'accompagner dans la grande cité du commerce et des plaisirs. L'un de ses clients, qui lui a commandé un *Athlète au repos*, afin de l'offrir en ex-voto au grand temple de Poséïdôn, l'invite à assister aux Jeux Isthmiques. Après tout, me dis-je, peut-être n'ai-je besoin que de me changer les idées ? Comme nous sommes plus ou moins en froid depuis qu'il m'a volé mon reflet pour l'*Aphroditê à sa coiffure*, il a préparé beaucoup d'arguments et pas mal d'argent pour me convaincre. Mais je lui ferme la bouche d'un geste de mon doigt posé sur ses lèvres, chut, et, dès le lendemain, nous partons pour l'Isthme. À part Herpyllis et Adômas, je n'emmène personne. Praxitélês n'est accompagné que de l'un de ses assistants, Démétrios, qui veillera sur le chargement. Au rythme du lourd chariot transportant la statue, nous progressons par la route du bord de mer qui relie les deux villes les plus agréables de la Grèce. Aucun de nous deux n'est pressé d'arriver. C'est notre premier voyage ensemble.

Et il est très doux. Je me sens revivre de quitter Athênaï et le Sculpteur est heureux de s'occuper exclusivement de moi. Je me laisse aimer, oubliant ses gestes de tendresse au moment même où il les accomplit, comme si je dormais tout éveillée et que j'étais la spectatrice bienveillante de mon propre rêve, entraînée d'une image à l'autre. Des Jeux, auxquels pourtant j'assiste en bonne place, puisque je ne suis pas une femme mariée mais l'invitée particulière d'un hôte de marque, je ne conserve aucun souvenir. J'imagine que l'on me fait rencontrer Laïs, la seule femme de Grèce à être, paraît-il, plus belle que moi mais, vanité ou langueur, d'elle aussi je perds instantanément la mémoire. Avec volupté, je dérive à travers un songe toujours nouveau, mordoré comme le fruit de cet arbre mystérieux, le lotos, dont on dit qu'il survit dans les régions les plus arides, tant ses racines sont profondes, et que c'est pour cela qu'il est capable de faire pousser des fleurs si étranges dans l'esprit de ceux qui le mangent. On nous le sert en gâteaux chaque soir, à la fin des banquets, sur des plateaux d'argent. Pendant plus d'une semaine, sans jamais sortir de mon état de torpeur exaltée, je ne me nourris que de ces fausses pâtisseries rituelles, allongée sur des terrasses d'où je peux contempler le soleil mourant se mêler à la mer dans des éclaboussures de sang toujours frais.

Je ne commence à en émerger qu'en m'enfonçant dans l'ombre des arbres du Kranéïon qui mène au grand sanctuaire d'Aphroditê.

Le bois sacré s'étend du côté du port de Kenkhréaï jusqu'au pied de l'Akrokorinthos, la citadelle militaire dominant la cité du haut de son escarpement rocheux. Praxitélês me raconte que les prêtresses du temple l'ont fait planter de cyprès, parce que cet arbre vient de l'île de Kypros, sur le rivage de laquelle est apparue un matin la jeune déesse nue, et qu'il est le parfait symbole de sa puissance : ses aiguilles vertes ne tombent jamais, son bois est imputrescible, il porte sur ses branches le mince épi pointu du bourgeon mâle et l'énorme grenade ronde du bourgeon femelle, que le vent seul féconde et, à l'état sauvage, son feuillage est si dense que la lumière ne peut y pénétrer. Au cœur de ce bois profond comme la mort, percé d'une seule avenue rectiligne d'où ne s'écartent guère les humains, se cache l'autre citadelle de Korinthos, celle qui fait sa véritable célébrité. Après avoir débarqué dans les deux ports de la ville, l'un donnant sur la mer d'Orient et l'autre sur celle d'Occident, des foules de voyageurs, de marins, et de commerçants se ruent vers le sanctuaire du Kranéïon, prêts à dépenser les fortunes qu'ils ont gagnées dans les expéditions les plus risquées et les trafics les plus louches pour acquérir le droit d'en franchir l'enceinte. Car c'est à l'intérieur qu'officient les fameuses Hiérodoulaï, les Esclaves Sacrées de la déesse, dont le Sculpteur me rappelle qu'elles sont plus de mille à survivre dans cette citadelle atroce du plaisir.

Délaissant l'allée principale, qu'empruntent tous ces hommes poussés par leur désir bestial, je me perds dans les profondeurs du bois, suivie par Praxitélês et mes deux serviteurs, qui se demandent bien où je vais. Je ne le sais pas moi-même. Me tordant les chevilles sur les grenades qui jonchent le sol, je frissonne mais pas seulement de froid. J'ai repoussé jusqu'à la veille du départ, sous les prétextes les plus futiles, cette visite au sanctuaire, dont je sais pourtant très bien qu'elle est la véritable raison de ma présence à Korinthos. Je suis venue ici déjà. Mais ce n'était pas moi. C'était l'Étrangère. La Muette. Les souvenirs se pressent autour de moi dans l'ombre, ils cherchent à forcer le barrage de ma conscience pour s'introduire de force dans mon esprit, ils alourdissent mes épaules, entravent mes jambes comme celles d'une esclave rebelle, encombrent ma gorge. J'ai l'impression d'étouffer dans l'atmosphère raréfiée et glaciale qui règne sous ces arbres trop épais. Je finis par trébucher. Alors je me laisse aller sur le sol. Je suis trop épuisée par cette semaine de jeûne halluciné et par tous ces mois de fuite pour résister encore.

Lorsque j'ouvre les yeux, elle est là. Manthanê. Ma nourrice. Je reconnais la tiédeur bienfaisante de ses doigts sur mes cheveux et sur mes joues, seule douceur dans le confinement affreux qui m'environne. Je ne suis plus étendue dans le bois de cyprès, mais plongée dans une moiteur étouffante, qui se mêle à l'odeur de corps mal lavés, à des plaintes d'enfants, à des cahots. Toutes ces sensations vieilles de sept années, je les retrouve intactes. Elles n'ont pas disparu, elles sont toujours là, en moi, attendant simplement le jour où je retomberai dans la déréliction. Oui, je sais d'emblée où je me retrouve, parce que je ne m'en suis jamais vraiment échappée : depuis sept ans, je suis enfermée dans le chariot de Satyros, le marchand d'esclaves, qui nous emmène, Manthanê et moi, au milieu d'une douzaine d'autres malheureuses loin de Thespiaï. J'en crierais d'horreur si je n'étais pas la Muette.

Notre pitoyable caravane se compose de trois chariots. Deux pour la marchandise humaine, femmes et enfants mêlés, les unes s'occupant des autres même lorsqu'ils ne sont pas les leurs, Manthanê veillant sur moi comme sur une petite fille, et le troisième réservé au marchand. Les serviteurs mâles marchent à pied et couchent chaque nuit dans le creux des chemins. Satyros est le seul être libre au milieu de cette troupe d'esclaves et de futures prostituées, pourtant personne dans la nuit ne songe à lui trancher la gorge. Quelques-uns de ses serviteurs les plus brutaux font régner l'ordre à sa place, contre le droit de se servir certaines nuits dans le chariot des femmes et la promesse d'un futur affranchissement. Ainsi, le marchand dort sur ses deux oreilles. Le jour, Satyros nous raconte sa vie avec satisfaction. Il vient de Syrakousaï. Il a beaucoup voyagé mais, de ses pérégrinations d'un bord à l'autre des deux mers, il n'a ramené qu'une collection d'anecdotes scabreuses et beaucoup de préjugés. La diversité des mondes n'a pas réussi à l'alléger de sa bêtise native. Je suis la seule à ne pas souffrir de sa conversation pendant les quelques jours que dure notre transport de bétail humain, parce que je ne l'entends même pas.

Dès le premier soir, Satyros, qui ne touche jamais à sa marchandise, de crainte de mélanger ce qui doit rester distinct, le sexe et les affaires, décide de faire une exception pour la Muette, cette gamine à la pommette tuméfiée mais d'une beauté surprenante. Je me révèle tellement inerte que même un imbécile comme lui n'y trouve aucun plaisir. Il a beau me menacer de me renvoyer dans la promiscuité de la roulotte des femmes, ou de m'obliger à coucher toutes les nuits dehors au milieu des esclaves mâles, je ne fais pas plus d'effort. Je ne me refuse pas, je m'absente. Je ne m'absente pas, je ne suis jamais là. "Ah, là, là, quelle misère, je me suis fait rouler, cette gamine, c'est une bûche !" se plaint Satyros, en crachant par terre pour chasser le mauvais sort et en prenant à témoin Hermês, le dieu des commerçants et des voleurs. La nuit suivante, il se laisse convaincre par la plus âgée des deux étrangères, celle qui se prétend savante dans les choses de l'amour, de la prendre à la place de la jeune, en laissant cette dernière dormir dans la roulotte à côté d'eux. Cette Manthanê, cette sorcière, elle a raison, mille fois raison : elle est tellement habile qu'elle se débrouille chaque nuit pour le faire jouir avant même qu'il l'ait pénétrée.

La caravane fait un arrêt au Peïraïeus, le port d'Athênaï, où Satyros vend la moitié de sa cargaison au riche affranchi Antidôros, à qui la cité vient de concéder le droit d'ouvrir une nouvelle maison de prostitution. Les petites Thespiennes qui n'ont jamais vu la mer y finiront leur vie en délassant les marins de passage. Il ne garde que les trois ou quatre plus belles, dont Manthanê et moi, ainsi qu'une petite fille de dix ans très prometteuse, et un tout jeune garçon encore imberbe, pour nous conduire plus bas vers le Sud, jusqu'à Korinthos, l'autre cité du plaisir. Il va lui falloir un peu d'astuce pour refourguer aux prêtresses du Grand Temple la beauté mutique qu'il traîne dans ses bagages, et à qui personne n'est capable d'arracher un mot, à part l'Orientale un peu magicienne qui lui donne la becquée.

Cette fille est belle comme une déesse mais elle ne se fera sûrement pas un nom dans les annales de la prostitution, parole de Satyros ! "Je m'en fiche bien, ma petite, de ton silence, l'essentiel, c'est que je tire de toi deux cents drachmes ! Et je sais déjà comment je vais m'y prendre pour rouler la déesse !"

Il a ordonné aux deux autres filles, la sorcière et la petite de dix ans, de se dénuder et d'évoluer en chantant autour de la Muette ; il m'a laissée habillée, se contentant de dissimuler sous un châle ma pommette encore un peu tuméfiée et d'asperger d'eau froide ma tunique pour que les plis collent à mon corps et à mes seins durcis ; et surtout interdit de bouger ! Il ne faudrait pas qu'il me prenne la fantaisie contrariante de redevenir une fille réelle ! Sinon, de ma peau jaune, me prévient-il, son fouet saura bien faire jaillir le sang ! Mais ses menaces sont inutiles. Je ne bouge pas d'un souffle. On se demande même si je respire. Rassuré, il peut commencer son boniment : "Regardez, nobles prêtresses, vous qui la connaissez bien parce que vous êtes ses suivantes, n'avez-vous pas l'impression de voir la toute jeune Aphroditê, le jour où elle est sortie de l'écume pour venir enchanter nos nuits ! C'est un prodige, n'est-ce pas ? Cette gamine, qui n'a pas quinze ans, je l'ai récupérée sur le rivage de Kypros, je vous le jure, c'est pour ça qu'elle ne parle pas encore notre langue ! Et regardez ce groupe, la femme mûre et l'enfant formant avec elle les trois âges de la séduction ! Et même ce garçon, qui sera le parèdre de la déesse, le gracieux Erôs ! Admirable, non ?"

Encore une ironie cruelle de la déesse : ce maquereau vulgaire est le premier, bien avant Praxitélês, à avoir l'idée de me transformer en statue. Les prêtresses, impressionnées par la perfection du tableau vivant que nous formons à nous quatre, achètent le groupe pour sept cents drachmes. Satyros, se frottant les mains, sort du temple, traverse ce bois sacré, où je gis aujourd'hui évanouie, subissant enfin vraiment, sept ans après, les outrages qu'il m'a infligés. Tout à sa joie, il emprunte le chemin du port mal famé de Kenkhréaï. Moins d'une heure plus tard, au fond d'une taverne où il n'a pu s'empêcher d'entrer pour fêter son succès, il se prend à jouer aux dés, se fait voler comme le gamin qu'il n'est plus depuis longtemps les sept cents drachmes de la vente d'Aphroditê, se croit assez fort pour les récupérer et ne peut éviter le coup de dague d'un marin sace qui lui traverse l'œil jusqu'au cerveau. La statue de la déesse, qui voit tout depuis l'intérieur de son temple, continue de sourire à travers la nuit.

Le lendemain matin, les esclaves publics ramassent dans la rue le cadavre nu du marchand d'esclaves et le jettent aux poissons du haut d'un des quais, les pieds lestés d'un parpaing, avec la dizaine d'autres victimes nocturnes de la cité du plaisir. À quelques stades de là, au centre du bois de cyprès, je participe pour la première fois aux cérémonies quotidiennes en l'honneur de la déesse de l'amour. Au début, malgré mon jeune âge, les prêtresses me réservent une place de choix, presque à l'entrée de l'immense péristyle où les hommes qui ont acquitté la taxe d'entrée pour les œuvres du temple peuvent déambuler librement au milieu des centaines de Hiérodoulaï. Les prêtresses m'imposent de reprendre la position inventée par Satyros. Ce que je fais sans protester. Je conserve mon immobilité de statue même lorsque je conduis les visiteurs dans l'une des cellules du bâtiment à plusieurs étages qui ceint entièrement le péristyle. Je ne les parfume, je ne les caresse, je ne les purifie et ne les suce qu'avec une méthodique absence. Alors ils demandent à être remboursés. "Même lorsqu'elle est nue, protestent-ils, on croirait que cette fille reste enveloppée dans son foutu manteau de laine." Je leur donne froid. On tente de me réchauffer, on m'éduque, on me morigène, on me fouette, on baisse mes prix, on m'informe qu'on songe à me revendre. Rien n'y fait. Je ne sors pas de mon trou.

De son côté, Manthanê, malgré son âge mûr ou à cause de lui, réussit très bien en tant que Servante Sacrée. Elle m'explique, pour m'encourager par son exemple, qu'à peine un peu plus âgée que moi elle a déjà rempli cette fonction, lorsqu'elle était encore une jeune fille de noble naissance dans le Katpatuka et qu'elle honorait la grande déesse Anaïtis et son parèdre Isodaïtês. Au cours de sa vie, elle s'est retrouvée à plusieurs reprises esclave, de maîtres bien différents, d'un côté et de l'autre de la mer, mais, dans ces mondes hostiles et ces existences successives, elle est toujours restée libre, parce qu'elle n'a jamais servi que sa déesse et que son dieu. C'est encore ce qu'elle fait aujourd'hui. Elle devine les désirs secrets de chaque homme sans même qu'il ait besoin de les exprimer et elle les exauce volontiers. Souvent le malheureux lui donne le peu d'argent qu'il lui reste, afin qu'elle prie pour lui ce couple de dieux étranges auquel elle vient de l'initier. Des clients de tous âges la supplient de ne pas les oublier dans ses prières quotidiennes. Rapidement elle devient l'une des femmes les plus demandées par les visiteurs et les plus respectées par les prêtresses. Son origine étrangère ne la dessert pas. Au contraire. Korinthos est la ville cosmopolite où les Grecs se permettent sans remords de donner libre cours à leur goût pour l'exotisme. De toute façon, elle qui a déjà réussi à se faire accepter aussi bien à la cour du satrape perse d'Arménie que dans l'étroite et béotienne Thespiaï, elle serait capable de se faire sa place dans n'importe quelle société humaine. Elle tente de m'apprendre comment survivre. Elle me rappelle sans relâche à la vie. Mais, malgré son exemple et ses conseils, je ne fais aucun effort pour séduire. Les portes de mon âme restent obstinément fermées.

Que se passe-t-il derrière mes paupières ? Dans quel rêve suis-je perdue ? Espéré-je encore, plusieurs mois après la catastrophe, que mon père et mon amoureux, que j'ai vus égorger sous mes yeux, viendront me tirer de ce cauchemar ? Qu'Isodaïtês, le jeune homme ailé, viendra m'emporter ? Ou bien ne pensé-je à rien, parvenue d'emblée à la salutaire inertie du marbre ? Je ne suis plus qu'une naufragée. La vague d'écume aux reflets d'or et de sang, qui porte la cruelle Aphroditê à travers le monde, m'a déposée dans ce bois au pied de ce rocher, perdue au milieu d'une foule de plusieurs centaines de jeunes femmes nues dans le temple sans vie du plaisir, et elle va de nouveau me submerger. Je vais bientôt, je le sais, si je ne sors pas de ma torpeur, mais je ne peux pas en sortir, être séparée de Manthanê. De mon ultime protectrice. Et c'en sera fini.

Soudain, on m'arrache à moi-même ! On m'extirpe du trou sans fond de ma mémoire ! Je me retrouve sous les cyprès du bois sacré de Korinthos, non plus dans les bras de ma nourrice mais dans ceux de ma servante, Herpyllis. Praxitélês, inquiet, est penché sur moi. Il me tamponne les tempes avec un linge mouillé. Il me force à boire quelques gorgées d'eau fraîche. Il me propose de rentrer me reposer chez son hôte, dans la belle villa qui donne sur le port du Lékhaïon, mais, sans l'écouter, je me relève pour me remettre en chemin vers le temple. "Manthanê ! Manthanê !" Je murmure sans cesse le nom de mon ancienne compagne d'infortune, saisie d'une incompréhensible angoisse. Alors que je n'ai pas eu une pensée pour elle depuis plusieurs mois, depuis plusieurs années, depuis que nous avons été brutalement séparées, comme si le lien qui m'unissait à elle avait été sectionné et extirpé de mon esprit à la racine, voici que maintenant je suis envahie par son nom ! Alors que j'ai oublié le plus longtemps possible qu'il me faudrait faire un jour ce voyage à Korinthos, et, une fois à Korinthos, ce pèlerinage dans le bois sacré d'Aphroditê, voici que maintenant je crains d'arriver trop tard ! Pas beaucoup, juste cruellement, fatalement, un tout petit peu trop tard ! À cet instant précis, je le sais, Manthanê est en train de quitter le sanctuaire ! Il faut absolument que je la retrouve, sinon nos traces seront définitivement perdues ! Jamais plus je ne pourrais la revoir, même si je fouillais les îles de la mer Égée, même si je me perdais au fond des satrapies du Grand Roi. Peut-être va-t-on, malgré sa science, revendre mon amie, que l'on juge trop vieille ? Je suis assez riche désormais pour la racheter, au prix exorbitant que me proposeront les prêtresses et que je ne discuterai pas. Je comprends soudain qu'il s'agit de ma dernière chance de trouver cette paix que je cherche en aveugle depuis cinq ans. Mon dernier espoir de me réconcilier avec mon passé et de l'accepter tel qu'il a été : retrouver Manthanê, la ramener chez moi, introduire au cœur d'Athênaï un morceau vivant de Thespiaï !

Au bout de quelques pas, je défaille de nouveau. Alors Adômas, sans un mot, se penche. Il referme sur moi ses bras tavelés de tatouages, il me soulève sans effort et se met à courir. Comme si, dans sa finesse de brute, il percevait la profondeur de cette détresse dont il ne connaît pas la cause. Il m'entraîne tout droit sous les arbres, pour éviter les embarras de la foule qui se presse sur l'avenue centrale. Je plante mes ongles dans le cuir épais de sa nuque en lui murmurant : "Plus vite, Adômas, plus vite, je t'en supplie !" Et le Chien fidèle accélère encore l'allure. Herpyllis est obligée pour nous suivre de retrousser sa longue tunique qui se prend dans les branches basses des arbustes sauvages. Et Praxitélês, où est-il ? Resté en arrière sous les arbres, incapable de m'accompagner dans cette course folle à la poursuite de mon passé ? Soudain une main se pose sur mon bras pour m'empêcher de glisser. Je tourne la tête. C'est lui. Courant à côté du Cerbère, le souffle court mais ses yeux attentifs posés sur moi, comme lorsqu'il sculptait ma tête de marbre.

Nous parvenons enfin à l'entrée principale du sanctuaire, où les fidèles déposent devant les novices leurs armes et leurs premières offrandes sous la surveillance de gardes patibulaires. Indescriptible cohue de tous ces hommes venus des quatre coins des deux mers passer une nuit, ou ne serait-ce qu'une heure, entre les bras humains de la consolatrice déesse, après s'être dépouillés de leurs richesses les plus mal acquises. Notre petit équipage, débouchant du bois, attire l'attention quelques instants et puis la foule se détourne de nous pour se concentrer de nouveau sur l'urgence du plaisir. J'hésite. Comment me frayer un passage à travers ce troupeau ? Mais le

Sculpteur me tire par la manche. En habitué des lieux, il m'entraîne vers un poste de contrôle à l'écart, qui ne commande que la sortie. Il n'y a miraculeusement personne, sinon une petite prêtresse, plus jeune que moi de quelques années. Elle paraît nous attendre. Dans mon trouble, je parviens à articuler le nom de "Manthanê". Que dois-je dire ensuite ? Je m'apprête à expliquer qu'il s'agit d'une question de vie ou de mort, que je dois absolument rencontrer l'une des servantes sacrées, arrivée dans le temple cinq ans auparavant, en provenance de Thespiaï. Mais la novice, qui n'a paru manifester aucune surprise en entendant le nom étranger que j'ai prononcé, me répond d'une voix sèche : "La prêtresse Manthanê ne peut recevoir personne." Elle ajoute au bout d'un instant, pour couper court à mes protestations : "Elle est très malade." Elle conclut, en me souriant d'un air triste : "Je crois que tu arrives trop tard."

Ces révélations contradictoires me suffoquent. D'abord Manthanê n'est plus prostituée mais prêtresse, elle a réussi à s'en sortir, comme en Arménie, comme à Thespiaï. Ensuite elle est malade, elle est condamnée. Elle aussi, après Stéphanê, je l'aurai laissée mourir. Je baisse les épaules, soudain accablée. Mon espoir fou de la retrouver n'était qu'une nouvelle ruse de la Déesse pour me punir. Mais me punir de quoi ? Me le dira-t-on enfin ? Mon compagnon, lui, ne se résigne pas. Il n'a pas compris. Il parlemente encore : "La femme que tu vois s'appelle Phrynê, c'est l'une des hétaïres les plus célèbres d'Athênaï. Moi-même je suis Praxitélês le sculpteur. Plusieurs de mes œuvres sont exposées dans ce temple. Nous sommes venus de l'Attique spécialement pour voir la prêtresse." Mais la novice, avec une autorité surprenante, refuse de l'écouter. Il lui donne l'ordre d'aller chercher sa supérieure, mais l'autre, obtuse, se contente de hausser les épaules. Elle se tourne vers les deux gardes qui, la main sur la longue dague qu'ils portent au côté, font un pas en avant. Adômas, après les avoir jaugés, me demande du regard si je veux qu'il tente malgré tout de forcer le passage. Soudain, je me redresse. Je m'avance vers la gardienne. Lui posant une main sur l'épaule, je lui murmure d'une voix souveraine : "Tu as bien protégé ta maîtresse, je te félicite. Maintenant va lui dire que Mnaséréta, la fille d'Epiklês de Thespiaï, est venue pour la voir." Est-ce le son de ma voix, est-ce le sens des mots que je prononce ? La jeune femme, soudain, change d'attitude. Elle me jette un regard rempli non plus d'hostilité mais de curiosité. Elle se lève, adresse quelques mots à voix basse aux deux gardes, qui se reculent sous l'ombre de la colonnade. D'un signe, elle m'entraîne à l'intérieur du sanctuaire. Elle marche tellement vite que nous n'avons pas le temps d'échanger un seul mot. Mais elle continue à me jeter de rapides coups d'œil. Je sens que la petite n'ose pas me poser les questions qui lui brûlent les lèvres. Cela m'inquiète. L'état de ma nourrice est-il si désespéré que même une jeune curieuse n'ose pas distraire une seconde avant de me conduire à elle ? Un autre regard interrogateur pèse sur moi. Celui du Sculpteur. Je sais les mots qu'il se répète dans sa tête, parce qu'il ne les a encore jamais entendus : "Mnasaréta, la fille d'Epiklês de Thespiaï ?" Mais lui aussi se tait. Lui aussi se hâte.

La novice nous conduit dans le quartier retiré du sanctuaire où habitent les prêtresses. Puis dans le vestibule d'une des plus grandes maisons, où Praxitélês et mes serviteurs restent discrètement à m'attendre. Je suis introduite dans une vaste chambre, pourvue de deux fenêtres qui sont occultées pour ne pas laisser entrer la lumière du jour. Quelle différence avec la cellule où nous avons officié pendant dix mois ! Deux servantes tournent la tête vers nous mais, sur un signe de la novice, nous laissent approcher. Dans la pénombre, je finis par distinguer une femme allongée sur un lit de sangles. Son visage, je le reconnais aussitôt. Ce n'est pas celui de ma nourrice mais celui de la mort. J'ai déjà vu une fois ce masque, posé sur les traits mobiles de mon amie l'acrobate. Émacié, d'un blanc grisâtre de cendre, le crâne apparaissant déjà sous la peau presque translucide. Je me force à regarder. Je ne veux pas fuir comme je l'ai fait devant l'agonie de Stéphanê. Des cadavres, j'en ai déjà vu beaucoup, et des gens que j'aimais égorgés sous mes yeux, leurs sursauts affreux, mais c'est la première fois que j'affronte une vivante immobile marquée par la mort. Comme si le dieu, assis au chevet de cette femme, après avoir pris le temps d'amollir la cire de son visage, était en train de la pétrir, de la réduire, pour lui donner une autre forme et signifier sa lente prise de possession.

Manthanê, elle, m'a reconnue tout de suite. Elle attend que mon regard se fixe sur elle, à travers son masque mortuaire, que le contact se fasse entre nos yeux, et puis elle m'accueille avec ce qui ressemble encore à de la joie. Un rictus qui doit tenter d'exprimer ce sentiment humain déforme fugacement son visage cireux. Elle ne marque aucune surprise de me voir apparaître, plutôt du soulagement, de la reconnaissance. D'un geste presque imperceptible de sa main droite posée sur le drap, elle me fait signe d'approcher. Je l'entends qui murmure : "Mnasaréta." Elle parvient à poser sur mon bras ses doigts, qui sont presque sans poids, pour m'empêcher de me retirer, et, après un moment, elle répète à voix très basse : "Mnasaréta." Son regard me pétrifie. Ses pupilles sont devenues d'un gris indéfinissable, presque laiteux. La lumière qui vacille encore à l'intérieur, j'ai l'impression qu'elle vient jusqu'à moi en traversant un immense espace. De l'autre côté de la mort. C'est de là qu'elle m'observe.

Après un long silence, elle murmure de nouveau : "Raconte." Elle ferme les yeux. J'hésite un instant, et puis je me mets à parler. À lui expliquer ce qui m'est arrivé depuis notre séparation. Est-elle capable de comprendre mes mots, de les entendre même ? À un moment, l'observant pour vérifier que c'est bien cela qu'elle m'a demandé, je m'aperçois qu'elle a cessé de respirer ! Paniquée, je m'arrête, je me tourne vers les servantes. Mais, au bout de quelques secondes, Manthanê, avec une lente impatience, rouvre ses yeux vides. Elle lutte pour les habiter de nouveau. C'est comme si elle était obligée de faire l'effort de revenir en arrière pour inciter ma voix à la rejoindre dans le dédale où elle séjourne désormais. Alors je parle sans plus m'arrêter. Lorsque j'ai fini mon récit, Manthanê sourit pour la première fois. Ce sourire me ravage le cœur parce que lui, je le reconnais, il vient tout droit de mon enfance. Sur le visage métamorphosé de ma jeune nourrice devenue si vieille, il me ramène un fragment brut du passé. Maintenant elle me parle, dans son souffle, en laissant un long espace entre chacun de ses bouts de phrase. Elle me dit qu'elle ne regrette pas d'avoir demandé à Isodaïtês de me revoir une dernière fois. Depuis des jours, elle m'appelle à travers le silence, sans se lasser. Faisant attendre Thanatos, qui veut bien lui obéir encore au nom de Celui qu'elle sert. Je n'ose rien lui répondre. Je me contente de me pencher sur sa main, qui est presque froide, mais que j'embrasse quand même.

Au bout d'un très long moment, j'entends de nouveau sa voix. Elle me dit : "Je veux te présenter quelqu'un." D'un geste las, elle appelle l'une des deux servantes. Lui murmure quelques mots à l'oreille. La femme sort et revient, tenant par la main un petit garçon qui, même si je n'ai guère l'habitude des enfants, ne me paraît pas âgé de plus de cinq ou six ans. Il s'approche du lit en hésitant mais, après que Manthanê lui a fait signe, il se jette dans ses bras avec des précautions touchantes. Elle lui caresse les cheveux. Puis elle se tourne vers moi, qui regarde cette scène muette sans oser comprendre. Elle prononce d'une voix blanche : "C'est mon fils." Et elle ajoute, après un temps : "Celui d'Aram." Ce nom ancien tombe sur moi comme la foudre. Aram ! L'Arménien silencieux qui l'a suivie sans un mot de la cour du satrape perse jusqu'au petit village grec de Thespiaï. L'homme redoutable, aux pantalons bouffants et à la longue barbe tressée, qui a veillé sur elle et sur moi pendant toutes les années de mon enfance. Le barbare qui s'est battu fidèlement jusqu'au bout aux côtés de mon père, dont il était peut-être le seul ami. Et qui, le jour de la catastrophe… Oh, Aram ! Je revois ta barbe, je revois tes lèvres muettes, ton sourire entendu ! Oui, je revois tes yeux amusés dans ceux, si mystérieusement graves, de cet enfant !

Et mon passé continue à me revenir par bouffées ! Dans ces brusques coups de vent qui me bousculent, les nuages se disloquent, et le paysage disparu s'éclaire, étincelant à faire mal ! Tout ce que je n'avais pas saisi en le vivant, maintenant, dans une illumination déchirante, je le comprends ! Oui, je perçois soudain, bien trop tard, l'énergie farouche qu'a mise Manthanê à survivre, la nuit du cauchemar et le matin de la vente au marchand d'esclaves, où il a fallu qu'elle s'occupe de moi et aussi de lui, l'enfant futur, qui vivait déjà dans son ventre depuis quelques semaines ! Elle ne s'est pas octroyé le droit de sombrer comme moi dans le naufrage, parce qu'il fallait qu'elle se batte pour lui, qui serait la vie prolongée d'Aram ! Et pour moi aussi elle s'est battue, moi qui n'ai rien compris, qui n'ai pas eu un geste d'entraide ! Sous les yeux brillants d'intelligence et de maturité de l'enfant d'Aram, je suis littéralement arrachée à moi. Je me retrouve dans ce passé que je n'ai pas vraiment vécu, et je le vois de l'autre côté. Celui de son père, le mort, celui de sa mère, l'agonisante, qui me fixe elle aussi, d'un regard si étrange, parce qu'elle le lance de si loin, parce qu'il a une telle masse de souvenirs à traverser avant de m'atteindre. Tous ces mois de naufrage solitaire pour moi mais de survie altruiste pour elle ! Elle s'est accrochée coûte que coûte, l'une de ses deux mains posée sur son ventre fragile avant qu'il ne s'arrondisse, et l'autre posée sur mon épaule sans force. Une fois parvenue à Korinthos, lorsqu'il ne lui fut plus possible de cacher qu'elle était enceinte à personne d'autre qu'à moi, et qu'il devint clair que je ne survivrais pas dans le temple de l'amour, elle dut accepter que l'une de ses mains se détachât de mon épaule pour se réunir avec l'autre sur son ventre. Elle dut renoncer à se faire acheter de nouveau avec moi, sa protégée devenue impossible à protéger. Elle dut faire le choix de m'abandonner. Voulant la remercier de servir si bien Aphroditê, les prêtresses l'autorisèrent sans doute à garder l'enfant, qui serait formé avec les autres rejetons des meilleures Hiérodoulaï, afin d'honorer, dès l'âge de sept ans, la déesse de l'amour auprès des fidèles de marque. Manthanê accepta leur proposition avec reconnaissance. Elle savait bien qu'esclave et enceinte, elle ne pouvait rêver de sort plus favorable pour son fils que de le garder auprès d'elle dans le sanctuaire. Et moi, pendant ce temps, enfermée dans mon drame, je n'ai écouté aucune de ses paroles de réconfort, je n'ai remarqué aucun des changements physiques de la compagne avec laquelle je partageais pourtant jour et nuit la promiscuité d'une cellule. Même au moment où nous fûmes séparées définitivement, je n'exprimai aucune émotion, je quittai Manthanê sans un mot, sans un adieu. Ma nourrice, lorsqu'elle se retrouva seule dans notre cellule, je le devine maintenant, comme elle a dû pleurer ! Ses larmes, je les sens au bord de mes paupières ! Elles étaient les premières qu'elle se concédait depuis le sac de Thespiaï et elles furent toute la nuit versées sur moi et non sur elle. Mais je sais aussi que, dès le lendemain, quand la nouvelle compagne qu'on lui avait choisie fit son entrée dans la cellule où elles allaient passer leur temps à accomplir religieusement les gestes faux de l'amour, la Kappadocienne, les dents serrées, l'accueillit d'un regard bienveillant.

Aujourd'hui encore, où elle s'égare dans le dédale de la mort, elle se retourne sur le seuil, et elle m'adresse un signe. L'un de ces sourires d'autant plus bouleversants qu'ils lui coûtent, qu'ils l'obligent à fendiller la cire presque durcie de son masque pour en faire de nouveau quelques instants un visage humain. D'un geste faiblement esquissé, elle pousse l'enfant vers moi. Elle me souffle : "Je lui ai donné deux noms. Le premier est Mithradatês, si jamais un jour il traverse la mer. Le deuxième, qu'il porte ici en Grèce, Hermodotos. Je te le confie." Et moi, en recevant machinalement le petit garçon dans mes bras qui s'ouvrent, je me mets à pleurer. Toutes les larmes que je n'ai pas versées alors. Ainsi, c'est par Hermodotos, et non par Manthanê, que Thespiaï me sera rendue ? Non par la nourrice qui a veillé sur moi mais par l'enfant dont je devrai moi-même devenir la nourrice et protéger l'innocence, alors que je me sens bien incapable de m'occuper de qui que ce soit d'autre que moi ? Où me faudra-t-il aller en chercher les ressources ? Ai-je le droit d'accepter ce dépôt précieux qui m'est confié ? Je ne sais pas. Je ne vois rien. Je ne suis qu'éblouie par mon chagrin et par une joie incompréhensible, si intense qu'elle en est douloureuse. Car Hermodotos, acceptant de venir se réfugier dans mes bras, lève sur moi le regard miraculeux de l'enfance, foudroyant de confiance.

Puis Manthanê me fait signe de me pencher. Elle me murmure, en laissant, entre chacun de ses mots ou presque, un silence de plus en plus long, qui est simplement la nouvelle mesure du temps dans lequel elle s'apprête à entrer : "Demain, tu descendras vers le port du Lékhaïon. Tu demanderas l'Égyptienne. Tu lui diras qui tu es. Tu lui parleras de moi. Elle te dira ce que tu dois faire."

Tout en enregistrant ces paroles mystérieuses, je ne peux m'empêcher de constater à quel point l'haleine de ma nourrice est aigre, sa voix décharnée jusqu'à l'os, les mots qu'elle dépose de loin dans mon oreille comme enveloppés d'un silence acide qui les attaque déjà. Tout, dans son attitude, me dit la mort, la mort répugnante, à laquelle elle s'est déjà résignée. Mais moi, pour la première fois, je suis prête à lutter ! Sous les yeux du petit garçon, qui continue à me regarder avec ce mélange émouvant de curiosité enfantine et de gravité, j'entame le combat à visage découvert et, cette fois, je ne faillirai pas. Je n'abandonnerai pas sa mère, mon amie, comme je l'ai déjà fait une fois, ici même à Korinthos, comme aussi à Athênaï j'ai laissé mourir Stéphanê qui me demandait mon intercession. L'haleine fétide de ma nourrice, je l'affronte, je l'accueille dans mes narines, dans ma bouche, pour la lui rendre parfumée de mon propre souffle. Son masque de cire déjà presque rigide et presque froid, j'ose rester en face de lui, de son décharnement brutal, je pose mes mains inspirées sur lui, je le caresse doucement pour le réchauffer, pour le remodeler, pour lui redonner chaleur et vie. Et voilà que j'y arrive, voilà que je triomphe ! Que je lui redonne sa forme ancienne de vivante ! Que je lui rends un peu de sa jeunesse qui est désormais la mienne ! Oui, quand j'accepte ma puissance, je suis plus forte que la mort ! Manthanê qui voulait d'abord détourner les yeux et se laisser glisser dans l'abandon, finit, tant je fais effort de tendresse pour la garder près de moi, par se raccrocher à mon regard, par se laisser investir de nouveau de ma vie, que je verse en elle à travers lui. Et son sourire est encore plus bouleversant que les précédents, parce que celui-là, il ne s'adresse pas à moi de l'autre côté de la faille, d'au-delà de la mort, mais il vient de tout près, de cette rive-ci de la vie. Un sourire qui me reconnaît, non pas à travers ma faiblesse ancienne et ma lâcheté, mais à travers mon tout nouveau courage, semblable au sien. Maintenant c'est moi qui murmure à son oreille, avec précaution, pour ne pas la bousculer dans ce rythme lent qui n'est plus celui d'une agonisante mais celui d'une rescapée. Moi qui lui demande de se battre, comme elle me l'a demandé autrefois. De vivre. Pour son fils et pour moi. Je vais la tirer de là. Je vais l'emmener à Athênaï. Elle sera libre. Elle sera heureuse. Et moi aussi, je serai libre. Mais seulement si elle vit. Je ne serai enfin libérée que si elle reste avec moi ! Je sens à un moment le contact très léger d'une main sur ma nuque. C'est sa main, c'est sûr, sa main allégée par mon énergie qui a réussi à s'extirper du drap, du suaire qui l'enveloppait déjà, pour me remercier. C'est comme ça qu'elle me jure de se battre. Elle veut tout ce que je veux. Elle me fait confiance. Elle est prise dans le halo de ma force bienfaisante. Maintenant, c'est moi qui suis sa nourrice !

Manthanê, épuisée, après l'effort que je lui ai demandé pour revenir à la vie, a fini par s'endormir. Moi aussi je me sens rompue par notre combat commun. Mais je reste encore un long moment à écouter sa respiration sifflante, parce que seule ma présence pourra la rendre régulière. Je continue de pleurer sans discontinuer ni même m'en apercevoir. C'est un reliquat de larmes vieux de six ans. Quand je n'en ai plus une seule à verser, après avoir remis l'enfant à la prêtresse qui l'a amené, je sors en tâtonnant de la grande chambre obscure. Je traverse le vestibule, éblouie par la brusque lumière du jour. Là, je retrouve Praxitélês. Il m'accueille dans ses bras d'homme tendre habitué à se confronter à la dureté du marbre. J'ai besoin d'eux ! J'ai besoin de lui ! Nous marchons un peu. Comme portés par la foule vers le temple. Mais là, nouvelle faiblesse. Je refuse d'entrer dans l'immense édifice où se tiennent les Hiérodoulaï, sous la colonnade où j'ai officié parmi elles quelques mois. Je me laisse tomber plutôt que je ne m'assieds sur les marches. Bouleversé par mon émotion, Praxitélês me demande des explications.

Alors je lui raconte tout. Ou une partie de tout. Qui était Manthanê pour moi. Comment je suis déjà venue à Korinthos.

Je lui raconte la fin de l'automne, il y a six ans, lorsque les prêtresses d'Aphroditê exaspérées finissent par me revendre, au prix humiliant de cinquante drachmes, à un autre trafiquant de chair humaine, qui me conduit tout droit au Peïraïeus.

Je lui raconte l'hiver, et le printemps et l'été qui ne sont plus que des hivers, quand la naufragée emportée par la lame renonce à lutter et se noie. "Réveille-toi !" hurle le Boskos en me cognant. Lorsqu'il sera las de me frapper et que je ne lui rapporterai même plus de quoi me nourrir, je finirai dans la vase du Port. Personne ne s'apercevra de mon absence. Le sort du monde n'en sera pas changé.

Et puis je lui raconte la visite inespérée, au fond de la grotte atroce des Sirènes, d'un riche Athénien inconnu, qui ne se doute pas qu'il me sauve lorsqu'il me laisse lui extorquer les huit drachmes et les neuf oboles se trouvant par hasard cette nuit-là au fond de sa bourse. Je lui raconte le geste miraculeux de son doigt de sculpteur sur ma joue.

Praxitélês reste un long moment silencieux. Par délicatesse, bien sûr, mais aussi parce qu'il saisit soudain que c'est ce naufrage originel qui donne son vrai prix à mon triomphe, cette violence subie qui donne son vrai prix à ma grâce. Peut-être revoit-il le portrait délicat qu'il a sculpté de moi l'année précédente ? Peut-être comprend-il seulement aujourd'hui la profondeur de cette fragilité émouvante et mystérieuse que ses mains avaient découverte presque malgré lui ? Oui, une seule Phrynê, tant de Mnasaréta qui pourrissent depuis des siècles dans les eaux de tous les ports du monde. Je suis elles toutes. Ma présence est leurs absences.

Et moi, je sais, au moment où je me délivre de ce récit, qu'il reste encore un moment dont je n'ai pas parlé, ni à lui ni à Hypereïdês, pour qui j'ai fait revivre la fille libre de Thespiaï. Un fragment de passé qui reste tout au fond de moi, comme une concrétion de pierre dure et muette, taillée hideusement par le gouffre et protégée de toute curiosité humaine, même de la mienne, par une armée de serpents. D'ailleurs, Praxitélês a la pudeur de ne poser aucune question. Pendant tout le temps que je laisse sortir de moi ce qui peut sortir, le Sculpteur se contente de me tenir serrée dans ses mains puissantes d'homme frêle. Toute notre vie, nous nous souviendrons de ce moment de confidence sur les marches du temple de Korinthos, au milieu de la foule des pèlerins de la jouissance, parce qu'il scelle notre union plus encore que les moments de pose.

Ensuite, Praxitélês s'occupe de nous faire avoir une chambre dans la partie du sanctuaire réservée aux visiteurs de marque, pour que je sois plus près de ma nourrice et que je puisse achever de la ramener à la vie.

26

VOIX DES FEMMES

Le lendemain matin, Manthanê est morte. Après avoir interdit à ses servantes d'aller me réveiller en pleine nuit, elle a laissé son âme se détacher d'elle et s'asseoir sur les épaules du Jeune Homme ailé qui était venu la chercher pour l'emporter vers la Déesse. Je ne pleure pas parce que je n'ai plus de larmes.

Dans l'après-midi, je sors de nouveau du bois sacré. Je ne suis accompagnée que du Cerbère Adômas. Praxitélês est retenu par ses affaires et j'ai laissé l'enfant à la garde d'Herpyllis. Me dissimulant dans l'ombre d'une voiture couverte, la tête entièrement voilée, pour échapper aux regards de la foule des marins rendus fous par l'idée d'avoir débarqué dans la ville du plaisir, je me dirige vers le port du Lékhaïon. Je sais qu'ouvert sur l'Occident, il se trouve à l'opposé de celui de Kenkhréaï par où nous sommes arrivés. Nous empruntons d'abord une large voie pavée, bordée de commerces et d'édifices religieux, entre les deux longs murs qui, comme à Athênaï, relient en toute sécurité la ville et le port. Mais, une fois arrivés à la mer, nous quittons cette avenue rassurante. Nous sommes déroutés vers un dédale de ruelles de plus en plus sordides par les indications des passants à qui Adômas demande notre chemin. L'odeur humide du large peine à dissiper les relents nauséeux de poisson et de fruits pourris. Les femmes qui arpentent le quartier dans l'attente du client étranger, les hommes qui, assis sur des chaises basses en pleine rue, paraissent surveiller l'entrée des maisons, nous regardent avec une curiosité franchement hostile. Le calme et les tatouages effrayants de mon garde du corps me rassurent à peine. Nous finissons par dénicher une minuscule façade borgne, qui donne sur l'échappée étincelante du golfe. J'ordonne à Adômas de m'attendre à l'entrée de la maison, prêt à se ruer à l'intérieur au moindre appel de ma part.

Une toute jeune fille, à la peau très sombre, m'ouvre la porte. Sans me poser la moindre question, elle me conduit jusqu'à l'entrée d'une pièce plongée dans l'obscurité et disparaît sans un mot. Je reste sur le seuil plusieurs secondes avant que mes yeux ne parviennent à s'accoutumer à la pénombre. Il me semble alors distinguer, au fond de la cellule, un étrange spectacle. C'est une masse d'ombre informe, qui devient peu à peu le corps d'une vieille femme. Elle se tient à croupetons, à côté d'une sorte de trépied de métal pourvu d'un haut dossier. Pourquoi ne s'y assied-elle pas ? La vieille paraît ne rien faire qu'attendre. Je suis tellement interloquée que je ne prononce moi-même pas un mot pour signaler mon arrivée. Nous restons un moment ainsi. Puis la femme, sans même lever la tête vers moi, se met à parler. Elle m'invite, avec un fort accent étranger, que je n'ai encore jamais entendu mais dont je me dis qu'il doit être égyptien, à entrer sans crainte. Le ton sur lequel elle tente de me rassurer me fait encore plus hésiter. D'un geste autoritaire, elle me désigne la chaise haute à côté d'elle. Lorsque je m'y installe, l'inconnue se retrouve à mes pieds, ou plutôt à hauteur de mes genoux. Je me sens mal à l'aise de m'aventurer dans cette pièce obscure, les jambes à portée de cette étrange et malodorante sorcière. Pour couper court, je lui déclare abruptement que je viens la voir de la part de Manthanê qui est morte la nuit dernière. L'inconnue relève brusquement la tête. Est-ce une grimace ou un sourire qui déforme son visage ? Sa bouche édentée s'ouvre : "Je le savais." Elle tend la main dans ma direction et l'agite, palpant le vide, comme si elle cherchait à discerner quelque chose dans le déplacement de l'air qui se situe entre elle et moi : "Toi, tu es Mnasaréta, n'est-ce pas ?" Le ton est à peine celui d'une question. Je suis stupéfaite. Comment peut-elle connaître mon ancien nom ? Puis je parviens à me raisonner : elle a dû simplement l'entendre dans la bouche de ma nourrice. Le sourire de la vieille s'agrandit encore tandis que ses mains retombent : "Tu devines pourquoi Manthanê t'a demandé de venir me trouver ?" Je ne sais que répondre. "Peut-être, reprend-elle, est-ce pour que tu t'occupes de la vieille femme sans ressources que je suis, puisque Manthanê n'est plus là pour le faire ?" Étrange petit rire, grinçant, enroué, comme s'il remontait de très loin, à travers des masses épaisses de glaire et de silence : "Ou bien pour que je m'occupe de toi ?"

J'éclate de rire à mon tour. Un rire dont je fais sonner la jeunesse et l'insolence, afin de mieux l'opposer au sien : "Je n'ai plus besoin de nourrice depuis longtemps, tu sais !" L'Égyptienne tourne la tête vers moi : "Ah bon, tu crois ça ?" Oh quelle façon étrange elle a de me dévisager ! Avec stupéfaction ou avec ironie ? Ses yeux sont tellement enfoncés dans leurs orbites qu'on ne les distingue pas bien. Elle m'observe longuement, la tête penchée sur le côté et le menton levé si haut que je me demande si elle n'est pas en train de m'écouter plutôt que de me regarder, ou de me percevoir avec d'autres sens que la vue. Soudain une illumination me traverse : bien sûr, elle est aveugle ! La bizarrerie des attitudes de cette Tirésias femelle s'éclaire aussitôt. Mais non, une seconde après cette découverte, elle me déclare, sans vraiment répondre à ma phrase précédente : "Lorsque tu es entrée dans ma maison, j'ai cru voir Isis en personne se dresser devant moi." Elle ajoute : "De la Bienveillante, tu as la forme extérieure, la beauté, mais pas l'esprit. Pas l'émanation de l'âme. Tu portes de beaux vêtements, à l'étoffe si souple qu'elle donne envie de la toucher, c'est bien, tu en es fière, je te comprends. Mais on sent aussi à je-ne-sais-quoi, en te voyant, en t'écoutant, que tu es aussi étroite que ta vie." Elle ajoute, après un autre instant de réflexion, ou plutôt de perception de ma présence : "Comme si tu t'étais racornie à ses dimensions ?"

Nouveau silence. Elle me laisse absorber ce qu'elle vient de me dire. Je suis un peu vexée, je dois l'avouer, que cette vieille femme, que je domine de toute ma hauteur et de toute ma jeunesse, se montre si peu impressionnée par les signes de ma réussite. Mais ses reproches me frappent, parce qu'ils ressemblent à ceux que je m'adresse à moi-même. Je me demande ce qui, dans mon attitude, dans l'ironie pourtant sans faiblesse de mon rire, a pu lui donner ainsi accès à mes secrets les mieux gardés. Lorsqu'elle se rend compte que je la regarde avec curiosité mais sans plus dire un mot, pour ne plus lui donner l'occasion de lire en moi, elle reprend la parole. D'une voix radoucie. Enveloppante. Doucereuse : "Oui, ma belle, j'ai l'impression que tu ne connais pas encore le principe qui vit en toi, ce qui m'étonne de la part d'une élève de Manthanê. Ou peut-être, si tu le connais déjà, que tu ne l'acceptes pas ?" Je n'ai pas le temps de répondre, ni de me mettre en colère contre cette magicienne de pacotille, qui vient de me laisser maladroitement voir son jeu : elle s'appuie sur les confidences de ma nourrice pour me faire croire qu'elle me devine intimement. La jeune servante fait son retour, portant une bassine d'eau pure. Voulant me ressaisir, et recouvrer la maîtrise de cette entrevue que j'ai promise à mon amie sur son lit de mort mais dont je me demande bien désormais ce qu'elle va pouvoir m'apporter, je me rafraîchis les mains et le visage. La vieille n'y touche pas. Elle devrait. Elle sent mauvais. Non, d'ailleurs, ce n'est pas vrai. Elle ne sent pas mauvais, elle sent étrange. Elle sent le vieux mais une odeur de vieillesse si pleinement, si puissamment affirmée, que mes narines se ferment d'instinct pour ne pas la laisser m'emplir.

Lorsque la petite est sortie, l'Égyptienne se remet à parler : "Écoute-moi bien, jeune Mnasaréta, toi qui ne sais pas encore tout ce que tu devrais savoir. Car j'ai des choses à te dire. Et je dois commencer par ce que Manthanê n'a pas eu le temps de t'expliquer." Elle se met à me raconter l'histoire de ma nourrice depuis notre séparation. Comment, après la naissance de son fils, la fidèle servante d'Isodaïtês, dont les hommes avaient cru de nouveau qu'ils pouvaient faire une esclave, devint, souplement, sans s'imposer, puissante prêtresse d'Aphroditê. Les Grecques qui dirigent le Grand Temple durent reconnaître en elle un savoir capable de toucher les marins des pays lointains, qu'ils débarquent d'Orient sur les quais de Kenkhréaï ou d'Occident sur ceux du Lékhaïon. Elles lui accordèrent place à côté d'elles comme le voulait manifestement la Déesse. Cela se fit sans heurt. Car Korinthos est de toutes les villes de Grèce la moins grecque et la plus ouverte sur les deux côtés du monde. L'argent, les métaux, les poteries, les désirs y circulent à flot mais aussi les cultes étrangers. Les dieux s'y promènent librement, cachés dans la foule des hommes accourus des contrées les plus lointaines pour vendre et pour jouir. La Bienveillante est là, elle aussi, depuis longtemps. C'est elle qui voulut que Manthanê s'aventurât un jour hors du sanctuaire, accompagnant la jeune prostituée enceinte qui partageait sa cellule et n'avait confiance qu'en elle. La Kappadocienne fit la rencontre de l'Égyptienne qui l'attendait depuis longtemps au milieu de ses incantations, de ses aiguilles et de ses décoctions. Les deux étrangères en mission se reconnurent immédiatement. La servante de l'Anaïtis d'Arménie devina l'envoyée de l'Isis d'Égypte. La vieille se tourne vers moi : "Ta nourrice a dû te dire déjà, j'espère que tu ne l'as pas oublié, que les Grecs ont tenté depuis toujours de dissimuler la Grande Déesse sous l'enveloppe rassurante de leur fragile Aphroditê. Mais certaines femmes, venues de loin, porteuses d'une autre sagesse, connaissent ses autres identités et ses visages secrets, plus authentiques, plus effrayants parfois, mais plus vénérables. Elles sont chargées de les révéler à leurs sœurs de ces pays-ci, qui ne les ont jamais connus ou qui les ont oubliés." La sorcière ajoute, en me regardant de ses yeux enfoncés et vides avec encore plus de fixité : "Et puis il y a certains êtres qui, comme toi, croient ne savoir rien de la Déesse mais sont chargés de l'incarner dans leur corps." Sans me laisser protester, elle lève la main : "Sais-tu comment je m'appelle, moi qui te parle ?" Entre chacune de ses phrases, elle laisse un temps de silence assez long, soit qu'elle ne sache pas très bien le grec, soit qu'elle ait besoin de reprendre son souffle, soit qu'elle cherche simplement à piquer ma curiosité : "Mon nom est Aâmet." Elle poursuit : "Les Grecs me surnomment l'Égyptienne mais, dans la langue de l'Égypte, Aâmet veut dire l'Orientale. Et peut-être à la fin, si je savais remonter assez loin dans mon propre passé, dont j'ai perdu la mémoire moi aussi depuis tant d'années, découvrirais-je que les Orientaux, eux, en leurs divers langages, m'appelaient Celle-qui-vient-du-Soleil-Couchant ? Qui peut le savoir ? Qui peut remonter jusqu'au dernier voile des noms pour dénuder l'identité ? Toi-même, qui n'es qu'une toute jeune femme, n'as-tu pas eu déjà plusieurs noms, qui tous disent quelque chose de toi ? Celui que tu crois être le premier, ce nom qu'a transcrit en grec ton père, Mnasaréta, peut-être n'est-il pas tout à fait celui que t'a donné ta mère ? Sais-tu ce que veulent dire, dans la langue sacrée que parlait cette dernière, les syllabes que tu conserves précieusement comme liées à ton origine et qui se prononçaient peut-être ainsi : Mana Sarta ? Non, tu ne le sais pas ? Moi non plus. Tu devras le trouver par toi-même. Mais sache qu'il en est des dieux comme des noms. Laquelle des femmes d'ici est capable de lever le voile vaporeux d'Aphroditê pour découvrir Anaïtis ? Et, sous celle-là encore, la grande Ishtar de Babylôn, la plus terrible de toutes les Mères, la Guerrière, dont j'ai entendu parler lorsque les armées du Grand Roi m'emmenèrent en captivité après s'être emparées de l'Égypte ? Mais, ma fille, sais-tu quel sourire, quel puissant, quel paisible sourire se cache encore sous le masque de la guerrière Ishtar ? Sais-tu ce que l'on découvre lorsqu'on parvient à lever le dernier des Sept Voiles ? Non, tu ne le sais pas ? Tu ne t'en doutes même pas ? Alors il est trop tôt pour t'en parler. D'ailleurs, on ne peut pas parler de ces choses-là. Il faut les voir pour les croire. Ou peut-être que toi, tu dirais : il faut les ressentir pour les saisir."

Je ne comprends pas grand-chose aux élucubrations de la vieille Égyptienne mais je suis sensible au sortilège hypnotique de sa voix. Une voix qui, oubliant peu à peu les fatigues de son âge, devient plus fluide et plus sourde à la fois, une sorte de murmure rauque, de mélopée confuse, qui me rappelle celle de Manthanê dans mon enfance. Celle aussi, un peu, de, comment s'appelait-elle donc, la patronne du bordel du Peïraïeus, la nuit où elle commença à m'apprendre les secrets du corps ? Alkê, voilà. Voix de nourrices, voix de maquerelles, voix de magiciennes, voix de prêtresses, voix des femmes désarmées mais savantes, voix qui m'accompagnent dans les accidents de ma vie et qui ne me quitteront peut-être que lorsque ma propre voix, avec les années et avec la sagesse, se sera imprégnée de leur vibration rauque, descendant dans le grave aux oreilles des jeunes femmes que je formerai à mon tour. Ma voix d'hétaïre ne finira-t-elle pas par se confondre avec celle sans âge de la sorcière ? Oui, nos deux voix nous survivront, non pas leurs mots mais leurs tons, dans celles des jeunes âmes qui nous écoutent et qui nous prolongeront à leur tour. Toujours, au fil des générations, sous les discours de la culture officielle, le murmure lancinant des femmes qui savent la réalité cachée du corps et de l'âme et qui se l'expliquent entre elles. Peu à peu, la vérité change mais pas la voix de celle qui la dit. La vieille voix qui aide la jeune à lever un à un les sept voiles jusqu'au dénudement.

Le premier jour, à Korinthos, c'est à cause du son de cette voix, beaucoup plus qu'à cause du contenu de ses paroles, que je conçois le projet, sans même m'en rendre compte, de ramener Aâmet avec moi à Athênaï. Moi qui étais venue chercher Manthanê, ma nourrice encore jeune, voilà que je ne ramènerai peut-être qu'un petit garçon de six ans et, si elle accepte, une très vieille femme, dont je ne sais pas si elle a cent ou mille ans. Pas de déception possible. Juste de la reconnaissance. Pendant ces quelques jours de rêve éveillé dans les bois et les ports de Korinthos, je commence à me débarrasser de mes fausses surprises pour me tenir étonnée dans la main des dieux.

Ce soir-là, Aâmet accepte de quitter une nuit sa masure du port et de m'accompagner dans le sanctuaire du Kraneïon. Le lendemain matin, à l'aube, nous accomplirons le rituel funéraire en l'honneur de Manthanê. Nous devons commencer par préparer le corps. Spontanément, la vieille Égyptienne prend le contrôle des opérations, comme si les prêtresses du temple elles-mêmes subissaient son emprise. Après avoir péniblement dévêtu ma nourrice des vêtements souillés par l'agonie, nous lavons à l'eau tiède son cadavre déjà rigide mais qui garde un peu de sa calme beauté. Je la vois pour la première fois entièrement nue. Je m'efforce de poser sur elle le même regard compatissant dont elle a dû envelopper ma mère au moment de lui rendre les derniers soins. Sur son ventre j'aperçois d'étranges cicatrices qui peuvent être des scarifications. Je n'ose pas demander d'explication à Aâmet. Nous parfumons le corps, le revêtons d'une tunique immaculée. Bien que j'aie déjà vu à plusieurs reprises des morts, c'est la première fois que j'en touche un. Malgré l'amour que j'éprouve pour Manthanê, je ne peux m'empêcher de ressentir, chaque fois que mes doigts entrent en contact avec sa peau froide et jaunâtre, un frisson de répugnance. La plupart des autres femmes qui s'activent autour de moi partagent ma réaction. Surtout les plus jeunes. Seule Aâmet paraît indemne de ce dégoût qui me fait honte. Pour nous donner du courage, elle se met à chanter, un chant d'adieu grec que nous connaissons toutes. Nous noyons notre frayeur dans la douceur de la mélopée. Après le repas, pris en commun, Praxitélês et les autres hommes se retirent pour se reposer. Nous, les femmes, nous restons à veiller la morte.

Peu à peu, nos compagnes, l'une après l'autre, s'assoupissent. Vers le petit matin, Aâmet et moi, nous nous retrouvons toutes les deux seules éveillées dans la maison de la prêtresse. Peut-être même sommes-nous les uniques âmes actives dans l'ensemble du sanctuaire, où les servantes sacrées ont fini de faire jouir les pèlerins et où les vivants de l'un et l'autre sexe s'abandonnent ensemble quelques heures à l'oubli du sommeil. Alors, dans notre isolement, l'Égyptienne se met à me parler de nouveau. Elle me raconte cette fois l'activité secrète à laquelle ma nourrice a consacré ses dernières années. Manthanê a introduit à Korinthos le culte d'Isodaïtês et d'Anaïtis mais, sur les conseils d'Aâmet, elle a eu la prudence de le placer dans l'ombre du culte d'Aphroditê et d'Adônis. Le bel adolescent sacrifié est connu depuis longtemps déjà dans les villes grecques et je me souviens avoir suivi moi-même à Athênaï les années précédentes la commémoration rituelle de son deuil réservé aux femmes, en feignant de partager l'affliction générale mais en n'ayant à l'esprit que le sarcasme. Les deux étrangères ont commencé à dévoiler aux Grecques la véritable puissance de la Déesse de l'amour, et de son parèdre, le Désir. L'éphémère dieu-soleil qui luit au cœur même de la nuit, qui s'éparpille pour se donner également à tous et se dissémine pour se servir également de tous. Les révélations d'Aâmet sur ce culte oriental me vont droit au cœur, parce qu'elles me rappellent des souvenirs d'enfance. L'enseignement de Manthanê, que j'écoutais sans le comprendre, était resté enfoui au fond de moi à l'état de germe. Sous la lumière féconde de la voix d'Aâmet, il s'épanouit brusquement. Désormais ces paroles sont comprises, intimement. Elles ressuscitent l'enfance mais elles répondent aussi en moi aux attentes de l'adolescente victime de la violence des hommes et à celles de la jeune femme qui a commencé à s'en libérer. Parce qu'Aâmet me révèle que tout humain peut participer au culte d'Isodaïtês, quel que soit son âge, son sexe ou sa condition. Que l'androgyne ailé choisit souvent d'accorder plus de pouvoir à une esclave qu'à un homme libre mais que la puissance qu'il confère reste radicalement éphémère. Et qu'il faut accepter ce dépouillement pour être touché de son aile.

Moi, la célèbre Phrynê, dont le triomphe est encore une revanche, moi qui vis encore à chaque instant dans le ressentiment, moi qui ai cru me découvrir quelques semaines auparavant rebelle à toute émotion religieuse, je me dis aussitôt que j'ai trouvé mon dieu. La signification secrète à donner à mes scandales. Dès cette nuit, je décide de vouer ma vie à prolonger l'œuvre de Manthanê. Le culte d'Isodaïtês, parèdre d'Aphroditê, et derrière lui, celui de la grande Anaïtis, je l'introduirai à Athênaï comme Manthanê l'a fait à Korinthos ! J'entreprends de persuader la vieille Égyptienne qu'il est temps pour elle de quitter la ville du commerce, où elle a accompli son œuvre, pour s'implanter dans celle de la politique et de l'esprit. La seule où, si nous savons déjouer la méfiance de ses habitants, le culte que nous défendons pourra prendre sa pleine mesure. Dès mes premiers mots, le sourire entendu d'Aâmet me fait comprendre que je me trompe : c'est elle qui m'a incitée à la convaincre de m'accompagner. Elle est mille fois plus rusée que moi. Elle sait jouer avec mes sentiments les plus secrets. Je devrais m'en méfier et je m'en réjouis. Je m'en exalte même. Je sens, comme sans doute Manthanê avant moi, que je me ménage une alliée puissante en la personne de cette aïeule minuscule, toute tassée sur elle-même et sur ses secrets millénaires.

Le lendemain, le corps de Manthanê est placé sur le bûcher qu'ont édifié les serviteurs au centre de l'esplanade secrète derrière le Grand Temple, là où les visiteurs ordinaires ne pénètrent pas. À travers les rouleaux beiges et lourds de la fumée, les crépitements du bois et de la graisse humaine, l'odeur âcre me brûlant par instants les narines et les poumons, il me semble que j'aperçois Manthanê, malgré les bandelettes qui l'enserrent, se redresser quelques secondes. Ses cheveux, flottant autour d'elle, s'envolent. Le petit garçon assiste à la cérémonie. Il regarde le corps de sa mère être dévoré par les flammes avec une gravité qui me déconcerte. Ses yeux sont fixes, sans larmes, malgré la fumée. Il paraît moins apeuré ou attristé qu'attentif. Âgé d'un peu plus de six ans, qu'est-il capable de comprendre à cette scène ? Se doute-t-il seulement que sa mère est morte et qu'il ne la reverra jamais ? Je n'ai pas assez l'habitude des enfants pour le savoir. Il se tient spontanément à mes côtés. Bien que je sois sûrement la moins maternelle de toutes les femmes qui l'entourent, c'est moi qu'il a choisie pour me tenir la main. Se contente-t-il d'obéir avec docilité aux dernières volontés de Manthanê ? Il me demande de le prendre dans mes bras et, malgré les craquements hostiles du brasier, malgré l'intensité des chants de deuil, il s'endort au creux de mon épaule. J'en suis bouleversée. Qu'a-t-il perçu en moi de rassurant que je ne perçois pas ? Pourquoi, comme la petite Glykeïa que j'ai sacrifiée, comme Herpyllis que j'ai sauvée à sa place, comme les gamines de l'école de Nikarétê, comme Lagiskê frissonnant devant sa première ride, comme ma chère Stéphanê tordue par l'agonie, me fait-il confiance au point de se rapprocher de moi, alors que je me sens si peu aimante ? Jamais je ne serai mère et pourtant les enfants qui ont perdu la leur me choisissent pour la remplacer ! Tandis que le feu continue à consumer sourdement les restes de Manthanê, le corps du petit garçon se met à peser sur mon épaule. De ce fardeau sacré je me fatigue vite. Je le transmets avec précaution à deux des servantes qui l'emmènent se coucher. Il ne se réveille pas dans ce transport d'une épaule à l'autre mais j'ai l'impression de sentir encore longtemps sa tête posée contre la mienne.

Nous abandonnons Praxitélês et les autres hommes dans le sanctuaire. Nous, les femmes, nous descendons par des sentiers retirés à travers le bois sacré jusqu'au rivage des alentours de Kenkhréaï, en chantant tout le long du chemin à mi-voix une mélopée funèbre. Ainsi que nous l'ordonne l'Égyptienne, nous prenons une barque pour disperser les cendres de Manthanê sur la mer, dans l'écume où s'est formée jadis Aphrodite. Nulle tombe pour elle. Nulle indication d'un nom. "Son seul tertre, me déclare Aâmet, son seul signe de présence, il est en toi." Ma nourrice vivra dans le cœur des femmes de mémoire qui assistent à cette cérémonie. Les os, nettoyés et noircis par le feu, Aâmet les récupère, les gratte et les enferme dans une urne. Je me souviens qu'elle les broiera ensuite pour en faire une poudre grise et noire. Celle-ci disparaîtra à son tour sans que je me doute, pendant longtemps, de l'usage répugnant auquel la Vieille la destinait : elle me la fera ingérer jour après jour en la mêlant à ma nourriture. Lorsque l'opération magique sera achevée et qu'elle me la révélera, il ne sera plus temps de m'en indigner, ni de recracher quoi que ce soit. Manthanê sera en moi.

Dans quelques heures, mon corps finira à son tour de brûler sur le bûcher. Mes os seront broyés par Aâmet, la vieille qui survit à toutes les jeunes et qui fait entrer leurs restes dans les décoctions infâmes qu'elle met ensuite en circulation. Tu les ingéreras. Mes cendres seront dispersées sur la mer et sur les terres que j'ai aimées et contribué à féconder. On dansera dans le petit cimetière derrière le temple. Puis on y dressera une simple stèle, sur laquelle j'ai demandé à ce que soit gravé seulement mon nom. "Mnasaréta". Mais moi, je n'y serai pas. Je serai ailleurs. Déjà.

Cette nuit-là, dans notre chambre du Kraneïon, le petit garçon n'accepte de s'endormir qu'entre mes bras. Il s'agite longtemps. Aâmet me parle de lui, qui porte le double nom de Mithradatês et d'Hermodotos. Dans les deux langues, la perse et la grecque, le sens est le même : "Don-de-Mithra" et "Don-d'Hermês". Ces deux dieux sont, dans un monde et dans l'autre, les visages différents du même principe divin. Celui qui est chargé de veiller sur les passages dangereux et sur les êtres loyaux : l'enfant fut miraculeusement accordé à Manthanê, en souvenir de l'homme qui l'avait accompagnée partout sans un mot et qui l'avait fécondée avant de mourir. Mais la vieille me raconte les douleurs interminables de l'accouchement, dont elle dut délivrer la prêtresse. Pendant plusieurs jours, l'enfant ne voulait pas sortir. Il fallut toutes les impositions des mains et toutes les incantations de la savante égyptienne pour qu'il acceptât de venir au monde. Aâmet, la bouche posée près du sexe douloureusement dilaté de Manthanê, dut rappeler à celui qui refusait de naître qu'à lui aussi une mission était confiée. Lui aussi, à sa manière, différente de celle de sa mère, devait réconcilier l'Orient et l'Occident. Puis Aâmet me raconte l'intelligence déjà surprenante du petit garçon, son goût de l'observation et sa sensibilité. Puisque j'ai accepté de m'occuper de lui, il faudra que je développe ces dons. Athênaï est la ville rêvée pour cela : capitale de la connaissance, où l'on dit que les savants de tout le monde grec viennent donner des leçons. Mais je lui coupe la parole : "Tu crois qu'une hétaïre est la bonne personne pour veiller sur l'éducation d'un garçon de six ans ?"

J'ose lui ouvrir mon cœur : je n'aurai jamais d'enfants, c'est le seul luxe ou la seule faiblesse qu'une femme de plaisir ne puisse pas se permettre. Ceux des autres, je ne sais pas pourquoi ils m'aiment mais, ce qui est sûr, c'est que moi, je ne les aime pas. Mon âme, pour une raison inconnue, leur est fermée. J'ai donc déjà décidé de louer les services d'une nourrice pour élever celui-là, qui m'est confié sans que je l'aie demandé. Je m'engage à lui faire donner par la suite la meilleure éducation, ce qui implique de le tenir éloigné de moi, du monde futile ou sordide dans lequel je vis. Aâmet me laisse exprimer mes doutes sans protester. Elle sait bien que j'ai raison, qu'il ne s'agit pas pour moi de trahir Manthanê une seconde fois, mais au contraire de lui être fidèle. Alors, rassurée, je me tais et, peu à peu, j'ai l'impression que la respiration de l'enfant s'apaise, elle aussi.

Je ferme les yeux pour la première fois depuis deux jours. J'entends pendant encore un moment qu'Aâmet continue à me bercer de sa voix de bourdon. Je ne saisis pas bien le sens de ses paroles mais je crois qu'elle est en train de me dire ce que Manthanê lui a raconté de moi, l'amour que ma nourrice avait gardé pour sa fille de cœur, l'espoir qu'elle n'avait jamais perdu de me retrouver un jour. Je me souviens que, de mon côté, au contraire, j'ai à plusieurs reprises renié son souvenir, que j'ai voulu à toute force l'oublier et que j'y suis presque parvenue. Alors, les yeux fermés, je pleure, encore une fois, moi qui croyais n'en être plus capable, et qui l'ai plus fait en trois jours que dans les six dernières années. Ce sont ces ultimes larmes, nées de je ne sais quelle faille secrète, qui, glissant à travers mes paupières, se répandant sur mes joues, se mêlant à la voix enveloppante d'Aâmet, m'entraînent sans me brûler à travers les flammes du bûcher jusqu'au cadavre de ma nourrice. Celui-ci, comme je l'ai entraperçu ce matin sur l'esplanade, se redresse brusquement pour m'accueillir, il laisse tomber tout autour de lui ses bandelettes et alors, je la vois, elle, Manthanê rajeunie, apaisée, triomphante ! Comme au temps de mon enfance thespienne ou peut-être encore en deçà, au temps de la plaine neigeuse et du palais oublié d'Arménie, au temps de la jeunesse heureuse de ses deux hommes, Aram et Epiklês, au temps de Bathimandis, ma mère, que je n'ai connue qu'à travers elle. Ma jeune nourrice me prend dans ses bras. D'un seul coup, je retrouve son odeur. Son odeur charnelle, si tiède, si fraîche malgré les années, si accueillante, si rassurante ! Dans cette bouffée, je défaille, envahie d'une tendresse et d'une nostalgie indicible. Alors ma protectrice rapetisse jusqu'à la taille de l'enfant qui a dormi le matin au creux de mon épaule. Elle s'y perche. Elle déploie ses ailes sombres, dont je sens passer sur mon visage la caresse rêche des plumes, et elle s'envole, corneille planant un moment au-dessus de la plaine, avant de disparaître dans la brume du soleil. J'entends encore longtemps l'écho de son doux et funèbre croassement.

Je l'ai encore dans l'oreille le lendemain matin. Il m'incite à m'envoler au plus vite de Korinthos. Et je devrais bien l'écouter. Mais j'hésite, je perds du temps. Je ne sais pas qu'il me reste encore une rencontre décisive à faire dans la cité du plaisir, avant de pouvoir regagner Athênaï. La plus inattendue de toutes. La plus heureuse. Et aussi la plus funeste.

27

VERTIGE DE LA POSSESSION

Le lendemain, après la nuit de murmures passée à veiller ma nourrice, je me retrouve en compagnie d'Aâmet au milieu de l'agitation et des cris de la foule. Praxitélês est à mes côtés. Mais ce n'est pas lui qui m'a demandé de l'accompagner au marché aux esclaves du port du Lékhaïon, où il a rendez-vous avec l'un de ses futurs clients. Il doit rencontrer l'un de ces négociants des ports d'Asie, qui s'enrichissent tellement dans les différents trafics à destination de l'Empire perse qu'ils commencent à pouvoir rivaliser avec les sanctuaires des cités eux-mêmes, en s'attachant à prix d'or les services des artistes les plus prestigieux du continent pour décorer leurs villas privées. Après mes confidences des jours précédents, mon amant n'a pas voulu m'infliger la douleur de me replonger dans l'excitation obscène de ce genre de lieux. Même si le trafiquant de chair humaine au visage avenant qu'il me présente sous le nom de Diôn paraît très désireux de me retenir plus de quelques minutes, Praxitélês m'observe avec inquiétude lui adresser des sourires de façade, derrière lesquels je dois dissimuler mon angoisse. Il se demande, comme moi, ce que je fais là.

C'est la vieille sorcière égyptienne qui m'y a entraînée. Elle prétend qu'il s'agit de la première épreuve imposée par mon nouveau dieu. Elle aussi, m'explique-t-elle, a rendez-vous avec quelqu'un d'important et je peux l'aider à le découvrir. Elle est parfois chargée de retrouver la trace d'un malheureux dont l'un de ses correspondants lointains lui a signalé l'enlèvement (car notre thiase est aussi un réseau d'entraide, qui passe les frontières et qui tisse sa toile entre l'Orient et l'Occident) mais, cette fois, sa tâche est plus délicate : elle est à la recherche d'un parfait inconnu. Celui, fille ou garçon, jeune ou vieux, que la divinité nous désignera pour remplacer, dans son thiase de Korinthos, Manthanê disparue. Pourtant, ce jour-là, bien que le cheptel humain soit particulièrement nombreux et varié, des centaines de victimes capturées sur les rivages des deux mers, bien que certains d'entre eux soient particulièrement beaux, ou touchants, que leur misère et leur révolte soient particulièrement criantes, aucun signe n'est adressé à la vieille Égyptienne. Elle passe sans un regard pour leur détresse. Et je comprends que notre dieu n'a pas vocation à les sauver tous, mais seulement ceux que, dans sa faveur incompréhensible, il a élus.

Soudain, alors que je croyais n'être que la spectatrice de cette quête étrange, c'est à moi qu'Isodaïtès parle. Il me désigne (en faisant s'arrêter brusquement devant lui le Sculpteur, les yeux plissés par l'attention distraite, presque inquiète, qu'il n'a jamais que devant le surgissement inopiné de la grâce), un tout jeune homme. Ce dernier n'est sûrement pas plus âgé que moi, peut-être même a-t-il une ou deux années de moins ? Détail curieux, bien qu'esclave à vendre, il n'est pas attaché, tant il paraît avoir déjà accepté son sort. Au contraire, il sourit, et, entièrement nu, prend des poses avec une rouerie naïve. Il est beau. D'une beauté presque dérangeante, à la fois provocante et émouvante. Un corps pourtant encore gracile mais des épaules déjà virilement pleines, comme ses hanches, qui gardent néanmoins quelque chose d'un peu féminin. Je ne jette qu'un coup d'œil rapide à son ventre plat, à sa verge fine et longue. Ce qui m'attire d'emblée le plus, c'est son visage. Il m'en rappelle un autre. Celui du jeune homme frêle aimé autrefois et jamais vraiment oublié, recherché sans cesse à travers les physionomies changeantes des vivants que je laisse m'approcher, que je poursuis sur les lits des banquets comme sur les dalles des cimetières, celui de Phaïdros le Thespien, égorgé sous mes yeux et que je revois ici dans son innocence et dans sa lumière, dans son plein éclat heureux. Avec une expression pourtant différente. Moins franche, moins noble sans doute. Mais peut-être le masque de la veulerie n'est-il plaqué sur le visage de cet inconnu que par les contraintes du malheur ? Je suis bien placée pour savoir que, si l'on veut survivre dans l'esclavage, il faut se donner l'expression soumise que les hommes libres exigent de nous. Aâmet, qui m'observe, me demande pourquoi je regarde ce garçon avec tant d'intensité. Sans détourner la tête vers elle, toujours hypnotisée par le bel esclave, je lui réponds brusquement : "Je vais l'acheter !

— Pourquoi ?

— Je ne sais pas."

Je lui tais la ressemblance avec le jeune mort de Thespiaï. L'Égyptienne insiste, faisant preuve d'une naïveté surprenante de la part d'une femme aussi avisée : "Tu veux le libérer ? Tu veux le consacrer au service du dieu ?" Je bondis sur le prétexte qu'elle m'offre, croyant me débarrasser de son insistance importune, et pourtant c'est ce mensonge qui m'aide à trouver la vérité, ou du moins à donner un sens à mon impulsion : oui, affranchir cet esclave inconnu, ce serait, symboliquement, libérer Phaïdros de la mort ! Alors je vais les racheter tous deux et les rendre à la lumière ! La voix de l'Égyptienne se fait plus pressante : "Tu as de l'argent ?" Je souris : "Tu oublies que je suis plus riche que toi ?" Le vendeur, qui a remarqué mon intérêt, commence à me vanter sa marchandise d'une voix grasse : "Un jeune Phrygien, capturé dans un village reculé des montagnes, encore imberbe, jamais vendu ! Regarde-le, il est beau comme Attis, qu'aima Kybélê elle-même, et dont fut jaloux Zeus ! En plus, il est vierge, cet Attis-là, à la différence de l'autre, je peux te l'assurer ! Je l'ai gardé spécialement pour toi ! Il faudra que tu y mettes le prix, mais tu ne le regretteras pas ! Il est intelligent aussi, si ça t'intéresse. Tu seras sa première maîtresse, tu pourras lui apprendre à lire et à écrire très facilement, tu en feras ton secrétaire particulier ou tout ce que tu voudras, regarde seulement ses épaules, regarde ses fesses, comme elles sont fermes !" Il saisit le garçon par le bras, et l'oblige à tourner sur lui-même afin que je puisse l'admirer de dos comme de face. L'esclave se laisse faire souplement, anticipant même la pression du bras pour éviter toute violence. Il prend des poses en me regardant. Il paraît ravi d'avoir attiré mon attention et aussi désireux que moi que je l'achète.

Soudain, un autre acheteur se présente. Un type gris et sec, vêtu d'une simple tunique de toile écrue un peu sale, dont on n'imaginerait pas qu'il ait les moyens de se payer un esclave aussi beau que celui-ci. Néanmoins, le marchand, enchanté de la bonne affaire qu'annonce cette mise en concurrence, lui tient exactement le même discours qu'à moi. Les enchères commencent. Ce qui me surprend, c'est que le garçon nous regarde tous les deux, l'homme et la femme qui nous opposons pour l'acquérir, avec la même absence de gêne. Il adresse à chacun de nous les mêmes moues de séduction. Je suis un peu vexée qu'il ne montre aucune préférence pour l'hétaïre jeune, belle et riche que je suis manifestement, et qu'il me place sur un

pied d'égalité avec le vieux bonhomme rabougri qui ose me le disputer. Je me doute bien que le marchand a dû, à force de coups,
lui inculquer la consigne de ne rien faire qui pourrait dégoûter un
acheteur, quel qu'il soit. Un esclave ne choisit pas, il est choisi.
Un esclave n'a d'autre volonté que celle qu'on lui impose, d'autre
existence que celle qu'on lui prête. Mais je ne peux m'empêcher de
ressentir une pointe de jalousie lorsque je vois le jeune homme sourire à mon médiocre rival. Ce malaise me pousse à surenchérir sans
délai sur chaque proposition. Le vendeur l'a bien remarqué et incite
l'esclave à minauder de plus belle pour mon adversaire. Ce dernier,
beaucoup plus raisonnable que moi, prend plusieurs secondes pour
lire sur mon visage je ne sais quel signe avant de lancer une nouvelle
offre. Il paraît froid, et bien résolu à m'arracher ma proie. Pourquoi ?
D'où vient-il ? Par quel dieu hostile est-il envoyé ? La foule, attirée
par nos enchères, que le marchand répercute en criant, s'est amassée autour de nous et applaudit à chaque rebondissement. Praxitélês, sortant de sa contemplation rêveuse sur les instances de Diôn,
le négociant avisé, qui lui envoie depuis plusieurs minutes des coups
de coude dans les côtes, tente de me dissuader de poursuivre une
négociation aussi ruineuse. Je suis en train de faire une très mauvaise affaire, je le sais aussi bien qu'eux mais je refuse de les écouter.
Mon argent, dont je connais mieux qu'eux le prix amer d'humiliations et de renoncements, je suis soudain prête à le dilapider pour
assouvir ma pulsion. Je joue le rôle de mes clients d'Athênaï : comme
ces imbéciles, comme ces fous, je ne sais par quoi exactement je
suis manipulée, par l'objet extérieur de mon désir ou par un ressort
secret en moi, rage de posséder l'autre ou rage de me détruire. Si la
frustration ne me rendait à ce point incapable de réfléchir, je me
rendrais compte que l'ironie du sort est en train de me placer dans
le même état que celui où je me suis amusée à jeter quelques mois
auparavant Léôkratês, mon ennemi intime !

Pourtant la réalité finit par me rattraper. Le prix du bel animal est
devenu tellement absurde qu'Adômas le Cerbère est obligé de me
glisser à l'oreille une nouvelle catastrophique : j'ai atteint la limite
de l'argent caché dans le repli de sa tunique. Pour la première fois
j'hésite. Je crois lire dans le regard insistant de l'autre acheteur une
lueur de triomphe, qui m'est insupportable. Aussitôt, je me tourne
vers Praxitélês et je lui demande, avec une moue aussi enjôleuse que
celles du jeune esclave, de m'avancer de quoi surenchérir : il sait très
bien que je pourrai lui rendre son argent, avec intérêt, dès que nous

serons de retour à Athênaï. Le Sculpteur hausse les épaules. Il me propose plutôt d'acheter en commun cet éphèbe ; le jour, il le fera poser dans son atelier, la nuit, eh bien, j'en ferai ce que je voudrai ! Bizarrement, j'hésite à accepter cette proposition pourtant avantageuse, tant est impérieux mon désir de ne partager ce garçon avec personne. Pendant ces quelques instants de trouble, je me laisse envahir par une nouvelle vague de sensations, et je suis surprise moi-même de leur brutalité. Que se passe-t-il en moi ? Pourquoi suis-je si totalement désespérée à la seule idée de laisser ce jeune inconnu m'échapper ? Et ce goût amer dans ma bouche ? N'est-ce pas celui de la mort, qui l'imprègne depuis le jour du sac de Thespiaï, lorsque je vis étendus devant moi les corps de mon père et de Phaïdros, la gorge ouverte et les yeux fous ? Cette angoisse m'est rendue dans toute sa violence. Elle me révèle que je suis définitivement incapable de sauver ceux que j'aime. Que la mort est en train de gagner une nouvelle fois. Que rien n'a changé. Je crois m'en être sortie mais je suis toujours plongée dans la nuit du désastre. Jamais je ne trouverai la sortie du gouffre au fond duquel je gis depuis sept ans.

À ce moment, la vieille Égyptienne, qui a regardé toute la scène de loin, comme si elle était absorbée par des cogitations auxquelles je n'aurais pas accès, se retourne vers sa suivante et lui donne un ordre bref dans une langue étrangère. Cette dernière marque un instant de surprise, puis sort du creux de sa tunique une bourse si usée que le cuir en est devenu tout sombre. Elle la transmet à Aâmet qui me la tend aussitôt : "Tu y trouveras l'argent dont tu as besoin." Elle ajoute à voix plus forte, pour être entendue aussi bien du marchand que de mon rival : "Mais nous n'irons pas plus loin ! Si cet homme fait une nouvelle offre, j'annonce que c'est lui qui obtiendra l'esclave." L'autre acheteur, stupéfait par l'énormité de la somme, ou parce qu'il est de mèche depuis le début avec le marchand, et que celui-ci d'un clignement de paupières lui a intimé l'ordre de se taire, abandonne le marchandage et disparaît aussitôt dans la foule. À ce moment-là seulement je me rends compte que je me suis fait rouler. Pourtant, malgré les regards de commisération que me jette le marchand Diôn, malgré ceux de Praxitélês, je me sens parcourue d'un frisson de triomphe ! J'ai gagné, j'ai conquis le jeune homme, je l'ai arraché à son sort pour la somme extravagante d'un talent d'argent, j'ai emprunté pour lui, je devrai à Athênaï puiser dans mes réserves personnelles, accepter de nouvelles fêtes ennuyeuses et de nouveaux clients importuns, et, ce qui devrait m'inquiéter, si j'y réfléchissais, je me suis livrée un peu plus à l'emprise d'Aâmet. Mais je m'en moque ! Cette fois, j'ai triomphé de la mort !

Comme si j'avais peur encore que le destin ne trouve un moyen de me le reprendre, au moment où il fait semblant de me l'accorder, je me hâte de me débarrasser de la bourse dans la paume ouverte du marchand, et, avant même que celui-ci ait fini de recompter l'argent, je pose ma main sur le bras du jeune esclave. Je lui demande comment il s'appelle. Sans me répondre, il me regarde avec curiosité. Son ancien propriétaire parle à sa place : "J'ai oublié de te dire qu'il ne comprend pas notre langue. C'est un avantage : tu ne lui en apprendras que ce dont il aura besoin pour t'obéir." J'insiste pour savoir son vrai nom mais l'autre hausse les épaules avec impatience : "Tu peux lui donner celui que tu veux. Appelle-le « esclave » ou bien « mon petit chéri ». Ou pourquoi pas « Attis » ? C'est toi qui décides maintenant !" Le jeune homme écoute notre conversation sans se départir de son sourire stupide et gracieux. Il ne comprend rien, sinon que je suis sa nouvelle maîtresse, alors il m'obéit volontiers. Mais je me dis qu'il agirait sans doute ainsi avec tout autre acheteur, même s'il s'agissait de quelqu'un d'aussi vulgaire que mon faux rival de tout à l'heure. Ce garçon est sot. Ou bien il est suprêmement sage : malgré son jeune âge, il sait déjà, comme ma douce Stéphanê, qu'il vaut mieux plier au vent du sort et s'interdire de rien préférer. Praxitélês m'emboîte le pas. Je constate qu'il reste délibérément un peu en arrière, à nous regarder marcher côte à côte, moi et le jeune homme. Je devine dans mon dos le sourire ironique de mon amant, mais aussi ses yeux plissés de sculpteur, taillant dans la réalité pour ne garder que ce qu'elle a de gracieux, attentif au premier appel d'une œuvre future. Car ce jeune homme et moi, nous ne sommes pas seulement beaux, nous sommes bien plus que cela : aussi beaux l'un que l'autre, d'une beauté commune qui nous lie l'un à l'autre. Je le perçois intuitivement. C'est comme si je pouvais moi aussi, à côté du Sculpteur, me regarder de l'extérieur en train d'accorder spontanément mon pas à celui voluptueux du jeune esclave, plus insouciant et plus libre que le mien. Aâmet se porte un instant à ma hauteur, pour me féliciter d'avoir su obéir, quel qu'en soit le prix, à l'ordre du dieu. Croit-elle vraiment à ce qu'elle dit ? Malgré sa perspicacité, la vieille ne se doute-t-elle pas que j'ai totalement oublié le dieu, et n'ai pensé qu'à moi ?

Non, je ne vais pas seulement sauver mon passé du désastre, je vais en goûter enfin la triomphale douceur ! Je vais ressusciter le mort et l'aimer dans le corps du vivant ! Ce que je découvre peu à peu, dans l'allégresse de notre marche, et que j'ai à peine envisagé pendant les affres de l'achat, c'est que désormais, je *possède* le jeune homme ! Il est à moi ! Ses épaules viriles, ses sourires lumineux, ses moues de petit animal sensuel, ses hanches féminines, et sa verge, que j'ai à peine regardée. Oui, sa verge aussi, elle m'appartient. Je peux faire d'elle ce que je veux. Mais ce que je veux, ce n'est pas seulement elle, c'est lui tout entier. C'est l'aimer, lui tout entier, et m'en faire aimer. Pour la première fois depuis mon adolescence, je ne vois pas de différence entre les deux, et c'est doux. Trop doux. Presque douloureux. Ne suis-je sortie du vertige de la privation, qui m'a ressaisie brutalement au moment où j'ai cru n'avoir pas assez d'argent, que pour basculer dans celui, encore plus bouleversant, de la possession ? Brusquement, je comprends que je n'ai jamais désiré un homme : j'ai joui dans les bras de certains, parfois, et ce n'était pas toujours agréable de me laisser balayer ainsi par cette vague anéantissante. J'ai eu du plaisir, oui, mais jamais de désir. Je veux dire de désir circonscrit, qui naîtrait de moi et non de l'autre, pour se diriger en toute connaissance de cause vers un homme en particulier. De désir qui serait mon désir et non ma réponse au désir de l'autre. Oh, ce garçon-là, je le désire plus que tous ses prédécesseurs réunis, comme si cette sensation que je n'avais jamais éprouvée pour personne avant lui avait creusé en moi un espace vacant qui se remplissait d'un seul coup. Je suis tellement inondée de ce désir nouveau, conscient, qui m'imprègne, qui diffuse en moi par vagues à partir de mon ventre, que j'en suffoque presque. En pleine rue. M'étendre là, l'agripper pour l'obliger à venir sur moi. Le faire basculer pour me retrouver sur lui. Ne plus laisser la vague me retomber sur les épaules mais rouler sans fin avec elle. Oh n'est-ce pas la première fois que j'envisage avec délice d'être possédée ? Non, je ne vais pas le prendre, ou pas seulement, mais je vais l'obliger à me prendre, il sera forcé de le faire, puisqu'il m'appartient ! S'il tente de se dérober, s'il ne bande pas, je le ferai fouetter par le Cerbère ! Son désir à lui, je m'en moque, seul compte le mien ! Jamais je ne me serais doutée que ces sentiments-là, dont j'ai si souvent été la victime, pouvaient exister en moi.

En même temps, il y a autre chose, de différent, de contradictoire. Autre chose que je me dis déjà, que je me dis tout de suite. Cet homme réel, le premier, il n'est là qu'à la place d'un autre. Je désire Attis, les mains, le buste, les fesses d'Attis, mais ce désir s'adresse en fait au corps de Phaïdros. En caressant les épaules d'Attis, ce sont celles de Phaïdros jamais effleurées que je pourrai saisir enfin. En étant prise par la verge d'Attis, je sentirai s'enfoncer en moi celle absente de Phaïdros, sectionnée comme sa gorge. C'est pourquoi je ne veux pas seulement que mon esclave me donne du plaisir, comme les maîtres que j'ai eu à subir. Je veux aussi lui en donner, afin, par son entremise, d'apaiser Phaïdros. À travers lui, je veux faire jouir mon amoureux, tellement puissamment qu'il en jaillira du monde des morts. Si j'accepte de m'abandonner ensuite, comme je ne l'ai encore jamais fait, si j'accepte de refermer mes bras et mes jambes sur nous deux, mon corps et celui d'un autre, mon corps et celui d'un homme, ce sera pour m'offrir à cette victoire miraculeuse de la vie, qui trouvera en moi son origine et son réceptacle !

Ces idées complexes, ou plutôt ces sensations fugaces, elles affleurent par remous à ma conscience, tandis que nous nous enfonçons dans le bois sacré de cyprès, à l'obscurité si dense qu'aucune herbe n'y pousse, vers le sanctuaire d'Aphroditê où j'ai accepté de résider provisoirement. Elles viennent tout droit de ces profondeurs de ma douleur dont je n'ose jamais m'approcher, si bien que je les saisis à peine, ne discernant que malaisément leurs contours sombres qui se dressent dans ma nuit. Mais une certitude les couronne toutes, claire, trop claire, comme la frange d'écume qui domine le mouvement puissant de la vague et le nie : ce que je désire est impossible. Attis, malgré la ressemblance physique, n'est pas Phaïdros. Cela, je le sais dès le premier jour, tandis que notre marche se désaccorde, tandis qu'il me précède maintenant en ondulant des hanches, afin d'éviter souplement les grenades infécondes qui jonchent le sol, mais en se retournant de temps en temps pour m'adresser à travers la pénombre un sourire complice. Je le sens tout émoustillé par la curiosité, par l'allégresse, non pas celle de la liberté à venir, comme je le fus le jour où Alkê me conduisit chez Nikarétê et où le vent entre les Longs-Murs faisait claquer les nuages lavés de frais contre le ciel bleu, mais celle d'un simple changement de maître, ce qui à ses yeux est peut-être suffisant. Ainsi, dans ce désir qui me surprend par son intensité et sa nouveauté, il y a déjà de la douleur. Déjà de l'angoisse. Sentir d'emblée que mon désir se trompe de cible ne le rend que plus aigu.

Le soir, je m'occupe moi-même de faire dresser un lit à Attis, tandis qu'Herpyllis sur mon ordre lui donne un bain, lui parfume le corps, le ceint de nouveaux vêtements. Lorsque Praxitélês comprend le sens de mes préparatifs, il a la décence de prétexter une fête chez l'un de ses hôtes pour me laisser le champ libre. Il a cette délicatesse et cette douleur aussi. Je devrais le retenir, je le sais, c'est grâce à lui que j'ai obtenu cet appartement dans le sanctuaire, il s'est montré si attentif, si fidèle, si généreux, en me fournissant un prétexte pour quitter Athênaï, en me soutenant à chaque instant depuis la mort de Manthanê, et puis il y a entre nous désormais ce moment si fort sur les marches du temple, oh oui, je devrais le chérir au lieu de le trahir, sous ses yeux, avec cette cruauté de fille perverse et insensible, et pourtant je le laisse partir distraitement. Encore une occasion manquée entre nous. Bien que je devine les tourments de la jalousie que je lui inflige, je suis incapable de les prendre en compte. Entièrement préoccupée par l'imminence de la première nuit que je vais passer avec Attis, je ne peux plus penser à rien d'autre. Je ne peux déjà plus me soucier de personne d'autre.

En donnant mes instructions à Herpyllis, j'ai les mains moites, le cœur qui bat, le ventre humide. Je me sens si tendrement, si cruellement, si précisément émue de faire préparer ma jeune proie à mon intention exclusive ! J'ordonne qu'après avoir baigné le jeune homme, on couvre sa tête d'une de mes fines mantilles ouvragées, pour dissimuler le mieux possible ses cheveux ras d'esclave. Bien sûr, je veux cacher aux yeux des autres sa condition servile et je voudrais aussi qu'il puisse l'oublier lui-même. Mais est-ce vraiment de la délicatesse de ma part ? Ne compté-je pas, sans lui demander son avis, profiter jusqu'au bout de mes prérogatives de maîtresse ? Je n'ai pas, contrairement à ce que je cherche à me faire croire, oublié son statut ni le mien. La seule chose que j'ai chassée de ma mémoire, c'est la promesse faite à Aâmet de l'affranchir et de le consacrer au dieu après l'avoir acheté, bien qu'elle m'ait prêté de l'argent à cette seule condition. De toute façon, elle me laisse faire, sans rien dire, sans autre réaction qu'un mince sourire, comme si elle avait oublié elle aussi mon engagement.

Lorsqu'Attis pénètre dans la salle où doit avoir lieu le repas et où je l'attends en maîtresse, placée seule face à ma suivante Herpyllis, à la vieille Égyptienne et aux quelques servantes que le sanctuaire a mises à notre disposition, j'ai la surprise de découvrir qu'il ne porte pas seulement la mantille mais qu'il s'est couvert la tête d'une sorte de turban de laine claire. Celui-ci, tombant sur son visage qu'il dissimule entièrement, ressemble au voile des jeunes épousées. Mon esclave longe lentement l'assemblée stupéfaite avant de venir s'asseoir à mes côtés. Est-ce une initiative d'Herpyllis qui aurait devancé mon désir ? Est-ce une fantaisie du jeune homme lui-même ? A-t-il seulement mesuré la portée symbolique de son geste pour une Grecque ? Me signifie-t-il par dérision que je le réduis à la condition d'une femme ? S'agit-il au contraire d'un usage masculin de son pays ? Je ne peux que m'interroger sans fin. Et lui est bien incapable de me répondre. Lorsqu'au bout d'un moment, dans un éclat de rire, il soulève ce voile nuptial, je remarque que ses yeux sont soulignés d'un trait de noir. Pendant tout le repas, il sourit, il jubile, comme s'il jouissait d'être le centre des attentions. Il mange avec appétit, presque voracement, paraissant ne jamais pouvoir rassasier sa faim. Il boit aussi. Beaucoup. Moi très peu. La gorge et l'estomac noués, je l'observe, sans me mêler à la conversation languissante. Je suis beaucoup trop émue pour parler. La certitude délicieuse de le posséder me rend muette, aussi absente que je l'étais lorsque j'avais celle, ignoble, d'être possédée. Absente aux autres, oui, mais si présente à moi-même, dans ce désir qui m'ameublit le ventre et l'âme. Brusque fraîcheur dans l'air avant l'orage longtemps désiré. Peut-être aussi son étrange entrée, la tête voilée comme celle d'une jeune fille qu'on épouse, a-t-elle concrétisé cette idée encore un peu vague d'une solennité nuptiale ? Il a donné quelque chose de comiquement mais de puissamment rituel à ce repas, à cette attente de la nuit, comme s'il était capable, bien que ne parlant pas la même langue que moi, d'entrer dans mon rêve secret. Je suis ramenée une nouvelle fois au souvenir de Phaïdros. À ce mariage avec le mort que je consomme enfin.

Une autre image encore, plus confuse, plus évanescente et mystérieuse : ce voile clair qui flotte toujours sur les épaules d'Attis, son sourire et son silence, m'évoquent, par instants, le jeune dieu que me racontait Manthanê lorsque j'étais encore vierge. Le jeune homme aux ailes caressantes pour lequel j'ai appris à danser et à jouer de la flûte, et dont j'ai rêvé, dans les moments les plus délicieux ou les plus atroces de ma vie, qu'il aurait la force de m'emporter au loin. Le fragile et tout-puissant Jeune Homme, que les confidences de l'Égyptienne viennent de me rendre et auquel j'ai décidé quelques heures à peine auparavant de consacrer ma vie. Voilà, cette nuit, pour la première fois, je ne suis plus la victime, je suis la prêtresse. Je suis la déesse. Je suis Kybélê qui désire Attis et qui le prend. Je suis Aphroditê qui désire Adônis et qui le prend. Et lui, l'esclave inconnu, il est les deux jeunes hommes du mythe qui meurent de s'être donnés, comme meurt le désir à s'assouvir dans l'amour. Lors d'un de mes retours fugaces dans le présent, je m'aperçois qu'il me fixe lui aussi, tout en continuant à manger. Mais lui, il n'est pas rêveur, il est attentif, il est de plain-pied dans la réalité. J'ai même l'impression que, loin de s'effrayer de l'intensité folle de mon regard, il cherche à deviner quelque chose. Son sourire interrogateur s'élargit encore, devient de plus en plus fin, de plus en plus aigu. Nous nous comprenons peut-être mieux que je ne me comprends.

Le repas s'achève enfin. Ma suivante conduit Attis dans la pièce où l'on a dressé le lit nuptial et qui n'est en réalité que le vestibule étroit de ma chambre. Tandis qu'assise encore au milieu des reliefs du repas que je n'ai pas touché, je me regarde une dernière fois dans le métal poli de mon miroir, une main posée légèrement sur mon cœur ou sur la pointe de mon sein durcie, prenant une pose langoureuse pour ne pas m'évanouir, Aâmet m'observe avec curiosité. Je sens son regard posé sur moi.

Il m'attend, assis sur un matelas posé à même le sol. Petite cellule presque nue qui me rappelle vaguement celle où j'ai officié quelques mois dans le bordel du Port, quand j'étais à la place du jeune homme. Pour la première fois de la journée, il a l'air tendu. Inquiet. Je peux comprendre son angoisse. Et je peux aussi la dissiper. Je ne vais pas le traiter comme m'ont traitée les hommes, au contraire, je vais le rassurer. Je vais l'aimer. Je ne veux pas qu'il me baise, ou pas seulement, je veux qu'il m'aime. Mais les clients qui m'ont toujours paru les plus répugnants ne sont-ils pas justement ceux qui ont prétendu obtenir mon amour et pas seulement mes caresses ? Oh vite, chasser cette idée importune, en ne m'occupant plus que de dissiper la peur bien réelle du jeune homme ! Je me mets à genoux devant lui et je lui passe doucement la main sur le visage. Il ferme les yeux et se détend. Ce petit animal sur le qui-vive, il faut seulement prendre le temps de l'amadouer. J'ai l'impression que j'y parviens sans peine. Trop facilement peut-être ? Saisie d'une inspiration subite, je ramasse le morceau de tissu qu'il portait tout à l'heure en turban et qu'Herpyllis a posé sur un coffre à quelques pas du lit. Je le dispose de nouveau sur la tête du jeune esclave dont je veux faire mon parèdre. Si je lui ai donné le nom d'Attis, comme me l'a suggéré le marchand d'esclaves, je veux lui en donner aussi la dignité, pour lui permettre d'échapper tout à fait à l'emprise du grossier trafiquant de chair humaine. J'arrange les plis du tissu sur le front de mon aimé, aussi délicatement que je le ferais avec une femme, aussi artistement que Praxitélês le ferait avec moi. Pourquoi m'émeut-il tant, ce geste masculin d'écarter doucement les pans du voile de la jeune épousée, que j'accomplis maintenant, avec la même émotion dont j'ai vu trembler la main d'Aristotélês, lorsqu'il a dénoué pour la première fois la ceinture de ma suivante Herpyllis ? Je me penche vers le visage d'Attis, son visage offert devenu soudain grave et beau, ayant enfin perdu sa veulerie, sa stupidité de petit animal qui ne comprend pas ce qui lui arrive, comme si le cacher sous le tissu avait aussi servi à cela, à le débarrasser de ces expressions banales de séduction qui le dénaturent, et peuvent, je le sais déjà, le rendre atrocement vulgaire. Là, il est beau. Enfin totalement beau. Totalement mien. Je murmure "Attis !", Attis Phaïdros, mon lumineux jeune homme !

Je me penche et je l'embrasse doucement sur les lèvres. Il se laisse faire. Il ouvre la bouche. Il se laisse pénétrer, fouiller par ma langue. Très vite, je sens la sienne, pointue, qui comprend, qui vient au contact, qui commence à s'agiter en tous sens. Non ! J'aimerais quelque chose de plus lent, de plus digne, de plus troublant, que cette langue trop habile. Me retirant, je le saisis d'un pincement de doigts par le menton, et je lui dis "doucement" avec rudesse. Lui ne se dégage pas de mon étreinte. Il reste là, le menton entre mes deux doigts, les yeux parcourant toute la pièce au lieu de se fixer dans les miens, comme s'il cherchait à deviner ce que je veux à partir de ses expériences passées. Enfin, ses paupières se ferment de nouveau et sa bouche s'entrouvre. Alors j'enfonce de nouveau ma langue en elle. Lorsque la sienne s'approche, je lui imprime le rythme, avec la même autorité masculine que j'ai mise à le rabrouer. Lui, il saisit vite, il se prête à cette allure et à ma volonté. À un moment, il est sur le point de me devancer, mais il comprend qu'il est en train de commettre une nouvelle erreur, et il se contente de se laisser entraîner. Lorsque le baiser s'arrête, il a l'air de me demander d'un signe de tête, si je suis satisfaite. Petit prostitué prêt à tout pour contenter sa cliente. Suis-je plus exaspérée ou plus touchée par son envie de me complaire ? Ai-je le droit de lui demander autre chose ?

Se méprenant sur mon hésitation, il prend de nouveau l'initiative. Il fait descendre sa tête le long de mon ventre pour la placer entre mes cuisses, qu'il m'oblige, en y insinuant ses mains, à ouvrir. Je suis surprise. Jamais un homme ne m'a proposé cette caresse. Il me lape plutôt qu'il ne me lèche, avec la bonne volonté d'un jeune chien et quelques éclairs de science animale. Je me dis que je suis folle d'avoir cru aux paroles du marchand et rêvé de le trouver vierge pour en faire mon jeune épousé. Mais je ne me prive pas de savourer le plaisir qu'il m'offre. Je reprends quand même le contrôle des opérations, en le guidant de ma main sur sa nuque, de ma voix qui lui donne des ordres et qui invente, pour qu'il me comprenne, quelques intonations assez claires de plaisir ou d'impatience. Mais je ne veux pas jouir ainsi. Il se laisse renverser sur le dos et je constate que son érection est tout à fait suffisante pour que je puisse le chevaucher. C'est moi qui mène le jeu ! Je suis très excitée de pouvoir me donner du plaisir en me servant de son corps comme d'un instrument et il se prête volontiers à tout ce qu'il perçoit de mes intentions. Il a l'habileté de me laisser le dominer et, en même temps, il veille, par l'inclinaison de son membre, par ses mains posées fermement sur mes hanches, à me procurer lui-même des sensations différentes que celles que je tire de lui. Feignant de se soumettre, il me seconde. Il m'aide à ne pas perdre le fil. Poussant des gémissements qui soutiennent les miens, il secoue spectaculairement la tête sur le matelas d'un côté et de l'autre mais j'ai l'impression qu'à aucun moment il n'est vraiment étourdi. Pourtant, je sens à l'intérieur de mon ventre le plaisir à venir qui dilate encore un peu plus son sexe. Je connais ça : il fait tellement bien semblant qu'il ne va pas tarder à jouir vraiment, dans la satisfaction du travail bien fait. Mon orgasme vient le premier. Il s'arrête aussitôt de bouger mais, d'autorité, je continue mes mouvements de bassin. Je tiens à me montrer une meilleure maîtresse, plus attentive et généreuse, que bien des hommes libres que j'ai eu à subir, et même à égaler Euthias dans l'altruisme et la supériorité.

D'ailleurs, lorsqu'Attis a compris que non seulement je lui permettais la jouissance, mais que je la désirais, il s'abandonne encore plus entièrement à moi. Il se met à bredouiller des mots impérieux dans sa langue, mais je n'ai pas besoin de la comprendre pour deviner ce qu'il me demande. Amener un homme au plaisir, en contrôlant tout, je sais faire. Pourtant, cette fois, dans ce phénomène étranger si souvent vécu à l'intérieur de moi, se produit quelque chose de totalement inattendu, qui me déconcerte, qui m'échappe. Au moment même où se déclenche son éjaculation, une éjaculation que non seulement j'ai provoquée par mes mouvements mais acceptée, autorisée, réclamée, soudain je jouis de nouveau. D'un orgasme aussi violent qu'imprévu, comme surgi tout épanoui du néant. Beaucoup plus puissant que le premier qui venait pourtant de plus loin, il m'amène bien plus haut, parce qu'en quelque sorte il chevauche l'orgasme de l'homme comme j'ai chevauché son corps. Écume de sa vague à lui.

Lorsque je retombe pantelante sur le côté, après avoir fait glisser ma tête tout le long du torse lisse d'Attis, autour duquel s'enroulent encore les serpents de ma chevelure, comme si je continuais dans l'abandon à marquer ma possession, j'ai du mal à analyser mes sentiments. Je suis repue, oui. Et, en même temps, déçue. J'aurais tellement aimé qu'il fût vierge ! Pourquoi ? Pour me sentir aussi puissante que le mâle expérimenté dépucelant la fille qu'on vient de lui livrer ? Ou, au contraire, pour le déflorer moins brutalement que je ne l'aie été et me venger de ce que j'ai subi en me conduisant avec un autre comme j'aurais rêvé qu'on le fît avec moi : avec autorité et bienveillance ? Pour qu'il ait la chance d'être initié par moi, par une femme aussi puissante et aussi douce que je commence à l'être, assez en tout cas pour lui accorder à lui aussi cette improbable revanche sur notre sort ? En même temps, je dois reconnaître que son habileté m'a permis d'éprouver des sensations nouvelles. Le trouvant si complaisant, j'ai pu me concentrer sur mon propre plaisir. N'est-ce pas pour cela, en fin de compte, que je l'ai acheté ?

Oui, bien sûr, voilà ce qu'il peut m'apporter, ce petit prostitué déjà souillé par la vie qu'il a menée. Lui demander quoi que ce soit d'autre serait une grave erreur ! Malgré mon jeune âge, à peine supérieur au sien, j'ai trop d'expérience pour me laisser prendre à ce piège. Je ne veux pas me tromper, comme Euthias l'a fait avec moi. Je me dis que j'ai seulement éprouvé une jouissance délicieusement perverse à partager avec ce petit putain mâle ce faux rituel de mariage et que demain, à Athênaï, j'inventerai pour lui plein d'autres jeux, encore plus surprenants et plus scandaleux. Et puis, quand tu auras fini de me distraire, Attis, mon petit chéri, mon petit esclave, toi qui te serres maintenant contre moi en animal docile pour quémander une dernière caresse, eh bien je te revendrai. Comme le ferait Léôkratês, sans un remords. Parce que, tu sais, je ne rêve pas de changer ces règles absurdes mais de les faire servir à mon profit exclusif ! Je continuerai, sans toi ni aucun autre homme, mon chemin de plus en plus rectiligne vers la liberté ! En vous marchant sur le ventre et en rebondissant, toujours plus haut, jusqu'à m'envoler comme le dieu ailé que j'ai décidé de servir et dont tu n'es que l'incarnation éphémère !

28

PRÉPARATIFS

Lorsque je reviens à Athênaï après ces quelques jours passés à Korinthos, je ne suis plus la même. Un groupe hétéroclite m'accompagne
désormais dans le moindre de mes déplacements. Composé d'un
adolescent efféminé de Phrygie, d'une vieille Égyptienne édentée,
d'un petit garçon à la peau aussi bistre que la mienne et aux yeux
beaucoup trop graves pour ses six ans, sous la protection d'un garde
du corps au visage terriblement tatoué, mon équipage suscite partout des sarcasmes dont je me moque. Tout occupée à jeter les fon-
dements matériels du culte d'Isodaïtès, j'ai à peine commencé à le
répandre parmi mon entourage. Mes amies intimes, Myrrhina et
Lagiskê, pressentent la profondeur du changement qui s'opère en
moi sans en connaître véritablement la cause. Aux yeux de tous, je
continue à me conduire comme une hétaïre. Je fais même l'amour
à mes clients avec une science nouvelle et une ardeur qu'on ne me
connaissait pas. On me dit que ma beauté s'anime.

Sur les conseils d'Aâmet, je consacre une bonne partie de l'argent
que je gagne à faire bâtir une maison à la périphérie de la ville, de
l'autre côté de la Double Porte, au-delà du Cimetière, entre le chemin de l'Akadêmeïa et celui du sanctuaire d'Eleusis. Les plus fortunés parmi ceux qui suivent la voie de la philosophie ou de l'initiation
s'arrêtent chez moi et beaucoup ne vont pas plus loin. Dans l'une
des ailes de ma vaste demeure, qui se trouve au centre d'une propriété encore plus étendue et mieux protégée que celle de Platôn, je
fais installer des thermes privés. Les premiers d'Athênaï. Plus grands
que les bains publics et beaucoup plus modernes. C'est le véritable
cœur de ma retraite. Pour l'instant, j'y reçois mes rares amis et mes
clients privilégiés. Dans la ville, on commence à raconter des histoires scabreuses sur les soirées que je donne au bord de mon grand

bassin. J'ai réuni autour de moi Alkê, la mère maquerelle du Peï-raïeus, quelques filles du bordel d'Antidôros ayant pour point commun d'être originaires de Thespiaï, d'autres jeunes hétaïres qui ont eu la finesse de me demander protection et dont j'ai besoin pour rendre mes fêtes inoubliables. Des esclaves mâles aussi, tous très souples, très arrogants et très dévoués. Je commence à vivre comme une déesse au centre de cette cour, dans laquelle j'ai réuni aux yeux du monde, sans qu'il le sache, les témoins de mon passé honteux.

Mais je me moque de tout ça. De tout ce que l'on raconte sur moi. J'ai oublié mes réticences de la nuit de Korinthos et je suis amoureuse. Pour la première, pour la deuxième et pour la dernière fois en même temps. Oui, je suis amoureuse, c'est-à-dire malheureuse dans l'intensité de mon bonheur même. Je commence à comprendre la portée des paroles de Nikarétê, lorsqu'elle me mettait en garde contre l'amour, dont elle faisait l'ennemi le plus redoutable des hétaïres. Ce qui est dangereux, et presque effrayant, dans la servitude de l'amour, c'est de se sentir l'esclave non pas de celui que l'on aime mais de soi-même. Soumise à son propre désir de possession, à ce vertige dans lequel il est si facile et si doux de se laisser glisser, mais au fond duquel on tombe sans fin. Rien à quoi se raccrocher vraiment. Surtout pas à sa propre lucidité. À cette conscience qu'on a de pouvoir être odieuse, de peser bientôt à l'autre comme à soi. Non, pour l'instant, je marche en équilibre sur la crête de la montagne, d'où je vois en bas, là-bas, si loin, ma vie ancienne, et je suis heureuse. Je me sens comme une fleur tardivement épanouie, dont la tige tirerait son suc voluptueux de racines plongeant toujours plus profond, dont les pétales se dilateraient jusqu'à transformer le moindre de mes moments avec Attis en un calice de grâce flottante qui nous isolerait, dont le pollen de légèreté se répandrait sur toutes choses alentour. Tout est drôle à côté de lui, même la bêtise du monde, tout est léger, même sa pesanteur, tout est délicieux. Ou tout me paraît tel. Et j'ai l'espoir que cette allégresse inespérée dure éternellement.

Je tente d'apprendre le grec à mon bel amant mais il est fainéant. Sa paresse, au lieu de m'agacer, m'amuse et m'émeut. Il ne parle bien que par gestes. Tous ceux qu'il fait, jusqu'aux plus quotidiens, sont d'une lascivité folle. Quant à ses gestes d'amour, eux, ils ne sont jamais quotidiens, ni seulement lascifs. Il y a toujours quelque chose d'autre en eux qui le dépasse lui-même et parvient à me toucher. Il est mille fois plus intelligent dans ses gestes que dans sa pensée. À mes yeux, qui sont seuls à le reconnaître, il est Erôs en personne. Je l'emmène partout. Pour être partout avec lui. Pour l'exhiber, heureuse d'humilier les Athéniens les plus riches, en leur montrant que je leur préfère un esclave phrygien. Attis répond volontiers à toutes mes caresses en public. Il n'a aucune pudeur. Aucune limite. Il trouve un grand plaisir à se conduire comme un jeune animal de compagnie. C'est ce qu'il est en réalité, un jeune animal. Jamais il n'évoque, même par gestes, son affranchissement. Jamais il ne marque d'impatience de devoir m'obéir. Il adore être mon esclave. Je m'en persuade. D'ailleurs, ce qu'il veut, en fait, je m'en moque. Même s'il ne m'aime pas, j'ai besoin seulement qu'il fasse très bien semblant.

Je passe aussi un peu de temps avec Hermodotos, le petit garçon que m'a confié ma nourrice Manthanê. Si Attis est folâtre comme un enfant, Hermodotos est paisible et, paradoxalement, plus mûr. Ce sont mes deux colifichets préférés. Malgré ma promesse de tenir l'innocence de l'enfant à l'écart de ma vie dissolue, je ne peux m'empêcher de l'envoyer chercher pour le donner en spectacle à mes amies, qui en raffolent autant que moi, et qui l'étourdissent de leurs caresses et de leurs bavardages pendant au moins un quart d'heure. Le reste de la journée, je l'abandonne à Herpyllis et à mes servantes. Elles le nourrissent, le baignent et le bercent, la nuit, lorsqu'il pleure l'absence de Manthanê. Moi, je me contente de jouer avec lui chaque jour. C'est ma manière à moi de m'occuper de son éducation. J'y trouve plus de plaisir que je ne le croyais et lui a l'air de s'en satisfaire.

Pourtant, très vite il tombe malade. Sa fièvre devient, au bout de deux jours, aussi brutale que celle qui a dévoré Stéphanê. Ses nausées ne s'apaisent pas. Malgré ma hantise de subir une nouvelle défaite, après la mort de l'acrobate et celle de Manthanê, je passe plusieurs nuits à son chevet. Je lutte pied à pied contre la mort mais je la considère encore une fois comme une malédiction, un moyen de me punir en la personne d'un membre de mon entourage. Le dieu m'arrache cet enfant qui m'a été confié parce que je me suis montrée incapable de m'en occuper. Lorsqu'Hermodotos expulse toute la nourriture qu'on lui donne, j'aide mes servantes à laver son vomi. J'en souille le lin délicat de ma tunique, malgré mes haut-le-cœur. Que puis-je faire de plus pour me racheter ?

Lagiskê, toujours plus raisonnable que moi, me conseille de le conduire dans le sanctuaire d'Asklépios, le puissant dieu médecin que le poète Sophôklês a introduit à Athênaï deux générations auparavant. Aâmet trouve l'avis excellent. Herpyllis, qui est très attachée à l'enfant, me demande la permission de nous accompagner. J'offre plusieurs sacrifices et je promets, en cas de guérison, des dons encore plus somptueux : Asklépios se montre si sensible à ma piété que ses prêtres m'autorisent à rester aux côtés de mon pupille à l'intérieur du temple pendant la nuit. Bien que je ne sois malade que d'angoisse, je suis visitée moi aussi. Je vois le sage dieu barbu en personne, accompagné de son serpent sacré, se pencher sur l'enfant. De son doigt, il lui ouvre le bas du ventre pour en retirer une sorte de petit stylet oblong, qu'il lui place dans la main droite. Puis il lui murmure quelque chose à l'oreille, en me regardant. Le plus curieux est qu'au matin, lorsqu'Hermodos raconte son rêve au devin chargé de le recueillir, je m'aperçois qu'il a fait à peu près le même que le mien. Dans le sien, une femme était présente. Elle lui tenait la main et l'empêchait d'avoir peur lorsque le dieu l'incisait de son ongle. Il croit que sa protectrice était moi, plutôt qu'Herpyllis, ce qui m'emplit de fierté mais me paraît injuste, puisque ma servante s'occupe de lui au quotidien avec bien plus de constance.

J'ai obtenu que Kharisios, le meilleur médecin attaché au sanctuaire, opère en personne mon petit protégé. Hermodotos a demandé à ce que je lui tienne la main, comme la femme de son rêve, pendant toute la durée de l'intervention ; il a donné l'autre à Herpyllis. Tandis que le chirurgien et ses aides préparent leurs instruments tranchants, je me penche tendrement au-dessus de l'enfant. Même si j'ignore s'il pourra comprendre ce que je veux lui dire, je lui confie le secret que m'a transmis sa mère, Manthanê, un jour d'épouvante : lorsque l'on a trop peur, il faut penser à Isodaïtês, le dieu ailé, et lui demander de venir nous prendre sur ses ailes pour nous emporter très loin de la réalité. Les médecins disposent d'un autre moyen de l'apaiser : ils lui font respirer des fumigations censées le plonger dans un état de léthargie. Pourtant, je vois ses yeux, toujours aussi graves, regarder sans ciller le stylet du chirurgien (qui ressemble à l'objet de mon rêve), au moment où celui-ci l'approche de son ventre afin d'y pratiquer l'incision. Ce petit garçon de sept ans paraît d'un calme prodigieux mais je perçois, à travers sa main, l'intensité de sa frayeur. Des gouttes de sueur se mettent à perler sur son front. Puis je devine que le bistouri a commencé à entailler ses chairs lorsque des larmes jaillissent de ses yeux. Pourtant, les mâchoires serrées, il ne pousse pas un cri, pas même un gémissement. Moi, je saisis ce qu'il ressent, avec une lucidité totale qui n'a d'égale que mon impuissance. Je ne peux rien faire pour l'aider, sinon lui tenir la main. Soudain, je comprends que c'est par là justement que je dois agir. M'ouvrir à sa peur. Demander à Anaïtis de la faire passer de l'enfant à moi par le canal de sa main pour l'en décharger un peu. M'ouvrir à sa douleur aussi, quel qu'en soit le prix, lutter contre elle de toutes mes forces, non pas en lui résistant mais en l'acceptant. Prendre sur moi cette douleur et la lui rendre transformée en énergie confiante. Bientôt c'est de mon front que dégoulinent les gouttes de sueur glacée. J'ai mal à crier, comme si c'était ma propre peau que le stylet charcutait, mais j'accepte. Je me force à sourire, afin de rassurer le petit garçon. J'aperçois la grimace crispée d'Herpyllis, je me dis qu'elle a peut-être compris intuitivement la même chose que moi, qu'elle est en train elle aussi de prendre sa part de douleur pour soulager notre petit frère. À un moment, elle se met même à chantonner. Non par inconscience mais par compassion. Malheureusement, tous nos efforts se révèlent vains : Hermodotos nous abandonne brusquement, laissant glisser sa tête en arrière. Il meurt sous nos yeux.

Kharisios nous rassure bientôt : le petit patient n'est qu'évanoui. Je me rends compte que je n'ai absolument pas regardé ce que le praticien lui a fait subir, ses entrailles exposées, tailladées, recousues. Je n'ai rien vu de ce qui s'est passé dans la réalité, tant j'étais occupée à lutter contre la douleur de l'enfant en la faisant mienne. Kharisios, lorsque je l'interroge, ne me répond que d'un sourire, sans se lancer dans l'une de ces explications savantes qu'il me juge sans doute incapable de comprendre. Mais il m'assure que mon protégé est hors de danger. Il s'est montré particulièrement courageux et nous aussi. Le médecin me remercie de notre aide, qui s'est avérée très efficace. Son sourire, aussi aigu que son stylet, me met mal à l'aise : je ne parviens pas à décider si cet homme trop sûr de sa science se moque de nous, qui ne sommes que des femmes, ou s'il est sérieux. Peut-être un peu des deux ?

Pendant toute la convalescence d'Hermodotos, je le veille. J'assiste assidûment aux soins, aux bains qu'on lui donne lorsque la plaie est cicatrisée. Puis, peu à peu, ma vigilance se relâche. J'oublie ma mission. Je me laisse happer de nouveau avec soulagement par ma vie d'hétaïre et par l'amour d'Attis. Mais l'épreuve m'a rapprochée du petit garçon. Je passe plus de temps avec lui sans mes amies. Il me réjouit par ses mots innocents, m'enchante parfois par la profondeur du regard qu'il pose sur moi et sur le monde. Je joue toujours avec lui mais je discute aussi, pour stimuler son intelligence (même si souvent je me dis que c'est lui qui stimule la mienne). Un jour, peu de temps après son opération, il me déclare qu'il sera médecin. Je repense au secret que lui a murmuré à l'oreille le dieu de notre rêve commun, lorsqu'il lui a demandé de garder les yeux grands ouverts au moment où le stylet s'approcherait de son ventre. Je leur promets à tous les deux, au dieu et à l'enfant, de dépenser une fortune pour que mon petit protégé, lorsqu'il en aura l'âge, suive l'enseignement de Kharisios. Et celui des plus fameux médecins grecs d'Iônie, qui sont si habiles que le Grand Roi de Perse lui-même les attire à sa cour. Aâmet sort soudain de sa réserve. Sans l'énigmatique sourire qu'elle se plaît à arborer d'habitude lorsqu'elle s'adresse à moi, mais avec une fierté que je juge presque naïve, elle lui déclare qu'il devra fréquenter également les médecins d'Égypte. D'après elle, ces derniers sont tout aussi savants que les Grecs, même si leur science est différente : les uns maîtrisent depuis peu des techniques audacieuses pour guérir les maladies du corps et ils savent de mieux en mieux prescrire des régimes de vie équilibrés pour les éviter ; mais les autres connaissent depuis toujours les plantes magiques et les incantations qui agissent directement sur l'âme. Le petit garçon écoute la vieille sorcière, penchée sur lui, avec une attention qui me ravit.

Je fréquente aussi le Sculpteur. Pendant plusieurs jours de suite, il me propose des promenades dans Athênaï au petit matin. En souvenir, me dit-il, de celle qui a précédé l'invention commune de notre *Artémis* et qui lui a laissé la nostalgie de l'entente miraculeuse à laquelle nous étions soudain parvenus. J'accepte, mais seulement à condition qu'Attis nous accompagne. Mon amoureux esclave n'écoute aucune des explications de mon amant artiste, il ne regarde aucun des chefs-d'œuvre que celui-ci me fait découvrir, il se comporte comme un idiot inculte, un chiot folâtre. Mais je me dis qu'il est plus vivant à lui tout seul que Praxitélês et moi réunis. S'il adore se promener en notre compagnie, c'est parce qu'il s'intéresse au spectacle mouvant de la rue, aux êtres de chair et non de marbre : les marchandes de l'Agora à qui il vole des fruits et dont il imite à la perfection les intonations furibondes, après que je les ai apaisées en les remboursant de ses larcins ; les esclaves aux cheveux ras, la tunique dégageant le bras musculeux, dont la brutalité l'effraie ; les jolies servantes portant des paniers sur leur tête, qu'il bouscule en feignant de les aider ; et surtout les groupes d'éphèbes en armes sur le chemin de la palestre, qu'il regarde par en dessous, avec crainte ou avec envie.

Praxitélês dissimule à grand-peine sa frustration de ne pas pouvoir discuter avec moi sans être interrompu à chaque instant par les facéties de mon animal de compagnie. Au début, je crois qu'il souffre seulement de jalousie mais je finis par comprendre que son tourment est tout autre. Un matin, il se décide enfin à m'expliquer ce qu'il a dans la tête. Il nous a conduits dans le jardin où se trouve la fameuse *Aphroditê* de Kallimakhos, celle qui, dans le geste de prendre la pomme donnée par Pâris, découvre presque entièrement son sein gauche. Cette déesse de marbre est d'une beauté parfaite mais je ne peux m'empêcher de la trouver un peu froide. Pourtant, tandis qu'Attis se dore au soleil allongé sur un rocher, Praxitélês reste en arrêt devant elle, plongé dans une contemplation profonde. Puis il se met à parler. Il s'adresse à moi mais en regardant fixement la statue, comme si elle était sa véritable interlocutrice. J'ai l'impression de le surprendre dans l'un de ses instants de solitude créatrice, qu'il me dérobe d'ordinaire en se cachant au fond de son atelier. Depuis toujours, je le préfère lorsqu'il ne s'intéresse pas à moi, parce qu'alors je peux laisser libre cours à la curiosité que j'éprouve pour lui. Dans ces moments-là, j'en oublie presque Attis.

Praxitélês m'apprend que le grand sanctuaire d'Aphroditê Ourania, l'un des plus prestigieux d'Athênaï, vient de lui passer une première commande. C'est une magnifique occasion, puisqu'on le laisse totalement libre de la façon dont il décidera de représenter la déesse, et même du matériau qu'il choisira. En contrepartie, il a dû accepter de se retrouver en compétition avec un autre sculpteur : leurs deux œuvres seront départagées par un jury de prêtres et d'experts. Praxitélês déteste cette idée, qui le ramène à ses débuts en Arkadie. D'autant plus que, cette fois, son rival est redoutable. Il s'agit d'un certain Skôpas. Un jeune étranger né, dit-on, au milieu même des carrières de pierre sur l'île de Paros, et qui a séjourné plusieurs années dans le Péloponnèse pour y finir sa formation à l'école de Polykleïtos. Arrivé depuis peu à Athênaï, il est venu y chercher de nouveaux clients mais surtout défier les sculpteurs de l'Attique sur leur propre terrain. Praxitélês le considère déjà comme un artiste aussi accompli que lui. L'un des rares qu'il pourrait respecter vraiment, malgré leurs différences. Ou à cause d'elles. Car ce Skôpas, bien que né dans le marbre, est un maître du métal. Il sait y fixer les poses extatiques et les sentiments intenses qui font effet d'emblée, aussi bien sur les jurés que sur le grand public. "Et moi, ajoute Praxitélês, je respecte sa recherche, mais ce qui m'intéresse, c'est justement le contraire : le poli du marbre, l'absence d'expression, la rêverie intérieure qu'elle permet de suggérer." Au bout de quelques instants, il reprend : "En tout cas, pour avoir la moindre chance de l'emporter, j'ai intérêt à trouver quelque chose de vraiment novateur !..."

Il redevient silencieux. Je me demande où il veut en venir. Le sait-il lui-même ? Lorsqu'il se remet à parler, il garde les yeux plissés, toujours observant la déesse de Kallimakhos, comme si l'œuvre de son prédécesseur délimitait les contours extérieurs du problème qui le tourmente et qui se trouve pour une fois exposé en relief devant lui : "Où en sommes-nous par rapport au corps féminin ?" murmure-t-il soudain. Je saisis que ce n'est pas à moi qu'il pose la question (même si j'aurais sûrement sur ce sujet une ou deux choses à lui répondre). Alors j'attends qu'il continue. "Depuis toujours, reprend-il, nous, les Grecs, nous pouvons représenter les hommes nus, parce que nous les regardons au grand jour, sans gêne, dans les stades, à la palestre, à la guerre. Chacun d'entre nous, ne serait-ce que dans sa jeunesse, s'est dénudé, pour lutter, pour courir, pour se battre, pour tuer, pour mourir, sous les yeux des autres hommes et ceux du soleil. Mais nous n'avons jamais encore montré le corps d'une femme nue. Parce que nous ne le regardons que dans l'obscurité de la nuit. Parce que les impératifs de la décence nous interdisent de l'exposer en pleine lumière. Bien sûr, depuis quelques décennies, nous enveloppons nos déesses dans les plis de plus en plus mouillés de leurs tuniques, ce qui nous permet de nous délecter de l'audace de ces drapés qui montrent plus qu'ils ne cachent. Mais le corps lui-même ? Le poli de sa peau, son absence de pli, ses courbes, ses reliefs les plus intimes ? N'est-il pas temps qu'un artiste ose enfin s'attaquer à la nudité féminine ? Kallimakhos a déjà commencé. Regarde son *Aphroditê* : elle dévoile presque entièrement son sein, n'est-ce pas ? Oui, bien sûr, mais seulement parce que sa tunique glisse dans le geste de tendre le bras vers la pomme. C'est une nudité accidentelle. Ce sein délicieux, qui nous attire au milieu du bouillonnement du tissu, nous ne le regardons qu'à la dérobée, un peu en voyeur. Moi, je crois que la nudité d'Aphroditê devrait être voulue ! Un seul sein, peut-être, pas besoin de plus, mais qui serait vraiment montré ! Elle s'arrêterait, dans son geste de s'habiller, pour le regarder, et elle nous inviterait à l'admirer nous aussi. Un seul sein, oui, mais si spirituellement dévoilé que s'y concentrerait toute la nudité féminine dont nous sommes capables aujourd'hui..."

J'aime l'écouter quand il s'anime ainsi. Malgré mon ignorance (d'ailleurs de plus en plus relative, depuis que je vis dans son entourage), j'ai l'impression d'entrer de plain-pied dans son rêve de sculpture. Je comprends qu'à sa manière, il vit une aventure humaine aussi risquée que la mienne. Le terrain d'exploration du sculpteur et celui de l'hétaïre sont le même, le plus proche et le plus lointain de tous : le corps humain. Ce qui s'en montre, ce qui s'en cache, aux yeux des autres mais aussi aux nôtres. Ce qui se révèle à sa lumière crue des profondeurs de nos âmes. Oui, je comprends ce qu'il cherche. Mais en quoi puis-je l'aider ? Depuis qu'il m'a volé mon apparence pour sa première Aphroditê, cette *Déesse à sa coiffure* qui se trouve maintenant exposée dans le sanctuaire de la Pandêmos, nos deux chemins sont parallèles. Il n'a plus besoin de mes poses, seulement de mes encouragements. Il poursuit : "Je ne voudrais pas seulement prolonger Kallimakhos, je voudrais aussi me confronter une bonne fois pour toutes avec Myrôn. Tu te souviens ? Faire une statue qu'on ne puisse pas voir seulement de face, comme tu me l'as reproché pour notre *Artémis*, mais des deux côtés, et même de dos." Silence. Il s'exclame : "Une Aphroditê révolutionnaire ! Qui admirerait elle-même son sein pleinement nu, dans une pose où la courbe du dos serait aussi suggestive que celle du ventre ! Voilà, il ne m'en faut pas moins pour rivaliser avec Skôpas et me dépasser moi-même !"

Là, il se tait. Pourtant, il ne tourne toujours pas la tête vers moi ; en faisant la moue, il continue de regarder le chef-d'œuvre de la génération précédente dont il vient de me montrer les limites. Alors je me dis qu'est venu mon tour de parler, de prononcer les mots dont il a besoin et qu'il me réclame par son silence. J'essaie de me montrer à la hauteur de ma tâche : je l'encourage à se risquer, à oser forcer l'admiration du jury, à oser choquer le public athénien, qui, bien sûr, donne le ton en Grèce mais ne se compose finalement que d'une poignée d'avant-gardistes forcenés perdus au milieu d'une masse de conservateurs bornés. Pourtant, au bout de quelques phrases, il me coupe la parole d'un soupir : "Oui, oui, je sais, c'est facile, maintenant que j'ai le sujet, que je le vois, je n'ai qu'à m'y mettre. Cela fait plus d'une semaine que je me le répète..."

Soudain, il se tourne vers moi. Nous nous regardons en silence. Je lui souris. Un peu machinalement mais avec bienveillance. Alors il ouvre la bouche pour me dire encore quelque chose. Quelque chose de très important, je le devine, quelque chose qu'il a en tête depuis qu'il regarde la statue de son prédécesseur, ou peut-être même depuis qu'il a reçu la commande du temple de l'Ourania. Malheureusement, à ce moment-là, un léger bruit détourne mon attention. C'est Attis. Mon jeune esclave, croyant que ce silence marque la fin d'un moment de pause particulièrement ennuyeux, est descendu d'un bond de son rocher. Maintenant, il gambade tout autour de nous, en frémissant d'impatience et d'allégresse. Profitant de l'échappatoire qu'il me propose, je me détache de Praxitélês. Ne serait-ce pas un crime de perdre une matinée de lumière à contempler une déesse de marbre, alors que je peux courir avec mon esclave à la poursuite des rayons du soleil ? Le Sculpteur nous jette des coups d'œil furibonds mais il n'ajoute pas un mot et je l'abandonne sans remords à son tourment.

Pourtant, le soir même, il revient frapper à ma porte, toujours aussi agité. Il me supplie de l'accueillir jusqu'au matin, parce que je suis la seule à pouvoir lui permettre de trouver la paix. Après tout, peut-être n'a-t-il besoin que d'une nuit d'amour ? En échange, il me donnera beaucoup d'argent, et il acceptera même que mon esclave reste à nos côtés pour me caresser pendant qu'il me pénètre. Je gémis de plaisir mais je fais semblant, plus par tendresse que par conscience professionnelle. Après avoir joui, Praxitélês me dit simplement : "Je suis triste." Un peu inquiète, un peu vexée, je lui demande s'il n'est pas satisfait de mes services. Il secoue la tête. J'insiste : "Pourquoi es-tu triste alors ? À cause de ta statue ?" Il hésite, et finit par lâcher : "Oui, mais pas seulement. À cause de toi aussi." Il ajoute : "Parce que tu n'aimes pas faire l'amour avec moi." Attis, qui s'était allongé contre nos deux corps, se redresse et nous regarde avec surprise. Du grec, mon esclave paraît ne comprendre que les mots qui parlent d'amour, ou peut-être seulement de sexe. Il a un geste surprenant : il pose délicatement sa main sur l'épaule de son rival, comme s'il voulait le consoler. Je leur souris à tous les deux : "Quelle importance ce que j'aime ou ce que je n'aime pas ? L'essentiel, c'est que toi, tu aies du plaisir, non ? Tu me payes pour ça, et cher, je te le rappelle.

— Je ne te parle pas d'argent. Je te parle d'autre chose. Tu as le corps de la déesse de l'amour, c'est la vérité, mais, comment dire, je sens que, même si tu le fais très bien, tu n'aimes pas vraiment ça. Ou pas avec moi, qui y mets pourtant, quand je suis dans tes bras, toute ma délicatesse et toute ma fougue. Alors pourquoi ?" Je ne réponds rien. Il insiste : "En fait, quand j'y pense, je ne t'ai vue qu'une seule fois éprouver du plaisir. Avec cet éphèbe, lors de ton premier banquet, tu te souviens ? Et puis tu en as sans doute avec ce joli animal lascif, qui nous regarde en faisant semblant de nous comprendre. Il me pose gentiment la main sur l'épaule et moi j'aurais envie de l'étrangler !" Prenant mon artiste dans mes bras, je m'efforce de le rasséréner. De lui faire comprendre que je n'ai jamais aimé Euthias comme je l'aime, lui, ni même peut-être Attis, dont je suis pourtant amoureuse. Que la relation la plus profonde, la plus durable, la plus essentielle, c'est avec lui que je la construis. Au début, évidemment, je ne pense pas un mot de ce que je dis. Il ne s'agit que de purs sophismes, d'efforts maladroits pour flatter un client ou rassurer un ami. Puis, peu à peu, je m'aperçois que je suis en train de m'aventurer sur un terrain mouvant. Celui de la vérité. Moins dangereux pour mon amant que pour moi. Car je me retrouve en train de lui déclarer d'une voix grave : "Quand j'y réfléchis, je m'aperçois que j'aime moins faire l'amour avec eux qu'avec toi, même s'ils me donnent plus de plaisir."

Il secoue la tête : "Qu'est-ce que tu racontes ? Je ne comprends rien !

— Mais si, tu as deviné : je n'aime pas le plaisir."

Et c'est vrai. C'est ça. J'enchaîne avant qu'il ait eu le temps de ricaner : "Oui, je sais, toute ma vie dit le contraire. Mais, en réalité, je cherche autre chose."

Il me dévisage, intrigué. Je soutiens son regard. Attis, pour interrompre notre jeu dont il ne saisit pas les règles ou au contraire pour y jouer un rôle à sa façon, m'enlace avec vivacité et tente de plaquer un baiser sur ma bouche. Mais je le repousse. Même lui, je le tiens à distance. Je m'allonge de nouveau sur le dos. Hostile, je ne dis plus un mot. Je refuse de prolonger cette conversation, qui m'a emmenée dans des parages que je n'ai nulle envie d'explorer.

Pourtant, un long moment après, alors que nous glissons dans le sommeil chacun de notre côté, j'entends que Praxitélès revient à la charge : "Aide-moi, je t'en prie, ne me laisse pas tomber." Malgré ma fatigue, je tends la main gentiment vers son sexe. Mais il m'interrompt dans mon geste : "Je ne te parle pas de ça !" Je lui demande, un peu impatientée : "Tu me parles de quoi alors ?" Il me répond, sur le même ton : "De ma statue !" Et puis, enfin, il se décide : "Pose pour moi. Une dernière fois." Il ajoute : "C'est ça que je veux te demander, depuis ce matin. Ou plutôt depuis une semaine." Sortant de ma torpeur, je me redresse sur mon coude pour le regarder. Avec surprise plus encore qu'avec ironie. Ne m'a-t-il pas volé mon visage et mon corps ? N'est-ce pas ce qu'il a voulu me prouver, le jour où il m'a montré avec une telle fierté sa précédente *Aphrodité* ? Je lui réponds, dans un sourire dont je ne parviens pas peut-être à chasser toute trace de cruauté : "Qu'est-ce qui t'arrive, Sculpteur, tu régresses ?"

Et lui, il soupire : "Oui, j'en suis revenu à mes débuts, en encore pire. Pourtant, je croyais avoir franchi un cap. Je pensais que je ne m'étais pas libéré seulement de toi mais surtout de la réalité. Je croyais avoir si bien tes formes sous les doigts que je n'aurais plus jamais besoin de les tenir vraiment devant mes yeux. C'était une preuve d'amour, même si tu ne l'as pas comprise, parce que j'étais affranchi de ta présence mais que je continuais à voir la beauté sous tes traits. Depuis une semaine, j'ai l'impression de me laisser piéger par mes vieux doutes, mes vieilles inhibitions. Qu'est-ce qui m'empêche d'avancer ? Je ne parviens pas à mettre la main à cette *Aphrodité au sein nu* que j'ai pourtant dans la tête, et toi, je t'ai de nouveau perdue !"

Malgré la promesse que je me suis faite de ne plus jamais poser pour Praxitélês, comment refuser ? Il est depuis longtemps le plus délicat de mes amants. Il est même, ces derniers temps, en train de devenir mon ami, non pas celui de ma jeunesse, comme Hypereïdês, mais celui de ma maturité. Le seul homme que je respecte vraiment. Le seul que, malgré sa faiblesse, j'admire de toute mon âme. Je me réjouis aussi, pour des raisons plus personnelles, d'entraîner cet artiste connu dans une rébellion parallèle à la mienne. J'adorerais que, pour remporter le concours contre Skôpas, il soit amené à bousculer autant que moi le public athénien. C'est pourquoi je suis prête, sans la moindre hésitation, à poser devant lui les seins nus, même si ma réputation d'hétaïre consiste justement depuis plusieurs mois à ne jamais les montrer en public. Je me dis que cette œuvre pourrait contribuer à établir définitivement ma légende : la statue de marbre exhiberait aux yeux de tous ce que la femme de chair ne montrerait que dans l'intimité à celui qui aurait dépensé assez pour s'offrir ce privilège divin. Oui, bien des raisons, des plus futiles aux plus profondes, me poussent à accepter.

Mais je refuse. Doucement, irrévocablement. Ensuite, je lui éclaire, autant que j'en suis capable, ma décision : "J'accepterai un jour de poser pour toi les seins nus, mais pas cette fois. Pas pour cette commande du temple de l'Ourania. Non, ça, c'est impossible, je sens que je ne dois pas le faire. Trouve une autre occasion, où tu pourras me représenter en tant que femme humaine, et non en tant qu'Aphroditê. Je te l'ai déjà dit : je considère cette déesse comme mon ennemie. Je la hais autant qu'elle me hait.

— Chut, elle pourrait t'entendre.

— Elle m'a déjà entendue. Quand je l'aimais, elle m'a punie."

Je refuse, malgré les protestations du Sculpteur, de m'expliquer plus avant. Je le menace, s'il ne se calme pas, de le faire raccompagner jusque dans le lit de sa femme par le Cerbère Adômas. Il finit par comprendre qu'il ne sert à rien d'insister. Nous restons de nouveau tous les deux, ou plutôt tous les trois, allongés les uns à côté des autres, à ne plus nous dire un mot. Enfin, au bout d'un long moment, dans l'obscurité complète, la respiration de Praxitélês s'apaise. Elle devient presque aussi légère que celle d'Attis. Me redressant une dernière fois sur mon coude, je lui souffle doucement à l'oreille : "Écoute-moi bien, Sculpteur, là où tu es. Renonce à représenter Aphroditê sous mes traits, ce serait un sacrilège ! C'est parce que je tiens à toi que je refuse de poser pour ta déesse, je ne veux pas que tu te mettes en danger !"

Pas de réponse. Il dort. La tête posée contre ma paume, j'écoute pendant plusieurs minutes la musique de ces deux respirations d'hommes, si différentes, et qui se mêlent. Je me souviens que, quelques mois auparavant, j'écoutais celles, tout aussi différentes, d'Hypereïdês et d'Euthias. Je repense aux sons que je tire des deux flûtes de mon aulos, celle grave de la mélodie et celle plus haute de l'accompagnement : elles se complètent mais aucune des deux ne peut se suffire à elle seule. Je me demande ce que j'éprouve exactement pour ces hommes qui se réunissent par paire autour de moi. Existe-t-il, dans une langue, le mot capable de définir ce sentiment complexe ? Les deux facettes contradictoires et indissociables de ce lien qui m'unit à eux, puis-je les qualifier d'amour ? Oui, peut-être que même Attis, dont je suis amoureuse, je ne l'aime pas. Peut-être que même Praxitélês, dont je suis l'inspiratrice, l'admiratrice, la modèle, la fidèle, je ne l'aime pas. Peut-être que je suis incapable d'amour. Peut-être que c'est mieux. Je m'allonge de nouveau entre les deux souffles apaisants de ces dormeurs-là, entre ces deux présentes absences, aussi précieuses l'une que l'autre et aussi insatisfaisantes. Je vais me laisser entraîner à leur suite dans l'oubli sans chercher à percer plus avant ce décevant mystère.

Pourtant, tout à coup, au moment où je vais sombrer, il me semble que j'entends une voix à mon oreille. Je crois reconnaître celle du Sculpteur, même si les profondeurs du néant dont il vient de remonter avec lenteur pour répondre à mon appel la rendent étonnamment sourde : "C'est pour toi, Phrynê, que j'ai peur, pas pour moi !" Soudain, dans mon abandon, je comprends la vérité : c'est moi, et non pas eux, qui suis double ! Car l'étrange voix me murmure : "Phrynê Mnasaréta, parviendras-tu un jour à te réconcilier assez avec toi-même, et avec l'amour, pour l'incarner sans sacrilège ?" Oh, cette Voix-là, dans la confusion de ma rêverie, j'aurais tellement à lui répondre ! Mais je me sens si épuisée que je ne parviens pas à me redresser, à lutter comme je le fais depuis plus de sept années. Tandis que je cherche encore les premiers mots de ma réplique, l'étreinte d'Hypnos, l'invincible dieu du Sommeil, délie mes membres et lie mes lèvres.

Le lendemain, la sorcière égyptienne, à qui je raconte l'étonnante conversation de la nuit, s'étonne plus encore que le Sculpteur de mon refus. Elle s'indigne même de m'entendre déclarer ouvertement mon hostilité à la déesse que servent les Grecs, au lieu de profiter de l'occasion qui m'est offerte de nouer des relations avec l'un des sanctuaires officiels les plus prestigieux de la cité. Je me défends en lui affirmant que je me considère désormais comme la servante exclusive d'Isodaïtês. "Notre Anaïtis, ajouté-je, tu m'as enseigné qu'elle était beaucoup plus puissante que cette faible et stupide…" Mais Aâmet, avec une vivacité surprenante, pose la main sur ma bouche pour m'empêcher de prononcer le nom de la déesse grecque après ces deux adjectifs insultants. Elle prend le temps de m'expliquer : "Tu peux tout penser, ma fille, mais pas tout dire. Les dieux ne te puniront pas pour les idées qui te passent par la tête, et qui s'imposent sans contrôle lorsqu'elles viennent de celui d'entre eux qui a élu provisoirement son siège en toi, pour te mettre à l'épreuve ou même pour tenter de te perdre. Mais tes paroles t'appartiennent. Parler, c'est choisir humainement parmi les pensées folles des dieux les seules qui s'accordent à la place modeste que nous occupons dans l'ordre du monde. Sois prudente, Phrynê, n'oublie pas que, pour eux, toute parole est irrévocable !" Archaïque sagesse. Mais moi, dans les yeux d'Aâmet, je ne crois lire d'abord qu'une frayeur puérile de vieille femme superstitieuse face à l'audace de mon blasphème. Alors je souris d'un petit air supérieur. Ce n'est qu'au bout de quelques instants que j'y discerne autre chose, qui serait de la déception. Son silence me dit : "Es-tu vraiment aussi bête que tes paroles me le laissent supposer, Phrynê, aussi obtuse ? N'as-tu pas saisi comme il est illusoire de servir Anaïtis l'Orientale pour se venger d'Aphroditê la Grecque ? Ce ressentiment personnel, qui t'empêche d'atteindre à la pleine conscience de la divinité, ne vas-tu pas faire un jour l'effort de t'en débarrasser ?" Je repense à la question que m'a posée la voix de Praxitélês la nuit précédente : "Quand seras-tu assez réconciliée avec l'amour pour l'incarner sans sacrilège ?" Et je comprends qu'à sa manière, la sorcière égyptienne me confronte au même défi que le sculpteur athénien.

Seulement, pour le relever, il faudrait que je renonce à ma révolte. À cette révolte contre Aphroditê et contre l'ordre d'un monde injuste qui seule m'a permis de me reconstruire. Alors, pour la première fois, je résiste au regard inquiet d'Aâmet. La Vieille me relâche sans un mot. Ne commence-t-elle pas, dès ce moment, alors que nous n'avons pas encore achevé de préparer l'installation de notre thiase, à douter de moi ? Ne va-t-elle pas chercher, parmi les premières fidèles que nous recruterons bientôt, d'autres prêtresses, moins belles mais plus sensées, plus dociles, plus disponibles ? Soudain inquiète, je me hâte de la rattraper par le bras, avant qu'elle ne sorte de la pièce. Pour la rassurer, je lui jure que j'arrêterai désormais de blasphémer ouvertement Aphroditê, même si, dans le fond de mon cœur, je resterai hostile à la déesse grecque. J'irai trouver le Sculpteur dès le lendemain. J'ai un projet à lui soumettre. Une idée qui a germé dans mon esprit la veille, tandis que je jouais avec Attis aux pieds de la froide statue de Kallimakhos, qui s'est formée la nuit dernière pendant mon sommeil et qui vient d'éclore brusquement à la lumière de notre conversation. L'Égyptienne me regarde de nouveau avec attention, mais elle ne me demande pas ce que j'ai dans la tête. Parce qu'elle se doute que je ne le lui dirai pas, ou parce qu'elle l'a déjà deviné. Elle se contente de me sourire.

Je sais que Praxitélês est terriblement jaloux. Attis, de son côté, n'aime guère le Sculpteur, qu'il trouve ennuyeux. Pourtant, d'une main ferme, je conduis le jeune homme dans l'atelier de l'artiste, à qui je déclare : "J'ai trouvé le moyen pour que tu gagnes le concours contre Skôpas !" Je lui explique mon intuition : puisqu'on le laisse entièrement libre de son sujet, il pourrait non pas représenter cette Aphroditê dévoilée qui paraît lui être encore interdite mais un Erôs, dont le dos et les fesses seront aussi beaux que le torse et le visage. Attis est le modèle qu'il lui faut dans cette tâche. Parce que ce garçon est une femme autant qu'un homme, il permettra au Sculpteur d'atteindre à ce qui, dans un corps, appartient à l'un et à l'autre sexe. Cette grâce androgyne et d'autant plus universelle que Praxitélês poursuit depuis ses débuts, depuis le *Satyre éphèbe* qu'il m'a montré dans la rue des Trépieds. Une conception nouvelle de la beauté masculine, moins virile, plus ambiguë, et dont j'ai l'impression qu'elle pourrait être encore plus dérangeante qu'une Aphroditê aux seins nus. Pour qu'il la trouve, je lui prête mon esclave. Gratuitement. Autant de temps qu'il en aura besoin : "Ne me remercie pas. Je m'offre la satisfaction qu'Athênaï vienne bientôt rendre hommage, sous les traits du dieu du désir, à mon mignon oriental."

Praxitélês, comme je l'ai prévu, s'apprête à refuser mais il jette quand même un coup d'œil machinal à Attis. Celui-ci, comprenant qu'on parle de lui mais ne devinant pas à quel propos, se tient pour une fois immobile, saisi, comme un animal surpris au coin d'un bois dans le plein élan de sa vie, un léger sourire rusé aux lèvres, presque cruel, prêt à bondir n'importe où pour nous échapper, dans un coup de reins ou même un coup de dent. Les yeux du Sculpteur se plissent et je sais que j'ai gagné. La séance de pose a déjà commencé. Ou plutôt repris, car il le regarde avec la même attention fascinée que la fois où il l'a découvert l'année précédente, sur les tréteaux du marché aux esclaves de Korinthos. Très vite, Praxitélês se prend au jeu. Très vite il oublie sa jalousie pour ne plus se consacrer qu'à la plastique étonnamment souple d'Attis. Très vite il oublie son ressentiment personnel pour se livrer de toute son âme à son art. C'est l'une des raisons pour lesquelles je l'admire. Les ennemis du Sculpteur, que relaie la voix tonitruante de Timoklês, racontent partout que Phrynê couche avec ses deux hommes, qu'elle se moque du citoyen qui la regarde jouir tandis que la verge de l'esclave va et vient en elle. Qu'elle oblige ensuite Praxitélês, non à pénétrer Attis, ce qui n'aurait rien de scandaleux, puisque le gamin est encore imberbe, mais, humiliation suprême pour un homme mûr, à se laisser pénétrer par lui. Tous ces ragots, Praxitélês s'en moque encore plus que moi. Il ne les entend même pas.

Les séances de pose deviennent interminables. Mon esclave est un modèle si souple de corps et d'esprit qu'il est capable de rester gracieux dans n'importe quelle attitude, même la plus déhanchée. La seule difficulté est de la lui faire garder plus de quelques minutes. On doit, pour cela, lui proposer incessamment quelque distraction nouvelle, une pâtisserie, une coupe de vin, un objet brillant, une petite servante, qui le cajolera gentiment pendant des heures afin de lui faire oublier qu'il s'ennuie. Dès que Praxitélês en a trouvé une qui fasse l'affaire, il doit en chercher une autre, car c'est moi qui refuse que la fille vienne plus d'une séance s'occuper de mon trop bel animal. Malgré toutes ces contraintes qui l'exaspèrent, le Sculpteur est heureux. Il se demande s'il parviendra jamais à achever cette statue et à présenter quoi que ce soit face à Skôpas, mais il sait qu'il accomplit, grâce à ce jeune homme insaisissable et languide, des avancées décisives dans sa recherche sur le déhanchement. Il est en train de créer un étonnant garçon-fille, au visage aussi insolemment veule que triomphant. C'est le visage même du Désir, dans l'attitude qui l'exprime tout entier : négligemment appuyé contre le fût tronqué d'une colonne, les ailes au repos, son arc tenu d'une main lâche, le regard déjà ailleurs. Les différentes ébauches de cire s'affinent parfois à toute allure. À certains moments, à cause des caprices d'Attis ou des miens, le Sculpteur reste plusieurs jours sans faire rien qui vaille, à d'autres il travaille avec encore plus de frénésie que pour notre *Artémis*. Il remet encore chaque matin au lendemain le moment d'élaborer le modèle de glaise grandeur nature, dont les mesures pourront être reportées par ses assistants dans le bloc de marbre, mais sa faiblesse ne le tourmente plus. Il s'est donné un tel élan que le moment du choix définitif, du passage à l'acte d'un matériau vers l'autre, se fera tout seul.

Pourtant, un jour où il travaille avec aisance, bien que je n'aie pu m'empêcher de venir les déranger en plein milieu de la séance, Praxitélês s'arrête soudain de modeler. Je me dis qu'il va chercher un moyen de m'éloigner de l'atelier, parce qu'il est presque impossible d'obliger Attis à tenir la pose lorsque je fais ainsi à l'improviste mon arrivée. Mais ce n'est pas cela qui préoccupe le Sculpteur. Tourné vers moi, l'air soucieux, les mains crispées sur le vide, comme s'il voulait en pétrir la matière aussi résistante que la cire, il me demande, tout à trac, s'il est vrai que je suis devenue la prêtresse d'un thiase privé consacré au culte d'un dieu étranger. Les défenseurs de la morale, notamment l'entourage de son oncle, l'austère Phô-kiôn, m'accusent, dans tout Athênaï et jusque dans cet atelier, de corrompre les femmes mariées et les filles de naissance libre. J'ai su faire fortune en peu d'années avec une habileté remarquable mais je risque de tout gâcher en m'obstinant à introduire dans la cité cette secte dangereuse, ou du moins considérée comme telle par l'opinion athénienne. "Attention à ne pas dépasser la mesure, me déclare Praxitélês d'une voix grave, tu sais que c'est le premier et le dernier mot de la sagesse grecque. Le destin aime bien jeter par terre ceux qui se sont crus trop haut." Il se radoucit, me sourit : "Je te rappelle que, chez nous, tous les scandales te sont permis, toutes les folies, à condition que tu les infliges à des hommes libres, qui sont responsables d'eux-mêmes. Mais ne touche pas à nos femmes !" Il se remet à travailler. Et puis il me demande, d'une voix apparemment indifférente : "Il vient d'où, ton dieu ?

— De loin.

— Il s'appelle comment ?

— En grec, Isodaïtês. « Celui-qui-se-donne-à-parts-égales ». Le dieu du désir et du soleil.

— Et dans ton thiase, qu'est-ce que tu fais ? C'est vrai tout ce qu'on raconte ?

— Tu n'as qu'à venir voir.

— Ah bon, je peux ? Je suis un homme, tu sais, pas une femme.

— Tout le monde peut. Les hommes, les femmes. Les citoyens, les esclaves. Il suffit de se remettre entièrement entre les mains du dieu. Et entre les miennes, puisque je suis sa grande prêtresse."

Il sourit, sans lever la tête du bloc de cire dont il est en train de faire surgir un autre des visages les plus sournois d'Attis : "Entre les tiennes, je veux bien." Mais aussitôt, il relève les yeux pour me jeter un coup d'œil vif : "Je viendrai peut-être un jour. D'ici là, pense à ce que je t'ai dit. Sois prudente. Sois discrète." Mais je ne l'écoute plus. Je caresse la joue d'Attis, qui, rompant sans autorisation la pose, est venu quémander auprès de moi une caresse, et la permission de s'en aller gambader dans la rue, à l'air libre.

29

CERCLES DE LA SUBVERSION

Quelques jours plus tard, Hypereïdês vient chez moi, pour me donner des nouvelles d'Euthias. Mon ancien maître est obligé, paraît-il, de séjourner plus longtemps que prévu à Kéôs et dans les îles avoisinantes, où il éteint avec soin les derniers foyers de la subversion. Je me rends compte rapidement que le Sanglier n'a rien de nouveau à m'apprendre sur notre ami commun, et qu'il ne s'agit que d'un prétexte. À mots couverts, l'avocat me met lui aussi en garde, alarmé par les rumeurs qui commencent à circuler sur mes nouvelles activités de prêtresse. Comme Praxitélês, il cherche à en savoir plus sur Isodaïtês et son rituel. Malgré notre amitié, je lui en dis seulement ce qu'un citoyen athénien peut entendre. À partir de là, je m'efforce d'être aussi discrète et prudente que possible, tout en restant l'hétaïre scandaleuse que l'opinion athénienne réclame.

Le culte de notre dieu se développe encore plus vite qu'Aâmet et moi ne l'espérions. Nous recrutons d'abord parmi les hétaïres de ma connaissance, qui nous amènent leurs riches amants mais aussi leurs servantes. Chaque participant, lorsque nous le jugeons digne de franchir une nouvelle étape, doit, comme s'il acquittait un droit de péage, nous proposer quelqu'un à initier. Aâmet veille à maintenir un équilibre entre les différentes couches de la société, entre les âges et entre les sexes. Cette universalité est l'un des aspects qui me motive le plus dans la diffusion de notre enseignement. La vieille Égyptienne prend soin d'inscrire notre secte dans le cadre légal, en offrant régulièrement des sacrifices à toutes celles des divinités officielles d'Athênaï qui peuvent apparaître aux yeux des citoyens comme proches des nôtres. Dans cette perspective, elle s'est félicitée que j'aie proposé Attis en modèle au Sculpteur : si la statue d'Erôs est acceptée, je l'achèterai moi-même au nom de notre thiase pour en faire don au sanctuaire d'Aphroditê Ourania. Elle me pousse à entretenir, malgré mes réticences, des relations régulières avec les différents clergés de cette déesse, mais aussi avec les groupes multiples consacrés à Dionysos. Ceux-ci nous considèrent d'abord avec méfiance, puis finissent par accepter nos tentatives de rapprochement, et notre volonté de diffuser le nouveau culte sous le patronage de leur déesse et de leur dieu.

J'éprouve toujours la même intime hostilité à l'égard d'Aphroditê, mais, sur les conseils d'Aâmet, je ne l'exprime jamais ouvertement. Je sens que l'Égyptienne, si elle ne discute plus mon aversion, la trouve gênante et surtout stupide. D'après elle, je ne suis pas encore assez ouverte, pas encore apaisée. Je refuse de lui raconter mon passé, elle respecte mon silence, mais ne le considère que comme une étape à dépasser un jour. C'est notre principal point d'achoppement. Peut-être le seul. Mais je sens qu'il est gros de dissensions futures. Car ce nœud d'ombre, fermé en moi, contrairement à ce que croit mon inspiratrice, je suis résolue à ne jamais le délier. J'ai clos le gouffre de la dernière nuit de Thespiaï d'une barrière de métal et de marbre étincelant, plus infranchissable que celle de l'oracle de Trophonios où descendit jadis mon père. L'entrée de mon enfer personnel est interdite à quiconque. Même à moi.

Aâmet m'expose en pleine lumière, mais c'est elle qui, en retrait, dirige le culte. Elle utilise mon image, ma beauté, pour attirer les fidèles. Me considère-t-elle vraiment comme celle qui lui succédera un jour ? Comme une prêtresse véritable ? Comme une initiée ? J'en doute encore. La vieille Égyptienne me dispense d'abord l'enseignement en privé, avant de m'obliger à m'adresser aux novices pour le leur transmettre. C'est ainsi que, peu à peu, je me réconcilie avec la parole, moi qui ai toujours été, même dans les époques les plus heureuses de mon enfance, un puits de silence. Ces moments où je dois m'exprimer en public me troublent profondément. D'abord parce que j'enseigne, alors que je n'ai jamais jusque-là ressenti que du mépris pour tous les maîtres de sagesse et tous les charlatans qui pullulent dans Athênaï. Ensuite, plus fondamentalement, parce que, dans mes récits et mes préceptes, je repasse à travers les discours anciens de Manthanê, en leur donnant enfin du sens. J'ai l'impression de parcourir les sentiers où je courais petite fille du pas démultiplié de l'adulte. J'ai encore les yeux rivés à hauteur d'enfance sur les cailloux et les cachettes de ce chemin initiatique mais je parviens aussi, en relevant la tête, à embrasser son point de départ et son point d'arrivée. Comme si, tout le paysage du mythe étranger qui m'entoure désormais, je le reconnaissais d'un coup d'œil.

Dès ce moment-là, je perçois que notre enseignement est radicalement différent de celui des professeurs de philosophie et des prêtres que j'ai pu croiser jusqu'alors. Notre religion est ouverte. Isodaïtês, dans son nom même, se donne à tous. Chacun, quel que soit son rang, son sexe, son âge, participe de ce flux. Dans le désir qui l'enchaîne et qui le libère, dans l'éclair déchirant du plaisir, chaque être subit malgré lui une loi universelle. Mais ce principe tout puissant, contre lequel je me suis rebellée si longtemps, avec lequel je ne serai peut-être jamais tout à fait réconciliée, je commence seulement à comprendre que c'est lui qui nous relie aux autres et au monde. Dans les quelques secondes de l'orgasme, les barrières tombent, la prison devient palais, une maison de vent et de pluie ouverte sur l'univers entier. Ce que l'être humain goûte dans ces quelques miettes d'éphémère éternité, c'est peut-être l'ambroisie qui nourrit les dieux en permanence, la conscience hyperaiguë d'être au monde et de lui appartenir par toutes ses fibres, tous ses sens, tous ses pores. C'est peut-être aussi ce que l'être humain éprouverait au-delà de la mort, s'il était capable de porter sa conscience jusque-là, jusqu'au renoncement à l'unité éphémère de son corps, lorsque les particules qui le composent se défont pour se refaire autres, dans l'infini grouillement du vivant. La mort et la vie ne sont peut-être qu'une seule et même chose mouvante, dans un univers où seule la métamorphose est permanente.

Mais, à l'époque, je ne perçois pas clairement la profondeur de ce que j'enseigne. Je me contente de transmettre des histoires dont les péripéties étonnantes me déconcertent moi-même. Fausse prêtresse et vraie novice, je m'étonne des aventures et des avatars de mon jeune dieu. Je raconte avec stupeur son enfance et sa mort, ainsi que les différents épisodes intermédiaires qui lui permettent de traverser les âges et les sexes, avant de renaître entre les bras d'Anaïtis, son épouse-mère-sœur. Ces récits sont si progressifs que, chaque fois que je les parcours avec mes élèves, je les comprends un petit peu mieux. Le futur initié les reçoit pendant plusieurs semaines. Entre chacune des étapes, aucune explication. Juste des plages de silence de plus en plus longues, où le fidèle doit chercher lui-même dans l'ombre du mythe son chemin vers la source lumineuse du sens. Moi qui ai toujours baigné dans un monde de légende, moi qui suis peut-être moins rationnelle encore que mes auditeurs et beaucoup plus paresseuse qu'eux, je goûte avant tout l'atmosphère naïvement dramatique et le charme étrange du récit sacré.

Alors je leur raconte la naissance du dieu, sa séparation nécessaire d'avec sa mère pour échapper aux ennemis qui les guettent, et son enfance protégée par les Filles du Fleuve dans une grotte sous les eaux.

Je raconte sa remontée au jour, le premier de ses voyages à travers les terres et les marécages du début du monde. Je raconte la première rencontre qu'il fait avec des humains, celle du Vieil Homme et de la Vieille Femme, qui l'accueillent dans la solitude de leur cabane, un soir où il leur demande hospitalité. Ému par leur dénuement, il les touche de sa grâce pour leur permettre d'enfanter de nouveau.

Je raconte le séjour du jeune dieu dans le palais du riche roi Ôros, son changement de sexe et l'expérience qu'il fait de l'esclavage par amour.

Je raconte la quête d'Anaïtis, toujours cherchant son fils et toujours menacée par les dieux mauvais.

Je raconte le guet-apens dans le marais et la mort que le jeune dieu accepte de subir pour sauver sa mère-épouse.

Puis je raconte, tandis que l'âme d'Isodaïtês chemine dans le monde d'En Bas, la quête désespérée d'Anaïtis, qui parcourt le monde d'En Haut pour retrouver les différents morceaux du corps dispersé de son fils.

Je raconte l'aube lumineuse, au sommet de la Montagne, à l'entrée de la Grotte, où, tous les morceaux du corps aimé enfin réunis, elle le fait renaître. Je raconte son réveil, leur étreinte et le récit qu'il lui fait du pays des morts.

Je raconte enfin le triomphe commun d'Anaïtis et d'Isodaïtês, qui ne sont plus qu'une seule et même entité divine, et qui n'ont plus à lutter contre leurs ennemis, car ils sont capables de les investir de l'intérieur. Je raconte la lumière qui repose au creux même de l'ombre.

Dans ce cycle complet du mythe, je retrouve des éléments que m'a transmis autrefois Manthanê mais je me demande parfois si l'Égyptienne n'invente pas le reste, au fur et à mesure, à partir de celui d'Isis et d'Osiris. Lorsque les disciples posent des questions, je ne dis rien. Je me tourne vers elle et elle répond à ma place, par une autre question. Mais, lorsqu'elle agit ainsi, elle me regarde avec respect. Oui, avec un indéfectible et sincère respect. Comme si la vieille femme trouvait dans mes jeunes yeux l'énergie de transformer les obscurités de notre récit en flèches lumineuses d'énigme. Je suis surprise, en tout cas, de la puissance que je dégage par ma seule présence, de l'autorité que tous paraissent me reconnaître. Malgré mon jeune âge ou à cause de lui ? Malgré ma beauté ou à cause d'elle ? Peut-être à travers elle. Mais alors je suis confrontée à une angoisse : quand ma beauté ne sera plus là, les fidèles continueront-ils à me respecter ? Le jour où je lui confie ce doute, Aâmet rit : "Tu n'as rien compris de ce que tu enseignes alors ? Tu es la seule prêtresse qui comprend encore moins que ses disciples le dieu qu'elle sert ?" Et elle me plante là, me laissant moi aussi, comme nos novices, me débrouiller avec ces questions, parce qu'elles ne sont pas les siennes mais les miennes.

Pourtant, à d'autres moments, l'Égyptienne me fait entrevoir clairement les développements futurs de notre entreprise. Au bout de plusieurs semaines d'enseignement, certains des novices seront choisis pour recevoir l'initiation secrète. La cérémonie n'aura lieu qu'à chaque nouvelle lune. Tous n'auront pas l'honneur d'y participer. Donc, tous en rêveront et tous en parleront, malgré la défense absolue d'en parler.

Après les quatre stades de l'initiation secrète, certains, très peu, franchiront le dernier cercle et seront admis dans le Thiase.

Le Thiase, ce sera le centre interdit du culte secret.

Alors je comprends. Ce projet que j'avais effleuré le jour de ma visite dans les jardins clos de l'Akadêmeïa de Platôn, ce projet secret de créer une contre-société en plein cœur de la société, je suis en train, sous la direction d'Aâmet, de le réaliser.

La secte d'Isodaïtês se structure peu à peu autour de moi en cercles concentriques. Tout à l'extérieur, il y a le cercle profane, celui de l'enseignement exotérique que tout le monde peut suivre à condition d'y être amené par un initié et d'être approuvé par moi. Puis le cercle des initiés, qui ont vécu la cérémonie du Changement de Lune et qui ont défense absolue, sous peine de mort, de la révéler à quiconque. Ils participent, lorsqu'ils y sont invités, à certaines autres cérémonies secrètes. Ils contribuent, par leurs différents dons en argent, en services et en serviteurs, à la vie de la Communauté. Enfin le cercle du Thiase. Ses membres ont accepté que leur vie entière soit désormais organisée en fonction du service du dieu et de moi, sa prêtresse, même si, à l'extérieur, ils gardent une vie sociale rigoureusement normale. Ce dernier cercle est organisé par Aâmet plus strictement que les autres autour de ma personne, alors même que je ne me sens pas encore capable d'assumer pleinement ce rôle central. Par exemple, j'ai droit de vie et de mort sur ses membres. Mais, me prévient Aâmet, le jour où j'aurai compris l'essence de ma fonction, je me rendrai compte que ce sont eux qui ont droit de vie et de mort sur moi. Les principes, les règles, la hiérarchie de notre société diffèrent radicalement de celles de la cité au cœur de laquelle nous sommes installés : des prostituées de bordel public et des esclaves y occupent une place de choix, tandis qu'y jouent le rôle de serviteurs ou d'esclaves payants des citoyens considérés ou de riches métèques. Les uns comme les autres m'ont remis l'ensemble de leur fortune, l'ensemble de leur vie, l'ensemble de leur âme, pour que je continue à la purifier. Extérieurement, ils restent l'un esclave et l'autre maître. À la place que leur a attribuée le hasard, en fonction d'un plan qu'aucun d'entre nous, même moi, ne peut modifier, l'un continue à obéir et l'autre à commander. Mais ce n'est plus qu'une apparence qui cache un essentiel renversement des rôles en fonction de leur qualité d'âme. Quelle que soit notre fonction dans la secte, nous nous devons mutuellement assistance. Jamais le Thiase n'abandonne l'un de ses membres, même le plus humble. Si l'un d'entre nous est provisoirement séparé du groupe, il continue à nous être uni spirituellement, nous gardons souvenir de lui, tout en agissant dans l'ombre jusqu'à ce qu'il nous soit de nouveau uni physiquement. Si jamais il lui arrive, dans l'un des voyages que je lui ai imposés, de tomber entre les mains de pirates et d'être vendu, nous le faisons racheter. Si jamais il est esclave de naissance, nous veillons à ce que son maître ne le traite pas durement. Nous ne modifions l'apparence extérieure de l'univers que lorsque celle-ci entre en contradiction avec son harmonie intérieure. Sinon, nous laissons faire. Chacun de nos membres, quelles que soient sa position géographique et sa situation sociale, nous est uni, comme les particules ayant composé autrefois un corps physique restent à jamais liées ensemble dans cette mémoire impalpable des choses qui est le flux de l'univers. Je suis le centre, non celui vers quoi tout converge mais celui qui assure la circulation harmonieuse des énergies. Ou plutôt, je ne suis que l'un des centres, car, plus loin, à Korinthos, dans d'autres cités aussi et dans d'autres mondes, d'autres incarnations provisoires d'Anaïtis assurent cette même fonction.

Dans les premiers cercles du Thiase, l'on peut avoir l'impression que tout tourne autour de moi. Et il faut l'accepter.

Dans les cercles supérieurs, l'on prend conscience que tout tourne autour de tout.

Je ne suis que la Redistributrice.

Moi-même je mets du temps à le comprendre.

Ma vie et mon action se prolongent dans celles des membres qui agissent en secret sur mon ordre. Je suis le cœur unique (et provisoire) des mille bras humains de la Divinité.

Je commence à rêver d'investir de l'intérieur la cité d'Athênaï. Je veux m'emparer de l'âme de ses femmes mariées et frustrées, de ses esclaves brutalisés, de ces filles dont les pères arrangent les mariages sans les consulter, des putains mâles et femelles qu'on violente pour les faire obéir, de tous les humiliés que l'ordre de la cité force à se soumettre et auxquels je redonnerai dignité. Mais j'investirai aussi l'âme de ses citoyens influents, de ses riches mondains, de ses intellectuels, ses pères, ses possesseurs, de tous ceux qui ont le pouvoir de soumettre mais qui ne s'en contentent plus. Je respecterai cette loi extérieure de la possession et de la soumission mais je la transformerai de l'intérieur pour en faire de l'harmonie. J'accepterai l'état du monde pour mieux le subvertir. Je m'adresserai à tous ceux dans la cité qui ne se satisfont plus de son ordre apparent et qui aspirent à un autre ordre du monde plus juste. De temps en temps, je pense à Kratês, le cynique révolté, vaticinant tout seul dans sa jarre : il ne comprendrait sûrement rien au combat collectif souterrain auquel j'aspire contre cet ordre social qu'il attaque de son côté à lui tout seul au grand jour. Si je lui expliquais ce que je tente de faire, il me cracherait au visage, comme il le fait sur les plus égoïstes et les plus hypocrites des possédants, qui ne veulent fondamentalement rien changer. Mais aussitôt cent poitrines s'interposeront entre moi et son crachat. Cent bras, si je n'interviens pas, le lui feront rentrer dans la gorge. Cent mains arrêteront les pierres dont les Athéniens, s'il continue à les insulter, ne manqueront pas bientôt de le lyncher. Ce sera ça, la vraie différence entre lui et moi.

Même auprès des citoyens, nous profitons du désintérêt pour les religions traditionnelles. Nous proposons, à ceux qui en ressentent encore le besoin ou déjà le manque, une forme de religion nouvelle, tournée à la fois vers le salut individuel de l'âme (par l'initiation) et vers le salut collectif des personnes (par la vie quotidienne de la communauté). Mon Thiase réunit tous ceux que la société sépare, les hommes et les femmes, les être libres et les esclaves, en leur promettant à la fois une réunion dans la vie de l'esprit après la mort du corps et une lutte obstinée et invisible pour établir ici-bas un lien plus juste. D'où, quand elle prendra enfin conscience du danger qui la menace de l'intérieur, l'opposition inévitable et violente de la cité. Heureusement, le plus souvent, elle s'occupe d'autre chose que du salut de son âme. Tournée exclusivement vers ses petites affaires et ses grands profits, la cité a bien d'autres préoccupations que sa propre survie. D'ailleurs, c'est moi qui profite vraiment de ses profits. Doublement. Je dépouille ses hommes riches et je rassure ses pauvres. Kratês dira que je prends l'argent des uns mais que je me garde bien de le rendre aux autres. Qu'à eux, les déshérités, je donne bien plus et bien moins que de l'argent : de la foi. Que, tout en faisant la fête avec ses maîtres, je nourris l'âme de ses esclaves d'espoir gratuit. Peut-être aura-t-il raison. Peut-être ne suis-je qu'une profiteuse, qu'une hypocrite égoïste. Je me le dis moi-même. Mes soirs les plus sombres, je le revendique.

Ou peut-être Kratês ne sera-t-il capable de percevoir, comme les autres, que la surface de mon action. En profondeur, ce que j'apprends surtout à mes fidèles, ce que je leur réapprends, car la cité ne le leur enseigne plus, c'est la solidarité. Radicale. Absolue. L'idée qu'ils sont liés organiquement les uns aux autres comme les parties indissociables d'un seul corps. Cette solidarité sans faille n'a pas besoin pour s'exercer de l'apparence du pouvoir, de la richesse ni même de la liberté. Elle est au-delà. En dessous. Solidarité des termites qui acceptent de vivre cachées à l'intérieur des édifices humains, dont les toitures les plus solides ne sont pour elles que de la nourriture mise à disposition. Nous serons les termites qui dévoreront tout, immeubles mal bâtis de la misère, meubles luxueux des maisons de maître, étables où l'on entasse les bêtes et les hommes, châlits des bordels sordides, temples orgueilleux. Lorsque la charpente des édifices publics d'Athênaï sera rongée et s'écroulera, nous irons ailleurs. Nous sommes en guerre contre la cité au cœur même de la cité. Nous avons dépassé l'idée même de la guerre. Nous sommes en paix. Nous sommes la paix. La vraie. Celle de la destruction inexorable et celle de la régénération.

Dès les premières semaines où j'implante mon culte à Athênaï et où je recrute mes premiers disciples, un regard d'esclave pèse sur moi. Je l'ai tout de suite reconnu : c'est celui de la petite servante au plat de poisson qui m'a regardée avec une telle intensité le soir de mon premier banquet. J'en retrouve intacte la rage. J'apprends que cette fille s'appelle Thratta, "la Thrace", qu'elle est l'une des servantes d'Hipparkhos, le cuisinier et le mari de Nikarétê, dont j'ai eu moi-même il y a cinq ans, ou il y a cinq siècles, à subir les assauts.

Car, évidemment, la première maison que j'investis en douce est celle de mon ancienne maîtresse, l'école des hétaïres dont je sors. Nous nous sommes rapprochées depuis que je lui procure à elle et à son mari la clientèle de mes riches amants. Pendant un moment, Nikarétê ne se rend pas compte de mes véritables intentions. Elle donne encore à ses protégées ma réussite en exemple parce qu'elle n'en devine ni les origines ni les prolongements les plus récents. Elle m'invite à venir chez elle leur parler pour leur expliquer mon parcours, me rendant plus facile l'accès à leur âme. Lorsque Nikarétê comprend que l'autorité que j'ai prise auprès de ses filles menace la sienne, elle tente de réagir, en m'interdisant l'accès à sa maison, mais il est déjà trop tard. J'y ai des relais qui, dans l'ombre, prolongent mon œuvre. La plus enthousiaste et la plus résolue de nos fidèles est Thratta. Elle se montre si soumise en apparence que son maître lui a commis la tâche d'approvisionner ses cuisines au marché, lui confiant sa bourse et une relative liberté de mouvement, ce qui lui permet de nous renseigner facilement sur la progression de notre influence dans l'école de Nikarétê. Elle est intelligente, elle reçoit les Récits avec fièvre, devient l'une des premières initiées, progresse rapidement à travers les cercles les plus élevés du Thiase. Son regard m'effraie un peu. Je me méfie d'elle. Je la redoute. Mais, d'après Aâmet, même moi qui suis la grande prêtresse, je n'ai pas le droit de m'opposer à la progression de cette servante, parce qu'elle est en totale harmonie avec l'énergie d'Isodaïtês. Le désir prend souvent la forme de la rage. Je sens d'emblée que cette Thratta doit jouer un rôle important dans mon histoire mais je ne parviens pas à savoir si elle est là pour m'aider un jour ou au contraire pour m'éliminer et prendre ma place, plus révoltée et plus implacable encore que moi. Aâmet, lorsque je lui pose la question, se contente de hausser les épaules, ne m'offrant pour réponse que son sourire énigmatique. Moi qui prétends menacer Athênaï, peut-être est-il juste que je me sente menacée ?

Et puis, un matin où Thratta est en train de nous faire son rapport, nous expliquant quelle nouvelle petite servante, quelle élève hétaïre mes disciples ont réussi à circonvenir, je découvre le secret de sa colère. J'aperçois sur son bras nu des marques récentes de coups et il me semble en distinguer aussi, par l'échancrure de sa tunique, sur le bord de ses seins. Je lui donne l'ordre de se déshabiller. Elle résiste (ou peut-être feint-elle de résister, après s'être arrangée pour nous laisser apercevoir ces traces suspectes ?), mais elle finit par m'obéir. Aâmet et moi, nous nous rendons compte que son dos est couvert d'hématomes violacés et l'intérieur de ses cuisses lacéré par les morsures terribles d'un fouet. Thratta, après s'être un peu fait prier, nous raconte son histoire. Depuis cinq ans, à peu près le temps où j'ai quitté la maison de Nikarétê (soudain je me souviens de ce moment où son mari, le cuisinier brutal, a relâché son emprise et où j'ai pressenti, malgré mon inexpérience, qu'une autre fille avait dû prendre ma place), elle est soumise aux violences d'Hipparkhos. Ce dernier en a fait à la fois son intendante, sa maîtresse et son esclave sexuelle, lui imposant sous peine de mort de garder leur relation secrète, lui promettant parfois qu'elle remplacera Nikarétê, lorsqu'il aura réussi à se débarrasser de cette dernière, mais la soumettant presque quotidiennement à des sévices. Au milieu de tout cela, Thratta se débat comme elle peut. Hipparkhos la menace de plus en plus ouvertement de la tuer, peut-être parce qu'il devine qu'elle s'affranchit à sa manière, peut-être aussi pour d'autres raisons plus troubles, auxquelles j'ai été confrontée moi-même lors de mon séjour chez Nikarétê. En tout cas, sa brutalité de maître menace le développement de notre culte. Les excès de cet homme sont insupportables, non seulement parce qu'ils touchent une femme, mais surtout parce qu'ils menacent l'équilibre entre les deux niveaux parallèles du monde, celui de la société extérieure et le nôtre.

Lorsque, la semaine suivante, Thratta nous montre sur son cou les traces noires d'un étranglement, Aâmet me fait comprendre qu'il est temps d'agir. Je décide de me déplacer en personne chez mon ancienne maîtresse. Pour m'humilier, celle-ci me fait attendre (dans la pièce même où, conduite par la vieille maquerelle, j'ai subi sa première inspection). Au bout d'une heure, je vois arriver un jeune homme qui n'appartenait pas de mon temps à la domesticité. Ce serviteur, à l'air vif et à la peau basanée, se présente comme le nouvel intendant de la maison, l'homme de confiance d'Hipparkhos, mais me glisse en passant qu'il a déjà entendu parler de moi par Thratta. Il a reçu la mission de me renvoyer mais je n'ai aucune peine à lui faire comprendre que je ne quitterai pas la maison tant que Nikarétê ne m'aura pas reçue.

Mon ancienne maîtresse finit par descendre, la mine revêche. Cinq ans auparavant, ce seul froncement de sourcil et ces lèvres pincées auraient suffi à me plonger dans les transes de l'angoisse, mais aujourd'hui je suis résolue à ne pas me laisser impressionner. Mon sourire est aussi froid que le sien. Je lui dévoile la conduite brutale d'Hipparkhos. Puis je lui signifie en termes à peine voilés qu'elle doit s'efforcer de le faire changer d'attitude, si elle tient toujours à son association avec lui et si elle ne veut pas qu'il ait à subir les conséquences de ses écarts de conduite. Nikarêtê m'écoute, stupéfaite. Moins par ce que je lui confie de la violence de son mari (elle doit juger qu'il peut bien satisfaire comme il l'entend ses fantaisies de maître sur ses servantes) que par le ton ouvertement menaçant que j'ose employer pour parler de lui, un citoyen, à elle, sa femme légitime, et dans leur propre maison. Dès qu'elle a repris ses esprits, elle se décide à agir avec moi comme elle aurait dû le faire depuis le début. Elle claque dans ses mains pour me faire jeter dehors, en m'affirmant d'un ton sec que c'est moi qui aurai à subir les conséquences de mes actes, si jamais je m'avise de frapper de nouveau à sa porte. Mentês et Kistôn, les deux anciens acolytes de mon Adômas, dont j'ai eu le tort sans doute de ne pas me faire accompagner, apparaissent aussitôt, plus patibulaires que jamais. En me reconnaissant, ils hésitent un instant. Mais, sur l'ordre bref de Nikarêtê, ils sortent tous les deux en même temps, des profondeurs de leur tunique, leur lacet de cuir. Je ne dis pas un mot. Juste un cillement de paupières. Et le sourire de Nikarêtê se transforme en cri d'horreur. Car c'est vers elle que les deux Cerbères font un premier pas. Au deuxième, elle comprend soudain : ils ne lui appartiennent plus, ils sont à moi désormais. Un troisième pas, leurs mains qui se tendent vers son cou, et moi qui la regarde, un sourire indifférent aux lèvres. Ils vont l'étrangler là, sous mes yeux, dans sa propre demeure, et personne ne retrouvera jamais son corps, ni ne se souviendra de l'ultime visite que je lui aurai rendue. Alors Nikarêtê cède. Elle obéit. Elle me jure qu'elle va parler à son mari et qu'il laissera Thratta tranquille. Ce jour-là, je ramène chez moi Kistôn, qui rejoint son cousin Adômas en passant officiellement à mon service. Je ne laisse à Nikarêtê que Mentês, l'homme au visage couturé de cicatrices, le plus âgé et le plus avisé des trois Cerbères. Mais elle se demande si c'est pour que le Thrace effrayant la protège, ou au contraire pour qu'il la surveille, elle et son mari. Même si elle reste apparemment maîtresse chez elle, elle comprend bien qu'elle ne l'est plus tout à fait.

Un mois plus tard, le drame, que je croyais avoir empêché, éclate. Le cuisinier s'est tenu tranquille tout ce temps. Mais ce jour-là, il a bu plus que de coutume, depuis le milieu de l'après-midi, comme s'il cherchait à se donner du courage pour franchir vraiment le pas. Le soir tombé, il entraîne la malheureuse Thratta dans le cellier sous le prétexte de lui faire constater un vol. Là, il l'accuse de l'avoir trahi. Il la frappe. Il la viole. De nouveau ses mains nues sur son cou. Il se met à l'étrangler et il continue après avoir joui. Alors elle comprend que cette fois, il va la tuer. Seule l'arrivée providentielle de Mentês met fin à son supplice. Le serviteur, pour la libérer, est obligé de porter la main sur le maître. Plusieurs des servantes, alertées par le bruit, ont été témoins de ce scandale. Je suis mise au courant à la fois par Thratta, qui, pour une fois, me paraît plus terrorisée que révoltée, et par Nikarétê, qui veut me prouver qu'elle m'est loyale et dont le récit recoupe exactement celui de la servante. Je déclare à Aâmet qu'il est temps de rétablir plus radicalement l'harmonie. L'Égyptienne accepte de s'en charger, jugeant qu'il serait trop voyant de lâcher le Cerbère contre un citoyen. Elle me demande seulement quelques jours de délai. Ensuite, elle me tient résolument à l'écart des détails de l'opération. Je crois deviner qu'elle transmet à Thratta l'une des poudres qu'elle prépare en secret dans sa chambre. Quelques jours après, Hipparkhos meurt d'avoir abusé de sa propre cuisine. Il s'endort après son repas et ne se réveille pas. Sa disparition soudaine mais paisible surprend la plupart de ses voisins, en attriste certains, n'en choque aucun. Nous avons refusé à la servante la satisfaction de se venger des violences de son maître en faisant subir à ce dernier une agonie trop douloureuse. Nous l'avons simplement éliminé. Nikarétê comprend le message et accomplit les rites funéraires pour son mari sans protester. En souvenir du passé, j'assiste à l'exposition du corps et pousse avec les autres femmes les cris de lamentation. C'est la première fois que nous supprimons un citoyen et je suis surprise que ce meurtre ne provoque pas plus de réactions, ni parmi les hommes ni parmi les dieux. Aucune enquête n'est déclenchée. Moi-même, je n'éprouve aucun remords. Les Erinyes du mort me laissent parfaitement tranquille. D'après Aâmet, ce calme, cette surface des eaux à peine troublée par la disparition du caillou qui s'enfonce dans ses profondeurs, ne prouve pas l'indifférence des dieux. Au contraire, notre intervention était en accord avec l'ordre du monde qu'ils défendent. D'une voix douce, sincère, dans laquelle je ne parviens à déceler aucune trace de sarcasme, elle me demande de prier Anaïtis et Isodaïtês pour que l'âme du malheureux soit libérée de la violence qui le tourmentait et qu'après une période d'expiation ils lui accordent une prochaine incarnation plus paisible.

Dès le lendemain de la cérémonie, Nikarêtê vient me trouver secrètement chez moi et me demande à être initiée. Je me doute qu'il s'agit d'une manœuvre pour reprendre le contrôle de son école mais j'accepte volontiers sa proposition. Peut-être mon ancienne maîtresse, qui connut l'esclavage avant la liberté, et qui fut partagée si longtemps entre son désir forcené de revanche et son goût de l'ordre, trouvera-t-elle dans notre culte d'autres motifs d'apaisement ? Je veille aussi à respecter scrupuleusement ses intérêts économiques. Si bien que cette femme de tête devient l'une de mes plus ferventes adeptes. Je finis par lui faire confiance au point de lui racheter Mentês, qui rejoint les deux autres Cerbères. Je ne laisse plus chez elle que la servante Thratta, qui est sa maîtresse dans l'ordre du Thiase, et qui fait la liaison entre sa maison et la mienne, disposant d'une chambre dans l'une et dans l'autre.

Quelque temps après la mort de son mari, à la fin d'une de nos séances d'enseignement, Nikarêtê sollicite une entrevue particulière. Je la fais attendre un moment, comme de juste, mais guère plus que le jour où je lui fus présentée par Alkê (la vieille maquerelle appartient désormais elle aussi à mon thiase, recrutant parmi les prostituées du port celles qui se montrent assez résolues, assez désespérées et assez souples pour servir notre dieu). Lorsque j'entre dans la pièce, Nikarêtê veut se jeter à mes genoux, comme elle le doit, mais, avec bienveillance, je la fais asseoir à côté de moi. Pourtant, la demande qu'elle me présente me surprend. Elle me permet de prendre brusquement conscience de l'autorité que j'incarne désormais, même aux yeux de cette femme deux fois plus âgée que moi qui m'impressionnait tant autrefois. Mon ancienne maîtresse est venue m'implorer de lui accorder l'autorisation de se remarier. Celui qu'elle a choisi est l'un des assistants du cuisinier. Un homme beaucoup plus jeune qu'elle, un simple esclave de Karie mais capable et ambitieux. Moins brutal qu'Hipparkhos aussi, dont la violence aurait à terme mis en péril notre entreprise. Tandis que ce Kariôn est ouvert à nos idées… Pendant qu'elle argumente, je vois soudain passer devant mes yeux l'image du jeune homme à la peau basanée qui m'a reçue chez elle, en se présentant comme l'homme de confiance de ses maîtres. Je commence à soupçonner tout ce joli monde, Nikarétê, Thratta, Kariôn, de s'être arrangé pour faire éliminer par le Thiase un mari devenu importun. Mais quelle importance après tout ? Il nous gênait. Son excès de brutalité était une insulte à l'ordre fluide de nos dieux. Il ne représentait rien de plus qu'un nœud à dénouer dans la circulation du monde. Je fais comprendre à Nikarétê que je ne suis pas dupe de ses manigances mais que je ne ferme pas la porte à sa demande. J'exige simplement qu'elle m'amène ce Kariôn, avec lequel je désire m'entretenir en tête à tête en dehors de sa présence.

Elle a dû lui recommander de ne pas tenter de me cacher la vérité, car, dès les premiers mots, il me révèle ce que je soupçonnais déjà : Nikarétê et lui sont amants depuis plusieurs mois et c'est à lui, qui avait gagné la confiance aussi bien du mari que de la femme, que Thratta s'est adressée pour glisser la poudre dans la nourriture du cuisinier. Je discerne ambition et dissimulation dans la conduite de ce jeune homme, qualités qui me paraissent tout à fait nécessaires pour réussir dans ce monde où le sort a voulu qu'il soit esclave. Il répond à l'injustice par la ruse et c'est très bien. Je l'en félicite. Mais ce n'est pas là tout ce que je cherche, tout ce que mon dieu réclame. Continuant à interroger Kariôn, je découvre, dans sa façon d'évoquer ses relations avec Nikarétê, ce sentiment plus profond et plus fort que l'ambition, qui est le désir qu'un jeune homme peut avoir de s'unir à une femme plus âgée et plus puissante que lui. Pour se rassurer mais aussi pour découvrir en elle sa propre puissance. Voilà qui est en harmonie avec l'ordre d'Anaïtis et d'Isodaïtês. Oui, je sens que je peux le donner pour mari à Nikarétê.

Lorsqu'elle fait son retour, ils s'agenouillent tous les deux devant moi. Ils me demandent de poser la main sur leur front pour sceller leur union. Au moment où je m'apprête à le faire, je surprends leur expression de ruse satisfaite. C'est à cause de ce sourire-là, échangé par cet homme et cette femme en toute complicité amoureuse, que je les bénis si volontiers. Bien qu'ils me doivent une obéissance absolue, je ne cherche pas pour mon thiase des esclaves mais des êtres libres, qui trouvent dans cette soumission à mon ordre l'épanouissement de leur entente. Cette union, la loi d'Athênaï la rejetterait avec horreur, la considérant comme illégitime, scandaleuse, criminelle (puisque les deux amants se sont rendus complices du meurtre du premier mari) et moi, je la sanctifie. Le dieu que je sers n'est pas celui de la pureté ni de l'innocence, mais celui du désir et de sa réalisation. Celui de la liberté et de son assouvissement. À moi simplement de réguler ce désir et de veiller à ce qu'il se fonde dans le flux universel au lieu de le contrarier. La violence arrogante du citoyen Hipparkhos était un obstacle, pas la souplesse immorale de l'esclave Kariôn. Plus je découvre qui est mon dieu, plus j'ai plaisir à le servir. Plaisir cruel mais souple de la revanche. J'en suis encore là. Il me faudra du temps avant de dépasser ce stade, non pas refuser cette cruauté mais la transcender dans un mouvement plus vaste. La création dans la destruction. Flots de sang qui giclent à chaque naissance.

Néanmoins, pour contraindre l'ambition de Kariôn et l'empêcher de devenir elle aussi un obstacle, je lui annonce qu'il ne sera jamais le maître officiel. C'est lui qui administrera la maison de Nikarétê mais dans l'ombre. Au Changement de Lune suivant, nous organiserons la cérémonie de son union avec Nikarétê, mais celle-ci demeurera secrète à jamais. Mon ancienne maîtresse restera veuve aux yeux du monde pour que son remariage avec son esclave d'intendant ne fasse pas scandale et ne lui vaille pas rétrospectivement l'accusation d'avoir éliminé son mari. Les Athéniens intentent des procès aux étrangères encore plus facilement qu'ils ne le font entre eux, surtout lorsqu'il s'agit d'anciennes filles de joie ayant un peu trop ouvertement réussi et un peu trop tendance à se conduire comme des Athéniennes légitimes. Elles peuvent devenir aussi riches qu'elles le veulent, mais qu'elles ne se marient pas et surtout qu'elles n'essaient pas d'introduire en douce leurs enfants dans le corps des citoyens, qui doit rester pur. Évidemment, Nikarétê n'a plus l'âge d'en donner à Kariôn mais je lui interdis formellement de tenter à l'avenir la moindre démarche illégale pour faire admettre ceux qu'elle a eus du citoyen Hipparkhos et qui sont parvenus à l'âge d'éphèbes. Plus je pratique la subversion, moins j'ai besoin du scandale. Après l'élimination du cuisinier, Nikarétê vit morganatiquement avec son intendant, qui reste aux yeux du monde son esclave, tout en étant, dans l'ordre d'Isodaïtês, le seul qui compte, son époux légitime. La servante Thratta leur sert leurs repas tous les jours, mais elle est placée bien plus haut qu'eux dans la hiérarchie du Thiase et ils lui doivent en secret obéissance absolue. Elle sait ne pas en abuser. Les filles que Nikarétê continue à acheter pour les former au métier d'hétaïre, je les initie au culte d'Isodaïtês et à la puissance souterraine d'Anaïtis, afin qu'elles les répandent avec grâce dans les cercles fortunés d'Athênaï. Tout en faisant docilement jouir les Athéniens, elles seront les plus habiles de mes ambassadrices, les instigatrices d'un ordre dont ils ne soupçonneront même pas qu'ils sont devenus les instruments.

Malgré ces précautions, notre secte (qui prolifère au milieu de beaucoup d'autres), inquiète les Athéniens, bien que ces derniers ne sachent pas exactement ce qu'ils doivent redouter. Ils commencent par se moquer de la vulgarité des fidèles que nous recrutons dans les bas-fonds. Les rumeurs caricaturant nos cérémonies secrètes, je préfère de loin qu'elles nous couvrent de ridicule plutôt qu'elles ne dévoilent la vérité. Je m'arrange, par mes bavardages d'hétaïre, pour livrer moi-même des anecdotes absurdes sur notre dieu efféminé à Timoklês et aux autres auteurs de comédie, afin qu'ils en fassent la satire devant leurs concitoyens rassemblés dans le grand théâtre. Je suis leur plus fiable désinformatrice. Mais, à côté de la farce, court le fantasme. Les boutiquiers se racontent, en frémissant d'horreur et de curiosité, les nuits d'orgies dans ma grande maison du Cimetière, auxquelles j'ose mêler des femmes mariées ou des filles libres à peine nubiles. Le récit érotique est plus dangereux pour nous que le sarcasme. Malgré ma position privilégiée, je ne peux le contrôler tout à fait. Alors j'organise de temps en temps de fausses cérémonies du Changement de Lune, qui ressemblent aux divertissements exotiques de leurs banquets, à leurs débauches de richards décadents et désœuvrés. Ceux des notabilités que j'y encanaille en rapportent à leurs clients le compte-rendu graveleux mais inoffensif. J'allume des contre-feux. Il vaut mieux les faire rire que les faire rêver, mais il vaut mieux les faire rêver que leur faire peur.

Dans cette évolution, rares sont ceux des Athéniens qui parviennent à me suivre et à percevoir la cohérence secrète. Pas même Hypereïdês, qui demande pourtant à recevoir l'initiation, parce que ces récits scabreux l'amusent ou pour se faire sa propre opinion. Praxitélês, quant à lui, préfère comme d'habitude se tenir rêveusement à distance. Mais le Sculpteur n'a pas besoin de s'approcher pour percevoir en moi le reflet de la divinité, ni de descendre vraiment dans les arcanes de mon âme pour en deviner l'écho à la surface.

Je tente également de faire initier Attis. Mon esclave n'est absolument pas sensible à la profondeur des rites et des mythes qu'Aâmet et moi lui enseignons de force. Dans les cérémonies les plus sérieuses, il fait le pitre avec les servantes qui l'entourent. Quand je le réprimande, il s'excuse, sincèrement honteux mais, au bout de quelques minutes, il est déjà ailleurs. Je me dis que, s'il ne comprend rien à Isodaïtês, c'est justement parce qu'il en est l'image. Tout en sensation, en surface, en attention tournée vers l'extérieur, en mouvement. Il n'a pas besoin de s'intéresser à la libération que je lui propose, parce qu'il est la liberté même, insaisissable et fluide. Je devrais renoncer à essayer de l'immobiliser, si j'étais sage. Je suis en train de le devenir aux yeux des autres, même Aâmet, mais je perds mon équilibre souverain face à lui. Moi que tous commencent à considérer vraiment comme l'incarnation d'Anaïtis, je perds pied face à celle d'Isodaïtês.

Un jour où je l'ai confié à la garde de Thratta, j'entends la voix sèche de la servante l'insulter parce qu'il refuse de lui obéir. Elle est en train de se laisser aller à sa colère, à une violence aussi impérieuse que celle qu'elle a subie pendant si longtemps. Bien qu'elle continue à l'agonir d'injures, d'une voix étrangement ralentie, elle est redevenue très calme. Elle lui a fait baisser sa tunique sur les hanches, et, de ses ongles brandis, elle menace de lui déchirer le ventre. Lui, la tête renversée en arrière, les yeux mi-clos, se contente de sourire sans répondre, mais, par l'échancrure de sa tunique, je vois se dresser, indubitable, son sexe en érection. Avant qu'elle ait eu le temps de mettre sa menace à exécution et de lui planter ses griffes dans la poitrine pour en faire jaillir le sang, j'entre. J'ai fait du bruit exprès, comme si je voulais éviter d'être obligée de les prendre sur le fait. Leur réaction me met encore plus mal à l'aise : ils se rajustent sans se hâter, aucun des deux ne paraissant vraiment troublé par mon apparition. Juste dérangé en plein milieu d'un jeu sérieux, auquel je n'ai aucune part, qui ne concernerait qu'eux, que je serais même incapable de comprendre. Alors, spontanément, je préfère me taire. Je souris moi aussi, comme si je ne m'étais rendu compte de rien. Mais, à l'intérieur, je me trouble, je m'écroule, je me désespère, je blêmis, je suis en colère, je tape du pied. Dès qu'Attis et moi nous sommes seuls, sans un mot d'explication, je le gifle, à la volée, plusieurs fois de suite. C'est la première fois que je cède à ma rage contre lui. Je trouve du plaisir moi aussi à le frapper, à l'attacher, à l'insulter, à l'humilier. Je trouve du plaisir dans le plaisir qu'il y trouve, mais aussi de l'angoisse. Une sourde impuissance à le retenir, qui se cache pour moi jusqu'au fond de ce plaisir-là. Anaïtis est la Toute-Puissante, sauf face à Lui, Isodaïtês, son enfant et son amant, qui est pourtant beaucoup plus faible et plus éphémère qu'Elle. Anaïtis est la densité immobile du principe féminin et lui le mouvement, le flux et le reflux, l'inarrêtable fugacité du masculin. Si je suis la mer, il n'est que l'écume, mais l'écume est la preuve du vent, qui m'agite et qui m'informe, qui rythme malgré moi sous ma surface mes courants.

Tout cela, ces vérités étranges, je ne commence qu'à peine à les comprendre. Mais Attis, autant qu'Aâmet, est là pour m'en faire ressentir toute la cruelle ambiguïté. Je n'en suis qu'au début de l'initiation que cet esclave, rebelle à tout rituel, sinon à ceux qu'il invente et qui le font jouir, me fait subir malgré moi.

Oui, initiation, donnée et reçue. Métamorphose esquissée et à demi rêvée.

Alors que je subis ce bouleversement profond, dans mon âme aussi bien que dans ma position sociale, brusquement revient Euthias. Après cette interminable expédition de Kéôs, l'homme que je n'ai jamais complètement réussi à oublier fait un retour fracassant dans Athênaï et dans ma vie. Sa force solaire et son arrogance. Le principe viril d'Apollôn Lumineux, seul capable de s'opposer à l'éclat ambigu d'Attis Isodaïtês. Celui qui me ramène à une autre conception du masculin et à une autre sensation du féminin. Celui qui m'oblige à jouir et à me comporter en femelle. Mon seul véritable amant. Mais ai-je encore envie de lui ? Ai-je encore envie d'être attachée et soumise à lui ?

Je me pose ces questions en me rendant au banquet qu'ont organisé ses amis en son honneur et où j'ai accepté de paraître. Je me dis que, s'il a prolongé son séjour plus d'un an dans l'Archipel du Sud, ce n'était pas simplement, comme le croit Hypereïdês, pour chasser les Thébains du moindre îlot où ils auraient pu se réfugier et assurer la protection des nouveaux colons envoyés par sa cité. Non, c'était surtout pour prendre le temps de me renvoyer dans ses souvenirs à ma vraie place : celle d'une petite flûtiste que l'on n'aime pas mais que l'on baise. Pauvre garçon, tout bardé des certitudes de sa supériorité, que son premier succès militaire n'a sûrement fait que renforcer, il va découvrir qu'en son absence sa maîtresse a bien changé ! Plus en quelques mois que dans les cinq années précédentes, qui m'ont pourtant vu passer du statut d'esclave sexuelle à celui d'hétaïre indépendante. Cette nouvelle évolution-là, cette transformation intérieure dont je ne fais encore que deviner le retentissement, elle est beaucoup plus profonde que la précédente et elle n'est pas encore achevée. Lui, le parfait Athénien, saura-t-il accepter la prêtresse orientale que je suis en train de devenir ? Je me rends à son banquet au milieu des torches, des hululements de mes servantes et de mes fidèles, dans ma robe bigarrée aux manches longues et à l'encolure étroite, qui cache le moindre centimètre de mon corps, et d'où surgit un visage hiératique, non pas fardé de blanc mais révélant au naturel sa peau bistre, les yeux seulement soulignés d'un trait aigu de khôl. Saura-t-il accepter l'étrange hétaïre-prêtresse qui se dressera face à lui, de plus en plus radicalement différente de toutes les autres femmes qu'il fréquente ?

Oui, je me pose ces questions. Mais, dès le lendemain, je m'en poserai bien d'autres. Car ce dont je ne pouvais me douter et que je découvre vite, c'est qu'Euthias a encore plus changé que moi.

30

SINCÈRE TRAHISON

Euthias, qui n'était que certitude apollinienne de son destin, de son rôle légitime d'Athénien dans le monde grec, dès son premier engagement s'est mis à douter. Bien sûr, l'ordre de la Ligue a été rétabli, la révolte matée. Mais ni sa parole généreuse ni l'autorité d'Athênaï n'ont suffi, comme il en rêvait secrètement, à faire revenir l'île rebelle dans l'alliance. Il a fallu tuer. Poursuivre les chefs jusque dans les collines, égorger ceux des villageois qui avaient osé les accueillir, massacrer des familles, brûler des villages, traquer les proscrits, veiller à ce que le reste de la population assiste sans oser rien dire aux exécutions sommaires, imposer à Ioulis, la capitale de l'île et le siège de la rébellion, de subvenir, par une contribution spéciale, aux frais de l'expédition militaire et de l'élimination d'une partie de ses propres citoyens. Bref, rétablir l'ordre par le moyen le plus sûr : la terreur. Le stratège, Aristophôn d'Azéna, l'a fait, dans les collines de Kéôs comme auparavant dans bien d'autres colonies, sans ciller. Et lui, Euthias, son jeune lieutenant, n'a pas voulu baisser les yeux plus que son chef. Même après le départ d'Aristophôn, il a fallu les garder grands ouverts, pour maintenir un ordre précaire. C'est seulement depuis son retour à Athênaï, qu'il tente de les fermer. Mais il ne parvient plus à trouver le sommeil. La tension accumulée pendant les quinze mois de son séjour dans les Îles, au lieu de retomber, comme il l'espérait, s'accroît.

Je suis la seule à percevoir cette angoisse. Euthias m'a demandé de venir, comme avant, m'asseoir sur la banquette où il se tient allongé. Dans la proximité de nos deux corps, je ressens, malgré l'alanguissement de sa position, une tension intérieure qui contraste avec l'aisance du mondain dont j'ai gardé le souvenir. Pourtant, extérieurement il est toujours le même. Plus beau, plus arrogant que jamais. Le banquet vient à peine de débuter que déjà il prend l'initiative de parler politique. Il attaque Hypereïdês, qui organise pourtant cette fête en son honneur, il se gausse des craintes et des atermoiements de son ami, il joue le bravache et se félicite de la répression qu'il a dû organiser. Le bavard Hypereïdês l'écoute en silence, le front buté, les lèvres serrées ; quant à moi, souriante en apparence, je m'efforce de ne rien entendre. Enfin le repas s'achève, les hommes vont pouvoir commencer à boire, et à oublier dans le délire leurs folies raisonnables. J'obtiens d'Hypereïdês qu'il fasse entrer au plus vite la flûtiste et les danseuses dont il a loué les services sur mes conseils : elles viennent de l'école de Nikarété, elles sont gracieuses et très douées, je vais pouvoir feindre de me concentrer sur leur exhibition pour échapper à cette controverse stupide. Mais, tandis qu'elles dansent, Euthias continue de déblatérer à voix haute, au mépris de toutes les convenances. Leur précieuse Ligue ? Comme il s'y était engagé, il l'a sauvée ! Les partisans de Thêbaï, qui grenouillaient dans l'ombre pour tenter de la détruire ? Il leur a réservé le sort qu'ils méritaient (il emploie les mêmes termes que moi à l'égard du cuisinier Hipparkhos) ! La convention imposée à la ville d'Ioulis et à ses plus riches habitants ? Implacable mais juste ! Athênaï y trouvera même un petit bol d'air financier, ce qui n'est pas négligeable, n'est-ce pas, dans la crise économique actuelle ? Qu'une expédition militaire rapporte de l'argent à la cité, au lieu de lui en coûter, voilà qui est inattendu ! Horrible petit sourire cynique, échangé avec Léôkratês (je n'ai pu empêcher Hypereïdês d'inviter l'armateur). Sur un signe de ma part, la flûtiste joue encore plus fort pour couvrir la voix d'Euthias mais celui-ci ne s'arrête pas de parler une seule seconde. Personne ne peut échapper à son discours. Surtout pas moi, assise à côté de lui et dont il ne s'occupe absolument pas. Ne devrais-je pas me lever, changer de banquette, ou même quitter la salle, sans avoir échangé plus de trois mots avec lui, pour lui faire honte de son incorrection ? Mais, pâle comme une morte, je ne bouge pas. Même après la fin du divertissement, alors que les convives accueillent les artistes auprès d'eux, Euthias continue à voix très haute de défendre la personnalité de son chef, Aristophôn, qu'aucun d'entre nous, pourtant, n'attaque. Il finit par me crier dans les oreilles : "Ceux qui l'accusent de malversation ne sont que des menteurs !

— De malversation ?" relève aussitôt Hypereïdês, qui est le seul peut-être à l'écouter attentivement depuis le début de son discours improvisé. Euthias lui lance sur le même ton agressif : "Toi qui sais tout, tu n'as pas encore appris que des habitants de Kéôs ont osé porter plainte contre Aristophôn, alors qu'il est venu les sauver ?

— Quelle plainte ?

— Stupide, mensongère. Ils lui reprochent d'avoir conclu une alliance secrète avec certaines riches familles.

— Dans quelle intention cette alliance secrète ?

— Aristophôn aurait soi-disant fait exécuter leurs adversaires comme pro-Thébains, même s'ils n'avaient pas participé à la révolte, et ils se seraient ensuite partagé les biens des proscrits. On l'accuse aussi d'avoir minoré la contribution de guerre de ces riches familles contre un pot-de-vin. Ces accusations ignobles, qui vont être portées devant le conseil de la Ligue et que je te rapporte parce que je ne les crains pas, je me doute bien qu'elles ne vont pas tarder à se répandre dans tout Athênaï. Tu peux être sûr qu'elles seront colportées par nos adversaires politiques, trop heureux de salir notre succès et de mettre de nouveau l'alliance en péril ! C'est ce qui m'indigne : nous avons trempé nos mains dans le sang mais ceux pour qui nous l'avons fait ne nous montrent aucune reconnaissance !" L'attention générale a été attirée par le dernier éclat de voix d'Euthias. Bien que s'adressant au seul Hypereïdês, il a parlé assez fort pour que tout le monde se taise. Lorsqu'il est parvenu à établir le silence, se tournant vers l'assemblée, il affirme solennellement, comme s'il se trouvait devant un tribunal : "Je vous donne ma parole d'honneur que ces calomnies sont dénuées du moindre fondement !" Ses amis, baissant les yeux, gardent un silence prudent, sauf Hypereïdês : "Tu es prêt à nous le jurer ?

— Sur les dieux. Sur ce que j'ai de plus précieux. Sur la tête de mes parents et celle de mes futurs enfants !"

Il se tourne vers moi, qui suis restée à ses côtés malgré son manque d'égard : "Et puis aussi sur celle de Phrynê, dont vous savez bien que je l'aime plus que tout au monde !" Profitant de l'ouverture qu'il me propose, je lui adresse une grimace : "Si tu m'aimes autant que tu le dis, ne jure pas sur ma tête, Euthias, je t'en prie. Vos histoires d'Athéniens sont tellement compliquées que tu risquerais de mentir, même en croyant dire la vérité." Tous les convives se hâtent de rire de mon trait d'esprit. La conversation dévie enfin. L'on me demande de parler de Praxitélês, de ce nouveau chef-d'œuvre qu'il est en train de préparer pour le concours du temple d'Aphrodité Ourania, l'*Erôs au repos*, dont on commence à jaser dans toute la ville, alors qu'il n'en a pas encore achevé l'esquisse. J'obtiens aussi de la flûtiste et des danseuses qu'elles se remettent à jouer pour nous faire oublier définitivement cette conversation déplacée. Le reste du banquet se passe comme il se doit : agréablement, futilement.

Ensuite, Hypereïdês et Euthias me proposent de passer la nuit avec eux. "En souvenir du bon vieux temps", risque mon ami l'avocat. Je lui rétorque : "Quel bon vieux temps ? Celui où j'étais votre esclave sexuelle à tous les deux ?

— Oui, c'est ça, s'amuse-t-il, le bon vieux temps de notre camaraderie sans faille !" Euthias ne dit rien mais son sourire me rassure, parce qu'il est enfin lumineux. Alors je reste. Je m'allonge dans le creux de leurs épaules, et les deux garçons me font l'amour avec ce qui me paraît être l'ardeur d'une nostalgie sincère. Attis n'est pas là. C'est la première nuit que je passe sans lui depuis Korinthos. Je l'ai sacrifié en l'honneur du retour de mon amant, dont je connais la jalousie ombrageuse. Je me demande comment Euthias va prendre le fait de se découvrir un esclave pour rival. Je commence à rêver sur cette idée tandis que je repose entre leurs bras emmêlés par l'alanguissement. Soudain, Hypereïdês rompt le silence de notre intimité fraternelle : "Ces accusations contre Aristophôn, elles sont totalement fausses ?" Euthias lui répond, en bâillant : "À ce que j'en sais en tout cas." Hypereïdês, bien que je lui fasse les gros yeux, insiste : "Mais tu sais tout, puisque tu étais son plus proche lieutenant ?

— Presque tout."

Euthias, avant de répondre, a hésité un instant. Rien de plus. Mais je perçois aussitôt le danger. Hypereïdês, se redressant vivement, l'observe avec attention, et finit par lui demander : "Euthias fils de Diaïtas, toi qui es mon meilleur ami, tu peux me jurer que tu n'as rien fait personnellement, que tu es en dehors de tout ça ?

— Oui."

Cette fois-ci, Euthias a répondu sans hésitation. Hypereïdês continue à le dévisager en silence, puis il reprend la parole, d'une voix plus sourde : "Si ces accusations sont vraies, si Aristophôn est coupable et toi innocent, alors ton devoir, Euthias, est de l'accuser toi-même de trahison ! Au nom même des motifs qui t'ont poussé à accepter de faire partie de cette expédition !" L'autre se redresse à son tour : "Tu es fou ou quoi ? Je viens de sauver l'Alliance et tu voudrais que je réduise à rien tous mes efforts ?

— Le seul moyen de la sauver vraiment, c'est de ne pas accepter que ses principes soient bafoués par ceux qui prétendent la défendre.

Si Aristophôn est coupable, tu dois te désolidariser. Tu dois le faire pour défendre ton honneur et aussi celui d'Athênaï ! Comment peut-on être aussi brillant que toi et aussi naïf ? Tu t'es fait manipuler par un salaud et tu ne t'es rendu compte de rien ! Réagis, avant qu'il ne soit trop tard, avant qu'on ne t'accuse d'être complice !

— Qui va m'accuser d'être complice ? Toi ?"

Je bondis de la banquette, me précipite vers mon aulos. Le sortant de son étui, sans même l'accorder ni me ceindre du harnais de cuir, je me mets à en jouer le plus fort possible, pour couvrir leurs voix. Les deux hommes, d'abord interloqués, éclatent de rire. "D'accord, dit Hypereïdês. Nous reparlerons de tout cela demain ; cette nuit, occupons-nous plutôt de notre hôtesse." Je les oblige à me refaire l'amour, avec application, et à oublier dans nos soupirs jusqu'à l'écho de leur dispute. Euthias me prend violemment comme il aimait à le faire, en quête de ses sensations anciennes. Au début, je me prête volontiers à son jeu. Mais je finis par discerner, dans cette violence différente de celle qu'il se plaisait à m'imposer et que je me plaisais d'ordinaire à subir, quelque chose de revanchard, de vulgaire, de vraiment brutal, de forcé, contre quoi je me rebelle à mon tour. Basculant sur le côté, je me retourne vers lui : "Tu fais quoi là ? Moi aussi, comme les habitants de Kéôs, tu veux me massacrer ? Je te signale que je suis une alliée comme tu les aimes, soumise et consentante. Tu n'as pas besoin de vraiment me punir, espèce d'animal !" Hypereïdês se moque gentiment de son ami : "Tu vois qu'en ton absence, nous n'avons pas réussi à la contrôler et qu'elle est devenue encore plus indépendante et encore plus moqueuse. On ne peut plus du tout la traiter comme une esclave !" Euthias, confus, comme s'il se rendait compte seulement alors de ce qu'il était en train de faire, de cette chose vraiment sordide qu'il était pour la première fois en train de vraiment me faire, s'excuse de bonne grâce. Il me supplie de le laisser me prendre plus tendrement, et j'y consens. La nuit de nos retrouvailles s'achève ainsi : dans l'humour et la fraternité érotique. Comme avant. Mais non, c'est faux, je le sens bien, et je sais qu'ils le sentent tout autant que moi : entre nous, rien ne pourra plus jamais être comme avant. Chacun de nous a vécu de son côté trop d'évolutions décisives, pour que notre rapport de force n'ait pas changé.

Une autre nuit de cet étrange été de confusion, j'apprends une nouvelle inattendue, qui passionne mes amis athéniens et qui, moi, me bouleverse : l'échec de Thêbaï devant Mantineïa, la ville d'Arkadie dont Praxitélês était en train d'orner les temples au moment de notre rencontre. Sept ans à peine après sa restauration, elle a fini par se retourner contre son étouffante protectrice. Les Thébains l'ont emporté de nouveau, comme à Leuktra, mais le fameux Epameï-nôndas, deux ans après son ami Pélopidas, a trouvé la mort dans le dernier assaut de cette bataille qu'il venait de gagner brillamment. Les deux chefs géniaux ont disparu et leurs concitoyens sont bien trop frustes pour en produire d'autres. Les Athéniens qui m'entourent sont d'accord pour penser que cette ultime victoire de Thêbaï marque la fin de son hégémonie, qui aura duré moins d'une décennie. Pourtant, même les plus intelligents parmi eux ne parviennent pas à discerner clairement ce qui va sortir de l'affaiblissement de leur rivale. Lakédaïmôn, en s'appuyant sur ses valeurs séculaires, sera-t-elle capable de restaurer son autorité, comme le pense son admirateur Lykourgos ? Faut-il craindre au contraire, avec leur professeur Isokratês, la menace d'un de ces nouveaux royaumes du Nord, celui de Thessalie par exemple, dont la révolte a déjà coûté la vie à Pélopidas et qui va peut-être tenter une attaque contre la Grèce, sous la conduite de ce fou furieux d'Alexandros de Phéraï ? "À moins, s'exclame Euthias, que la voie ne se dégage de nouveau pour Athênaï ? Alors, continue-t-il en défiant ses amis du regard, ce n'est sûrement pas le moment d'intenter un procès au chef de l'expédition de Kéôs, qui a eu le courage, lui, d'aller rétablir l'ordre ! Il faut au contraire le soutenir, afin de profiter de cette occasion unique de restaurer l'hégémonie d'Athênaï, puisqu'elle est la seule légitime !

— Mais non, proteste Hypereïdês, tu n'as rien compris ! Cet échec successif des trois cités qui ont essayé d'imposer leur hégémonie, que prouve-t-il, sinon qu'il est urgent, et même vital, d'instaurer enfin, à l'échelle de la Grèce, et en commençant par notre propre Ligue, un fonctionnement véritablement démocratique ?"

Mes amis commencent à se disputer violemment. Moi, à côté d'eux, au lieu de jouer mon rôle d'hétaïre, en intervenant avec ma flûte et avec mes rires pour rétablir la paix, les yeux grands ouverts, je rêve. De sang. De meurtre. De carnage. Le guerrier blond, celui qui ressemblait à Akhilleus, celui qui est venu à la tête d'un détachement du Bataillon Sacré semer la destruction à Thespiaï, celui qui hante mes cauchemars, je rêve qu'il a été tué, comme son chef, devant Mantineïa. Non, dans Mantineïa. Dans le temple de Lêtô, qui abrite la statue de la nymphe aux sourcils froncés, la première modelée par le Sculpteur d'après mon visage de petite putain naufragée. C'est là, au pied de ma statue, que le guerrier blond, quel était son nom, Gorgidas, est rattrapé, puis égorgé, comme il a égorgé mon père et Phaïdros. Oh, je vois son dernier regard vitreux qui se lève vers le visage indifférent de la fille du Titan ! Alors le voile de l'agonie se déchire un peu et il me reconnaît ! Juste avant de mourir, il devine qui le tue !

"À quoi tu penses ?" me demande Hypereïdês, qui s'est abstrait quelques instants de leur controverse pour m'observer, toute frémissante d'absence à ses côtés. Ma réponse fuse avec une lenteur voluptueuse : "J'imagine qu'un jour j'irai me promener sur les remparts en ruine de la Cité aux Sept Portes !" Son rire jaillit aux éclats en réponse à ma langueur : "Je te comprends, mais crois-moi, ni toi ni moi ne sommes près de voir ça !" Il a raison. Je sais très bien que cela n'adviendra jamais. L'humble Thespiaï peut disparaître en une nuit, pas la grande, la mythique, la toujours puissante Thêbaï. Mais ma rêverie me soulage un peu.

Dès le lendemain de ce banquet orageux, Hypereïdês vient me trouver chez moi tôt le matin. Aucun rapport avec la politique, me jure-t-il, ni avec Euthias : il me propose de me faire rencontrer l'un de ses clients, un marchand qui, par amitié pour lui, serait prêt à me faire un prix sur des pièces de tissu précieux en provenance de Baktriane. Malgré l'heure indue à laquelle il me tire du sommeil (largement avant midi), je l'accompagne volontiers, escortée de la seule Herpyllis. Pourtant, sur le chemin, Hypereïdês me demande de faire un détour chez l'austère Lykourgos, à qui il veut demander, un petit service. Je découvre avec stupeur qu'il s'agit de persuader ce dernier de lancer une accusation contre Aristophôn, le stratège de l'expédition de Kéôs, au moment de sa reddition de comptes. "Pourquoi ne le fais-tu pas toi-même, si tu es convaincu qu'il s'agit de la bonne solution ?" lui rétorque Lykourgos. Hypereïdês hésite un instant, puis sourit : "Tu sais bien que mes relations avec Euthias sont très compliquées." Les deux hommes me jettent un bref coup d'œil. Puis Hypereïdês reprend la parole : "Tu es moins lié à lui, et il te respecte peut-être plus. Si l'accusation vient de toi, il aura moins l'impression d'être trahi. La jalousie ne l'empêchera pas de réfléchir." Lykourgos hésite. Il éprouve de l'amitié pour Euthias depuis qu'après avoir suivi ensemble l'enseignement d'Isokratês et de Platôn ils ont passé deux années entières à veiller en armes dans les champs d'oliviers sous les étoiles, en se racontant leur rêve de changer la Grèce. Mais il est résolu à n'entrer en politique que lorsqu'il sera en mesure d'imposer à la cité tous les changements radicaux dont il rêve : tenir d'une main de fer le budget de l'État mais plaquer l'autre sur la nuque des particuliers les plus riches pour les forcer à payer leurs impôts ; mettre l'argent récolté d'un côté comme de l'autre au service du bien public ; lancer les grands travaux qui auraient dû être menés depuis longtemps si la corruption ne régnait pas à tous les étages de l'administration ; engager la réforme nécessaire des mœurs et des institutions. Leur vieille et inconséquente Cité se résoudra à changer seulement le jour où elle sera en danger de mort, ce que ni Hypereïdês ni lui-même ne lui souhaitent vraiment. D'ailleurs, les circonstances actuelles vont exactement dans le sens contraire : depuis les massacres de Kéôs, Athênaï respire, soulagée de pouvoir se consacrer comme avant à ses petites magouilles. C'est pourquoi Lykourgos ne peut que décliner la proposition de son ami.

Dans la rue, tandis que nous longeons la Colline sacrée pour descendre vers la Porte du Port où habite le marchand, je finis par rompre le silence : "Qu'est-ce que tu vas faire ?" Hypereïdês s'arrête et hausse les épaules : "Il ne me reste pas beaucoup de solutions. Je vais me dévouer et lancer l'accusation moi-même.

— En intentant un procès à Euthias ?"

Je ne peux dissimuler ma stupéfaction. Hypereïdês, comme s'il s'attendait à cette réaction, se justifie d'une voix tendue : il ne veut évidemment pas s'attaquer à Euthias, mais au stratège corrompu qui a abusé de son idéalisme. Un autre accusateur risquerait de mettre maladroitement notre ami et ce salaud d'Aristophôn dans le même panier. "Alors oui, j'entre en politique contre Euthias par amitié pour Euthias, et pour défendre l'espoir qu'il représente aux yeux des vrais partisans d'Athênaï." J'écoute ces nobles paroles. En les prononçant, je le sens, Hypereïdês est sincère. Mais je sais aussi que l'opinion publique ne pourra manquer d'expliquer son intervention par d'autres raisons moins avouables et qui me concernent de trop près. Je préfère ne pas les approfondir, pour ne pas risquer de déclencher la colère de mon ami : celui-ci paraît avoir égaré son sens habituel de la dérision. Sous l'impatience un peu condescendante avec laquelle il m'adresse la parole, il dissimule plutôt mal sa nervosité. Nous replongeons dans le silence pendant tout le trajet. Pourtant, juste avant d'entrer chez le négociant en tissu, il me prend un instant par la main et me déclare brusquement : "Tu sais, je le fais aussi par fidélité pour toi.

— Pour moi ? Qu'est-ce que j'ai à voir avec vos histoires d'Athéniens ?

— Je me souviens de ce que tu m'as raconté une nuit sur ton père. Sur sa ressemblance avec les habitants de Kéôs."

Ne lui ai-je pas confié une partie de mon passé pour le bousculer dans ses certitudes ? Ne devrais-je pas être touchée qu'il se soit approprié mon récit au point de le faire sien ? Qu'il se serve de moi, même sans précaution, pour prendre des décisions qui le concernent, lui et sa cité ? Pourtant, ce qui domine en moi, c'est l'angoisse. Je redoute cette façon qu'Hypereïdês a de penser et d'agir, si énergique qu'elle en devient parfois brutale. Un peu comme s'il s'apprêtait, tout en croyant se conduire vis-à-vis de moi avec délicatesse, à passer sa grosse pogne sur la peau encore à vif de mon passé. J'ai peur d'être piétinée par mon sanglier amoureux dans son élan vers la justice. C'est pourquoi je me montre particulièrement désagréable avec le négociant qui me fait pourtant la faveur de me montrer avant les autres clientes ses soies les plus précieuses. Malgré les cris d'admiration que pousse ma servante devant leur beauté, je ne lui en achète aucune et me hâte de sortir, sans presque le saluer, contribuant une fois de plus à ma légende d'hétaïre capricieuse et mal élevée.

J'attends que nous nous trouvions de nouveau dans la rue pour poser franchement à Hypereïdês la question qui m'agite : "Pourquoi m'as-tu demandé de t'accompagner ce matin ? Cette visite chez le négociant, ce n'était qu'un prétexte, n'est-ce pas ?" J'ajoute, frappée par une intuition soudaine : "En fait, ton but, c'était que j'assiste à ta conversation avec Lykourgos ! Et je crois deviner pourquoi : tu cherches à me rendre complice de ce projet, dont tu redoutes qu'il ne soit une trahison, et tu veux m'obliger à passer dans ton camp contre Euthias ! C'est ça ? Ou bien tu as encore autre chose en tête ?" Hypereïdês se contente de hausser les épaules. Nous dépassons l'escale obscure de la Double Porte et nous longeons le Cimetière sous la lumière hostile du plein midi. Soudain, me saisissant la main, le Sanglier m'entraîne sans un mot à travers le dédale poussiéreux des cénotaphes. Il me fait asseoir sur les marches d'un monument ombragé par un cyprès. Et c'est là, dans cet îlot de fraîcheur, au milieu de la solitude des tombes écrasées de soleil, qu'il se décide enfin à m'expliquer ce qu'il attend de moi. "Je voudrais, me dit-il, que tu annonces toi-même à Euthias mon projet d'intenter un procès à son chef. Tu sauras lui expliquer mes raisons, parce que tu les connais aussi bien que moi, et toi, il te croira." Il ajoute : "Assure-le que je ne prononcerai pas un mot contre lui !"

Alors, le regardant droit dans les yeux, je lui pose une deuxième question. Celle qui me taraude, non pas depuis notre entrevue ratée avec Lykourgos, mais depuis notre dernière nuit à trois. Depuis l'instant d'hésitation presque imperceptible que l'un a laissé passer avant de jurer à l'autre qu'il ignorait les exactions commises par le stratège corrompu : "Tu ne prononcerais pas un mot contre ton ami… même s'il était coupable lui aussi ?" Hypereïdês me répond du tac au tac, comme s'il s'était déjà posé cette même question : "Exactement, même si je le croyais coupable, ce qu'il n'est sûrement pas." J'insiste : "Ah bon, c'est ça, ta conception de l'honnêteté en politique ?" Il me sourit, avec une franchise désarmante, et je retrouve soudain l'Hypereïdês joueur que j'aime tant : "Oui, c'est ça : honnêteté totale mais partielle. Amitié pour Euthias plus chère que tout. Amour pour Phrynê : la même chose en pire." Il me prend la main et il l'embrasse. Tout en lui rendant son sourire, je repense sérieusement à ce qu'il vient de me demander. "Ça ne servirait à rien, finis-je par lui déclarer. Tu sais très bien qu'Euthias ne m'écouterait pas."

Et je refuse d'intervenir, aussi fermement que Lykourgos avant moi.

Pourtant, quelques heures plus tard je frappe à la porte d'Euthias. Avec appréhension, parce que je redoute sa réaction et que je sais n'être pas la bienvenue dans la demeure de ses parents. Comme je le craignais, dès qu'il comprend que je ne suis pas venue lui parler d'amour, mon amant se braque. Il accable Hypereïdês de ses sarcasmes mais ne m'épargne pas non plus. Il me traite d'étrangère, d'affranchie, de Béôtienne à la solde de Thêbaï. "Non, je me fais des illusions, reprend-il au bout d'un instant, tu n'agis jamais que dans ton intérêt personnel, tes petits plaisirs ou tes bijoux ! Combien Hypereïdês a-t-il dû te payer pour que tu consentes à venir me parler ? Ma pauvre, tu devras lui transmettre ma réponse gratuitement : j'ai peut-être été amoureux de toi autrefois mais sûrement pas au point de changer quoi que ce soit à mon action politique ! Je ne suis pas homme à me laisser influencer par une femme. Surtout, ajoute-t-il, avec une grimace de dégoût qui me révolte encore plus que ses paroles, lorsqu'elle n'est qu'une pute !"

Je me retrouve je ne sais comment chez Hypereïdês à exhaler ma rage. L'habile garçon me cajole si bien que je finis par m'amuser de la colère grotesque d'Euthias. Pourtant, tout en me moquant, je frissonne. Je repense à sa grimace, à la façon dont elle a déformé les traits réguliers de son visage, à ce qu'elle m'a révélé de ses sentiments véritables à mon égard. Pas seulement du mépris. Mais aussi, sous son désir apparent, comme si elle en était le revers caché, de la haine. Oui, une haine qui m'attriste, qui me révolte, qui m'effraie. De quoi serait capable un homme comme lui, s'il avait le pouvoir de me nuire ? Je croyais ne m'être fait que deux ennemis mortels, en humiliant délibérément Léôkratês l'armateur et Androtiôn le collecteur de taxe. Mais j'en ai peut-être depuis toujours malgré moi un troisième. Beaucoup plus féroce que les deux autres réunis, parce qu'il ne me hait pas seulement mais qu'il m'aime, qu'il se méprise de m'aimer et qu'il m'en veut même lorsque c'est lui qui m'humilie. Hypereïdês, pour me faire oublier mes idées noires, en rajoute dans le persiflage léger : "Rassure-toi, ma belle, Euthias a toujours éprouvé ces sentiments-là pour toi. Il voudrait pouvoir te prendre de haut, en simple petite joueuse de flûte, mais il est plus dépendant de toi que jamais. C'est cela qui le met en colère, et c'est cela aussi, tu le sais, qui l'excite. Crois-moi, rien n'a changé en lui. Il faut simplement que nous qui l'aimons, nous l'aidions dans ces moments difficiles à rester lui-même. Avec ses failles, qui nous exaspèrent, et avec son orgueil stupide, car c'est cet orgueil qui pourra l'amener un jour peut-être à faire de grandes choses. C'est dur d'être l'ami d'un crétin pareil, n'est-ce pas ?"

Je ris avec Hypereïdês et je fais semblant de croire que rien n'a changé dans le cœur de mon amant. Pourtant, je rentre chez moi profondément troublée. Je ne me montre pas à la fête où je suis invitée. Je renvoie Attis dès la fin du repas, en souhaitant peut-être qu'il s'accroche à moi, mais, ravi de ne pas avoir à me distraire dans mon humeur morose, il s'échappe aussitôt vers le péristyle, où jouer avec Hermodotos, Herpyllis et quelques servantes. Je repousse l'idée qui m'effleure un instant d'aller déranger Praxitélês jusque chez lui, pour l'entraîner sous un prétexte quelconque dans les rues, et voir, à la clarté des torches, si ses statues et celles de ses prédécesseurs disparus ne trouvent pas un surcroît de calme divin dans l'isolement de la nuit. Non, je préfère rester seule. Pour penser à quoi ? Au procès qui va opposer mes deux amis ? À ces querelles de pouvoir qui m'angoissent ? Aux villageois de Kéôs brûlés vifs dans leurs maisons pour avoir accueilli des fugitifs inconnus ? À des cadavres égorgés sur la place d'un village de montagne, pendant que, dans un temple tout proche… ? Herpyllis vient timidement me déranger. Elle m'annonce que quelqu'un désire me parler.

Ce quelqu'un, c'est Euthias.

Hypereïdês s'est trompé : Euthias a changé, et en bien. Il vient s'excuser des paroles que la colère lui a fait prononcer. Il ne les pensait pas, il me le jure. Je lui souris tristement : "Si, bien sûr que tu les pensais." Son sourire à lui aussi s'affine de tristesse : "Oui, c'est vrai." Il ajoute : "Mais ces pensées, je ne les aime pas. Elles ne sont pas vraiment à moi. Je lutte contre elles. Bientôt, je m'en débarrasserai. Jusque-là, pardonne à ce malheureux orgueilleux d'Euthias." Je suis stupéfaite. De l'entendre non pas s'humilier mais se mettre à nu. D'un seul coup, je me sens désarmée devant lui, faible, à sa merci, plus encore que lorsqu'il me prend de force pour m'obliger à éprouver du plaisir. Je n'oublie pas sa grimace de haine, la rage et la frayeur qu'elles ont provoquées en moi, mais ses paroles me la font paraître pitoyable, et presque touchante. Même sa haine pour moi m'émeut. Lui qui veut tellement tout dominer, son destin personnel comme celui de sa cité, il maîtrise si mal ses propres sentiments ! Nous sommes proches finalement. Il suffirait de si peu pour que nous nous trouvions vraiment.

Mais, cette nuit-là, après s'être déplacé jusque chez moi, il refuse de rester. Par un reste d'orgueil. Afin que je ne puisse pas lui reprocher ensuite de n'être venu s'excuser que pour coucher avec moi. Afin de ne pas avoir à m'avouer qu'il n'a pas d'argent pour me payer. Il ne devine pas, l'idiot, que je suis prête à me donner pour rien. Sans un mot de plus, il s'enfuit et je ne sais pas le retenir. Oui, nous avons changé, mais il ne parvient toujours pas à deviner mes désirs profonds, ni moi à les lui exprimer.

La reddition de comptes d'Aristophôn a lieu quelques jours plus tard. Hypereïdês ayant pris le risque de faire prévenir Euthias qu'il allait attaquer son chef, ce dernier a peaufiné son dossier, si bien que ses comptes sont acceptés sans discussion par le jury de première instance. Dès le lendemain, Hypereïdês contre-attaque, en déposant devant les conseillers spéciaux un recours contre le stratège, qu'il accuse de concussion et de haute trahison. Après un bref examen préalable, ceux-ci acceptent la plainte. Le procès s'engage. Je sais, parce que mes amis me l'ont expliqué, qu'Aristophôn y risque la mort ou, plus terrible encore pour cet exécuteur des basses œuvres d'Athênaï haï à l'étranger, l'exil. De son côté, Hypereïdês, s'il n'obtient pas au moins un cinquième des voix, perdra ses droits civiques. Non seulement sa carrière politique sera terminée alors qu'elle commence à peine, mais il ne pourra plus intervenir en justice comme renfort. "Ce qui, me dit-il en éclatant de rire, est un peu gênant pour un avocat." Quant à Euthias, il ne risque rien, théoriquement, puisque personne n'a déposé de recours après sa propre validation de comptes et qu'Hypereïdês n'envisage pas de mentionner son nom dans sa plaidoirie. S'il reste tranquille, on ne s'occupera pas de lui. Mais Euthias peut-il rester tranquille ?

Bien que je ne sois qu'une femme et qu'une métèque, je pourrais sans doute, grâce à mes appuis parmi les citoyens haut placés, me débrouiller pour assister discrètement à l'audience. Mais je m'y refuse. Je passe toute la journée dans l'atelier de Praxitélês. Le seul homme d'Athênaï à ne pas même savoir que le stratège du dernier corps expéditionnaire en date est traîné en justice au nom de l'Alliance par un orateur jeune mais coriace. Il connaît Hypereïdês mais il ignore sans doute la rébellion de Kéôs, s'il en avait eu vent, il s'en ficherait royalement. Il se trouve face à quelque chose de bien plus important qu'un procès politique, de bien plus important même à ses yeux qu'un millier de villageois égorgés. Il se trouve face à la beauté. Le charme vulgaire et efféminé d'Attis, qu'il doit transformer en la grâce délicate et invincible d'Erôs. Le dieu lui est apparu sous les traits de son rival. Ce n'est pas une vengeance, mais une épreuve. Le seul moyen pour ce sculpteur d'accéder à ce qu'il peut y avoir d'intense et d'insaisissable, de douloureusement superficiel, dans le désir. Praxitélês est courageux et fin. Il lutte de toutes ses forces d'artiste pour accepter ce don divin. Je me ressource dans son combat. Les pitreries d'Attis et les efforts de concentration exaspérés du Sculpteur m'aident à oublier que le sort de deux de mes amants de cœur se joue dans une des salles du tribunal tout proche.

Pourtant, à la fin de la journée, je ne peux m'empêcher de rendre une visite à Lagiskê. Mon amie a renoué depuis longtemps avec son grand homme, et je me doute qu'elle a dû assister aux débats cachée dans son ombre. Malheureusement, je ne la trouve pas. Lorsque je finis par me décider à rentrer chez moi, un peu à l'écart des folies meurtrières d'Athênaï, j'ai la surprise de découvrir que Lagiskê et Isokratês lui-même y attendent patiemment mon retour. Qu'a-t-il bien pu se passer de terrible ou d'inattendu au tribunal pour motiver cette visite ? Au prix d'un effort sur moi-même, je prends le temps de leur faire servir des rafraîchissements, avant de demander à l'hétaïre d'un ton léger : "Alors, c'était amusant ? Qui a gagné ?"

Elle sourit sans répondre et se tourne vers Isokratês. Celui-ci m'annonce d'emblée que le vote a dû être repoussé au lendemain, pour laisser la parole à quelques orateurs secondaires. Pendant toute cette journée houleuse, ajoute-t-il, Hypereïdês s'est montré fidèle à sa promesse d'épargner Euthias et d'élargir le débat avec audace, ne s'attaquant pas seulement à la corruption brutale d'Aristophôn, mais mettant en cause la répression en tant que telle. "Peut-être, ajoute le vieux maître, ce qui donnait tant de conviction à la voix de notre ami n'était-il pas seulement son amour de la démocratie, mais aussi l'hommage qu'il rendait à un certain Thespien, mort depuis longtemps, dont il ne parlait pas, mais qui était là, invisible, dans son discours, et à une certaine Thespienne, qui ne lui avait pas fait la grâce de se déplacer, mais sous les beaux yeux absents de laquelle il s'exprimait en permanence ?" Je suis stupéfaite de ces paroles. Comment l'illustre orateur est-il au courant de mes secrets ? Il sourit : "Hypereïdês reste l'un de mes élèves les plus proches. Ton récit a eu de l'influence sur ce jeune homme, ma chère Phrynê, beaucoup plus que tu ne le crois. Je me demande même si, en une nuit de confidences, tu n'as pas accompli plus que moi en deux ans d'enseignement." Je ne sais que répondre. Je me mets à rougir, comme la gamine que j'étais, il y a des siècles, devant mon père.

Le vieil homme esquisse un sourire. Puis, pour m'épargner, il revient à son analyse du procès : "Si Hypereïdês a pris soin de ne jamais mentionner le nom de son ami, Euthias, lui, ne s'est pas montré aussi délicat. Je sais qu'il avait rédigé lui-même la défense de cet imbécile de militaire, bien incapable de composer son propre discours. Il a pris ensuite la parole en tant que renfort. Il a attaqué violemment Hypereïdês, l'accusant de trahir la patrie. Son discours, par sa véhémence sincère, a porté, incontestablement. Mais moins que celui de son ami et adversaire du jour. Sur mon conseil, Hypereïdês avait eu le temps de faire venir à Athênaï deux habitants de Kéôs, dont le témoignage précis a accablé Aristophôn. Dans sa façon de les interroger, il a bien mis en valeur le fait qu'Euthias n'était en rien au courant des tractations pour modifier la liste des condamnés et le montant des amendes. Ce dernier est donc passé, non pour un salaud, mais pour un naïf. C'est exactement ce qu'il est d'ailleurs, même si ce jeune homme va avoir plus de mal encore que l'opinion athénienne à en accepter la révélation publique. Ce sera peut-être un mal pour un bien : il en sortira moins arrogant, plus humain, plus prudent." Isokratês ajoute, après m'avoir jeté un regard vif : "S'il en réchappe évidemment...

— Que veux-tu dire ?

— Il est très orgueilleux, tu le sais comme moi."

Nous restons tous les deux silencieux. Lagiskê intervient pour la première fois : "Alors, maître, d'après toi, demain, qui va gagner ? Hypereïdês ou Euthias ?" Le vieil intellectuel prend la peine de supputer longuement devant les deux hétaïres le résultat du procès. D'après lui, l'issue du vote est totalement indécise. Hypereïdês et Euthias ont placé la barre tellement haut que, même si la culpabilité de ce salopard d'Aristophôn ne fait guère de doute, ils vont obliger les jurés à se déclarer sur la politique globale d'Athênaï. Les défenseurs de l'hégémonie à l'ancienne contre tous ceux qui voudraient inventer autre chose, aussi bien les pacifistes habituels que les partisans d'une nouvelle manière, véritablement démocratique et respectueuse du droit des peuples, de diriger l'Alliance. J'ose bousculer le grand homme : "Qu'est-ce que ça veut dire, concrètement ?

— Pour nos deux jeunes amis ?

— Oui !

— Pas forcément du bien. Hypereïdês a pris le risque que le jury, par un réflexe patriotique primaire, se déclare en masse contre lui et ne lui accorde même pas le cinquième des voix. Cela m'étonnerait quand même. Aristophôn ne sera pas condamné, évidemment, parce que les Athéniens ne voudront pas paraître désavouer totalement leur politique. Mais, si Hypereïdês arrive à obtenir un résultat serré, c'est lui qui, moralement, aura gagné. Parce qu'il aura montré que nous nous posons des questions et que nous ne sommes plus disposés à légitimer n'importe quelle exaction dans nos relations avec nos alliés. Ce serait une excellente nouvelle. Hypereïdês joue son avenir personnel mais, s'il réussit son pari, il aura prouvé brillamment qu'on peut encore avoir confiance en l'intelligence d'Athênaï. En revanche, pour Euthias, une victoire trop étroite serait une catastrophe. Il s'est engagé si violemment contre cet examen critique de la politique d'intervention qu'un résultat serré serait un camouflet, non seulement pour cette crapule d'Aristophôn mais encore pour notre jeune idéaliste.

— Donc l'un des deux va perdre nécessairement ?

— Oui, je le crains."

Le vieux sage hésite quelques secondes, puis, il reprend la parole, en me regardant dans les yeux : "C'est pourquoi, à l'issue du procès, leurs amis se trouveront devant une tâche extrêmement délicate, qui est, je te l'avoue, le véritable motif de notre visite chez toi : les réconcilier. Pour cela, j'ai besoin de ton aide. Réunir leurs deux projets politiques, qui ne sont pas aussi contradictoires qu'ils le croient, il me semble que je suis le mieux à même d'y réussir. Mais désarmer leurs deux orgueils de jeunes mâles, celui humilié du vaincu et celui triomphant du vainqueur, je crois que pour cette mission tu auras d'autres d'arguments que les miens. Je devine le pouvoir que tu as sur eux, je me demande même, bien qu'ils affirment le contraire, s'ils ne sont pas plus encore attachés à toi qu'à leur cité et à leurs rêves de pouvoir. Mais il te faudra agir avec subtilité pour ne pas envenimer définitivement leurs relations en tentant de les apaiser…" Lagiskê intervient une deuxième fois : "Lorsque Phrynê le décide, maître, elle sait se montrer très subtile." Et mon amie me regarde en souriant doucement.

Même si je ne suis pas sûre d'avoir autant d'influence qu'ils m'en prêtent, j'accepte d'aider Isokratês dans la tâche de réconcilier avec mes armes ces deux jeunes gens trop intelligents et trop orgueilleux. Parce que, cette fois, il ne s'agit pas de choisir entre eux. Si je les aime, c'est autant l'un que l'autre, ou plutôt l'un par rapport à l'autre. Dès que Lagiskê et son amant m'ont quittée, je résiste à la tentation de ressortir de chez moi et d'aller les trouver immédiatement, pour savoir dans quel état d'abattement ou d'exaltation chacun des deux se trouve. Jamais je n'ai eu autant envie de les voir, de les toucher, de prendre dans mes bras celui qui croira avoir perdu, de cingler de mon ironie celui qui croira avoir vaincu ! Mais, si je veux agir aussi subtilement que Lagiskê a prétendu que j'en étais capable, ne vaut-il pas mieux leur montrer, par mon retrait total pendant toute la durée du procès, que je leur en veux à tous les deux de se déchirer ainsi, même s'ils le font pour une raison valable, comme l'analyse lucide du vieux maître a presque réussi à m'en persuader ? Ne pas m'occuper d'eux jusqu'au lendemain, faire semblant de les oublier, c'est la plus belle preuve d'amour que je puisse leur donner !

Pourtant, tout en caressant avec ferveur Attis, tout en me laissant caresser par lui, je ne peux m'empêcher de penser sans cesse au procès. Mon doux petit animal de compagnie est là, lui, tout entier dans le présent, pourquoi ne puis-je l'imiter ? De nouveau, je me tourmente pour une cause qui ne me concerne en rien, comme quand j'étais petite fille et que j'écoutais, angoissée, les voix bourdonnantes de mon père et de ses conseillers, dans la grande salle de notre maison de Thespiaï ! Je sens que je ne vais pas fermer l'œil de la nuit, même quand Attis sera endormi entre mes bras, à me demander pendant des heures quelle sera l'issue du vote le lendemain. Il est préférable qu'Euthias gagne, oui, même si sa cause est injuste, parce qu'Hypereïdês est plus souple et saura mieux se remettre d'un échec. D'un autre côté, une victoire d'Euthias serait catastrophique, tant elle mettrait un comble à son orgueil, et, dans le vacarme de ses certitudes, l'empêcherait de prêter l'oreille à ses doutes, comme je devine qu'il a pourtant un peu commencé à le faire. Un triomphe achèverait de le rendre mortellement dangereux, pas seulement pour les autres mais aussi pour lui-même. Non, non, la meilleure solution, ce serait qu'Hypereïdês l'emporte en obtenant un vote serré, mais pas trop, pour qu'Euthias ne se sente pas humilié.

Je finis par me lever et par errer dans l'obscurité sous le péristyle de ma maison d'hétaïre célèbre et indifférente. Moi, qui me targue de ma liberté d'âme, pourquoi me sentir ainsi concernée, aussi intimement touchée par le sort de ces deux jeunes gens qui, après tout, ne sont que de riches clients ? Quel est ce sens nouveau de la responsabilité qui pèse sur mes épaules, comme une paire d'ailes au repos ? N'est-ce pas la première fois de ma vie d'adulte que je me tourmente pour d'autres que moi ? Ou peut-être la deuxième, depuis la maladie d'Hermodotos, mais alors, je pouvais agir, l'accompagner dans le temple, lui tenir la main lorsque le chirurgien lui ouvrait le ventre et prendre sa peur sur moi. Tandis que, cette nuit, je suis redevenue petite fille, je me sens, dans ce brusque accès d'altruisme, rendue à l'impuissance intense de l'enfance, et c'est insupportable ! Je finis par sortir mon aulos de son étui et par réveiller toute la maisonnée de mes trilles aigus. J'en ai le droit. Je suis la maîtresse, je suis la prêtresse, je suis la déesse ! Oui, j'ai payé assez cher la liberté de fuir dans l'égoïsme l'inconfort du souci des autres !

31

TOUT PALPITANT DE FRAGILITÉ

Après cette nuit de faiblesse et d'insomnie, je retrouve le lendemain un peu de ma sérénité. Je parviens même à ne pas aller attendre le résultat, le cœur au bord des lèvres, à la porte du tribunal ou sur l'Agora mais à passer de nouveau la journée chez Praxitélês, en faisant l'effort de partager ses transes d'artiste. C'est seulement vers la fin de l'après-midi que je me dirige, d'un pas faussement indifférent, chez mon amie Lagiskê.

Elle m'y attend avec Isokratês au milieu d'une foule bruissante d'invités importants. Dès qu'ils m'aperçoivent, l'hétaïre et son vieux maître se dirigent vers moi. À leur sourire, je devine qu'Hypereïdês a perdu mais qu'il a gagné. Effectivement, le vote a été si serré que, sur les cinq cent un jurés de cette affaire capitale, dont l'Alliance et le monde grec guettaient le dénouement, le général Aristophôn n'a sauvé sa tête que de deux petites voix. Dans les divers procès qu'a déjà eu à affronter ce militaire corrompu, c'est l'écart le plus minime que ses adversaires aient jamais obtenu. Pour la première fois, le barbouze a vraiment risqué l'exil. À l'avenir, lui et ses partisans savent qu'ils ne pourront plus se permettre de traiter les Alliés avec autant de mépris. Succès inespéré pour tous ceux qui veulent réformer la politique d'Athênaï et triomphe personnel pour Hypereïdês, qui commence sa carrière par un coup d'éclat. "Et Euthias ?" finis-je par demander d'une voix hésitante. "Euthias, oui, évidemment, me répond Isokratês en soupirant. Eh bien, comme je le craignais, il s'est enfermé chez lui pour panser ses blessures et n'a voulu recevoir personne, même pas moi, son vieux professeur. Il vaut mieux le laisser quelques jours ruminer son échec, ce ne serait peut-être pas très habile d'opérer à vif. D'ailleurs, même lorsque la plaie d'orgueil aura cicatrisé, je crois que nous allons avoir du mal à le persuader, moi qu'Athênaï a encore besoin de lui et toi qu'Hypereïdês est toujours son ami…" Lagiskê m'apprend que ce dernier doit arriver dans quelques minutes, avec d'autres invités, dont Myrrhina. Elle ajoute, dans un sourire, qu'elle m'a réservé la place d'honneur sur la banquette du héros du jour. Je la remercie mais je lui annonce que je ne reste pas. La fine Lagiskê se montre un peu étonnée mais se garde bien de me retenir.

Au moment de sortir, j'éprouve un instant la tentation de revenir en arrière. Le sourire satisfait d'Isokratês m'agace un peu, je ne sais pourquoi. J'aimerais lui lancer à voix haute : "Sais-tu, maître, pour qui cet acquittement serré d'Aristophôn est un échec encore plus cruel que pour Euthias ?" Il me regarderait d'un air interrogateur en se demandant où je veux en venir. Je lui jetterais : "Pour les villageois égorgés des collines de Kéôs." Il resterait muet de surprise et Lagiskê m'enverrait un regard noir, parce qu'elle n'aime pas que l'on mette en difficulté son grand homme, surtout en public. C'est mon amitié pour elle qui me retient, et puis la certitude qu'Isokratês l'Athénien ne me comprendrait pas.

Je sens le besoin de me précipiter, non pas vers Hypereïdês le vainqueur, mais vers Euthias le vaincu. C'est de son côté que, spontanément, je me range. Je sais qu'il serait beaucoup plus sage de suivre le conseil d'Isokratês et d'attendre quelques jours que la rage du jeune homme tombe, afin qu'il ne lui reste plus à m'opposer que son désespoir. Mais je ne peux pas m'empêcher de me diriger aussitôt vers sa demeure familiale. On ne me fait pas entrer, on me fait patienter à la porte, dans la rue, si longtemps que les passants se retournent sur moi. Au bout d'un moment, ce n'est pas mon amant qui se présente, mais l'une des servantes de la maison. Elle m'annonce, de la part de sa maîtresse, qu'Euthias (à qui l'on n'a peut-être même pas annoncé ma présence) se repose et ne me recevra pas.

J'aurais dû m'attendre à un accueil aussi humiliant. Et pas seulement à cause du résultat désastreux du procès, ni de l'échec qui frappe toute cette famille. Même si je ne suis plus de notoriété publique l'esclave particulière de son fils, je sais que le père d'Euthias continue à me redouter, du moins tant que le jeune homme n'est pas encore marié. Quant à sa mère, elle ne va sûrement pas le jeter de nouveau dans mes bras, alors qu'il a éprouvé quelques mois auparavant tant de peine à s'en arracher. S'il est nécessaire de lui faire oublier ses soucis de citoyen dans des bras féminins, elle en donnera l'ordre à l'une des servantes de la maison, peut-être à cette jolie fille qui me regarde avec insolence. Ou bien elle louera elle-même les services d'une joueuse de flûte complaisante et efficace. Peut-être, dans quelques jours, jugera-t-elle qu'il est temps de profiter de ce moment de faiblesse et parlera-t-elle de nouveau mariage à Euthias ? Elle lui présentera la vierge bien née qui sera assez pure mais aussi assez fine pour lui faire des enfants tout en le consolant.

Et pourquoi pas ? Sa mère a raison, c'est peut-être cela qu'il lui faut, vivre sa vie d'Athénien en m'oubliant. Peut-être le mouvement qui m'entraîne vers lui, bien que sincère, n'est-il pas le bon ? Peut-être dois-je pousser le désintéressement jusqu'à m'effacer et laisser ses parents le récupérer ? Oui, sûrement. La servante me regarde toujours avec une curiosité ironique. Tout en glissant une drachme dans le creux de sa tunique, je lui souffle : "Dis-lui que Phrynê est passée le voir et…" Et puis je m'arrête : "Non, ne lui dis rien, console-le plutôt." Je m'enfuis.

Quelques heures plus tard, en pleine nuit, on cogne à la porte de ma maison. C'est lui. De nouveau. Il a traversé seul le quartier mal famé du Kérameïkos, sans même une torche pour frayer son chemin dans l'obscurité entre les rôdeuses et les voyous, puis il a longé le cimetière et les tombes des grands hommes qui n'ont jamais connu l'échec. Il se tient devant moi. Gauche, encore plus que quelques jours auparavant, maladroit, pas élégant, pas sûr de lui, un peu hagard, très intense, très proche, tout palpitant de fragilité. Il tente de m'expliquer, en bredouillant, qu'il a fait ce chemin seulement pour me remercier d'être passée le voir, parce qu'il n'a pas d'argent, et qu'il doit rentrer. Mais, cette fois, il reste planté là. Enfin pleinement touchant, enfin l'acceptant. Encore plus beau quand il est un peu laid, quand il n'est plus un jeune dieu insolent mais un jeune homme perdu, sonné d'avoir reçu en pleine figure son premier coup de poing dès son premier assaut de pancrace. Tentant piteusement de se relever. Ayant pour seul courage d'avouer sa faiblesse. De laisser parler son cœur. De vous implorer muettement de laisser parler le vôtre. Alors, que puis-je faire d'autre, sinon clouer le bec de ce jeune maladroit avant qu'il ait prononcé un seul mot qui gâcherait tout, en jetant mes bras autour de son cou ? Et, repoussant sans un mot Attis qui est prêt à nous suivre, l'entraîner directement dans mon lit ? Toute une nuit d'amour, où ce n'est pas lui qui me le fait, pour une fois, mais moi. Pas avec ma science, ou pas seulement, avec quelque chose d'autre, qui n'est pas non plus mon amour, ni même mon désir, quelque chose qui est... qui est quoi ? Comment le dire ? Ma souveraine bienveillance ? Dans cette intensité très douce de mes gestes, je touche à un état que je n'ai encore jamais abordé, jamais même envisagé, une énergie très sourdement et très puissamment féminine, bien plus forte et bien plus ancienne encore que toutes les conduites masculines auxquelles j'ai été jusque-là confrontée dans mon propre désir de soumission. Tout en accomplissant avec ferveur ces gestes de consolation suprême, je ne peux m'empêcher de repenser aux paroles d'Aâmet, à son enseignement. Oui, cette nuit, je suis un peu Isis. Isis, la mère et l'épouse, qui remembre Osiris humilié et qui lui rend la vie. Mais cette conscience de participer à la divinité, non pas extérieurement, dans ma beauté et dans les propos vains de mes admirateurs, mais de l'intérieur, dans mes gestes, dans ce que je sais faire naître sous mes doigts, dans mon sexe et dans son sexe à lui, au lieu de me scinder en deux, la réalité humaine et l'apparence divine, me réunit encore plus intimement à moi, me dilate et m'exhausse. Je suis tout entière Celle qui console. Celle qui reconstruit. Celle qui restaure. Euthias sent qu'il n'est pas possible de me résister et que son devoir de mâle consiste pour une fois à s'abandonner. À flotter sur moi à la dérive puisque je suis assez forte pour le porter. Il pleure de plaisir, d'amour et de désespoir entre mes bras et je n'ai encore jamais senti quelque chose de plus fort, de plus masculin, que ces pleurs, sur la vague desquels il a le courage de se laisser totalement embarquer, démembrer, anéantir. Même son sexe pleure en moi. Cet homme pleure de vie par l'œil unique de son sexe grand ouvert et c'est le brusque surgissement de ses sanglots qui me fait fondre.

À la fin de la nuit, je le laisserai aller. Je ne le garderai pas pour moi. Je le rendrai à lui. À sa vie d'Athénien mâle. Sur le rivage grec et rassurant où je l'aurai porté sain et sauf hors du naufrage. Je le sais et il le sait.

Et pas un mot n'est dit.

Pourtant, au matin, au lieu de s'en aller, il reste, il parle. Bêtement. Peut-être se repent-il de s'être donné aussi complètement ? Peut-être veut-il se récupérer lui-même ou seulement comprendre ce qui vient de lui arriver ? Peut-être n'a-t-il rien compris du tout et croit-il que ce qu'il a reçu, c'est moi seule qui l'ai donné à lui seul, et non pas, en nous, la Déesse à son parèdre ? En tout cas, il redevient le bel Euthias. Capricieux, sûr de lui. Platement puéril, alors qu'il était intensément enfantin la nuit précédente. Je suis sur le point de le faire chasser.

Soudain, l'éclair. Au milieu de tout ce bavardage agaçant, il me demande à être initié au culte d'Isodaïtês, dont il sait que je suis la prêtresse. J'en reste sans voix. S'il est un homme au monde que je juge incapable de comprendre quoi que ce soit à mon dieu du soleil diffus et léger, c'est bien l'apollinien, l'orgueilleux, l'écrasant Euthias. Mais, lorsque je lui demande, presque avec méfiance, d'où lui vient ce désir incongru, il prétend qu'en fait il est curieux de notre secte depuis qu'il en a entendu parler, à son retour de Kéôs, même s'il n'a jamais osé s'en ouvrir directement à moi. Sous mon regard scrutateur, il hésite, détourne les yeux, puis se risque à m'avouer la vérité. Il est vrai que, jusqu'à cette nuit, il se méfiait de ces rites étrangers, et méprisait la curiosité de certains de ses concitoyens ; il la jugeait indigne d'Athéniens, à qui les Mystères officiels d'Eleusis devaient suffire pour se rassurer sur l'au-delà. Pourtant, après l'émotion étrange dont j'ai su l'investir, il se dit que, si je suis aussi savante dans mes activités de prêtresse que dans celles d'hétaïre, j'ai peut-être des choses inconnues à lui apprendre. Le regard toujours fixé dans le vague, il franchit la dernière étape de l'aveu. Lâchant à grand-peine le nom d'Hypereïdês, il m'explique à quel point il est jaloux de son ancien ami, parce que, d'après la rumeur, j'ai accepté que ce dernier soit initié depuis déjà plusieurs mois. Euthias tourne enfin franchement les yeux vers moi, soulagé sans doute de m'avoir ouvert son cœur.

Ma méfiance retombe d'un seul coup, comme la nuit précédente. De nouveau, il me touche, en me confiant sa jalousie, comme il m'a fait partager sa détresse. Et puis il m'intrigue : ce culte oriental, dont je suis la prêtresse mais que je découvre encore moi-même sous l'autorité d'Aâmet, se pourrait-il vraiment qu'il puisse se répandre, non seulement parmi les femmes et les esclaves, qui peuvent y trouver une consolation, mais aussi parmi les Athéniens les plus privilégiés, ceux que je crois les moins demandeurs, parce qu'ils n'ont aucune revanche personnelle à prendre ? D'ailleurs, je n'ai pas très bien saisi moi non plus ce qui nous est arrivé cette nuit, j'en suis encore bouleversée, j'éprouve ce qui ressemble à de la tendresse pour Euthias, je lui suis presque reconnaissante de m'avoir permis de trouver autant de plaisir à lui en donner. Alors je décide de jouer le tout pour tout. Je lui annonce, pour l'éprouver, que la cérémonie suivante sera donnée en l'honneur d'Attis, l'un de mes esclaves, et mon amant. C'est ce serviteur phrygien qui sera intronisé parèdre d'Anaïtis, la grande déesse, et non pas un citoyen ou un métèque fortuné. Euthias lui-même devra accepter de ne participer au rituel qu'au milieu des initiés anonymes. Comme je m'y attendais, les yeux du jeune Athénien s'écarquillent lorsqu'il entend qu'un esclave est mon intime et que ce dernier jouera à sa place le premier rôle dans la cérémonie religieuse à laquelle il me fait l'honneur de vouloir participer. Mais, à ma grande surprise, au lieu de pousser les hauts cris, il parvient à se contrôler. Il accepte. J'insiste : "Tu es sûr d'être prêt à te donner, à te remettre entièrement à la volonté du dieu par l'entremise de sa prêtresse ?" Il me répond seulement : "Comme cette nuit ?"

Je me dis qu'il en a plus compris que je ne le croyais. Peut-être même le bel Euthias sera-t-il capable de ne passer qu'en second et de s'oublier lui-même ? Après ce que nous avons vécu ensemble cette nuit, je ne vois pas comment je pourrai lui refuser d'aller plus loin. Je me prends à rêver : et s'il nous était réservé de traverser ensemble dans les bras du dieu d'autres émotions communes, d'autres bouleversantes illuminations ? L'initiation d'Euthias, à laquelle je n'aurais jamais osé songer quelques jours auparavant, me paraît plus qu'une bonne idée : un pari nécessaire. Je mens en lui disant que je dois consulter les dirigeants du Thiase et que je ne pourrai lui donner ma réponse définitive que la semaine suivante, mais je suis déjà résolue à accepter. Je me sens en paix, presque rassurée, au moment de jouer cet ultime coup de dés. Mes dieux sont d'accord. Mes dieux le veulent.

Le lendemain, je rends visite pour la première fois à Hypereïdês. Il s'étonne que je ne sois pas venue le féliciter plus tôt. Bien sûr, il a passé une nuit de folie dans le sillage de Myrrhina et de toute sa bande de fêtards impénitents, qui, au sortir de chez le sage Isokratês, au lieu de rentrer à Athênaï, sont allés semer la panique dans tous les bouges du Peïraïeus. Mais, au milieu même du tumulte, sa seule amie de cœur lui a manqué. Je lui annonce avec des précautions qu'Euthias demande à participer à l'initiation d'Isodaïtês. Contrairement à ce que je craignais, il n'y voit aucune objection. Au contraire, il se félicite de retrouver son adversaire malheureux au milieu d'une cérémonie exotique, très éloignée par son atmosphère d'Athênaï et de l'Alliance, ce qui sera le meilleur moyen de se rapprocher sans en avoir l'air. Par politique, il me conseille même, repoussant l'intronisation de mon esclave phrygien, de faire du jeune citoyen athénien l'invité d'honneur de la cérémonie du mois. Je ne suis pas prête à aller aussi loin. Il me semble que, si Attis devait s'effacer devant Euthias, une partie de la signification symbolique du rituel disparaîtrait. Hypereïdês n'insiste pas : ce n'est pas lui qui dirige le thiase, mais moi ; il tient seulement à me prévenir que, si je les laisse tous les deux, Euthias et lui, me regarder diriger le culte sans leur donner un rôle important, ils vont passer leur temps à ironiser sur mon compte : "Ce sera une manière très amusante de nous réconcilier, ma chérie, que de nous payer toute une soirée ta fiole de prêtresse orientale !"

Puis, il se hâte de changer de sujet pour se consacrer à celui qui l'intéresse vraiment. C'est-à-dire lui-même. Il me raconte en détail l'intégralité des débats qui l'ont opposé à Aristophôn et les premières conséquences politiques de sa défaite victorieuse. Pour lui faire plaisir, je l'écoute jusqu'au bout. D'autant plus qu'il est drôle, comme d'habitude. Pourtant, à sa verve satirique, je sens que se mêle déjà une pointe d'inquiétude. Les chefs athéniens de l'Alliance ont-ils vraiment compris la leçon ? Ne faudra-t-il pas les amener de force à prendre en compte les aspirations des peuples qui leur sont soumis ? Ce jeune homme me paraît plus lucide que son vieux professeur, dont l'enthousiasme m'a paru le soir du vote un peu naïf. Hypereïdês m'assure qu'il va consacrer toute son énergie à faire bouger les choses. "Je suis un sanglier, s'exclame-t-il, tu me l'as dit ! Alors, maintenant que je suis lancé, je vais piétiner les corrompus, les barbouzes, les profiteurs, et mettre mon groin dans toutes leurs magouilles. Grâce à ton dieu bizarre, Euthias et moi, nous allons nous réconcilier et puis nous allons faire de la politique ensemble, comme nous nous l'étions promis quand nous passions nos nuits en patrouille à courir après les espions thébains et les voleurs d'olives. Mais d'abord, j'ai besoin de refaire mes forces. Depuis le procès, je n'ai pas fermé l'œil. Il faut que je dorme. Et pour que je dorme tranquille, il faut que tu dormes avec moi ! Tu veux bien ?"

Oui, je veux bien. Je dors avec lui. Ou plutôt je le regarde dormir. J'essuie, de ma longue tunique de lin, dont nous avons recouvert nos deux corps, les gouttes de sueur qui perlent sur son front puissant jusque dans le sommeil. Ce geste de tendresse, je me souviens que je l'ai vu faire à Lagiskê, le soir de mon premier banquet, sur le front d'Isokratês qui continuait à pérorer tout en s'y prêtant machinalement. La sueur de mon éloquent sanglier, ses poils noirs et drus, ne me dégoûtent plus, comme ne la rebutaient pas, même si j'en étais surprise à l'époque, les cheveux gris et les rides de son cher professeur. Étranges, les sentiments que nous, leurs maîtresses, nous nourrissons pour ces grands hommes. Ils nous entretiennent et pourtant, à notre façon, c'est nous qui veillons sur eux. Ce n'est pas tout à fait de l'amour mais ce n'est pas seulement de l'amitié. Il y a quelque chose de filial et quelque chose de maternel dans notre affection intéressée pour ces illustres clients. Bien que nous les respections, nous éprouvons à l'égard de leur intelligence un certain sentiment de supériorité. Lagiskê aime Isokratês de cette tendresse absolue dont ne paraissent capables dans cette cité que les courtisanes et, quant à moi, je me demande si ce n'est pas Hypereïdês, de tous les hommes si différents qui m'entourent et qui me font l'amour, si ce n'est pas Hypereïdês, bien qu'il soit l'un de ceux qui me donnent le moins de plaisir, ou justement pour cela, si ce n'est pas Hypereïdês que je préfère. Lui et Praxitélês. Entre ses bras velus, j'oublie l'imberbe et solaire Euthias. Sous les doigts calmes et précis de Praxitélês, j'oublie l'insaisissable Attis. L'amour, malgré la docilité de mon esclave phrygien, qui se prête souplement à mes moindres fantaisies et parvient presque à me persuader qu'il m'appartient, l'amour, je crois que je ne l'aime toujours pas. Bien que je connaisse mieux désormais ce sentiment, je ne serai jamais pleinement réconciliée avec lui, je garderai toujours vis-à-vis de sa dépendance un reste de méfiance. Tandis que cette affection maternelle, j'éprouve un plaisir sans mélange à en jouer les gestes. Par certains aspects, elle me rappelle la façon dont j'ai pris Euthias en le laissant me prendre, la nuit précédente, lorsqu'il est venu me demander consolation. Ce geste d'éponger le front de mon amant endormi tient lui aussi d'Isis. Peut-être ma façon d'être mère consistera-t-elle à tenir dans mes bras plusieurs hommes enfants ? Fondre de cette tendresse-là, je sens que cela pourrait devenir l'un des chemins les plus aisés de ma jouissance. Désormais, j'ai tellement d'années de plus que ces jeunes gens dont l'aisance me fascinait quelques mois auparavant. Ils s'apprêtent à prendre la tête d'Athênaï mais je mûris bien plus vite encore qu'eux.

Euthias suit l'initiation avec zèle. À dessein, je ne dirige pas les séances où lui sont délivrées, en même temps qu'à d'autres novices, les étapes du grand Récit. Je laisse pour la première fois ce soin à Thratta, qui, d'après Aâmet, s'en tire aussi bien que moi. La plupart du temps, je ne suis même pas présente pour observer la conduite de mon amant. La Thrace et l'Égyptienne, qui sont, chacune à sa manière, plus perspicaces que moi, ne remarquent rien de suspect. Euthias se montre parfaitement assidu. Mes derniers doutes s'estompent. Je comprends qu'il est prêt à subir l'épreuve et à se dépouiller définitivement de son sentiment de possession. Je me déplace en personne à la fin d'une des séances pour lui apprendre que, s'il le souhaite toujours il sera initié lors du prochain Changement de lune. Il me remercie d'un sourire humble. Il n'insiste pas pour passer un moment seul à seul avec moi. Comme s'il avait compris que, jusqu'à ce que son initiation soit complète, je ne serai plus que la grande prêtresse distante du culte et qu'il ne pourra prétendre à aucune marque de préférence. Je me dis qu'il a vraiment changé.

L'évolution d'Athênaï par rapport à notre culte est parallèle à celle d'Euthias : les séances se déroulent désormais officiellement soit dans le sanctuaire d'Aphroditê Pandêmos, puisque nous avons fait admettre l'idée qu'Isodaïtês était l'une des incarnations d'Erôs, soit sous les frondaisons du Lykeïon, puisque le dieu Apollôn à qui appartient ce bois sacré veut bien nous y recevoir en même temps que les plus recommandables des cultes à initiation secrète qui tentent de s'implanter à Athênaï. Nous avons réussi à nous faire accepter. Il ne nous restera plus ensuite, si nous le jugeons bon, qu'à ôter au grand jour le masque grec de nos dieux pour nous faire reconnaître dans notre différence. Cela ne sera peut-être même pas nécessaire. Pour la première fois, je sens proche l'issue de mon combat.

Les conseillers d'Aristophôn sont dans le même état d'esprit que moi. Lorsqu'ils ont appris qu'Hypereïdês avait été initié quelques mois auparavant, ils ont persuadé Euthias d'imiter son exemple. S'il remarque quoi que ce soit de compromettant dans nos cérémonies, ils disposeront d'une arme contre leur ennemi politique. En entamant une procédure contre la secte que je dirige, ils s'attaqueront surtout à ce jeune orateur encombrant et lui feront payer cher son intervention dans l'affaire de Kéôs. Ils ont expliqué leur plan à Euthias mais ce dernier n'en a écouté que la première partie : suivre l'initiation, c'est le moyen d'accéder enfin, autant que son ancien ami, à mon intimité. La suite, l'accusation en justice, il ne veut même pas en entendre parler. Il leur affirme qu'il est beaucoup trop attaché à moi pour assouvir sa haine d'Hypereïdês en mettant ma vie en péril. Même les amis d'Aristophôn les plus subtils et les plus patients renoncent à évoquer devant lui cette machination prometteuse. Lorsqu'ils l'interrogent sur la progression de son initiation, il se contente d'évoquer en termes vagues les différentes étapes d'un récit fumeux, qui ne leur paraît malheureusement pas assez différent des aspects les plus exotiques de la vie de Dionysos. Mais ils ne renoncent pas à l'idée de faire basculer définitivement Euthias dans leur camp. S'ils ne parviennent pas à jouer sur son chauvinisme athénien, sur sa méfiance atavique par rapport à des cultes honteusement barbares, peut-être y a-t-il quelque chose à faire du côté de la jalousie, de ce sentiment qui paraît toujours aussi puissant chez le jeune homme, cette blessure d'orgueil toujours à vif ?

Lorsqu'il leur annonce la date prochaine de la cérémonie secrète, ils se disent comme moi que le moment décisif approche. Oui, le piège va bientôt pouvoir se refermer sur Hypereïdês ! C'est pourquoi, tandis que j'abandonne Euthias à lui-même, eux, plus habiles, l'entourent de leur prévenance.

32

LE MYSTÈRE DE LA HONTE

La cérémonie secrète. Celle dont il est interdit de parler sous peine de mort. Elle a lieu, non dans le sanctuaire de la Pandêmos ni sous les arbres du Lykeïon, mais dans ma maison, au bord du grand bassin de mes thermes privées. C'est seulement dans cette dernière partie de notre initiation que nous remplaçons définitivement Erôs par Isodaïtês et Aphroditê par la grande Anaïtis. N'y participent que les Athéniens dont nous sommes parfaitement sûrs, ceux qui ont prouvé, par leur engagement financier et spirituel, qu'ils étaient mûrs pour recevoir cette ultime vérité. Le rituel a lieu de nuit, évidemment. Nous plongeons nos fidèles dans un bain de lune, qui est le principe d'Anaïtis, comme le soleil est celui d'Isodaïtês. S'il réchauffe le corps, elle agite l'âme. Les citoyens et les métèques, les femmes et les filles libres, sont accompagnés par les serviteurs et les servantes qui vont être initiés en leur compagnie. Jusqu'au seuil de ma maison, les esclaves portent les torches pour éclairer les maîtres mais, dès qu'ils ont franchi la porte de l'enceinte les isolant de la cité, ce sont les maîtres qui éclairent le chemin de leurs esclaves. Ceux qui refusent ce premier changement ne vont pas plus loin. Les autres sont conduits sur l'esplanade devant l'édifice des thermes, le centre secret de ma propriété. Là, tandis que, dans le ciel, les astres se cèdent rituellement la place pour régler la marche de l'univers, les mystes se livrent à un premier moment d'action de grâce. Puis on les fait manger et on les fait boire. Les plus pauvres ont apporté un peu de nourriture à mettre en commun, les riches ont payé les apprêts du festin.

Euthias est perdu dans cette modeste foule. Bien qu'il soit mon amant, il se doute que je ne lui aurais pas accordé l'autorisation d'être distingué, c'est pourquoi il ne me l'a pas demandée. Il sait qu'il lui faut accepter d'être mêlé à la tourbe pour mériter d'en être tiré. Alors il accepte. Sagement. Du moins pour l'instant. Anaïtis et Isodaïtês, il s'en moque bien. Se sentant déplacé, il ne participe ni à la gravité ni à la joie ambiantes. Il regarde avec une curiosité dédaigneuse ce qui se passe autour de lui. Il s'étonne que les femmes puissent boire du vin en même temps que les hommes, comme des hétaïres ou de vulgaires flûtistes de banquet. Il aperçoit des filles qui, par la distinction de leur costume et de leur allure, lui paraissent de naissance libre. Ce n'est sûrement pas lui qui permettrait une conduite aussi scandaleuse aux membres de sa famille ! Il me cherche du regard partout mais en vain. Je ne suis pas là. Ni moi ni son ennemi Hypereïdês. Pourquoi n'assisté-je pas au sacrifice en l'honneur du dieu dont je suis la prêtresse ? Euthias doit lutter contre la pointe de sa jalousie toujours en éveil. Mais il s'est juré de ne pas laisser ce sentiment s'emparer de lui, et de traverser sans s'indigner tout ce qui va se passer ensuite, toutes les turpitudes dont il a entendu parler, pour m'atteindre. Quand il sera entre mes bras, il pourra se relâcher. Quand il me tiendra fermement dans les siens, je ne pourrai plus m'échapper. Il est venu me rechercher jusque dans ces Enfers exotiques pour me ramener à la lumière. Son autre mission, celle que lui ont confiée Aristophôn et ses conseillers politiques, il l'a oubliée. Il sera temps plus tard, s'il échoue, d'y penser.

Les assistants du culte apportent des sortes de grandes galettes plates, qu'ils rompent de leurs mains pour en faire des parts grossières. On lui en donne une particulièrement épaisse. Il la mâche consciencieusement sans parvenir à identifier l'épice qui lui donne son goût étrange. Lorsque le banquet est fini, et la nuit entièrement tombée sur le jardin, on fait entrer les fidèles dans les thermes. Les maîtres et les esclaves continuent d'être mêlés mais l'on sépare les hommes des femmes. Euthias se retrouve avec une petite dizaine d'inconnus entassés dans l'une des salles du vestiaire. Ils entendent, venant d'une autre pièce, le brouhaha joyeux des voix féminines. Eux, spontanément, se taisent. Les prêtres ordonnent aux mystes de se déshabiller. L'un d'entre eux refuse. Moins par pudeur, explique-t-il, que par crainte d'abandonner les bijoux et les riches vêtements qu'il a revêtus pour la cérémonie, sans aucun serviteur de confiance qui les surveillerait. Il est raccompagné sans ménagement à la porte du vestiaire et rejeté dans la nuit. Euthias suspecte cet incident d'avoir été réglé à l'avance pour impressionner les novices. Pourtant il hésite lui aussi à enlever ses vêtements. Ce qui le gêne n'est évidemment pas de se dénuder, il l'a fait souvent dans son adolescence, à la palestre, pendant sa formation militaire, au milieu des garçons de son âge avec lesquels il allait se confronter à la course ou à la lutte sous le regard des hommes mûrs. Il est fier de sa beauté virile. Mais il déteste l'idée de se trouver nu au milieu de gens qui ne sont ni libres ni beaux. Des hommes marqués par le travail, des corps noueux et déformés, ou vieux, bedonnants, fripés. Leur présence l'indigne. La laideur serait-elle un hommage à ce dieu étrange ? Il ne sait pas que je me trouve à la porte des thermes, m'attendant à le voir réapparaître. Lorsque l'on me rapporte qu'Euthias ne s'est pas rebellé, je souris et je donne l'ordre de continuer la cérémonie.

Il est temps pour moi d'oublier un peu l'Athénien et de me mettre à mon tour en costume rituel. Le mien n'est pas la nudité mais son contraire. Je porte la parure multiple d'Anaïtis, la Déesse des Eaux et de la Lune. Ceinte de ses sept voiles opaques, du plus foncé au plus clair, je revêts le long vêtement qu'Aâmet dès que nous en avons eu les moyens a commandé spécialement à un marchand d'Ephésos. Tressé de fils d'or, il est serti de pierres précieuses aux couleurs chatoyantes, émeraudes, rubis, lapis-lazuli, et de camées décrivant les différentes images du Récit, qui font de cette robe de cérémonie un livre vivant. Elle est si lourde, si raide, que je ne la pose pas sur moi, mais que je me glisse sous elle. Je ne parviens à remplir la Robe de ma peau et de ma chaleur humaines que certaines nuits particulièrement inspirées. On serre sous mes seins la large ceinture dorée qui fait de mon buste une colonne rigide, un tronc d'où jaillissent les reliefs incisés des fruits et des mamelles. Les servantes m'aident à attacher sur mon cou les bijoux rituels, le collier d'or massif plus lourd qu'une chaîne d'esclave fugitif, et les anneaux d'oreilles si larges qu'ils touchent mes épaules. Aâmet pose sur ma chevelure le diadème de la Déesse Lune, qui entoure mon visage d'un halo précieux. Tout à l'heure, dans l'obscurité que rythmera la lumière mouvante des torches, j'étincellerai, comme l'astre qui se lève au-dessus du fleuve, et je projetterai mon éclat sur mes fidèles éblouis. J'éprouve toujours, à être métamorphosée ainsi en déesse, un sentiment d'irréalité, de fierté et de crainte mêlées. Dans une autre salle, je sais qu'on est en train de revêtir Attis de son costume solaire. La longue tunique safran posée sur le pantalon barbare, strié de crevures que ferment des fibules éclatantes, le collier et l'anneau d'or, la couronne aux larges rayons cosmiques. Lui ne doit ressentir que de la fierté, que de la joie. La jubilation intense, terrible, sans remords ni distance, du jeu. Mon petit acteur. Mon enfant roi.

Pendant ce temps, les mystes, toujours entièrement nus, entrent dans la deuxième salle du bain. Ils vont s'y purifier en se frottant avec des pains de soude et en s'aspergeant d'eau fraîche, comme ils le font ordinairement dans leur vie d'Athéniens. Mais ici, ils reçoivent l'ordre de se laver les uns les autres. Mes assistants prennent soin de disperser les amis, de réunir les inconnus, de mêler les âges. Le bel Euthias reçoit l'ordre de s'apparier avec un vieil esclave podagre, aux cheveux ras et au front bas. Son haleine dégage une odeur de vin et de choux mêlés encore plus écœurante que celle de ses aisselles. Sa main n'épargne aucun des replis du sexe et des fesses de l'éphèbe. Euthias doit ensuite s'occuper à son tour de son partenaire, qui attend paisiblement, les bras ballants et la bedaine tendue, d'être bouchonné. L'assistant, qui le regarde faire depuis le début, le morigène fermement : son geste doit être beaucoup plus doux et plus bienveillant, il doit s'occuper de ce vieillard au souffle court comme pourrait le faire l'épouse aimante que le sort lui a refusée ou la plus dévouée des servantes qu'il n'a jamais eues. Euthias parvient à se contenir, à jouer encore une fois le jeu, à faire tout ce qu'il peut et même plus pour oublier qu'il est depuis toujours le plus beau et le plus arrogant des nobles Athéniens. Il frotte ces aisselles, cette bedaine, ce sexe fripé, ces vieilles fesses débordantes et pas très propres, avec les gestes nécessairement altruistes d'une servante. Peut-être y parvient-il quelques instants ? Lorsque l'assistant se permet de le féliciter, Euthias se dit que c'en est trop. Il va se lever, et lui décocher un coup de poing. Heureusement le prêtre s'écarte vers un autre couple mal assorti pour les guider.

Une fois purifiés, les mystes sont revêtus d'une simple tunique blanche, la même pour tous, sans distinction de rang. On les prévient qu'ils vont assister au dernier épisode du Récit Sacré et traverser eux-mêmes, physiquement aussi bien que spirituellement, le Grand Mystère. Personne parmi les initiés n'aura le droit de divulguer ce qui va être vu et fait maintenant, sous peine de mort. Cette obligation du secret le plus absolu, on en a informé les novices lors de la dernière séance diurne, on la leur rappelle une dernière fois au début de la cérémonie de cette nuit. Si certains d'entre eux veulent sortir, ils peuvent encore le faire. Ensuite, il sera trop tard. Ils seront liés pour jamais devant le dieu et la déesse. Euthias ne prête aucune attention à ces avertissements, qui lui rappellent, en moins solennels, ceux des

Mystères d'Eleusis. Il n'écoute que son impatience de me retrouver. On le fait pénétrer, au milieu de la vingtaine d'autres mystes, dans la grande salle du bain. Obscurité totale. Vapeur d'étuve. Il croit deviner que le petit groupe des femmes les a rejoints mais il ne peut en être sûr. On les fait s'agenouiller au bord d'un bassin. On les laisse attendre. Comme un troupeau. Attendre quoi ? Un sacrifice ? Ils s'impatientent. Ils s'effraient. Ils luttent contre le sommeil, contre la curiosité ou la frayeur. Ils étouffent. Ils suffoquent. Dans l'obscurité autour de lui, Euthias devine que quelques femmes s'évanouissent, que quelques hommes perdent leurs nerfs. Ils sont évacués sans ménagement par les prêtres. Les parfums d'encens et les fumigations qui l'enveloppent, qu'il est obligé d'inhaler, l'oppressent lui aussi. Malgré son courage, il est sur le point de défaillir. Qu'a-t-on mêlé au vin qu'on lui a fait boire pendant le banquet ? Cette galette, cette épice qui lui laisse un goût âcre dans la bouche, que cachaient-elles ? Pourtant, il résiste. Même si cette attente l'exaspère, il veut voir la suite. Il veut en triompher. M'atteindre dans mes derniers retranchements, dans le secret ultime de ma personnalité de prêtresse que je dérobe aux autres et que lui saura débusquer.

Quand je me dis qu'il en est là de ses réflexions et de ses sensations, je donne l'ordre de commencer la cérémonie.

Des torches.

De la musique. Funèbre. Un bourdon de voix et de percussions inquiétantes, flûtes et cistres aigus.

Nous faisons notre entrée solennelle dans la grande salle du Bassin. Le Thiase au grand complet. Les prêtres sont vêtus de longs voiles noirs qui leur couvrent entièrement la tête et le corps, dissimulant leur identité. On ne sait même plus s'ils sont des hommes ou des femmes. Ils se confondent avec l'obscurité dont ils n'émergent que dans l'éclat des torches. Les Enfants de la Nuit. Seule, au milieu d'eux, une forme étincelante. C'est moi. Euthias me reconnaît. Au centre du thiase, je me tiens debout devant le bassin, splendidement hiératique, la tête prise dans le halo d'une couronne circulaire, enfermée dans une longue robe dorée, qui me couvre entièrement le corps jusqu'aux poignets et aux chevilles mais dont il lui semble que les incrustations de couleurs vives se meuvent dans l'obscurité, alors même que je reste immobile. Il a l'impression que je suis comme prisonnière à l'intérieur d'un vêtement palpitant. Il repense à ces tuniques longues, chamarrées, couvrant chaque centimètre de mon corps, que je porte depuis plusieurs mois dans les rues d'Athênaï. Il comprend que cette robe de cérémonie en est la version magnifiée et maléfique. Il faut me l'enlever, pense-t-il soudain, le plus vite possible, avant que cette robe ne m'étouffe tout à fait, avant que la femme de chair qu'il aime et qu'il peut atteindre ne disparaisse en elle !

Mais soudain des voix. Un hymne, où se mêlent des paroles étrangères totalement incompréhensibles et des fragments de grec. Euthias parvient à discerner qu'on leur parle de la quête d'Isodaïtês, qui cherche en vain Anaïtis pour la sauver de la menace des Dieux Mauvais, comme le Soleil parcourt le cercle du ciel pour chercher la Lune disparue. Pendant ce chant, les prêtres vêtus de noir passent avec des torches à travers la foule des fidèles agenouillés. Ils éclairent chaque visage quelques secondes. Comme s'ils cherchaient quelqu'un ? Ils s'arrêtent devant Euthias. Celui-ci a un frisson inconscient de recul. De peur irraisonnée. Il ne sait plus s'il désire vraiment être choisi, s'il ne préfère pas rester dans la foule. Les Êtres Noirs poursuivent leur chemin. Ils se regroupent à l'autre bout du bassin autour d'un jeune homme qu'Euthias n'avait pas encore remarqué. Bien qu'il se tienne agenouillé au milieu des autres mystes, Euthias ne l'a aperçu, ni lors du banquet ni dans le groupe des hommes qui se sont purifiés les uns les autres dans la petite salle du bain. D'ailleurs, il n'est pas vêtu comme eux d'une tunique blanche mais d'un costume étrange et lumineux. Les filaments d'or de la tunique et du pantalon, les rayons dentelés du diadème qui orne sa chevelure, évoquent le soleil. Attis, oui, sûrement ce fameux Attis, dont Phrynê lui a parlé, qu'elle lui a présenté comme à la fois son esclave et son favori, dont elle lui a demandé d'accepter la présence ! Les torches des prêtres éclairent son visage, souligné aussi par l'éclat du diadème. Euthias note sa beauté. Sombre, à la fois gracile et un peu grasse, vulgaire. Le jeune homme est soulevé sans ménagement par les assistants masqués. Portant avec rudesse la main sur lui, ils le forcent à se lever. Ils le poussent au bord du bassin, exactement à l'opposé de Phrynê en majesté. Euthias remarque que le jeune homme ne paraît pas dans son état normal. Il dodeline de la tête. Il trébuche. S'est-il stupidement enivré ? A-t-il été drogué, par une plante encore plus puissante que celle qu'ont absorbée les autres mystes ?

Euthias comprend qu'il va assister à une sorte de rituel de théâtre, dans lequel des êtres vivants vont mimer les événements du mythe. Deux années auparavant, il a suivi une cérémonie du même genre, lors de son initiation sous la grande colonnade du sanctuaire d'Eleusis, mais il est plongé ici dans une ambiance plus violente, plus frénétique, à laquelle il n'est pas habitué. Les prêtres font basculer brusquement le corps d'Attis vers l'arrière, le tordant sans ménagement en deux, écartelant ses membres qu'ils maintiennent fermement pour l'empêcher de se débattre, lui dénudant le cou. Soudain, un long couteau de sacrifice, brandi à deux mains par l'un des Prêtres Noirs, étincelle dans l'éclat des torches !

Et toujours les voix. Elles racontent qu'Isodaïtês s'engage dans le défilé de la Grande Montagne. Qu'il tombe dans le piège tendu par les Dieux Mauvais. Que ceux-ci lui lient les membres. Qu'il refuse de leur révéler où s'ouvre la grotte dans laquelle il doit retrouver Anaïtis. Et qu'alors ils le tuent ! La musique lancinante s'arrête brusquement. C'est le silence, habité seulement par les craquements des torches de résine. Tout s'immobilise, dans l'attente. De quoi ? D'un feulement de l'idole étrange, là-bas, à l'autre bout du bassin, dont Euthias a de plus en plus de mal maintenant à se dire qu'il s'agit de sa Phrynê. Le jeune homme, toujours maintenu par les Prêtres Noirs, ne peut s'empêcher de pousser des cris de frayeur qui résonnent dans toute la salle. Va-t-on les obliger à assister, comme des barbares, à un sacrifice humain ? Euthias refuse d'y croire et, pourtant, il perçoit que les cris d'Attis ne sont pas feints. Son rival est vraiment terrorisé. Se peut-il qu'on ait menti à l'esclave sur le déroulement rassurant du rituel et qu'il comprenne seulement maintenant que, pour mieux incarner le dieu souffrant, il va mourir ? Qu'il va être égorgé en l'honneur de la déesse sur l'ordre de sa cruelle maîtresse ? Attis geint à voix haute dans sa langue étrangère. Il pleure ? Il supplie qu'on l'épargne ? Pourtant, quelque chose d'encore plus étrange dans son attitude, d'encore plus malsain, frappe Euthias. Au lieu de se débattre, le Phrygien se raidit, il s'abandonne, il tend lui-même le cou au couteau comme s'il acceptait ou désirait le sacrifice. Tout son corps et pas seulement son sexe se tend dans une érection coupable.

Et l'Athénien à son tour est submergé par des vagues de sentiments contradictoires, qu'il ne parvient pas à contrôler, se demandant ce qu'on lui a fait prendre lors du banquet pour le mettre dans cet état. Il se sent d'abord envahi par l'exaspération d'être exposé à ces cris suraigus. Ce qu'il reproche à l'autre jeune homme, à son reflet honteux, ce n'est pas d'éprouver la peur, mais de se montrer incapable de la dominer ! Attis devrait ravaler ces cris, les obliger à descendre à travers sa gorge jusque dans son ventre, au lieu de les laisser sortir ! En extériorisant son émotion comme une femme, ce Phrygien, ce Barbare fait honte à tous les hommes ! Sous le mépris et le malaise, Euthias ressent aussi la joie mauvaise d'assister contre toute attente à la perte de son rival, au lieu de son triomphe. Et puis il y a, indubitable, l'excitation du meurtre et du sang, qui le ramène à certaines de ses expériences passées les plus troubles, non seulement les nuits consacrées à Hékatê dans ses années de patrouilleur mais aussi celles, plus récentes, et plus inavouables, des collines de Kéôs. Oui, dans la mémoire et dans le sexe d'Euthias, qui malgré lui se redresse, il y a cette complicité ancienne avec la prêtresse et avec la loi du meurtre. Il comprend qu'il n'est pas du côté du dieu Soleil, comme il l'a toujours cru, mais de la nuit et de ses Ombres.

Soudain je pousse un cri qui le tire de cette éprouvante rêverie.

C'est un long hululement.

C'est disent les voix, la déesse, devinant la mort de son amant juste avant qu'on ne la lui apprenne.

Et alors le couteau s'abat.

Le sang jaillit !

Non pas celui d'Attis, Euthias s'en aperçoit, mais celui d'un animal que les Prêtres ont conduit subrepticement au bord du bassin à côté du jeune homme et qu'ils viennent d'égorger à sa place. Un jeune taureau blanc. Juste avant la mort, la bête et l'homme ont mêlé gémissements et mugissements. Le sang craché à longues pulsations de la gorge de l'un est répandu sur le torse de l'autre, qui explose en sanglots et qui cherche à se dégager, avec les mêmes sursauts frénétiques que son double à l'agonie.

Les Voix racontent que les Démons Mauvais arrachent le cœur de la poitrine du jeune Dieu et le mangent tout cru. Qu'ils coupent la tête du cadavre et qu'ils dépècent ses membres. Le sang de l'animal sacrifié est recueilli dans des vasques et les assistants passent devant les mystes rassemblés de chaque côté du bassin. À pleine volée, ils les en aspergent, constellant leurs visages extatiques et leurs tuniques blanches de stries mordorées. Sous l'éclat des torches, chacun de ces spectres hallucinés sort un instant de la pénombre, avant d'y replonger. Les prêtres parcourent toute la longueur de la salle et repassent dans l'autre sens, jusqu'à ce que le sang de l'animal ait été entièrement répandu sur la foule. Euthias n'a pas voulu baisser la tête. Il a été flagellé par plusieurs traits de ce liquide épais, qu'il laisse maintenant dégouliner sur son visage. Il repense au sang humain qui l'a souillé lors des massacres de Kéôs et dont il ne s'est pas purifié. Ces autres giclées, qu'il a fait jaillir lui-même de gorges ouvertes. Ces autres sursauts de corps agonisants qu'il a maintenus serrés contre lui. Il entend dans son oreille des cris qu'il veut oublier. Des cris plus aigus encore et plus déchirants que ceux d'Attis. Des cris de femmes. Leur sang précieux répandu. Sortant de leur sexe et maculant le sien. Ces images-là, contre lesquelles, dans la solitude, il lutte chaque nuit au moment de s'endormir, ici, au milieu de tous, elles ressurgissent dans l'obscurité. Elles s'emparent de lui. Elles le tordent, comme le corps d'Attis sous les mains des prêtres noirs. Les viols. Les massacres. Tout ce qui n'avait rien à voir avec la mission pacificatrice d'Athênaï, tout ce qu'on reproche à Aristophôn et qu'il a lui-même commis, bien plus encore que son chef. Tout ce qu'il a caché à ses amis. Et à moi. Et à lui-même. L'argent qu'il a reçu une nuit pour épargner une vie. L'argent qu'il a reçu ensuite pour en sacrifier d'autres. Le plaisir qu'il en a tiré. L'état étrange dans lequel il a basculé alors. La folie. La jouissance. La rage. La perte de contrôle. L'exaltation de la démesure. Ces sensations-là, elles le font frissonner d'horreur, bien plus que la cérémonie elle-même. Pétrifié, il palpite à l'intérieur. Il est le sacrificateur mais il est aussi l'animal humain à qui il inflige la douleur. Il est les deux, déchiré. Les autres fidèles, qui reçoivent autour de lui dans l'extase le sang divin, quels souvenirs humains chacun d'entre eux voit-il surgir dans sa mémoire, comme un rideau de terreur à traverser ? Servantes forcées. Esclaves fouettés. Femmes accouchant. Vieillards participant à des tueries lointaines ou serrant contre eux le corps de leurs fils morts. La tension est palpable, les souvenirs ressuscités se dressent tout autour de lui, Euthias le perçoit mais il, il ne communique pas vraiment avec la douleur des autres, il reste enfermé dans la sienne. Lui revit le meurtre, d'autres autour de lui affrontent la naissance, le deuil, l'humiliation, chacun en soi. Moi seule, la déesse, je ressens tout. Je rassemble tout. Toutes ces douleurs. Tous ces morceaux d'être. Tous ces lambeaux.

Musique obsédante des percussions, à laquelle s'est mêlée depuis un moment celle des flûtes. Le Mythe se déroule et maintenant Euthias n'a plus aucune distance, maintenant Euthias est plongé dedans. À l'intérieur, il gémit et il crie, tout comme Attis. Les voix chantent que les Démons ont dépecé le corps d'Isodaïtês en sept morceaux. Chacun d'entre eux en prend un pour le disperser au loin.

L'un tout au sommet de la Montagne Sacrée du Kaukasos.

L'autre sous un arbre d'une steppe du pays des Sakaï.

Un autre encore au creux des plateaux rocheux du Katpatuka.

Dans le désert du Makran.

Dans le marais du confluent des Deux Fleuves Tigris et Euphratês.

Sa tête et son sexe, enfin, on les jette dans la mer au large de l'île de Kypros et de celle de Kerkyra, pour qu'elle les dévore et les dissolve.

Au bord du bassin, les prêtres vêtus de noir ont mis en pièces le corps de l'animal. Ils ont déchiré la tunique d'Attis. Ils exhibent le corps nu du jeune homme couvert de sang et font mine de le dépecer lui aussi, de leurs ongles peints de noir qui strient des marques rouges sur sa poitrine. L'esclave phrygien s'est remis à gémir, mais Euthias, pris dans le cauchemar de Kéôs, ne songe plus à le lui reprocher. Les voix chantent que la Terre se révolte. Qu'elle protège chacun des dépôts sacrés qui lui ont été confiés. Qu'elle le laisse vivre en elle et germer. De chacun des morceaux du corps dépecé naît une plante différente. Ses racines se nourrissent de sa vie mais la protègent aussi, l'enveloppant comme un noyau dans sa coque, la mettant à l'abri des morsures de la vermine. La tête et le sexe roulent séparés dans les abysses amers. Deux Grands Poissons les avalent et les portent jusqu'à la grotte des Filles de la Mer, à l'orée du Pays des Morts, où ils les recrachent et les réunissent. Les nymphes les recueillent pieusement et les sauvent des atteintes de la mort.

Alors de l'autre côté du bassin, la Déesse se redresse. Les bras jetés vers le haut, vers la lune, dont la lumière éclaire la scène par l'ouverture circulaire de la voûte et se réfléchit sur mon diadème, je pousse de nouveau un long hululement. Anaïtis pleure la perte d'Isodaïtês. Mes servantes me dépouillent de mes ornements sacrés, ma robe de lumière, ma ceinture ciselée, mes bijoux. La nuit tombe sur moi et sur le monde. La déesse plonge dans la douleur. Mais voilà qu'elle la traverse, de part en part, et qu'elle en ressurgit, dans le premier de ses voiles qui est rouge sang. Elle émerge, fidèle au dieu qu'elle a aimé. Elle se met en quête du corps de son Fils et Amant. Elle le cherche partout sans se lasser, abandonnant peu à peu ses forces et ses voiles, au fur et à mesure qu'elle retrouve les morceaux dépecés de celui qui fut un jour si vivant et si fort. La Terre la guide. Sous chacune des plantes qui sortent du sol pour lui indiquer le chemin, la Déesse retrouve une partie du corps, qu'elle reconstitue peu à peu. Pour chacune d'entre elles, elle abandonne un voile. Prouve l'une de ses vertus.

La Science.

La Confiance.

L'Endurance.

La Puissance.

La Tempérance.

La Bienveillance.

Pendant que les instruments continuent à jouer et les voix à psal-modier, je danse le dépouillement des Sept Voiles d'Anaïtis.

Il ne manque plus à la Déesse que d'avoir retrouvé la tête et le sexe de son compagnon pour pouvoir lui donner sépulture. Elle les cherche longtemps en vain. Enfin les Filles de la Mer, entendant ses appels incessants, portent leur dépôt précieux sur le rivage du Pays des Vivants.

Les prêtres ont descendu le corps presque inanimé d'Attis dans le bassin. Ils le laissent flotter à la dérive. Alors je me dépouille de mon dernier voile, celui de la qualité divine entre toutes, parce qu'elle est maîtrise du temps.

La Patience.

Je me montre entièrement nue. Je descends à mon tour dans l'eau. Les Voix chantent qu'au bord du rivage, la déesse accueille entre ses bras les restes de son amant martyrisé. Elle les lave et les puri-fie du sang et de l'humus grouillant qui les couvrent. De ses doigts aimants, elle réunit les différentes parties du corps dépecé. Elle tente de relier ce qui a été délié. Avec la terre et les racines des plantes elle fait une boule, qu'elle pétrit du sang du dieu, de ses propres larmes et du lait qui sort de ses multiples mamelles. Elle en fabrique un cœur nouveau qu'elle place au centre de la poitrine de l'Aimé. Alors Isodaïtês, sortant de la mort, revient à la vie. Chacune des parties de son corps, sous les caresses d'Anaïtis, se lie au tout et laisse de nou-veau peu à peu circuler l'énergie. Chacun de ses membres, avant de s'agréger, se rappelle l'endroit du monde d'où il revient et le dit. La Tête raconte ses visions inouïes du pays des morts.

Seul le Sexe reste muet.

Mais, triomphent les Voix, lorsque le corps est complet, lorsqu'il s'abandonne de nouveau en entier au flux de la vie, alors le Sexe se redresse lui aussi. Les ailes poussent de nouveau dans le dos d'Iso-daïtês, sur tout son corps ressuscité et plus vivace que jamais. Elles enveloppent la déesse épuisée qui a su le rassembler.

Dans le bassin, je prends entre mes bras le corps flottant d'At-tis. Je le lave tendrement du sang de l'animal qui le souille encore. Je le rassure. Je le purifie. Je le caresse. Il ouvre les yeux, sortant de son cauchemar, et il me sourit. Devant Euthias qui reste muet et les autres fidèles qui crient de joie, nous sortons du bassin dont nous gravissons les marches en nous tenant étroitement par la taille. Nous nous dirigeons vers un lit d'herbe et de fleurs disposé dans une sorte de niche, de grotte artificielle creusée à l'une des extrémités de la salle. Là, à la lueur des torches, tandis que les voix chantent les retrouvailles de la Déesse et de son parèdre, nous nous allongeons.

Le soleil se lève de nouveau sur le monde, sur les plantes nouvelles qui ont jailli du corps mort d'Isodaïtês, et il commence à le réchauffer. Mais la Lune est toujours là, blottie dans les ailes radieuses du Soleil. Sa luminosité discrète s'allie aux rayons chauds de l'astre mâle pour le compléter, le rendre plus subtil et vraiment fécond. Les deux astres se mêlent, leurs deux éclats se confondent, et de leur union naît la Lumière nourricière. De la Montagne Sentinelle jaillit la source primordiale du Fleuve qui fait le tour de la terre. Le monde entier, dans le matin naissant, après avoir traversé la nuit de la mort, goûte le plaisir infini, généreux, achevé, des retrouvailles d'Anaïtis et Isodaïtês. Les ailes du couple divin se dilatent jusqu'à envelopper l'univers entier et le moindre des êtres qui l'habitent, comme l'œuf fragile couvé dans le nid. Attis crie de nouveau mais ce n'est plus parce qu'il a peur de la mort, je gémis de nouveau mais ce n'est plus parce que je suis plongée dans le deuil. Nos halètements se répercutent contre les parois de la grande salle des thermes et se mêlent au souffle suspendu de nos disciples, les emplissant de désir et leur montrant la voie.

Euthias regarde nos deux corps qui s'unissent dans l'extase divine. Il est pétrifié. Il ne comprend pas. Il comprend tout. Se déroule là, sous ses yeux, quelque chose à quoi il n'a jamais eu accès que lors du premier banquet où il m'a prise, quelque chose qu'il désire depuis sans jamais parvenir à le retrouver, quelque chose qu'il n'a jamais cherché que du côté de la toute-puissance masculine et qui s'atteint ici d'une autre manière, par un autre chemin, qui est l'acceptation de la puissance féminine et la réunion des deux. Comme la nuit où il est venu chez moi me demander mon aide mais en bien plus profond, bien plus triomphant, parce que donné au monde. Alors de l'autre jeune homme, moins fort mais plus souple que lui, il commence à être vraiment jaloux. Plus qu'il ne l'a jamais été d'Hypereïdês ou d'aucun de mes clients. Non parce qu'Attis me possède mais parce qu'il est possédé par moi. Lui aussi, Euthias l'Athénien, il veut partager cette vérité orientale. Être Isodaïtês et se donner à Anaïtis ! Lui aussi être le Parèdre !

Maintenant les prêtres dépouillent les mystes de leurs tuniques souillées de sang. Ils leur ordonnent de descendre dans le bassin, qu'ils leur font traverser en les aspergeant de parfums et de fleurs. Les vieux se mettent nus. Les femmes mariées aussi. Les jeunes filles nubiles et libres. Les esclaves et les maîtres. Nudité scandaleuse et qui n'est plus scandaleuse, ou plus seulement scandaleuse, mais grave, nécessaire. Même Euthias est touché par l'étrange solennité de ce moment et se laisse déshabiller sans protester au milieu des autres. Puis mes assistants font sortir les nouveaux initiés du bassin et les conduisent par petits groupes vers Attis et vers moi, qui sommes toujours allongés dans la grotte artificielle de la montagne magique. Et là, après qu'ils nous ont dit la formule rituelle de soumission totale, d'un geste souverain je forme les couples au hasard. Les deux êtres réunis par le sort vont alors s'étendre sur les couches d'herbes et de fleurs disposées tout autour du bassin, dans la pénombre, et ils font l'amour. Leurs râles de vivants se mêlent aux vapeurs d'encens, à l'éclat des torches et aux trilles de la musique. C'est une sorte de banquet délirant et plus intense, sans aucune autre parole que celles du rituel, et dont l'ordonnancement confus réunit les maîtres et les serviteurs, les hommes et les femmes. Euthias regarde tout et ne s'indigne de rien. Je lui laisse le temps. Il le devine. Les prêtres, tournant autour de lui, choisissent ses voisins, mais jamais lui. Il sait pourquoi. Il s'en réjouit. Il ne sera amené vers moi qu'en tout dernier. Il mérite que je le reconnaisse et le distingue, parce qu'il est enfin prêt de toute son âme à se donner à moi. Aussi, lorsque les prêtres viennent le chercher, il se lève non pas seulement avec confiance mais aussi avec allégresse et, dans son élan, il les précède presque. Il descend dans le bassin et en ressort sans vraiment s'en rendre compte. Il traverse le monde pour s'allonger à côté de moi et du jeune esclave dont il accepte la présence. Il la souhaite même. Me partager avec lui. Me caresser avec lui. N'être que la moitié de lui. Il vient vers moi à travers les cris de jouissance, comme s'il était porté par eux, foulant ce tapis de cris. Il sait que, dans cette marche humble et triomphante, dans ce don de lui-même, il n'a jamais été aussi beau. Soleil. Oui, je le perçois moi aussi, il est enfin le Dieu Soleil. Il a enfin vaincu sa jalousie et son désir de possession et il rayonne. Au moment où il s'approche de moi, il lui semble qu'il reconnaît, dans l'un des assistants qui le conduisent, Hypereïdês, qui lui sourit. Il lui rend son sourire. Je leur souris à tous les deux. À tous les trois. Je suis heureuse. Pleinement heureuse. Agenouillé devant moi, Euthias m'offre d'une voix convaincue la formule rituelle : "Je m'offre à toi, au nom d'Isodaïtês, dieu qui disperse et qui réunit, prends-moi !" Je lui réponds de la voix d'Anaïtis : "Je te prends tout entier et Isodaïtês te prend avec moi !"

Et puis, au moment où je vais l'inviter à venir nous rejoindre, mes yeux tombent sur la forme qui vient de se dresser derrière lui, mon bras se tend vers elle et je lui déclare, de la même voix généreuse et souriante : "Cette nuit, je te donne à cette femme ! Prends-la !" Surpris, Euthias se tourne dans la direction que je lui désigne. Il ne peut réprimer un mouvement de recul. La femme qui se tient dans son dos est… une vieille ! Toute petite et affreusement laide ! Il lui semble la reconnaître, même s'il ne l'a jamais vraiment regardée. C'est la plus âgée de mes servantes. Une étrangère. Elle lui a ouvert la lourde porte de ma maison du Cimetière les deux fois où il est venu me rendre visite, la nuit des excuses et celle de la consolation, le dévisageant sans un mot, avant de le laisser entrer. Il se retourne vers moi, stupéfait. Je ne vais quand même pas le récompenser ainsi de sa miraculeuse humilité, je ne vais quand même pas gâcher sa sublime beauté, en l'offrant à cette vieille esclave toute fripée ? Je le considère toujours de mon inaltérable sourire. Un sourire qui n'est pas, comme il le croyait jusqu'il y a un instant, bienveillant, mais moqueur. Hypereïdês, son ancien ami, et Attis, mon amant phrygien, qui sont allongés à mes côtés, lui adressent la même insupportable grimace de dérision. La déesse, après avoir joui de sa surprise, reprend la parole et lui déclare par ma voix : "Elle s'appelle Aâmet. C'est elle qu'Isodaïtês t'a fait l'honneur de te désigner cette nuit. Sois pour elle l'incarnation parfaite de Celui qui se donne à tous ! Fais le bonheur de celle qui représente toutes les femmes !

— Phrynê, tu te moques de moi ?"

Dégrisé, Euthias reprend ses esprits, il revient à lui, à la réalité, à sa voix normale, il rapetisse. Je lui réponds, moi aussi, d'une voix qui n'est plus que réelle : "Si quelqu'un se moque de toi, mon cher Euthias, ce n'est pas moi, c'est le dieu." Euthias a l'impression que le sourire de mes deux acolytes s'élargit encore. Il proteste, il se rebelle : "Tu crois que je suis venu ici pour ça ? Que j'ai fait tout ce chemin pour me laisser humilier ! Tu sais qui je suis ?" Son ton se fait plus menaçant. Le sourire d'Hypereïdês s'efface, devient hésitant,

Attis se redresse sur notre couche et son regard se teinte de surprise. Deux ou trois assistants s'approchent, suivis par l'un des Cerbères. Euthias perçoit leur présence dans son dos, mais je les arrête d'un geste : "Je sais pourquoi tu es venu, Euthias, et je t'aime pour cela. Mais le dieu a parlé. Même moi, je dois lui obéir humblement. Je te confie Aâmet, elle est ce que j'ai de plus précieux. Lorsque tu auras accompli cette dernière épreuve, reviens me voir ! Je t'attends." Un moment d'hésitation. Euthias se dit que, d'un geste, je peux le faire chasser, qu'en protestant il s'exclut de lui-même à tout jamais, qu'il aura traversé tout ce délire pour rien. Mais, d'un autre côté, cette momie, ce cadavre ambulant… Je lui fais miroiter la promesse de le retrouver après cette ultime épreuve, la plus éprouvante de toute, mais ne serait-ce pas pour le décevoir encore ? Il se relève sans savoir ce qu'il va décider et, au dernier instant, il choisit son sort. Me fixant toujours d'un regard lourd de reproche, au lieu de me quitter, il s'approche de la vieille femme. Cette dernière lui envoie un horrible sourire édenté, en lui saisissant la main. Moi aussi je souris à l'étrange couple qui disparaît dans l'obscurité. Hypereïdês se penche vers moi : "Quand même, là, tu y vas un peu fort, Phrynê, ce n'est pas très prudent !" Il ajoute : "En tout cas, tu vois qu'il tient vraiment à toi, je ne l'aurais jamais cru capable de s'abaisser ainsi, le pauvre !" Je me retourne vers mon ami. Son sourire n'est qu'ironique. Il n'a rien compris lui non plus de ce qui vient de se passer. La déesse par ma bouche lui cloue le bec : "Si tu ajoutes encore un mot, je te donne toi aussi à Aâmet. Et pas pour une nuit, pour toute ta vie. Tu ne sais pas de quoi elle est capable !"

Au moment de s'allonger à côté de la vieille et de poser la main sur elle, Euthias ne peut s'empêcher de fermer les yeux de dégoût, en espérant qu'il va pouvoir penser à moi. Il se demande encore ce qui a bien pu le pousser, lui, Euthias, le grand, le bel Euthias, à accepter cet horrible marché. Soudain, sous ses paupières closes, dans le contact de cette peau ridée mais plus souple qu'il ne le croyait, dans cette bouffée d'une odeur ancienne qui lui revient aux narines et à la mémoire, il lui semble qu'il reconnaît enfin son affreuse partenaire. Non, ce n'est pas ma servante mais l'une des siennes ! Sa propre nourrice ! Comment se trouve-t-elle là ? Comment a-t-elle osé sortir de la maison sans lui demander l'autorisation ? Quel est ce culte qui attire les esclaves sans le consentement des maîtres ? Mais non, c'est impossible, qu'il est bête, la pauvre Mysia est morte depuis longtemps… Ou bien ? Il ne se souvient plus… Comment a-t-il pu oublier le sort de sa propre nourrice, qu'il a tant aimée enfant ? Il rouvre les yeux et, avec un frisson de répugnance, il se demande si la vieille, après cet instant d'étrange confusion, n'est pas devenue encore plus vieille. Maintenant elle a au moins mille ans, édentée, fripée, jaunâtre, les os du squelette apparents. Non, cette Aâmet n'a rien de sa chère Mysia. Après le moment répugnant qu'ils vont passer ensemble, elle redeviendra une inconnue, il chassera férocement ce souvenir de sa mémoire, il se le jure ! Bravement, il place une des mains de la vieille sur son sexe. Peut-être se rappelle-t-elle encore comment on caresse un homme ? Il va falloir qu'elle se montre habile et persévérante, parce que ce n'est pas gagné d'avance, oh ça non ! Soudain, elle lui pose son autre main sur les yeux. Ce geste surprenant d'autorité est fait avec douceur, une douceur surprenante, une douceur qui lui rappelle… De nouveau, dans l'obscurité, il voit se pencher sur lui le sourire ancien de la charmante Mysia… Et son odeur, oh ! cette odeur si charnelle, si fraîche, si tiède, si accueillante… Elle lui envahit le cerveau… Il sent que l'autre main de la femme, étonnamment ferme et souple, entoure sa verge et commence, un tout petit peu, à la réveiller ! Un tout petit peu mais vraiment ! De son autre main (hein ? Quoi ? Combien en a-t-elle, cette infernale vieille, trois, ou même quatre ?), elle saisit celle d'Euthias et la pose d'autorité sur son sein. Cette outre molle à la peau fripée, il semble au jeune homme qu'elle commence à gonfler sous ses doigts, à se remplir de nouveau de l'intérieur pour venir à la rencontre de sa paume, s'y épanouir, s'y faire tendre, pleine et douce, si douce… Entre son pouce et son index, il fait renaître la pointe du téton et, dans le même élan, commencent à lui monter à la tête des images de ce même sein, menu mais généreux, profus, délicieux. Sensations anciennes du sein de sa jeune nourrice, auxquelles se mêlent d'autres images plus récentes de mes propres seins, si parfaits et si parfumés, si tentateurs… Oui, se laisser aller à son désir, se pencher vers ces merveilles inattendues, les prendre entre ses lèvres pour achever lui-même leur métamorphose…

Mais, au lieu de céder entièrement à ces providentielles images de jeunesse, Euthias ne peut s'empêcher de se raidir un peu. Tout au fond de lui, ce téton durci, bien que tentateur, lui répugne encore, comme l'idée de donner du désir à cette vieille, surtout si elle lui évoque le sein maternel de sa nourrice. Il y a là quelque chose de bizarre, de malsain, qui le révulse. Alors, d'une autre de ses multiples mains posées derrière sa nuque, Aâmet l'oblige à pencher la tête vers elle. Elle plaque la bouche du jeune homme contre ses lèvres rêches, malodorantes, elle va chercher de sa langue grumeleuse sa langue à lui, et l'attire dans son mouvement de succion, contre son unique dent branlante. Il sent que la petite pointe d'os se met à durcir. Qu'elle se multiplie. D'autres dents qu'il n'avait pas perçues frôlent maintenant sa langue. La salive humecte la bouche sèche et la rafraîchit, le morceau de chair qui l'enveloppe se fait ferme et souple, infiniment, et les lèvres merveilleusement douces et suaves et souples ! Oh, ces lèvres, il lui faut ces lèvres-là autour de son sexe, vite, pour le faire se dresser dans sa chute à travers leurs puits de douceur ! Mais il se fige contre cette tentation. Non, non, il n'ira pas plus loin, ce désir absurde, horrible, irréel, il le refuse !

Alors la femme laisse tomber sa main de ses yeux. De nouveau, il la voit, telle qu'elle est, ce n'est pas sa jeune et fraîche nourrice, c'est juste une vieillarde en colère : "Tu ne sais ni prendre ni donner, jeune idiot ! Alors est-ce que tu sais au moins te laisser prendre ?" Avec une vigueur insoupçonnable, elle le renverse sur la couche, il se sent basculer sur le dos, il ne peut rien faire sous la poigne puissante de l'ancêtre qui se presse contre son ventre et qui commence à le caresser durement. Le plus affreux, c'est que son sexe réagit. Et commence immédiatement à bander. De l'autre main, non, de deux, trois, quatre autres mains, la sorcière commence à lui écarter les fesses et ses doigts crochus se frayent un chemin vers son anus. Le plus affreux, c'est que son sexe se dilate encore plus ! Soudain, Euthias sent de nouveau la bouche édentée, autour de sa verge érigée. La vieille le suce ! Avec une énergie et une science redoutables ! Et son membre, dont il avait toujours cru jusque-là comprendre les réactions, se dilate démesurément ! "Non, non !" Il hurle. Se débat. Il ne comprend rien à ce qui lui arrive, il sait une seule chose, c'est que ce désir qu'il ressent, il n'en veut pas ! Surtout pas ! Mais l'autre ne le laisse pas s'échapper. Elle le plaque contre le carrelage dur du bassin jonché d'herbes humides et de fleurs urticantes. Se plante sur lui. Le chevauche. Longtemps. Implacablement. Sa voix, une voix étrange, une voix très rauque et très sourde, mais qui n'est pas vraiment dure, lui souffle : "Allez, laisse-toi aller, mon garçon, laisse-toi un peu faire, au lieu de refuser !" Il sent bien que, dans cette voix, ce que la Sorcière lui propose de nouveau, c'est la maléfique douceur. Mais il n'écoute pas. Au lieu des illusions de jeunesse qu'elle lui offre afin de le séduire et de le perdre, il s'impose pour rester lui-même des images d'affreuse et repoussante vieillesse, de vulve fripée mais baveuse, putrescente, poussiéreuse, comme une toile d'araignée qui s'enroule autour de sa verge pour l'étouffer, le faire entrer lui aussi en métamorphose et en putréfaction. Malgré les sensations horribles qu'il trouve dans son raidissement contre la voix rauque de la femme, il continue de bander, tandis qu'elle le pilonne, qu'elle se pilonne elle-même sur son membre démesuré, et il finit par jouir, en même temps qu'elle, mais d'une jouissance hostile, étrangère, une jouissance qui ne lui appartient pas, même si elle vient de lui, et qu'il refuse de toute son âme.

Aussitôt après, dans un sifflement de moquerie, ou de désapprobation, la vieille se dégage et l'abandonne. Disparaît.

Que lui est-il arrivé ?

Quelle est cette folie dans laquelle il a failli disparaître tout entier ? Lui qui se rêve en héros de Sophôklês, comment a-t-il pu se retrouver piégé par un personnage de vieille tout droit sorti de *L'Assemblée des Femmes*, l'une des farces les plus lugubres du vieil Aristophanês ?

Au bout d'un long moment, il parvient à trouver la force de se lever. Il faut qu'il me retrouve. Qu'il se jette dans mes bras. Pas ceux de la déesse, ni de la prêtresse, les miens, ceux de Phrynê. Moi seule je pourrai le réconforter, lui faire oublier ce délire et cette humiliation, qui n'ont rien à voir avec son destin, avec son caractère, avec ce qu'il croyait savoir de lui. D'ailleurs, il a accompli l'épreuve que je lui avais imposée. Vraiment ? L'a-t-il accomplie ? Est-il allé jusqu'au bout de ce qu'on lui proposait ? Il lui semble qu'il entend à son oreille la voix rauque de la vieille se moquer de son échec, de ses efforts pour garder le contrôle, de son incapacité à lâcher prise. Lorsqu'il arrive près de la grotte artificielle, ce qu'il craignait depuis le début s'est produit. Je me suis jouée de lui. Je ne suis plus là. Il n'y a plus que mon infâme mignon, Attis, en train de lécher voluptueusement la vulve ouverte d'une autre femme. Le mol esclave lève un instant la tête vers lui pour lui sourire. Ne l'invite-t-il pas à le rejoindre, en lui désignant ces cuisses écartées, au fond desquelles luit un sexe velu ? Euthias a un frisson d'horreur et de révolte. Il parvient à articuler : "Où est Phrynê ?" L'autre, d'un geste vague, lui désigne la pénombre dans son dos et se remet à son ouvrage ignoble, indigne d'un homme viril. Euthias se hâte de se détourner de ce spectacle répugnant. Mais ce qu'il découvre maintenant est encore pire : partout à travers la vaste salle, plongée dans une obscurité presque totale, tandis que les torches achèvent de se consumer, des corps se mêlent. Vision de pur cauchemar. Tous ces cadavres anonymes confondus en un coït sans nom au bord du marécage des Enfers, qu'aucun ne franchira jamais. Soudain, à l'autre bout du bassin, il lui semble me reconnaître. Je chevauche un autre jeune homme que lui. Entièrement velu. Hypereïdês. Un sanglier. Je chevauche un homme-sanglier, je ris, dans le vent qui secoue mes cheveux en tous sens, je crie dans le vent et il n'entend rien, mes deux mains sont posées sur mes seins que je caresse pour me donner encore plus de plaisir, mes dizaines de seins, de mamelles, de fruits, de testicules pendantes de taureau, image stupéfiante, qui lui rappelle fugacement ce qu'il a entendu dire un jour de l'*Artémis* barbare du grand temple d'Ephésos. Et le pire, c'est que je suis belle, atrocement belle ! Je me tourne vers lui, je le reconnais, je lui adresse un signe mais c'est un arc tendu qui naît entre mes mains, une flèche dont j'aiguise la pointe du bout de mes doigts, je lui envoie un ultime regard, effrayant, hostile, comme s'il était mon ennemi juré, et je lui décoche ma flèche mortelle. Paralysé par la frayeur, il ferme les yeux. Mais rien ne le frappe. Quand il les rouvre, j'ai disparu.

À ma place se tient l'horrible petite vieille sans âge de tout à l'heure en train de chevaucher ce qui n'est plus qu'un animal, un monstre entièrement velu. Elle le regarde fixement. Sous ses yeux de serpent, il se sent soudain privé de toute force, même de colère, comme s'il se vidait à toute allure de sa vie. Ce regard-crochet, planté en lui, va le vider de toute son énergie virile ! Fuir, fuir ! Instinct de survie ! Pour se sauver, il se traîne à travers la mêlée des corps, jusqu'à la porte des thermes, que lui ouvre l'un des trois Cerbères, celui au crâne couturé de cicatrices. Le gardien de ces Enfers, qui ne paraît pas surpris le moins du monde de son état, l'escorte sans un mot jusqu'à la salle où se trouvent toujours ses vêtements. Dès qu'il est rhabillé, l'affreux bonhomme le pousse sans ménagement dans la nuit. Dehors, à l'air frais, dans l'éclat de la lune, Euthias vomit. Puis, sous un cyprès, il s'endort lourdement.

La fraîcheur du petit matin le réveille. Il frissonne. Il aperçoit des petits groupes de gens entièrement rhabillés qui sortent furtivement des thermes et se dirigent, à travers la propriété vers la route du Cimetière. Il parvient à se mêler à eux. Personne ne le remarque ni ne lui adresse la parole, comme s'il était devenu invisible, comme s'il n'existait plus, une ombre, un mort parmi les morts. Il se traîne jusque chez lui.

Même le sommeil le plus profond peine à le ramener à la vie.

Pendant ce temps, prise d'un soudain remords, face au mauvais tour que la déesse lui a joué par mon entremise, je le cherche en vain à travers toute la salle de la cérémonie et jusque dans le bassin. Le lendemain, toujours inquiète de sa brusque disparition, je viens lui rendre visite chez lui. Je suis chargée également par Aâmet de lui rappeler le silence absolu qu'il nous doit. Mais il refuse de me recevoir. Au bout d'une heure d'attente, je repars bredouille.

Euthias décide de nier en bloc ce qui s'est passé. Pas seulement la nuit dernière, mais tout depuis notre rencontre. Je cherche à l'entraîner dans une direction où il n'a aucune envie de se risquer. Il est temps de redevenir lui-même. Escorté des conseillers d'Aristophôn, il porte plainte contre moi devant le conseil de l'Aréopagos, se promettant de ne me revoir que le jour du procès, où il se fait fort d'obtenir ma condamnation à mort.

33

DÉVOILEMENT FORCÉ

Dès que m'est notifiée la plainte d'Euthias, je convoque en urgence Grylliôn, mon protégé qui se croit mon protecteur. Il m'explique en quoi consistent les attributions du conseil de l'Aréopagos, dont il est depuis toujours l'un des membres les plus sonores. Cette assemblée, composée des chefs des grandes familles et des hauts magistrats sortis de charge, fut autrefois la principale d'Athênaï mais elle a perdu, sous les coups de la démocratie, presque tout pouvoir politique réel : elle n'intervient plus que dans les crimes symboliques les plus graves, ceux des meurtres et des sacrilèges qui menacent de souillure la cité tout entière. Depuis peu, d'ailleurs, m'avoue Grylliôn, l'Aréopagos a dû admettre en son sein des citoyens de base, se trouvant de fait intégré à l'Hélaïë, le tribunal ordinaire, dont il n'est plus que la juridiction d'apparat. Mon mentor redoute que cette évolution déplorable ne joue en ma défaveur : pour se donner de l'importance, ce ramassis mal assorti de vieilles barbes respectables et de citoyens anonymes se fera sûrement un plaisir de condamner à mort une étrangère célèbre. C'est ce que je risque pour m'être attaquée aux dieux traditionnels de la cité. L'accusation d'Euthias n'est pas très différente, finalement, de celle dont ses concitoyens frappèrent, une génération avant moi, le fameux Sôkratês, le maître en subversion de leur ancien professeur, Platôn, et l'idole d'une partie de la jeunesse actuelle, dont notre ami Kratês. Le vieux Silène avait sûrement ses raisons pour accepter de boire à la santé d'Athênaï une dernière coupe de poison. Mais moi je n'ai aucune intention de leur faire ce plaisir !

Je me dis que je pourrai toujours m'enfuir, si jamais la menace se précise. En attendant, je continue à mener, comme si de rien n'était, ma double vie de prêtresse et de femme de plaisir (pour les embêter et leur montrer qu'ils ne me font pas peur, je me suis même remise à fréquenter les bains publics, à la grande joie de Myrrhina). Si j'étais plus attentive, je devrais percevoir que le vent est en train de tourner à l'orage contre moi dans l'opinion publique. Je me suis fait une foule d'ennemis bien plus nombreuse que je ne le croyais : tous ceux que j'exaspère depuis des mois par ma conduite extravagante, tous ceux qui, trop pauvres, trop laids ou trop banals pour m'avoir en vrai, trouvent dans cette affaire le moyen détourné de poser sur moi leurs sales pattes. Il est évident aussi que, si je suis l'accusée, c'est Hypereïdês, le jeune loup politique, que l'on cherche à abattre. Isokratês, qui a ses sources, confirme les rapports alarmants de Grylliôn. À l'Aréopagos est en train de se former une coalition inédite : les conservateurs s'inquiètent sincèrement du progrès des nouveaux cultes dans les couches les plus basses de la société ; les bellicistes veulent non seulement faire payer à mon ami sanglier d'avoir mis son groin dans l'affaire de Kéôs mais aussi intimider tous ceux qui menaceraient la renaissance de l'impérialisme athénien ; les pacifistes craignent au contraire qu'Hypereïdês, en rendant la Ligue efficace, n'entraîne la cité dans une aventure hasardeuse contre l'Empire perse ; enfin les divers traîtres à la solde de Thêbaï, de Lakédaïmôn, des roitelets du Nord ou du Grand Roi n'ont aucun intérêt à voir Athénaï se redresser. Face à cette alliance, hétéroclite mais redoutable, les partisans d'Hypereïdês et du courant de rénovation hésitent à se déclarer, gênés par ma personnalité sulfureuse. Bref, l'affaire est mal engagée. Le jeune et brillant Euthias fait encore monter la pression. Il jure ses grands dieux que, s'il perd son combat contre la putain étrangère responsable de la décadence des mœurs, il abandonnera définitivement la politique et Athénaï à son sort.

Je suis tellement habituée à vivre sous les regards qu'au début je ne prête pas assez attention à l'agressivité nouvelle dont ils se chargent et qui devrait pourtant m'annoncer de loin la tempête à venir. Mais je ne la perçois pas. Ou je ne veux pas la percevoir. Je tombe des nues le jour où la haine de la foule se déclare vraiment. C'est une fin d'après-midi banale, où je rentre du bain avant d'aller à une fête, escortée de ma troupe bruyante de jeunes mondains et de vieux richards. Dans l'un des angles de l'Agora, un attroupement se forme sur mon passage. Il grossit rapidement. Les quolibets fusent. Cela me rappelle l'après-midi où Nikarétê m'avait forcée, avec Stéphanê, à traverser tout le quartier du Kérameïkos en grande tenue d'hétaïre, juste avant mon premier banquet. Je me dis que j'ai fait du chemin depuis. Alors je relève fièrement la tête, je ralentis même le pas, m'arrêtant devant tel ou tel étal, pour les défier. Mais cette fois, ils ne se limitent pas aux insultes. Soudain, comme s'ils s'étaient donné le mot, comme si l'échauffourée avait été préméditée (peut-être par les partisans d'Euthias, peut-être par Euthias en personne, même si je ne l'aperçois pas à travers la foule), les crachats se mettent à pleuvoir. Les fruits, les légumes pourris souillent ma tunique précieuse, tandis qu'éclatent les rires de la foule, chaque fois qu'un des projectiles me touche, me couvrant d'immondices et de ridicule. Puis, après les légumes, jaillissent les cailloux, de plus en plus gros, cachés sûrement tout exprès dans les replis des tuniques. Soudain dégrisée, je panique. Mes amis du monde de la fête se sont courageusement éclipsés dès les premiers jets de salive ou de tomates blettes. Il ne reste plus pour me protéger que mes servantes et les trois Cerbères, dont Hypereïdês, plus lucide que moi sur l'état de l'opinion athénienne, a insisté pour me faire accompagner dans le moindre de mes déplacements. Tandis que le vieux Mentês me saisit par la main et m'entraîne en courant au hasard dans les ruelles pour tenter de rallier la Double Porte, les deux plus jeunes, Adômas et Kistôn, sortant leurs matraques, font face à la foule et parviennent à ralentir son élan. Mais mes ennemis continuent à me lancer des pierres dans ma fuite. Plusieurs m'atteignent au bras et même à la tête, me causant de profondes entailles. Après avoir fui le long de l'avenue du Cimetière, je parviens à me réfugier à l'intérieur de ma maison. La populace l'assiège pendant un moment (me replongeant brutalement dans le passé de Thespiaï, où, un autre jour de cauchemar, à l'étage de la demeure de mon père, j'ai attendu l'irruption des soldats thébains). Les archers scythes finissent par disperser l'attroupement. Tandis que mes femmes me soignent, je pleure et je tremble sans réussir à me calmer. Ma terreur continue de grandir alors même que le danger s'est évanoui. Je comprends où en sont les Athéniens : leur désir, s'exaspérant, est devenu pure pulsion de meurtre et ils se sentent le droit désormais de l'exprimer au grand jour. Me lapider sur place, ils le feront demain, même si j'échappe à la condamnation de l'Aréopagos.

Une image de l'émeute m'obsède. Dans cette masse indifférenciée, que je parcourais du regard en cherchant celui que j'aurais aimé y trouver, Euthias, (qui s'acharne contre moi mais qui se garde de se montrer parce qu'il sait que sa présence me donnerait le courage de me révolter), je n'ai reconnu qu'un seul visage. Celui de Kratês, le philosophe cynique. Que faisait-il là, mêlé à la foule, lui qui la méprise d'ordinaire autant que moi ? Peut-être s'y trouvait-il seulement par hasard, parce que notre terrible cortège passait à proximité du temple de la Grande Mère, et de la jarre où il avait élu domicile ? Je le revois, seul au milieu de la populace vociférante, me regardant sans faire un geste, alors que tous les gens autour de lui me jetaient des pierres. Son visage familier déformé par un sourire. De satisfaction. De revanche atroce. Ses lèvres, murmurant des mots que je n'entends pas, tordues dans une menace inaudible mais qui m'effraie d'autant plus. Il est un étranger comme moi, il s'est trouvé lié au même monde privilégié que moi, et pourtant c'est sa grimace qui incarne la haine féroce du petit peuple athénien.

Puis ce visage hostile est remplacé dans la réalité par celui d'Hypereïdès. Blême, grave, ne parvenant pas à esquisser un sourire pour me rassurer. Celui de Kariôn, le jeune intendant de Nikarété, à la fois faux et franc, y parvient presque plus. D'autres amis viennent discrètement prendre de mes nouvelles. Ils me jurent qu'ils vont organiser la riposte, mobiliser eux aussi des foules de partisans pour que je puisse me promener sans encombre dans les rues de leur ville, qui est aussi la mienne. Ils ne laisseront pas Euthias et ses troupes de paysans réactionnaires, descendues des faubourgs de l'Attique les plus éloignés, y faire la loi. Pour les rassurer, je tiens mon rôle de femme peureuse qui se rassérène peu à peu entre les bras des hommes. Mais, au fond de moi, l'angoisse demeure. La vérité, je le sais, c'est que j'ai joué avec le feu. J'ai laissé l'incendie couver tout autour de moi, prêt à se déclarer au moindre coup de vent, et maintenant il est trop tard, je suis prise au piège. Encore une fois. Flammes de Thespiaï. Jamais je ne serai en sécurité.

Quelques heures plus tard, en pleine nuit, on frappe violemment à la porte de ma maison. C'est l'homme dont le visage me poursuit depuis l'après-midi. Kratês. Seul, planté devant moi dans la nuit, l'air hagard d'un ivrogne, à me dévisager en silence, comme Euthias quelques semaines auparavant. Le regard de ce Chien méchant est rempli d'une agressivité encore plus folle que de coutume. Peut-être regrette-t-il de n'avoir pas profité de l'occasion que lui offrait la foule de régler enfin ses comptes avec moi, et s'est-il décidé à venir tout seul en pleine nuit, pour me lancer un sarcasme au visage au lieu d'une pierre ? Ce pseudo-philosophe n'est pas aussi indemne qu'il le croit des passions menant les autres hommes. Il n'est pas en avance sur eux, comme il s'en targue, mais seulement un peu en retard. Sa

bouche se tord dans une moue amère, il me jette : "Pauvre idiote !"
Le Cerbère Mentês fait un pas en avant mais, le devançant, Kratês
me lâche : "Sauve-toi, pauvre idiote, tu n'as pas compris, ne reste
pas un jour de plus dans cette ville, je les connais, ils sont partout
les mêmes, sauve-toi, je t'en supplie !" Puis il tourne les talons et
disparaît en titubant dans l'obscurité sans ajouter un mot. Me laissant pétrifiée.

Aâmet, qui n'a pas encore pris la parole depuis que je me suis
barricadée chez moi, me dit alors : "Ton étrange ami a raison.
Nous devons fuir, tant que nous le pouvons encore. La sagesse,
pour des femmes comme nous, consiste à ne pas résister." Si mon
acrobate était vivante, elle me conseillerait elle aussi de plier souplement pour me redresser ailleurs. L'Égyptienne, qui a sûrement
réfléchi sans me le dire à notre situation, me propose de nous réfugier d'abord à Korinthos dans le sein de son ancien thiase, avant de
trouver un point de chute de l'autre côté de la mer, dans les villes
grecques d'Orient, Ephésos, Milêtos, Smyrna, ou Halikarnassos, qui
sont plus ouvertes qu'Athênaï à nos divinités. Je refuse avec colère
d'abandonner tout ce que j'ai mis plus de sept ans à reconstruire.
Aâmet n'insiste pas. Mais elle me supplie, si je reste, de me décider
à prendre au sérieux la haine de l'opinion publique. Je dois faire
profil bas, et me soumettre dans l'ombre à toutes les démarches qui
s'imposent pour assurer mon acquittement. C'est elle, et la visite
nocturne de Kratês, plus encore que l'émeute, qui me persuadent
d'agir enfin raisonnablement.

Sur ses conseils, et sur ceux de Grylliôn, je visite un à un les
membres de l'auguste assemblée susceptibles de basculer de mon
côté et d'entraîner dans leur vote les citoyens de base désignés par
le tirage au sort pour me juger avec eux. Les yeux dans les yeux, je
commence par leur parler, avec dignité, de mon innocence de prêtresse d'un culte lié à Aphroditê. Puis, avec émotion, de mon sort
d'étrangère respectueuse des lois de la grande cité qui m'a fait l'honneur de m'accueillir en son sein. Lorsque je me rends compte que
ces arguments ne touchent guère, je me décide à courber la nuque,
pour adresser mes flatteries à une partie plus intime de leurs importantes personnes. Malgré le cœur que je mets à l'ouvrage, et bien
que j'envoie les filles de Nikarétê et les femmes de mon thiase fléchir à ma place ceux que je n'ai pas le temps matériel de rencontrer
moi-même, je ne parviens pas à renverser le rapport de force. Les
ennemis d'Hypereïdês gardent la majorité des intentions de vote.

Grylliôn me met en garde contre certains de ses collègues malhonnêtes, qui ont profité de mes faveurs mais qui voteront quand même contre moi. D'autres ont été vexés, et le lui ont fait comprendre en termes à peine voilés, d'avoir reçu les hommages d'une simple assistante et non de l'hétaïre en personne. La foule s'est un peu calmée mais, plus le procès approche, plus je sens planer au-dessus de moi l'ombre mauvaise de la condamnation à mort. Démadês, l'ancien matelot devenu tribun, se déplace discrètement un soir, pour me donner le conseil de quitter la ville au plus vite. Vu l'état de l'opinion publique, il m'avoue qu'il va être obligé de faire voter contre moi les partisans qu'il compte parmi les jurés. Mais, à titre personnel, il aimerait bien que je mette en sécurité à Korinthos mon joli petit derrière, ne serait-ce que pour qu'il puisse en profiter un peu plus régulièrement, lorsqu'il aura achevé de faire fortune. Il s'exprime, comme à son habitude, sur le mode de la plaisanterie et du sarcasme, mais je sens qu'il est sincèrement inquiet.

La veille de l'audience, Praxitélês, qui, depuis ma mise en accusation, ne parvenant plus du tout à se concentrer ni à créer quoi que ce soit de valable, a dû renoncer au concours contre Skôpas et laisser notre *Erôs au repos* définitivement inachevé, me supplie une dernière fois de m'enfuir avec lui, avant qu'il ne soit trop tard. Si j'accepte d'abandonner définitivement mon thiase, lui me sacrifiera sans hésiter son atelier. Bien sûr, Euthias et ses amis surveillent ma maison en permanence, prêts à mettre la main sur moi au cas où je voudrais quitter la ville avant d'affronter mon châtiment, et mon ancien amant est tellement enragé contre moi qu'il n'est pas possible de l'acheter. Mais les Cerbères se font fort de me frayer un chemin jusqu'au port du Peïraïeus. Léôkratês, oubliant sa rancune personnelle sur les instances du Sculpteur, y met à ma disposition un navire, prêt en permanence à prendre la mer vers Korinthos. S'il s'agissait d'un autre armateur, je céderais sans doute aux pressions de Praxitélês et à ma propre peur, mais je crois que je préfère boire la ciguë jusqu'à sa dernière goutte amère que risquer de tomber sous la coupe de l'affranchi.

Hypereïdês est le seul à ne pas s'affoler. Il est tellement confiant dans la puissance de sa parole qu'il s'affirme certain de me sauver la vie et, par la même occasion, sa carrière politique, qui débute à peine mais à laquelle il a pris goût. Il sait très bien que c'est lui qu'on attaque à travers moi, il va donc se défendre, comme le ferait un sanglier : en fonçant dans le tas. Il me demande seulement de me tenir à ses côtés pendant sa plaidoirie, sans rien dire ni rien faire qui pourrait ruiner ses efforts. "J'aimerais, ajoute-t-il, que tu t'habilles pour une fois correctement. C'est-à-dire que tes juges ne voient pas une étrangère provocatrice, enveloppée dans l'une de ses longues tuniques bariolées qui cachent son corps jusqu'aux poignets, mais une hétaïre, comment dirais-je, décemment indécente. Par exemple tu pourrais porter un châle sombre qui te couvrirait la tête et les épaules, et, en dessous, une simple tunique écrue, sans manche, mais un tout petit peu trop longue et un tout petit peu trop transparente, afin que les juges puissent se rincer discrètement l'œil. Si même elle était assez décolletée pour leur laisser deviner la naissance d'un sein sans trop avoir à le leur montrer, ce serait parfait." Je lui tire la langue mais je promets.

Après m'avoir ainsi rassurée, il me quitte tôt, afin d'aller peaufiner ses ultimes effets de style. Lovée dans le creux des bras d'Attis, qui paraît presque avoir deviné la menace pesant sur moi et cherche à me protéger de son étreinte fragile, j'hésite jusqu'au matin à m'enfuir avec lui au fond de sa Phrygie natale.

Le lendemain, à la tombée de la nuit (le tribunal de l'Aréopagos ne se réunit qu'à l'heure solennelle qui suit le coucher du soleil), la foule m'escortant jusqu'à mes juges est imposante mais moins hostile que je ne le pensais. Mes amis ont réussi à mobiliser des partisans, sans doute moins nombreux que ceux d'Euthias mais néanmoins présents. D'un côté ou de l'autre, peu de cris se font entendre. Plus on approche de la colline où se tient l'auguste assemblée, juste à côté du temple des terribles Bienveillantes, plus la tension devient pesante. Néanmoins, je n'oublie pas le conseil d'Hypereïdês. Vêtue d'une tunique presque sage, je me place à l'entrée de la salle d'audience, afin d'accueillir chacun des jurés populaires que le tirage au sort vient de désigner, en le retenant par le bras et en l'implorant, les yeux mouillés de larmes. Rares sont ceux qui s'arrêtent pour m'écouter. La plupart pénètre dans le tribunal, le front haut et la mine sévère. Mais je sais que tous se flattent d'avoir été, ne serait-ce que quelques instants, l'objet des humbles sollicitations de la belle Phrynê. Je me demande seulement s'ils s'en souviendront au moment de voter. Je me sens prête à toutes les compromissions pour sauver ma peau. Je ne veux plus jamais être une victime.

Euthias, que je revois pour la première fois depuis la nuit de l'initiation, se lance dans son réquisitoire. Je me suis préparée à tout entendre de sa part mais je suis très surprise par ses premiers mots. Au lieu de m'attaquer, il fait l'éloge de ma beauté. Beauté prodigieuse, dont tout le monde sait qu'il a subi lui-même l'emprise, puisqu'il m'a entretenue pendant un an. Beauté dangereuse, dont l'attraction est si forte qu'il lui a fallu beaucoup lutter pour parvenir à s'en détacher et me voir telle que je suis. Sa voix heurtée, la difficulté qu'il éprouve à finir ses phrases, trahissent le fait qu'une part de lui-même se révolte toujours contre l'autre et l'incite à m'épargner. Je suis frappée par sa sincérité, même si je discerne aussi dans ce début un truc d'orateur, qui, au lieu de le cacher, exhibe l'effort qu'il doit faire pour placer sa cité avant ses désirs. Il me sacrifie avec peine, avoue-t-il, mais sans regret, moi la femme impie qu'il aime encore mais dont il sait qu'elle fait courir le plus grave danger à l'âme d'Athênaï et à ses institutions les plus sacrées.

Après ce préambule étonnant, il se laisse aller, sa voix se délie. Bien que je sois prête à prendre des coups, l'acharnement d'Euthias me stupéfie. La blessure d'orgueil que je lui ai infligée lors de la cérémonie d'initiation est plus profonde encore que je ne le croyais. Je l'écoute, pétrifiée par la violence de sa haine ou de son amour jaloux. Mais fascinée aussi, je dois le reconnaître, de découvrir cette femme alternativement futile et malfaisante que je suis sans doute aux yeux de la majorité de ses concitoyens, et qu'il me permet de voir de loin, comme une étrangère. Il peint mon portrait sous les couleurs les plus crues, en retraçant mon existence misérable depuis mes origines. Elles furent obscures, se gausse-t-il, et sûrement à moitié barbares, comme le prouvent la couleur de ma peau et mon sobriquet de Phrynê la Crapaude. Puis il raconte mon arrivée à Athênaï, révélant à mes juges le secret honteux que j'ai longtemps voulu cacher, la vie de putain que j'ai menée dans l'un des bordels les plus répugnants du Peïraïeus, fréquenté par la lie des marins de passage. Ensuite, même lorsque j'ai été rachetée par une maquerelle célèbre, Nikárétê, et que ma condition s'est améliorée, jamais je n'ai respecté ni les règlements ni les tarifs officiels des flûtistes. Ce qui m'a valu d'être frappée d'une amende considérable. Ici, Euthias cite le collecteur Androtiôn. L'affreux petit bonhomme, qui n'a pas changé depuis l'affaire des meubles de Nikárétê, se lève à l'appel de son nom et s'approche des jurés, en traînant les pieds, sûrement parce qu'il craint de voir révéler l'épisode humiliant du banquet où j'ai couché avec ses esclaves après l'avoir saoulé. Mais il oublie bientôt toute prudence et, sans qu'Euthias ait besoin de le relancer, laisse éclater contre moi sa vertueuse indignation. L'orateur évoque ensuite les frasques les plus scandaleuses de ma vie d'hétaïre. Il n'est guère besoin d'insister, déclare-t-il, puisque Timoklês et les autres maîtres de la comédie les ont souvent proposées au rire réprobateur du public. Mais il tient à mentionner mes tarifs ruineux, ma façon provocatrice de m'habiller à l'orientale, ou cet esclave phrygien, dont je prétends depuis peu dans les banquets imposer la présence aux citoyens. Je vois défiler les épisodes de ma vie de turpitude. Ce n'est pas aux juges qu'Euthias la raconte, c'est à moi. Les yeux dans les yeux. Préparant méthodiquement mon arrêt de mort, il me l'inflige lui-même par avance. Du couteau de ses mots, il m'éventre de part en part, dans sa rage froide d'exhiber mes entrailles, comme celles d'une brebis de sacrifice. N'ai-je pas toujours su qu'il m'aimait trop pour ne pas me tuer ? N'ai-je pas toujours deviné, derrière sa présence lumineuse, l'ombre du guerrier blond ? Je ne peux m'empêcher de frissonner, de peur et de révolte, et, à plusieurs reprises, Hypereïdês est obligé de poser la main sur mon bras pour m'empêcher de crier.

Enfin Euthias détourne les yeux de moi. "Tout ceci n'est rien, affirme-t-il en se retournant vers les juges et en balayant l'air d'un grand geste du bras, non, tout ceci n'est rien en comparaison du culte barbare que cette hétaïre cherche sans la moindre autorisation à introduire à Athênaï ! Ce rituel honteux attire le déshonneur sur les femmes libres qui y participent et ne peut valoir que l'opprobre aux citoyens qui s'en sont rendus complices." Marquant un temps de silence, il jette un regard lourd de sous-entendus à Hypereïdês. Celui-ci ne détourne pas les yeux, un petit sourire de défi aux lèvres, mais tout le monde dans la salle a compris l'allusion. J'éprouve presque du soulagement à voir mon ami menacé lui aussi. Hypereïdês, qui n'a pu manquer de prévoir l'attaque, saura sûrement nous défendre. Euthias a repris la parole. Sa voix se fait plus véhémente. Il explique qu'il s'est exposé volontairement à subir l'initiation pour découvrir la vérité sur mes agissements et ceux de mes complices. Il prend un risque encore plus grand aujourd'hui à raconter ce qu'il a vu, parce qu'on l'a menacé de mort, si jamais il osait révéler les pratiques scandaleuses auxquelles on se livre dans ma maison les nuits de pleine lune. C'est la secte tout entière qui est dangereuse, et qui doit être éliminée, autant que la fausse prêtresse qui la dirige. Parcourant des yeux les gradins où se trouvent assis les juges, il se met à raconter, pendant un long moment, sans que personne ne l'interrompe, les différents épisodes du Mythe et la cérémonie secrète de l'Initiation, en choisissant avec soin les détails les plus scabreux. Son récit fait forte impression. Quelques murmures s'élèvent, puis un silence lourd. Un silence de mort. D'une voix sépulcrale, Euthias évoque pour finir Tantalos poussant son rocher et toute la cohorte des grands damnés. Car le sacrilège est le pire des crimes : il ne suffit pas que les hommes le punissent de mort, les dieux y ajoutent la damnation éternelle.

Hypereïdês tente de sourire, le visage un peu crispé : "La vache, même ce vieux Tantalos est de la partie ?" Il ajoute dans un murmure : "Bon, à notre tour alors, il va falloir jouer le tout pour le tout !" Il me force à me lever, et à balbutier quelques mots avant de lui laisser la parole. Je le fais d'une voix blanche, me demandant comment il va pouvoir s'y prendre pour redresser une situation aussi compromise. Même s'il parvient à éloigner la fatale coupe de ciguë, dont j'ai l'impression de sentir déjà sur mes lèvres le goût atrocement amer, je sais bien que, massée devant le tribunal, m'attend la populace, des cailloux à la main. Hypereïdês, se redressant aussitôt, d'un ton enjoué qui contraste avec l'emphase de son adversaire mais aussi avec la résignation funèbre de ma propre voix, commence par railler l'émotion d'Euthias : ce noble jeune homme prétend être mené par sa raison, par son amour de la cité, par son attachement à la vérité, et non, bien sûr, par sa jalousie. Mais tout le monde dans cette salle connaît sa liaison malheureuse avec Phrynê. Il veut être le seul à la posséder, même s'il n'en a pas les moyens. C'est parce qu'elle persiste à avoir d'autres amants plus fortunés qu'il tente de la perdre. Les amis d'Euthias, parmi lesquels Hypereïdês fut longtemps fier de se compter, ne peuvent que s'attrister de le voir gâcher ainsi son talent, en le faisant servir non au bien public mais à la satisfaction morbide de ses propres passions. Ce jeune homme croit être maître de lui mais il est manipulé. Manipulé par ses désirs, on le voit, on l'entend, mais aussi par d'autres personnages moins naïfs, qui jouent de son aveuglement dans leurs sordides calculs politiques. "Car, s'exclame Hypereïdês en enflant soudain la voix, vous le savez tous, l'innocente Phrynê n'est ici qu'un prétexte ! Si je prends la parole à sa place, ce n'est pas seulement en tant que garant d'une affranchie, ni en tant que renfort, mais parce que je suis l'accusé principal ! Ce qu'on attaque à travers elle, c'est mon engagement. On cherche à régler sur son dos les comptes de l'affaire de Kéôs !" Alors Hypereïdês justifie longuement son action.

Il attaque en les nommant ses adversaires (même Euthias cette fois) qui tentent de se servir d'un prétexte fallacieux pour se débarrasser non d'une hétaïre, mais d'un citoyen. D'un patriote, qu'ils considèrent comme un gêneur parce qu'il a osé, fort de l'appui du peuple, s'opposer à leur violence et à leur corruption.

Après cette première envolée, il se calme soudain. Me désignant du bras, il annonce que, puisque j'ai été calomniée à cause de lui, il va me rendre justice en retraçant à son tour ma vie. "Moi aussi, je vais révéler ses secrets, comme a prétendu le faire ce menteur. Mais ceux dont je vais vous parler maintenant sont si douloureux qu'elle n'a jamais voulu les confier qu'à ses amis les plus intimes. Tu les ignores, Euthias, ajoute Hypereïdês en se tournant vers son ancien ami avec un sourire cruel, ce qui prouve que vous étiez moins proches que tu ne le crois." Je sais très bien ce que mon avocat entend raconter sans ma permission aux juges, comme il a déjà tenté de le faire une fois devant Euthias lui-même. Je tends la main pour lui fermer la bouche mais ce diable d'homme, qui avait prévu ma réaction, se sert de mon geste pour prendre à témoin les juges de ma pudeur. Si Euthias a jeté le doute sur mes origines, Hypereïdês révèle qu'elles sont parfaitement grecques. Il prononce le nom de mon père et je frémis, comme tout à l'heure sous les sarcasmes de mon persécuteur. Puis il révèle celui de la ville où je suis née, il évoque longuement le sort de la petite cité, qui fut l'alliée séculaire d'Athênaï, qui lutta autrefois avec elle contre le Grand Roi et que Thêbaï ravagea par traîtrise il y a presque dix ans. Se servant de mes confidences, auxquelles il ajoute quelques détails de son cru, il raconte en termes particulièrement pathétiques le sac de ma ville et la mort de mon père. "Cette nuit d'horreur, s'exclame Hypereïdês en me regardant, Phrynê l'a traversée avec courage, et c'est pourquoi, au lieu de l'accabler de mes sarcasmes comme Euthias, j'ai envie de la prendre dans mes bras et de pleurer avec elle sur l'innocente Thespiaï." Pour toucher plus sûrement le cœur de ses auditeurs, comme ses maîtres le lui ont appris dans ses études, il élargit son propos et fait référence à Kassandra, à Andromakhê, à Polyxénê, aux nobles Troyennes chantées par le grand Euripidês, à toutes les malheureuses qui depuis tant de siècles connurent l'esclavage. Puis il s'exclame, en me désignant du bras : "Cette femme, qui a subi dans sa chair le désastre de Thespiaï, va-t-elle être aujourd'hui la dernière victime des massacres de Kéôs ?" Il cherche, avec beaucoup d'habileté et une émotion peut-être sincère, à tirer des larmes aux juges.

Mais, en l'écoutant, je n'éprouve rien. Cela vaut peut-être mieux. Si je n'étais pas totalement anesthésiée, ce moment serait encore plus douloureux pour moi que le récit à charge d'Euthias.

Puis Hypereïdês jette un voile pudique sur le souvenir du Peïraïeus, que mon adversaire a cru bon de rappeler, sur cet état indigne que subissent tant de femmes libres de Grèce par suite de la division criminelle de ses cités. J'étais manifestement si peu faite pour ce sort honteux, où m'avait jetée la violence des hommes, que les dieux m'en tirèrent bien vite. "Et ils ont fait d'elle, ajoute Hypereïdês dans un sourire, une hétaïre charmante." Là, sa voix change. Après la tension dramatique des horreurs de Thespiaï que je n'ai pas pu l'empêcher d'évoquer, elle se fait caustique et enjouée pour se moquer de l'indignation faussement vertueuse de notre adversaire. Hypereïdês raconte à sa façon ma vie d'hétaïre, et il le fait avec tant d'esprit qu'il parvient à m'arracher un sourire, à moi et à plusieurs des juges. Il en profite aussitôt : "Ces femmes célèbres, vous le savez bien, suscitent la calomnie, surtout de la part de ceux de leurs amants qui, comme Euthias, ne se résignent pas à laisser la place à d'autres plus méritants. Pourtant, les gens sérieux savent bien que nous devrions avoir de la reconnaissance pour elles : les hétaïres contribuent largement à la prospérité et au renom d'Athénaï. Elles y apportent leur beauté, leur intelligence, leur charme, elles y retiennent les invités étrangers les plus influents. Voulez-vous, ajoute Hypereïdês avec un sourire plein de finesse, que j'évoque, comme notre adversaire, certaines des anecdotes les plus scabreuses que l'on raconte sur Phrynê ? Non, bien évidemment, puisqu'on les raconte aussi sur vous, messieurs les juges : vous êtes donc bien placés pour savoir à quel point elles ne sont que mensonges et fariboles !" Les yeux de Grylliôn et de nombre d'autres vénérables Aréopagites se détournent prudemment dans le vague, tandis qu'ils mettent la main devant leur visage pour dissimuler leur satisfaction d'être associés par la rumeur publique aux frasques d'une aussi jolie fille. "La vérité, poursuit l'habile avocat, c'est que Phrynê est jalousée parce qu'elle est l'hétaïre la plus délicieuse de la ville. Elle n'est pas Athénienne, bien sûr, mais elle mériterait de l'être, tant elle incarne l'esprit de notre cité ! Je le sais bien, moi qui ai été l'un de ses amants, comme Euthias, mais qui m'enorgueillis de l'être encore !" Tout le monde se tourne vers mon adversaire. Plusieurs des jurés ne peuvent s'empêcher de ricaner en le voyant blêmir une nouvelle fois sous le sarcasme. Ce diable d'Hypereïdês a réussi à dédramatiser l'atmosphère par l'évocation complice de cette vie mondaine que beaucoup des hommes présents, au moins ceux qui font partie de l'Aréopagos, connaissent bien.

Mais il lui reste maintenant, il le sait autant que moi, le point le plus délicat, le seul vraiment dangereux de l'argumentation de nos adversaires : le culte d'Isodaïtês. Le récit qu'a fait Euthias du Changement de Lune a frappé si fortement les esprits, il a suscité chez les jurés une telle indignation que je me demande bien comment Hypereïdês va réussir à le présenter sous un jour favorable.

Il marque un temps de silence comme s'il rassemblait ses forces. Puis il se lance. "Si l'accusation d'Euthias avait la moindre apparence de vérité, s'exclame-t-il, une main posée sur le cœur, je serais le premier à réclamer l'interdiction de ce culte en même temps que la condamnation à mort de son instigatrice. Mais je peux jurer devant cette auguste assemblée que ce qu'il en a raconté est faux, entièrement faux. Le produit d'une imagination fertile menée par la jalousie et l'envie de nuire !" Mon défenseur continue : "Euthias est malin, il sait que pour exciter l'imagination des hommes, il faut leur donner de la nuit, des torches, des corps nus, de la débauche, et c'est exactement pour cela qu'il a raconté si longuement la cérémonie de l'initiation. Mais rien dans ce récit ne concerne Isodaïtês, je peux l'affirmer en toute tranquillité parce que je suis moi-même initié à ce culte, depuis plus longtemps qu'Euthias, et que j'en suis fier."

Maintenant sa voix se fait posée. Il parle de ce débit précis et paisible, que je l'ai déjà vu souvent adopter au cours d'un banquet, lorsqu'il examine avec ses amis une idée philosophique pour le plaisir gratuit de la controverse. Ce culte vient de loin, oui, reconnaît-il, de régions du monde grec avec lesquelles il est temps qu'Athênaï entretienne enfin des relations de respect, d'amitié, d'égalité, sans les mépriser, ni refuser leur apport comme elle l'a trop souvent fait jusqu'ici. Si Hypereïdês a voulu être initié au culte d'Isodaïtês, c'est dans la même intention que celle qui l'a poussé à défendre les citoyens de Kéôs, avec la même ouverture d'esprit à ce que nos alliés peuvent nous apporter de meilleur. Il s'échauffe peu à peu : "Ce culte s'adresse à la fois aux esclaves et aux maîtres ? Oui, comme celui d'Aphroditê et de Kybélê ! Ce culte réunit les hommes et les femmes ? Oui, comme celui de Dionysos ! Il est un moyen d'établir, à l'intérieur de notre cité aussi bien qu'à l'extérieur, des relations plus harmonieuses et plus stables !" Hypereïdês prolonge sa pensée d'une voix plus calme : parce qu'il est exotique dans certaines de ses manifestations, Isodaïtês provoque les sarcasmes des auteurs de comédie. Mais aux yeux des gens sensés, de ceux qui réfléchissent au lieu de ricaner, cette secte nouvelle n'est pas une menace pour la cité, elle est au contraire une chance, elle rétablit un lien là où il n'y a le plus souvent que des juxtapositions d'égoïsmes. Loin de nous ruiner moralement, elle peut contribuer, si nous savons lui faire sa place, à nous régénérer ! D'ailleurs, les institutions religieuses sont de cet avis. "Comment cet individu peut-il affirmer que notre culte est introduit sans autorisation, s'indigne brusquement Hypereïdês, et qu'il nuit aux dieux officiels de la cité, alors qu'Isodaï- tês est reconnu par les prêtres de Dionysos Zagreus comme l'une des figures proches de leur dieu, alors que son Récit est enseigné, depuis peu, mais de manière publique, dans le sanctuaire d'Aphro- ditê, dont cette Phrynê, accusée injustement devant vous, est l'une des servantes ?" Je ne suis pas sûre que ce développement ait beau- coup d'effet sur l'esprit de mes juges mais moi, je l'écoute avec sur- prise, et même avec curiosité. Au début, je me suis dit qu'Hypereïdês cherchait seulement à dissimuler ce qui, dans notre initiation, pou- vait paraître choquant. Maintenant au contraire, lorsqu'il évoque des relations harmonieuses entre la cité grecque et notre culte, il m'ouvre des perspectives nouvelles, à moi qui n'ai jusque-là consi- déré le Thiase que comme un contre-pouvoir antagoniste. Je me rends compte que je n'ai jamais vraiment discuté des raisons qui ont amené Hypereïdês à se faire initier. J'ai toujours cru qu'il l'avait fait par snobisme ou par affection pour moi, afin d'être mêlé d'encore un peu plus près à ma vie. Aurait-il été poussé également par une motivation philosophique, voire par un projet politique ? Aurait-il mieux compris que moi les enjeux du culte que je dirige ?

Pendant que je m'interroge, Hypereïdês fait venir devant les jurés l'une des prêtresses du sanctuaire d'Aphroditê Pandêmos. Dans ce collège qui reste divisé à mon égard, il a choisi, sur les conseils d'Aâ- met, l'une de nos plus fidèles alliées. Après m'avoir saluée d'un signe de la tête, elle appuie les propos de mon défenseur, et affirme la parenté d'Isodaïtês et d'Adônis. Au bout de quelques minutes d'in- terrogatoire, Hypereïdês reprend la parole. Ce culte, dont il vient de prouver qu'il est nouveau mais reconnu, Euthias affirme qu'il cor- rompt les femmes honnêtes ? Bien sûr, l'initiation est secrète, mais n'est-ce pas la même chose dans les cérémonies si saintes et si respec- tables des déesses d'Eleusis ? Ce qu'Euthias appelle des menaces de mort portées contre lui n'est rien d'autre que l'interdiction rigoureuse de révéler aux non-initiés le contenu sacré de l'enseignement. Les Athéniens n'ont-ils pas eux-mêmes souvent puni de mort les blasphémateurs, afin d'éviter que leur indiscrétion ne souillât la cité et que la divinité offensée ne se vengeât aussi contre elle ? Le grand poète tragique Aïskhylos lui-même, ne dut-il pas se justifier autrefois d'avoir glissé sur la scène du théâtre de Dionysos des allusions un peu trop claires aux Mystères sacrés de Dêmêtêr ? Ce tabou, Euthias l'a transgressé sans peur. "Attention, Athéniens, s'écrie Hypereïdês, il vous rend coupables vous aussi de son crime !" Car non content de révéler ce qui doit rester caché, il l'invente. Sa jalousie, son désir irrépressible pour cette femme, l'ont poussé à mentir sur le rite. Hypereïdês, qui a assisté lui-même à la cérémonie qu'Euthias a prétendu décrire, se demande s'ils se trouvaient tous les deux au même endroit et s'ils avaient sous les yeux la même réalité. "Ne comptez pas sur moi, jure Hypereïdês le bras tendu, pour me rendre coupable du même sacrilège que lui, en vous racontant à mon tour ce qui se passe vraiment pendant l'initiation sainte d'Isodaïtês !" Mais il peut jurer, devant Aphrodite et les autres dieux réunis, sur ce qu'il a de plus cher, l'autel de ses ancêtres, sur ses parents, sur ses futurs enfants, sur sa propre tête et sur celle de cette femme si saintement et pieusement belle, qu'il n'a rien vu des horreurs abracadabrantes sorties de l'imagination d'Euthias enfiévrée par la jalousie et que ce dernier n'a rien vu, lui, des cérémonies augustes et solennelles auxquelles les initiés participèrent ce soir-là avec le plus profond respect. "Si je mens, s'exclame Hypereïdês d'une voix si forte qu'elle doit s'entendre jusqu'à l'autre bout d'Athênaï et jusque sur la montagne sacrée de l'Olympos, je veux bien que les dieux me tranchent la langue pour me faire taire à jamais !"

Puis, après ce moment grave, il détend de nouveau l'atmosphère, en se moquant plaisamment de la péroraison solennelle d'Euthias et de son évocation des damnés : "On se demande bien pourquoi cette jolie hétaïre devrait être condamnée parce que Tantalos roule un rocher aux Enfers ! Ce reproche, on peut l'adresser à l'ensemble du réquisitoire de notre adversaire : un grand moment de rhétorique sans aucun rapport avec Phrynê !"

Son discours a porté mais, malgré la virtuosité de ses changements de registre, pas assez. Moins en tout cas que l'évocation hallucinée de la nuit de l'initiation faite par Euthias. Je vois bien que beaucoup des jurés continuent à me considérer avec hostilité, que d'autres, dont j'ai pourtant acheté le soutien, n'osent pas me regarder ouvertement pour me le confirmer. Leur regard fuit vers les recoins de la salle d'audience comme leur vote ira tout à l'heure se réfugier dans le camp des vainqueurs. Hypereïdês doit éprouver la même sensation d'échec que moi. Il jette des regards anxieux à la clepsydre, dont le débit est maintenant très lent, parce que l'eau est presque entièrement passée dans l'amphore du bas. Comme s'il tentait de se rajouter un peu de temps liquide, des gouttes de sueur roulent sur son front et dans son dos velu, mais elles se contentent de tremper d'impuissance sa tunique. Sa panique me gagne. La partie est perdue. Il a joué ma vie aux dés, trop confiant dans la puissance de sa parole, et je vais mourir ! Il n'a plus que quelques instants, quelques gouttes d'eau, une dernière idée pour convaincre les juges de m'épargner !

Soudain, il se tourne vers moi. Il m'oblige à me lever, en me soufflant : "Tu as confiance en moi ?" Je n'ai pas le temps de secouer la tête pour dire oui (d'ailleurs, que pourrais-je faire d'autre dans ce moment désespéré ?), il me murmure de nouveau : "Laisse-moi faire, ne proteste pas !" Puis il s'écrie, à l'attention des juges : "Je vous en conjure, ne commettez pas le sacrilège de vous attaquer à cette prêtresse d'Aphroditê !" Passant brusquement dans mon dos, me poussant en avant, faisant glisser mon châle, il arrache de ses deux mains la fibule qui retient ma tunique légère, dont il baisse soudain les pans sur ma poitrine pour l'exhiber devant tous les juges. Moment de stupeur. De moi autant que d'eux. Hypereïdês ne laisse personne reprendre ses esprits : "Regardez, Athéniens, la perfection de ce sein irréprochable ! Soyez sensibles à l'émotion qui vous saisit lorsque vous posez les yeux sur ce buste magnifique. Que se passe-t-il en vous ? Quel est ce frisson ? Vous n'êtes pas seulement saisis de désir mais aussi d'émotion. L'émotion sacrée qui nous emplit, nous, les Grecs, nous surtout, les Athéniens, devant le surgissement de la beauté parfaite. Car elle est un don des dieux ! Elle est ce qui peut nous élever au-dessus de nous-mêmes ! C'est pourquoi j'affirme que la beauté de cette femme est un don d'Aphroditê, qui l'a élue entre toutes pour l'incarner, et pour nous faire ressentir la splendeur de sa présence. Un de nos concitoyens, Athéniens, a bien compris que ce sein et toute la personne de Phrynê étaient sacrés : Praxitélês, le sculpteur le plus illustre de notre époque, qui l'a choisie, non seulement comme sa maîtresse mais comme son modèle. Il a saisi dans sa conscience d'artiste qu'Aphroditê l'avait envoyée à sa rencontre pour permettre à tous les Grecs du monde de la vénérer.

Ce sein divin, que je dénude devant vous, il se trouve déjà sous sa forme de marbre dans nos temples. Croyez-vous que la déesse aurait permis que son effigie, placée dans ses sanctuaires les plus augustes, fût à l'image d'une criminelle ? Mais certains parmi nous ne sont pas dignes de cette beauté. Ils n'écoutent que leur jalousie, pas leur admiration, ils veulent s'approprier ce don fait à tous et, lorsqu'ils ne le peuvent pas, ils cherchent à le détruire. Jaloux de la beauté humaine, impies devant la beauté divine, ils la profanent et tentent de vous entraîner dans leur folie. Qui osera s'attaquer à la déesse ? Qui osera mettre à mort celle qu'elle a choisie pour nous parler d'elle ? Qui osera flétrir ce sein divin ? Même Ménélas n'a pu frapper celui dévoilé d'Hélénê. Ces courbes divines, hommes d'Athênaï, nous devons plus que les désirer, plus que les admirer : les respecter. En Phrynê, nous devons vénérer Aphroditê. La déesse est là, devant vous, fragile et toute-puissante, ne commettez pas le crime de porter la main sur elle !"

Il parle, il parle, magnifique envolée, improvisation sublime. Mais moi, moi, moi, je ressens quoi, à cet instant-là, lorsqu'Hypereïdês dénude mes seins devant ces hommes qui prétendent me juger, alors que je me refuse depuis plusieurs mois à leur montrer la moindre parcelle de mon corps ? Au moment où il arrache ma fibule et se met à parler, je pousse un cri. Pas seulement de surprise : de révolte. Mais il me connaît assez pour savoir à quel point son geste audacieux va m'offusquer, si bien qu'il peut anticiper mon effort pour me dégager et leur dérober ma poitrine. Pendant toute sa tirade, il me maintient de force, ses deux mains retenant solidement mes bras en arrière, pour m'obliger, au lieu de dissimuler mes seins, à les offrir encore plus. Tandis qu'il parle, secouant la tête dans un suprême effort, je tente de dénouer ma longue chevelure et de la faire glisser sur mon buste, pour me cacher, ou pour faire apparaître à ma place la femme serpent, la femme sauvage que j'ai déjà montrée une fois au Sculpteur. Mais Hypereïdês, parvenant d'une seule main à maintenir les miennes dans mon dos, de l'autre dégage mes cheveux et les ramène sur mes épaules. Deuxième geste impérieux, mais qu'il accomplit avec douceur cette fois. C'est cette douceur qui me vainc. Qui me fait sentir à quel point ma réaction instinctive de pudeur est vaine. Je ne suis pas de taille à résister, à lutter contre cette main d'homme, qui, au nom de la déesse, veut que je m'exhibe. Je comprends qu'il a raison. En un éclair, je saisis tout. Qu'il me force. Qu'il me tue. Qu'il me sauve. Les trois en même temps. Alors, je m'abandonne entre ses bras, je me laisse aller en arrière contre son torse, un instant, un instant seulement. Mais c'est là, dans le creux de l'abandon, que je trouve la forme de ma révolte. C'est elle qui emplit mes poumons d'air alors que j'avais le souffle coupé. C'est elle qui dilate mon buste que je voulais protéger. C'est elle, ma révolte, qui fait pointer mes seins en avant. Qui les leur projette au visage. Non pas comme un don mais comme un piège ! Regardez-les, si vous y tenez ! Dévorez-les, repaissez-vous de ma chair, hommes d'Athênaï, et de mon venin ! Cette nourriture que je vous tends est celle de la magicienne Circê, qui fera de vous des animaux que l'on mène où l'on veut et de simples cochons ! Oui, mangez mes seins pour qu'ils vous empoisonnent !

Je redresse fièrement la tête, je cherche à emplir mes yeux de défi, de ruse, d'insoumission. Mais voilà qu'eux aussi m'échappent. De quoi se charge-t-il, ce regard qui les subjugue autant que la courbe de mes seins ? Pas de révolte, non, même pas de mépris, mais d'indifférence. D'une indifférence supérieure et bienveillante. Oh, je dois me laisser remplir comme eux par mon propre regard que je ne comprends pas, me laisser dévorer moi aussi par son feu humide ! Aphroditê, prends-moi, investis-moi, sur toi les regards coulent, glissent sans accrocher, tu es si loin quand tu es là, tu es si là quand tu es loin ! Eux qui t'agressent de leur rage si étroite, toi tu les accueilles de ton désir si large ! Leurs pauvres petits regards d'hommes apeurés et assassins, qu'ils te décochent comme des flèches, toi, tu émousses de ta tendresse leurs pointes de métal, tu t'en fais un bouquet de fleurs éphémères, et tu balayes leur visage de ses parfums palpitants, tu les exaltes et les ravages. Tu les laisses se dresser contre toi parce que c'est toi qui pousses à travers eux, et tu les reçois tous, tu les prends tous, tu les aimes tous !

De la honte je passe à l'abandon, de l'abandon au défi, et du défi à l'acceptation. Alors mes derniers voiles tombent et j'accepte enfin vraiment d'incarner la déesse, dans un instant frémissant de gloire. Hypereïdês lui-même devine, au relâchement de mon corps qui suit la tension, cette chose étrange qui est en train de se passer en moi. Il me libère, lâche mes cheveux, laisse aller mes mains. Je n'ai plus besoin de lui. Il s'écarte et je fais un pas en avant, vers mes juges. Eux, spontanément, devant cette femme qui s'avance les seins dardés, ont un mouvement de recul sur leurs sièges de pierre. Et puis ils ne peuvent s'empêcher de se redresser, de se bousculer pour admirer ma beauté encore quelques instants, pour en grappiller encore quelques miettes dans la famine qui les tient. Leurs bustes se penchent en avant, se tordent sans grâce sur le côté, leurs coudes se heurtent, pour mieux agripper leurs regards de loin à mes seins nourriciers sans être gênés par les autres hommes qui s'interposent. Leurs bouches s'arrondissent de stupeur pour partager un peu la courbe perfection des deux globes que j'offre à leurs yeux avides. Dans cette vague, qui les soulève de leur sexe à leur tête, naît l'écume de l'image que leur a proposée l'orateur : oui, divins, ces seins humains, et tout à fait dignes d'Aphroditê ! Alors, aussitôt après la stupeur, vient la peur, celle de leur propre désir et de leur démesure : si la déesse a pris la peine de polir de tels seins, vont-ils s'exposer à sa colère en y portant la main ? Vont-ils, en me faisant boire une coupe de leur ciguë, plonger dans la glace de la mort ce qu'Elle a investi de son souffle tiède ? Dans ce soupir, dans ce "oh" unanime, ils ne laissent pas parler seulement leur respect, mais aussi leur peur innée de la beauté.

Et puis Grylliôn intervient. Avec une habileté de vieux politicien, il exploite ce moment de stupeur et d'enthousiasme sacré. Il se dresse et, d'une voix forte, réclame l'acquittement. La déesse, par ma bouche, le remercie d'un sourire entendu. Aussitôt, tous ses partisans, revenant à la réalité, se lèvent à leur tour et, les mains levées vers les dieux, appuient à grands cris sa proposition, jusqu'à ce que la déesse par ma bouche les remercie d'un sourire complice. Alors les indécis, basculant brusquement dans notre camp, font chorus, pour que la déesse par ma bouche les remercie d'un sourire favorable. C'est la débandade parmi nos adversaires. Beaucoup même se résignent à se rallier au mouvement général et se déclarent à main levée pour mon acquittement, afin de s'éviter l'humiliation d'un vote perdu d'avance mais aussi peut-être parce qu'ils sont désormais si sincèrement convaincus de mon innocence que la déesse par ma bouche les remercie de son sourire irrésistible. Pour finir, jubile Hypereïdês, qui ne peut se lasser de recompter les mains levées, Euthias n'obtient même pas le cinquième des voix ! C'est le deuxième désastre judiciaire pour lui en quelques mois, et celui-ci risque bien d'être définitif ! La déesse, par ma bouche, remercie même mon ennemi mortel d'un sourire ravageur : Euthias tombe assis sur le siège de l'accusateur et se prend la tête à deux mains. Il n'a rien compris à ce qui s'est passé. Personne n'a vraiment rien compris. Mais tout le monde a saisi. Hypereïdês n'a besoin que de m'effleurer le dos pour que je me mette en marche vers le centre de la salle.

Triomphe paisible. Je tends les deux mains vers les citoyens chargés de me juger, qui, en quelques instants, sont devenus mes fidèles. Ceux-ci, dont certains comptent parmi les magistrats les plus graves d'Athênaï, possédés par l'enthousiasme, se jettent sur moi. Me saisissant avec respect comme ils le feraient d'une statue de culte, ils me hissent sur leurs épaules, sans me permettre de rajuster ma tunique (ce diable d'Hypereïdês tient la fibule bien à l'abri dans son poing serré). Ils me portent ainsi, les seins nus, jusqu'à la porte du tribunal.

Là, dans la nuit, à la lueur des torches, les attend la foule. Mes partisans, ameutés par Kariôn et les autres dirigeants de mon thiase, y sont maintenant plus nombreux que mes adversaires. Cris de stupeur des uns, cris de joie des autres, lorsque les graves Aréopagites proclament le résultat inattendu du vote d'une voix vibrante. Et puis clameur unanime devant le tableau de cette jeune beauté à moitié dénudée et portée en triomphe sur les épaules chancelantes de ces vieillards vénérables. La foule choisit instinctivement son camp, celui de la joie, celui du désir, celui de l'enthousiasme, parce qu'elle sent que, cette nuit, cet amour inespéré la portera plus loin que la haine attendue. Tous ceux qui m'ont jeté des crachats et des pierres quelques jours plus tôt se pressent maintenant autour de moi pour aider les juges à me porter, pour toucher le bord de ma tunique ou même un peu de ma peau nue, pour attraper un reflet de la vision sacrée que je leur offre à la lumière mouvante des torches.

Une procession impromptue s'organise. Sur leurs épaules, ils me font descendre la colline sacrée et me promènent à travers la ville, comme une statue de chair. La foule grossit de plus en plus, entraînant dans son sillage même mes plus farouches adversaires. Bientôt c'est le peuple tout entier qui me fait fête. J'ai perdu Hypereïdês. J'ai perdu Grylliôn. J'ai perdu Kariôn et même mes fidèles Cerbères. Je ne reconnais plus personne. Je suis seule. Mais je n'ai plus peur. C'est moi qui domine, car la déesse m'investit encore de son aura lumineuse. Je ne sais pas du tout combien de temps cela dure. Je ne sais pas du tout où la foule me mène. Peut-être que personne ne le sait. À un moment, près de l'Agora, dans un coin du portique, il me semble que j'aperçois le visage stupéfait de Kratês qui me regarde passer sur les épaules des Athéniens métamorphosés par un enthousiasme qu'il est bien incapable de comprendre, son profil reste un instant en suspens, je le retiens, il cherche à me résister, mais je ne le lâche pas, et lui aussi il est entraîné, balayé dans la foule, noyé dans ma procession comme les autres, à hurler mon nom et celui d'Aphroditê jusqu'à la fin de la nuit. Je me retrouve plongée dans la même ambiance frénétique que lors de la fête de Dionysos quelques mois plus tôt, ou celle paroxystiquement lugubre de la fête d'Adônis. Mais cette fois, je ne peux pas rester à l'extérieur. Je suis au centre. Même si je ne partage pas tout à fait leur émotion, ils la ressentent pour moi. Chacun de mes gestes vers eux, ils le répercutent au centuple. Comme s'ils étaient les vingt mille bras d'un cœur unique. Procession respectueuse, et puis aussi, un peu, vulgaire. Les deux en même temps. Il reste quelque chose d'un chœur burlesque dans la façon dont ils me promènent à travers la ville, m'appelant alternativement Phrynê et Aphroditê, me demandant de bénir leur membre viril pour qu'ils honorent leurs femmes d'un descendant mâle et leurs maîtresses d'une bonne giclée de foutre infertile. Ce peuple déconcertant joue à ce que je sois la déesse, il se donne à lui-même la comédie de son enthousiasme, mais désormais je le comprends. Voilà, je suis à peine plus sincère qu'autrefois mais désormais je joue avec lui. Je suis l'absente mais désormais je suis là. J'ai trouvé ma place, ma distance.

Soudain je me retrouve devant le sanctuaire d'Aphroditê Pandêmos. Oui, bien sûr, c'est là qu'ils me conduisaient. Chez moi. Ils franchissent l'enceinte et me déposent sur les premières marches qui mènent à la nef sacrée, sans oser aller plus loin. Je me retourne et je les bénis. Avec une grâce majestueuse, avec une bienveillance infinie, je passe ma main sur les fronts, les sexes, les dos, les fesses, les goitres qu'ils me tendent, avant, d'un pas lent de déesse, d'entrer dans mon temple.

À l'intérieur, je suis accueillie par un petit comité d'une dizaine de personnes, dont je me demande bien comment elles pouvaient se douter de mon arrivée et qui, d'ailleurs, paraissent aussi stupéfaites que moi par la tournure des événements. À leur tête, la Grande Prêtresse, qui ne m'a jamais été entièrement favorable, mais qui est bien obligée de s'incliner devant la décision commune de la déesse et de la foule. Elle est accompagnée de trois ou quatre autres des femmes résidant en permanence dans le sanctuaire. Parmi elles se trouve la fidèle alliée qui a accepté de venir témoigner en ma faveur le soir même devant l'Aréopagos. Toutes me félicitent de l'heureuse issue de mon procès, affirmant qu'elles n'ont jamais douté que je serais acquittée mais reconnaissant qu'elles n'avaient pas prévu un tel triomphe. L'une d'entre elles me donne l'une de ses fibules pour que je rajuste enfin tant bien que mal ma tunique déchirée par Hypereïdês.

Je ne tarde pas d'ailleurs à retrouver mon génial avocat. Devinant mieux que moi la logique de la foule, de ce mouvement d'enthousiasme qu'il a lui-même suscité, il est venu tout droit m'attendre dans le sanctuaire dont je viens d'être proclamée avec une telle ferveur la prêtresse. Au milieu de son petit groupe d'amis, qui se ruent sur moi pour me congratuler, j'aperçois à peine la tunique et la chevelure flamboyantes de Myrrhina, noyée elle aussi pour une fois dans la confusion générale. L'orateur lui-même, qui s'est placé un peu en retrait de manière à ce que je lui tombe dans les bras en dernier, attend la fin des effusions avec un sourire ravi de fausse modestie. Je me jette vers lui et je l'étreins follement, tandis que tout le monde applaudit les deux héros du jour. "Tu vois, me glisse-t-il, ce que les Athéniens te disent, c'est qu'ils sont prêts à accepter ton Isodaïtês, à condition que toi, tu sois prête à accepter notre Aphrodite. Notre déesse te veut pour elle." Puis, se dégageant, il revient à voix haute sur son inspiration de la soirée, le moment où il a dénudé mes seins lors de sa péroraison pour emporter la décision. Il n'avait pas du tout prévu de le faire. Depuis le début, il savait juste vaguement qu'il aurait besoin d'inventer quelque chose de marquant mais il n'arrivait pas à imaginer quoi. Il a été saisi d'une sorte d'inspiration subite, qui lui est venue de son angoisse de ne pas parvenir à obtenir l'acquittement. Peut-être s'est-il laissé inspirer directement par la déesse qui a parlé par sa bouche et agi par ses mains ? Tout le monde l'applaudit de nouveau, tandis qu'il s'incline, avec le petit sourire de celui qui, malgré ce qu'il vient d'affirmer, sait bien que les ovations ne s'adressent à personne d'autre qu'à lui.

Pourtant, un peu plus tard, il me prend par la main. Il m'entraîne à l'écart, devant une statue d'Aphrodite. Je la reconnais : c'est la *Déesse à sa coiffure* que sculpta Praxitélês trois ans auparavant, en se servant de mon visage et de mon corps sans me demander l'autorisation. Premier instant de calme de toute cette soirée folle. Hypereïdês me demande comment je me sens, après avoir été emportée comme lui dans la tempête de ces émotions échevelées. Je ne réponds rien. Il ajoute : "J'ai dû te faire un peu violence, je le reconnais, mais j'espère que tu me pardonnes. Je te jure que je n'avais rien prémédité, même lorsque je t'ai demandé hier de t'habiller très légèrement." J'aurais mauvaise grâce à ne pas lui rendre son sourire. Il continue, en tournant les yeux vers la statue : "Tu sais ce que je suis en train de me dire depuis que je suis entré dans ce temple ? À la fin du discours que j'avais préparé, au moment où, tout suant, je désespérais de l'emporter, je crois que l'image qui m'est apparue, eh bien, c'est cette statue devant laquelle nous nous trouvons maintenant, toi en Aphroditê. J'y vois le chef-d'œuvre de Praxitélês. J'ai toujours senti qu'il avait capturé quelque chose de toi, une réserve, une pudeur dans la séduction, une sauvagerie aussi, qui me touchent profondément. Dans mon angoisse, il m'a semblé que des mains, peut-être celles d'Euthias, des ciseaux, un marteau, s'approchaient de ces seins que protège leur fragile tunique de marbre. Je n'ai pas supporté qu'on les abîme ! Alors, brusquement, j'ai trouvé le seul moyen de les sauver, qui était de les montrer à tous." Je me souviens qu'en découvrant cette statue dans l'atelier du Sculpteur, j'ai éprouvé moi aussi la tentation de lui marteler le visage et les seins, justement parce qu'ils étaient les miens. Hypereïdês, qui revit encore une fois en frissonnant le moment de son inspiration, n'ajoute rien. Nous restons tous les deux silencieux.

Pourtant, un moment après, de retour devant nos partisans, tout heureux d'avoir retrouvé ce qui s'était passé en lui, ou peut-être de l'avoir inventé, il leur raconte son instant de bouleversement esthétique. Il conclut : "Voilà, mes amis, c'est exactement comme cela que m'est venue cette inspiration divine. C'est grâce à elle, je le sais, que ce discours va entrer dans les annales judiciaires, que moi-même je serai considéré comme un orateur inventif, et peut-être, allez, risquons le mot dans la fièvre du moment, génial. Pourtant, croyez-moi ou non, cette idée inattendue, j'en suis encore à douter qu'elle m'ait vraiment traversé l'esprit, que ce geste ait réellement existé et que ce soit moi qui l'ai fait !" Il est si fier de lui, si bruyamment soulagé, qu'il me fatigue un peu. Il me propose d'aller fêter avec Myrrhina et ses camarades notre commun triomphe, maintenant que la foule massée devant le sanctuaire a fini par se disperser et par nous laisser la voie libre. Mais, après l'avoir beaucoup remercié, je refuse de l'accompagner. Je décline aussi la proposition que me font les prêtresses de m'octroyer une chambre à côté des leurs dans les communs du sanctuaire. J'ai besoin d'être seule. Après la confusion, j'aspire seulement à l'obscurité et au silence de ce temple. Je veux y passer la nuit, prosternée de tout mon long devant la statue de la déesse conçue par Praxitélês, comme Manthanê m'a appris à le faire, dans mon enfance à Thespiaï, devant celle d'Aphroditê Mélaïna, et méditer sur le sens de ce qui vient de m'arriver.

Hypereïdês n'a-t-il pas raison dans l'avertissement qu'il m'a murmuré à l'oreille au moment où nous nous sommes congratulés, comme le Sculpteur et comme l'Égyptienne avaient tenté de le faire avant lui : n'est-il pas temps que j'accepte l'appel d'Aphrodîtê, que je me réconcilie avec elle ? Il est stupide de jouer Anaïtis contre Aphrodîtê, puisqu'Aphrodîtê est Anaïtis. Les deux visages de la même entité indifférente et bienveillante, contre l'ordre de laquelle il est inutile de se révolter. Elle-même, au lieu de se révolter contre le désir, en affine la violence. N'est-ce pas ce que je dois faire aussi ? Accepter la déesse grecque, la déesse assimilée, la déesse complice, accepter la cité, réconcilier cette dernière avec le Thiase, et devenir force d'harmonie ? Je me souviens soudain que c'est la deuxième fois de ma vie que je passe la nuit seule dans un temple, humiliée puis sauvée par mon humiliation, tirée miraculeusement de la mort par une force de vie supérieure, qui est à la fois à l'intérieur de moi et à l'extérieur. Devrai-je me réconcilier même avec ce moment-là, même avec la nuit dans le temple de Thespiaï ? Tout ce qui m'a brisée, me faudra-t-il l'assimiler pour en tirer ma force, ma compréhension souveraine du monde et des hommes, ma distance infranchissable mais proche ? Cela ne me sera-t-il pas nécessaire pour accomplir vraiment l'œuvre que la déesse paraît m'avoir confiée : les aider à aller plus loin dans sa compréhension, leur montrer sous le voile d'Aphrodîtê le corps puissant d'Anaïtis, et l'installer chez eux en pleine lumière ?

À ce moment-là de ma méditation, je commence à deviner en moi le surgissement d'une idée.

Mais je n'ai pas le temps d'en reconnaître les contours. J'entends du bruit dans l'obscurité du temple, du côté des autres statues. Soudain, l'une d'entre elles s'anime et sort de l'ombre. Le dieu ailé ? Le guerrier blond, l'homme violent ? Non, c'est seulement le garçon frêle, c'est Erôs, c'est Phaïdros, c'est Attis ! Oh, je l'avais presque oublié, celui-là. Mais lui, pendant ce temps, il pensait à moi ? Il se glisse souplement près de mon corps agenouillé et pose sa tête sur mes genoux, comme un animal abandonné qui réclamerait un geste d'affection. Comment a-t-il su où je me trouvais ? Comment a-t-il échappé à la garde d'Aâmet à qui je l'avais confié ? À moins que ce ne soit elle qui me l'ait envoyé ? Il a réussi à ne pas réveiller les Cerbères, à escalader le mur d'enceinte de ma propriété, à trouver son chemin entre les tombes jusqu'à la ville, à pénétrer de nuit par la Double Porte pourtant fermée, à se risquer dans le quartier mal famé du Kérameïkos jusqu'à ce sanctuaire, à escalader ce deuxième mur à peine moins haut, à monter sans trembler les marches du temple pour se glisser entre les statues des dieux ? Est-il capable de tout ça ? Voit-il dans la nuit comme les chats, dont il possède la souplesse, la paresse et la liberté ? Est-il capable de survivre dans Athênaï sans moi ?

Chut, à quoi bon toutes ces questions, elles ne sont pas de saison, me répond-il à sa façon : en prenant ma main et en la posant sur sa joue, puis sur son sexe dressé. Je le caresse. Il me rend mes caresses. Dans la nuit du temple, au pied de l'*Aphroditê* de marbre, nous faisons notre œuvre commune, l'œuvre de chair, l'œuvre de peau. Je le chevauche et le guide vers le plaisir. Dans sa personne, je fais l'amour à tous ces hommes qui m'ont jeté des pierres avant de me porter en triomphe. Je leur pardonne leurs offenses en les transformant en offrandes. Nos soupirs, se répercutant contre les murs du temple, envahissent la ville. Ils se répandent comme une litanie de bénédiction sur toute cette foule qui m'a sanctifiée et qui doit être maintenant, galvanisée par l'énergie de la procession, en train de faire comme nous : furtivement et furieusement l'amour. Au fond des maisons, dans les chambres des maîtres et dans les cellules nauséabondes des serviteurs, dans les salles des banquets élégants et dans les bordels immondes des deux ports, entre les tombes du cimetière national, dans les collines des alentours et les bois d'oliviers, dans les étables et sur les aires rondes à battre le blé, sur les pierres sèches des sentiers, au bord des ruisseaux presque à sec, dans les dortoirs asphyxiants des mines du Laureïon et sur la route sainte d'Eleusis, partout l'amour, partout, partout. Et moi, sur Attis, au centre de tout. Présente.

Quelques heures plus tard, les rayons du soleil se réfléchissant contre le marbre poli de la statue me heurtent avec insistance les paupières. L'idée que j'ai pressentie la veille vacille devant moi dans la lumière, toute formée.

34

PARTAGE DE L'INTIMITÉ

Lorsque Praxitélês m'aperçoit, il pose ses ciseaux et, tel qu'il est, les mains calleuses et la barbe toute couverte de poussière de marbre, il m'attire dans ses bras. Il m'étreint longuement sans prononcer un mot. Une fois qu'il est remis de son émotion, je lui coupe de nouveau le souffle en lui expliquant mon projet. Je lui demande s'il se souvient de ce qu'il m'a confié plus de deux ans auparavant, devant la statue de Kallimakhos, de son rêve de révolutionner la représentation du corps féminin, en montrant une Aphroditê aux seins délibérément nus. J'avais refusé de poser alors, mais, depuis la nuit dernière, je suis prête. Je vais dans un même mouvement l'aider à réaliser son rêve d'artiste et sceller ma réconciliation avec la déesse. Praxitélês a perdu le concours face à Skôpas sans même lutter (une ultime ébauche de glaise grandeur nature de l'*Erôs* reste au repos, désœuvré et moqueur, dans un coin de l'atelier) mais il trouvera là une revanche éclatante. Si les prêtres du sanctuaire conservateur de l'Ourania refusent cette œuvre trop provocatrice, il pourra toujours l'offrir, s'il le souhaite, à celui de la Pandêmos (c'est mon thiase qui la lui paiera). Elle y sera placée à côté de l'autre, la première *Aphroditê*, celle qui n'en est encore qu'à se coiffer. En les comparant, le public pourra juger de l'audace du Sculpteur, et de la direction nouvelle qu'il tente de donner à la sculpture de son temps. Mais il doit saisir au vol la proposition que je lui fais, en mettant de côté tous ses autres travaux en cours. Il m'écoute, le souffle coupé, les yeux brillants. Il me répond simplement : "On commence quand ?
— Maintenant."

J'ajoute, en désignant les assistants qui encombrent son atelier : "Chasse-les tous ! Je veux juste toi et moi. Tu travailleras dans le plus grand secret." Dès que ses aides et ses élèves sont partis, je commence avec mes femmes à me préparer, tandis qu'il s'occupe de rassembler le bloc de glaise qui va lui servir dès la première esquisse. J'enlève la fibule de ma tunique, que je roule très bas sur mes hanches, mais en laissant, afin d'éviter qu'elle ne tombe plus bas, un pan accroché à mon bras gauche, dans le pli de mon coude. Je dénude entièrement ma poitrine. Notre déesse ne montrera pas un seul sein à la dérobée, comme celle de Kallimakhos, mais les deux, et le ventre tout entier. Elle sera aussi libre et aussi naturelle qu'une femme à sa toilette le matin, devant la vasque d'eau fraîche, ou qu'une hétaïre le soir, lorsque la fardent ses servantes avant la fête. Les miennes, un peu surprises d'abord de me voir me déshabiller au milieu de l'atelier, me parent avec un empressement maladroit. Elles sentent ma frénésie mais, n'en comprenant pas la cause, elles croient que j'envisage de faire l'amour avec le Sculpteur sur le petit lit de repos installé dans un coin, s'en amusent, font les folles. Je suis obligée de les calmer et de m'emparer moi-même du miroir pour vérifier l'état de ma coiffure. Je veux que la déesse soit irréprochablement apprêtée au moment de montrer pour la première fois ses seins au public. À l'autre bout de l'atelier, le Sculpteur m'appelle un peu impatienté. Mais il faudra bien qu'il attende ! Je viens de m'apercevoir que les petites sottes, dans l'excitation de ce qu'elles prennent pour une scène coquine impromptue, ont mal disposé l'un des peignes de corne qui maintiennent en place l'un des bandeaux. Après l'avoir enlevé prestement, tout en criant : "J'arrive, j'arrive, et vous, calmez-vous un peu, vous m'empêchez de me concentrer", je m'apprête à le remettre en place, lorsque soudain j'entends la voix du Sculpteur : "Ne bouge plus, surtout, je t'en prie ! Reste exactement comme ça !" Il se rue sur mes servantes, qu'il bouscule hors de l'atelier, comme il a chassé tout à l'heure ses assistants : "Allez, hop, votre maîtresse n'a plus besoin de vous !" Il revient et il m'explique que je viens de trouver par hasard exactement la pose qu'il veut fixer : alors que la déesse s'apprêtait à fixer un peigne dans sa chevelure, elle jette un coup d'œil au miroir qu'elle tient de sa main gauche, et suspend son geste, prenant le temps de détailler, d'un regard assuré et précis, la perfection de son buste nu. L'attitude que j'ai trouvée pour cette *Aphroditê à sa toilette* est très proche de celle qu'il a donnée sans moi à sa précédente statue, l'*Aphroditê à sa coiffure*, et pourtant elle est radicalement différente. Parce que, cette fois-ci, la déesse se trouve seule, débarrassée du petit Erôs artificiel qui lui présentait le miroir et l'obligeait elle aussi à prendre la pose.

Là, elle n'est pas coquette mais calme. Pas séductrice mais attentive. Pas encore devant le regard d'un homme. Une femme seule avec elle-même mais qui connaît tous les artifices de la séduction, qui sait depuis longtemps la puissance de sa beauté et qui s'apprête encore une fois à la mettre en valeur, en s'observant tranquillement. Une nudité de femme regardée seulement par une femme.

Après ces explications, je déplace légèrement la tête, pour plonger les yeux dans mon miroir, comme il vient de me le demander, m'efforçant de vivre les intentions qu'il me propose. Mais sa voix résonne de nouveau : "Ou peut-être, non, attends, je te dis des bêtises, je ne sais pas pourquoi mais juste avant, c'était beaucoup mieux." D'une légère mais précise pression de ses deux mains sur mon crâne, il m'oblige à reprendre la position que j'avais adoptée spontanément en écoutant ses consignes. Et voilà, c'est ça ! Je sens que tout Praxitélês est là, dans cette légère inclinaison, qui vient donner plus d'ambiguïté à la pose, une complexité nouvelle à l'attitude abandonnée que je lui suggérais : le regard de la déesse n'est pas tout à fait fixé sur le miroir, non, il est, de manière presque imperceptible, détourné dans le vague de la rêverie. À quoi pense-t-elle, à qui ? À la nuit qui précède, à celle qui va suivre ? Ou peut-être même, ce serait encore plus intéressant, a-t-elle conscience que quelqu'un l'observe ? Oui, bien sûr, quelqu'un la contemple à sa toilette. Un homme. Le spectateur. Mais, au lieu de s'en indigner comme l'aurait fait Artémis, dont nous avons déjà exploré la chasteté farouche, au lieu de punir de mort le voyeur qui la surprend dévêtue, Aphroditê, elle, fait semblant de ne pas avoir remarqué sa présence et continue tranquillement à se parer. Le seul indice qu'elle est consciente du regard du spectateur, c'est ce léger sourire de connivence que Praxitélês n'a presque pas besoin de dessiner de son doigt sur mes lèvres, car je l'esquisse de moi-même. Sourire de bienveillance amusée. Peut-être l'homme ne la surprend-il pas ? Peut-être le chérit-elle assez pour l'admettre au rituel privé de sa toilette, au spectacle de cette intimité qu'elle ne se donne habituellement qu'à elle-même ? Peut-être cet homme et cette femme sont-ils assez en harmonie pour s'admettre l'un l'autre dans leur intimité, non pas celle de l'étreinte, mais celle, finalement encore plus secrète, qui la précède ou qui la suit ?

Tout en gardant la pose, je continue à explorer le secret de ce sourire d'Aphroditê, et de ce rapport aux hommes qu'il me propose. S'il s'agit du regard de son amant, le furieux Arês, le dieu de la violence guerrière, celui-ci est assez rassasié, au petit matin de leur nuit d'amour, pour prendre le temps d'observer Aphrodite en train d'accomplir les soins quotidiens qui la feront paraître chastement belle à la société des autres dieux. S'il s'agit au contraire de celui de son mari, le rude forgeron Héphaïstos, que son désir de possession rend d'ordinaire gauche et difforme, celui-ci est assez apaisé ce soir-là pour observer sa femme se préparer, la tunique déjà roulée sur les hanches, à la nuit entière d'amour réconcilié qu'elle va passer avec lui. Il a décidé d'ignorer ce qu'elle peut bien faire le reste du temps avec le brutal Arês, et, tout à la magie de ce moment de grâce qu'elle lui offre, il oublie sa rage de les prendre au piège dans le filet de sa jalousie pour les jeter en pâture aux quolibets des autres.

Oui, si un regard masculin est admis dans ce moment d'intimité féminine, c'est parce qu'il n'y a plus de tromperie d'un côté, ni de jalousie de l'autre. Il n'y a plus de possession, juste de la séduction amusée, une réciproque et tacite complicité. La femme est en paix avec elle-même, avec les hommes et avec le monde, à l'aise avec son désir et avec celui qu'elle suscite. Sa poitrine menue, elle l'observe pour elle-même mais elle la tend aussi, discrètement généreuse, vers les lèvres de l'homme qui la regarde. Elle y trouve du plaisir. Je comprends ce que Praxitélês veut faire. Ce qu'il veut exprimer à partir de ma proposition des seins nus. Une nudité qui ne serait même pas provocatrice, comme je le croyais, mais beaucoup mieux : complice. Une nudité qui n'ignorerait pas la violence, oh non, parce que cette femme a l'expérience de toutes celles que lui font subir les hommes, celle du guerrier Arês comme celle du mari Héphaïstos, mais qui, même provisoirement, se saurait capable de l'annihiler. Dans ce calme, dans cette assurance, dans cette grâce harmonieuse, je me plonge. Oui, dans cet accord que je n'ai pas tout à fait atteint dans ma vie réelle mais auquel j'aspire désormais, je me plonge.

Pendant plusieurs jours, nous travaillons ensemble, sans même être distraits par les facéties d'Attis, qui est le seul à avoir été admis dans le secret de notre entreprise, parce qu'il ne la comprend pas. Nous ne retrouvons pas la fièvre de la séance de pose de l'*Artémis chasseresse* mais nous partageons une autre exaltation, plus étale et plus profonde. Praxitélês est un maître désormais, et moi aussi, dans mon domaine. Ce que nous cherchons, nous l'atteignons sans nous égarer. Nous allons, du même pas lent, bien plus loin que les autres. Nous bouleversons leurs codes sans même chercher à les transgresser. Cet artiste délicat et torturé réalise avec une puissance paisible une œuvre révolutionnaire et je lui en fournis sans hésiter la matière. Nous atteignons tous les deux, ensemble, pendant ces après-midi de pose, à notre maturité. Nous le savons. Nous en jouissons.

Ensuite, après ces quelques jours de plénitude, je me glisse de nouveau avec volupté entre les bras joueurs d'Attis et j'abandonne le Sculpteur. Il travaille seul pendant des semaines à reporter dans le marbre ce qu'il a trouvé dans la glaise, à tailler, à ciseler, à polir. Je sais qu'il faut le laisser tranquille. En lui rappelant seulement à intervalles réguliers qu'il est temps de finir et que la perfection est inatteignable. Nikias, qui est devenu un grand peintre et un artiste aussi célèbre que le Sculpteur, accepte de nouveau de négliger ses propres œuvres pour vernir la statue. Car, me dit-il, il s'est rendu compte au premier coup d'œil que l'*Aphroditê aux seins nus* était un chef-d'œuvre. Moi, je le savais avant même le premier coup de ciseau, avant la marque initiale des pouces sur la glaise. Je l'ai su dès que j'en ai conçu pour lui le défi, lorsque le rayon inaugural du soleil m'a réveillée au petit matin dans le temple, après la nuit de prière, après la procession folle, après les meurtriers assauts de langage du procès. Tout, dans la conception comme dans l'achèvement de cette œuvre, a été lumineux. Comment imaginer, en la voyant, qu'une création aussi manifestement inspirée par le regard calme d'Apollôn ait pu sortir du chaos même de Dionysos ? Je suis la seule à pouvoir deviner ce mystère. C'est la réponse apaisée de l'artiste à l'inspiration brutale de l'orateur. Sa façon à lui d'honorer la puissance nouvelle d'Aphroditê sur la scène athénienne. La foule qui se presse dans l'atelier de Praxitélês ne parvient même pas à s'indigner de ces seins nus, subjuguée par l'autorité tranquille de la composition.

Praxitélês me dit qu'il a l'impression d'avoir atteint un achèvement. Il peut mourir, il a réalisé son œuvre. Je souris.

Mais j'ai la même impression que lui. Pour la première fois depuis des années, je me sens hors de danger.

Aâmet, pour fêter mon acquittement, me donne un collier qu'elle a fait fabriquer sans me le dire par le meilleur orfèvre de la ville, en le payant avec les revenus du Thiase. Ses anneaux d'or pur s'achèvent sur une médaille : on y voit la figure d'une déesse couronnée. Celle-ci me rappelle vaguement, par son hiératisme majestueux, le camée de la bague que m'avait donnée Manthanê, bien que le nom estampé tout autour de cette figure divine soit celui d'Aphroditê, et non celui d'Anahita. Comme ma nourrice autrefois, l'Égyptienne me recommande de porter ce talisman en permanence : pour lui donner tout son pouvoir, je dois prononcer le nom de la déesse chaque matin, en l'accompagnant de toutes ses épithètes, et en suivant du doigt avec soin les lettres de l'inscription. Moi qui, depuis des années, me distingue des autres hétaïres par mon absence presque totale de bijoux, j'accepte sans discuter de porter celui-ci. Je m'en pare avec un frisson.

L'issue de mon procès a également des conséquences politiques : six mois après celui réglant l'affaire de Kéôs, Hypereïdês est enfin débarrassé de ses ennemis. Au moins pour quelque temps. Même s'il se doute que cette liberté n'est que provisoire, il peut envisager avec plus d'optimisme de se consacrer au grand projet inspiré par son maître Isokratês : restaurer les relations d'Athênaï et de ses alliés, afin d'éviter pacifiquement de prochaines défections et de prochaines guerres fratricides. Une ère nouvelle commence peut-être, me déclare-t-il. Son énergie, lucide, qui n'ignore pas le doute mais ne se laisse pas paralyser par lui, me touche de plus en plus.

Quant à Euthias, fou de rage, il tient sa promesse. Sa vie publique s'interrompt brutalement. Malgré les supplications de ses parents, malgré l'intervention apaisante d'Isokratês, malgré l'assurance de retrouver bientôt l'intégralité de ses droits civiques dont l'a déchu le résultat humiliant du procès, il décide de quitter Athênaï pour une colonie en Khersonêse. Il s'embarque sans que nous nous soyons revus. La nuit qui précède son départ, je ne parviens pas à trouver le sommeil : je me demande quel aurait été le destin de ce jeune homme brillant s'il ne m'avait pas rencontrée. Qui l'a empêché de réaliser la grande œuvre pour laquelle les autres le pensaient taillé ? Est-ce moi ou lui-même ?

Bien qu'il ait transgressé le secret de l'initiation, j'ai décidé de lui laisser la vie sauve. Au petit matin, à l'heure où, dans le port, il doit être en train de regarder pour la dernière fois le rivage de l'Attique, j'invoque pour lui ce dieu qu'il a blasphémé et je prie pour qu'il trouve au loin le bonheur. Ou au moins, comme moi, un certain apaisement. Des semaines plus tard, j'apprendrai par hasard, grâce aux confidences d'une des servantes de sa famille nouvellement intégrée dans notre Thiase, qu'il n'a jamais atteint sa lointaine destination. Personne, et notamment pas son père, ni sa mère, tous les deux désespérés, et tous les deux m'en voulant à mort, personne ne sait ce qui lui est arrivé pendant la traversée. Peut-être a-t-il sans prévenir quitté le bord à l'une des escales de Thrace, seul moyen pour lui de laisser Euthias l'amoureux malheureux disparaître définitivement et de recommencer sa vie sous un nouveau nom ? Par la suite, pourtant, me reviendront en mémoire certains faits inquiétants, auxquels je n'avais pas prêté assez attention sur le moment : l'absence pendant quelques jours de Kariôn, l'intendant de Nikarêtê, et celle de Kistôn, le plus froid des Cerbères, leurs conciliabules avec Aâmet, leur façon de les interrompre brutalement lorsque je m'approchais. Je sais que l'Égyptienne ne transgresse mes ordres que pour respecter les volontés implacables de la déesse. Ou les désirs de vengeance que je n'ose pas m'avouer. Peut-être la disparition mystérieuse d'Euthias est-elle le signe qu'en profondeur je suis moins réconciliée avec le monde que je ne veux bien le croire ? Non, je préfèrerai toujours me dire qu'Euthias a réussi à reconstruire ailleurs sa vie après le désastre, comme moi la mienne.

35

DISPARITION

Je peux désormais développer librement le culte d'Isodaïtês dans l'ombre d'Aphroditê, tout en continuant à mener ma vie d'hétaïre. Mes tarifs atteignent de nouveaux sommets et mes fantaisies érotiques aussi. Je triomphe. Saisissant d'une main mutine mes clients par la nuque et les inclinant irrésistiblement entre mes jambes ouvertes, je les oblige à m'honorer. Je leur prodigue les conseils d'une voix calme, avec la même autorité dont ils usent d'ordinaire pour se faire sucer. Aucun de ceux à qui j'impose cette pratique n'ose s'en vanter, même dans les confidences de fin de banquet. J'aime de plus en plus jouer avec leurs codes sexuels. Autant pour eux il est viril et avouable de faire l'amour à un garçon, pourvu qu'on soit actif, autant il est efféminé et indécent de lécher une femme, parce que l'on se soumet à son plaisir. Ma position favorite devient celle où je monte sur l'homme, où de ma main je guide sa verge à l'intérieur de mon propre sexe, où je chevauche, où je dirige. Certains soirs de frénésie, j'ai plaisir à renverser plus complètement les rôles. J'utilise pour cela l'un de ces ustensiles oblongs de bois et de cuir dont je possède bientôt une impressionnante collection. Je les inflige à mes partenaires, même lorsqu'il ne s'agit pas d'éphèbes novices mais d'hommes accomplis, sans témoigner le moindre égard pour les preuves visibles de leur maturité, pour ces poils sur leurs joues et sur leurs poitrines qui devraient leur rendre honteuse toute pratique passive. Sachant parfaitement que, si jamais leurs amis, leurs parents ou leurs concitoyens, l'apprennent, ils seront méprisés, j'éprouve d'autant plus de plaisir à leur imposer ma domination. Beaucoup d'entre eux me quittent effarés au petit matin, se demandant ce qui a bien pu leur passer par la tête pour accepter de se laisser ainsi posséder par cette damnée étrangère à la peau jaune, qui détient maintenant sur eux le plus compromettant des secrets.

Pourtant, même dans cette période d'audace, je ressens à d'autres moments l'envie impérieuse d'être soumise, prise comme une chienne, comme la putain que je n'ai jamais vraiment été. Mon désir, jusque dans ses facettes incongrues, je l'explore désormais sans honte, embarquant dans ma quête celui des hommes qui se trouve en ma compagnie cette nuit-là et qui se montre assez résolu pour me suivre. Rencontrerai-je jamais le partenaire capable de m'accompagner jusqu'au bout à travers les entrelacs parfois contradictoires de ma sexualité ? Je suis encore loin des rivages de la terre inconnue, je n'ai osé mettre le cap vers la haute mer que depuis peu et déjà, je m'y retrouve presque seule. Ces Grecs ne sont que des caboteurs. Où est l'Ulysse qui saura s'échouer sur l'île de Circê ? Quelle tempête faudra-t-il pour que je le rencontre ? Je ne me pose même plus cette question : chacun de mes amants me permet de toucher une face de mon désir mais il y en a tant ! Je suis résignée à ce que les hommes soient toujours trop simples pour moi, même les plus ardents comme Hypereïdês ou les plus subtils comme Praxitélês.

Seul Attis au lit est aussi multiple que moi. Mais il n'y a que le sexe qui nous réunit. Je ne suis capable de l'intéresser à rien d'autre, sinon, parfois, à quelques bijoux que je fais miroiter devant ses yeux, à quelques tissus chatoyants, certaines soies douces et souples comme des peaux, certaines moires aux reflets changeants. J'aimerais pouvoir l'immobiliser, l'obliger à se poser dans le nid de mes bras, le captiver, lui faire partager mon besoin de calme. Mais, même après l'orgasme, il s'agite. J'en suis réduite à attendre qu'il s'endorme pour le regarder dans son sommeil. J'observe ses sourcils se froncer. Je devine sans les identifier les ombres qui passent et repassent sous les arcades de son front. Moins j'arrive à le retenir, plus j'en ressens le besoin compulsif. Plus je me dis que, de tous les hommes que je fréquente, ce jeune esclave inculte est le moins intéressant, le moins intelligent, le plus superficiel, le moins digne que je l'aime, et plus je l'aime. Cet animal stupide est le dieu qui règne en maître sur moi. Alors même que je triomphe sur Athênaï, Attis triomphe sur moi et réduit ma victoire à rien. C'est la vérité amère du dieu que je professe, Isodaïtês.

Praxitélês vient un jour me redemander mon favori pour quelques séances de pose. Il a envie de se remettre à son *Erôs au repos* et de l'inscrire enfin dans la pierre. Skôpas, le jeune maître de Paros, qui avait gagné sans combat le concours de l'Ourania en proposant une *Aphroditê pleurant Adônis* extraordinairement dramatique, n'a même pas vu la *Déesse à sa toilette* et l'éclatante revanche qu'elle a ménagée à son rival athénien. Après avoir assuré son triomphe sur le continent, il est parti depuis plusieurs mois déjà vers les commandes lucratives des grandes cités d'Iônie et de leurs richissimes négociants. Praxitélês ne veut achever son *Erôs* que par défi personnel. Même s'il est un maître reconnu, même s'il dirige un atelier extrêmement productif, il ne sera jamais l'homme des concours ni des chantiers collectifs, ni des théories ni des écoles, mais celui des audaces singulières. J'ai la faiblesse d'accepter sa proposition et il s'enferme avec Attis. Le sculpteur ne me parle pas de son travail et l'esclave n'a comme d'habitude rien à m'en dire. Je ne sais pourquoi, cette fois, j'ose à peine venir les déranger. Un après-midi où je me risque pourtant dans l'atelier, je les y surprends en plein milieu d'une séance. Non pas de pose, mais de baise. Frénétique. Violente. Vulgaire. Praxitélês pénètre furieusement Attis tout en l'insultant, et celui-ci, une main posée sur sa verge en érection, rit aux éclats dans le jaillissement de son sperme. Le reste de la scène me choque moins que cet éclat de rire. J'en suis jalouse. Avec moi, Attis ne rit jamais. Le Sculpteur, à qui je fais des reproches, refuse de s'excuser. Il prétend qu'après tout, c'est moi qui, au départ, lui ai donné le désir de cet *Erôs*. Ce jeune homme, que je lui ai proposé comme modèle, est beau mais il est également, et presque au même instant, laid. Non pas stupide, comme je le prétends, mais mauvais. Il ne s'intéresse pas le moins du monde à l'œuvre qu'ils sont en train de créer. Elle n'est pour lui qu'un moyen d'obtenir de l'argent. Il vole tout ce qu'il peut trouver d'un peu de valeur dans l'atelier. Il peut se montrer froid, réfléchi, dissimulateur. Il suit son plan qui n'est pas le nôtre. Dans le fond, il est inquiétant plus encore qu'exaspérant.

Je hausse les épaules sans même demander à Praxitélês de justifier ses accusations. J'en suis encore au point où, cette vérité que je soupçonne sur mon amant, je n'ai aucune envie de l'entendre dans la bouche d'un autre. Je leur interdis de se revoir. Malgré les supplications de l'artiste, son *Erôs* restera inachevé. La vision de cette présence esquissée dans le marbre, dont je me dis sans remords qu'elle ne dépassera jamais l'état d'ébauche, je ne lui jette qu'un coup d'œil.

Pourtant, elle s'imprime dans ma mémoire. On distingue déjà l'attitude, l'arc tenu lâchement entre les mains, les ailes à demi repliées ; mais c'est surtout le visage, beaucoup plus travaillé que le reste, qui attire l'attention : la tête penchée, le sourire aux lèvres, le jeune dieu regarde avec insolence ou sournoiserie le spectateur. Quelque chose à la fois de veule et de triomphant dans l'attitude. Praxitélês a saisi Attis bien mieux que moi. C'est pourquoi je refuse qu'il achève cette œuvre.

Quelques nuits plus tard, avertie par un pressentiment, je me réveille en sursaut. Je me précipite dans la chambre contiguë à la mienne. J'y envoie d'ordinaire reposer mon jeune amant, parce qu'il est désormais si agité dans son sommeil que je ne supporte plus de le garder à mes côtés. J'aime toujours autant contempler après l'amour son visage presque paisible, les yeux fermés, mais ensuite, lorsque je suis lasse de ce spectacle énigmatique qui m'apaise à peine, je le réveille sans pitié et je le chasse de ma couche. Or, sa chambre est vide. Je me souviens brusquement de la façon mystérieuse dont il est venu me rejoindre la nuit du procès dans le temple d'Aphroditê, alors que je l'avais confié à la garde d'Aâmet et de Thratta. Je les oblige toutes les deux à se lever, ainsi que le reste de la maisonnée. Le regard de chacune de ces femmes rassemblées fuit devant le mien. Je comprends alors qu'aucune n'est surprise d'apprendre de ma bouche qu'Attis découche. Ce n'est sûrement pas la première fois et j'étais la seule à ne pas m'en être aperçue ! Il me trompe, il me trahit au vu et au su de tous ! Furieuse, je les renvoie à leur coupable sommeil. Je veille seule le reste de la nuit, attendant le retour de mon amant, imaginant alternativement les châtiments que je vais lui infliger, les raisons qui ont pu l'inciter à me désobéir et les accidents affreux dont il a pu être victime loin de moi.

Il ne rentre qu'au petit matin, par le jardin de derrière dont il a dû escalader le mur d'enceinte. Son visage et son buste apparaissent brusquement par la fenêtre de la chambre. Il se retrouve à l'intérieur avant que j'aie eu le temps d'avoir peur. Il paraît à peine surpris de me découvrir assise dans la pénombre. Il ne se trouble que quelques instants. Puis il me sourit. Il cherche à m'enjôler. Lorsqu'il se rend compte que je suis vraiment en colère et qu'il ne va pas parvenir à m'amadouer, il change brusquement d'attitude. Il se révolte pour la première fois. Il me défie. Il me jette à la figure, dans son mauvais grec, bourré de fautes et de tournures argotiques (où a-t-il appris à parler ainsi ?), que je suis ennuyeuse, vieille (c'est la première fois qu'on emploie ce mot

à mon égard, alors que je n'ai pas vingt-cinq ans), laide (là aussi, première fois et je n'y crois pas). C'est lui, me crie-t-il, qui est en colère
contre moi. Plus je veux l'obliger à m'aimer, moins il m'aime. Cette
dernière phrase, je ne lui accorde pas plus d'importance qu'aux autres,
parce qu'elle est perdue dans un flot d'insultes et de sarcasmes vulgaires. Avec froideur, je lui rappelle qu'il est mon esclave et qu'il me
doit obéissance absolue. Pour toute réponse, il m'éclate de rire au nez.
Un rire qui n'en est presque pas un, excessif, frénétique, hurlé. Je reste
pétrifiée de découvrir ce visage déformé par la rage, cette violence,
chez un garçon dont je ne connaissais que la douceur, la faiblesse,
presque la mollesse, et dont j'avais l'impression d'être obligée de susciter moi-même la force virile dans les étreintes où j'avais envie d'être
dominée. Cette brutalité, cette méchanceté même, qui se révèlent
à travers la veulerie, elles sont totalement indépendantes de moi. Je
reste sans voix et sans force devant la brusque révélation de sa haine.

Mais, lorsqu'il se rend compte de la vérité qui est en train de se
faire jour en moi, il change de nouveau radicalement d'attitude. Il
redevient le jeune animal folâtre et câlin qu'il a toujours été jusque-là,
comme s'il cherchait à me faire oublier ce visage hargneux qu'il a eu
l'imprudence de me laisser apercevoir. Trop tard, il ne peut plus
me tromper. Comment ai-je pu être assez naïve pour penser qu'il
m'était soumis ? Puis-je m'étonner, moi qui me suis dressée un jour
face à Nikarétê, de découvrir les véritables sentiments d'un esclave
pour son maître ? Cet éclat de haine brute provoque chez moi beaucoup d'inquiétude mais aussi un peu de respect. Il me ressemble
plus que je ne le croyais. Je l'imaginais totalement impulsif, un être
d'instinct et de sensualité pure, et voilà que je découvre qu'avec moi
au moins il est contrôlé. Et si l'image que je m'étais construite de
lui était fausse ? Finalement, je ne le connais pas du tout. La seule
chose que je sais de lui, c'est que je n'ai rien compris.

Mais, ce matin-là, je fais semblant de me laisser avoir encore une
fois. J'ai hâte de mettre fin à cette scène dans mon désir soudain,
non pas de revenir à nos relations anciennes, mais d'en inventer une
autre plus authentique. Alors je me laisse convaincre par les cajole-
ries menteuses de mon amant forcé. Les jours suivants, je me mets
à lui poser des questions sur ses origines, afin d'apaiser la curiosité qui m'a prise de tout savoir de lui. Il n'y répond que par bribes
confuses et parfois contradictoires. Soit parce qu'il ne maîtrise pas
assez la langue pour s'exprimer clairement, soit parce qu'il se dérobe.
Comme je le fais aussi, lorsque l'on cherche à forcer l'accès à mon

passé. Malgré mes efforts, il continue à venir de nulle part. Quelques nuits plus tard, il découche de nouveau. Au matin, il refuse de me dire où il va, qui il fréquente. Plus je lui montre que je le respecte, plus il se moque de moi. À bout de patience, j'écoute les conseils de Thratta et je le fais fouetter par Kistôn, le plus implacable des trois Cerbères. Au début, Attis croit à un jeu érotique comme un autre, auquel il se soumet avec sa lascivité coutumière, mais je ne donne l'ordre d'arrêter le châtiment que lorsque sa peau est en sang et qu'il a épuisé toutes ses larmes, ses cris de révolte et ses supplications. Il met plus de quinze jours à s'en remettre. Je ne lui ai toujours pas pardonné ses dérobades et je le fais enchaîner par Mentês dans sa chambre chaque soir, ne le libérant que dans les moments où j'ai envie de me servir de son corps. Je suis résolue à ne plus l'utiliser que comme un objet. À tirer mon plaisir de cette rage qui me possède de ne plus du tout le considérer comme un être humain.

Alors il change de nouveau d'attitude : il se montre si soumis, si pleinement à l'écoute de mes moindres volontés, si rempli du désir de se faire pardonner que je finis par lui accorder de nouveau ma confiance. Je sens que j'ai gagné. Je l'ai brisé. Je l'ai reformé à ma guise. Comme Nikarétê sa Mélitta, comme Pygmaliôn sa Galatéïa, de ce bloc de liberté brute et de futilité, j'ai fait une statue harmonieuse de docilité. Une nuit, nous nous unissons avec tant d'intensité retrouvée que je me hasarde à lui parler de nouveau d'amour. Au-dessus de moi, dans la cage de mes bras et de mes jambes refermée sur lui, dans le nid où je l'accueille et où je m'ouvre à lui, je l'entends qui jouit comme jamais il ne l'a fait, qui jubile, qui sanglote d'émotion, parce qu'il a compris enfin que je lui demandais d'être à la fois mon esclave et mon maître. Il me jure dans son mauvais grec qu'il m'aime et je me laisse aller moi aussi à pleurer, tant la sincérité de son cri me bouleverse. Apaisement. Triomphe total et définitif. J'atteins mon sommet. Je suis enfin aussi comblée en amour que dans ma vie publique. Confiante dans ce que nous venons de vivre, dans cet accord que nous venons de trouver, je renonce à le faire enchaîner par les Cerbères. Il me remercie les yeux brillants de fierté.

Et, dès la nuit suivante, il s'échappe de nouveau.

Mais, cette fois, au matin, il ne revient pas.

Après deux nouvelles nuits d'angoisse, je me décide à lancer mon thiase à ses trousses. Aâmet prend alors la parole. Elle me déclare que mes efforts sont inutiles : je le rattraperai peut-être mais il repartira. J'ai tort de vouloir l'enchaîner. J'ai tort de vouloir le posséder. Si je l'aimais vraiment, je le laisserais libre et ce serait le seul moyen qu'il m'aime en retour. Elle ne m'a aidée à l'acheter le premier jour que parce que je m'étais engagée à l'affranchir. Elle me demande si j'ai le droit, en tant que prêtresse, de mobiliser le Thiase pour cette recherche qui n'a rien à voir avec Anaïtis ni Isodaïtês, qui au contraire va contre leur ordre et ne concerne que mon intérêt privé. Je sais très bien qu'elle a raison mais je ne peux pas lutter contre cette force qui me pousse à vouloir le retrouver. Ne serait-ce, tenté-je d'argumenter, que pour pouvoir m'expliquer avec lui avant de lui redonner sa liberté. Oui, si j'ai besoin de le capturer une dernière fois, c'est pour l'affranchir ensuite moi-même ! Aâmet me regarde d'un air sombre me tordre les mains et me griffer le visage. Malgré ses avertissements, je lance toutes les femmes et tous les hommes du Thiase à la recherche d'Attis mais leur enquête dans les bouges, les salles de banquet, les sanctuaires, les confréries d'étrangers où il aurait pu trouver refuge, ne débouche sur aucune piste sérieuse.

Quelques jours plus tard, pourtant, j'obtiens indirectement de ses nouvelles. Un homme à l'accent exotique vient frapper à ma porte pour me proposer de racheter mon esclave. Il refuse obstinément de m'en dire plus et, dans mon exaspération, je le fais jeter dehors. Quelques minutes après, je lance Adômas à ses trousses pour lui mettre la main au collet et le traîner devant les commissaires en l'accusant de vol d'esclave, mais l'inconnu a déjà disparu dans la foule. Je ne parviens même pas à identifier son accent. Je fais concentrer les recherches sur le port du Peïraïeus mais elles ne donnent pas plus de résultat. Au bout de quelques semaines, je comprends que j'ai perdu Attis et je sombre. Je me laisse aller. Je gâche ma beauté. Je fais tout pour devenir laide. Je veux partager au moins la répugnance qu'il éprouve à mon égard, me voir avec ses yeux et devenir un peu lui. Le seul moyen dont je dispose pour le maintenir en vie, c'est de lui donner raison sur moi. Je néglige le Thiase malgré les remontrances d'Aâmet qui se voit obligée de confier les récits et même l'organisation de la cérémonie secrète à Thratta. La servante est prête déjà à me remplacer. Lorsque je soumets cette réflexion à la vieille Égyptienne, elle se fâche. C'est la première fois que je la vois dans cet état. Elle maudit Attis et elle maudit l'amour, qui est capable de me faire tout gâcher, alors que la réussite nous tend les bras ! Je dépéris malgré les efforts de Lagiskê et de Myrrhina pour me distraire. Hypereïdês, lui aussi, qui a réussi à me tirer jusque-là de tous les pièges où je m'étais fourrée, se désole. Il me met en garde contre cet esclave rebelle. Il me révèle qu'Attis s'est introduit chez lui plusieurs semaines auparavant pour lui faire des propositions indécentes et lui demander une grosse somme d'argent, dont il prétendait avoir un besoin urgent. Hypereïdês l'a fait chasser sans vouloir en écouter plus, après l'avoir menacé, si jamais il osait se montrer de nouveau, d'en informer sa maîtresse.

Cette démarche, dont je reproche à mon ami de me l'apprendre trop tard, me plonge dans des transes. Pourquoi Attis avait-il besoin d'une telle somme ? Pour payer la traversée qui le ramènerait chez lui ? Mais où est-ce, chez lui ? En Phrygie ? Dans quelle ville, dans quel village ? Pour régler une dette de jeu dans un des bouges du port ? Pour racheter sa liberté, en mentant sur son identité ? Pour racheter celle d'un esclave aimé ? Qui ? Une femme ? Un homme ? A-t-il finalement obtenu cet argent d'un autre de mes clients, plus malléable qu'Hypereïdês, afin de mettre son projet, quel qu'il soit, à exécution ? Pourquoi ne m'en a-t-il pas demandé à moi, au prix d'un de ses habituels mensonges ? Pourquoi ne m'en a-t-il pas volé ? Simplement à cause de la vigilance de mes serviteurs ? Parce que, même réduit à la dernière extrémité, il ne voulait plus avoir affaire à moi ? Je me perds dans des dédales de questions où il m'échappe sans cesse. Je ne parviens pas à retrouver sa logique, parce que je ne m'en suis jamais souciée, toute à la jouissance de lui imposer, comme à un animal, ma propre volonté. Je me suis fourvoyée de bout en bout avec lui et maintenant il est trop tard pour revenir en arrière. Je ne peux plus que porter le deuil, non pas celui d'Attis mais celui de mon amour, me déchirer le visage et la poitrine avec mes ongles, m'arracher les cheveux, répandre de la cendre sur ma tête, refuser de me laver et de manger. Je repense aux avertissements de Nikârétê : surtout ne jamais tomber amoureuse. J'étais tellement certaine alors, à dix-sept ans, de pouvoir suivre sans peine ce conseil, de toujours échapper à ce sentiment méprisable de dépendance, de ne jamais me sentir liée malgré moi à un homme ! Oh, pourquoi n'ai-je pas été plus prudente ! J'ai envie de mourir. Hypereïdês dont les plaisanteries, les supplications, les menaces restent vaines jure que c'en est trop. Il accepte, comme je l'en supplie, de lancer de son côté son enquête, mais il me promet, mi-plaisantant mi-sérieux que, si jamais il met la main sur cet esclave, il lui réglera son compte lui-même, pour lui apprendre à plonger dans un tel état d'affliction la plus jolie hétaïre qu'on ait jamais vue à Athênaï. Je parviens à peine à le remercier de son aide. Pourtant, elle me soulage. Il m'a déjà sauvé la vie une fois, en me faisant violence, et même deux, si je compte l'épisode d'Androtiôn. Peut-être y parviendra-t-il de nouveau ?

Dans l'attente, je ne trouve de réconfort qu'auprès de Praxitélês. Ou plutôt auprès de la statue d'Erôs qu'il n'a pas encore réussi à terminer et que je l'encourage à reprendre, en s'appuyant, pour compenser l'absence d'Attis, sur la seule force de son imagination. Le regarder s'y appliquer est l'unique chose qui me redonne un semblant de calme. Alors, chaque fois que je viens le voir, le Sculpteur se remet à l'ouvrage, en maudissant lui aussi le modèle. Lorsqu'il a bien travaillé, il parvient même parfois à me faire absorber quelques gorgées d'eau et quelques aliments. Dans l'exécution de ses précédents chefs-d'œuvre, c'est moi qui étais obligée de le ramener à la raison. J'unissais mes efforts à ceux de ses assistants pour lui faire prendre conscience qu'il était temps d'arrêter de retoucher le marbre, et qu'il fallait bien, à un moment ou à un autre, décider que la statue était achevée. Là, au contraire, je l'encourage à prolonger sans cesse le travail. À marquer un tout petit peu plus la double inclinaison opposée de la hanche et des épaules qui met le corps en mouvement. À reprendre un dernier détail dans la chevelure pour la rendre plus libre. À polir le visage, le repolir encore, le repolir toujours, comme s'il s'agissait d'arriver à transformer le matériau de plus en plus translucide en peau vivante ! Oui, il ne lui manque plus que cela, à son Erôs, à mon Attis : la vie ! Le Sculpteur a tellement bien su capter son air de veulerie triomphante, son sourire moqueur et indéfinissable, ses yeux qui fuient dans le vague, la courbure de ses hanches qui se donnent et se refusent dans le même mouvement, enveloppée dans ses ailes souples prêtes à se déployer et à l'emporter loin de moi ! Oh, cet Attis au repos, il n'existe plus pour moi que là, sous sa forme de pierre, seul le Sculpteur a réussi à le figer dans son désir de fuite. Mais Praxitélês peut faire encore mieux, je le sens, encore plus proche, encore plus souple. Je l'exhorte à ne pas relâcher son effort. Je le persuade qu'il est le seul artiste au monde capable d'atteindre à la perfection ultime et (cela, je ne le lui dis pas mais il s'en doute peut-être) de me rendre mon amant en le faisant surgir du marbre. Lorsque je me donne au Sculpteur pour le remercier, et l'inciter à continuer le travail, je ne suis pas vraiment là, dans les bras de Praxitélês, je suis absente, dans les bras de la statue, que je tente moi aussi d'animer, à ma façon, par mes baisers fiévreux. Sans m'en rendre vraiment compte, possédée par mon égoïsme sacré, j'entraîne le Sculpteur dans ma noyade, au fond du même état vaseux d'abattement et de surexcitation. Nous nous épuisons l'un l'autre dans notre commune tentative pour redonner vie à l'absent. Praxitélês travaille sans relâche, en maudissant Attis, en me maudissant moi aussi, en maudissant l'amour qu'il éprouve pour moi et qui l'enchaîne à sa tâche démente. Cette statue aura sa peau. Il ne parviendra à faire du marbre chair humaine qu'au prix de son âme, il ne l'animera qu'en lui donnant son dernier souffle. S'il me présentait le marché en ces termes, sa vie contre celle de la statue, je suis si monstrueusement amoureuse que je sacrifierais sans hésiter l'artiste génial à l'esclave futile, le trésor de désintéressement que le premier m'offre sans compter au vertige vain de la possession du second, le plein du Sculpteur à mon vide. D'ailleurs, je n'ai même pas besoin de le dire à Praxitélês, il le sait. Mais il continue. Poussé aussi bien par son orgueil de créateur conscient de réaliser un chef-d'œuvre que par son amour pour moi. Sa jouissance d'artiste et son tourment d'amoureux se mélangent, s'exaltent et se purifient dans cette œuvre insensée.

Mais son désespoir de devoir me donner ce qu'il a de plus précieux pour combler mon manque d'un autre le rend malgré tout plus heureux que moi. Car moi, je ne possède rien, aucun geste, aucune science, qui me permettrait de transcender ma jalousie et mon désir fou de l'absent. Le Sculpteur et moi ne quittons plus son atelier. Je l'y tiens enfermé par les sortilèges de ma faiblesse. Quand il s'endort, je le réveille, de la seule intensité de mon regard fixé sur lui au milieu de l'insomnie. Si je consens à boire et à manger quelques bouchées, c'est pour lui redonner des forces, afin qu'il puisse de nouveau soulever ses ciseaux et continuer à polir. Lorsqu'il sera parvenu à ressusciter Attis, à le ramener à la vie en l'obligeant à s'incarner dans la statue de marbre, je passerai une chaîne autour du cou de mon esclave retrouvé et j'abandonnerai l'artiste, sans un mot ni un regard de remerciement, le laissant mourir d'épuisement dans son atelier de démiurge. Cette vérité insupportable, le fait que je suis en train de tuer au travail cet artiste que j'admire, de le vider de sa substance, comme l'a fait avec moi la déesse cruelle que j'ai longtemps haïe, je ne me l'avoue pas. Les rares moments où je m'endors, je ne vois que des images confuses, la statue qui se fendille, puis qui tombe en morceaux, et il me faut un si puissant effort de volonté pour la maintenir d'un seul bloc que je me réveille au bout de quelques instants à peine de sommeil. Alors je m'aperçois que les coups de ciseaux du Sculpteur se sont arrêtés. Le criminel dort les yeux ouverts devant son œuvre inachevée. Je le secoue sans pitié, pour qu'il se remette au travail, et qu'il ne laisse pas la vie d'Attis, là-bas, au loin, se briser définitivement.

Une nuit enfin, je lâche prise. Cette fois, je sombre. Je rêve. La statue s'anime. Elle me parle, puis elle se met en marche et sort de l'atelier sans me regarder. J'ai la soudaine certitude qu'Attis, si je le laisse disparaître dans la foule, m'échappera à jamais. Mais je ne parviens à retrouver ni mes mains ni mes jambes pour me mettre debout et le suivre. Lorsque je finis quand même par m'extirper du cauchemar, il s'est réalisé : plus personne dans l'atelier, ni le Sculpteur ni la statue ! Dans la réalité comme dans mon rêve, je n'ai plus la force de me lever. Seulement celle de m'envelopper dans le manteau qu'on a posé sur moi et d'attendre que quelque chose se passe. Que quelqu'un me tire de mon néant. Praxitélês revient au bout de quelques heures, accompagné d'Aâmet et d'Herpyllis. Tout en me réconfortant et en m'obligeant à avaler quelques bouchées de nourriture, ils m'apprennent que j'ai dormi plus d'une journée entière. J'étais arrivé au bout de mes forces et le Sculpteur aussi. Nous étions parvenus tous les deux à l'extrême limite de notre résistance humaine, au-delà de laquelle s'étendaient la folie et la mort. Praxitélês ne pouvait plus supporter de travailler sous ces deux regards dévorants, celui d'*Erôs* et le mien. Profitant de mon sommeil et d'un éclair de lucidité, il a compris qu'il avait achevé sa partie, qu'il était allé aussi loin qu'un sculpteur pouvait le faire pour donner à la pierre la souplesse de la peau. Encore une fois, il fallait qu'un autre prenne le relais, pour achever la création humaine et la rendre divine. Accepter que l'art ne soit pas l'enfant d'un humain seul mais de deux au moins, le premier se dépossédant au dernier instant pour passer le relais à l'autre, ou même de trois, ou de quatre, d'Attis à moi, et de Praxitélês à Nikias, c'est le secret de l'unique perfection que l'on puisse atteindre ici bas. L'évidence qu'il a redécouverte ce matin, en échappant à mon emprise, tandis que j'étais enfin la proie du sommeil. Aidé de ses assistants et de ses serviteurs, au milieu d'un vacarme qui ne m'a même pas réveillée, tant je dormais profondément (je dormais comme lui agissait : pour sauver ma peau), il a fait transporter la statue chez le peintre afin que ce dernier lui appliquât l'enduit et les vernis légers qui créeraient l'illusion ultime, la tiédeur de l'épiderme et l'éclat humide des pupilles. C'est là-bas, loin de lui qui l'a conçu, qu'Erôs pourra naître enfin à la vie. Loin de moi. Car Nikias, sur le conseil de Praxitélês, m'a fait interdire sa porte. Appuyée sur l'épaule d'Herpyllis, suivant machinalement Aâmet, je m'enfuis de cet atelier où plus rien ne me retient. Éblouie par les éclats blessants de la lumière, je traverse l'Agora comme un spectre, je longe le Cimetière comme une ombre de moi-même.

Et, ce matin-là, ce matin de vide absolu, de dépossession totale, en arrivant chez moi, je retrouve Attis.

À la grande stupéfaction d'Aâmet et de mes autres servantes, qui ne se sont rendu compte de rien, ou qui le prétendent du moins, il m'attend dans ma chambre. Recroquevillé au pied de mon lit comme un cadavre, ou comme un animal blessé. Bien vivant. Mais en piteux état. Hâve, déguenillé, couvert de sang et de boue. Oui, comme un jeune animal parti trop tôt et revenu mourir dans la tanière de sa mère. Où est-il allé ? À qui ce sang ? Pourquoi cette boue ? Il ne répond pas. Il pleure. Alors toutes mes défenses cèdent, je pleure avec lui, je me jette sur le sol dans ses bras, bien qu'il soit immonde, couvert de glaires, de liquides ignobles, puant, j'accepte tout de lui, toutes ses souillures et toutes ses trahisons. J'accepte de ne pas le posséder vraiment. Je me suis juré, lorsque je le retrouverai, après l'avoir serré dans mes bras une dernière fois, de le chasser ou de le faire fouetter par Kistôn, émasculer par Adômas, étrangler par Mentês. Au lieu de cela, je le confie à Aâmet pour qu'elle le soigne. Je tente de le veiller, comme je l'ai fait une fois pour Hermodotos enfant. Mais je suis encore si épuisée par l'effort que j'ai fourni dans l'atelier de Praxitélês pour obliger mon ami le Sculpteur à maintenir mon amant en vie, que je dors aux côtés du miraculé pendant presque une semaine. Grâce aux soins de l'Égyptienne, qui résiste à la tentation de l'éliminer pour ne pas me désespérer, ou grâce seulement à l'énergie de sa jeunesse, il guérit, et je guéris avec lui.

Ensuite nous vivons une nouvelle lune de miel. Encore plus intense que la première, lorsque je l'ai acheté sur le marché de Korinthos et que je me suis enivrée de notre entente sensuelle. Oui, une union plus intense et plus grave, enrichie de tout ce que nous venons de traverser loin l'un de l'autre. Je suis plus heureuse que je ne l'ai jamais été et, pourtant, quasiment au même instant, comme si j'étais dédoublée, je suis malheureuse à en crever. Car, tout en le caressant, je ne peux empêcher ma pensée de se cogner à son énigme. J'embrasse sa peau dorée et je frissonne de la revoir, comme au matin de son retour, souillée de sang et de boue. Je sens s'insinuer de nouveau dans mes narines, sous le parfum dont je l'ai frotté moi-même, sa puanteur ignoble. À qui ce sang, à lui ? Et cette boue, d'où ? Je voudrais savoir mais il ne me donne aucune réponse et je n'ose lui poser aucune question. Pour la première fois, je m'interroge sincèrement sur lui et je crois deviner, à l'intérieur de lui, quelque chose de brisé qui m'effraie. Il prospère de nouveau, il s'épanouit, sa peau fraîche, ses muscles, sa verge vibrante, sous mes doigts, c'est un nouveau printemps mais, sous la surface tiède, l'hiver est là. Que veut-il, que désire-t-il, qu'est-ce qui l'appelle loin de moi ? Il continue à fleurir, à jouir, mais sans joie, avec désespoir, prolifération malsaine, et moi, de nouveau, je dépéris.

Je sens le regard d'Aâmet posé sur moi, celui d'Hypereïdês, celui de Praxitélês, celui d'Herpyllis. Et même celui d'Hermodotos. Son regard d'enfant, dont j'ai l'impression qu'il saisit encore mieux que tous les adultes ce qui m'arrive, que cela l'inquiète encore plus profondément. Tous me confrontent à la même exigence : libérer enfin Attis pour me libérer de lui. L'affranchir, comme je l'avais juré le premier jour, pour assurer son retour vers sa patrie lointaine. Ou peut-être seulement le laisser continuer à vivre sa vie à Athênaï sans moi, mais dans des conditions légales et décentes, sans plus avoir à se cacher. Aâmet m'y pousse par ses silences insistants. Hypereïdês m'en parle à plusieurs reprises et m'assure qu'il se chargera de toutes les démarches. Praxitélês m'explique que c'est la seule manière de me sauver, comme lui est parvenu à le faire en confiant la statue d'Erôs à Nikias. Il nous emmène la voir dans l'atelier du peintre. Cet *Erôs au repos*, qui a coûté au Sculpteur tant d'efforts et de tourments, est d'une limpidité et d'une grâce merveilleuses. Praxitélês a décidé de ne pas le vendre, mais d'en faire don au grand théâtre de Dionysos, qui l'exposera à l'entrée des gradins. Il n'a pas craint d'être le premier artiste à révéler au public ses sentiments personnels, en faisant graver sur la base de la statue un quatrain, dont il a ciselé chaque mot dans sa tête au long de cette semaine affreuse où je l'ai obligé à polir sans relâche la peau du disparu pour l'empêcher d'être marquée par les morsures de la mort :

> "D'Erôs, Praxitélês dut souffrir les tourments
> Pour en saisir la grâce et le détachement.
> Erôs, je suis le seul présent digne d'Erôs
> Et de Phrynê, la belle hétaïre féroce."

Il est fier d'avoir dominé sa jalousie et il m'invite à m'affranchir de même. Je sais qu'il a raison. Mais ce geste si simple de libérer Attis, je ne parviens pas à l'accomplir. Je manque ma chance. Je me dis que mon amant reste trop faible, physiquement et psychologiquement, qu'il n'est pas encore guéri, pas encore capable d'assumer la liberté. Il mettra de nouveau sa vie en danger et cette fois il n'aura pas la chance de revenir chez moi couvert de sang, parce qu'il sera mort. S'il s'embarque pour sa patrie, il sera capturé par des pirates, et de nouveau vendu sur un marché aux esclaves où, cette fois, je ne serai pas là pour le racheter. J'invente toutes sortes de bonnes et de mauvaises raisons pour me cacher cette vérité unique : c'est moi qui, sans lui, suis incapable de survivre. Je me dis qu'il est trop pur. Ce mot-là le ferait rire, si j'osais le prononcer devant lui, mais je sais que c'est pour cela qu'il se souille, parce que sa pureté et sa fragilité, celles même d'Erôs, le rendent incapable de résister à la tentation. Je dois continuer à le protéger de lui-même en le possédant malgré lui. Il devient de plus en plus joufflu, il s'empâte, il s'aigrit, et moi je m'épuise sans parvenir à nous rendre heureux. Ah, je déteste être amoureuse ! Ou en tout cas l'être ainsi. Mais c'est la seule manière que je connais. Personne ne m'a jamais appris à aimer. Je me sens balourde, empêtrée, grosse. Oui, grosse, lourde de vide, encombrée de mon amour importun à tous et même à moi, remplie jusqu'à la nausée de ce vain désir de possession. Je ne suis plus maîtresse de moi-même alors que je prétends l'être d'un autre. Si l'amour n'est que ce désir fou de posséder l'autre, rien ne peut plus que l'amour éloigner de l'autre. Rien ne peut plus empêcher d'aimer que l'amour. D'ailleurs, je ne m'aime plus moi-même. Je suis mal. Je fais du mal. À moi-même, à lui, à tous mes amis. La chair à vif, je me sens à l'intérieur toute boursoufflée d'exigences impossibles.

Bref, je ne m'en sors pas. Tout le monde autour de moi gémit de la malédiction qui me frappe. Plus personne ne parle à Attis. Tout le monde le hait. Moi y compris. Moi la première. Cela ne peut plus continuer ainsi.

Un matin, il disparaît de nouveau. Cette fois, j'ai le pressentiment que c'est la bonne, je veux dire l'insupportable, la définitive. Je tente de me raccrocher à ses promesses, lui qui m'a juré que ses folies étaient finies, qu'il était allé jusqu'au bout, que désormais il resterait avec moi, qu'il serait sage. Mais je sais que je me mens. Mentês, le plus âgé des trois Cerbères, entretient depuis des années des contacts chez les archers scythes, où il a fait ses débuts à Athênaï. Quelques jours après la disparition d'Attis, il m'apprend une inquiétante nouvelle : l'inspecteur public chargé du district du Phalêron a fait savoir la veille aux Onze, les magistrats de police, que la mer avait rejeté un cadavre sur la plage. L'un d'entre eux, escorté de quelques archers, doit s'y déplacer le matin même pour l'examiner. J'accepte d'y accompagner Mentês mais je refuse absolument de m'approcher du corps, que les gardes ont laissé étendu sur le sable noir à l'endroit où les flots l'ont déposé. J'envoie le Cerbère à ma place. Après s'être longuement penché sur la dépouille, et avoir discuté avec le magistrat, il revient me décrire ce qu'il a vu. L'inconnu, entièrement nu, a été égorgé avant d'être abandonné aux flots. Il n'est pas seulement abîmé par son séjour dans l'eau, mais il a été délibérément mutilé. Le visage martelé, de manière à n'être pas identifiable. Les mains et les pieds coupés, comme on le fait pour éviter que le mort ne puisse se venger. Le sexe tranché, ce qui peut faire penser à une affaire de mœurs ou à un rite religieux sanglant, tel qu'il s'en pratique dans ces sectes étrangères, semblables à la mienne, qui pullulent plus encore à Athênaï depuis que j'ai gagné mon procès.

Bref, le cadavre a été rendu parfaitement méconnaissable. Mentês, qui connaît pourtant bien le corps nu d'Attis, pour l'avoir enchaîné pendant des semaines et fouetté plusieurs fois jusqu'au sang sur mon ordre, comme il me le rappelle d'une voix calme, n'a pu malgré un examen soigneux se faire aucune certitude. Mais moi, je devine aussitôt que cette dépouille humiliée, ces restes lamentables abandonnés sur le sable, sont ceux de mon trop bel esclave, du petit compagnon que j'ai autant chéri que maudit, de l'être unique capable de me faire ressentir tant de délices et tant de tourments ! Oui, c'est lui, j'en suis certaine, on me l'a tué ! Qui ? Qui l'a torturé si affreusement ? Qui a osé ce sacrilège de lui faire subir d'autres violences que les miennes ? Bien qu'il ne soit qu'un esclave, l'enquête est menée avec diligence grâce à mes protections et à l'efficacité d'Hypereïdês. Mais elle ne donne rien. Elle me permet seulement de découvrir les turpitudes de mon protégé. Il était connu aussi bien dans les cercles des jeunes désœuvrés d'Athênaï que dans les tripots les plus sordides des deux Ports, où il se faisait passer pour un métèque et non pour un esclave, ce qui lui était possible grâce aux riches habits que je lui avais offerts et à la longue chevelure que je l'autorisais à porter. Pourquoi ne l'ai-je pas fait tondre chaque jour pour restreindre sa dangereuse liberté ? Mais j'apprends pire encore : il faisait travailler pour lui deux des filles de mon thiase qui étaient tombées amoureuses, avait des dettes de jeu, des relations louches avec des entrepreneurs et des trafiquants de chair humaine. Rien de tout ceci ne me surprend vraiment. Plusieurs esclaves sont mis à la question, plusieurs voyous sont arrêtés, puis relâchés. Je ne parviens pas à réunir assez de preuves pour accuser quiconque d'être l'auteur du meurtre. J'en suis réduite à des supputations. S'il s'agissait d'une affaire crapuleuse, pourquoi des mutilations aussi sauvages ? Je me cogne contre cette image décrite par Mentês, le trou grumeleux au bas du ventre que j'ai aimé et caressé, la béance de la gorge, la bouillie du doux visage que j'ai regardé dormir. Il y a quelque chose d'autre là-dessous que je ne saisis pas.

J'en viens à considérer mes propres amis avec méfiance, tant ils parviennent peu à me cacher leur soulagement. Est-ce Hypereïdês qui a réglé ses comptes avec mon esclave, comme il m'en avait fait la promesse un jour de colère ? Lui aussi a suffisamment de relations louches pour faire disparaître un homme sans même se salir les mains. Est-ce Praxitélês, le délicat Praxitélês, l'artiste souple de la rêverie, qui a osé, une fois son *Erôs* de tourment et de grâce achevé, se venger de son insupportable modèle en lui tranchant le sexe avec ses ciseaux, en lui cognant le visage de son marteau, jusqu'à ce qu'il n'en reste qu'un amas de matière aussi confus qu'un bloc de glaise ? Je repense à la dédicace de la statue d'Erôs, à cette souffrance qu'elle évoque. D'autres bruits commencent à circuler dans la ville. Des bruits sur moi. Certains m'accusent d'avoir fait exécuter moi-même mon amant dans une crise de jalousie. D'autres racontent que je l'ai sacrifié lors d'une nuit d'orgie, où, après m'être unie une dernière fois à lui, j'ai émasculé mon Attis comme Kybélê le sien, pour dévorer tout cru son sexe avec mes fidèles. Je suis tellement révoltée par ces racontars ignobles que je ne parviens même pas à protester. Je garde un silence outragé qui m'accuse aux yeux de l'opinion publique comme il me disculpe aux yeux de ceux qui me connaissent bien. Une seule personne ne dit rien. Aâmet qui me regarde. Aâmet qui me fouille jusqu'à l'os et traque mes désirs les plus secrets pour les réaliser aussitôt, mes hantises, mes paniques, mes pulsions. "N'as-tu pas désiré la mort d'Attis ? me demande-t-elle muettement, ne l'as-tu pas désirée secrètement autant que tu la refuses maintenant ? Alors que reproches-tu à la déesse ?" Je découvre sous le regard trop perspicace de l'Égyptienne que je ressemble à Euthias, qui a voulu me tuer parce qu'il m'aimait, parce qu'il m'aimait trop pour supporter que je lui échappe. Je suis comme mon ennemi intime : vaincue par la sauvagerie de mon propre cœur.

Alors, de nouveau, ce sont les fêtes d'Adônis. Aphroditê, dans la cité entière, pleure par la voix de ses femmes sur le corps de son bel amant mort. La première fois que j'y ai assisté, quelques années auparavant, je m'étais moquée de ces cérémonies d'un pathétique absurde. Cette fois-ci, je lutte de toutes mes forces pour ne pas leur trouver trop de sens. Mes sanglots s'entassent dans ma gorge mais ils ne sortent pas, ils emplissent la ville de leur agonie silencieuse et me la rendent insupportable. Je ne sais pas si mon amant à moi est mort ou s'il s'est seulement enfui, je sens seulement à quel point je suis privée de lui, à quel point il me manque encore, bien plus profond en moi que la raison. Ce qui me tue, c'est d'être privée de ce qui reste à Aphroditê dans son deuil : le corps de l'aimé sur lequel répandre sa douleur. Oh, elle, la déesse, elle peut l'envelopper de larmes et de fleurs, le soigner une dernière fois, s'appuyer sur lui, le toucher, entrer en contact. Tandis que moi, je suis vide. Je donnerais tout pour le revoir, ne serait-ce que quelques heures, quelques minutes ! Même pas pour le prendre dans mes bras, non, je sais que c'est trop demander, mais simplement échanger quelques paroles amicales avec lui, alors que nous communiquions seulement par gestes quand il était là. Non, non, même pas lui parler, même pas le toucher, si c'est trop, simplement le revoir ! Poser non pas mes mains mais mon regard sur le contour familier de son corps ! Cette faim sans espoir ne peut être rassasiée ni par les statues de cire, devant lesquelles se prosternent les femmes mariées, ni par les éphèbes de chair, que mes amies hétaïres s'amusent comme les années précédentes à ramener à la vie dans un éclat de sperme. J'erre comme une âme en peine, je ne participe pas aux cérémonies, je fuis les banquets, l'on m'accuse une nouvelle fois de mépriser les rituels officiels, alors que je ne leur ai jamais été reliée aussi intimement. J'ai l'impression que ce n'est pas Attis, mais moi qui suis retenue sur le rivage du fleuve des Enfers. Je ne peux ni le traverser ni revenir en arrière, comme une âme dont le corps est privé de sépulture.

Je commence à faire des cauchemars. Un surtout, qui me réveille presque chaque nuit. Herpyllis et le petit Hermodotos passent des heures ensuite à essayer de me calmer. L'ombre noire se tient au-dessus de ma tête. Elle ne fait rien, elle ne dit rien, elle voltige, elle me regarde, jusqu'à ce que mon angoisse soit si forte que je sursaute hors du sommeil. Le plus effrayant, c'est que, même après mon réveil, le fantôme muet parvient à rester quelques instants au bord de mon lit, comme s'il ne se résignait pas à disparaître dans la réalité et à me laisser tranquille. À bout de force, je finis par en parler à Aâmet. L'Égyptienne passe avec moi la nuit qui suit mes confidences. Malgré sa protection, le spectre n'hésite pas à se montrer. À ma grande terreur, au lieu de le chasser, Aâmet le retient, en lui offrant le sang d'un coq aux pattes et au bec liés, qu'elle sort de sous son manteau d'un geste vif pour l'égorger sur le dallage de ma chambre. L'ombre, après s'être repue du sang, continue à se taire d'une façon menaçante. Mais la sorcière se met à converser avec elle en lui parlant dans une langue étrangère et en écoutant avec attention ses silences. Cet étrange dialogue dure un petit moment, jusqu'à ce que, dans un souffle qui me glace les os, l'apparition s'évanouisse. Bien qu'elle ait refusé avec obstination de dire son nom à Aâmet, elle lui a indiqué ce qu'il fallait que je fasse pour qu'elle me laisse tranquille. Je donne l'ordre aux Cerbères d'exhumer, sous les yeux des inspecteurs, le corps mutilé retrouvé sur la plage, que j'ai laissé jeter avec d'autres dans une fosse commune, afin de me prouver, contre ma conviction profonde, qu'il ne s'agissait pas de celui d'Attis. Je refuse absolument de me mêler de cette opération sordide mais Aâmet me force ensuite à rendre au mort inconnu les honneurs funèbres qu'il m'a demandés. Je fais brûler le cadavre sur un bûcher dans ma propriété, recueille ses cendres et les adresse à un sanctuaire d'Attis, près du petit port d'Assos, en Phrygie. L'Égyptienne est intervenue avec une autorité si rassurante au milieu de mes cauchemars qu'à partir de ce moment l'ombre, apaisée, cesse de me hanter.

Mais je continue à me torturer. Je sais au fond de moi qu'Attis est mort, et pourtant une partie de moi, la rationnelle, refuse de le croire. Le dédoublement douloureux persiste même après la disparition du fantôme. Je tente de toutes mes forces d'opposer un raisonnement à mon pressentiment. La seule lueur d'espoir que je puisse opposer à l'obscurité angoissante qui m'environne vient de la confidence d'Hypereïdês sur la visite surprenante que lui a rendue mon esclave avant sa première disparition. Si Attis lui a demandé une telle somme, s'il a assuré à mon ami qu'elle lui permettrait d'être débarrassé de lui, s'il s'est même réjoui cruellement de m'échapper, c'est qu'il avait trouvé le moyen de retourner chez lui. Je préfère le savoir loin de moi, et moqueur, que mort. Parce qu'alors j'aurai une chance de remettre la main sur lui. Je m'accroche si obstinément à cette conversation ancienne, pour ne pas me laisser glisser tout à fait dans le gouffre, que, soudain, au détour d'une rêverie, je finis par tomber sur la vérité que je cherche. L'hypothèse dont j'ai besoin pour survivre jour après jour, heure après heure. Et si c'était Attis qui avait tout manigancé ? Si ce cadavre mutilé n'était qu'en apparence le sien, destiné à me faire croire à sa mort, afin que je lâche enfin prise ? Je repense à cet instant où j'ai vu le véritable visage de mon mol esclave, à la fois haineux et résolu. Un homme capable d'une expression aussi brutale est bien capable de s'être donné à un esclave qui lui aurait vaguement ressemblé ou à un jeune marin inconnu, avant de lui trancher la gorge dans l'abandon du plaisir et de le rendre méconnaissable, pour égarer mes soupçons. Ce serait lui reconnaître de la préméditation, alors que je l'ai toujours cru incapable de se concentrer plus de quelques instants dans la recherche quotidienne de son plaisir, mais je sais désormais que j'étais bien loin de connaître sa vraie personnalité. Et puis j'ai besoin de cette vérité, elle me soulage, je m'ouvre avidement à elle. À partir du moment où je peux croire qu'Attis est toujours vivant, je revis. Je remonte peu à peu du royaume des morts. Ne serait-ce que dans l'espoir de retrouver un jour mon amour de ce côté-ci de la surface, sous le soleil.

Curieusement, je mets du temps à faire le lien entre ce qui m'arrive et mon enseignement, entre la disparition d'Attis et la révélation du mythe d'Isodaïtês dont je dirige de nouveau les séances, entre mon désespoir et la quête que mène la déesse Anaïtis des restes de son amant mort. Je ne parviens pas, d'ailleurs, à aller au-delà de cette question, dont l'évidence m'aveugle : comment vais-je m'y prendre pour ressusciter le mien dans la réalité ? Une partie de moi vit sur la terre et croit encore qu'elle l'y retrouvera un jour, tandis qu'une autre partie, la nuit, le cherche désespérément aux Enfers.

Je souffre trop. Son absence me dévore de l'intérieur. Je n'en peux plus de ne pas savoir, de ne pas pouvoir me représenter où il se trouve. Aâmet finit par céder à mes supplications et par me promettre de mettre sa magie au service de mon amour, de mon besoin dément de revoir l'être qui en est malgré lui l'objet. Je suis prête à tout affronter, même mes terreurs, pour forcer l'esprit d'Attis, où qu'il se soit réfugié, de l'autre côté de la mer ou sur le rivage des morts, à entrer de nouveau en contact avec moi. Plusieurs nuits de suite, nous sacrifions un coq, un bélier, un porcelet. Mais Attis est trop loin pour nous entendre ou bien il est tout près mais refuse de nous obéir. Le sang d'un animal ne suffit pas à l'attirer. Alors, la sorcière égyptienne et moi, nous allons au marché du Peïraïeus acheter le jeune esclave assez résigné, assez marqué par la mort, pour qu'Hékatê nous le désigne. Nous organisons une nuit de cérémonie à laquelle participent les filles de mon thiase qui s'y déclarent prêtes et quelques autres femmes choisies. Le jeune homme est, comme nous toutes, dénudé, saoulé, drogué. Aux sons déchirants des flûtes et des tympanons, nous faisons durcir son sexe, puis, au moment où il va jouir, Aâmet me tend le couteau. Avec un frisson de répugnance mais sans hésiter, je le lui plonge dans la gorge et je la cisaille, tout en prononçant les formules magiques qu'Aâmet m'a fait apprendre par cœur et qui, quel que soit le vrai nom de l'être qui a porté celui d'Attis quelques années avec moi, le forceront à se manifester. Le jeune esclave a quelques horribles sursauts d'agonie tout en éjaculant. L'Égyptienne continue à proférer des imprécations étranges, dans lesquelles je distingue un peu de grec au milieu de beaucoup d'autres mots inconnus. Elle lui tranche prestement le sexe, lui ouvre la poitrine pour en extraire le foie et le cœur, finit de lui sectionner la tête, et, les mains sanglantes jusqu'aux coudes, elle jette ensuite le tout au milieu du foyer préparé à l'avance, où il se consume dans une odeur âcre qui me retourne les entrailles. Mais même ce sacrifice humain n'est pas capable de forcer le fantôme d'Attis à venir se repaître des organes vitaux, du sang et du sperme de la victime.

J'en reste horrifiée, désespérée de ne pouvoir entrer en contact avec lui, et un peu rassérénée. Je tente de me persuader que, s'il n'est pas apparu, alors même que nous offrions à son âme cette irrésistible tentation des quelques secondes de vie intense de l'orgasme, c'est qu'il n'est pas mort. Car je sais que nos mots et nos actes ont été perçus jusqu'aux confins les plus lointains du Royaume dont nous avons dangereusement aboli les frontières. Au moment où j'ai sectionné la gorge du malheureux, j'ai senti la pièce tout entière s'emplir d'une tempête de présences maléfiques, qui ont secoué, dans la violence du désir interdit que nous avions suscité, les meubles et nos âmes. Qui les ont retournés de fond en comble. Mes cheveux se sont dressés sur ma tête. Épouvante. Devant le remuement de Gorgô. Le remuement intérieur de la Gorgone que je suis devenue moi-même, en osant accomplir à mon tour le geste de l'égorgement, regarder avec jouissance les sursauts du mâle à l'agonie, faire surgir devant moi, non pas seulement l'image affreuse du cadavre d'Attis, mais celle de Phaïdros et de mon père. Je suis allée trop loin. À la grande satisfaction d'Aâmet, je lui déclare que jamais plus je n'oserai me livrer à de telles pratiques. Les filles de mon thiase que j'ai poussées à assister à cette scène de magie noire en restent profondément marquées. Deux d'entre elles, dans les jours suivants, tentent de s'enfuir loin de nous. Il faudra beaucoup de temps pour les ramener à la raison, et les persuader que l'harmonie libératrice de notre thiase ne peut être identifiée à cette folie criminelle. Plusieurs autres se rapprochent au contraire de moi, attendant peut-être que je leur propose de participer de nouveau à une pareille nuit de violence débridée. Je revois le regard de Thratta penchée sur le jeune homme à l'agonie, tandis que, d'une main, elle répandait sur ses seins le flot de sang giclant de la gorge ouverte et que, de l'autre, elle le masturbait brutalement pour faire jaillir son sperme avant qu'il ne meure ; elle criait à pleine gorge le nom d'Attis, mais pas simplement pour exécuter l'ordre qu'elle avait reçu de ma part.

Oui, tout cela, je l'ai vu, ma folie, mon amour me l'ont fait voir. Mon cruel amant, malgré ce meurtre en son honneur, se dérobe toujours. Il est plus vivant que jamais depuis qu'il est mort, plus rebelle, plus insaisissable, plus désespérément nécessaire à mon bonheur et à ma soif inextinguible de possession. Non, ce n'est plus même cela, je pourrais le jurer à Aâmet, j'ai dépassé cette étape sans même m'en rendre compte, je ne suis plus tourmentée par la soif de le posséder mais seulement par celle de le revoir. Le revoir une dernière fois, pour quelques instants, et puis je le laisserai aller, vraiment, je le promets ! Mais j'ai tellement besoin de revoir son visage, ses yeux, ses épaules, sa main ! Oh pouvoir n'effleurer que sa main, comme je l'ai fait si souvent auparavant, mais en sachant cette fois que c'est la dernière ! Oui, j'ai tellement besoin qu'il m'adresse un mot apaisant d'adieu pour que nous puissions prendre congé. J'ai tellement besoin de lui dire tous les miens, tous ceux d'excuse et de pardon que je me répète sans cesse, mais de les lui dire à lui, en vrai, pour réussir notre séparation mieux que je n'ai réussi notre union. Dans le brasier de cette ultime rencontre à laquelle j'aspire désespérément, je commence à me sentir prête, malgré la promesse que j'ai faite à Aâmet, maintenant que la terreur du précédent sacrifice s'est un peu estompée, à sacrifier encore des vies, et même la mienne, s'il le faut, avec la même férocité atroce que Thratta.

C'est elle d'ailleurs qui me pousse à descendre encore de quelques marches l'escalier qui conduit vers les Enfers, non pas ceux de la présence divine mais ceux de la folie humaine. Elle me transmet, quelque temps plus tard, la proposition démente d'un de ses clients. Il a entendu parler de la mort du jeune esclave et il se dit prêt à dépenser beaucoup d'argent pour se faire émasculer par moi, dans une parodie grotesque du rite de la déesse Kybélê et de son parèdre Attis, dont ce fou prétend qu'elle pourrait m'aider à entrer en contact avec mon amant disparu. En temps normal, j'aurais refusé cette demande avec horreur, et même avec colère. Mais je l'accepte. La soirée a lieu dans un infâme bouge du Peïraïeus que le client a réservé pour la nuit et dans lequel nous nous introduisons subrepticement. Le type est déjà là, un négociant qui vient de je ne sais plus quelle île du Sud mais qui est très honorablement connu sur l'Agora d'Athênaï. Je l'ai déjà entraperçu plusieurs fois dans des banquets. Un ami de mon ennemi Léôkratês. Un Grec tout ce qu'il y a de plus grec, la barbe fournie et les traits énergiques. En le voyant si normal, je me dis qu'il a simplement usé d'un prétexte dramatique pour se payer une nuit en compagnie d'une fille célèbre et de sa servante. Je ne lui souris pas, je ne lui dis pas un mot, totalement extérieure à la scène, comme une divinité lointaine, mais j'ai l'impression que c'est ce qu'il me demande. D'ailleurs, Thratta parle pour deux. Nous buvons avec lui, nous mangeons les gâteaux sacrés. Puis, sur sa demande, nous nous mettons toutes les deux nues, nous le pendons par le cou à une corde qu'il a lui-même apportée et mise en place, nous le poussons dans le vide, Thratta le masturbe pendant qu'il est en train de s'étrangler dans des sursauts grotesques et, au moment où il éjacule, je tente de lui sectionner les testicules avec le rasoir qu'il nous a fourni. Je m'y prends tellement mal que Thratta est obligée de finir l'horrible travail à ma place. Les yeux exorbités, la peau violette, le pendu lance des ruades et pousse des gémissements affreux, malgré le bâillon. Mais Attis ne se manifeste évidemment pas, ni aucune des présences redoutables qu'Aâmet la magicienne avait réussi à susciter. J'aurais dû m'en douter, je suis folle, il n'y a là rien qu'un sordide massacre de chair sans âme, rien que du vide humain. Pourtant, Thratta me persuade d'attendre encore quelques instants que quelque chose se passe enfin, elle m'empêche de dépendre le malheureux fou et nous le regardons se balancer, dans des écoulements de sang et d'autres abominables déjections, jusqu'à ce qu'il soit vraiment mort. Je ne parviens pas à faire un geste, paralysée par cette scène de cauchemar, par cette violence à laquelle j'ai participé, absente à ces gestes que j'ai accomplis. Je n'ose pas regarder vers le sexe martyrisé de l'homme et j'emporte la vision de son visage boursouflé et tout bleu, tandis que nous nous enfuyons enfin. Guidées par Adômas, nous regagnons dans la nuit noire ma maison sur le chemin sacré d'Eleusis, en laissant Mentês et Kistôn, abasourdis par le spectacle qu'ils découvrent, se débarrasser du cadavre. Une fois de retour dans mes appartements, Thratta ose encore me murmurer qu'elle n'a jamais eu autant envie de faire l'amour de toute sa vie. Tandis qu'elle se fait prendre devant moi à grands cris par le sexe tatoué du Cerbère, je fais venir l'un de mes jeunes esclaves, pour oublier la démence dans laquelle je me suis plongée en la traversant jusqu'au bout. C'est vrai, je ne peux le nier, que j'éprouve dans la cruauté un plaisir d'une intensité folle, un plaisir néfaste, à la fois irréel et étouffant, qui me plonge dans les ténèbres de sa lumière. Peut-être au bout de ce plaisir-là, si je continuais à l'explorer, parviendrais-je à retrouver la trace de mon amant maudit ? Peut-être s'est-il aventuré dans cette direction-là, lui aussi, sous la conduite de Thratta ou de quelque autre épouvantable guide, et s'y est-il perdu, jusqu'à finir atrocement mutilé, comme le pendu du Peïraïeus ? Je suis terrifiée. Encore plus peut-être que lors de la nuit de magie noire, parce que je ne suis plus confrontée à une présence inconnue mais à une absence désespérante. C'est comme si j'étais allée jusqu'au bout de mon territoire et qu'au-delà, dans le labyrinthe de la faille, ne s'étendait plus qu'un néant où me perdre définitivement. Je me fais peur.

Les trois Cerbères eux-mêmes, que rien pourtant ne fait ciller, ont dû juger que j'allais trop loin et qu'ils ne voulaient plus m'obéir sans rien dire. Ils ont dû raconter à Aâmet ce qu'ils avaient vu, et aussi ce qu'ils n'avaient pas vu mais deviné, car, dès le lendemain matin, elle vient me trouver dans ma chambre, bien que j'aie interdit absolument à mes servantes d'y laisser entrer quiconque. Je comprends que mes interdictions ne la concernent pas. À ma grande surprise, elle ne m'accuse pas d'avoir tué un homme dans un moment de folie érotique (vouloir aller au bout de son désir n'est pas sans danger, nous avons donné à ce dément ce qu'il nous avait demandé et qu'il avait peut-être mérité auprès des dieux). Non, elle me reproche le scandale qui ne pourra manquer d'éclater. La famille lointaine de ce négociant bien connu dans la ville va nécessairement s'inquiéter de sa disparition et demander à son garant athénien, qui est sans doute Léôkratês, mon ennemi personnel le plus acharné, de déclencher une enquête de police. Alors que je viens d'échapper de justesse à une condamnation à mort, je m'expose de nouveau au pire des dangers. Et pas seulement moi mais le thiase d'Isodaïtês, au moment où nous sommes parvenus à le faire accepter dans la cité et le distinguer des rituels honteux d'Attis l'émasculé. Aâmet me menace de la colère de la Déesse si je mets son œuvre en péril. Elle m'annonce que, pour me sauver de moi-même, elle va me faire enchaîner la nuit par les Cerbères, comme je l'ai fait avec mon protégé. Et puis soudain, elle change de ton. Elle m'attire contre sa poitrine, dans un geste d'affection qu'elle n'a jamais eu jusque-là et dont je la croyais même incapable : "Tu es folle, me souffle-t-elle, mais je te comprends, tu sais, jusque dans ta folie. Tu es allée aussi loin que tu le pouvais, et même au-delà, pour le retrouver. Maintenant laisse-le aller ! Tu ne peux pas l'obliger à revenir s'il veut t'échapper. Même Anaïtis n'a pas le pouvoir d'immobiliser Isodaïtês auprès d'elle. C'est la loi, l'universelle loi du désir qui règle le cours du monde et à laquelle même les dieux doivent obéir ! Tu t'es trompée depuis le début, tu devais te tromper peut-être, mais maintenant comprends, et accepte !" Je m'abandonne à sa pression, je me laisse envelopper dans son étrange odeur, qui n'est plus celle d'une vieille femme, mais celle, fraîche, rassurante, maternelle, de ma nourrice Manthanê. Je me laisse aller pleinement, comme une enfant, à cette étreinte qui me réconforte, après toutes ces affreuses semaines d'égarement.

Aâmet me serre contre elle, un instant, et puis elle me repousse. Elle me tient un peu à distance, m'observant avec un étrange sourire. Elle pose une main au creux de mon diaphragme, entre mes seins : "C'est là qu'il se trouve désormais, c'est là que tu dois aller le chercher, c'est là que son cœur bat, dans l'ombre et le rythme du tien, tu ne le sens pas ?" Oh si, bien sûr, je devine ce que veut me faire comprendre la sorcière, après cet instant où elle a perçu la vérité cachée dans mes entrailles : Attis est mort et je ne le reverrai jamais, il a rejoint au fond de moi les autres êtres que j'ai trop aimés et que j'ai tués de mon excès d'amour ! Cela, je le sais depuis des semaines, même si je ne veux pas me l'avouer ! Aâmet me quitte sans un mot de plus. Accompagnée de Kistôn, le plus froid des trois Cerbères, elle s'introduit dans la chambre voisine où Thratta, repue, se repose des horreurs de la veille. J'entends longtemps les cris de douleur de ma complice, ses appels au secours et les claquements du fouet. La servante de Nikarêtê prend garde ensuite à ne pas s'approcher de moi pendant plusieurs semaines, même pendant les cérémonies de notre thiase, et jamais plus elle ne me proposera de participer à une nuit aussi dangereuse. La terrible Thrace cède devant la minuscule Égyptienne, qu'elle pourrait étrangler d'une seule main mais devant laquelle elle courbe peureusement la tête.

À partir de là, je vis dans la hantise permanente de voir frapper à ma porte un matin l'un des Onze, accompagné de Léôkratês. Ils m'accuseront du meurtre et je n'aurai pas la force de nier. Alors, sans autre forme de procès, comme la loi leur en donne le droit, ils m'exécuteront sur place. Après m'avoir fait en pleine rue trancher la gorge par l'un des Scythes, ils jetteront mon corps de malfaisante aux chiens et aux crachats des passants. Hypereïdês, cette fois, ne pourra me sauver. J'attends ces coups frappés à ma porte. Je les entends déjà. Je les redoute. Et, peut-être, je les espère.

36

RÉSURRECTION

Mais rien ne se passe. Pas d'enquête. Pas de magistrat, pas d'archer, pas de bourreau, pas de Léôkratês prenant sa revanche. Pas de châtiment.

Rien que le manque.

Voilà mon châtiment.

Chaque matin, le sommeil rejette sur le rivage la face mutilée d'Attis. Je mets plusieurs minutes à substituer au visage défiguré de mon amant, qui de chacune de ses plaies béantes dévorées par le sel m'accuse de l'avoir abandonné, le sourire veule et triomphant de la statue de Praxitélês, que je peux aller voir à l'entrée du théâtre. C'est presque aussi douloureux : ses yeux moqueurs, me regardant par en dessous depuis le piédestal où il s'est posé, me disent qu'il n'a laissé sur la plage le cadavre d'un autre que pour s'envoler loin de moi. Nausée. Je dois lutter pour expulser de ma mémoire ces deux images qui m'encombrent. Pendant la journée, je m'impose de me consacrer comme avant à mes activités de prêtresse et d'hétaïre en m'interdisant de penser une seule seconde à lui. Je lutte. Mais, dès que l'ombre de ses ailes néfastes s'approche de moi, j'ai un éblouissement et je dois me retenir pour ne pas tomber. Le matin, je vomis la nourriture que je n'ai pas absorbée la veille, en même temps que le profil cruel de son visage. Travail de deuil. Opération de métamorphose qui s'opère à l'intérieur de moi à mon insu et me laisse le cœur au bord des lèvres. Je combats pied à pied pour revenir à la vie.

Nikarétê me rend de fréquentes visites. Elle m'observe avec une curiosité de plus en plus inquiète et finit par me révéler la vérité : je suis enceinte. Pas d'un souvenir, pas du fantôme d'un amour, mais d'un enfant vivant. Comment ai-je bien pu me le cacher ? Une illumination me foudroie : je suis enceinte, oui, c'est vrai, mais d'un mort que ma seule chance de survie serait d'oublier ! Encore une vengeance d'Aphroditê pour n'avoir pas su respecter la liberté de mon amour ! Je décide aussitôt qu'il est hors de question de laisser grandir en moi ce reste d'Attis. Je ne peux pas me permettre ce luxe, au moment où, après une période de repli suicidaire, j'envisage de réinvestir la scène de la fête athénienne et le monde du plaisir, dont j'ai besoin pour continuer à vivre et à entretenir ma maisonnée. Cette décision, je feins de croire qu'elle est rationnelle. Mais je devine qu'elle cache le désir d'échapper à l'emprise mortelle de mon amant. Et pas seulement ça. Également toute une succession d'autres certitudes bizarres concernant la maternité. Par exemple, qu'un enfant, j'en ai déjà un à charge, et le seul qui me soit permis, en la personne d'Hermodotos, que je continue à élever en grande sœur fidèle. Qu'un enfant, jamais je ne pourrai en porter un vrai dans mon ventre, que jamais je n'en aurai un véritable, un vraiment à moi, de ma chair et de mon sang. Qu'un enfant, depuis que j'ai rêvé de porter celui de Phaïdros, tout autre m'est interdit, parce que le destin ne le veut plus. Qu'un enfant, ma malédiction est de ne pouvoir engendrer que celui d'un mort, celui réel d'Attis après celui rêvé de Phaïdros. Si je donne la vie à celui-là, il sera la preuve définitive que son père est mort. Je dois donc le tuer pour sauver Attis et laisser ce dernier survivre loin de moi. Nœud de serpents de ces idées contradictoires qui grouillent au fond de ma conscience sans jamais déplier tout à fait leurs anneaux.

D'une voix assurée, j'informe Nikarêtê et Aâmet de ma volonté d'avorter malgré les risques. La première m'y encourage et la seconde ne s'y oppose pas. Mon ancienne maîtresse commence à organiser les détails de l'opération. Je la remercie de son aide, je la presse même de hâter les préparatifs. Pourtant, je sens une force en moi qui refuse cette perspective et me pousse à me nourrir de nouveau, afin de laisser l'enfant prendre des forces. Cette force de vie est aussi brutale et obtuse que l'autre. Lorsque je m'ouvre à Aâmet de la contradiction qui m'agite, elle me dit que je suis la seule à pouvoir la résoudre : je dois oublier les conseils de mon entourage, ceux de Nikarêtê comme les siens, et descendre en moi pour écouter ce que me dicte ma voix intérieure. Je ricane : comment faire, lorsque l'on n'a pas une voix intérieure mais plusieurs, qui prêchent des solutions différentes ? Comment faire, lorsque l'on entend sans cesse en soi une voix de vie et une voix de mort, et qu'elles sont toutes les deux aussi éloquentes ? "Eh bien, me répond la vieille, un peu étonnée, peut-être faut-il que tu aies la patience de les écouter l'une et l'autre jusqu'à ce qu'elles t'aient dit tout ce que tu as sur le cœur ? Le choix se fera facilement lorsqu'elles se seront accordées." Oui, oui, la réconciliation, je sais, je connais ! Pourtant, dans ce cas précis, quel accord est possible, puisqu'une l'une conseille de tuer et l'autre de laisser vivre ? "Je ne sais pas, ma fille, me rétorque Aâmet impatientée, je ne suis pas à ta place !" Elle ajoute, pour se débarrasser de moi : "Si la solution ne vient pas de l'intérieur, elle viendra peut-être de l'extérieur ?" Et elle s'enfuit. Renonçant à la poursuivre, je hausse les épaules, exaspérée. Mais aussi secrètement satisfaite de constater que la sagesse de la sorcière a des limites et que j'ai réussi pour une fois à la prendre en défaut.

Un jour, je manque défaillir devant Praxitélês. Il m'interroge avec inquiétude. Je le rassure en lui disant d'un ton léger qu'il ne s'agit que d'un enfant à faire passer. Il me dévisage, totalement stupéfait. Puis, au bout d'un moment, il articule : "Et s'il était de moi ?" Je le regarde sans répondre. Oui, bien sûr, il a raison, j'y ai déjà pensé. Dans cette période de ma vie où j'ai conçu sans le savoir, Attis et lui étaient les seuls hommes avec lesquels je couchais, puisqu'Hypereïdês était occupé par Myrrhina, ou par je ne sais quelle nouvelle tocade, et que j'avais considérablement restreint mes activités d'hétaïre, afin de me consacrer à mon thiase et surtout à mon amour. Pourtant, même si c'est théoriquement possible, je sais que ce n'est pas vrai. J'ai la certitude intime, irraisonnée, et d'autant plus indiscutable, que cet enfant non voulu est de l'esclave que j'ai aimé malgré moi. Mais ce n'est pas ce que je réponds au Sculpteur. Je le regarde avec un air de défi et je lui jette : "Même s'il était de toi, en quoi est-ce que ça pourrait bien changer ma décision, tu peux me le dire ?" Bien sûr, je suis son modèle, je suis sa maîtresse, il taille le marbre à mon image et grave sur le socle de ses statues des poèmes d'amour en mon honneur, mais a-t-il jamais fait aux yeux de la société un geste qui lui permette aujourd'hui de me réclamer cet enfant ? Je lui laisse le temps de mesurer à quel point il n'a rien à me répondre de sensé. Puis je reprends la parole, afin de lui clouer le bec sur ce sujet, comme je l'ai fait avec Aâmet : "De toute façon, il n'est pas de toi, il est de l'autre." J'ajoute au bout de quelques instants : "Il est du mort." Je peux être fière de mon effet : Praxitélês demeure la bouche ouverte sans rien dire et, de mon côté, je ne parviens plus à articuler un mot de toute la journée.

Pourtant, dès le lendemain, il revient frapper à ma porte. Il est accompagné d'une femme soigneusement voilée, qui ne consent à montrer son visage qu'une fois à l'abri du soleil et des regards de la rue. Il me la présente comme sa femme, la chaste Philomélê, la fille de l'honorable Timarkhos, qui dirige l'un des ateliers de céramique les plus productifs de la ville. C'est la première fois que je la rencontre, alors que son mari est considéré comme mon amant officiel et que j'ai été l'invitée d'honneur de nombreux banquets donnés chez eux. Cette femme honnête et moi, nous vivons dans deux mondes parallèles : nous nous partageons un homme sans jamais nous croiser, régnant sur la même maison à des heures différentes du jour et de la nuit. Philomélê ne dit pas un mot pendant que Praxitélês m'explique l'objet de leur visite. Bien qu'ils soient mariés depuis plusieurs années, les dieux n'ont pas béni leur union. De mon côté, je suis enceinte d'un enfant que je ne veux pas et qui est peut-être de lui. Ils me proposent de le garder et, dès que je l'aurai mis au monde, de le leur confier, afin qu'il devienne un citoyen athénien d'une famille respectée. Praxitélês ajoute qu'ils prendront en charge tous les frais jusqu'à la naissance et qu'ils me dédommageront largement de leur sacrifier plusieurs mois de ma vie d'hétaïre. Il croit bon d'entrer dans le détail de l'arrangement financier qu'il me propose. Mais il se rend rapidement compte qu'il fait fausse route. Alors, pour tenter de m'émouvoir, il ajoute quelques considérations pleines de sensibilité sur les liens qui nous unissent depuis si longtemps et qui devraient m'inciter à sauver ce petit être dont il est persuadé qu'il est le fruit de nos amours et auquel il se sent déjà mystérieusement attaché. Je regarde attentivement sa femme pendant qu'il prononce ces paroles maladroitement sentimentales mais je ne parviens pas à deviner ce qu'elle en pense. D'une voix un peu sèche, je rappelle au Sculpteur ce que je lui ai déjà dit : l'enfant que je porte est plus sûrement d'Attis, un esclave phrygien, que de lui, respectable citoyen athénien. Il balaie l'objection d'un haussement d'épaules.

Je reste silencieuse et aucun des deux n'ose troubler ma réflexion. En fait, je ne sais pas trop quoi penser de cette proposition que mon amant me fait en présence de son épouse. Cette solution extérieure ne me permettrait-elle pas, comme me l'avait prophétisé Aâmet, de concilier mes deux aspirations, celle de me débarrasser du rejeton d'Attis et celle de porter son enfant ? Néanmoins, elle implique plusieurs mois d'indisponibilité, où il faudrait que je dissimule mon état loin d'Athênaï et où je ne pourrai plus du tout, non seulement y travailler en tant qu'hétaïre mais y mener mes activités de prêtresse. Cela signifie surtout que j'accepterais de traverser les dangers de l'accouchement, la douleur, le risque de mourir. Y suis-je prête, pour un être qu'il me faudra abandonner dès que je l'aurais mis au monde ? Non, bien sûr que non ! Je m'apprête à refuser, quand, soudain, la femme silencieuse me devance. Elle me dit ce que mon amant ne saura jamais même penser. Elle dévoile mes craintes informulées, mes réticences, elle me confie qu'elle les partage, qu'elle les comprend. Et pourtant elle me supplie de laisser vivre cet enfant, et de la combler elle, qui se sent tellement humiliée de ne pouvoir donner de descendance à son mari, alors que c'est sa principale fonction. Elle m'invite aussi, d'une voix où je sens trembler enfin un voile de gêne, de pudeur, de jalousie peut-être, à faire le bonheur de Praxitélês, l'homme auquel nous sommes toutes les deux liées. Après ces derniers mots, elle se tait, mais, tendant les mains vers moi, elle touche mon menton, comme si j'étais la statue d'une déesse qu'elle supplierait. Et tout cela, elle le fait avec une vivacité et un naturel qui me déconcertent. Je la regarde plus attentivement. Sous son air triste, elle est vive et jolie. Malgré sa réserve, elle est pleine de charme. Peut-être, si le hasard l'avait décidé ainsi, nos rôles auraient-ils pu être inversés ? Tandis que je sens en moi une aspiration à la décence, elle aurait pu de son côté être une femme de plaisir et non une honnête épouse effacée. Je crois que c'est cette brusque proximité avec elle, plus que ses arguments à lui, qui me décide à ne pas refuser d'emblée le marché.

Soudain, une inspiration. Je demande au Sculpteur : "Si c'est un fils, comment l'appelleras-tu ?" Il ne répond pas. Je reprends la parole : "Je veux que tu suives la tradition athénienne, en transmettant à ton fils aîné le nom de ton propre père. Justement parce qu'il n'a aucun lien de sang avec toi. Si tu jures de baptiser mon bâtard du nom respectable de Kêphisodotos, pour lui octroyer toutes ses chances non seulement d'être pleinement reconnu dans ta cité mais surtout de te remplacer un jour à la tête de l'atelier familial, j'envisagerai peut-être de le laisser naître. En tout cas, je me poserai la question à cette unique condition. Je ne veux pas seulement le donner à une femme en mal d'enfant, à qui tu passerais un caprice pour qu'elle te laisse travailler tranquille à ta grande œuvre, je veux le donner aussi à toi, le sculpteur fils de sculpteur. Et si c'est une fille, tu l'appelleras du nom de ta mère."

Je le vois qui hésite. Mais son épouse, sans un mot, lui pose la main sur l'avant-bras. Alors il consent. Je leur demande de revenir le lendemain pour être informés de ma décision, qui sera sans appel. Si ma réponse est négative, je les ferai recevoir par Herpyllis et je leur demande de ne pas chercher à discuter, et de ne pas m'en vouloir. Ils acceptent mes conditions, même si je sens que la femme voudrait encore parler. Tout à l'heure, elle reprochera sûrement à son mari de n'avoir pas su dépasser la froideur de mon accueil. Elle lui demandera : "Toi qui la connais, tu crois qu'elle va accepter ?" Il lui répondra : "Sincèrement je ne sais pas. Je suis l'un de ceux qui la connaissent le mieux, c'est-à-dire très peu." Et il ne le dira pas seulement pour aider sa femme à envisager mon refus mais parce qu'il le pense vraiment.

Lorsque j'explique leur proposition à Aâmet, celle-ci accueille sans protester la perspective de ralentir encore plusieurs mois l'activité de notre thiase, dont nous confierions les initiations à Thratta. Comme si l'Égyptienne jugeait en accord avec l'ordre d'Anaïtis et d'Isodaïtês cette décision de laisser la vie advenir à son terme mais aussi de faire passer un fils d'esclave pour un citoyen athénien. Seule Nikarétê est furieuse. Elle me dit qu'un accouchement, même lorsque, par chance il se passe bien, abîme le corps d'une femme et que je ne retrouverai jamais totalement ma grâce. Elle me parle de vergetures sur les seins, sur le ventre et sur les cuisses. Une hétaïre, pour rester parfaitement belle, doit demeurer inféconde. À partir du moment où elle accepte de donner la vie, comme n'importe quelle femme honnête, elle est, malgré tous ses efforts, rattrapée par le temps, son corps redevient mortel et banal. L'avisée maquerelle cherche à me faire peur et elle y parvient. Je me tourne en tremblant vers Aâmet qui me confirme ces vérités d'un hochement de tête. Pourtant, je crois discerner aussi sur les lèvres sans âge de la magicienne une ombre de sourire. Elle refuse de m'en expliquer le sens. Elle affirme que la décision m'appartient. Que faire ? Je ne sais vraiment pas. Son sourire de sorcière s'élargit, au point de devenir presque ouvertement ironique. Elle me suggère la seule solution qui lui paraisse raisonnable : passer la nuit de réflexion, que j'ai imposée moi-même à Praxitélês et à sa femme, dans le sanctuaire d'Aphrodité Pandêmos, en lui demandant de m'inspirer un rêve que la sage Égyptienne tentera au matin d'interpréter pour moi.

Et, à ma grande surprise, la déesse répond à mon attente.

Même dans le temple d'Asklépios où j'ai conduit il y a quelques années Hermodotos malade, je n'ai jamais fait un rêve d'un tel relief, aussi rempli de bizarrerie et de signification. J'y ressens des émotions si intenses qu'elles me laissent au réveil un souvenir presque plus net que la vie réelle.

Je rêve que mon ventre grossit jusqu'à éclater. Que mes seins deviennent énormes, comme Nikarétê me l'a raconté, pesants, fendillant ma peau comme une enveloppe de marbre trop fragile pour résister à la chaleur. C'est Praxitélês qui m'a enfermée de force dans le creuset réservé au bronze et qui m'a précipitée dans le four. Il ouvre lui-même le moule et se répand en imprécations, car j'ai éclaté de toute part, incapable de mener son œuvre à bien. Sans égard pour mon sacrifice, il me laisse au rebut dans un coin de son atelier, comme le jour où il est parti donner à Nikias la statue de l'Erôs. Alors je fonds en larmes. Je m'enfonce entre les reliefs inégaux du sol de terre battue, agglutinant à moi les poussières de marbre. Elles s'amalgament à ma peau pour donner une pâte gluante. Je finis par couler à travers un trou qui s'ouvre dans un angle du mur. Il est entouré d'une margelle de marbre brillante, comme la faille de l'oracle de Trophonios dont me parlait mon père dans mon enfance. Je suis devenue si grosse que je me sens étouffer. Je dois me frayer mon chemin dans la panique.

Mais je finis par me retrouver à l'intérieur d'une grotte ouvragée. Là, éclairé je ne sais par quelle source de lumière, qui me paraît venir de l'intérieur, et replié sur lui-même, se tient un Être. Ce n'est pas un humain. Ou pas tout à fait un humain. Il est comme enveloppé dans ses ailes, et je dois l'en désemmailloter avec précaution, tant la pellicule qui les constitue (elles sont aussi ses poumons, je sais qu'il respire grâce à elle) est fragile. Je me mets à la pétrir pour transformer ces élytres éphémères en une croûte de peau plus épaisse. C'est un travail délicat. Je redoute ma maladresse. En lissant cette matière meuble de mes doigts gauches, j'essaie de lier l'un à l'autre ses membres désarticulés, ses jambes, ses bras, son torse. Et aussi son sexe masculin, que je dois former d'après mes souvenirs. Il me faut inventer l'intérieur de ses bourses, le réseau complexe des veines et des nerfs qui lui permettront d'être un homme un jour. Sa verge, qui naît sous mes doigts, je l'affine en espérant ne pas commettre d'erreur.

Puis je déplie entièrement le buste du jeune Être. Je me rends compte alors que son visage est resté une boule vierge, comme l'esquisse de certaines œuvres du Sculpteur. Pour lui donner la vie, je dois en dessiner les traits et c'est une tâche encore plus difficile que d'inventer le sexe. J'appelle Praxitélês à mon secours, mais il ne vient pas. Pourtant, je sens plusieurs présences dans mon dos. La sienne, sûrement, et celle d'une femme. Une autre présence masculine aussi, plus redoutable, plus âgée, plus ancienne, je m'imagine que c'est celle de Trophonios, le Nourricier, à qui appartient la grotte. Les trois divinités tutélaires se tiennent à quelque distance dans mon dos mais elles refusent d'approcher. Je dois modeler seule. J'ai peur que la pression de mes doigts ne tue l'être encore fragile qui est en train d'émerger de la glaise. Je vois clairement l'image que je dois imiter. C'est le visage d'Euthias. Puissant, viril. Mais mes doigts se trompent souvent, ils pétrissent trop longuement, et les traits s'affinent à l'excès. S'aiguisant, ils deviennent presque ceux d'une fille. Suée d'angoisse. Ce que je suis en train de faire émerger sous mes doigts, c'est le visage d'Attis ! Non, je ne le veux pas ! Si j'obtiens ce résultat, je préférerai détruire mon œuvre, je ramènerai cette tête à son état originel de boule de glaise, je massacrerai l'être en devenir ! Malheur ! C'est bien la face d'Attis qui apparaît ! Mais une voix me murmure un nom à l'oreille : "Timolaos". Le frère d'Epiklês. L'autre jeune mort, qui a échappé à la protection de son aîné, il y a bien longtemps, dans cette même grotte de l'oracle. Il m'attend depuis toutes ces années, moi qui suis la seule à pouvoir continuer l'œuvre de mon père et à lui redonner vie, sous la forme de cette statue de glaise. Il s'agit de faire de mon fils le frère de mon père.

Alors les yeux de l'être s'ouvrent. Ce regard, ce n'est pas moi qui le crée, il existe désormais en dehors de moi. Je suis bouleversée. Je n'ai jamais été confrontée à rien de tel, sinon lorsque j'ai plongé au fond des yeux de ma nourrice à l'agonie. C'est un regard à la fois vert d'eau et tout blanc, un regard à la fois de dieu et de nouveau-né, un regard à la fois aveugle et lucide, rempli d'une présence indéfinissable et évidente. Je n'ai plus qu'un geste à accomplir pour lui donner la vie mais je ne sais pas si celui que j'ai en tête est le bon, s'il n'est pas interdit. Je penche la tête vers lui, je plaque mes lèvres contre les siennes d'argile molle, je les force à s'ouvrir. De ma langue, je crée l'intérieur de sa bouche, son palais, et je le remplis de mon souffle. Soudain quelque chose d'affreux se passe. Je commence de nouveau à couler, je ne peux m'en empêcher, à l'intérieur de sa bouche. Je suis aspirée par une gluance qui était il y a quelques secondes encore ma salive et qui est maintenant quelque chose d'autre de dégoûtant. Quand j'ouvre de nouveau les yeux, je me trouve à l'intérieur de la statue de glaise. Elle est devenue mon catafalque, elle colle à ma peau, comme une carapace solidifiée qui m'empêche de bouger. Après quelques secondes de panique, cette horreur absolue, je l'accepte.

À partir de là, je sais moi-même en le faisant que le rêve est presque fini et j'ouvre les yeux. Je n'ai pas besoin de faire appel à l'Égyptienne pour l'interpréter. Je refuse de le lui raconter et elle n'insiste pas, comme si elle savait que ce secret ne concernait que moi. La déesse me signifie que je dois donner naissance à l'enfant et mourir pendant l'accouchement. Mais désormais je suis prête à affronter mon destin. Il est le seul moyen d'échapper à la peur de la déchéance qu'a suscitée en moi Nikarêtê. Je ne pourrai pas devenir laide puisque je serai morte, dans la fleur de mon âge, en pleine gloire d'hétaïre. Les souffrances, les suées, les liquides répugnants, le sang, seule Aâmet les verra. Pour mes admirateurs, je ne serai jamais une femme en gésine mais la gracieuse déesse aux seins nus immortalisée par Praxitélês. J'aurai accompli mon rôle. Le culte d'Isodaïtês que j'aurai implanté à Athênaï, Thratta sera là, avec sa rage, pour le développer. De ma servitude, j'ai déjà fait un triomphe. Je peux mourir. Cette idée me soulage au lieu de m'accabler. Je n'aurai plus à penser à la suite. Je retrouverai Attis et Phaïdros. Si c'est dans le néant, tant mieux !

Cette certitude de ma mort prochaine que m'a laissée le rêve, je n'en parle à personne, ni à Aâmet, ni à Nikarêtê, ni à Lagiskê, ni à aucun de mes amis hommes. Je ne la confie qu'à l'enfant qui est en train de se former en moi et auquel je me surprends parfois à expliquer qui je suis, puisqu'il ne me connaîtra pas. Je voudrais lui transmettre aussi, en m'en débarrassant comme d'une enveloppe désormais inutile, pour qu'il en fasse un meilleur usage que moi, s'il le peut, ma beauté. Rapidement, je vais me cacher à la campagne, afin qu'aucun de mes clients ne puisse voir mon ventre grossir. Je ne suis accompagnée dans ma retraite que d'Hermodotos et d'Herpyllis, qui lui sert toujours de nourrice. Aâmet reste à Athênaï pour guider Thratta dans l'administration du Thiase. Quelque temps après, Philomélê, la femme de Praxitélês, qui a joué à merveille la comédie de la femme épuisée par une grossesse inespérée mais dangereuse, quitte elle aussi la ville. Elle va se reposer dans une maison de famille perdue au milieu des collines qui surplombent la plaine de Marathôn, tandis que je me suis réfugiée au fond d'une propriété discrète que possède une prêtresse du thiase de Korinthos.

Même si je ne lui ai rien demandé de tel, le Sculpteur se fait un devoir d'accomplir quelques allers-retours équitables entre le nord de l'Attique, où son épouse se consume d'impatience, et le sud, où sa maîtresse n'a rien d'autre à faire que de se regarder grossir. Mais il passe le plus clair de son temps au fond de son atelier athénien, à égale distance des deux maisons où s'exaspèrent ses deux femmes. Je crois savoir qu'il s'y consacre à une grande œuvre mystérieuse, un travail de création qu'il juge sûrement beaucoup plus important que celui qui est en train de s'opérer en moi. Les transformations de mon corps, je les accueille sans jubilation ni appréhension, avec une curiosité presque détachée, comme si elles concernaient déjà une autre. Je ne vomis plus. Mes seins grossissent, ils se couvrent de veinules bleues, leurs aréoles s'élargissent, je les soupèse dans mes paumes avec incrédulité. Mon ventre s'arrondit, oui, mais, à ma surprise, voire à ma déception, si peu que parfois je doute moi-même d'attendre un enfant. Au contraire, mes cuisses s'épaississent. J'ai l'impression de me recouvrir tout entière d'une carapace invisible, un peu gênante et grotesque. Plus je m'alourdis, plus, à l'intérieur, je deviens légère. Praxitélês ose me dire que je n'ai jamais été aussi belle, que les courbes de mon corps n'ont jamais été aussi pleines. Je lui demande s'il accepterait de me représenter ainsi en *Aphroditê enceinte*. Il se tait et cela me repose.

L'enfant commence à bouger. Ce n'est pas du tout la même sensation qu'un sexe masculin, évidemment, c'est beaucoup plus intérieur, plus haut dans le ventre, plus gros, mais c'est aussi étranger. Oui, un être étranger est là, déjà, qui commence à s'individualiser. Je ne l'imagine jamais avec le visage d'un nouveau-né mais avec celui du jeune homme de glaise que j'ai formé dans mon rêve. Mon ventre est la grotte à l'intérieur de laquelle il habite à l'aise. Cet habitant ne me rend ni fière ni incommodée de sa présence, plutôt surprise. Ensuite, il cesse de bouger. À ce moment-là, je me rends compte que mes sentiments à son égard ont changé, imperceptiblement. Il ne m'est plus aussi indifférent que je le croyais, même si je n'ai pas encore vraiment choisi entre la bienveillance et l'hostilité. Je me sens presque inquiète, presque déçue, de ne plus percevoir ses mouvements qui me gênaient quelques semaines auparavant. J'ai peur que le Jeune Homme n'ait cessé de vivre à cause de mon manque de ferveur à l'accueillir mais Nikarétê m'explique qu'il est simplement devenu trop gros pour se mouvoir. Je me retrouve seule. Avec une peur irraisonnée, que les précisions rassurantes de mon entourage ne parviennent pas à chasser tout à fait : celle de porter un corps mort en moi. Intime absence de confiance dans ma capacité à créer la vie et à l'accueillir jusqu'au bout. Je me surprends parfois à me demander comment je vais bien pouvoir expulser ce poids inerte. Les dernières semaines de grossesse me permettent de constater à quel point, contrairement à ce que je pensais, malgré tout le chemin que j'ai parcouru vers l'apaisement, je reste divisée. Je mourrai ainsi, irréconciliée.

Une nuit, Aâmet et Nikarêtê arrivent sans prévenir. Je comprends que la délivrance approche. La délivrance ultime pour lui et pour moi. Après m'avoir saluée, la vieille Égyptienne pose ses deux mains à plat sur mon ventre pour savoir où j'en suis. J'ai l'impression qu'à la chaleur émanant de ses doigts répond de l'intérieur un tressaillement. Elle a acquis une telle autorité spirituelle sur moi qu'elle est capable de balayer d'un seul geste calme mes craintes les plus folles. Non, il n'est pas mort, il est bien vivant ! Mais, dans ce premier mouvement presque brutal qu'il fait depuis plusieurs semaines, il me dit aussi que, pour naître, il va devoir me tuer. C'est lui ou moi. Les premières contractions se déclenchent quelques heures après cette imposition des mains. Tandis que je guette leur retour, la peur prend d'un seul coup la place de la légèreté ou de l'appréhension distante. La peur précise et crue. Cette fois, je ne peux pas m'échapper, me réfugier comme d'habitude dans l'absence. Non, c'est moi qui suis là. Et qui vais devoir habiter jusqu'au bout une dernière fois mon corps de douleur, avant l'anéantissement libérateur. La présence d'Aâmet et de Nikarêtê ne me rassure pas plus que le souvenir des précédentes épreuves que j'ai traversées. J'ai hâte que la déesse me donne la mort, le plus tôt sera le mieux, mais elle ne le fera pas avant que le Jeune Homme de glaise ne soit hors de danger. Mes deux savantes protectrices sont là pour m'assister mais je doute qu'elles y parviennent. Même lors de la dernière nuit du temple de Thespiaï, je n'ai jamais eu aussi peur.

Ni aussi mal. Très vite, je me rends compte que le Jeune Homme est beaucoup trop large pour mon bassin. Il ne pourra se frayer un chemin jusqu'à la lumière qu'en me désarticulant. Ce n'est pas possible autrement ! Alors je crie de douleur par anticipation, en pensant au supplice qu'il me reste à traverser. Je veux bien mourir mais pas avoir mal. Or je ne meurs pas et j'ai mal. Je ne me sens pas, comme les autres femmes, "fabriquée pour cela", je ne peux avoir aucune confiance dans ma conformation intérieure. Je ne comprends pas comment mon propre corps peut m'envoyer les signaux de plus en plus pressants d'une opération pour laquelle il n'est pas taillé, comment il peut mettre en branle un mécanisme qui va le détruire. Ce n'est pas naturel ! Il y a là une force aveugle, et totalement stupide ! La seule chose qui me permet de tenir, c'est la certitude que je vais mourir à l'instant suivant et que j'en aurai fini de ces vagues de souffrance absurde. À un moment, pourtant, je parviens à retrouver un peu de calme dans ma panique. Je sens les mains d'Aâmet et de Nikârétê sur mon front et sur mon ventre, j'entends de nouveau leurs voix. Je m'efforce de me remettre entièrement à leurs conseils pour harmoniser mon souffle et les poussées qui se font dans mon ventre malgré moi. Je parviens quelques instants à me sentir en phase et non plus en opposition avec la force qui anime mon corps de l'intérieur, qui vient de plus profond et de plus bas que moi, parce que je reste dans ma tête. Et l'incroyable se produit. Mon bassin se déforme et se dilate comme je ne l'en aurai jamais cru capable. Je pousse, je pousse, mes boyaux se vident de manière répugnante, je défèque, mais les deux femmes me disent que ce n'est pas grave, et c'est vrai, je m'en moque, je n'en suis plus là, j'ai renoncé à la pudeur et au dégoût, j'unis enfin toutes mes ressources conscientes à cette force qui agit malgré moi, et je finis par me délivrer, en expulsant la masse dure du bélier qui me taraudait. Alors je me dis que là, je vais mourir, dans ce vide mou que je ressens à l'endroit où se trouvait cette pierre, ce bloc énorme de glaise dure qui me déchirait. Voilà, la déesse peut me prendre maintenant que j'ai accompli son ordre !

Mais elle ne me prend pas. Je ne meurs pas. Je ne comprends plus. La prophétie du rêve ne se réalise pas. Je ne me retrouve pas à l'intérieur du Jeune Homme de glaise, projetée en lui qui m'a volé ma vie plutôt qu'en moi qui la lui ai donnée. Au contraire, ce que je ressens, c'est la sensation de son absence. Elle me remplit encore plus que sa présence des derniers mois. Je m'entends réclamer à grands cris qu'on me le donne. Aâmet me demande si je suis sûre. Oui, oui, je le veux ! Au bout de quelques minutes où elle s'affaire et où je geins sans retenue (mais, après ce que je viens d'accomplir, j'ai tous les droits), elle remet entre mes mains une masse grouillante qui bouge un peu, dont les membres s'assemblent et qui finit par devenir un petit être poisseux. Dans cette face rougie et toute déformée, comme cabossée, la seule chose que je reconnais de mon rêve, c'est le regard indéfinissable, vert d'eau et blanc, exactement celui que j'avais vu, le regard non d'un être humain mais d'un petit animal qui vient de naître. Il ouvre les yeux sur moi. Il ne me voit pas mais il me regarde au fond de l'âme. Alors, je ne sais pas ce qui se passe en moi, ce qui se déverrouille, mais je me sens emplie d'une joie sauvage, d'une joie folle, j'ai gagné, j'ai triomphé, j'ai traversé la mort, et j'en ai ramené ça, qui est vivant, indescriptiblement vivant. Moi, la Déesse crapaud, j'ai mis au monde la plus visqueuse et la plus émouvante des petites grenouilles. Car, peu à peu mais très vite, la joie frénétique se rapetisse, elle devient de l'attendrissement, l'envie de serrer ce petit être étrange et pas tout à fait humain, dont je sais très bien qu'il est affreux, et pourtant si beau. Ses traits sont d'une finesse subjugante, d'emblée, même déformés par ce qu'il a traversé de son côté. Je les regarde avidement, je m'en emplis, ce n'est pas un bébé, c'est mon bébé.

Et puis Aâmet cherche à me l'enlever mais je refuse. Je ne veux pas qu'on me le vole, je veux le garder, je vais le garder. Je ne sais pas pourquoi. Je ne l'aime même pas. Ce n'est pas de l'amour, ce n'est pas de la possession mais de l'appartenance. C'est totalement imprévu mais irrévocable. Je ne le donnerai jamais à Praxitélès et à sa femme. Lorsque je lui annonce à grands cris ma soudaine décision, Aâmet me dévisage, comme le premier jour où je lui ai parlé de la proposition de garder l'enfant afin de le donner après sa naissance, et je crois comprendre enfin la signification secrète de son sourire. Elle m'explique qu'il faut soigner le nouveau-né mais qu'on va me le rendre ensuite. Elle me dit que c'est un garçon, ça je le savais depuis le début, qu'il est tout à fait normal et qu'il va vivre, et ça c'est une idée nouvelle, totalement bizarre et totalement bouleversante. Je suis épuisée mais je n'accepte de dormir que pour retrouver la force de m'occuper de lui ensuite. On me lave comme si j'étais moi aussi nouvellement née, on fait des choses entre mes cuisses dont je me désintéresse, puis on m'habille, on me berce. La seule chose que je sais, c'est que le bébé, qui s'appellera Timolaos et non Kêphisodo-tos (comment ai-je pu concevoir, ne serait-ce que quelques instants, le projet irréfléchi de le donner ?) est loin de moi. Mais il faut que je me repose pour qu'on me le redonne.

À mon réveil, je ne sens plus que des douleurs dans mon ventre et entre mes cuisses, et le bébé a disparu. Aâmet finit par m'avouer qu'elle l'a remis dès la veille à la nourrice et à la femme de Praxi-télês, qui étaient venues en même temps qu'elle et qu'on m'avait cachées. Elles ont pris le bébé comme il était convenu et main-tenant elles sont loin. Sur le coup, je n'en crois pas mes oreilles. Comment Aâmet a-t-elle pu me trahir ainsi ? Comment a-t-elle pu m'infliger cette souffrance supplémentaire ? Alors que je découvrais le fil intense qui me reliait à ce petit être, comment a-t-elle pu le trancher ? Elle m'explique posément qu'elle a agi comme il le fallait, tout de suite, pour que je n'aie pas le temps de m'attacher. J'ai envie de crier : "Mais je suis déjà attachée, tu ne comprends pas, vieille folle, tu ne comprends pas ce que tu as fait ?" Je ne suis pas morte pendant l'accouchement, comme je le croyais, mais c'est mainte-nant que je meurs, maintenant qu'on arrache à moi ce qui m'est lié ! Le fils d'Attis, va-t-on me priver de lui comme de son père, va-t-on m'assassiner de son absence à lui aussi ? Je veux me lever pour aller le chercher. J'exige qu'on m'obéisse, comme la maîtresse que je suis. Et que j'ai d'autant plus le droit d'être depuis que j'ai tra-versé cette ultime épreuve. Mais je sens soudain que je n'en ai pas la force. Je retombe sur mon lit de douleur. On s'empresse, on me calme, on me soigne, on me tient prisonnière. J'essaie de rattraper mon bébé en rêve, d'imaginer où on l'a emmené, où il me faudra aller le rechercher ensuite dans la réalité. Mais même là, je le perds. Sommeil sans mémoire. La traîtresse d'Égyptienne m'y maintient par ses drogues.

Quand je me réveille, bien des jours ou seulement bien des heures après, j'ai déjà presque oublié l'existence de l'enfant. Je ressens avec moins de violence la sensation de manque que provoque son absence. Aâmet et Nikarétê commencent à me parler pour me faire accepter définitivement l'idée de la séparation. Elles m'expliquent qu'il sera beaucoup plus avantageux pour lui d'être le fils de Praxi-télês et de Philomélê, les deux Athéniens légitimes, que celui de Phrynê, la femme riche mais étrangère et sans mari. Si je l'aime, je dois le laisser trouver sa patrie. Pour moi aussi, il est bien préférable de continuer à mener mon existence de prêtresse et d'hétaïre, qui ne peut se permettre d'élever un nourrisson. Peu à peu je me laisse convaincre. Rapidement même. Je pense de moins en moins souvent à ce petit fantôme qui aura traversé ma vie une heure à peine. Les seuls moments pénibles, finalement, sont ceux où Nikarétê m'ap-prend à m'occuper de mes seins inutiles. Nous les pétrissons, nous en pressons les quelques gouttes de ce lait qui ne servira à personne, afin qu'ils retrouvent en douceur leur vide souplesse. Les onguents qu'Alkê a préparés spécialement pour moi font des merveilles. Au début, je fais seulement semblant de m'intéresser aux soins qui doivent me permettre de récupérer l'essentiel de ma beauté. Et puis je finis par me prendre au jeu. Je perds la trace en moi du mouvement de joie sauvage et incontrôlée, d'attachement fou, qui m'a lié si fugacement à la petite grenouille disparue. Je peux m'étonner sereinement, non seulement d'avoir ressenti cette frénésie, mais aussi de l'avoir vue disparaître de façon aussi rapide et aussi inattendue. Je constate, avec un amusement à peine teinté d'amertume, que, dans toute ma vie, je n'aurai été mère que quelques minutes.

Je commence à me dire sans éprouver d'émotion particulière que je vais bientôt pouvoir revenir à Athênaï. Je me demande seulement si Praxitélês aura respecté sa promesse, et donné à mon enfant le nom de son père. Va-t-il vraiment l'élever comme le sien et lui transmettre, lorsqu'il en sera temps, les secrets familiaux de l'atelier de sculpture ? J'aimerais, et Isodaïtês aimerait avec moi, que ce Kêphisodotos-là finisse par se faire une place dans l'histoire de l'art à côté de ceux qui ne seront pas vraiment ses ancêtres. J'aimerais que les meilleurs connaisseurs parlent avec assurance du talent inné qui unit de façon si évidente cette lignée de sculpteurs athéniens. Que celui qu'ils considéreront peut-être comme l'un des derniers purs représentants de la sculpture attique, issu de plusieurs générations de raffinement artistique, ils ne puissent jamais se douter qu'il est le rejeton d'un Phrygien inculte d'origine inconnue, mort assassiné sur une plage, et d'une putain de luxe, fille de l'obscur chef de guerre d'un village de Béôtie. Par prudence, j'éviterai quand même de croiser trop souvent sa route de petit garçon. Les rares fois où je ne pourrai éviter de le rencontrer, il me faudra m'interdire de m'arrêter. De chercher sur son visage innocent un air de ressemblance avec le mien ou avec celui d'Attis, pour que les dieux ne soient pas tentés de prêter l'oreille à mes cris muets de jalousie et le laissent se modeler jusqu'au bout sur l'homme et la femme qui l'élèveront. Peut-être l'ultime moyen qu'il me reste de me montrer fidèle à ces quelques instants de lien profond dont il ne se doutera jamais est-il de ne plus du tout m'intéresser à lui ? D'être trop prise par le fil de ma vie futile pour véritablement m'interroger sur lui ? De ne plus jamais rien ressentir, à sa vue, rien de semblable en tout cas à cette pulsion de joie qui m'a secouée tout entière le matin de sa naissance, lorsqu'il n'était encore qu'une grenouille et moi qu'une déesse crapaud miraculée ?

Cet instant de surprise folle est peut-être ma seule émotion ayant ressemblé de près ou de loin à ce que les hommes appellent l'instinct maternel. Je ne la retrouve qu'aujourd'hui, au moment de quitter vraiment la vie et ma mémoire personnelle, comme la peau morte que le serpent abandonne après la mue contre une pierre du chemin. Je la redécouvre intact en moi, et elle me paraît aussi surprenante et inexplicable qu'au moment où je l'ai éprouvée pour la première fois. Inassimilable. Même aujourd'hui, où j'en suis beaucoup plus loin dans l'acceptation des secrets de la vie, je ne sais pas trop quoi en faire. Je la retourne sous toutes ses coutures et puis je la dépose de nouveau dans un coin de mon passé, comme si elle n'était pas vraiment à moi. Peut-être Aâmet a-t-elle eu raison de m'enlever cet enfant ? Peut-être n'étais-je pas vraiment faite pour être mère ? Peut-être est-ce bien, quand même, de l'avoir été pendant quelques heures de douleur et quelques minutes de joie ? Peut-être me fallait-il cet écartèlement et cette exaltation pour pouvoir me dire que j'ai vécu une expérience entière de femme ? Que j'ai été capable d'en reconnaître tous les chemins, même si certains sont restés à peu près inexplorés ?

D'ailleurs, c'est faux. J'ai été mère moi aussi. Mais à ma façon, qui ne ressemble pas à celle des autres.

Mes deux nourrices ne m'autorisent à faire mon retour à Athénaï que plusieurs semaines après Philomélê. Elles sont soucieuses de ne pas éveiller le moindre soupçon et de me laisser le temps d'oublier tout à fait le têtard que l'on m'a volé pour en faire un Athénien. Lorsque Nikarétê est sûre que je ne causerai pas de scandale, Praxitélês vient en personne me chercher jusque dans la plaine de Korinthos afin de me ramener chez moi. Il se montre d'une prévenance exquise. Encore plus courtois qu'à l'ordinaire, il devance le moindre de mes désirs et ne me lâche pas d'une semelle. Je ne sais pas s'il s'agit de se faire pardonner la violence qu'il m'a infligée ou seulement de me contrôler. À ce qu'il paraît, il a été sincèrement touché de la douleur imprévue que j'ai éprouvée à me voir enlever l'enfant. Ce n'est pas moi qui lui en ai parlé, mais l'Égyptienne. Il s'attend sûrement à devoir endurer pendant tout le voyage mes plaintes et mes regrets, je ne lui impose que mes rires et mes caprices.

Quelques semaines après notre retour, il me demande de l'accompagner dans le jardin du sanctuaire d'Hêra où il expose l'une de ses dernières créations, celle, peut-être, qu'il avait ébauchée pendant que j'étais enceinte. Il s'agit d'un groupe de deux statues féminines se faisant face : une épouse en larmes, le visage caché sous sa capuche, et une courtisane en joie, les cheveux lâchés et la tête levée vers le ciel dans un grand rire. Personne à part moi n'est surpris que le visage de l'hétaïre heureuse soit le mien. Mes amis interprètent cette statue comme le témoignage de l'amour que le Sculpteur me porte et qu'il tient à m'offrir publiquement pour me rassurer, au moment où son épouse lui donne enfin un descendant légitime. Mes ennemis voient dans ce sourire de la courtisane l'impudence de la femme qui vit de ses charmes sans se poser aucune question.

À ma grande surprise, la composition fait grand bruit, plus qu'aucune autre œuvre précédente de Praxitélês, même l'*Erôs au repos*, même l'*Aphroditê aux seins nus*. Tout le monde en parle. Parce que jamais un artiste avant lui n'avait osé faire d'une statue une confidence sur sa propre vie. Il est en train, dit-on, d'inventer la sculpture lyrique, ses œuvres se rapprochant de plus en plus de ces poèmes légers que l'on chante à la fin des banquets, juste avant de faire l'amour. Certains traditionalistes le lui reprochent. Ils se plaignent que, de Pheïdias à Praxitélês, la sculpture soit passée de l'exaltation de la puissance universelle des dieux, que l'on regarde de face et à genoux, comme un suppliant humain doit le faire, à la simple évocation d'amours individuelles, charmantes, futiles, exhibitionnistes, autour desquelles on peut tourner en se délectant. Les esthètes d'avant-garde, au contraire, se réjouissent de voir Praxitélês exprimer l'évolution des mentalités, qui ne se satisfont plus de l'austérité ni de la distance mais réclament de la grâce et de la proximité : "Nous voulons des artistes qui soient capables de nous parler de nous !" Praxitélês est en train d'inventer l'art mineur qui convient à son époque individualiste, persiflent ses détracteurs, mais, rétorquent ses partisans, c'est dans cette confidence sur lui-même qu'il a des chances de toucher à l'universel, à cette facette nouvelle de l'universel auquel accèdent depuis peu ses contemporains et qui ne concerne plus le monde lointain des dieux mais l'intimité des hommes. Quant au grand public, aux artisans et aux cultivateurs, qui se pressent dans le jardin devant la statue, ils se disputent plus prosaïquement sur l'interprétation de ce groupe de deux femmes antagonistes. L'épouse qui pleure, la courtisane qui rit, qu'est-ce que ça veut dire ? La femme légitime ne sait-elle que se plaindre, enveloppée dans le châle de sa dignité outragée, tandis que la femme entretenue donne et éprouve de la joie ? Ou bien la première se montre-t-elle capable de partager avec son mari la peine, la douleur et les moments de deuil, tandis que la seconde passe son temps à s'amuser égoïstement, sans prendre sa part des épreuves d'un couple ? En tout cas, les uns comme les autres sont d'accord pour dire que Praxitélês, en s'inspirant des deux personnes qui se partagent sa propre vie, sa discrète épouse Philomélê et sa maîtresse, la trop célèbre Phrynê, a su incarner les deux principales figures de la féminité.

Devant ces controverses et ces discussions enflammées, qui s'étendent au-delà du cercle des amateurs d'art et qui, pendant quelques semaines, font rage dans les banquets, Praxitélês garde le silence. Comme moi. Nous ne parlons jamais non plus entre nous de cette œuvre. Mais il sait que je sais. Je suis la seule à avoir deviné la véritable signification de sa composition : ces deux personnages opposés sont une seule et même personne. Elles ont toutes les deux le même visage qui est le mien. Je ne suis pas seulement l'hétaïre mais aussi l'épouse. J'ai reconnu, aux doigts de la main qui serre le châle pour dissimuler les larmes, la bague de Lêtô que m'a donnée le Sculpteur lors de notre deuxième rencontre. La femme en deuil qui se cache pour pleurer, c'est moi aussi. Et la femme de plaisir, je le sais (je l'ai vu, lorsqu'elle m'a supplié, et je le devine, maintenant qu'elle élève mon enfant), ce pourrait être Philomélê. À sa façon un peu cruelle, qui consiste à les transformer en œuvre d'art, le Sculpteur m'exprime sa compassion et sa tendresse. Il me laisse deviner ce qu'il a saisi de mon destin, et de mes deux façons d'y réagir, par le rire éclatant et par les larmes secrètes. Et ceci, au point où nous en sommes arrivés tous les deux, même pas besoin que nous nous l'expliquions. Je suis presque surprise de cette intimité tacite qui nous unit. Finalement, Praxitélês est le contraire d'Attis. Au jeune disparu ne me liait que le sexe. À l'artiste présent me lie tout sauf le sexe.

Pendant cette période de mon retour à Athênaï, ma vie prend encore un nouveau développement : j'ouvre ma propre école d'hétaïres dont je confie la direction à Nikarétê. Ainsi, nous joignons à l'expérience qu'elle a acquise dans le métier depuis plus de trente ans ma célébrité et mes moyens financiers. Les trafiquants d'esclaves se déplacent jusque chez moi, ils se battent pour que nous les recevions, car ils savent que je ne discute jamais les prix qu'ils me proposent, à condition que "la marchandise", comme ils disent, et comme je les laisse dire, soit de premier choix. Je suis une cliente très difficile et totalement imprévisible. Je me fie à mon instinct pour choisir, parmi les petites filles qu'ils me proposent, non pas seulement les plus jolies mais celles dont je sens qu'elles me ressemblent.

Celles qui sont restées assez farouches pour être un jour, non de la chair fraîche qu'on jettera aux fauves mais des femmes libres qui les feront manger dans leur main. Nikárátê les formera de corps et d'esprit mais je leur exalterai l'âme. Parfois, ce n'est même pas moi qui choisis : Anaïtis parle par la bouche d'Aâmet et je ne refuse jamais d'obéir à son appel.

Un jour, l'Égyptienne pose sa main sur mon bras. Elle me désigne du menton Hermodotos. D'ordinaire, le garçon reste à jouer silencieusement dans un coin de la pièce sans être tiré de sa concentration rêveuse par ces expositions de petites esclaves apeurées. Cette fois, il s'est planté devant une gamine d'une dizaine d'années, à laquelle je n'ai pas jeté plus d'un coup d'œil. Non parce qu'elle n'est pas assez jolie, au contraire ses traits, pour peu qu'on les regarde, sont d'une gracilité étonnante, mais parce qu'elle m'a paru d'emblée trop âgée, et trop engoncée dans le désespoir pour que je puisse espérer l'en tirer jamais. Elle est toute nue, le regard fixé sur le sol. Elle n'a même pas remarqué le petit garçon de son âge qui s'est approché et qui la regarde. Elle pleure silencieusement. Mais surtout elle frissonne. De la tête aux pieds. De froid ou d'angoisse. Sans rien demander à personne, Hermodotos va chercher le manteau qu'il avait déposé à côté de ses toupies. D'un geste précautionneux, il le lui dépose sur les épaules. Elle sursaute, paraissant remonter lentement d'une rêverie profonde. Lorsqu'elle saisit ce qu'il a fait, ou peut-être seulement lorsqu'elle perçoit le contact tiède de la laine fine, à travers ses larmes, elle sourit.

La scène pourrait n'être que jolie et suffire pour que j'achète la petite fille, afin de la confier aux servantes de ma maison. Mais ce sourire, qui illumine son visage de manière imprévue, m'éblouit. Non seulement par la douceur qui l'a animé quelques instants mais par ce que je devine soudain d'elle : ce geste d'Hermodotos pour la couvrir de son manteau, c'est celui que Praxitélês a eu pour passer son doigt sur ma joue, et il ne la sauve que parce que quelque chose en elle a terriblement envie d'être sauvé. Il ne la fait renaître que parce que quelque chose dans son âme la pousse sauvagement, à travers son envie de mourir, vers la vie. Des contractions aussi impérieuses que celles d'un ventre lors d'un accouchement. Isodaïtês parle parfois par des sourires douloureux, qui sont comme les grimaces de la grâce. Cette petite sauvageonne s'appelle Lykeïna. Le marchand n'est pas fichu de me dire d'où elle vient, ni quelle est l'origine de ce nom, aussi étrange que les traits de son visage, presque triangulaire, tant ses pommettes sont hautes. En grec, il voudrait dire "La-fille-des-loups". La couleur de sa peau est presque aussi indéfinissable que la mienne. Si je la prends dans mon école, les Athéniens goûteront-ils jamais sa beauté exotique ? Je me le demande. D'ailleurs, alors qu'elle est la seule que j'achète dans le lot, malgré les aguicheries des autres et les boniments du marchand, celui-ci n'ose pas me la vendre plus de cent drachmes.

Lykeïna se révèle encore plus farouche que je ne l'étais mais aussi d'une docilité surprenante. Elle adore les leçons de musique, qu'elle apprend avec une grande facilité. Dès qu'elle danse, elle est d'une grâce innée. Elle me rappelle, non pas moi, mais l'acrobate Stéphanê. Depuis qu'elle a souri une première fois, elle ne s'arrête plus. Elle nous illumine de l'éclat que prodigue désormais sans compter son visage. Nous en raffolons toutes. Hermodotos en est fou, à sa manière sage et grave. Pour elle seule il consent à sortir de ses jeux solitaires. Il l'admet dans son monde, il lui fait découvrir les insectes, les feuilles, les pierres, en la compagnie mystérieuse desquels il vit ordinairement, et, pour lui plaire, elle s'efforce de poser sur eux le même regard attentif que lui. Avec un sérieux de professeur, il lui fait graver son alphabet sur les tablettes de cire. Lorsqu'elle en a assez, c'est elle qui lui apprend à danser. Devant elle seule, il consent à lever les bras au-dessus de sa tête, à bouger en cadence les épaules et les hanches. Elle rit de sa gaucherie mais il ne se vexe jamais. Pourtant, ce qu'ils préfèrent tous les deux, c'est lorsqu'elle danse devant lui, qu'il l'observe de ces yeux profonds qu'il pose sur le monde, qu'il la corrige pour améliorer encore sa position ou inventer d'autres attitudes. Sûrement, ces deux gamins se disputent aussi, elle doit le faire enrager et lui la faire pleurer, mais, curieusement, ce n'est jamais en ma présence. Elle dispense ses sourires à tout le monde, notamment à moi, mais c'est à lui qu'elle réserve les plus tendres. Ils sont, sur les lèvres de cette petite fille de dix ans, qui regarde ce garçon de onze, d'une maturité si surprenante qu'elle n'en sait sûrement pas le secret. Mais j'en suis bouleversée chaque fois que je les surprends. J'ai l'impression de voir revivre en eux Phaïdros et Mnasaréta enfants, lorsqu'ils cherchaient ensemble dans la montagne de Thespiaï le chemin de la grotte interdite. Nikarêtê me dit que je ne devrais pas laisser se développer cette relation inutile, voire dangereuse, à la fois pour lui, garçon de condition libre qui deviendra un médecin si réputé qu'il se mariera peut-être avec une Athénienne de bonne famille, et pour elle, que je forme à être une hétaïre. Je sais qu'elle a raison mais je les laisse grandir ensemble. Dans leurs jeux innocents, le dieu s'exprime. J'éprouve à voir croître cet amour qui les lie et dont ils sont loin de deviner eux-mêmes ni le nom ni les suites, un plaisir infini. Comme si je vivais à travers eux. Comme si cette vie-là m'était plus douce et plus précieuse que la mienne.

Pendant cette période de mon retour à Athênaï, je rencontre aussi à plusieurs reprises Hypereïdês, bien qu'il soit très occupé par une nouvelle conquête du nom d'Aristagora, contre laquelle mon amie Myrrhina est obligée de batailler ferme. Mes relations avec lui sont devenues presque exclusivement amicales. Il n'y a plus rien d'autre dans nos étreintes que la recherche désintéressée de la volupté.

Et pourtant, un jour, cet homme-là, dont je n'attends plus rien que de la camaraderie, m'annonce une nouvelle stupéfiante. La seule capable de changer de nouveau radicalement le cours de ma vie.

V

LE TEMPLE D'ERÔS

37

LE DON DU CHEF-D'ŒUVRE

Cette nuit-là, Hypereïdês, avant de m'annoncer la bonne nouvelle, commence par me raconter les mauvaises. D'une voix où perce pour la première fois de l'inquiétude, il m'explique que la situation politique n'a jamais été aussi confuse. Les disciples d'Isokratês n'ont pas réussi, malgré tous leurs efforts, à empêcher la méfiance des Alliés et la médiocrité des stratèges athéniens de réduire à néant en quelques mois tous les espoirs que les gens intelligents pouvaient placer dans la seconde Ligue. Malgré l'affaiblissement de ses deux rivales, Thêbaï et Lakédaimôn, Athênaï est en train de manquer de nouveau sa mission d'unir la Grèce. Or, d'après Hypereïdês, l'union devient plus urgente que jamais ; il me montre sa petite cité démocratique encerclée de tous les côtés par des tyrans mégalomanes. Tableau saisissant (même si je me dis que cet homme lucide en accentue à plaisir les couleurs violentes pour mieux m'impressionner). J'entends mentionner certains noms pour la première fois : ainsi, au sud, il cite celui d'un certain Mausôlos, un satrape de Karie particulièrement habile, qui achève de se détacher de l'Empire perse pour se tailler son propre royaume et pousse les îles alliées d'Athênaï à se révolter, dans l'espoir de les croquer ensuite l'une après l'autre. Au nord, c'est presque aussi inquiétant : le roi de Thessalie, Alexandros de Phéraï, dont j'ai déjà entendu parler parce qu'à la stupéfaction générale il a osé quelques années auparavant jeter ses pirates jusque dans le port du Peïraïeus, vient d'être assassiné dans des circonstances rocambolesques, par sa propre femme, Thêbê, qui, dit-on, ne supportait plus qu'il lui fît subir dans leur lit les mêmes violences qu'à son pays. On raconte qu'elle a introduit par ruse trois de ses quatre frères dans la chambre de son mari parce que celui-ci avait osé violer et tuer le cadet. Ce qui est sûr, c'est que les meurtriers de ce fou furieux se montrent déjà aussi menaçants que lui envers leurs voisins. Encore plus au nord, encore plus fruste, il y a le nouveau régent du roitelet de Macédoine, un nommé Philippos, qui se prétend l'ami des Athéniens, tout en lorgnant leurs colonies et les mines d'or du mont Pangaïon. Enfin, en Orient, se dresse comme à chaque génération le danger le plus lointain mais le plus redoutable de tous : le nouveau Roi des rois, Artaxerxês Okhos. Maintenant qu'il a fini de faire étrangler la centaine de ses frères et de ses parents qui pouvaient lui disputer le trône, il se prépare sûrement à imiter ses ancêtres, en lançant les myriades de soldats de ses armées barbares dans une expédition de reconquête vers ses frontières occidentales. Des grands fauves, tous plus dangereux les uns que les autres, qui se préparent à se disputer la Grèce avant de s'entredévorer.

"Mais, reprend Hypereïdês, dans cette agitation confuse, j'aperçois une lueur d'espoir totalement inattendue. Figure-toi que les agissements des tyranneaux de Thessalie sont en train de provoquer une conséquence incroyable : un rapprochement entre les deux anciennes ennemies jurées, Thêbaï et Athênaï. Oh, bien sûr, lance Hypereïdês, qui a remarqué mon mouvement de surprise, ce n'est pas la grande amitié ! Nous n'arriverons peut-être jamais à dépasser notre réciproque méfiance, même lorsqu'il s'agira d'allier nos deux armées pour donner un double coup d'étrivière sur le museau des chiens méchants du Nord. Pour l'instant, nous n'en sommes qu'aux premières tentatives de rapprochement. Mais, reprend-il avec un sourire mystérieux, cette fin de l'hostilité ouverte entre les deux cités m'a permis de faire avancer un petit projet qui me tenait à cœur. Même si je ne t'en ai encore jamais parlé, je suis sûr qu'il t'intéressera. Parce que, finit-il par lâcher, il concerne... Thespiaï !"

Je dresse soudain l'oreille, en bredouillant : "Qu'est-ce que tu dis ?" Mais l'orateur ménage ses effets : "J'ai quand même eu du mal à obtenir l'adhésion des nouveaux Béotarques, et j'ai dû batailler ferme ici aussi, en me rapprochant de mon ancien adversaire, cette vieille crapule d'Aristophôn, dont tu sais peut-être qu'il se retrouve aux commandes chez nous depuis l'éviction de Kallistratos. Sache que je me suis improvisé garant des exilés thespiens uniquement pour tes beaux yeux ! Je ne veux pas te faire de fausse joie, les Thébains refusent absolument que ta cité soit relevée en tant que telle. Et je crois que ce sera difficile d'y parvenir un jour, parce qu'ils ont distribué les terres à leurs partisans locaux ou à des colons. Mais ils sont d'ores et déjà d'accord pour que soit restauré le temple d'Erôs, dont le sanctuaire évidemment appartient toujours au dieu. Ils acceptent même qu'un collège de prêtresses originaires de la ville ancienne s'y réinstalle, à condition de pouvoir le faire surveiller par une garnison, afin que nous n'en profitions pas pour tenter de reprendre pied dans ce massif. Tu vois qu'en bons Thébains, leur confiance dans la proposition désintéressée d'un Athénien reste limitée. Je ne peux leur en vouloir d'ailleurs, ajoute-t-il avec un sourire narquois, car, pour t'avouer la vérité, il existait peut-être dans mon esprit une arrière-pensée de ce genre, lorsque j'ai commencé à imaginer que tu pourrais relever le sanctuaire de Thespiaï…" Il conclut, en me regardant franchement, les yeux dans les yeux, pour observer ma réaction : "Même si les Thébains se méfient, le temple d'Erôs, c'est un début. Qu'en penses-tu ?"

Rien, je n'en pense rien ! Ou plutôt, je suis tellement stupéfaite que je ne parviens pas à me représenter clairement tout ce que j'en pense. Les yeux rivés aux siens, je reste bouche bée. Mais une image s'impose aussitôt à mon esprit : je vois se dresser sous la lune, en pleine forêt, les colonnes silencieuses du temple d'Erôs, au milieu des arbres immenses et de la végétation qui les envahit un peu plus chaque nuit, à quelques centaines de pas des ruines interdites de la ville. C'est un tableau très beau. Et très douloureux. Même les jours suivants, alors que je sais très bien que la prêtresse qui doit ressusciter dans un pas de danse le chœur des jeunes femmes de Thespiaï ne peut être que moi, je ne parviens pas à le vouloir vraiment. Je me sens paralysée, incapable d'un mouvement conscient, comme si je me trouvais brusquement face à la tête plate et aux pupilles fixes du serpent gardant l'entrée du passé. Cette possible restauration du temple d'Erôs, parce qu'elle s'ajoute à la disparition d'Attis et au don forcé de mon enfant, ne m'exalte pas, comme elle le devrait, mais me plonge dans un état d'âme plus chaotique que jamais. Cette nuit-là, je parviens à peine à remercier Hypereïdês pour son intervention. Malgré sa finesse, il s'en montre presque blessé. Les semaines suivantes, l'idée de retourner à Thespiaï fait son chemin pas à pas dans ma conscience. Mais je me dis chaque fois : "Pas tout de suite". Je me dis : "Quand je serai prête". Je me répète que j'attends un signe. Celui qui me donnera la force de m'extirper de ce marais d'angoisse dans lequel je me noie pour remonter enfin chez moi, sur le sentier de la montagne, à l'air libre.

Alors dans Athênai résonnent de nouveau les clameurs lugubres des fêtes d'Adônis. Au fil des années, je les ai de plus en plus revendiquées. Cette fois-ci, je m'y plonge avec une frénésie qui dépasse encore celle de mes compagnes. Au lieu de me réjouir que les négociations concernant le temple de Thespiaï se précisent entre Hypereïdês et les émissaires thébains, je m'abîme dans la déploration collective, au point d'inquiéter mes proches. Mais de qui, s'interrogent-ils, Phrynê porte-t-elle ce deuil exclusif, qui l'amène à se déchirer férocement les joues et à ne plus du tout s'occuper de nous ? Je me le demande autant qu'eux. Attis ? Phaïdros ? Euthias ? L'enfant que je me suis laissé prendre ? Le sanctuaire en ruine que je n'arrive pas à vouloir restaurer ?

"Viens, je veux te montrer quelque chose." Praxitélês me conduit devant une masse imposante qui occupe tout le fond de son atelier, dissimulée aux regards par une pièce de tissu. Il s'agit sûrement d'un groupe, dont pourtant il ne m'a jamais rien dit. "Ce n'est pas encore fini, m'explique-t-il, je suis encore loin de pouvoir le confier aux vernis de Nikias. Tu sais que, normalement, je déteste montrer une œuvre inachevée, mais, je ne sais pas pourquoi, en t'écoutant me confier tes tourments, j'ai senti qu'il fallait que je le fasse pour toi." Praxitélês enlève le drap. Et ce que je vois me coupe le souffle.

J'entends à peine le Sculpteur m'expliquer, d'une voix sourde, que ce n'est pas au groupe de l'*Hétaïre et de l'Épouse* mais à cette composition qu'il a travaillé dans le plus grand secret, pendant les mois où je concevais l'enfant que je lui ai donné. Lui aussi, il enfantait. Avec moins de douleur mais autant de puissance. Et peut-être en ne comprenant pas mieux que moi ce qui lui arrivait ? Je me trouve devant un jeune homme d'une beauté stupéfiante. C'est de nouveau un *Erôs* mais très différent de celui à l'arc baissé qu'il a offert au théâtre de Dionysos. C'est Isodaïtês en personne, tel que je me le représente depuis toujours. Ses ailes immenses sont encore dressées dans son dos, j'ai l'impression qu'elles palpitent parce qu'il vient de se poser ou qu'il s'apprête à s'envoler de nouveau. La finesse et le poli du marbre en sont si merveilleux que la lumière passe à travers leurs nervures translucides et qu'elle baigne le spectateur, dès qu'il s'approche de la statue, dans un halo irréel. Ces ailes démesurées, elles pourraient en se refermant envelopper tout entier celui qui les regarde, le protéger, ou l'étouffer, ou l'emporter. La chevelure du jeune dieu, partagée par une fine raie au milieu de la tête, dessine, de chaque côté du visage et jusque sur les épaules, d'étranges mèches recourbées, qui forment comme des ailes miniatures. On dirait que celles qui se développent vertigineusement dans son dos naissent à travers ses cheveux, sur sa nuque, de l'intérieur de son crâne et tout le long de sa colonne vertébrale. Il ne porte pas d'arc, pas de flèche, pas de carquois, aucun accessoire inutile. Il est réduit à l'essentiel. À ses ailes. Entièrement nu, son corps est d'une beauté subjugante. Les formes masculines du torse et du ventre sont à la fois présentes, musculeuses, viriles, et pourtant estompées dans une gracilité, une finesse, un déhanché léger, un poli de la peau et des contours qui me laissent sans voix. Ce corps n'impose pas sa force, non, mais, les bras ouverts dans le prolongement des ailes, il sait accueillir souplement celle du désir se dirigeant vers lui. Je reconnais immédiatement les formes d'Attis, mais avec quelque chose de plus épanoui, de plus offert et de plus tenu à la fois.

Pourtant, ce n'est pas la splendeur de cette nudité qui retient mon regard et le captive. Dès que j'ai posé les yeux sur le visage, je ne peux plus m'en détacher. Là aussi, je distingue les traits de mon amant, son nez fort, presque busqué, si peu grec, l'allongé triangulaire de son menton et de ses joues. Mais ce visage est métamorphosé. Comme sublimé, par une expression de calme, de douceur, d'apaisement, de concentration, de recueillement, que je ne lui ai jamais vue. Ou plutôt si, dans l'abandon du sommeil. Surgissement d'une gravité essentielle qu'Attis ne laissait émerger de lui que lorsqu'il était débarrassé de tout l'éparpillement de sa conscience diurne et qu'il n'était plus que lui. Délivré aussi de mon emprise, de la volonté lancinante qui le tenaillait de m'échapper et pouvant alors simplement se donner. Ou plutôt pouvant simplement recevoir celle qui aurait été capable de se donner à lui sans vouloir le prendre. C'est moi qui ai gâché Attis, moi qui l'ai perdu, en voulant l'emprisonner ! Voilà ce que le Sculpteur m'apprend, en me le rendant tel qu'il aurait pu être, pour que je l'aime enfin tel que j'aurais dû l'aimer. Je me perds dans sa contemplation, je me remets à lui pour qu'il me prenne dans ses ailes et qu'il m'emporte loin de mon statut de maîtresse et de ma rage de possession. Praxitélês a regardé comme moi Attis s'atteindre dans le sommeil. Mais lui, il a su travailler sur cette image essentielle, que notre amant laissait sortir de lui sans le savoir, pour en concrétiser le sens dans une œuvre de marbre. Il a transformé cette vision fugitive en une compréhension profonde de ce qu'incarnait essentiellement notre Erôs disparu. Moi, cette compréhension, je n'ai fait que la saisir fugacement, sans être capable à mon tour d'en faire œuvre de vie. Le Sculpteur me rend tout mon désir, tout mon désespoir, tout mon échec, mais en même temps il me donne la possibilité de m'en laver, d'en purifier mon regard, et d'exalter mon âme dans cette beauté dévoilée du visage d'Attis, tel que je n'ai jamais su véritablement l'admirer. Il me le fait enfin voir.

Alors soudain, je m'écroule, au pied de la statue, et je me mets à pleurer. Je sanglote en de grands râles obscènes, qui ressemblent presque à des quintes de toux, tellement ils me déchirent. Mais cette fois-ci, à la différence de mes semaines de quête et de deuil impossible, ils ont un objet, la statue, devant laquelle je dépose, comme une offrande, le spectacle et les bruits répugnants de ma désolation, de mon repentir, de ma faute devant Erôs Isodaïtês et la déesse de l'amour, de ma faute qui ne sera jamais pardonnée, puisque mon amant ne me sera jamais rendu. Et cela, la perte, le fait de survivre à la perte, je l'accepte enfin. Les ailes de la statue de marbre se referment sur moi, elles effleurent mes épaules, non pas pour me pardonner, car je suis impardonnable, non pas pour me consoler, car je suis inconsolable, mais seulement pour m'accueillir. Et bien évidemment ce ne sont pas les ailes d'Erôs qui m'entourent mais les bras humains de Praxitélês, qui s'est agenouillé à mes côtés. Il m'enlace les épaules de ses mains puissantes de polisseur de pierre et de douleur. Il m'effleure la joue de son doigt d'artiste connaisseur d'âme, comme il l'a fait la première nuit dans le bordel du Port, lorsque je n'étais qu'une petite putain inconnue. Je suis aujourd'hui une hétaïre riche et célèbre mais je me sens toujours aussi faible, toujours aussi fragile. Toujours exilée sur le rive infranchissable de cet Enfer. Et lui seul, le Sculpteur, peut venir me chercher, dans son étrange et légère barque de marbre et de glaise, pour m'aider à traverser.

Nous passons une bonne partie de la nuit ensemble dans son atelier, simplement à pleurer, agenouillés dans les poussières et les copeaux de la pierre. L'atmosphère sèche de l'atelier en devient humainement humide. Praxitélês ne me touche pas, sinon par cet effleurement de ses mains et de ses doigts. Pourtant je garde de ce moment le souvenir d'une intensité plus puissante que celle d'un orgasme. Un orgasme de larmes. Un orgasme d'âme, aussi nécessaire que celui du corps. Heureusement que cet homme a été là dans ma vie pour me faire pleurer ! Sinon, sans ces moments d'écoulement qu'il a su provoquer par ses œuvres mais aussi par sa façon de me regarder en silence, tout aurait pourri à l'intérieur. Il n'est pas mon amant, pas mon sculpteur, il est mon sourcier. Le prêtre de la prêtresse que je crois être. De même, je sais que ces moments d'épanchement, pendant lesquels une femme s'est laissée aller entre ses bras jusqu'à pleurer sur des douleurs qu'elle ne parvenait pas à exprimer autrement, dans des abandons plus profonds que des spasmes d'amour, ont contribué à adoucir son art et à le densifier, à faire de l'alanguissement seulement distrait de ses poses un infini de présence. Ce n'est pas seulement son ciseau qui a poli si divinement ses marbres mais aussi mes larmes. Et mes rêveries et mes éclats de rire. Toute mon absence.

Au matin seulement, je parviens à articuler un mot pour le remercier. Mais je comprends que, pendant ces quelques heures, la méditation parallèle qu'il a menée sur nous deux a été aussi profonde que la mienne, parce qu'il me répond : "Non, tais-toi, c'est moi qui dois te dire merci." Il ajoute : "Je te pille, Phrynê. Tu m'as donné il y a peu un enfant que je t'ai volé et puis regarde autour de toi !" Il me désigne la statue de l'*Aphroditê aux seins nus*, qui se trouve encore dans son atelier. S'il n'a pas voulu la proposer à l'Ourania pour s'éviter un refus, il a décliné les offres de tous les autres temples les jugeant indignes d'elle. "Et puis cet *Erôs*. Et puis l'autre *Erôs* du théâtre de Dionysos, que je t'ai dédicacé. *L'épouse qui pleure, l'hétaïre qui rit. Artémis chasseresse. Lêtô.* Tout ce chemin que, depuis des années, j'ai fait grâce à toi !" Le déhanchement, la recherche du déséquilibre, le rythme de la composition, l'ambiguïté entre le masculin et le féminin, la polyfrontalité, le polissage estompant les différents plans, le travail sur la chevelure, l'apport du vernis du peintre Nikias pour animer la chair et les yeux, toutes ces ressources techniques dont les amateurs d'art font les caractéristiques de son œuvre, il m'explique qu'il les a expérimentées seulement pour retrouver le secret de ma peau, de mes courbes, de mes attitudes, de mon mystère. "Mais, ajoute-t-il au bout de quelques instants, ces avancées, je les aurais faites sans toi peut-être. Non, ce n'est pas cela que tu m'as apporté d'essentiel." Il cherche quelques instants à délimiter les contours de son idée, avant d'ajouter : "J'ai découvert, en te regardant et en t'aimant, une façon nouvelle de m'inspirer de ma propre vie, de mes propres émotions, des gens que je rencontre dans la vie réelle, des accidents et des événements qui s'imposent à moi, des péripéties de mes amours. Pas besoin de fermer les yeux et de me réfugier dans l'idéal, en fuyant ma vie et mon époque dans une recherche de la beauté intemporelle, comme me le recommandait mon père pour imiter Pheïdias. Non, au contraire, besoin d'ouvrir les yeux et de te regarder, besoin de contempler à ta suite le monde qui nous entoure, simplement en marchant avec toi dans les rues d'Athênaï. Ma matière, je la tire de ma propre vie et de la tienne, et je la transforme, j'en fais du divin, oui, mais un divin plus proche de l'humain, parce qu'il en sort directement. À mes débuts, lorsque je rêvais du chantier de Mégalopolis, je me disais que j'aimerais vivre dans un monde de formes pures, dans une ville où n'auraient existé que les créations de l'architecture et de la sculpture, une cité idéale de temples et de statues, sans les humains et leur laideur. Maintenant, je sais que j'appartiens à ce monde-ci, de toutes mes fibres. Voilà, je crois que c'est ça que tu m'as donné : l'ancrage, la circulation intime entre mon œuvre et ma propre vie. Qu'est-ce que je pourrais bien trouver pour te remercier de ça ?"

Il me prend dans ses bras et il me murmure quelque chose que je ne saisis pas bien. Puis, il se dégage, il erre un moment entre les blocs et les ébauches plus ou moins achevées. En passant devant l'*Aphroditê aux seins nus*, il promène rêveusement son doigt sur leur courbe, comme il l'a fait tout à l'heure sur ma joue de chair. Soudain, frappé par une idée, il se retourne vers moi : "J'ai trouvé ! C'est tellement simple, tellement évident, comment ai-je pu ne pas y penser ?" Et il déclare haut et fort, comme s'il voulait que quelqu'un d'autre puisse l'entendre du fond de son atelier désert : "Je vais te donner mon chef-d'œuvre !" La statue qui pourrait lui valoir de passer à la postérité, au lieu de la vendre à une ville ou à un temple, il va m'en faire don, afin que j'en fasse à mon tour ce que j'en veux. Peut-être simplement que je la garde pour moi sans la montrer à personne.

Alors se produit une chose étrange : d'un même mouvement spontané, nous nous tournons vers son chef-d'œuvre. Mais moi, c'est vers l'*Erôs aux ailes déployées*, et lui, vers l'*Aphroditê aux seins nus*. D'après lui, elle est beaucoup plus intéressante. Elle marque une telle avancée dans la représentation du corps féminin qu'il est assuré que c'est elle qui lui vaudra d'occuper une place dans l'histoire de la sculpture. Sans doute au-dessous de Pheïdias et de Polykleïtos, parce que ces deux-là furent aussi des chefs de chantiers, des théoriciens et des maîtres d'école, mais à peu près au même niveau que Myrôn, qui resta comme lui un expérimentateur singulier. Tandis que l'*Erôs*, qui est très beau, certes, est loin de représenter une révolution artistique équivalente dans la façon de représenter le corps masculin. Je lui coupe la parole : "Je m'en fiche, moi, des révolutions artistiques, tu le sais bien ! La seule chose qui m'intéresse, c'est l'émotion. Et cet *Erôs*, il me bouleverse. Pas simplement, comme tu peux t'en douter, parce qu'il représente Attis. Non, pour quelque chose d'autre encore que je n'arrive pas à définir mais qui m'étreint dès que je pose les yeux sur lui. Il n'est peut-être pas novateur, si tu y tiens, mais il est bien plus que ça, il est beau, sublimement beau ! C'est lui, ton chef-d'œuvre !". Il sourit : "Je te remercie, mais je ne crois pas, sincèrement. D'ailleurs il n'est pas terminé. Et puis, pour t'avouer la vérité, j'ai un autre projet le concernant."

Cette statue, Praxitélês envisage de la donner, elle aussi, et non de la vendre. Mais pas à moi, au sanctuaire d'Aphroditê Ourania, pour le remercier du second camouflet que ses prêtres viennent de lui infliger, en passant commande d'un Erôs, sans même le mettre au concours, à un tout jeune rival, Léôkharês, talentueux, certes, mais puant de suffisance et de facilité. Ce dernier, l'année précédente, a réussi à se faire commander un buste d'Isokratês, inauguré solennellement à Eleusis en présence du grand homme, mais surtout, il s'est débrouillé pour enlever à Praxitélês son assistant préféré, Sthennis. Alors être vaincu par l'ardent Skôpas, d'accord, à la rigueur, mais par le mielleux, le sournois, l'insinuant Léôkharês, ça jamais ! Pour se venger, Praxitélês a décidé d'offrir, sans qu'on lui ait rien demandé, une composition originale qui, placée à côté de la coûteuse commande officielle, l'éclipsera sans peine. Voilà, c'est sa façon à lui de gagner les concours que de triompher uniquement dans ceux auxquels on ne l'invite pas à participer. Ce don gracieux sera d'ailleurs un judicieux investissement financier : il rétablira d'un seul coup son prestige menacé dans Athênaï et s'assurera, pour les années à venir, les travaux les plus prestigieux et les plus lucratifs. Le malheureux Léôkharês, accompagné de son Sthennis, n'aura qu'à aller voir de l'autre côté de la mer, dans ces villes d'Iônie qui payent d'ailleurs, paraît-il, bien mieux qu'Athênaï, s'il lui est possible de placer quelques-uns de ses dieux de petit maître. Pour atteindre ce but, face à un jury composé d'amateurs d'art mais surtout de prêtres et de financiers, il faut une œuvre dont la beauté soit directement accessible mais pas trop dérangeante dans sa conception. Tel cet *Erôs*, qui, malgré l'audace de ses ailes immenses, reste classique. Avec lui, Praxitélês pense raisonnablement être en mesure de ridiculiser son rival.

Bien des aspects de ce discours parlent à mon cœur : la vengeance, le don, qui est en fait un investissement à long terme, la façon de manipuler un jury en jouant sur ce qu'il croit connaître pour l'amener un tout petit peu plus loin que là où il veut aller. Je suis seulement un peu surprise de l'entendre de la bouche de l'équanime Praxitélês. Cela m'amuse presque, parce que j'ai l'impression qu'il s'exprime comme j'aurais pu le faire il y a quelques mois, avec le même mélange d'orgueil, de rancœur, de dissimulation et de naïveté. Voyant que je ne suis pas tout à fait convaincue par ces considérations stratégiques, il se décide à me révéler les raisons plus personnelles qui le poussent à vouloir offrir ce second *Erôs* précisément au sanctuaire qui n'a pas voulu du premier : il y voit un moyen de dépasser un échec qui l'a atteint plus profondément encore que je ne le soupçonnais (et je saisis alors seulement à quel point je l'ai mis en danger, dans mon égoïsme d'amoureuse, en le confrontant de force à Attis). Il pourra prendre aux yeux du public une revanche éclatante sur cette vision fausse et maniérée du dieu que lui a inspirée mon amant, ce trop délicat *Erôs à l'arc baissé* qui lui coûta tant de peine, qu'il dut interrompre à plusieurs reprises, pas simplement à cause des disparitions de mon insaisissable esclave ou de mes crises de jalousie, mais aussi à cause de son propre manque d'inspiration, de sa paresse et de sa lâcheté, dont la conception fut si éprouvante et le résultat finalement si peu satisfaisant. Tandis que cet *Erôs*-là, le dieu aux ailes déployées, il s'est imposé naturellement. Il est venu tout seul sous son ciseau. Comme si cet être unique aux ailes surdimensionnées ne demandait qu'à surgir de lui-même du bloc de pierre, un peu à la façon du premier buste de moi qui réclama le pinceau de Nikias. "Cet *Erôs* n'est pas génial, s'exclame-t-il, mais il est évident. Voilà, exactement : la plus évidente de mes œuvres secondaires." Je proteste : "Comment peux-tu l'insulter à ce point ? Isodaïtês va se fâcher si tu ne reconnais pas sa beauté !

— Et Aphroditê alors, qu'est-ce qu'elle va dire, si tu méprises ses sublimes seins nus, qui sont aussi les tiens ?"

Nous continuons à nous disputer amicalement pendant un moment. Je défends son *Erôs* bec et ongles, furieuse qu'il ose le critiquer. Évidemment, je ne suis pas aussi indignée que je le prétends, et lui pas aussi critique, nous jouons un peu, joli moment de complicité entre un artiste et sa plus proche admiratrice, qui fait aussi partie de notre relation, au même titre que les crises intenses de larmes et les séances de pose. Mais, alors que, d'habitude, il finit toujours par céder à mes caprices, même lorsque ceux-ci concernent la sculpture, cette fois-ci il ne veut rien savoir. D'une voix où je commence à discerner de l'agacement, peut-être celui qu'il éprouve face au public athénien et aux admirateurs de Skôpas, il m'explique une nouvelle fois à quel point je n'y connais rien. D'après lui, une œuvre ne doit pas être jugée seulement en fonction de l'émotion, parce que celle-ci est bien souvent factice. Il faut s'appuyer sur des critères objectifs, qui seuls permettent de lui donner sa vraie place, en la situant par rapport aux codes esthétiques et matériels que son époque propose à l'artiste. Ne mérite l'appellation de "chef-d'œuvre" que la statue qui procure un sentiment immédiat de beauté, bien sûr, mais représente aussi une avancée, soit dans la maîtrise technique, soit dans l'audace de la représentation. De ce point de vue-là, il maintient que l'*Aphrodité* est beaucoup plus intéressante que l'*Erôs*, parce que beaucoup plus novatrice, et donc qu'elle est, objectivement et non pas simplement dans ma subjectivité d'amoureuse, son chef-d'œuvre.

"Et puis, finit-il par me dire, je viens de découvrir, en te parlant, une dernière raison à mon choix." Il ajoute, en souriant finement : "Je crois que celle-ci va te satisfaire plus que toutes les autres réunies, parce qu'elle met en jeu uniquement mon émotion personnelle." Il se demandait jusque-là pourquoi il n'avait reçu aucune proposition qui lui convînt pour l'achat de cette *Aphrodité* géniale. Il y avait toujours quelque chose qui n'allait pas, des difficultés de paiement ou de transport ou d'exposition dans le sanctuaire. En fait, le problème ne venait pas des acheteurs mais de lui, l'artiste. Il n'avait tout simplement pas envie de la vendre. Ce qu'il saisit seulement aujourd'hui, c'est que, sans le savoir, il ne voulait pas garder son chef-d'œuvre pour lui, mais me le donner, à moi qui l'ai inspiré. Pourquoi ? Pas simplement pour me remercier de l'enfant et de tout le reste, non, aussi pour payer sa dette. Pour me restituer mon image. Celle qu'il m'a volée le jour où il a créé sa première *Aphrodité* sans me demander la permission. Voilà, ce sera sa manière à lui de me rendre ma dignité.

Alors seulement je comprends tout ce qu'il met dans le don de cette statue-là, et je me laisse convaincre. Je le remercie chaleureusement de sa générosité.

Nous avons envie tous les deux de prolonger ce moment où nous nous sentons si proches. Alors il me propose de me raccompagner chez moi, avant de se remettre à l'*Erôs*. Nous faisons un détour par la rue des Trépieds où se trouve son *Satyre*. Elle est pour une fois presque déserte, à cette heure matinale qui suit les réjouissances nocturnes de la résurrection d'Adônis, si bien que Praxitélês peut se permettre de glisser un bras autour de mes hanches. Nous décidons de poursuivre jusqu'au Théâtre pour voir l'autre *Erôs*, celui à l'arc baissé, et jouir ensemble des progrès accomplis par mon artiste préféré. C'est à ce moment-là, tandis que nous marchons sans rien dire, qu'une idée affleure peu à peu à ma conscience. Une évidence encore presque imperceptible, mais profonde et puissante, comme une vague se formant en haute mer, dont le vent gonfle le dos pour la première fois à la surface des flots, avant qu'elle ne replonge pour réapparaître un peu plus loin, un peu plus haute, toujours plus haute, jusqu'à s'épanouir avec fracas sur le rivage : ce don de l'*Aphroditê aux seins nus*, c'est le signe que j'attendais pour retourner à Thespiaï ! Cette statue que Praxitélês offre à la femme libre d'Athênaï, je vais la transmettre au sanctuaire d'où j'ai été arrachée petite fille. Dans ce temple abandonné en pleine montagne, au-dessus d'une ville en ruine, je la dédicacerai solennellement. Sa beauté audacieuse et le prestige de l'artiste ramèneront en foule les pèlerins et les admirateurs d'art sur les sentiers perdus qui conduisaient autrefois à la cité de mon père. Bientôt peut-être s'édifiera autour de l'enceinte sacrée une nouvelle bourgade, que les Thébains, par respect pour le couple divin d'Aphrodite et Erôs qui l'habitent, n'oseront pas détruire. Je consacrerai une part de ma fortune à restaurer les antiques fêtes des Erôtidia. Je choisirai moi-même la vierge qui, lors de la résurrection de ces cérémonies, mènera le chœur comme j'aurais dû le faire l'année de mes quatorze ans. Je lui apprendrai les pas de la chorégraphie d'Isodaïtês que je chercherai dans ma mémoire, là où ils m'attendent depuis tout ce temps.

Emportée par la houle de cette rêverie, à la fois exaltante et douloureuse, je reste en arrêt sous l'arc baissé de l'*Erôs*. Praxitélês me demande, avec une pointe d'inquiétude ou de jalousie : "À qui tu penses ? À lui ?" Je reviens difficilement à la réalité : "Lui qui ?" Il insiste : "Attis ! Tu l'aimes encore ?" Haussant les épaules, je lui fais part du projet qui vient de naître en moi et qui est le seul capable de m'aider à oublier le jeune disparu. Le Sculpteur trouve aussitôt l'idée très belle. Cette statue qu'il me donne, cette *Aphroditê à sa toilette*, si moderne, si urbaine, qui mériterait la place d'honneur dans le plus prestigieux des sanctuaires d'une capitale, il sent curieusement lui aussi qu'elle trouvera sa place au flanc de cette montagne reculée. Il est heureux de contribuer à mon désir de restaurer le temple de mon enfance en me donnant le chef-d'œuvre de sa maturité.

À l'instant exact où il prononce le mot de "chef-d'œuvre", machinalement, je lève les yeux vers l'*Erôs* qu'il m'a dédicacé. Pour la première fois, le regard de la statue ne me rebute pas par son éclat veule et lascif mais me frappe par une lueur ironique de complicité. Soudain, comme l'écume qui naît sur la crête même de la vague, surgit en moi une seconde idée, au-dessus de la première qu'elle prolonge et domine. Une inspiration tout à fait incongrue mais qui m'apparaît aussitôt nécessaire. Sur mes lèvres s'esquisse le même sourire que celui de l'*Erôs*, rusé, un peu cruel mais, finalement, bienveillant : je vais me jouer de ce sculpteur à qui je dois tout et lui prouver que je comprends son œuvre bien mieux que lui ! Je vais le tromper pour le révéler à lui-même ! De nouveau, Praxitélês s'inquiète : "Tu penses à quoi, maintenant, en souriant de cette façon étrange ? Tu n'es vraiment pas dans ton état normal, ce matin !" Délaissant Attis, je me tourne franchement vers lui : "Je pense à toi !" Et là, d'autorité, c'est moi qui place son bras autour de mes hanches, pour qu'il m'enlace pendant les quelques dizaines de pas où nous serons tranquilles jusqu'à la sortie du théâtre. Puis je l'entraîne à pas vifs vers l'Agora populeuse, vers la Double Porte, vers l'avenue du Grand-Cimetière, tandis que le stratagème se précise dans mon esprit.

Lorsque nous sommes arrivés chez moi, je prends d'abord quelques instants pour donner mes ordres à Mentês, le plus rusé des Cerbères. Puis je propose à Praxitélês de passer l'après-midi en ma compagnie. Je n'ai pas à insister beaucoup pour qu'il se laisse convaincre de remettre son travail au lendemain. De la voix rauque que je sais prendre lorsque je veux l'affoler, je lui jure que je vais le remercier du don de sa statue d'une façon digne de la déesse que je sers : je vais le faire mourir, et puis je vais le faire renaître, comme Adônis entre les bras d'Aphroditê. Et c'est exactement ce qui se produit, sans même que j'aie besoin pour m'inspirer de penser à Attis. Juste à lui, Praxitélês, qui commence à prendre en moi toute la place. Nous sommes encore allongés nus sur le lit, dans l'engourdissement qui suit l'amour, lorsque des pas précipités se font entendre dans l'escalier et que des coups violents sont frappés contre la porte de ma chambre. Qui ose nous déranger ainsi ? Pourquoi mes serviteurs ne se sont-ils pas interposés ? "Maîtresse, maîtresse !" Sans même prendre le temps de m'habiller, jetant ma tunique sur le corps nu de Praxitélês, je donne l'ordre d'entrer.

L'un des Cerbères fait quelques pas à l'intérieur de la chambre. Je suis stupéfaite, ce n'est pas Mentês, à qui j'ai donné mes ordres, mais l'impétueux, le brouillon Adômas. Que se passe-t-il ? M'ont-ils mal comprise ? Quelle catastrophe ce stupide tatoué a-t-il déclenchée ? Le serviteur, sincèrement affolé, me jette : "Maîtresse, vite, un malheur est arrivé ! Dans l'atelier du maître ! Un incendie ! Tout brûle ! Il faut venir vite, vite !" Praxitélês, réveillé brusquement par la terrible nouvelle, se dresse sur le lit : "Quoi ? Ce n'est pas possible !" Il cherche ses habits, les confond avec ma tunique, qu'il déchire à moitié en tentant de l'enfiler. Je réagis avec plus de sang-froid : "Cours, Adômas, sauve la statue de l'*Aphroditê*, elle se trouve à l'entrée de l'atelier, demande aux assistants, va, va, nous te suivons !" Le Cerbère tourne aussitôt les talons mais Praxitélês, reprenant enfin ses esprits, l'arrête d'un cri : "Non, sauvez l'*Erôs* ! Il est tout au fond, sous un drap !" Le serviteur, affolé, hésite. Auquel de nos deux ordres doit-il obéir ? Praxitélês s'énerve, tout en continuant à chercher partout son vêtement : "L'*Erôs*, je t'ai dit, l'*Erôs*, mais qu'est-ce que tu attends, dépêche-toi, allez-y tous, et faites attention à ne pas abîmer ses ailes, j'arrive !" Adômas se tourne vers moi et j'incline la tête pour lui signifier mon assentiment : "Fais ce qu'il te dit ! Tant pis pour l'*Aphroditê* qu'il m'a donnée, sauve l'*Erôs* !" Praxitélês hurle : "Obéis !" Aussitôt, le Cerbère se remet en action pour courir hors de la chambre. Mais, avant de disparaître, il m'adresse un clin d'œil.

Pleinement rassurée, je me rallonge confortablement, tandis que Praxitélês, qui ne s'est pas rendu compte de mon changement d'attitude, continue de fouiller dans toute la chambre. Je lui demande, sortant la pièce de tissu que j'ai cachée depuis le début sous l'un de mes coussins : "C'est ça que tu cherches, mon chéri ?" Je lui tends sa tunique en souriant. Il se rue sur moi pour s'en saisir. Puis s'interrompt en plein milieu de son geste, considère mon visage avec plus d'attention, et tombe assis sur le lit : "Quoi ?... c'était... une plaisanterie ?

— Disons plutôt une épreuve.

— Il n'y a pas d'incendie ?

— Non, rassure-toi.

— Mais c'est vraiment idiot, c'est cruel !

— Quel autre moyen m'as-tu laissé pour te prouver que j'avais raison ?"

Il fronce les sourcils, repassant toute la scène dans sa tête, comprenant peu à peu à quel point je me suis joué de lui. Je continue, du même ton gentiment railleur : "Tu m'as affirmé tout à l'heure avec tellement d'assurance que je ne connaissais rien à l'art, parce qu'en bonne hétaïre, je ne faisais pas appel à ma raison. Mais, lorsque tu cesses toi aussi d'être un esthète et que tu laisses parler ton cœur, laquelle de tes deux statues choisis-tu ?" J'ajoute, en le regardant avec tendresse : "Finalement, je comprends ton œuvre mieux que toi-même, tu ne crois pas ?" Il s'efforce de rire mais il est encore sous le coup de l'émotion violente qui vient de le secouer. Il finit par articuler : "Oui, tu as peut-être raison. C'est peut-être l'*Erôs* mon chef-d'œuvre...

— Tu vois, je te l'avais bien dit !" Pour ne pas triompher totalement de lui, parce que ce n'est pas moi, dans le fond, qui l'emporte, je lui souffle d'une voix plus sourde : "D'ailleurs, je ne sais pas si je devrais me réjouir à l'idée que ton chef-d'œuvre ne soit pas une statue de moi mais de lui, l'autre, celui qui nous a fait tous les deux tellement souffrir." Ensuite, il ne me reste plus qu'à tirer la conclusion nécessaire de cette scène. Je prends la tête du Sculpteur éperdu entre mes mains, je l'attire à moi et je lui murmure à l'oreille : "Tu as dit que tu me donnerais ton chef-d'œuvre. Tu ne crois pas que je l'ai mérité, cet *Erôs* ?" Il sursaute, se dégage. La voix a jailli de moi. Lorsque je lui ai pris ses huit drachmes et neuf oboles, il ne s'agissait que de le dépouiller de son argent. Lorsque je lui ai pris la bague de Lêtô, de lui soutirer la certitude qu'il voulait se donner à lui-même d'être devenu un véritable artiste. Là, en prenant la statue dont je l'ai obligé à reconnaître qu'elle est la plus belle qu'il créera jamais, la déesse ne lui demande-t-elle pas de renoncer à triompher d'un rival à la mode, de ce Léôkharès insupportable de suffisance ? N'exige-t-elle pas de lui le sacrifice de la gloire et de la revanche et même du combat ? Si j'installe l'*Erôs* dans le temple retiré de Thespiaï, la lumière qui, du sommet de l'Hélikôn, tombera à travers ses ailes translucides sur les paupières d'une poignée de pèlerins éblouis, sera d'un effet sublime mais elle ne lui procurera jamais à lui, le Sculpteur, le même éclat que si l'œuvre se trouvait placée dans le prestigieux sanctuaire athénien d'Aphroditê Ourania. La déesse veut-elle le priver de la satisfaction de prouver à ses contemporains et à la postérité qu'il est le plus grand ? Mais quel ressort plus puissant peut bien pousser un artiste que ce désir éperdu de reconnaissance et de gloire ? En le châtrant de son narcissisme, comme Kybélê le fait avec Attis, que laisse-t-elle subsister en lui, sinon l'énergie désintéressée de la création ? Et cette réduction à l'essentiel, cette mutilation, elle fait tellement mal !

De mon côté, je suis loin de me douter de cet enjeu, lorsque je lui demande d'honorer sa promesse de me donner son chef-d'œuvre. Parce que je ne suis pas moi-même une artiste et que, prise dans la fièvre de mon retour à Thespiaï, je ne peux penser à personne d'autre qu'à moi. Mais Praxitélês, lui, perçoit d'emblée tout ce à quoi l'on veut qu'il renonce. C'est pourquoi il résiste encore. Il me lance un regard lourd. Je vois bien qu'il est furieux. En lui souriant et en tendant la main vers son épaule pour l'attirer contre moi, je prie Aphroditê de m'insuffler toutes les ressources de la tendresse, de même qu'Erôs m'a inspiré toutes celles de la ruse. Je finis d'ailleurs par émousser la résistance de Praxitélês. Quelques heures plus tard, il me quitte, très troublé. Mais cet homme amoureux, sur lequel je crois avoir tout pouvoir d'ordinaire, a réussi à ne pas me promettre définitivement de me donner le *Dieu aux ailes déployées*. Il est plus résistant que je ne le pensais, sans doute parce que sont en jeu dans cette histoire bien d'autres ressorts que sa simple faiblesse d'amant et sa seule vanité d'artiste.

Alors je me demande avec un peu d'inquiétude quel moyen, plus brutal que les miens, vont trouver mes dieux pour lui imposer de respecter l'engagement qu'il a conclu avec eux à travers moi.

Ils y parviennent en douceur, empruntant pour atteindre son âme le même chemin que pour toucher la mienne. Dès le lendemain, il se présente de nouveau à ma porte. Au comble de cette agitation dont il n'est pas redescendu depuis que je lui ai fait croire la veille à l'incendie de son atelier, il me raconte qu'à son retour chez lui, épuisé par les émotions contradictoires que je l'avais forcé à vivre, il s'est endormi d'un sommeil profond. Il a rêvé. La statue du dieu ailé s'envolait de son atelier jusque dans un temple à moitié en ruines au flanc d'une montagne. Bien qu'il ne soit jamais allé dans le sanctuaire d'Erôs à Thespiaï, la vision qu'il en a ramenée est d'une netteté absolue. Tandis qu'il me décrit les moindres détails de cette image qu'il a encore sous les yeux, je relève de nombreuses erreurs matérielles, notamment le fait qu'il place le bassin de purification devant le temple et non derrière, comme dans mes propres souvenirs. Mais je me garde de le désillusionner. Je préfère qu'il reste persuadé qu'Isodaïtês en personne l'a transporté pendant son sommeil dans la ville de mon enfance. Hanté par la précision de son hallucination, Praxitélês m'annonce qu'il ne résiste plus. Il est prêt désormais à répondre à l'appel du dieu. Il renonce à la perspective d'une exposition triomphale dans le sanctuaire athénien et me donne l'*Erôs*, afin que j'aille le consacrer à la place de l'*Aphroditê aux seins nus*. En me jetant à son cou pour le remercier, je revois brusquement le *Xoanon*, la statue archaïque de bois, ses yeux brillants qui ont regardé mon père et son frère enfants danser, puis qui se sont posés sur moi une nuit de malheur. Se trouve-t-il toujours dans le temple ? A-t-il survécu à la ruine de la cité ? Je placerai la statue de mon triomphe, cet *Erôs* aux ailes déployées et aux traits d'une finesse sublime, polis dans le marbre par le grand Praxitélês lui-même, en face de l'humble bloc de bois sombre, dont émerge à peine le visage indistinct du dieu et ses grands yeux fixes. De l'une à l'autre, il y aura ce que j'ai fait de mon destin et aussi ce que la Grèce a fait du sien.

Mais je ne suis pas encore au bout de mes surprises ni Praxitélês des exigences de mes dieux. Le lendemain, je le retrouve planté devant ma porte. De nouveau, il a rêvé. Cette fois-ci, je me trouvais avec lui dans le temple en ruine de la montagne qu'il a vu la veille. Je me dénudais pour lui montrer mes seins. Je devenais alors la statue de marbre et me plaignais qu'il me laissât mourir loin de mon amant aux ailes déployées. Vaincu, à la fois effrayé et exalté par cette succession de rêves prémonitoires qu'il fait chaque fois qu'il rentre chez lui après m'avoir quittée, il m'annonce qu'il va faire preuve à mon égard d'une générosité sans égale. Non seulement, il va me céder l'*Erôs* mais il ne va pas me reprendre l'*Aphroditê*. Parce qu'il me l'avait donnée auparavant et qu'il ne se sent toujours pas le courage de la céder à qui que ce soit d'autre. Je le regarde, bouche bée : "Tu veux me donner les deux ?" Il voit bien dans mes yeux que, même moi, la bénéficiaire de ses extravagantes largesses, qui vont lui coûter deux blocs du marbre le plus fin, plusieurs mois de travail, la fortune et la gloire, je le prends pour un fou. Je le laisse enlever la fibule de ma tunique pour dénuder mes seins de chair et se délivrer à leur contact des visions qui l'obsèdent. Je ne pensais pas qu'ils avaient autant de pouvoir sur lui, jusqu'à lui inspirer des rêves si puissants qu'ils l'obligeraient à se dépouiller en ma faveur de ses deux plus incontestables chefs-d'œuvre !

Tandis qu'il repose entre mes bras, je sens soudain sur ma joue quelque chose de mouillé. C'est une larme. D'où vient-elle ? Je me redresse et mon regard tombe sur le premier don de Praxitélês, sur le buste qu'il a fait de moi sept ans auparavant, dans la période lointaine où j'appartenais à Euthias et à Hypereïdês, celui dont il s'est dépouillé pour le confier au peintre Nikias et qu'il m'a remis ensuite, lors de mon premier banquet de femme libre, en me déclarant son amour. Oui, c'est ce visage de marbre qui, sous mes yeux stupéfaits, est en train de pleurer ! Je me sens envahie par l'angoisse devant ce prodige. Alors, dans mon dos, je devine une présence. Immense. Menaçante. Celle de l'Érôs aux ailes déployées. Il vient me chercher. J'ai juste le temps de saisir dans mes bras le buste qui pleure avant que les ailes du dieu ne retombent autour de moi. Mais, au lieu de m'étouffer, elles m'enveloppent doucement, comme un vêtement. Je me sens emportée dans les airs. D'un seul coup, je me retrouve dans le paysage nocturne du sanctuaire en ruine, celui que m'a décrit Praxitélês, celui que j'ai vu moi aussi, lorsqu'Hypereïdês m'a appris quelques semaines plus tôt qu'il avait obtenu des Thébains l'autorisation que je revienne à Thespiaï. Je vois le bassin devant le temple qu'éclaire la lune. C'est le Sculpteur qui avait raison. Je ne suis pas revenue dans ce lieu depuis une nuit de cauchemar vieille de presque quatorze ans, et pourtant, à l'angoisse a succédé une félicité tout aussi intense. Je gravis légèrement les marches du temple et je dépose le buste qui m'appartenait aux pieds de la statue de bois, devant celles de l'*Aphroditê aux seins nus* et de l'*Érôs aux ailes déployées* qui s'y trouvent déjà.

Je me réveille, sous le regard de Praxitélês. Je lui raconte ma vision qui s'inscrit dans la succession des siennes et qui me laisse dans le même état d'exaltation que lui. Nous sommes émus d'être capables désormais de partager jusqu'aux images de nos rêves. Cette fièvre qui nous possède tous les deux nous permet de concrétiser sur-le-champ le projet du retour à Thespiaï. Nous décidons d'en faire un moment de légende. Le Sculpteur m'accompagnera, afin que nous marchions ensemble dans ces ruines que nous avons reconnues en rêve chacun à notre tour. Sa présence d'artiste célèbre donnera plus de lustre à l'inauguration. Nous y installerons les trois statues que les dieux nous ont désignées l'une après l'autre, les trois chefs-d'œuvre dont la consécration à l'Érôs de Thespiaï marquera de manière inoubliable la renaissance du sanctuaire. La cérémonie aura lieu à l'ouverture des premières Erôtidia. Ce sera le début solennel d'une nouvelle ère.

Pendant que Praxitélês achève de polir le chef-d'œuvre qui ne lui appartient déjà plus avant de le confier aux cires de Nikias, pendant qu'Hypereïdês continue à travailler pour moi auprès des autorités thébaines, je me rapproche de la petite communauté thespienne exilée à Athênaï. Alors que je la fuyais à mes débuts, je n'ai commencé à la fréquenter un peu qu'au moment où j'ai eu les moyens de racheter quelques-unes des filles servant dans la maison de prostitution d'Antidôros. Je tiens, pour éviter toute contestation, à ce que leur assemblée informelle me charge de restaurer le temple. Parce que j'apporte dans la corbeille de la renaissance ma propre notoriété et trois statues gratuites du fameux Praxitélês, je suis choisie avec un enthousiasme qui confine à la vénération. Les Thespiens survivants n'ont pas plus que moi l'envie de se rappeler les réticences que suscitaient autrefois chez eux la teinte de ma peau ou l'action de mon père. L'exil nous a permis au moins d'oublier dans la nostalgie de l'âge d'or jusqu'au souvenir des mesquineries de notre cité perdue.

Hypereïdês, à qui je parle de notre projet, se charge de nous obtenir des Thébains les autorisations nécessaires pour le transport et l'installation des œuvres, ainsi que pour la renaissance du festival. Il parvient même à se faire voter par l'assemblée du peuple athénien la mission officielle de notre protection jusqu'à Thespiaï. Je crois qu'il y trouve un moyen non pas seulement de me complaire mais aussi de s'élever un peu au-dessus de ce marais fétide qu'est toujours la politique dans sa cité. Il a besoin de l'air de mes montagnes, mon sanglier, pour ne pas étouffer ! Fidèle à lui-même, il me demande la permission, puisque je serai accompagnée de Praxitélês, d'emmener sa nouvelle conquête, Aristagora. Je lui promets le secret auprès de notre amie Myrrhina. Je lui dois bien ça, et puis, à vrai dire, je m'en moque. Myrrhina, qui est assez fine pour avoir tout découvert depuis longtemps, est aussi assez belle et assez savante pour éclipser sa rivale, dès qu'elle en éprouvera le besoin. L'orateur m'apprend que les Thébains dépêcheront de leur côté une autre escorte, officiellement pour prouver leur bonne volonté au dieu, mais plus sûrement pour s'assurer que notre cortège n'est que religieux.

Je me désintéresse de ces tractations politiques, ainsi que de l'organisation technique du transport des œuvres, que prend en charge Praxitélês lui-même. Je me soucie seulement des préparatifs de la dizaine de filles de mon école, que j'ai choisies pour leur beauté et leur piété, et à qui j'ai proposé de les affranchir sans restriction, en les cédant à la déesse et en les établissant dans le sanctuaire comme prêtresses à demeure. Mais, en réalité, même cela, c'est Thratta qui y veille, aidée par Herpyllis et Nikárété. Je tente aussi de surveiller le recrutement des serviteurs qui assureront la protection du temple mais, heureusement, Mentês, l'aîné des Cerbères, fait plus que me seconder efficacement dans cette tâche. Les mariages secrets entre les servantes et les serviteurs, Aâmet s'en occupe. Dans toute cette agitation qui m'entoure, quel est mon rôle exact ? Je vais des uns aux autres, les obligeant tous à subir mes conseils, mes agacements, mes inquiétudes, mes ordres contradictoires, je supervise tout et ne m'occupe vraiment de rien. Mes amis me supportent avec patience. Ils voient bien que ma volonté est annihilée par mon émotion. Je sais que je rêve intensément toutes les nuits de Thespiaï mais je ne garde aucune trace de mes visions au réveil. Aucune pensée rationnelle non plus, aucun souvenir, rien d'autre qu'une incapacité totale à anticiper ce que pourra être le retour à Thespiaï, maintenant qu'il est inéluctable. Je me cogne contre la blancheur d'un marbre dur à peine strié de veinules d'angoisse.

Nous finissons par nous mettre en route, laissant à Nikárété la surveillance de mes affaires athéniennes. Je crois me souvenir que Praxitélês et ses assistants sont obligés de hisser mon corps rigide dans le chariot bâché. Hermodotos et Lykeïna s'installent près de moi, d'un côté et de l'autre, et, pendant tout le voyage, me tiennent étroitement serrée dans leurs bras, pour éviter que je ne bascule sur mes autres invités. J'ai l'impression que l'on prend avec moi les mêmes précautions qu'avec les encombrantes pièces de marbre qui sont installées dans deux autres véhicules. Le convoi qui me ramène vers mon passé comporte encore deux dernières voitures pour les futures prêtresses, tandis que les soldats d'Hypereïdês vont à pied ou à cheval. Cet équipage me rappelle celui du marchand d'esclaves Satyros, bien que l'atmosphère qui y règne soit radicalement différente de la désolation d'alors. Toutes les filles sont très excitées par le départ, par la perspective d'entamer une nouvelle vie, par les fêtes à venir. À chaque halte, Aâmet doit les calmer à ma place, car moi, au milieu d'elles, je suis absente. J'ai pris à plusieurs reprises la route du sud, vers Korinthos, mais pour la première fois je me dirige vers le nord, la Béôtie, la région de mon enfance. Je ne reconnais rien de ce paysage, de ces champs d'oliviers, de cette large plaine aux reflets sombres, bordée de chaque côté par des monts arides mais riants, que j'ai dû pourtant parcourir dans l'autre sens. C'était il y a quatorze ans. Aujourd'hui, j'en ai exactement le double. Comme s'il m'avait fallu vivre autant de temps d'un côté et de l'autre de cette catastrophe qui a séparé ma vie en deux pour pouvoir revenir sur mes traces, replier le tissu, cacher le pan souillé sous un nouveau pan immaculé. Je tente, sans y parvenir vraiment, de retrouver mes souvenirs d'adolescente brisée par le sort et réduite à l'état de statue muette, à laquelle Manthanê tentait d'éviter les cahots les plus brutaux du chemin de l'exil, tout en protégeant son propre ventre. Aujourd'hui, je suis dans les bras de son fils, et d'une gamine aux gestes tendres et aux yeux doux, ressemblant à celle que j'étais alors, ou à celle que j'aurais pu être. Nous finissons par laisser la route de Delphoï pour prendre l'embranchement montant vers Thespiaï. C'est là, au premier carrefour, m'annonce Hypereïdês, que doit nous attendre l'escorte thébaine.

Coup au cœur.

Oui, c'est là que m'attend mon passé, soudain ressurgi, plus menaçant que jamais ! Voilà pourquoi la déesse m'a empêchée de réfléchir ces derniers jours : elle savait bien que, si j'avais pu imaginer ce qui m'attendait, jamais je n'aurais commis la folie de m'aventurer dans le pays maudit de ma mémoire.

38

LA VILLE MORTE

Le chef du détachement thébain qui doit nous escorter jusqu'au temple d'Erôs, je le reconnais au premier coup d'œil. Peut-être même savais-je, sans l'avoir jamais pensé, que c'était lui qui se dresserait à l'entrée de la passe menant vers la montagne. Lui qui, du haut de son cheval, avec un sourire moqueur, observerait le lourd convoi de femmes me ramenant vers Thespiaï, comme il a regardé d'un œil distrait s'éloigner celui qui me conduisait vers l'esclavage. Le jeune meurtrier qui égorgea sous mes yeux mon père et Phaïdros. Il n'est pas mort devant la statue de Lêtô à Mantineïa, comme j'en ai rêvé cinq ans plus tôt. Néanmoins, dans la réalité, il a beaucoup changé. Ses cheveux, coupés court, beaucoup plus foncés que dans mon souvenir, paraissent presque terreux sous le soleil, comme sa barbe. De près, ses traits ont mûri, durci. Il est toujours terriblement beau, je dois le reconnaître, même si je n'ose me l'avouer qu'aujourd'hui, mais sa beauté est moins rayonnante. Lorsqu'il se retourne pour nous voir approcher, je remarque qu'il porte sur l'œil gauche, en guise de bandeau, une longue pièce de cuir ou de tissu sombre, qui ne l'enlaidit pas vraiment mais le rend encore plus inquiétant. Peut-être, en dessous, son œil est-il crevé ? J'ai l'impression que le bandeau exhibe, plus qu'il ne la dissimule, cette blessure hideuse mais honorable, parce que reçue de face. Il la doit sans doute à sa bravoure dans l'un des innombrables combats auxquels il a participé depuis le sac de Thespiaï. La destruction de ma cité n'a été que l'un des premiers et l'un des moins difficiles de tous. Lui le guerrier, moi l'hétaïre, nous nous retrouvons aujourd'hui en présence l'un de l'autre, vivants mais mutilés.

Panique. Je me cache derrière les rideaux qui protègent le chariot des assauts du soleil. Mes mains tremblent. Je ne suis pas prête. Pas encore assez forte pour l'affronter. La déesse est trop cruelle avec moi ou trop exigeante. C'est un tel choc, de reconnaître celui qui m'attend au croisement de la route, un tel saisissement, que la lumière s'est faite en un instant jusqu'aux tréfonds de mon être : cette peur, qui m'a paralysée à l'instant où Hypereïdês m'a appris que je pouvais revenir à Thespiaï, elle est tapie en moi depuis presque quinze ans. Elle guette mon arrivée, comme le sphinx mâle de cette montagne, prêt à dévorer toute femme qui se présenterait devant lui sans oser l'affronter. Le dieu, cruellement bienveillant, m'a seulement protégée sur le chemin, en faisant le brouillard dans mon esprit, mais maintenant il me laisse seule face à celui qui m'attend. Dans cette illumination, le nom de mon ennemi intime me revient à la mémoire, en même temps que les traits de son visage déformé par le temps : Gorgidas.

Lui, heureusement, ne me reconnaît pas. Il accueille notre convoi pacifique avec morgue. Je devine ce qu'il pense, tandis qu'il lâche quelques formules de politesse contraintes pour répondre aux salutations d'Hypereïdês : jamais il ne se serait douté, quelques semaines auparavant, que les Béotarques lui donneraient l'ordre de perdre son temps à escorter de foutus Athéniens dans ces montagnes. Quel équipage : un orateur, un sculpteur, une hétaïre ! Vraiment ce qu'Athênaï a de mieux à proposer à la Grèce dans cette période de troubles ! Si les Thessaliens descendent jamais jusqu'ici, ils mourront sûrement de peur en nous voyant ! Un cavalier arrive au galop depuis les hauteurs et Gorgidas s'éloigne pour conférer avec ses officiers. Il fait stationner nos chariots une bonne heure sous le soleil avant de se décider à en inspecter la cargaison. En soulevant les bâches qui les protègent, il ne jette qu'un coup d'œil distrait aux deux statues des dieux. Il observe plus longuement le buste qui me représente, levant très haut la toile pour faire donner sur lui la pleine lumière. C'est à ce moment-là que j'aperçois, à son auriculaire, la bague que m'avait donnée Manthanê. Le camée, le profil d'ivoire fragile de la déesse, est tout abîmé mais je reconnais parfaitement le bijou. Le Thébain paraît lui aussi frappé d'une idée. Pourtant, lorsqu'il se retourne vers moi, il jette un seul mot : "Ressemblant". Il ajoute aussitôt : "Même si évidemment, célèbre Phrynê, tu es beaucoup plus excitante dans la réalité. Non, excitante, ce n'est pas le mot…" Il me fait l'honneur de chercher quelques instants l'adjectif le plus approprié pour qualifier ma beauté de femme de plaisir, et cette hésitation est encore plus insultante que son premier commentaire. Puis il se détourne en haussant les épaules. Se peut-il vraiment qu'il ne m'ait pas reconnue ? Il prend la peine de faire débâcher les deux autres chariots où s'entassent mes femmes. Il les oblige à descendre, un peu apeurées, un peu offusquées, pour que ses soldats puissent inspecter les moindres recoins des véhicules. Il les observe fixement tandis qu'elles obéissent à son ordre. Seule Thratta ose soutenir son regard. Il ne se permet pourtant aucune réflexion déplacée. Peut-être se contente-t-il d'accomplir sa mission, avec la rudesse méthodique du soldat qui lui est devenue naturelle quels que soient ses interlocuteurs ?

Nous nous remettons en marche et c'est un moment encore plus cruel pour moi. Maintenant je reconnais tout. Mais les proportions ont changé. Tout est plus petit, étroit, rabougri, tout est plus vide et plus morne que dans mes souvenirs. Nous passons devant le temple d'Hêraklês, qui m'impressionnait tant, quand j'étais enfant, par ses dimensions majestueuses : ce n'est plus qu'un petit édifice rustique, trapu, austère, sans décoration ni peinture. Ses modestes colonnes sont encore debout, au milieu du sanctuaire, mais tout le reste est à l'abandon. Par la porte d'enceinte défoncée, j'aperçois le dallage de la cour intérieure recouvert d'herbes folles. Le silence n'est hanté que par le clignement d'yeux strident des cigales invisibles qui nous observent de toutes parts. Je me demande si la statue du dieu, dont je confondais autrefois le visage avec celui du rude instructeur spartiate de mon père et dont j'avais fait l'un des personnages tutélaires de notre légende familiale, se trouve encore dans la nef. Je n'ose pas demander qu'on s'y arrête pour vérifier. Je ne veux pas que Gorgidas puisse s'étonner de me voir manifester trop de trouble et ne découvre la véritable identité de l'hétaïre célèbre qu'il conduit. Je veux qu'il continue à m'oublier autant que moi je me souviens de lui.

Nous parvenons au petit carrefour d'où partait le sentier conduisant vers la ferme de mon grand-père. Un homme nous y attend. Nouveau coup au cœur. Mais non, je ne le reconnais pas. Gorgidas fait stopper le convoi. Il nous apprend que ce domaine, comme tous ceux des alentours, appartient à la famille de Ménôn et de ses deux fils, Mégaklês et Hermippos, qui sont les plus fidèles alliés de Thêbaï dans la région. Leurs affaires les retiennent justement dans la ville aux Sept Portes, sinon ils seraient venus nous accueillir eux-mêmes et nous témoigner l'intérêt qu'ils prennent à voir restaurer le temple. Cet homme est leur intendant. Il habite cette ferme. Il est chargé de nous fournir tout ce qui pourrait nous manquer dans notre installation mais aussi de dresser un rapport régulier à ses maîtres sur nos activités ; nous devrons le laisser aller et venir librement dans le sanctuaire, à toute heure du jour et de la nuit. Je suis pétrifiée d'entendre ces noms anciens. Celui de Ménôn, l'ennemi mortel de mon père depuis l'enfance, son assassin. Celui de Mégaklês, dont je me souviens qu'il était amoureux de moi jeune homme et dont je revois fugacement le profil épais. Je suis choquée aussi, même si je m'efforce de n'en rien laisser paraître, d'apprendre que la trahison leur a valu la vie sauve, que leur richesse s'est encore accrue de la destruction de leur cité, qu'ils se sont, grâce au meurtre, emparés des biens de ma famille. Ce dont j'aurais dû me douter depuis toujours mais que je n'avais jamais vraiment envisagé, parce que Thespiaï s'était réduite pour moi à la place publique où gisaient les cadavres des hommes morts et au temple d'Erôs où s'entassaient les femmes. La région tout entière avait disparu à mes yeux dans la catastrophe, en même temps que Mnasaréta, mais je découvre qu'elle a continué à vivre sa petite vie paisible sous le soleil. Je ne parviens pas à répondre un seul mot au chef thébain. C'est Hypereïdês qui s'en charge : il affirme à ma place que nous discuterons bien volontiers avec l'intendant des termes de notre collaboration future. À partir de là, je ne sais pas si je suis au comble de l'agitation ou de la prostration, peut-être les deux en même temps.

Gorgidas, pour atteindre le sanctuaire, nous fait traverser la ville en ruine. Nous y pénétrons par l'arche presque intacte de la Porte de la Plaine. C'est atroce. C'est riant. L'herbe folle a presque envahi les rues, d'où n'émergent plus que les poutres et les briques des édifices calcinés par un incendie ancien. Les Thébains d'alors, ceux du carnage, ont dû l'allumer, après avoir vendu les femmes aux trafiquants de chair humaine et enterré les hommes quelque part dans une fosse commune, ne laissant que les vieillards errant comme des ombres à travers les flammes, puis à travers les cendres. Mais ce matin, il ne reste rien de la nuit de la démence humaine. Sous le soleil du printemps, tout respire la paix. Chant aigu des oiseaux invisibles. Chant poudreux et sucré des fleurs trop présentes. Leur tapis jaune recouvre le désastre de son innocence criarde. Pas une présence vivante. Les animaux ont dû se cacher à notre approche et les vieillards rescapés disparaître depuis longtemps, mangés par les chiens et par les plantes. Rien que de la paix. De la paix végétale, étroite, étouffante. Nous passons entre les murs écroulés des maisons comme entre les arbustes frêles d'un sous-bois. À un moment seulement nous débouchons sur un espace plus vaste : l'ancienne agora, au bout de laquelle se dresse encore, sur son estrade, un temple de pierre étrangement intact. Celui des Douze Dieux. Au pied des marches, la pierre blanche de l'autel étincelle sous le soleil. Sur la gauche, un autre édifice, rond, à demi en ruines. Je ne sais même plus que ce que c'était. Dans un coin, au flanc d'un petit tertre, les gradins de pierre recouverts d'herbe de l'Assemblée. Elle est si humble, cette agora, comparée à celle d'Athênaï, et si vide !

À tout moment, je m'attends à voir apparaître des spectres, même s'ils ne reviennent à la lumière que pour me déchirer l'âme et s'en repaître. Mais le plus lugubre, c'est que rien ne vient. Les voix des vivants se répercutent si étrangement entre les parois restées debout que les soldats et les femmes préfèrent garder le silence. Moi, pour peupler cette absence insupportable, pour introduire dans toute cette indifférence étale de la nature un peu d'horreur et de mémoire humaine, je m'efforce de faire ressurgir mes souvenirs. J'en ai tant sur cette place, près du grand temple, ou plutôt du si petit grand temple. Sur ses marches se réunissait, autour de la sœur de Phaïdros, dont j'ai oublié le nom, le groupe des gamines en tuniques immaculées qui partaient vers le sanctuaire d'Erôs ou vers celui des Muses dans la montagne. Devant l'autel se massaient, derrière Kallisthénia, ma belle-mère, et son vénérable père, Amphiaros, les foules qui envahissaient l'agora les jours de marché ou de procession. J'ai revu si souvent ces scènes dans l'absence, mais là, alors que je suis de retour sur ce sol aimé, aucun de ces souvenirs n'accepte de jaillir de ma mémoire à mon secours. De l'autre côté de la place, partait la rue qui menait vers le temple d'Aphroditê Mélaïna, vers les remparts, dont on aperçoit encore à peu de distance le monticule, vers la grande maison de mon enfance. Nous prenons la direction opposée. Je ne sais pas si je dois m'en désoler ou m'en réjouir.

Nous atteignons en quelques instants l'autre esplanade, où se trouvaient la caserne des soldats et la Porte de la Montagne. Je tressaille. Je me dis que c'est à cet endroit précis qu'est mort mon père, sous mes yeux, et Phaïdros quelques instants après lui. Tués par ce même cavalier qui nous précède et ne pose qu'un regard morne sur les décombres, comme si ce lieu n'éveillait en lui aucun souvenir, tant il a depuis ravagé de villages et égorgé d'hommes. Cette vision-là jette un voile noir sur toute la scène, un éblouissement d'horreur sombre, mais il ne dure qu'un instant. Pour qu'il s'épanouisse, il faudrait que je le laisse sortir de moi, comme je cherchais à le faire tout à l'heure avec mes autres souvenirs, mais celui-ci, je l'y enferme au contraire, me raccrochant à la lumière aveugle qui m'entoure, la forçant à répandre sa clarté dans mon esprit comme sur ce paysage si banalement vivant.

Nous passons sous l'arche, encore à moitié debout, de la Porte de la Montagne. Alors Gorgidas fait stopper de nouveau le convoi. Il se met à parler. Les premiers sons humains, depuis que nous avons franchi la Porte de la Plaine, de l'autre côté, et que nous avons marché à travers les stridences presque inaudibles des cigales, des oiseaux et de la lumière. Il nous informe solennellement que nous avons franchi l'enceinte de cette ville morte pour la première et la dernière fois. Il nous a fait traverser ce champ de ruines seulement pour que nous constations à quel point il est vide. Thespiaï n'existe plus. Il n'y a plus que de l'herbe sur des pierres sous du soleil. Si jamais nous avons à descendre dans la plaine, il nous demande de contourner les restes des remparts par l'un ou l'autre côté. Aucune habitation ne devra être occupée ni reconstruite. Thêbaï autorise le sanctuaire d'Erôs à renaître, mais pas la cité. L'intendant de Ménôn veillera à ce que nous respections cet interdit. Toute transgression vaudrait expulsion immédiate. De même, pendant les cérémonies des Erôtidia, que nous avons la lubie de restaurer et Thêbaï la largesse de favoriser, les accès à l'ancienne cité seront interdits par des postes de garde thébains établis à chaque porte. Les fidèles qui souhaiteraient séjourner sur place pendant la fête s'établiront dans un campement provisoire aux environs immédiats du sanctuaire. Ainsi, personne ne pourra s'émouvoir d'une destruction irrévocable et réveiller des querelles anciennes. Ce lieu perdu dans la montagne ne se réveillera que quelques jours tous les quatre ans. Thespiaï n'a pas d'avenir. Thespiaï n'a pas de passé. Tout ceci a été dûment consigné dans l'accord passé entre Thêbaï et Athênaï mais Gorgidas juge bon de nous le répéter sur les lieux mêmes concernés par cet absurde traité. Sa voix est haute et intelligible. Elle ne marque aucune émotion. Toujours il a parlé ainsi. Voix de métal, comme l'arme tranchante qu'il porte au côté. Mais je me souviens brusquement qu'une nuit lointaine, j'ai entendu à mon oreille son murmure d'homme désarmé. Et c'était encore plus insoutenable. Aucune envie de me souvenir de ce moment-là.

Maintenant, nous gravissons le chemin muletier menant jusqu'au sanctuaire d'Erôs. Il ne doit plus être emprunté que par les bergers de Ménôn, qui ressemblent sans doute à mon grand-père. Mais nous n'en apercevons aucun. Toujours aucune présence, ni humaine ni animale. Comme si la montagne entière avait décidé de se retirer à notre approche, nous manifestant, non pas une hostilité dont elle est incapable en cette matinée de printemps, mais encore pire, une parfaite indifférence. Je commence à douter de la nécessité de ce retour, qui ne paraît voulu par personne, ni par moi, ni même par le dieu lointain qui me pousse. Le Thébain donne l'ordre à ses soldats d'enfoncer la porte à moitié démolie du sanctuaire et nous pénétrons avec nos chariots sur l'esplanade intérieure. À ma grande surprise, celle-ci reste vaste. Ce lieu seul échappe au rétrécissement de mes souvenirs. Il est plus étendu que l'agora, et presque que la ville entière. Je comprends alors que Thespiaï n'a jamais vraiment existé que par son temple. Il fut à son origine, et il sera à chacune de ses fins. Voilà pourquoi peut-être, pensé-je pendant un instant fugace, les précautions des Thébains sont vaines : à partir du moment où le temple sera restauré, Thespiaï renaîtra inéluctablement, même si je ne vois pas encore le moyen d'y parvenir.

Mais cette intuition ne fait que m'effleurer ce premier matin. Car là, au centre de l'espace vide du sanctuaire, comme si elle nous attendait depuis le début, j'aperçois enfin une présence. C'est une biche, en train de brouter l'herbe couvrant les dalles avec un appétit paisible. Elle ne s'est même pas arrêtée, lorsque les soldats ont défoncé la porte et que les chariots ont pénétré à l'intérieur. Elle a seulement levé la tête, pour nous regarder avancer, avec surprise mais sans inquiétude. Sans doute se fie-t-elle à la légèreté de sa course qui lui permettra d'échapper sans peine à ces attelages pesants ? Peut-être est-elle confiante aussi dans la protection du dieu ? Ou plus simplement (mais c'est l'idée qui me vient en dernier), ignorante du danger que représentent les hommes, parce qu'elle n'en a encore jamais vu, sinon quelques bergers inoffensifs ? Je me sens presque soulagée : enfin une vie autre que celle, étouffante, des fleurs ! Je ne suis pas la seule à éprouver ce sentiment. Tous, nous sommes touchés par la grâce de cet animal, les femmes, les Athéniens, même les soldats thébains, et même Gorgidas : notre cinquantaine d'êtres humains reste semblablement figée devant cette bête étonnée. Au bout de quelques longs instants d'observation réciproque, où la majesté n'est pas de notre côté mais du sien, elle se décide enfin à disparaître en quelques bonds. Comme si ce mouvement rendait chacun à sa nature, tandis que nous laissons échapper un murmure d'admiration, l'un des soldats se met à courir et lance son javelot. Alors un cri de désespoir sort de ma poitrine, "non !", spontanément relayé par toutes mes femmes et mes amis athéniens. Mais l'arme, loin d'atteindre l'agile compagne d'Artémis, rebondit sur les dalles dans un bruit de métal incongru et sinistre. Les Thébains nous regardent avec ironie.

À partir de là, tout s'anime. Partout, nous découvrons de la vie. Comme si elle s'était réfugiée dans le temple. Ou, comme si, à partir du moment où nous avions rencontré la biche, nous étions enfin autorisés à percevoir toutes les présences qui nous entouraient. Gorgidas tient à nous faire visiter les lieux. Je me garde de lui dire que je les connais mieux que lui. Devant le temple, l'autel est intact, recouvert seulement de plaques de mousse beige et d'une couche de poussière noire, craquelée mais gluante, dans laquelle prolifèrent des vers plus blancs que la pierre. Alors que nous posons le pied sur la première marche de l'escalier qui mène vers le temple, nous apercevons, lovée devant l'une des colonnes, une vipère à la tête joufflue et aux anneaux sombres, semblable à celle qui m'accueillit un jour d'enfance devant la grotte de la nymphe. Elle se déplie lentement puis se glisse, sans même nous regarder, à l'intérieur de la nef. Après la biche d'Artémis, le serpent de Sabazios. Les envoyés des dieux sauvages sont venus nous attendre en leur nom. Gorgidas dégaine son épée et frappe le métal contre les marches de pierre moussue. D'autres reptiles, tirés de leur torpeur divine, se réfugient avec des glissements de menace dans les recoins d'ombre du péristyle. Le Thébain nous demande si nous voulons que ses soldats se chargent de nettoyer le temple. Pour la première fois, je prends la parole, d'une voix que mon silence prolongé rend étrangement rauque à mes propres oreilles. Je lui déclare que nous nous en chargerons nous-mêmes. Je ne lui explique pas, parce qu'il serait sans doute incapable de le comprendre, que j'aurais honte de voir ses soldats massacrer pour nous les serpents tutélaires, au lieu de seulement les éloigner. De toute façon, le cavalier n'insiste pas. Sans doute se moque-t-il de ce qui peut nous arriver une fois qu'il nous aura livré le sanctuaire.

Nous contournons l'édifice vers le bassin de purification, qui se trouve bien, comme dans mes souvenirs, derrière le temple et non devant, comme dans le rêve de Praxitélês. Relié à la source originelle, il est encore à moitié plein. Il a même débordé sur l'un de ses côtés, tout empli de vase et de nénuphars sauvages aux fleurs acajou. À sa surface, la déesse des eaux fait pulluler la vie en insectes ailés, en libellules, en têtards, en grenouilles, en ombres mouvantes de poissons. Je n'oublie pas que je suis la reine Crapaud venue reprendre possession de son domaine. À l'endroit où la margelle de pierre se perd dans les herbes et la boue, Gorgidas se penche avec curiosité pour observer des traces. Il se redresse : "Chèvres." Il ajoute : "Mais aussi sangliers". Il poursuit, avec un sourire goguenard : "Il faudra que tu armes tes hétaïres comme des Artémis pour les chasser ! À moins que je ne détache un ou deux de mes soldats, qui s'en occuperont volontiers, si tes filles savent les récompenser." Je ne réponds pas. C'est Hypereïdês qui se charge de transformer le pesant humour thébain en un léger assaut d'esprit athénien. Praxitélês se contente d'observer mon visage fermé avec curiosité. Nous faisons le tour du mur d'enceinte qui s'est écroulé en plusieurs endroits. Dans les bâtiments d'habitation et les dépendances, nous trouvons moins de dégâts que nous n'en attendions (signe peut-être qu'ils ont été occupés par les bergers). Beaucoup de nids d'oiseaux. Presque à l'entrée du sanctuaire se trouve le pavillon qu'occupaient autrefois Manthanê et Aram, la femme venue du Katpatuka et l'homme des montagnes d'Arménie, que je vois maintenant comme les ambassadeurs en mission de la puissante Anaïtis et du fidèle Mithra. Dans leur ancienne demeure, nous découvrons la trace d'un grand nombre d'animaux divers. C'est là, plus encore qu'autour du bassin, qu'en attendant mon retour s'est concentrée la vie. C'est là que, désormais, je m'établirai.

Après ce tour du propriétaire, Gorgidas et ses soldats nous abandonnent. Ils vont dresser leur campement pour la nuit quelque part entre le sanctuaire et les ruines de la cité. Après leur départ, j'ai l'impression de respirer un peu mieux. Je parviens même à oublier mon angoisse pendant plusieurs heures en m'occupant de notre installation. Il faut nettoyer sommairement le temple avant de pouvoir y installer les statues. J'espère que nous n'aurons pas besoin, pour leur transbordement depuis les chariots jusque dans la nef, de faire appel aux soldats thébains, et que nous pourrons les laisser repartir, comme ils le souhaitent, dès le lendemain. Il faut aussi aménager les lieux d'habitation. Mais l'une des premières tâches que je fais accomplir, alors qu'objectivement elle est l'une des moins urgentes, c'est de restaurer le bassin. Réparer la margelle, drainer. Tout l'après-midi, entourée d'Hermodotos et de Lykeïna, qui ne me lâche pas la main, je reste auprès de l'eau, pour y retrouver mes forces. Pas une seule fois, je n'accède moi-même à l'intérieur du temple, ni ne demande si le *Xoanon* s'y trouve encore, comme dans mon rêve. Je n'ose pas. Je laisse les serviteurs et les soldats athéniens monter et descendre sans trouble les marches de l'escalier à moi seule interdit. Praxitélês, avec sa finesse habituelle, n'insiste pas. Il comprend qu'il doit s'occuper seul avec Aâmet de choisir l'endroit où les statues seront mises en place. Quant à Hypereïdês et Aristagora, qui s'ennuie ferme, ils finissent par s'isoler dans l'un des premiers pavillons en état de les accueillir.

Le soir, deux soldats viennent nous prier de la part de leur chef de partager avec nos femmes le repas de la troupe. Mon premier mouvement est de refuser mais mon ami l'orateur juge qu'il est de bonne diplomatie d'accepter l'invitation de nos futurs alliés. Les Thébains ont établi leur camp tout près de la ville morte, peut-être pour nous empêcher d'avoir la fantaisie d'y pénétrer de nouveau. Flammes et ombres mauvaises. La voix sombre, aux reflets métalliques, de Gorgidas. Je l'entends évoquer avec fierté sa blessure hideuse à l'œil, le souvenir de la flèche reçue aux côtés du grand Epameïnôndas, le jour où celui-ci fut blessé à mort, tandis qu'ils poursuivaient l'armée arkadienne en déroute devant Mantineïa. Et puis vient ce que je redoute. Ce que je sais inévitable. Échauffé par le vin, par la proximité oppressante des ruines qui se dressent derrière nous dans la nuit, Gorgidas se met à raconter le sac de cette ville de Thespiaï, qui fut sa première opération de commandement, alors qu'il n'était encore qu'un tout jeune homme, juste après la grande bataille de Leuktra, où Thêbaï mit en un jour Lakédaïmôn à genoux. Il nous épargne les détails les plus sordides de la tuerie mais nous explique que les Béotarques avaient hésité longtemps avant d'en donner l'ordre. Ils ne s'y étaient résolus qu'à cause de la menace que faisait peser sur les arrières de leur armée, occupée à poursuivre les débris des Lacédémoniens, la garde rapprochée d'un certain habitant de la ville. Ce dernier, un ancien mercenaire un peu fou, d'après les rapports de leur émissaire, Ménôn, paraissait prêt à tout pour s'opposer à une reddition pacifique. Gorgidas a oublié le nom de cet insensé qui valut à sa cité la ruine et le paya de sa vie. Hypereïdês et Praxitélês connaissent tous les deux une partie de mon passé ; ils ne peuvent s'empêcher de se tourner vers moi. Malgré l'obscurité, je leur envoie un regard si lourd, ou si implorant, qu'ils comprennent et se taisent. Ils le laissent parler. Moi aussi. Je m'enfonce dans l'ombre du feu. Gorgidas cherche plusieurs fois à m'en tirer. Il aimerait savoir pourquoi une hétaïre athénienne, aussi célèbre que je le suis, du moins à ce qu'on dit, tient à restaurer le temple de cette bourgade morte et à faire monter des fidèles dans ce coin perdu de montagne. C'est Hypereïdês qui finit par inventer une raison plausible à ma place. Moi, je ne suis plus là. Moi, je suis absente.

Je finis par demander grâce, et la permission de me retirer, tant je suis brisée de fatigue par le voyage. Aâmet souffle quelques mots à l'oreille de Praxitélês. Ce dernier insiste pour me raccompagner. Hypereïdês, lui, a l'air de se plaire en la compagnie des officiers thébains, qu'il sonde sur une alliance militaire avec Athênaï contre les Thessaliens ou qu'il s'amuse à faire raconter leurs souvenirs de campagne les plus pittoresques. Peut-être aussi tient-il par discrétion à me laisser seule en compagnie du Sculpteur. Je donne l'ordre à Herpyllis et à mes femmes de rester encore un moment autour du feu et de veiller sur Hermodotos et Lykeïna. Même la présence subtile de Praxitélês, je la supporte avec peine. Mais je suis soulagée qu'il s'impose. Je redoute de faire seule dans l'obscurité le chemin qui me sépare du sanctuaire. Je sais trop bien quel souvenir effrayant m'attend dans le bois sacré. Le Sculpteur, sans rien dire, me saisit le bras d'une main ferme. Je frémis à son contact mais je me laisse faire. Il comprend que, s'il veut m'aider, il faut marcher à mes côtés, sans parler.

39

LA NUIT DU TEMPLE

"Respire, ma chérie, respire !" J'entends la voix de Praxitélês à mon oreille. Je m'aperçois que nous nous sommes engagés dans l'obscurité du sous-bois, que nous avons perdu de vue le campement thébain, que je suis en train de trembler de tous mes membres, de haleter, de pousser des gémissements qui sont aussi des cris de panique. Le Sculpteur est obligé de me soutenir à bras-le-corps pour m'empêcher de tomber. Lorsque la crise est un peu passée, il commence à m'interroger prudemment : "Le chef des soldats thébains, ce Gorgidas, tu le connais, n'est-ce pas ?" Ce dernier morceau de passé, qui m'obstrue la gorge et l'âme, je sais bien que je dois le cracher. Je suis venue pour cela. Pour expulser de moi cette chose hideuse, l'abandonner dans l'ombre de ce bois, qui me rappelle celui du Kranéïon à Korinthos, et me retrouver enfin de l'autre côté, à la lumière. Je me dis que j'ai déjà accouché d'un enfant, et triomphé de tellement d'autres expériences douloureuses, que je suis capable désormais d'affronter celle-ci. Et puis Praxitélês se tient à mes côtés. Je n'ai pas besoin de lui expliquer. Cet homme sage a déjà tout deviné depuis longtemps. C'est pourquoi il est prêt à m'écouter. C'est pourquoi il me questionne doucement, inlassablement, comme s'il me palpait l'esprit pour m'aider à en faire sortir le récit. Il m'accouche. Il me pousse en avant sur le chemin de douleur, il m'oblige à marcher, il me porte, et moi, agrippée désespérément à lui, je laisse ma mémoire faire son travail, j'accueille ces contractions qui me déforment et me déchirent et me soulagent. J'essaie seulement de respirer en rythme pour ne plus laisser l'émotion me suffoquer.

Je suis de retour sous la Porte de la Montagne. Je suis devant mon père et Phaïdros. Devant leurs deux corps abattus. Devant leurs yeux fous. Devant leurs sursauts d'agonie. Je les regarde mourir. Jusqu'au bout. Sans parvenir à crier ni à m'évanouir, comme ma belle-mère, Kallisthénia, qui se trouve à mes côtés mais qui a la chance de s'écrouler de tout son long dans un gémissement. Les soldats thébains nous entourent, les autres femmes et moi. L'un d'eux pose sa main sur ma nuque. Mégaklês, le fils du traître Ménôn, s'avance. Il a assisté à la scène du double égorgement sans réagir. Il avance de deux pas pour me protéger du soldat. Mais son père l'attrape par le bras et le gifle si violemment qu'il trébuche. Alors je comprends que rien ne va pouvoir me sauver.

Pourtant, immédiatement après, quelqu'un me pousse sur le côté. C'est Aram, l'Arménien, le mari de Manthanê, le compagnon fidèle de mon père, qui a profité de la confusion pour sortir une dague de sa botte et la planter dans la gorge du soldat le plus proche. Il saisit ma main. Par réflexe, je me mets à courir. Pourquoi courir plutôt que mourir, après ce que je viens de voir ? Mais quelqu'un me pousse et me tire toujours en avant et ce n'est pas seulement Aram. Nous passons sous la Porte de la Montagne. Tous les deux, le vieux serviteur et la jeune fille, nous courons sur ce sentier menant vers le temple où je repasse cette nuit, à demi portée par Praxitélês. Ce dernier m'écoute, horrifié, raconter le soleil et la panique brûlant nos poumons. Je lui montre, là-bas, les portes fermées du sanctuaire s'ouvrant devant nous. C'est Manthanê ! Ma nourrice la prêtresse nous adresse des signes dans l'embrasure du vantail, qu'elle s'apprête à refermer avec ses gardes dès que nous l'aurons franchie. Au moment où nous atteignons l'entrée, Aram tombe à genoux, ici même où je me tiens, sur le seuil. Je vois la pointe du javelot qui l'a touché dans le dos lui sortir de la poitrine. Il a le temps de poser ses deux mains sur la hampe, en un ultime effort pour se dégager, puis il s'affaisse sur lui-même, dans une attitude de suppliant. Image horrible : le premier des soldats qui se ruent contre le portail, en arrivant à sa hauteur, fait voler d'un coup d'épée la tête de mon vieil ami. Le Thébain trébuche lui-même dans sa course sous la violence du choc, tandis que le cadavre décapité bascule sur le côté. Je n'ai même pas le temps de hurler. Manthanê et les serviteurs sont repoussés par les javelots au sommet des escaliers, là-bas, vers l'intérieur du temple. Et moi, je me retrouve ici même, sur cette esplanade du sanctuaire. Je suis seule, cernée près de l'autel par quatre soldats que le sang et la course ont rendus fous furieux.

L'un d'entre eux, celui qui a tué Aram, un colosse musculeux qui me dépasse de la tête et des épaules, se glisse avec une souplesse de bête derrière moi. Il m'attrape par l'épaule et m'attire à lui. Je tente de le griffer au visage pour me dégager. Le coup de poing qu'il m'envoie à toute volée m'atteint à la pommette et me jette par terre. Les soldats m'encerclent. En riant, ils commencent à tourner autour de moi et à tirer sur ma tunique. Comme des loups s'amusant avec un mouton et guettant l'occasion de le saisir à la gorge. Je tente de me relever, de ramper pour leur échapper mais l'un d'eux, toujours le même, mon bourreau, me saisit par les hanches. Il me soulève sans effort et me plaque contre l'autel du dieu. Tandis que ses doigts passent à travers les fibules qui retiennent le pan droit de ma tunique, les trois autres soldats me maintiennent la tête et les bras contre le bloc horizontal de la pierre où s'effectuent les sacrifices. Je me débats par saccades, comme l'une de ces bêtes aux yeux affolés que j'y ai vues si souvent mises à mort pour les dieux. Mes cris de révolte sont aussi impuissants et grotesques que les bêlements de la brebis lorsqu'elle comprend qu'elle va mourir. Je vais subir le même sort que mon père. Après m'avoir forcée, ils vont m'égorger sur l'autel du dieu de l'amour. Je sens déjà la lame aiguë de leurs couteaux sur ma gorge fragile. J'accepte. Je voudrais que ce soit déjà fini. Et l'instant d'après, je me rebelle de nouveau parce que je comprends que ça va être très long. J'appelle le dieu à mon secours mais je sais que c'est inutile. Que je suis seule face à ça, à ce qui va m'arriver, que rien ni personne au monde ne peut me sauver.

Soudain, d'en haut, une voix ! Gutturale, métallique, sans réplique, elle crie quelque chose que je ne comprends pas. Le sifflement de la mèche d'un fouet, dont je sens passer le souffle brûlant au-dessus de ma tête et qui vient s'abattre avec force contre l'épaule du soudard s'apprêtant à me violenter ! Il me lâche aussitôt. Les trois autres aussi reculent de plusieurs pas. Je tourne la tête. Un cavalier. Blond. Fauve. Lumineux. Sur son cheval dressé. Le chef des Thébains. Celui-là même qui a égorgé Phaïdros. Tout en contenant l'élan de sa monture, il crie aux soldats de ne pas me toucher. Il les tient pour responsables de ma sécurité. Leur tête en dépend. Il leur donne l'ordre d'investir le temple, de m'y tenir prisonnière ainsi que les prêtres, mais de ne se livrer à aucune dégradation ni aucune violence. Sinon, le dieu les punira par sa main à lui, Gorgidas ! Après ces quelques phrases jetées d'une voix rude, mais qui suffit à contenir la violence des quatre brutes, il repart au galop. Sans m'accorder un mot ni même un regard.

Je me retrouve seule avec les soudards. Je rajuste tant bien que mal ma tunique. Leurs regards me fuient. Furieux, dégrisés, ils obéissent. De nouveau, ils posent la main sur mon épaule, avec la brutalité de l'impuissance, non plus pour tenter un geste obscène, mais pour me pousser vers les marches du temple, où ils me forcent à m'asseoir. Je ne résiste pas. Je suis encore stupéfaite. De cette intervention providentielle de la part du guerrier sanguinaire qui a participé au meurtre de mon père et du garçon que j'aimais. Respecte-t-il les suppliantes et les dieux ? Dois-je souhaiter son retour pour me mettre définitivement hors d'atteinte des quatre brutes ? Dois-je lui faire confiance ? Va-t-il me protéger encore ? Que va-t-il exiger de moi en échange ? Je ne parviens pas à dépasser cette idée. Au contraire, dès que je m'en approche, mon esprit se bloque et retourne en arrière, dans la ville, sous la Porte de la Montagne, à la fin de cette scène dont je n'ai pas vu le début. Le guerrier blond retirant son épée de la gorge de Phaïdros et, penché sur lui, regardant tranquillement ses sursauts d'agonie. Comme si c'était une chose normale dont il fallait seulement surveiller qu'elle s'accomplît jusqu'au bout. Pour lui, ce meurtre, qui sectionne ma vie en deux, est seulement un fait d'arme parmi d'autres. Comme un papillon affolé, je me heurte à cette violence calme, presque paisible. Puis je suis rejetée vers l'autre moment atroce, les soubresauts de mon père maintenu par les soldats sous les sarcasmes de Ménôn. Ces deux images sont tellement horribles qu'elles ne parviennent ni à se former complètement dans mon esprit ni à disparaître. Elles se dressent devant moi, elles tournoient autour de moi, elles s'évanouissent et réapparaissent de l'autre côté. Elles me cernent comme les soldats tout à l'heure. Dans mon effort pour leur échapper, je vomis. Mais, lorsqu'après mes spasmes, je redresse la tête, de nouveau elles m'environnent.

Manthanê. Elle est là, près de moi. Les soldats l'ont capturée à l'intérieur du temple, en même temps que deux ou trois autres prêtresses et un serviteur blessé à la poitrine. Ma nourrice tente de le soutenir pour l'aider à s'asseoir à côté de moi sur les marches. Nouveau moment d'horreur. Le colosse brutal, que le coup de fouet du cavalier a empêché de me violer, se jette tout à coup vers le blessé. Il l'arrache à Manthanê et le force malgré ses supplications, en lui donnant des coups de pied, à s'éloigner du temple de quelques pas. Là, tirant sa dague, d'un seul geste, il l'égorge. Sans un regard pour le malheureux, dont le cadavre, après les derniers soubresauts, reste grotesquement désarticulé sur le sol, le soudard revient au milieu de ses camarades, qui n'ont marqué ni surprise ni indignation devant ce meurtre gratuit. Il me regarde fixement en proférant des menaces indistinctes. Mais je saisis très bien ce qu'il veut dire : le serviteur a payé à ma place et, si jamais son chef lui en laisse l'occasion, je subirai le même sort. Bloc de haine brute, inexplicable, contre laquelle je n'ai aucun moyen de me défendre, sinon peut-être la protection lointaine du cavalier blond. Manthanê, me prenant dans ses bras, me murmure des mots de réconfort que je n'entends pas.

Au fur et à mesure de l'après-midi, d'autres files de prisonniers arrivent dans l'enceinte du sanctuaire, escortés par des soldats qui se hâtent de repartir dès qu'ils les ont livrés à nos gardiens. Rien que des femmes et de jeunes enfants. Aucun homme. Aucun vieillard. Kallisthénia finit par arriver elle aussi, avec ses deux fils, qu'elle serre contre elle. Elle ne vient pas s'asseoir sur les marches du temple. Elle se réfugie à l'intérieur d'un autre groupe, composé de femmes respectables aux vêtements souillés de boue, qui se sont assises près des communs, tout au fond du sanctuaire. Elles se lamentent presque en silence, afin de ne pas attirer l'attention des soldats. Ce que nous aurions à nous dire, les dernières visions que nous aurions à partager, Kallisthénia et moi, sont si insoutenables, que je ne lui en veux pas de garder ses distances. Au contraire, j'en suis presque soulagée. Tandis que je reste prostrée sur les marches du temple, Manthanê passe de groupe en groupe, pour réconforter les femmes et glaner des informations. Elle apprend que les hommes sont systématiquement égorgés, les femmes épargnées mais conduites ici avec les enfants, les vieillards laissés sur place devant les ruines brûlantes de leur maison. Toutes savent très bien ce que cela veut dire : Thespiaï sera rasée, et elles vendues par les soldats aux marchands de bétail humain qui suivent de près les armées en campagne. Ceux-ci iront les revendre sur l'un des marchés aux esclaves qui prospèrent dans tout le monde grec, au Peïraïeus, à Korinthos, à Dêlos, ou plus loin encore dans les villes de l'Empire perse. La plupart des femmes présentes dans le sanctuaire ont échappé au viol. Peut-être seulement parce que les Thébains, pressés de rejoindre le reste de leur armée encore en campagne, ont conclu par avance un arrangement avec les marchands pour leur remettre la marchandise en bon état : les uns comme les autres tireront d'elles un meilleur prix si elles ne sont pas trop abîmées. Quant aux enfants, à moins d'un hasard providentiel, ils seront séparés de leur mère et vendus eux aussi de leur côté. Le plus souvent pour être prostitués dans les bouges des grandes cités dont certaines étaient la veille des alliées séculaires de Thespiaï. C'est pourquoi Kallisthénia serre les siens si avidement contre elle. Tel est l'ordre de notre monde, qu'à l'intérieur même de notre épouvante aucune d'entre nous ne remet en question. Impossible. Celles qui ont des enfants sont trop occupées à réfléchir au moyen de les conserver malgré tout avec elles. Celles qui ont la chance de ne pas en avoir essaient de ne penser à rien.

Le Sculpteur tente de m'accompagner jusque-là, de se placer dans le corps et dans l'âme d'une de ces femmes parquées en plein soleil, au milieu du sanctuaire où elles venaient naguère assister aux réjouissances publiques. Il repense peut-être aux chants des *Troyennes* de l'athénien Euripidês, qu'il a lus dans sa jeunesse, ou à ce qui arriverait aux femmes de sa propre famille si la grande Athênaï tombait un jour comme la petite Thespiaï. Cette pensée du désastre, il l'a toujours fuie, mais cette nuit, il veut s'obliger à l'affronter avec moi. Il se dit qu'il a peut-être tort de penser que rien ne menace sa cité, que jamais plus elle ne subira des envahisseurs, comme il y a cinquante ans les Lacédémoniens, comme il y a cent ans les Barbares de l'Empire perse. On croit toujours que la paix est immuable, on ne s'occupe plus que de ses petites affaires, et puis un jour on se retrouve dans la foule des femmes qui attendent le malheur sur l'esplanade du temple, ou parmi la masse des cadavres égorgés que des soldats font basculer à coups de pied dans une fosse. Alors l'artiste raffiné vient s'asseoir à côté de moi sur les marches du temple d'Erôs, comme il a su déjà le faire une fois, sur celles du temple de Korinthos, le jour où j'ai retrouvé Manthanê. Il me prend dans ses bras, il traverse avec moi cette horreur-là parce qu'il sait bien que c'est elle qui donne leur profondeur aux images si délicates qu'il tire de ma beauté.

Lorsque l'attente devient trop insupportable, Manthanê fait chanter aux femmes de notre groupe un thrène de supplication à Hêra mais les soldats nous font taire. Puis elle tente de négocier de l'eau et de la nourriture mais ils la repoussent brutalement. L'un d'entre eux, pourtant, un homme rude d'une cinquantaine d'années, un sous-officier peut-être, vient la trouver au bout d'un moment. Se penchant au-dessus de nous, il lui jette qu'il n'a pas reçu l'ordre de les nourrir. Quant à l'eau que contiennent les citernes des bâtiments d'habitation du sanctuaire, elle sera peut-être nécessaire à la troupe. Elle lui demande : "Et celle de la source derrière le temple ?" Il a d'abord le réflexe de la faire taire. Puis il se ravise. Il accepte qu'elle lui montre l'endroit où la source donne dans le bassin des purifications. Il hésite encore quelques instants et puis il se décide. "D'accord, conduis ici tes femmes par petits groupes. Mais à une condition : c'est qu'ensuite vous attendiez sans faire de grabuge, ça vaudra mieux pour tout le monde. Dis-leur, que ce soir, lorsque la ville sera nettoyée, on s'occupera de vous donner de quoi manger, à vous et à vos enfants." Je suis parmi les premières que Manthanê emmène vers la source. Même après avoir bu, je n'ai pas la force d'organiser le reste des passages. Elle le fait avec une ou deux prêtresses plus âgées.

Puis les femmes et les enfants, profitant de la torpeur des soldats, se glissent dans les recoins d'ombre près de l'autel, sous le péristyle, au pied des bâtiments. Dans leur malheur, tous s'assoupissent. Moi, assise de nouveau sur les marches du temple, je cherche du réconfort auprès de Manthanê. J'entends son implacable murmure : "Écoute, ma fille, je ne veux pas te mentir. Écoute-moi, si tu es assez forte, sinon, bouche-toi les oreilles." Je la regarde les yeux écarquillés mais je n'ai pas la force d'esquisser le moindre geste. Elle reprend : "Tout ce que tu peux imaginer de pire va se réaliser. Tu n'as qu'un seul moyen de l'éviter, c'est de l'accepter. Lorsque tu auras trop peur, remets-toi entièrement à Isodaïtês. Notre dieu te permettra de traverser la souffrance parce que lui aussi l'a connue. Ne résiste pas, cède à tout, à tout, tu m'entends, mais place-toi entre les mains du dieu. Alors ses ailes t'emporteront où tu le lui demanderas. Et rien ne pourra t'arriver vraiment parce que tu ne seras plus là". Ce murmure m'horrifie, je secoue la tête, et je me mets à pleurer. Manthanê, se taisant, me prend de nouveau dans ses bras pour me bercer.

Et la nuit, plus lente que la mort mais aussi inévitable, finit par tomber. Malgré tous mes efforts, quatorze ans après, elle m'enveloppe toujours. Dans l'obscurité, nous devinons une énorme lueur rouge du côté de la plaine. Peut-être l'incendie final fait-il déjà rage ? Il nous semble entendre les craquements des os de notre ville. Gorgidas arrive avec le gros des soldats. Il traverse le sanctuaire à cheval dans la poussière et ne descend de sa monture qu'au pied des marches du temple, qu'il gravit souplement. Il se retourne. Ses yeux brillent. Sa chevelure blonde. Une image s'impose. Brutale. Éblouissante.

Tous, les captives aussi bien que les soldats, nous le voyons, dans cet instant-là, en Akhilleus. Le terrible, le solaire Akhilleus. Et lui aussi, sans nul doute, se voit ainsi. Dans la pénombre, son visage couvert de poussière et de taches noirâtres paraît incrusté des étranges plaques d'or sombre d'une statue ancienne. Il parle, et les mots qu'il prononce sont à la mesure de sa voix rauque. Il nous dit qu'il a passé avec ses soldats tout le jour à égorger nos hommes et à brûler nos maisons. Que maintenant, il a faim et soif. Que demain, avant de partir, ses soldats enterreront les restes de nos morts, pour assurer leur repos, parce que les Thébains sont humains. Mais que ce soir, ils ont gagné le droit de se délasser. Aucun mal ne nous a encore été fait. Il veillera à ce que cela continue, si nous nous montrons dociles. Nous pourrons nourrir nos enfants, lorsque nous aurons préparé à manger aux soldats et que nous les aurons servis. Pas avant !

À ces paroles ne répond d'abord que le silence des femmes. Puis les cris de joie fauve des guerriers et ceux effrayés des bêtes domestiques. Des files de soldats continuent d'arriver de la ville, poussant devant eux des animaux de toutes sortes, des bœufs, des moutons, des cochons, des poules, qu'ils ont dû ramasser dans les fermes des alentours. Les bêtes crient en se débattant plus que les humains. Moment de confusion. Tout se réorganise sous les hurlements des officiers. La troupe se range devant l'autel. Gorgidas, descendant les escaliers du temple, y tranche la gorge d'un bœuf, que deux soldats, la tordant sans ménagement, lui présentent sur la pierre plate. Il se sert de l'épée qu'il a sortie de son fourreau, couverte de sang thespien à peine séché. Il ordonne à ses officiers d'accomplir le même geste rituel que lui. On nous oblige à chanter une prière pendant ce moment de carnage, qui nous rappelle à toutes le sacrifice humain dans lequel viennent de périr nos hommes. Puis, tandis que les soldats font brûler sur l'autel la graisse des animaux, afin de rassasier les dieux, nous préparons les feux, allons chercher de l'eau, faisons cuire les viandes. Nous nous empressons avec lassitude dans tous les coins du vaste sanctuaire sans échanger un seul mot. Aucune d'entre nous ne cherche à s'enfuir, même parmi celles qui n'ont pas d'enfant. Comment échapper aux gardes et pour aller où ? On n'entend que les chants, les plaisanteries et les ordres rudes des soldats. Morne festin, où nous nourrissons ceux qui ont passé la journée à tuer nos pères et nos maris.

Ensuite, les mères ont le droit de soigner leurs enfants, et de manger elles-mêmes. Manthanê m'apporte un morceau de viande dans le recoin où je me suis réfugiée, après que les soldats m'ont chassée des marches du temple pour les libérer à l'intention de Gorgidas et des officiers. Ceux-ci n'ont pas voulu occuper l'une des habitations. Afin de pouvoir surveiller leurs soldats, dont ils craignent les débordements, ou plus sûrement afin de jouir du spectacle de notre désolation, qui parachève leur victoire. Je n'accepte que quelques gorgées d'eau sans même pouvoir desserrer assez les dents pour remercier ma nourrice. Après le repas, les soldats se mettent à rassembler les amphores et les cratères qu'ils ont volés dans les resserres de nos maisons. Ils mélangent l'eau et le vin dans les vases avec de grands rires. Sur l'ordre de Gorgidas, ils accomplissent les libations rituelles. Ils chantent le païan pour remercier Apollôn, Arês, Hêraklês et les autres dieux guerriers de leur avoir donné la victoire. Ils jettent les premières gouttes de liquide sur le sol en l'honneur de Dionysos et des autres dieux de la fête, dont le doux Erôs qui règne en maître sur ce sanctuaire. Puis ils se mettent à boire. Ils nous obligent à remplir leurs coupes ou leurs casques. Ils chantent. Le ton des voix monte. Ils commencent à nous insulter, même lorsque nous les servons docilement. À nous bousculer. Les officiers ont de plus en plus de mal à les contenir.

Alors Gorgidas se lève. D'un geste, il rétablit le silence. Son visage rougeoie à la lueur du feu et du vin. Sa chevelure de cauchemar brille. Il ordonne aux prêtresses d'Erôs de s'approcher. Il leur déclare qu'il veut voir danser et chanter devant ses soldats ce chœur des vierges de Thespiaï, qui a fait la célébrité de leur cité. Ces Erôtidia seront les dernières mais pas les moins mémorables. Les prêtresses se regardent, interdites. Manthanê se décide enfin à prendre la parole. S'étant inclinée, elle lui demande à voix basse, respectueusement : "Ne crains-tu pas, capitaine, en faisant accomplir le rituel de fête dans ce jour de mort, de mécontenter le dieu ?" Il la regarde un instant en silence et puis, soudain, sans prévenir, il lui jette le contenu de sa coupe au visage. Il hurle : "Tais-toi, femme !" Au brusque aboiement de cette voix rauque succède le silence. Tous les soldats, figés, paraissent attendre presque avec crainte les suites de la colère de leur chef. Celui-ci reprend la parole, d'un ton beaucoup plus calme, mais toujours aussi fort, comme s'il tenait à se faire entendre de tous, soldats, prisonnières, ombres des morts sur la place de la ville, et jusqu'au sanctuaire des Muses, là-haut, dans la montagne : "J'ai montré le plus grand respect pour ton dieu, en interdisant à mes hommes de s'attaquer à ses prêtresses et à ses possessions. Maintenant je ne voudrais surtout pas le priver des fêtes auxquelles il a droit !" Il ajoute dans un sourire cruel : "Après une journée entière passée à tuer des hommes, nous aimerions bien ne pas passer la nuit à tuer des femmes. Alors je te conseille d'obéir !" Il conclut, à voix plus basse, parce que, cette fois, il ne s'adresse qu'à ma nourrice : "Prêtresse, je te fournis l'occasion de rétablir un peu d'ordre. Et d'adoucir le cœur de mes soldats par un spectacle harmonieux, qui les ramènera peut-être aux fêtes de chez nous, à leurs propres sœurs et à leurs femmes. Alors profites-en, avant que je ne passe à la suite !"

Il se rassied lourdement. Manthanê se retourne. Elle commence à organiser le chœur. Les filles, se séparant de leurs mères, se rassemblent devant l'autel. Moi, toujours assise dans mon coin, je n'ai pas bougé. Manthanê m'ignore délibérément. Après quelques instants d'hésitation, mes choreutes, privées de leur coryphée, commencent à danser. Les voix éteintes, les flûtes aigres, les tambourins grêles résonnent lugubrement jusque dans les recoins obscurs du sanctuaire. Au centre de l'espace central, près de l'autel, la lueur des torches donne un éclat sinistre à ces évolutions que ces filles, vêtues de lin souillé et de poussière, avaient préparées pour leurs pères. Un silence vide suit leur danse. Gorgidas, leur interdisant d'un geste d'aller se rasseoir, leur fait part, à voix haute mais avec un calme terrible, de sa déception. Il ne croit pas que leur dieu puisse se satisfaire d'une cérémonie aussi lamentable. Erôs leur en voudra sûrement de cette parodie de rituel. Il la leur fera payer. Puis, se tournant vers ses soldats, il leur demande s'il ne faut pas obliger ces filles indociles à recommencer et recommencer encore, jusqu'à ce qu'elles dansent correctement. Saisissant l'autorisation que leur donne leur chef, les soldats se mettent à hurler. Des cris de bête, à la fois grotesques et menaçants, qu'ils accentuent à plaisir. Les enfants se mettent à pleurer. Certaines filles aussi. Les mères tremblent. Gorgidas se retourne vers elles : "Alors ?"

Alors je sors de ma torpeur. Je relève la tête. Je me mets debout. Je m'avance devant le chœur. Je repense aux paroles de Manthanê, qui m'ont épouvantée tout à l'heure et dans lesquelles je cherche maintenant un peu de courage. Je ne veux pas danser pour le chef arrogant de ces soudards qui ont assassiné les hommes que nous aimions mais pour Isodaïtês. Pour mon père et pour mon amoureux tués devant moi. Je ne fermerai pas les yeux en m'abandonnant au dieu, comme je l'ai fait la première fois où j'ai dansé ces pas devant ma nourrice, dans la pénombre paisible du péristyle de la maison paternelle, mais je les garderai grands ouverts pour les brûler à l'éclat maléfique des torches et plus loin, là-bas, de l'incendie de ma cité.

Et je danse.

Je danse si bien que les soldats, qui continuaient de bramer et de rugir, finissent par se taire. Les femmes de Thespiaï désespérées me regardent, les yeux brillants. Du haut du désastre, je danse fièrement dans les paumes ouvertes de notre dieu.

À la fin de la danse, nouveau silence. Mais, cette fois-ci, plein. Rempli de présence.

Gorgidas le rompt en m'applaudissant. Il me dévisage. Je ne baisse pas les yeux. Mais, sans bouger, je m'enfuis, m'efforçant d'être la moins présente possible dans mon regard, comme Manthanê me l'a conseillé. Je n'envoie rien au Thébain, ni défi ni soumission. Je me réfugie derrière la présence impalpable que j'ai suscitée et dont j'espère qu'elle lui inspirera le respect. Sans paraître remarquer ma dérobade, Gorgidas continue de me fixer. Ça dure longtemps. Et puis il parle. D'une voix forte, de manière une fois encore à être entendu de l'ensemble de la foule, captives comme soldats, il annonce que, pour remercier la coryphée d'avoir si bien dansé, et d'avoir fait passer sur ce sanctuaire un peu de beauté et d'harmonie, il la choisit en premier, comme son rang de chef lui en donne le droit, pour accomplir la suite du rituel qui a rendu célèbre Thespiaï jusqu'aux confins de la Grèce. Il me fera l'honneur d'être l'étranger qui, dans l'obscurité du temple, dénouera ma ceinture de vierge. Il espère que je lui montrerai avec quelle docilité les filles de Thespiaï honorent Erôs. Mais, avant ce doux moment, il doit s'occuper avec ses officiers de répartir les femmes comme butin entre chacun de ses soldats, en fonction de son mérite au combat, afin que les réjouissances de la nuit, puis la vente du lendemain, se passent dans une discipline digne de la réputation de l'armée thébaine. Il ne tolérera aucun désordre.

De nouveau, un grand silence se fait. Celui-ci est le plus lourd de tous ceux qui se sont abattus sur le sanctuaire, dans cette nuit où ils alternent avec les vociférations les plus sauvages. Subjugués par la parole de leur chef, même les soldats se taisent. Ils dévisagent les femmes, qui n'osent pas lever les yeux du sol et qui prient, lorsque la peur leur en laisse la force, suppliant Artémis Agêmona de ne pas les laisser être attribuées à un ennemi trop répugnant ou trop brutal. Les filles pleurent sans faire de bruit pour ne pas attirer l'attention. Gorgidas, dont le regard passe lentement sur les prisonnières, soit qu'il prolonge délibérément la cruauté de ce moment, soit qu'il veuille choisir le mieux possible pour éviter toute contestation, n'a pas encore prononcé une parole. Alors Manthanê se lève et s'avance vers lui : "À qui vas-tu me donner, capitaine ?"

Il la regarde, surpris : "Toi aussi, prêtresse, tu veux un homme ?" Elle secoue la tête : "Oui." Il la considère attentivement : "Bien.". Il se retourne vers les soldats, son regard se dirige du côté des officiers. L'un d'entre eux, d'un geste de la tête, lui exprime son désir d'être choisi. Il le désigne du bras, en prononçant son nom. Manthanê, avec lenteur, se dirige vers l'homme, et lui prend doucement la main. Tentant d'accrocher mon regard et celui des autres femmes, elle l'entraîne un peu plus loin dans l'ombre et l'homme se laisse faire, l'accompagnant plutôt que la poussant. Gorgidas recommande à ses soldats de suivre l'exemple qui vient de leur être donné et de ne pas abîmer leurs captives, s'ils veulent en tirer un bon prix auprès des marchands d'esclaves qui viendront prendre livraison de la marchandise dès le lendemain. Tout se passera dans l'ordre, sans violence excessive, si les Thespiennes se montrent aussi dociles que leur prêtresse. Jetant le contenu de sa coupe de vin sur le sol, il demande à Erôs de bien vouloir bénir l'union des hommes de Thêbaï et des filles de Thespiaï, qui a lieu dans son sanctuaire et en son honneur. Ses possessions n'ont subi nulle dégradation sacrilège, des femmes vont être prises par des hommes comme lui-même le réclame dans son rituel et comme l'a mérité l'aveuglement de leurs pères et de leurs frères. Que la fête commence !

Puis il jette des noms à voix haute, en commençant par les officiers, et chacun de ceux qui sont désignés se dirige vers le groupe des femmes pour s'emparer de sa proie. Bien des filles n'ont pas la résignation de Manthanê et ne sont arrachées des bras de leur mère que dans des cris et des supplications. Le soudard de tout à l'heure, dont le nom est appelé parmi les premiers après les officiers, tant sûrement il est brutal au combat, va choisir la malheureuse sœur de Phaïdros, Timoxéna. Même si cette dernière m'a toujours montré son hostilité, mon cœur se déchire de pitié pour elle.

Lorsque l'horrible partage est achevé, Gorgidas pose sa main gauche sur ma nuque et, de la droite, il m'attire à lui. Je suis résolue à suivre la leçon de Manthanê. À tout subir sans résister ni gémir, aussi inerte qu'un morceau de bois, qu'une statue. Je ne serai pas là. Enveloppée dans l'aile d'Isodaïtês, je courrai sur le sentier de la montagne, vers le sanctuaire des Muses où m'attend la prêtresse qui m'apprend à jouer de la flûte. Je repasserai dans ma tête le début du poème d'Hêsiodos sur la naissance du monde que je jouerai sur mon instrument. Je volerai sur le sentier au rythme des notes. Pourtant, quelque chose dans la brutalité du contact de cette peau, son odeur répugnante de sueur et de chair moite, les salissures brunes qui doivent être du sang séché, celui de mon père jailli de son cou, celui de Phaïdros, font que mon cœur se soulève. Soudain, malgré mes efforts, je me retrouve là, sous la main, à courber la tête. Alors quelqu'un d'autre en moi se rebelle. Un petit animal traqué mais farouche, qui attrape cette main au passage, plante ses dents dans la paume et ne lâche pas. Gorgidas pousse un cri, de surprise plus que de douleur. Puis il me frappe sur la mâchoire, à l'endroit où le soldat a déjà cogné tout à l'heure, une fois, deux fois, avant que je lâche prise. Ensuite, posément, il me saisit, de la main que j'ai mordue, par le rabat de ma tunique, il me soulève pour me priver de mes appuis et me décoller les pieds du sol. Me laissant gigoter quelques instants, étranglée, il lève très haut l'autre poing et le laisse retomber pesamment sur ma pommette intacte. Je m'écroule par terre, à demi inconsciente.

Alors, comme si ce geste précis et brutal était un signal, les guerriers se jettent sur les autres filles, qui préfèrent se laisser faire, pour ne pas être brutalisées comme je viens de l'être. Gorgidas promène un instant les yeux sur tout l'espace du sanctuaire, où le viol collectif vient de débuter selon l'ordonnancement qu'il lui a donné. Mes compagnes vont être forcées sous les yeux de leurs mères et des autres enfants plus jeunes, afin que l'humiliation soit plus complète. Il s'agit de punir Thespiaï pour sa rébellion et, en la détruisant, d'effrayer les autres cités de Béôtie. Tout est permis, sauf insulter le dieu. Partout maintenant des cris, des pleurs, des ahanements. Gorgidas, très calme, paraît moins excité que satisfait par la scène qui se déroule sous ses yeux. Il considère qu'il a accompli son devoir de chef, en maintenant l'ordre jusqu'au moment de laisser se déchaîner la violence dans les règles. Il a désormais le droit ne plus s'occuper que de son propre plaisir. Il me saisit à pleins bras, me jette sur son épaule, et grimpe les escaliers qui mènent à l'intérieur du temple.

Depuis mon retour à Thespiaï, je n'ai pas osé m'aventurer au sommet de ces marches. Entrer dans la chambre interdite du souvenir. Je sais qu'il faut que je le fasse maintenant, aidée de Praxitélês, dont la présence et la patience me prouvent à quel point j'ai réussi à m'en sortir, à quel point j'ai réussi à faire de mon humiliation un triomphe. Mais mon cœur bat à se rompre. Autant que cette nuit-là. La même peur. Non, je n'ai pas grandi. Non, je n'ai pas gagné. Je ne peux pas avancer. Je suis bloquée. Je suis toujours la petite vierge sur le point d'être violée par un soldat brutal. Oui, elle est toujours là, dans cette nef et en moi, prostrée, à demi inconsciente, rouée de coups, terrorisée. Elle m'attend depuis quatorze ans. Faut-il vraiment que j'aille la rejoindre ? Que je me penche sur elle ? Que je la prenne dans mes bras ? Je sais bien que oui, mais, malgré le soutien de Praxitélês, c'est une telle douleur de faire ces quelques pas qui me séparent d'elle !

Gorgidas, portant la pauvre petite en travers de son épaule, comme un vulgaire paquet, a traversé la grande nef du temple, et il est allé droit à la statue du dieu. Il l'a jetée là, de tout son long, contre le piédestal. Il la gifle pour la forcer à revenir à elle. Il l'oblige à se mettre à quatre pattes. Il lui enlève sa tunique, en l'arrachant à demi, et il enroule ensuite le vêtement autour du cou de la statue, comme un don. La petite ne résiste pas. Alors, après avoir invoqué le dieu, il la pénètre, en quelques poussées brutales, pour la faire crier. Il la déchire aussi de son rire, elle, ses songes, ses angoisses, ses espoirs, ses tourments, ses pudeurs. Ce moment de la défloration dont elle rêve depuis des mois, cette expérience qu'elle ignore et espère et redoute aussi de toute son âme, même lorsqu'elle s'imagine la vivre entre les bras rassurants de Phaïdros, en quelques secondes elle est gâchée à tout jamais. Le Thébain la brutalise longuement. S'efforçant, chaque fois qu'elle s'abandonne, de trouver le moyen de la faire réagir de nouveau. Elle tente inlassablement de ne plus être là, de retrouver le bruissement de l'aile souveraine et le chemin de la montagne. Elle y parvient presque, elle est sur le point de s'échapper lorsqu'elle sent soudain que l'homme se retire. A-t-il enfin fini ? Elle entend la voix sourde et moqueuse au-dessus d'elle, dans son dos : "Pourquoi tu ne résistes plus, Thespienne ?" De nouveau, des insultes, des railleries : il a été surpris qu'elle soit vraiment vierge, cela ne ressemble pas à ce que l'on dit des filles de Thespiaï et de leur goût pour les fêtes d'Erôs. Elle ne réagit pas. Alors il continue.

Il lui déclare que, même si elle est destinée à subir par la suite des milliers d'hommes, il veut qu'elle se souvienne à jamais de lui qui a été le premier. Il sait le moyen. De ses deux mains, il lui écarte les fesses. Elle hurle. Elle est obligée d'être là et de subir la chose odieuse et douloureuse qu'il lui fait. Il finit par se répandre en elle dans des éclats de sarcasme qui la souillent de leur venin visqueux.

Oh, cette nuit-là, cette nuit de deuil, la gamine brisée de douleur, et le jeune homme brisé de violence et de meurtre, ils s'endorment à quelques pas l'un de l'autre. Sous les paupières d'or du *Xoanon*, l'immémorial visage du dieu qui émerge à peine du bloc de bois, comme le prépuce d'un sexe dressé. Fente des yeux et sourire cruel. Il est toujours là, lui aussi, cette nuit comme l'autre. Il me regarde encore. Quatorze ans plus tard, je n'ai pour m'aider à l'affronter que les ailes immenses, enfin déployées, de la statue au visage si doux que Praxitélês a fait surgir de la pierre pour moi, et qui se tient dans mon dos, face à lui.

La petite émerge en sursaut de ce sommeil mauvais. Gorgidas est là, tout près d'elle. Son visage à quelques centimètres. De nouveau, elle sent l'odeur répugnante de ses mains. C'est peut-être cela qui l'a réveillée. Il la regarde. Comme la statue du dieu ancien. Depuis combien de temps ? Il ne fait pas un geste. Mais la proximité de son visage révulse la jeune fille presque plus encore que le contact qu'il lui a imposé tout à l'heure. Elle ne parvient pas à lire dans ces yeux humains. Pas seulement de la haine, du sarcasme, du désir bestial, comme auparavant, non, mais quoi d'autre ? Soudain, elle entend la voix de l'homme à son oreille. Il murmure doucement : "Tu sais que tu es belle ?… Je crois que je n'avais pas pris le temps de te regarder vraiment… Dis-moi ton nom !" Elle ne répond pas. Il insiste : "Dis-moi ton nom ! Tu ne réponds pas, crapaud ? Tu as la peau jaune, mais à part ça tu es jolie. Tu me le diras demain, quand tu te rendras compte que je ne suis pas un aussi mauvais maître que j'en ai l'air. Tu pourrais trouver bien pire que moi."

Tendant enfin la main, il la force à s'allonger sur le dos. Il vient sur elle. Est-ce qu'il va recommencer ? Mais au lieu de la pénétrer d'emblée, il cherche à l'embrasser, à la caresser maladroitement, en répétant : "Tu es belle". Son visage de brute blonde, tout près. Sa mâchoire. Ses yeux forts, qui se font faibles. Cette douceur de meurtrier qu'il tente de lui imposer après tout le reste. Plus insupportable encore que sa violence. Akhilleus, même lorsqu'il pleure, ne s'abaisse pas à la faiblesse. Alors elle repousse la main de ce faux héros le plus loin possible de son visage. Sans ménagement. Sans pitié. Rien de commun entre lui et elle, après ce qu'il lui a fait, et même avant. Furieux, il se redresse, et lève le bras, comme pour la frapper de nouveau. Il paraît blessé qu'elle le repousse dans ce moment où il se livre un peu, alors que, tout à l'heure, quand elle l'a mordu, il n'était qu'amusé. Pourtant, sa main, après un instant d'hésitation, retombe sans violence. Comme s'il venait de remarquer quelque chose, l'homme saisit le poignet de la petite, il l'oblige à déplier les doigts. Il s'empare de la bague qu'elle porte à l'annulaire. Pour la lui enlever, il force un peu. Elle pousse un cri mais il n'y prête pas la moindre attention. Pendant quelques secondes, levant le bijou à la lumière de la lune, il observe le profil de femme qui se trouve sur le camée d'ivoire, en faisant la moue. Puis il se remet à parler. Sa voix est redevenue indifférente et rogue. Il déclare à la Thespienne qu'elle vient de décider de son destin. Il aurait pu, si elle s'était montrée docile, au lieu de lui enlever son bijou, lui en donner d'autres, et la garder auprès de lui, à Thêbaï, comme l'une de ses concubines. Mais, au lieu de cela, il la vendra demain. En agissant aussi stupidement, elle se condamne elle-même à n'être qu'une esclave et qu'une putain. Elle ne répond rien. Peut-être attend-il une parole de soumission mais elle ne la dit pas. Alors, en haussant les épaules, d'un geste distrait, il place la bague à son propre petit doigt. Où je l'ai revue aujourd'hui, tout abîmée d'avoir participé à tant d'autres combats, et tant d'autres nuits du même genre. Et puis il se relève. Il se rajuste. Il s'éloigne. Il sort du temple. Il va sûrement se rasséréner au spectacle de son triomphe, en regardant sur la place du sanctuaire où en est l'humiliation définitive que ses soldats font subir à Thespiaï dans la chair de ses femmes.

Il laisse la fille seule au milieu de la vaste salle déserte, entièrement plongée dans l'obscurité, si ce n'est l'entrée par où il vient de disparaître et que baigne la lumière de la lune. Un long moment se passe. Elle gît toujours au pied de la statue du dieu, tassée contre l'étroite base de pierre. Que se passe-t-il dans sa tête ? Puis-je retrouver ce qu'elle ressent ? Ce qu'elle se dit au fond de ce moment de désespoir absolu ? Dans la chambre secrète, où l'on entrepose le trésor du temple, elle trouvera une dague d'apparat. Non pour se défendre contre Gorgidas ou un autre des soldats mais pour s'ouvrir la gorge et rejoindre son père, Phaïdros, Aram, et tous les autres Thespiens massacrés sur la grande place. Il faudrait qu'elle trouve de l'énergie de se lever, de forcer la porte close de la resserre. Avec quoi ? Avec ses ongles ? Non, ne pas bouger. Parce que, dès qu'elle s'agite, la douleur, tapie dans son bas-ventre, se réveille. Son corps, brisé de coups, s'est un peu endormi, la douleur avec lui, mais ils sont tous les deux prêts à se redresser et à montrer les dents, comme une bête sur le point de mordre. Entre leurs deux mâchoires, elle se tient figée. Sa conscience, par la fente de ses yeux, n'est plus qu'une lueur, aussi pâle que les rayons malfaisants de la lune. Le reste de son esprit aussi, dans les profondeurs, s'est assoupi. Et avec lui l'horreur de ce qu'elle a vu, l'humiliation de ce qu'elle a subi. L'avenir s'ouvre comme un gouffre devant elle. Esclave. Vendue pour être prosti-tuée. Elle se souvient que Manthanê a connu déjà pareil sort, et au même âge, ou à peu près. Comment sa nourrice a-t-elle fait pour le supporter ? Peut-on y arriver ? Suffit-il de fermer les yeux et de lais-ser les choses se produire sans plus les rouvrir ? Elle se sent si jeune, si faible, si fragile ! Elle allait être si heureuse ! Comment tout cela est-il possible ? Pourquoi ? Ce cauchemar, qui hante les femmes, dans tous les villages de la Grèce et dans tous ceux de l'Orient, voici qu'il est réel, même si elle ne parvient pas à y croire, voici qu'elle le vit, petite fille de quatorze ans sans expérience ni ressource. Sous l'éclairage blafard de la lune, elle a l'impression que c'est un rêve atroce mais elle ne parvient ni à se réveiller ni à plonger vraiment dans l'obscurité du sommeil. Demain, elle aura la force de mourir. Cette nuit, elle ne peut que se fermer à toute pensée, puisque toute pensée est hostile, à toute sensation, puisque toute sensation est dou-loureuse. N'être plus qu'un morceau de bois, qu'une statue inerte. N'être plus qu'une fille de bois au pied du *Xoanon*. Où trouver le réconfort ? Nulle part que dans cette inconscience de la statue du dieu dont elle fait partie. Aussi gauche, et fausse de proportion, et inhumaine, et raide, et insensible et distante que lui. Bois sombre, ivoire, oubli. L'absente. Pour la première fois. Elle qui était si pré-sente. Elle qui était toute présence, toute sensualité et toute inno-cence. Le gouffre. Le trou obscur. L'antre atroce du Nourricier qui va la dévorer.

Quelqu'un, de nouveau, la regarde dans son sommeil.
Le Thébain est-il revenu pour la violer, pour l'humilier de ses attentions ? Pourquoi n'a-t-elle pas eu le courage tout à l'heure de dérober une dague dans la réserve du temple, afin de la planter dans le dos du guerrier au moment où il serait en train d'ahaner sur elle ? Oui, au moment où il se relâchera tout à fait dans la jouissance, la

lui planter dans la gorge et cisailler et le maintenir serré contre elle dans les sursauts et les giclées de sang de l'agonie, comme lui l'a fait de Phaïdros et de son père !

Quelqu'un la regarde dans son sommeil avec douceur.

C'est quelqu'un qu'elle ne connaît pas et qu'elle a pourtant l'impression de reconnaître.

C'est un tout jeune homme, les cheveux bouclés, les traits fins. Phaïdros ? Elle palpite d'espoir fou, puis de douleur. Elle sait bien que le corps de son amoureux doit être entassé avec ceux des autres Thespiens sur une des places de la ville mais elle ne peut s'empêcher de le voir encore vivant un instant, dans ce tout jeune homme qui la regarde avec une telle douceur. Sans bruit, il s'approche encore. Qui est-il ? Un esclave rescapé du temple ? Un soldat thébain plus jeune et plus compatissant que les autres ? Un berger ? Un habitant des villages alentour ? Un chasseur de la forêt ? La lumière de la lune, s'insinuant depuis l'entrée du temple, dessine son profil et il semble soudain à la jeune fille qu'elle distingue dans son dos, non le carquois d'un arc, comme elle l'a cru au début, mais deux ailes. Deux longues ailes qui partent de ses épaules et qui palpitent doucement. Est-elle en train de rêver ? La vision étrange de ces ailes dans le dos du jeune homme ne dure qu'un instant, il lui sourit, il place un doigt sur ses lèvres, et l'instant d'après, il est à côté d'elle, penché au-dessus d'elle, accroupi. Elle n'a pas perçu à quel moment il l'a enlacée, mais maintenant elle repose dans ses bras. Elle voit de près son visage. Ses traits réguliers sont d'une douceur inhumaine, d'une douceur infinie qui donne une impression de force. Dans ce visage, qui est celui de la statue de Praxitélès, celui qu'il a réinventé pour moi, mais ça, la petite ne peut pas le savoir encore, elle continue de reconnaître celui de Phaïdros et en même temps, il y passe des éclats de celui, plus âgé, de son père, quand il la regardait danser et qu'il lui racontait la légende de sa jeunesse, qu'il passait tendrement le doigt le long de sa joue de petite fille. La cicatrice qui barrait le visage de son père, elle est là, elle aussi, familière, et voici qu'une autre cicatrice nouvelle ouvre sa gorge, mais elle n'est pas effrayante, elle non plus, belle, nécessaire, elle palpite, comme si par elle passait le souffle de la vie, comme si cette autre bouche pouvait permettre de respirer plus fort. Oui, dans ce jeune homme, c'est Phaïdros et c'est son père, et c'est Euthias et Attis aussi, qu'elle ne connaît pas encore, ils sont tous venus la prendre dans leurs bras, la réconforter, l'enlever dans leur douceur virile. Et n'aperçoit-elle pas aussi, au revers d'un des reflets du visage inconnu et si beau, un peu de la douceur honnie du guerrier blond, de cet Akhilleus sans noblesse qui a ravagé sa cité et son corps, et ne s'est éclairé d'humanité que pour un instant d'odieuse faiblesse ? Mais cette dernière douceur-là, elle ne peut pas l'accepter, elle ne le pourra jamais, même dans l'abandon étrange qui s'empare d'elle entre les bras du jeune homme ailé. Elle se crispe. Et le reflet du guerrier s'évanouit. Le doux Jeune Homme aussi.

Non il est toujours là. Sa main, dans un éclat de lune, s'est levée bien haut, comme tout à l'heure celle du colosse thébain et puis celle du cavalier Gorgidas, mais maintenant cette main de lune retombe fluidement pour caresser le visage de la jeune fille, le doigt diaphane coule le long de sa joue et la paume est aussi fraîche que de l'eau, l'eau du bain rituel qui purifie et jaillit de la source derrière le temple, l'eau de l'oubli léger et l'eau de la mémoire profonde, qui lui vient des récits mille fois entendus de son père et de ceux de sa nourrice. "Oh, Manthanê, pense-t-elle aussitôt, dans une déchirure de son esprit, que deviens-tu ? Est-ce toi, prêtresse savante, qui m'envoies Isodaïtês ou l'un de ses démons pour me consoler ? Pour m'emporter peut-être dans la mort ?" Oui, bien sûr, cette main si douce, c'est celle du jeune dieu de la mort, celle de Thanatos Isodaïtês, la mort-qui-seule-se-donne-à-tous ! La main se fait eau et fraîcheur sur les joues tuméfiées de la pauvre petite, sur son front de jeune morte que l'on lave rituellement. Le bras tout entier palpite et ruisselle, comme les ailes immenses qui l'enveloppent et vont l'emporter loin d'ici ! Elle accepte, elle aspire de toute son âme à se laisser aller dans les bras du Dieu Mort, à repasser une dernière fois par ses traces d'enfant, sur le chemin de la montagne, qui conduit vers le sanctuaire des Muses, et à s'évanouir dans l'air.

Mais non, non, une dernière volonté passe par son esprit de petite Grecque, un dernier regret la retient sur cette terre, elle voudrait encore, comme sa sœur thébaine, Antigonê, chercher sur les places de la ville ravagée par l'incendie, parmi les cadavres des guerriers sacrifiés, la dépouille de son père, pour recouvrir sa gorge mutilée et répandre sur ses yeux ouverts la poignée de terre rituelle. Elle voudrait chercher le corps de Phaïdros, qui a peut-être été jeté dans la fosse juste à côté de celui de son père, qui l'a accompagné dans la mort pour elle, pour tenter de la protéger. Oh, s'il te plaît, ce corps du jeune homme, ce corps du poète devenu soldat pour elle, laisse-la le chercher parmi les cadavres, dans un frisson d'horreur, et le sauver à son tour de l'errance au bord du fleuve et des canines rageuses des chiens errants, en posant sur lui, non pas un baiser, non pas leur premier baiser, mais une poignée de terre éplorée. Et ce peu de terre, qu'elle la répande aussi, comme je n'ai pas pu le faire plus tard, sur le cadavre disparu d'Attis. Oh, tous mes morts, laisse-la les sauver ! Avant de l'emporter vers le sommet de la montagne où elle se diluera, laisse cette pensée ultime qui la rattache à Thespiaï affleurer en elle, et puis lave-lui l'esprit, comme tu lui laves le corps de ta main de source ! Laisse tout naître en elle de ce qui la rattache encore à la vie, accepte tout, et puis lave-la de tout, purifie-la ! Que ta main passe sur ses joues, dans ses cheveux de fille libre devenue esclave, que l'on aurait coupés demain pour lui imposer la marque infamante de sa nouvelle condition, si tu n'étais pas venue l'emporter dans ta mort ! Oh, Erôs Thanatos, ceux qu'aiment les dieux meurent jeunes, son père le lui a dit souvent, et tu l'aimes parce qu'elle a dansé pour toi ! Dansé devant les soldats et les femmes effrayées et Gorgidas le meurtrier ! Oui, c'est pour cela, parce qu'elle a osé te danser, que tu viens cette nuit la chercher, ô Isodaïtês, toi qui donnes à chacun la part qu'il mérite ! Tu passes ta main pure de pluie et d'oubli sur ses épaules et sur ses seins meurtris et ta main cherche ses hanches et ses cuisses et son ventre dont elle voudrait qu'ils n'existent plus et tu les laves et tu les lui rends, et ils existent encore, et au milieu de son ventre, son sexe, ses lèvres, sa vulve, aussi douloureuse, aussi hideuse que la gorge mutilée de son père, la porte béante de sa pudeur ravagée, et son anus, tu les investis aussi de ta douceur, comme le guerrier les a investis de sa violence, et il est aussi inutile de résister à l'une qu'à l'autre, elle voudrait l'oublier mais tu le lui rends, son sexe humi-lié, tu le tires de l'oubli où elle voudrait l'ensevelir, tu le fais émer-ger de l'oubli avec tout ce qu'il a subi et tu le rends à travers l'oubli non pas à elle, la pauvre petite, mais à la mémoire plus profonde qui existe en elle depuis le début de sa vie ! Depuis avant le début de sa vie ! Depuis sa mère ! Le sexe de sa mère et celui de la mère de sa mère, tu le lui laves et tu le lui rends ! Comme la vieille maque-relle du bordel du Peïraïeus le lui lavera et le lui rendra bientôt ! Tu la rends à elle-même, alors qu'elle ne voudrait que mourir, et tu la forces à s'ouvrir pour la laver jusqu'au tréfonds et la forcer à exister jusqu'au tréfonds, malgré tout, malgré ce qu'elle a subi et ce qu'il lui reste encore à subir ! Elle comprend que ta douceur, si elle lui résiste, est aussi une violence ! Une force qui la dépasse et qu'elle subit et qu'elle a en elle et qui est bien plus profonde qu'elle ! Tu ne l'emportes pas doucement dans la mort, non, tu la forces à renaître, à revenir à la vie ! Et tes ailes palpitantes, doux et implacable jeune homme, dont les visages sont les reflets de tous ceux qu'elle a aimés et qu'elle aimera encore parmi les représentants de ce sexe terrible, se referment sur elle !

Maintenant, dans leur cascade d'eau qui l'enveloppe tout entière, comme son père autrefois au fond de la grotte nourricière, elle entend ta voix, elle distingue ton invincible et fluide murmure à son oreille. Tu l'appelles par son nom. Tu lui psalmodies : "Mnasaréta ! Mnasaréta !" Celle-qui-se-souvient-de-sa-valeur ! Celle-qui-se-souvient-de-ce-qu'elle-est ! Tu lui dis qu'elle ne mourra pas cette nuit, parce qu'elle t'appartient et que tu ne veux pas qu'elle meure. Que, demain, elle sera vendue comme esclave et qu'elle deviendra putain, oui, elle qui est toi, et les hommes prendront son corps divin qui ne lui appartient pas, et ils le forceront et ils ne le prendront pas. Les hommes croiront la prendre mais c'est elle qui les prendra, et toi en elle ! Alors un jour les guerriers massacrés seront vengés, alors un jour le temple souillé sera purifié, alors un jour la ville détruite sera reconstruite, et ceux qui t'ont humilié en elle viendront devant elle s'humilier ! Tu ne la laisseras choisir de mourir ou d'être fidèle à la vie que lorsque Thêbaï, aujourd'hui triomphante, aura pris place à côté de Thespiaï parmi les villes mortes ! Alors seulement elle pourra choisir ! Et si ce jour-là n'arrive jamais, eh bien, tant pis, elle vivra jusqu'au bout en l'attendant ! Malgré ses efforts, elle ne peut se fermer à ton impérieux murmure, ton murmure qui naît du fond de son ventre et glisse sur ses lèvres et qui ne fait que revenir, dans le froissement de tes ailes, jusqu'au creux de ses oreilles. Ton murmure qui va d'elle à elle en passant par toi. Et puis tu ne lui dis plus rien et puis tu la berces et puis elle sombre et puis, quand elle se réveille, tu n'es plus là. Et elle n'arrive pas à croire que tu aies été là mais elle ne parvient pas à en douter.

Oui, je me souviens maintenant de ce qui m'a sauvée. Ce qu'on avait placé là, en moi, dès l'enfance, ce que je recherche depuis sans le savoir, moi l'absente, moi la hantée. Ce bruissement d'ailes dans mon rêve. Cette douceur inhumaine. Cette douceur qui force à vivre malgré tout.

Lorsque Mnasaréta ouvre de nouveau les yeux, elle se retrouve, sans savoir comment, près de la source derrière le temple. Au bord du bassin que nous avons nettoyé aujourd'hui. Fraîcheur. Fraîcheur malgré la douleur. Son corps massacré, deux femmes et non un dieu ailé sont en train, avec du linge imbibé d'eau, de le laver précautionneusement. L'une de ces femmes, qu'elle n'a jamais vue, a mon âge aujourd'hui et l'autre est Manthanê. Agenouillée à côté d'elle, sa nourrice lui caresse les cheveux, en la regardant sans pleurer et en l'appelant doucement par son nom : "Mnasaréta, Mnasaréta". Puis elle la soutient dans le troupeau des malheureuses que l'on entraîne, à travers les ruines calcinées de leur cité, vers la place publique, où sont encore entassés au bord d'une fosse les corps de leurs maris et de leurs pères, et où les attendent, près de l'autel des Douze Dieux, les marchands de bétail humain. Sa protectrice, malgré son expérience des désastres, est frappée par le silence de la jeune fille, par son absence de larmes et de cris. Par la profondeur de sa révolte qui ne se marque que par l'acceptation mutique de son sort. À partir de là, plus personne, même pas Manthanê, même pas moi, n'est capable d'entrer en contact avec Mnasaréta. Rien de ce qu'elle pense, rien de ce qu'elle ressent n'est plus accessible. Elle est déjà la Muette. Et elle le restera jusqu'à ce qu'un Sculpteur tourmenté et délicat, bien des mois plus tard, après avoir abaissé le rabat de la tunique qui couvrait ses cheveux pour lui dénuder le visage, passe un doigt le long de sa joue.

La suite, que je n'ai pas vécue au moment où Mnasaréta la vivait, me revient maintenant par saccades d'images brutales qui me font mal. Elle se dessine sous mes yeux, comme les derniers coups de ciseau qui entaillent le marbre brut pour compléter l'ébauche de la statue. Je suis le ciseau mais je suis aussi le marbre sensible. J'en subis la douleur avec quatorze ans de retard. Quelques heures plus tard, Manthanê et sa Muette appartiennent à un marchand d'esclaves. Pourtant, elles ont bien failli ne pas être vendues. Deux amis de la famille d'Amphiaros, habitants de Lébadeïa et donc alliés de Thêbaï, se sont précipités à bride abattue vers la ville martyre, dès qu'ils ont entendu parler de la catastrophe. S'étant fait introduire dans le sanctuaire, ils ont demandé à parler aux chefs thébains. Ils apprennent qu'Amphiaros et ses deux fils ont péri dans le massacre mais ils obtiennent le droit de racheter à prix d'or ses deux filles, Timoxéna et Kallisthénia, ainsi que les deux enfants légitimes que cette dernière a donnés à mon père, Epiklês. Lorsqu'ils aperçoivent Mnasaréta, la fille du premier lit, et sa nourrice, ils se tournent en hésitant vers Kallisthénia. Mais celle-ci secoue la tête et Timoxéna aussi. Non, pas ces demi-barbares, pas ces deux crapauds à la peau bistre ! Mnasaréta ne cille même pas. Peut-être depuis toutes ces années ne s'attendait-elle à rien d'autre de la part de sa belle-mère ? Ou peut-être est-elle déjà perdue si loin dans la désolation que plus aucun outrage ne peut l'atteindre ? Sur l'agora, plusieurs autres citoyens des villes voisines tentent, après avoir récupéré des corps, de racheter les femmes et les enfants d'une famille alliée, sans parvenir toujours à surenchérir sur le prix offert par le marchand, qui entraîne alors sans faiblir ses nouvelles proies, encore plus désespérées d'avoir été presque sauvées.

Une deuxième fois, Mnasaréta et sa nourrice ont failli ne pas être vendues. Gorgidas, debout devant elle, guette un regard de soumission de sa part. Mais elle ne le lui envoie pas. Par rébellion ? Par incapacité à faire un geste ? Alors il hausse les épaules et s'éloigne. Lorsqu'il revient, accompagné d'un trafiquant de chair humaine du nom de Satyros, pour faire oublier à ce dernier le visage tuméfié de sa prisonnière, il ordonne d'une voix dure à cette fille trop jolie et trop bête d'enlever la fibule qui maintient le pan droit de sa tunique et d'exhiber sa poitrine (comme le feront ensuite des dizaines de clients, à Korinthos et au Peïraïeus, pour user d'elle, et, le dernier parmi tous ces hommes brutaux, Hypereïdês, au tribunal d'Athênaï, pour la sauver). Elle obéit sans répondre. Le Thébain saisit la pointe d'un de ses seins entre ses doigts, il la pince, il la tord, tout en vantant la docilité de la gamine. Elle ne réagit toujours pas. La douleur met plusieurs secondes à atteindre son esprit. Elle finit par saisir que Gorgidas tient à lui faire mal jusqu'à ce qu'elle crie. Alors, mécaniquement, elle crie. Aussitôt, il la lâche. Le marchand, alléché, discute à peine son prix. Quand Gorgidas s'est éloigné (et je ne le reverrai qu'aujourd'hui, quatorze ans plus tard, l'œil crevé mais toujours aussi arrogant), Manthanê, qui a récupéré la jeune statue inerte dans ses bras, s'adresse directement à son nouveau propriétaire : "Achète-moi avec elle ! Sinon, cette pauvre petite n'aura pas la force de survivre, elle se laissera mourir. Tu sais bien que c'est ce qui se produit pour la plupart d'entre elles, lorsqu'elles sont séparées de leur mère. Et tu perdrais ta mise. Alors que tu peux gagner beaucoup, si tu me laisses la soigner." Le marchand, qui voulait d'abord l'obliger à se taire, la regarde avec considération. Voilà une femme avisée ! Elle connaît les problèmes des malheureux négociants, qui tentent de gagner péniblement leur vie en s'occupant de ces satanées femelles. La marchandise humaine, c'est tellement fragile, il faut tellement s'en occuper, que, parfois, il se demande qui, d'elles ou de lui, sont les vrais esclaves ! Ah, là, là, quelle misère ! Manthanê, après l'avoir écouté jusqu'au bout se plaindre, s'éloigne à travers la foule pour chercher l'officier à qui elle a été donnée en butin, et le ramène en le tenant par la main. Il se laisse faire, et le marchand aussi. Ils se quittent en étant tous les deux ravis du prix qu'elle a négocié pour eux. La nourrice aide la jeune fille inerte à grimper dans le chariot, où s'entassent déjà une douzaine d'autres femmes et enfants. Elles quittent Thespiaï sans un regard. Manthanê une main passée autour de l'épaule de sa protégée et l'autre posée sur son ventre. Mnasaréta, le regard vide et les bras ballants. Elle n'émergera de sa torpeur que six mois plus tard.

Voilà, j'avais quatorze ans et c'était il y a quatorze ans. J'ai mis quatorze ans à revenir. À sortir de cette nuit, à ouvrir les yeux sur elle.

Voilà, maintenant, je suis debout devant le bassin des purifications. Tout mon passé posé sur mes épaules, comme une tunique précieuse et déchirée qui me recouvre enfin tout entière.

Maintenant je suis là.

De retour à Thespiaï.

De nouveau présente.

Après mon récit, il y a un long moment de silence. Le Sculpteur et moi, nous sommes les deux seules présences humaines dans le sanctuaire baigné de lune, mais j'ai l'impression que nous sommes environnés par le souffle des bêtes qui nous observent avec bienveillance. Nulle menace. Je me sens à la fois épuisée et pleine d'une énergie nouvelle, presque surhumaine. J'ai l'impression de tout comprendre. Je ne suis pas venue seulement retrouver mon passé mais m'en débarrasser, pas seulement réinstaurer le culte d'Erôs par fidélité à mon enfance, mais inventer dans ces montagnes grecques le culte nouveau d'Erôs Isodaïtês, qui permet de traverser la mort. Je m'agenouille au bord du bassin des purifications, sur la margelle de pierre que nous avons nettoyée dans l'après-midi. J'ai insisté pour que, à l'autre extrémité, nous laissions en état le coin d'herbe foulée de boue où les animaux sauvages viendront boire et, là-bas, l'éboulis à travers le mur du sanctuaire par où elles continueront à circuler. Au bassin de mes dieux, je laisserai toujours deux accès, l'un pour les humains et l'autre pour les bêtes. Je plonge ma main dans l'eau et je la passe sur ma nuque. Venant de la source toute proche, elle est fraîche et pure, comme celle dont Manthanê et la femme inconnue, qui était aussi le Jeune Homme ailé, ont lavé mon sexe souillé pour me le rendre. Jamais je n'ai ressenti une telle paix. Un tel accord épuisé avec le monde. Les grenouilles. Les insectes. Les serpents d'eau. Les longs poissons sombres qui affleurent à la surface. Plus rien ne me dérange. Plus rien ne me fait peur. J'accepte tout. J'ai mis tant de temps à accepter tout.

Et j'ai tellement parlé que je n'ai plus de mots. Rien que des sensations. Soudain, j'éprouve le désir de l'eau. Sur une impulsion, je descends dans le bassin. Il est peu profond, l'eau ne dépasse pas mes hanches, mais je me sens tout entière dans l'eau. Ou plutôt je suis tout entière l'eau. Sous mes pieds, je devine les dalles de pierre, mais aussi un reste de vase et de sable, qui fait un tapis très doux. Aussi doux que l'éclat de la lune et que l'éclat de la nuit, que le souffle du vent dans les arbres et que le souffle des animaux qui se mêlent dans l'air. Je suis la nuit parce que, ce soir, la nuit est comme de l'eau. Je répands les gouttes de nuit sur ma chevelure dénouée, sur mes épaules, sur mes seins. J'ai envie de revêtir d'eau mon corps nu. J'enlève ma tunique et je la dépose sur l'anse du vase des ablutions qui se trouve abandonné là près du bord. Et puis je me tourne vers le Sculpteur, qui m'a sauvée et que je vais sauver à mon tour. Je lui tends la main. "Viens !"

Après un instant d'hésitation, il descend à son tour dans le bassin. Il s'avance vers moi et je lui enlève sa tunique, pour qu'il soit nu lui aussi. Il est le seul de mes amants à n'avoir jamais voulu être initié mais, cette nuit, je vais lui donner le bain lustral. Lui mon ami, mon frère, mon fils, mon amour. Lui qui a su à la fois me dépouiller de mon image et m'aider à la reconstituer. Je vais lui expliquer le sens de ce rite parce que, grâce à lui, je le comprends enfin vraiment. Tu es un homme mûr, un artiste riche, célèbre, sûr de toi, Praxitélês, mais, maintenant que je verse sur toi l'eau du bain rituel, tu n'es plus qu'un jeune homme sans nom ni génie ni individualité, Isodaïtês en personne, et, sous mes caresses, qui sont les caresses d'Aphroditê, tu vas simplement participer à l'acte d'amour qui réunit la nature tout entière, dans lequel t'élever, t'exalter, oui, bien sûr, comme disent les poètes, mais aussi te perdre. Comprends-tu ce que je te dis ? Il n'y a rien d'impie, comme vous, les Athéniens, le croyez, rien de scandaleux, rien de débauché. Rien que de la vie, et rien aussi que de la mort. Rien que de l'oubli de soi terrible et nécessaire. Rien que du divin où l'humain ne peut qu'être brûlé, comme le bronze en fusion dans le moule. Ce n'est plus toi qui as sculpté l'*Aphroditê aux seins nus* et l'*Erôs aux ailes déployées*, mais c'est Elle qui, par mes mains, va te sculpter. Praxitélês, oublie que tu es Praxitélês. Renonce à toi. Ne sois plus qu'un corps d'homme nu face à un corps de femme nue. Ce sexe que je te désigne de la main, tu le découvres. Tu viens de là et tu vas y retourner. Ton regard d'homme est posé pour la première fois sur la nudité d'une femme : c'est à partir de ce regard et de cette énergie-là, en ayant oublié tout le reste, que tu devras revenir ensuite vers ta carrière future de sculpteur. Comprends-tu ?

Et soudain, alors que je continue à l'asperger d'eau, comme si je voulais dissoudre son corps jusqu'à ce qu'il n'en reste plus qu'un sexe dressé, je vois tout le reste, que je n'ai jamais saisi, et je le lui dis : "C'est dans cet état-là, dans cette innocence absolue du désir, que tu survivras un jour à ta mort. Tu te présenteras nu devant la déesse et son parèdre, dans la Grotte où naissent les deux Sources. Tu lui diras les paroles magiques et si simples : « Maîtresse, à moi qui suis mort de soif, donne de ton eau ! » Et, si tu as été assez humble, assez avancé dans l'oubli de toi, alors elle te donnera à boire une gorgée de l'eau de Mémoire et tu deviendras toi aussi un peu dieu, tu seras une goutte d'âme portée par la Rivière qui sort de cette source. Tu seras sauvé pour l'éternité. Mais si pendant ta vie terrestre tu as été encore trop attaché à toi, alors elle te donnera à boire l'eau de l'Oubli et tu redescendras sur son cours dans le cycle des incarnations. Tu te réveilleras sans mémoire dans un autre homme, qui sera moins génial que toi, mais dont le sexe de nouveau s'érigera, pour se donner moins orgueilleusement que tu n'auras su le faire. Ou peut-être renaîtras-tu dans une vulve ouverte ? Celle d'une femme, ou même celle d'une vache, d'une chienne, qui sait ? Peut-être tes yeux se rouvriront-ils pétales d'une fleur ? Peut-être te réveilleras-tu caillou, ouvrant ses pores à l'attente de la pluie et des rayons du soleil qui le lissent et lui arrachent délicieusement une partie de lui-même pour la dissoudre, l'incorporer à l'air et la recomposer ailleurs ? Qui sait l'ordre des métamorphoses que tu traverseras jusqu'au don complet de toi ?"

Il sourit doucement : "Mais tu deviens folle, qu'est-ce que tu racontes ?" Je ne sais pas. Ça parle. En versant à son tour, comme je le lui demande, l'eau lustrale sur mon front et sur mon buste, il me demande, tandis que son sourire ironique d'Athénien s'élargit encore : "Si moi, je dois renoncer à être un sculpteur génial, et à me croire l'auteur de mon œuvre, toi, Phrynê, qui es plus célèbre que moi, à quoi dois-tu renoncer de ton côté ?" À quoi ? Pas seulement à mon orgueil d'hétaïre, cela, je le sais depuis longtemps, grâce à l'enseignement d'Aâmet. Pas seulement à mon orgueil d'être belle, cela je le sais depuis toujours, grâce à celui de Manthanê. Il ne s'agit pas seulement de remettre ma beauté entre les mains de la déesse et de celui qui, au nom du dieu, va me posséder et qui sera le plus souvent beaucoup moins beau que moi. Non, je découvre cette nuit, grâce à Praxitélês, que je dois renoncer aussi à mon passé. Non pas en l'oubliant, oh non, comme je l'ai cru trop longtemps, mais au contraire en l'acceptant, tout entier, même ce pan maudit que je viens de faire ressurgir devant lui pour la première fois depuis tant d'années. Maintenant que je l'ai placée de nouveau sur mes épaules, je peux enfin laisser glisser dans le bain lustral la nuit ancienne du saccage. Maintenant que je suis entière, je peux me donner entièrement. Je renonce à mon père, à Phaïdros, à Attis aussi, en les acceptant tels qu'ils sont, morts, et vivants seulement en moi. Je renonce à ma honte et à ma colère qui ont été longtemps mes seules armes. Je renonce à mes amours. Le désir n'est pas l'amour. Il est plus fugace et plus profond. Il est plus exigeant. Suis-je arrivée au bout de mon chemin, cette nuit où je comprends et où j'accepte enfin ce rituel que j'accomplis depuis si longtemps ? Il ne me permet pas seulement de me moquer des Grecs comme ils se sont moqués de moi, de me venger d'eux en transgressant sous leur nez l'ordre de leur monde, de les atteindre en souillant leurs femmes libres (ce qui était encore ma motivation secrète au moment de mon procès, et ils avaient bien raison de me poursuivre et d'avoir peur de moi, mais maintenant ils auraient tort). Oh non, il me permet bien plus que cela, de les oublier en m'oubliant, et de renaître vraiment, neuve et nue.

Et ensuite ? Que me restera-t-il à faire ? Ça, je ne le vois pas. Vivrai-je ici à Thespiaï ? Retournerai-je là-bas à Athênaï ? Reviendrai-je vers eux mais pour leur donner quoi, si ce n'est plus, sous la surface complaisante du plaisir, la transgression qui les dérange ? Que dois-je encore leur apporter ? Comment les forcer, ces Grecs, à aller encore un peu plus loin dans leur métamorphose ? Oh je devine que mon parcours n'est pas achevé mais je ne vois pas où, dans ma nudité nouvelle, il doit m'emmener. Patience. Je ne peux que me remettre entre les paumes de mon dieu. C'est lui qui me conduira.

Bien sûr, tout cela, que je pressens à peine, je ne le dis pas au Sculpteur. Je ne lui parle que par mes gestes. Ces caresses très douces, par lesquelles j'exalte son visage, ses épaules, sa verge, lui, et aussi tous mes hommes, Phaïdros et Attis, Hypereïdês et Euthias, et même peut-être Gorgidas, et mon père, et son frère que je n'ai pas connu. Tous les hommes. Tous acceptés. Autrefois haïs et maintenant tous aimés. Je suis assez vaste et assez forte pour eux tous. Non, je suis bien plus vaste et bien plus forte qu'eux tous. Même leur égoïste violence, je l'accepte et je la métamorphose, sans qu'ils le sachent, en don de soi. Je sors du bassin comme Aphroditê de l'écume et je fais un geste pour que le Sculpteur et toutes les ombres qui l'environnent viennent me rejoindre hors de l'eau. Je l'invite à s'allonger sur le dos. Je l'approche de ma démarche souveraine. Les yeux brillants, il regarde ce geste délicat et impérieux que je fais pour lui montrer mon sexe humide dans l'attente de lui. Mon sexe que je vais refermer sur sa verge dressée et sur lui tout entier. La suite, je ne m'en souviens plus. Elle ne nous appartient plus. Je ne sais même plus si je jouis. Peut-être suis-je au-delà de l'orgasme ou en dedans de bout en bout. Lui aussi, il défaille dès le début et se perd mais je le retiens. Il crie longtemps. D'une voix plus aiguë que celle d'une femme, qui serait celle d'un animal étrange ou d'un dieu. Et moi d'une voix plus grave que celle d'un homme, qui serait celle de la déesse.

Ensuite encore, bien après, la mémoire me revient, du bruit se fait à l'entrée du sanctuaire. Hypereïdês, les gardes athéniens et mes femmes, Hermodotos et Lykeïna, mon jeune frère et ma jeune sœur, rentrent se coucher. Pour qu'ils ne nous surprennent pas nus, pour qu'ils ne nous condamnent pas à la plate réalité après ce que nous venons de vivre, sans nous être concertés, le Sculpteur et moi, nous ramassons nos vêtements et nous nous réfugions dans le temple, aussi souplement que les serpents qui y habitent. Nous nous allongeons sur le matelas unique, que j'avais demandé à Aâmet de faire préparer dans l'après-midi, près du groupe des trois statues nouvelles, dans l'idée que j'y passerai la nuit seule. Nous nous y endormons à deux. Sous la protection du dieu aux ailes immenses, sous le regard de la déesse aux seins nus, sous celui, aussi, de la femme que j'étais jusqu'alors, la Muette, dont le buste fragile d'absente se tient entre les deux statues en pied. Avant de sombrer, j'ai le temps de repenser une dernière fois à la petite Mnasaréta humiliée, gisant devant cette même statue de bois il y a quatorze ans. Je m'endors en la serrant dans mes bras pour l'entraîner dans mon sommeil apaisé. Elle n'est plus moi mais ma fille. Ce moment de grâce que je vis dans le temple, je le superpose au moment d'horreur. Comme si j'avais été capable de revenir dans le passé pour l'achever en le transformant. Comme si j'avais été capable de danser sous la lune aux côtés de mon père enfant et de son frère, sous le regard étroit du *Xoanon* qui nous attend là depuis toujours, parce qu'il mêle toutes les générations humaines dans la seule mémoire de l'intensité. La fente étroite de ses yeux et de son sourire. La faille à l'intérieur de laquelle je me glisse, vipère regagnant enfin la terre nourricière et la protection des Daïmones ses Pères.

Lorsque je me réveille au petit matin, je m'aperçois que quelqu'un a recouvert nos deux corps d'une couverture. Je ne sais pas qui a eu cette attention, après nous avoir contemplés dans notre repos. Aâmet, Herpyllis ou Lykeïna. Ou bien, et j'aime encore plus cette explication, même si je sais qu'elle n'est pas vraie, l'une des trois statues divines à visage humain que le Sculpteur et moi nous avons enfantées.

40

NOUVEAU DÉFI

Le lendemain matin, Gorgidas et son détachement thébain nous quittent, après nous avoir réitéré l'ordre de ne jamais entrer dans la ville morte ni d'établir une seule habitation en dehors du sanctuaire. Il peut bien me menacer de revenir, dans quelques mois, pour la première célébration des fêtes nouvelles d'Erôs, je n'ai plus peur de lui.

Hypereïdês nous quitte également. En hâte. Un messager est venu tout exprès d'Athênaï lui apprendre, de la part d'Isokratês, l'évolution terriblement dangereuse de la situation politique : l'Eubée, la grande île qui se dresse à quelques encablures du rivage de l'Attique, vient de se révolter brusquement contre l'Alliance. Or, derrière cette rébellion sanglante, une fois encore, c'est la traîtresse Thêbaï qui se dresse, plus menaçante que jamais. L'esquisse de rapprochement, symbolisé par la restauration du temple de Thespiaï, n'était peut-être qu'une ruse destinée à endormir la méfiance des plus naïfs parmi les Athéniens. Comme si l'histoire se répétait, parce qu'on n'en avait pas tiré les leçons, comme si l'affrontement fratricide entre Euthias et Hypereïdês n'avait servi à rien, Athênaï se trouve confrontée au même danger que lors de la révolte de Kéôs sept ans auparavant. En bien plus pressant encore. Car elle ne peut courir le risque mortel de laisser ce territoire menaçant directement ses côtes passer sous le contrôle des instructeurs thébains. Même moi, je m'en rends compte.

Mais, continue l'envoyé d'Isokratês, la crise est d'autant plus grave que les trois autres Alliés les plus puissants, Rhodos, Khios et Byzantion, tentent de profiter de l'occasion pour sortir eux aussi officiellement de la Ligue militaire : ils refusent tout net de participer à l'expédition commune de reconquête de l'Eubée et même d'acquitter la moindre taxe spéciale pour la financer. On craint déjà, dans les cercles bien informés du Conseil, qu'ils n'aient massacré les garnisons athéniennes et envoyé des émissaires pour tenter d'entraîner dans leur sécession Dêlos, Kôs et les dernières îles restées fidèles. Le travail de sape de la propagande autonomiste, mené en sous-main par Mausôlos, le rusé satrape de Karie, se révèle au grand jour. Et la catastrophe ne s'arrête pas là. Philippos, qui s'est emparé du pouvoir en Macédoine, y va lui aussi de sa petite traîtrise. Il profite qu'Athénaï soit mobilisée à ses portes par la révolte de l'Eubée pour mettre le siège devant l'ancienne colonie d'Amphipolis. Si ce soudard parvient à s'en emparer, et à faire main basse par la même occasion sur les mines d'or du mont Pangaïon, il aura les moyens de menacer directement les autres colonies du Nord, en devenant pour l'approvisionnement d'Athénaï un danger presque encore plus redoutable que Mausôlos au Sud. Le Grand Roi, de son côté, continue à faire construire à cadence forcée dans ses arsenaux de Phrygie des centaines de navires, dont on ne sait s'il veut les lancer contre l'Égypte ou contre la Grèce. Bref, tous les dangers qu'Hypereïdês m'avait indiqués au printemps viennent de se concrétiser ensemble au début de l'été. Athênaï est menacée sur tous les fronts, comme si ses ennemis, qui pourtant se détestent entre eux, s'étaient donné le mot. Isokratês demande à son élève de revenir dès qu'il le peut dans la cité, où l'on a besoin de son énergie mais aussi de la sympathie dont il jouit auprès des Alliés depuis sa plaidoirie en faveur des habitants de Kéôs, afin d'éviter, si c'est encore possible, une défection en chaîne.

Hypereïdês, qui a écouté ce compte-rendu la mine sombre, est allé se reposer quelques heures, avant de se mettre en route le lendemain matin. Mais il se réveille en pleine nuit, et décide de s'en aller sans plus attendre, après nous avoir fait brièvement ses adieux. À la fois prêt à la lutte comme d'habitude, furieux contre Thêbaï, dont il maudit à voix haute la bêtise, et si profondément préoccupé qu'il ne cherche même plus à déguiser son inquiétude sous un vernis de plaisanterie. J'ai rarement vu mon Sanglier dans cet état. Mes prières, jointes à celles de son amie, ne réussissent pas à le retenir. Il part à cheval sur la route de montagne dans l'obscurité, accompagné d'un seul soldat et du messager d'Isokratês. Il plante là Aristagora, la laissant avec moi, qui ne l'aime pas. Elle n'aura qu'à se mettre en chemin avec le reste de l'escorte dans quelques jours, quand elle souhaitera le rejoindre à Athênaï, où il la prévient qu'il n'aura guère de temps à lui consacrer. Dès le lendemain, elle nous quitte elle aussi. Soit qu'elle partage sincèrement l'inquiétude d'Hypereïdês, soit qu'elle veuille simplement empêcher Myrrhina de lui remettre le grappin dessus : il n'est pas homme à dormir seul plus d'une nuit, surtout lorsqu'il a des soucis. Peut-être les deux raisons sont-elles valables, après tout. L'altruisme d'une hétaïre se limite, dans le meilleur des cas, à étendre son égoisme à la personne de son amant. Nous ne sommes, d'ailleurs, guère différentes de ces cités et de ces royaumes, dirigés par des hommes qui nous rebattent les oreilles de leurs valeurs généreuses mais dont la conduite se révèle aussi férocement individualiste que la nôtre. Dans ma nouvelle sagesse, je ne m'étonne plus de rien. Je comprends tout. Même cette naïve profiteuse d'Aristagora, même ces puissances militaires destructrices et aveugles, je les accepte désormais comme faisant partie de l'ordre inévitable du monde.

Pendant toute cette période, mes divers correspondants me donnent régulièrement des nouvelles d'Athênaï, qui s'épuise dans une atmosphère de surexcitation permanente. La révolte de l'Eubée, comme autrefois celle de Kéôs, a été matée dans le sang. Mais pas celle des trois autres grands Alliés rebelles. Au contraire, la sécession s'étend, une guerre générale menace. Mausôlos est en train de gagner le combat des idées, qui précède celui des armes. Pour se venger de ce camouflet, pas seulement militaire mais aussi idéologique, qu'est en train de leur infliger un Karien, un demi-barbare d'une race d'esclaves pour laquelle ils n'éprouvent que du mépris, les Athéniens passent leur temps à s'entredéchirer. Ils traînent en justice les stratèges des années précédentes, à qui ils font boire la ciguë à tour de bras. Plusieurs de mes anciens clients, dont le brillant Kallistratos, sont obligés de s'enfuir précipitamment pour sauver leur peau. Hypereïdês n'est pas le dernier à participer à cette curée et il pousse au tribunal de retentissants coups de gueule. J'ai l'impression qu'il se prend pour Hêraklês lavant les écuries d'Augias du torrent de ses paroles. Mais, vus de loin, ces règlements de comptes permanents, dans lesquels se complaît leur démocratie, me paraissent vains. Peut-être leurs dirigeants sont-ils des incapables mais je me demande si les Athéniens ne mettent pas tant d'énergie à condamner leurs faiblesses individuelles que pour s'éviter d'avoir à réfléchir aux véritables causes de la rébellion des Alliés et aux changements profonds en cours dans le monde grec. Hypereïdês, dans ses lettres, mentionne de plus en plus souvent le nom de Démadês. L'ancien matelot est devenu l'un des démagogues les plus féroces et les plus écoutés de la populace. Je revois le sourire cynique de celui qui voulait me persuader qu'il n'y avait aucune honte à avoir été putain, parce que tous ses concitoyens l'étaient plus ou moins. Je sens bien qu'Athênaï est en train de rater piteusement sa métamorphose. Ce que je tente de réussir d'un point de vue individuel, la cité le manque d'un point de vue collectif.

Dans les hauteurs du temple de Thespiaï, je me consacre avec bien plus d'allégresse à préparer les cérémonies des Erôtidia, qui marqueront la renaissance officielle du sanctuaire. Je veille à respecter l'interdiction de nous approcher de la cité morte, même si à plusieurs reprises je rêve de la maison de mon père et du temple d'Aphrodîtê Mélaïna, dont les ruines m'appellent. Mais je résiste obstinément à cette voix sourde. Je vis dans l'inquiétude de voir revenir Gorgidas avec ses soldats, pour nous chasser du sanctuaire, à la suite de la réouverture des hostilités entre Athênaï et Thêbaï. Je me trompe. Mon ennemi personnel ne se montre pas. Je me dis alors que les Thébains, qui ont échoué en Eubée et qui se retrouvent maintenant stupidement seuls aux prises avec les menaçants Thessaliens, ont dû oublier notre petit sanctuaire perdu dans la montagne. Je me trompe encore : la cité du Dragon garde un œil sur nous. La veille du premier jour de la fête, nous voyons arriver, répondant sans prévenir à notre invitation, le clergé du prestigieux sanctuaire abritant à Thêbaï la tombe de Dionysos. Il vient honorer la cérémonie de sa présence, en vérifiant au passage que nous sommes bien une troupe d'illuminés pacifiques et non une force d'occupation athénienne déguisée. Oh, nous n'avons droit qu'à des officiels de second rang. Non pas l'un des dignitaires du culte, ni l'un des Béotarques, mais leurs représentants. Non pas Gorgidas, mais l'un de ses équivalents. J'en suis presque vexée, même si je ne veux pas le reconnaître, tant j'avais le désir d'éblouir ce soldat par mon assurance hautaine de grande prêtresse. Depuis plusieurs semaines, je me préparais, sans me l'avouer vraiment, à le recevoir au faîte de ma puissance. Mais je comprends que mes dieux me refusent la satisfaction médiocre de la revanche. La délégation thébaine fait mine de ne pas remarquer celle d'Athênaï, où ne figure pas non plus Hypereïdês, retenu par ses efforts désespérés pour éviter la guerre ouverte entre sa cité et l'ensemble de ses alliés.

Mes divers clients se sont mobilisés dans tous les coins de la Grèce et de l'Asie pour faire venir les prêtresses des sanctuaires d'Aphrodîtê, dont celles du Grand Temple de Korinthos où j'ai survécu quelques mois. J'ai aussi la surprise de voir arriver des prêtres de Sabazios, le dieu extatique de Thrace et de Phrygie, des fidèles de l'étrange Artémis d'Asie venant d'Ephésos, des sectatrices d'Anaïtis en provenance de la Perse Sousa, de Damaskos, des cités phéniciennes de Sicile et même de la lointaine Arménie, le royaume mythique des récits de mon père. C'est Aâmet qui a fait appel à eux par l'intermédiaire des thiases qu'elle a fondés ou avec lesquels elle est en relation. Je découvre alors ce dont j'aurais dû me douter depuis longtemps : le mien n'est que l'un des fils les plus récents de cette toile d'araignée presque invisible qu'elle s'efforce de tendre par-dessus les deux mers, réseau fragile mais qui dépasse largement les limites du monde grec. Les pèlerins et les curieux se sont rassemblés autour du sanctuaire en une foule bigarrée de costumes et de langues. Dans la vapeur du soleil de midi, il me semble que j'y aperçois par instants la petite troupe livide de mes morts, qui est venue d'encore plus loin, du pays des Cimmériens, pour répondre à l'appel de mes dieux. Je n'ai pas le droit d'approcher mes fantômes mais je crois qu'ils me sourient.

Les fêtes sont belles et, comme nous l'avions prévu, la consécration des trois statues du prestigieux Praxitélês, en présence de l'artiste, leur donne encore plus d'éclat. Mais ce n'est pas ce moment-là qui m'émeut le plus. Pour la première fois depuis plus de quinze ans, après trois rendez-vous manqués, un chœur de jeunes filles danse devant le temple d'Erôs. Bien qu'elle n'ait aucun lien avec Thespiaï, j'ai choisi Lykeïna pour prendre ma place de coryphée, parce qu'à presque treize ans elle est emplie d'une gravité frémissante qui me bouleverse. Elle n'est pas liée par le sang mais par l'âme à mon passé et à la cité disparue. Sous les yeux d'Hermodotos, j'enseigne à ma jeune suivante les pas de la chorégraphie du dieu ailé que j'avais élaborée à son âge et que je devais exécuter l'été de la catastrophe. Je lui accorde la permission de changer certains mouvements mais elle n'en a nul besoin. Lykeïna n'invente rien mais elle transcende tout. Parfois, en la regardant, et en regardant Hermodotos la regarder, je sens affleurer au bord de mes paupières les larmes de Manthanê. Je ne danse pas moi-même parmi les vierges autour de l'autel du dieu, ce moment-là qui a été manqué ne pourra plus jamais advenir, et pourtant il est si doux et si poignant de regarder Lykeïna le vivre à ma place. Le malheur passé donne peut-être encore plus d'acuité et de profondeur à mon bonheur présent.

Praxitélês finit par se décider à me quitter lui aussi et par rentrer à Athênaï, où ses assistants, Démétrios et Androsthénês, l'appellent avec de plus en plus d'insistance. Je lui confie Hermodotos, qui se résigne sur mon ordre à quitter Lykeïna pour poursuivre dans la capitale de l'esprit sa formation intellectuelle, sous la conduite des meilleurs pédagogues. Hypereïdês m'a promis de les choisir avec autant de soin que s'il s'agissait de son propre fils. Le Sculpteur ne fera qu'un bref détour de courtoisie par Delphoï. Certains de ses amis y travaillent à la reconstruction du grand temple d'Apollôn, détruit par un tremblement de terre il y a quinze ans, un peu avant le saccage de Thespiaï. Le sanctuaire ne pouvait, bien sûr, rester dans le même état de ruine que ma ville natale mais Praxitélês m'apprend que le conseil des peuples grecs peine à financer les travaux. Chacune des cités préfère, dans cette période troublée, consacrer l'essentiel de ses ressources à ses dépenses militaires. Le Sculpteur prévoit de ne rester que peu de temps dans la ville sainte. Il a hâte de s'enfermer au fond de son atelier athénien et de se mettre au nouveau projet secret qui l'obsède. Il ne m'en parle pas mais je sais de quoi il s'agit. Je le devine. Je suis fière de lui. Et de moi aussi.

Quelques jours avant son départ, je lui annonce que je suis enceinte. Cette fois-ci, je ne peux douter que l'enfant soit de lui. De nouveau, il me demande de le garder pour le lui donner et j'accepte. Je me plais à penser que nous l'avons conçu la nuit de son initiation dans le bassin du sanctuaire et c'est peut-être vrai. J'ai très envie que ce soit une fille. J'en suis arrivée à un si haut point de puissance que, ce que je veux, le monde le fait advenir. Praxitélês acceptera avec joie cette enfant parce qu'elle sera une autre moi, comme mon père emportant pour tout bagage de la cour du satrape d'Arménie celle qui lui rappelait le visage de son épouse morte. Ou peut-être que l'Athénien la refusera, parce qu'elle ne sera pas un rejeton mâle, et que Philomélê, sa femme, ne voudra pas accepter chez elle une descendante destinée à lui présenter en permanence le visage de sa rivale. Alors je pourrai m'autoriser à la garder. En fait, c'est cela que je désire. J'ose à peine encore me l'avouer. Nikarétê, si elle était là, lèverait les yeux au ciel mais Aâmet se contente de sourire.

À ma grande stupéfaction, au début de l'hiver, j'accouche d'un garçon. Un deuxième fils. Pendant plusieurs jours, je me demande pourquoi la déesse m'a joué ce nouveau tour. Exige-t-elle que je lui sacrifie jusqu'à mon désir de me perpétuer dans une fille ? Et que je fasse don de tout, même de l'enfant que je voulais pour moi ? Aâmet me souffle le reste de la réponse : je n'ai pas eu deux fils mais trois, et le seul que je suis destinée à garder n'est pas de moi. J'ai toujours considéré Hermodotos comme le frère cadet ou le petit cousin que m'aurait donné le hasard mais l'Égyptienne m'invite à regarder plus profond en moi-même. Depuis que je l'ai confié aux soins d'Hypereïdês, pour que l'orateur lui fasse donner l'éducation d'un jeune Athénien accompli, depuis ce jour-là où il vit loin de moi, ne me manque-t-il pas autant que s'il était issu de ma propre chair ? Peut-être, pour la prêtresse d'Isodaïtês que je suis devenue, la filiation ne pourra-t-elle jamais s'éprouver que dans le manque ? L'amour que dans le renoncement ? Accepte, accepte, souffle doucement l'Égyptienne sur la brûlure à vif de ma déception, les seules filles que tu auras jamais seront celles de ton thiase. Celles que tu formeras pour être les hétaïres les plus expertes et les plus libres que la Grèce ait jamais connues. Je finis par me résigner. Je remets moi-même l'enfant à Philomélê venue le chercher, sans qu'on ait besoin cette fois de me l'arracher par traîtrise. Elle lui donne, sans me consulter, le nom qu'elle a choisi, Timarkhos, parce qu'il le relie à sa propre famille.

Je ne fais mon véritable retour à Athênaï, dans ma maison de la route d'Eleusis dirigée par Herpyllis, qu'au printemps suivant. Je suis restée absente une année entière. Mais je reprends instantanément ma place au centre de la fête athénienne. Grâce aux soins de Nikarétê et d'Aâmet, mon corps a récupéré toute sa souplesse. Pas la moindre vergeture, pas la moindre craquelure dans le marbre souple et inaltérable de ma peau, comme si je n'avais pas affronté pour la deuxième fois l'épreuve de l'enfantement, comme si le temps, la vie et la mort, n'avaient pas de prise sur moi. Les plus inspirés de mes amants composent en mon honneur des poèmes qu'ils déclament pendant les banquets, et où ils prétendent qu'Aphroditê, pour me remercier de l'incarner si divinement, a obtenu de Zeus qu'il m'octroie l'immortalité. Je les laisse chanter faux avec un sourire moqueur mais je me surprends parfois à croire qu'ils disent vrai.

Même si je me sens de plus en plus éloignée d'eux, et peut-être de plus en plus supérieure à eux, je retrouve avec un plaisir infini mes anciens amis. Hypereïdês est celui qui recourt le plus souvent à mes services, pour se délasser de la mission presque impossible que lui a confiée Isokratês. De partout, l'Alliance craque. La petite île de Dêlos, qui était autrefois l'un des soutiens les plus fidèles d'Athênaï, et le centre officiel de la première Ligue fondée par la génération glorieuse des guerres médiques, vient de glisser à son tour dans la sécession. Kôs menace de suivre. Malgré ses coups de boutoir, ses inspirations généreuses et ses traits d'humour, qui lui acquièrent la sympathie de l'assemblée athénienne mais aussi celle des ambassadeurs, le Sanglier échoue à modifier assez les relations entre sa cité et les Alliés, pour transformer au dernier instant ce protectorat forcé en une authentique confédération. Il commence à avoir peur de l'échec. Alors il revient vers moi. Il veut se persuader qu'il garde l'énergie de sa jeunesse. Il veut que je le rassure de mes caresses et de mon inaltérable détachement, dont il pressent qu'il est proche désormais de la paix intérieure. J'essaie de le rasséréner du mieux que je peux mais j'éprouve de plus en plus de difficulté à faire semblant de m'intéresser à la guerre qui approche. Seule ma tendresse pour Hypereïdês parvient à me rapprocher parfois de l'angoisse et de la rage des Athéniens, qui voient leur ancien empire se déliter en une mosaïque d'égoïsmes revanchards. Quand il se réfugie dans mes bras, mon ami me confie le dégoût qu'il éprouve devant l'étroitesse de vue des deux cliques se disputant le pouvoir : d'un côté les bellicistes, rangés derrière cette vieille baderne d'Aristophôn, tentant de susciter dans le peuple les réflexes nationalistes les plus primaires ; de l'autre les pacifistes, groupés autour d'Euboulos, défendant les intérêts des milieux d'affaires, qui n'ont plus d'autre valeur que leur enrichissement personnel et ne demandent à la cité que de les laisser exploiter tranquillement leurs mines et leurs esclaves. Son ancien camarade de virée, Léôkratês, fait partie de cette mouvance-ci. Hypereïdês se sent de plus en plus isolé. Il n'arrive pas à entraîner dans son combat son plus vieil ami, le seul qu'il admire, l'austère aristocrate Lykourgos. Ce dernier préfère prolonger éternellement sa formation, en déroulant de ses mains toujours aussi blanches le manuscrit des dialogues de Platôn et ceux des nobles tragédiens du temps jadis. Hypereïdês est un orateur et non un guerrier, pourtant, dans son impuissance furibonde, il commence de plus en plus à m'évoquer mon père. À plusieurs reprises, il parle d'abandonner la politique et je l'y encourage.

Myrrhina m'a boudée à mon retour pendant plusieurs semaines. Une telle persévérance de sa part est tout à fait extraordinaire. Elle m'en veut d'avoir laissé sa rivale Aristagora accompagner notre ami à Thespiaï. Pour se faire pardonner, Hypereïdês l'installe dans sa maison de la Porte des Cavaliers, qu'il a pourtant prévu de donner à son fils, Glaukippos, à l'occasion de son mariage. Scandale. Quant à Aristagora, il l'installe dans une autre de ses maisons, celle du Peïraïeus. Là, pas de fils à chasser, donc pas de scandale. Mais, quelques mois plus tard, pour punir son infidèle maîtresse d'y avoir accueilli d'autres hommes sans sa permission, il n'hésite pas à la traîner en justice sous un prétexte quelconque, et, blessé dans son orgueil, pousse l'acharnement jusqu'à la faire condamner et vendre comme esclave. Ses amis le félicitent d'avoir su se montrer aussi intraitable avec une traînée. Moi, je ne supporte pas qu'il s'attaque à une femme, même à une sotte comme Aristagora, et nos relations se refroidissent considérablement. Il s'en moque, d'ailleurs, parce que Myrrhina ne se lasse pas de le remercier d'avoir sacrifié sa rivale. Dans l'extase, elle lui jure qu'elle lui est d'une fidélité absolue : "La preuve, lui glisse-t-elle, c'est que mes autres amants, je les reçois chez eux, jamais dans la maison que tu m'as donnée !" Il en éjacule de rire. Mais, quand il a un peu récupéré son souffle, il lui murmure à l'oreille : "La maison que je t'ai prêtée, ma chère". Myrrhina finit par se réconcilier avec moi, pour ne pas se priver trop longtemps du plaisir de raconter ses frasques à une femme capable de les comprendre. D'une manière bien différente de la mienne, dans la fidélité à sa propre versatilité, elle paraît échapper autant que moi aux atteintes du temps.

Lagiskê, elle, n'a pas besoin d'habiter chez Isokratês pour supplanter son épouse officielle. Elle se fane très élégamment en aidant son grand homme à affronter la vieillesse. Elle n'est plus vraiment une hétaïre, mais ce que les Athéniens appellent une "pallatrix", la compagne officieuse, la vraie femme de cœur. Il pourrait la renvoyer à tout moment, car rien ne le lie à elle officiellement. Pourtant, la position de mon amie, bien que tacite, est presque aussi solide que si elle était consacrée par un mariage. Isokratês ne lui est attaché que par le pouvoir discret qu'elle a pris sur son âme mais la société entière, les hommes comme les femmes, le lui reconnaît, dans les cérémonies publiques aussi bien que dans les banquets. De toute façon, elle a épargné assez d'argent pour pouvoir se retirer, seule et libre, si elle le souhaitait, dans la rarissime et paisible indépendance de la femme qui ne dépend plus d'aucun homme. Je trouve qu'elle n'a jamais été aussi belle qu'à cette époque où elle se survit à elle-même dans le doux rayonnement de son sourire et de sa conversation, qui n'est même plus de la séduction mais du charme à l'état pur. Auprès d'elle je me réchauffe, et je m'étonne : il y a en elle un mystère qui m'échappe et qui est le plein accord avec soi-même. Je sais qu'elle se plaît aussi en ma compagnie, qu'elle y trouve la même assurance et le même réconfort. Nous sommes deux astres féminins d'énergie différente mais de même stabilité. Si Myrrhina est la comète, qui traverse le ciel en le zébrant de sa chevelure, je suis la lune dans tout son cycle et Lagiskê l'étoile fixe.

J'apprends que, l'hiver précédent, même le clochard Kratês a fini par trouver une femme. Et très jolie, en plus, très délicate. Elle s'appelle Hipparkhia. Issue d'une riche famille d'une bourgade de Thrace, elle est arrivée en Attique quelques mois auparavant, pour tenter de retrouver la trace de son frère. Elle avait toujours eu de l'autorité sur lui et c'est elle qui lui avait inspiré le désir de venir faire ses études à Athênaï. Il était censé y apprendre auprès d'Isokratês la rhétorique et l'art du pouvoir mais il s'était entiché de philosophie et avait disparu sans laisser d'adresse. Elle a fini par le retrouver au milieu de la troupe famélique qui entourait Diogénês. Au lieu de persuader son frère de revenir à la maison et à ses devoirs de futur chef de famille, elle est tombée amoureuse du plus loqueteux des voyous que celui-ci fréquentait. Même si je feins de m'en étonner dans les banquets, pour faire rire mes invités, je suis bien placée pour savoir que l'esprit acerbe de Kratês peut commencer d'intriguer et, sous sa carapace de crasse et d'agressivité, ses manières touchantes de garçon inquiet finir de séduire. On dit que le frère d'Hipparkhia, l'apprenti cynique, redevenant brusquement un homme responsable dès lors qu'il s'agissait de la vertu de sa sœur, a tout fait pour la dissuader de se donner au maître qu'elle s'était choisie. Mais elle lui a juré qu'elle se tuerait sous ses yeux, s'il voulait l'en empêcher. Elle lui a demandé au nom de quel principe il prétendait la détourner de suivre le même chemin que lui : "Vous vous glorifiez, lui a-t-elle dit, de vivre comme des chiens, mais, dans le pur état de nature auquel vous aspirez, les chiennes ne vivent-elles pas en bande avec leurs mâles, d'égal à égal ? Je prétends abandonner le rouet pour me consacrer à la sagesse ; même si j'en meurs, n'aurais-je pas gagné ma vie, au lieu de la gâcher comme toutes les autres femmes ?" Ce sont ces propos, que les Athéniens me rapportent, incrédules ou scandalisés, plus encore que la bizarrerie de son amour, qui me font m'intéresser à cette Hipparkhia. On dit que Kratês a tenté noblement lui aussi de la faire revenir à la raison. Il lui a expliqué qu'il n'aurait à lui offrir pour table que les poubelles, pour lit que les marches d'un temple, et pour couverture qu'un manteau troué. Elle a répondu qu'elle acceptait tout avec reconnaissance. En bon chien qu'il était, a-t-il ajouté, il l'épouserait à sa façon, c'est-à-dire qu'il la prendrait comme une chienne, devant tout le monde, quand il lui plairait. Elle a dit oui à cela aussi. Alors il l'a fait. En plein jour, dans le temple de la Grande Mère, devant les fidèles offusqués, au milieu de sa bande de clochards à moitié abrutis par la sagesse et le soleil, sous les yeux du frère d'Hipparkhia, il l'a déflorée, sans autre cérémonie. Mais elle est restée.

Et l'on raconte que, son Kratês, peu à peu, tout en se montrant sa chienne fidèle, elle l'humanise. Il ne se moque plus des gens, comme son maître Diogénês, il ne les insulte plus, il ne leur donne plus en paroles des coups de bâton jusqu'à ce qu'ils les lui rendent en vrai, il les engueule encore mais avec plus de douceur. Ils ont inventé à deux une nouvelle façon de convertir les autres à la philosophie : ils s'introduisent dans la première maison ouverte qu'ils trouvent sur leur chemin, pour expliquer à ses habitants, qui croient la posséder légalement, qu'en réalité le monde n'appartient à personne. Ils mangent dans les assiettes de leurs hôtes improvisés et dorment dans leurs lits, en leur offrant en échange quelques poux et le conseil urticant de les suivre dans la voie du renoncement, jusqu'au jour où l'on finit par chasser en riant ces fêlés pacifiques. On dit que Kratês se lave désormais dans les ruisseaux et les fontaines, et non plus simplement en frottant sa crasse contre les murs, lorsqu'elle le démange trop. On dit que ce couple de fous fait de la poésie, qu'ils improvisent à deux des hymnes au soleil si beaux et si elliptiques que même leurs disciples ne parviennent jamais à en retenir que des fragments. On dit aussi que, lorsqu'il fait trop froid la nuit, au lieu d'enlever leur manteau seulement pour s'exercer à braver la douleur, comme Diogénês, ils l'étendent sur les sans-abri qui squattent les temples, et même qu'ils s'allongent sur eux, afin de les réchauffer de la chaleur de leurs deux corps et de leur commune force d'âme. On dit enfin qu'elle attend un enfant. Je me demande ce qui sortira d'elle, un philosophe ou un chien.

Je ne sais pas trop quel sentiment j'éprouve à l'égard de cette Hipparkhia, de l'admiration, de la jalousie, du dégoût. Mais l'image de cette Thrace que je n'ai jamais rencontrée me poursuit souvent. Je la vois en rêve. Elle s'approche de moi, je la reconnais aussitôt, je sais que c'est elle. Elle me demande de la suivre dans les rues pour nous consacrer au culte du soleil et chercher ensemble notre nourriture dans les poubelles. Pour être aussi l'une des chiennes de Kratês. Il me baisera par-derrière, devant tout le monde, et je ne pourrai m'empêcher de glapir de plaisir. J'ai un frisson d'horreur lorsque le spectre d'Hipparkhia, posant sa main de souillon sur moi, me dépouille de ma tunique précieuse, afin que j'aille comme elle nue à travers les rues. Puis je me rends compte que sa main est pure et que c'est moi qui suis sale. L'odeur pestilentielle, elle vient de mon propre corps. D'entre mes jambes, pourtant lavées de frais et parfumées. Je me réveille furieuse contre ce rêve et contre cette Hipparkhia. Si jamais son malheureux enfant vient à son terme et que Kratês la persuade de l'abandonner, en l'exposant dans une jarre contre le mur d'enceinte du temple de Kybélê qui leur sert de maison, c'est moi qui le recueillerai. Je l'élèverai à ma façon. Je lui transmettrai ma propre forme de sagesse. Je lui enseignerai à tenir le luxe à bonne distance, c'est-à-dire en jouissant de lui sans être sa victime. Je lui apprendrai à honorer le nom généreux d'Isodaï-tês et à sourire de ces bandes de philosophes clochards qui, rejetant tout, ne comprennent rien. Et surtout de ce couple tristement pittoresque de Kratês et Hipparkhia, qui devient peu à peu l'une des attractions touristiques de la ville mais qui est sûrement très malheureux, parce qu'il se voue à un culte de la pauvreté aussi obsessionnel que celui de la richesse. Je l'inciterai à se tenir prudemment éloigné de ces deux êtres, dont je ne lui révélerai jamais qu'ils sont ses parents, afin qu'ils ne puissent lui faire de mal, et à se gausser de leur effort désespéré pour se conduire comme des chiens, alors qu'ils sont des humains.

Seul de mes amis Praxitélês me déçoit. Au lieu de se consacrer à sa grande œuvre, celle qu'il a dans la tête depuis notre nuit de l'initiation, il répond à des commandes. Lucratives, inutiles. Par exemple, un *Apollôn* gracile, qui perd son temps, appuyé d'un bras contre le tronc d'un arbre, le couteau levé, à guetter un lézard, pour le seul plaisir de se donner à lui-même la preuve de sa rapidité d'exécution, au lieu, l'arc en main, d'affronter la meute des loups. Même les garçons qu'il représente ont désormais un peu de mon visage. On le remarque, on m'en félicite et je m'en agace. Leur grâce d'androgyne se fait de plus en plus féminine, je l'en félicite et je m'en agace. C'est bien, c'est très bien, c'est très nouveau et très troublant, ou plutôt ce l'était il y a quelques années, je t'encourageais alors dans cette voie, sculpteur de mon cœur, mais ce n'est plus maintenant qu'une échappatoire !

Une nuit, pendant le banquet qu'il donne pour fêter son *Apollôn Sauroktone* et où il m'a demandé de m'asseoir sur sa banquette comme sa concubine, je finis par sortir de mon élégante réserve et par l'agresser : "C'est si difficile ?

— Pardon ?

— De sculpter le corps nu d'une femme ?"

Il voit que j'ai compris et il soupire : "Tu sais ce qui me pose problème ? Eh bien, ça, justement ! Le sexe, ces quelques centimètres de chair. Juste une incision, n'est-ce pas, quelques coups de ciseaux ? Mais je ne saurai pas les donner. Et puis, indiquer le relief des lèvres ? Dessiner la toison ? Les poils ? Non, ma main n'est pas formée pour ça. J'aurais l'impression de commettre une vulgarité. Une faute. D'offenser Artémis.

— Tu n'en es plus à Artémis depuis longtemps. C'est Aphroditê que tu es en train d'offenser, mon cher, en te dérobant à ce qu'elle t'ordonne.

— Que veux-tu que j'y fasse ? Il y a quelque chose en moi qui résiste. D'ailleurs, honnêtement, je me demande s'il n'est pas préférable de continuer à se perdre dans les drapés voluptueux des tuniques. À quoi bon soulever le voile ? Pour montrer quoi ? Un presque rien ? Un simple poli au lieu de tous ces plis délicieusement compliqués ? Est-ce qu'artistiquement ça vaut la peine ? Est-ce qu'on n'y perd pas au change ?" Je fronce les sourcils. Il poursuit : "D'ailleurs, si moi, le sculpteur, je suis gêné de représenter ça, mes spectateurs ne vont-ils pas l'être encore plus de le regarder ? Les Grecs, et même parmi eux les Athéniens, sont-ils prêts à contempler en face un corps de femme nue ? Dans la réalité, oui, peut-être, et encore. Tu sais bien que souvent nous faisons l'amour à nos femmes sans les déshabiller ni les regarder vraiment. Quant aux hétaïres, aux flûtistes, elles dansent, elles bougent !

— Tu me déçois. Tu as oublié la nuit du temple de Thespiaï ? Alors qu'attends-tu, Sculpteur ? Serais-tu par hasard plus lâche que moi ?"

J'ai parlé de ma voix claire et nette de déesse, je lui ai donné la leçon et je crois l'avoir assez bousculé pour le tirer de sa coupable inertie. Il boit silencieusement plusieurs gorgées de sa coupe. J'ai l'impression qu'il se donne un prétexte afin de mettre un terme à cette conversation gênante. Mais, à ma grande surprise, il revient de lui-même à la charge. Cette fois-ci, c'est lui qui m'attaque. Et pourtant, il me parle à voix très basse, sans même tourner les yeux dans ma direction, comme s'il craignait qu'on ne nous entende et voulait donner le change : "Oui, cette nuit-là, tu t'es mise nue devant moi, et j'ai su te regarder mais c'était dans l'intimité. Ce que tu me demandes maintenant est tout autre : il s'agit de t'exhiber au public, de te partager avec ceux qui ne te méritent pas. Y es-tu toi-même prête ?" Bien qu'il continue à parler tout doucement, il s'échauffe un peu : "Regarde comment tu t'habilles ! Ces longues tuniques chamarrées, provocantes, mais qui te couvrent de la tête aux pieds ! Elles font partie de ta légende, n'est-ce pas ? Alors que tu es la seule hétaïre qui dérobe son corps aux yeux du public, tu m'en veux de refuser de sculpter une femme entièrement nue ? Tu peux m'expliquer ce paradoxe ?" Soudain, il ajoute d'une voix plus sourde : "Les autres disent que tu refuses de te montrer par un artifice de séduction mais moi, je sais d'où te vient cette pudeur, tu m'en as confié toi-même le secret la nuit du temple. Ne peux-tu te figurer que je ressens la même réticence que toi ? Bien sûr, je pourrais continuer à prétendre, comme je l'ai fait tout à l'heure, que, si je ne veux pas représenter une femme entièrement nue, c'est parce qu'il est artistiquement plus gratifiant de se concentrer sur les plis bouillonnants de sa tunique, mais c'est faux. En vérité, c'est parce que je suis pudique. Je serais gêné de sculpter ta nudité autant que toi de la montrer. Je me souviens très bien de la nuit près du bassin de Thespiaï, cette image, je l'ai dans la tête, comme une ou deux autres de toi, que je garde depuis le jour de notre rencontre. Mais de là à l'inscrire dans le marbre pour la présenter au public, non, cela me gêne. Exactement. Comme toi. Ma pudeur d'homme." Après un temps de silence, il reprend sur un ton plus léger, dans lequel je sens affleurer de nouveau la maîtrise de l'Athénien habitué aux joutes d'esprit : "Tu m'as déjà presque forcé à représenter une femme à demi nue, regardant son sein dans le miroir. Eh bien, je n'irai pas plus loin. Désolé, ma chère Phrynê, trouve un plus jeune qui sera capable de le faire. Ou un moins amoureux."

Il porte de nouveau la coupe à ses lèvres, très satisfait de la façon galante dont il a réussi à triompher de moi dans une conversation mal engagée. Mais il s'arrête en plein milieu de son geste, comme si une idée inattendue était en train de se former, une petite fantaisie inspirée par un Silène moqueur, et qu'il lui laissait le temps de se développer jusqu'au bout. Puis il se tourne vers moi, et, en me regardant cette fois dans les yeux, un franc sourire aux lèvres : "Ma chère Phrynê, me déclare-t-il, je te retourne le défi ! Le jour où tu te dénuderas de nouveau, non pas dans l'intimité mais en public, alors je me mettrai à sculpter à ton image une Aphrodite entièrement dévoilée ! Voilà le jeu de fin de banquet que je te propose, à la place d'un banal kottabe ! Si tu te déshabilles, là, maintenant, devant nous tous, et que tu sors dans la rue, non, non, d'accord, ne me regarde pas ainsi, je vais être gentil, je te demande seulement de le faire ici, dans cette salle de banquet, alors je te jure sur ce que j'ai de plus cher, sur ta tête chérie, que, l'instant d'après, je quitterai cette fête que je donne chez moi, j'irai m'enfermer dans mon atelier et je n'en sortirai plus avant d'avoir enfin esquissé cette *Aphrodite* qui me rebute depuis tant de semaines. J'ai déjà le bloc de glaise posé sur mon établi, et même le bloc de marbre m'a été livré. Ils n'attendent plus qu'un geste de toi, ma chérie !"

Cette fois, il a parlé à voix suffisamment haute pour que tous les invités se taisent. Ils m'observent avec curiosité, le même sourire amusé que lui aux lèvres. Je soutiens sans peine le regard de Praxitélês et mon bras se replie déjà gracieusement vers la fibule de ma tunique. Avec les doigts d'une seule main, dans un geste qui restera élégant tant il m'est habituel, je suis capable de l'ouvrir et de laisser glisser le vêtement de mes épaules sur mes hanches. Alors il me suffira de me lever pour me retrouver entièrement nue sous les yeux de ces quelques hommes qui me sont indifférents, parce que j'ai déjà passé une nuit avec la plupart d'entre eux. Rien de plus facile !

Mais, soudain, la voix pâteuse du comique Timoklês me parvient à travers des épaisseurs de vin et de temps : "Ah, ah, Phrynê va se déshabiller ! Ça faisait une paye que, pour grappiller un peu de ses seins, un fauché comme moi était obligé d'aller la mater dans les temples, où se trouvent les petites statues coquines de ce veinard de Praxitélês !" Il éructe comme un ivrogne : "À poil, Phrynê, à poil ! Montre-nous tes cuisses, reine grenouille, on ne les a pas vues depuis trop longtemps !" Les autres convives cherchent à le réduire au silence, mais il continue, dans des enrouements de voix qui ressemblent à des couinements et qui suscitent les rires de toute l'assemblée : "Montre-nous ta figue, Phrynê ! Ta jolie figue bien mûre, que tu nous caches, c'est elle qu'on veut dévorer du regard, crois-moi, on ne laissera pas une miette de ce spectacle, on te la bouffera toute crue !" Il finit par roter bruyamment. Cet éclat me ramène à la nuit cauchemardesque de mon premier banquet, où j'ai perdu pied au moment de me déshabiller, comme j'y étais alors obligée. Mais mon amie l'acrobate n'est plus là depuis longtemps pour me sauver. Je me retrouve brusquement seule face à ces regards masculins, aussi vulgaires que celui de Timoklês, même lorsqu'ils appartiennent à Praxitélês et à mes amis les plus raffinés. Je ne sais ce qui se passe en moi, je me sens happée par une vieille appréhension, qui n'est plus qu'à peine une ancienne révolte. Alors que mes doigts s'étaient déjà posés sur la fibule, mon geste se fige.

Ce qui me surprend le plus, c'est que ma déesse, cette inspiration intérieure que j'appelle la voix de ma déesse, et qui me pousse à accomplir ce dont je me crois le plus incapable, ne m'aide pas cette fois à franchir le pas. À oublier ma ridicule pudeur, pour me débarrasser enfin aux yeux de tous, et non plus du seul Praxitélês, de ce fragile mais désormais inutile rempart de tissu que j'ai édifié autour de ma personne depuis des années. D'un seul coup, je me sens vide. Ou plutôt emplie de dégoût contre moi-même. Non plus sûre de ma puissance, comme je l'étais quelques instants auparavant, lorsque je reprochais impitoyablement au Sculpteur son manque d'audace, mais vaincue. Praxitélês perçoit soudain cette chose incompréhensible qui est en train de se produire en moi : je replonge plus de dix ans en arrière dans ma fragilité et je vais m'y noyer. Alors il passe doucement son bras autour de mon épaule. De l'autre, il saisit ma main toujours en suspens, pour la porter à ses lèvres. Puis il déclare à voix haute : "Non, Phrynê, ce n'était qu'une parole en l'air, je n'ai aucune envie que tu te déshabilles devant tous ces hommes, même s'ils sont mes amis. Cette nuit, moi qui suis ton amant, je te l'interdis solennellement !" Je feins de céder à son caprice et les convives de se désoler du spectacle charmant dont ils sont privés par la jalousie de leur hôte. La conversation et les jeux s'égarent bien vite dans une autre direction. Mais je ne parviens pas à me dérider vraiment.

Le lendemain, malgré les protestations de Praxitélês, et celles de Nikarétê, qui craint que je ne mette encore une fois ma carrière en péril, je quitte de nouveau la capitale et je vais cacher mon dépit dans le petit temple perdu de Thespiaï. Je me ressource au bord du bassin des purifications, où j'ai cru une nuit atteindre à l'apaisement, au milieu de mes compagnes les grenouilles, qui coassent en se moquant de moi ou pour me redonner du courage.

Quelques semaines plus tard, Aâmet me propose d'oublier le défi manqué du Sculpteur et de faire mon retour à Athênaï pour servir ma déesse d'une tout autre manière. Je lui suis reconnaissante de me fournir l'occasion de me changer les idées. Mais la rusée sorcière, je devrais le savoir depuis longtemps, ne me propose jamais d'emprunter des chemins de traverse qu'afin de continuer à marcher tout droit vers son propre but.

41

LA NAISSANCE D'APHRODITÊ

Aâmet a réussi à me convaincre de poursuivre mon initiation aux Mystères de Dêmêtêr et de Korê, la Mère et la Fille, dont j'avais suivi la première étape, juste avant mon procès. À la fin de cet été, je dois parvenir au deuxième degré et devenir une "Myste", une Initiée, en participant à la grande procession et à la nuit secrète dans le Temple d'Eleusis. L'habile Égyptienne y voit un excellent moyen, non seulement de me donner une expérience religieuse supplémentaire, mais aussi, en scellant ma réconciliation avec Athênaï et ses rites traditionnels, de contribuer à faire admettre définitivement notre thiase dans la cité.

Je me souviens de l'atmosphère de joie qui s'empare de la ville entière au moment d'accueillir les statues des deux divinités et les objets sacrés. La troupe au complet des éphèbes en armes les ramène depuis la ville sainte, cachés à tous les regards dans de vastes corbeilles d'osier. Autour de moi, même les plus sceptiques ont envie de croire à la présence réelle des Déesses. L'allégresse est d'autant plus intense, cette année-là, que les Alliés ont accepté la trêve. L'accord prévoit que la menace de guerre générale restera suspendue autant de jours que l'année compte de semaines. Pourtant, cette liesse collective, je ne la partage pas tout à fait. Je ressens même une certaine appréhension, dont je ne parviens pas à identifier la cause.

C'est dans cette étrange disposition d'esprit que je me rends le premier jour au grand rassemblement du portique Poïkilê, où la foule doit entendre proclamer par la voix du Héraut la liste des postulants refusés, qui seront obligés de quitter la place sous les quolibets. Je frissonne à l'idée d'entendre mon nom parmi ceux que les Athéniens appellent curieusement les "Bafouilleurs". Ils ne désignent

pas ainsi seulement les bègues, mais aussi les barbares et les sacrilèges, tous ceux qui ne sont pas capables de prononcer d'une voix
claire les formules sacrées, parce qu'ils ne savent pas assez de grec
ou que leur langue est embarrassée par leurs crimes. Pour justifier
aux yeux de mes amis cette inquiétude irraisonnée, qui fait trembler
mes jambes tout le long du chemin, je leur rappelle que, cinq ans
auparavant, j'ai été accusée d'être l'ennemie personnelle des dieux
de cette cité et que j'ai été sauvée au dernier instant par une inspiration providentielle de mon défenseur. J'ai des raisons objectives,
me semble-t-il, de redouter l'hostilité des deux familles sacrées qui
régentent le culte de Dêmêtêr. Elles ont tout pouvoir pour refuser
les candidatures et font même régner une sorte de terreur autour des
Mystères, dont il est strictement interdit de révéler les cérémonies
secrètes sous peine de mort. Je sais qu'elles soutiennent par principe tous les procès intentés contre les sectes nouvelles et je redoute
qu'elles ne tentent de régler sur mon dos leurs comptes avec les divinités étrangères.

Mais Hypereïdês, qui s'est chargé en mon absence de déposer ma
candidature, me certifie, tout en me soutenant obligeamment par
la taille, que j'ai tort de m'inquiéter. Le collège des prêtres appar-
tenant à la famille des Kêrukes, qui réside à Athênaï même et qui
se veut depuis toujours plus progressiste que l'autre, n'a fait aucune
difficulté à inscrire mon nom sur la liste des postulants. Même la
famille la plus ancienne, les Eumolpides, sise à Eleusis et qui se
pique de traditionalisme, n'a pas reculé devant ma réputation sulfureuse. "D'abord, m'explique Hypereïdês, parce que la participation d'une hétaïre à la mode contribue à faire de la publicité aux
cérémonies, ce qui, même lorsqu'il s'agit d'un culte aussi célèbre
dans toute la Grèce que le nôtre, est toujours bon à prendre pour
ses organisateurs. Ensuite, plus fondamentalement, parce que les
prêtres d'Eleusis se rendent compte que les mentalités changent
et qu'ils doivent s'ouvrir au monde extérieur : ils ne sont donc pas
du tout hostiles à ce que la représentante d'un culte nouveau, qui,
de plus, vient de ressusciter les antiques Erôtidia de Thespiaï, leur
marque son allégeance publique, en demandant à recevoir l'initiation. Crois-moi, tu peux aller au rassemblement la tête haute.
Je soupçonne même, me sourit-il, que tu vas être reçue avec les
honneurs." Il ajoute qu'il dispose d'un certain crédit dans la cité et
qu'il s'est proposé pour être mon "Guide", l'initié confirmé chargé
de conduire un petit groupe de novices à travers les péripéties

bouleversantes de la cérémonie. Toutes ces raisons paraissent parfaitement rassurantes à mes amis mais, je ne sais pourquoi, je reste inquiète.

J'ai tort : la proclamation solennelle s'achève sans que mon nom (j'ai choisi celui sous lequel ils me connaissent depuis des années, "Phrynê", mais je lui ai ajouté mon patronyme, qui m'a été rendu depuis peu, "fille d'Epiklês de Thespiaï") ait été couvert d'opprobre. D'un seul coup, je me sens soulagée, presque euphorique, enfin en harmonie avec les réjouissances publiques. Athênaï m'accepte en son sein ! Et Dêmêtêr aussi, bien que je sois la prêtresse d'une déesse concurrente !

Aâmet, qui m'accueille à mon retour à la maison, sourit, en haussant les épaules : "Tu crois toujours qu'il s'agit de déesses concurrentes ?" Elle ajoute : "Je t'ai déjà dit souvent que, vous, les Grecs, vous étiez en train de devenir le peuple le plus intelligent de la terre mais aussi le plus sot. Malgré toute votre science, ou peut-être à cause d'elle, vous ne connaissez plus l'origine des choses ni celle des dieux. Vous vous laissez piéger par les apparences extérieures et tout l'effort de votre raison consiste à séparer ce qui, en profondeur, est réuni. Crois-moi, leur Dêmêtêr et ton Anaïtis ne sont que deux des visages que peut prendre la Grande Déesse, celle qui reçoit la semence et celle qui rend le blé, celle qui sait les chemins fugaces du désir, les trajets mystérieux des racines sous le sol et les détours compliqués qui mènent au pays des morts. L'Unique sous tous ses voiles." Elle ajoute, au bout de quelques instants, avec un sourire : "Isis !" Dans ma soudaine allégresse, j'ai presque l'impression de saisir ce que l'Égyptienne cherche à me dire depuis si longtemps.

Le lendemain, ce sera la "Course à la mer" qui occupera tout le deuxième jour de la cérémonie. Hypereïdês m'a expliqué qu'il s'agissait d'un des moments les plus joyeux et les plus confus de la semaine d'initiation. Rassurée, je m'en fais désormais une fête.

"Haladé Mystaï !"

Le cri rituel résonne à travers la ville : "Haladé Mystaï ! À la mer, les initiés !" Hypereïdês, Praxitélês, Myrrhina, Lagiskê, Herpyllis, Hermodotos et toute la troupe de mes amis me le jettent aux oreilles, pour m'encourager, dans un éclat de rire. Pourtant, je ne suis pas la plus à la peine parmi les impétrants : le porcelet, que je tire par une corde attachée à l'une de ses pattes avant, me fait presque la grâce de ne pas résister. Un charmant petit jeune homme, un étranger lié au peintre Nikias, qui suit l'initiation en même temps que moi et que l'on a mis aux prises avec un cochon trois fois plus gros que le mien, est bien plus en retard. Nous nous dirigeons tous vers la plage du Phalêron, la plus proche d'Athênaï, distante quand même de plusieurs dizaines de stades. Chaque myste doit y traîner le porc qu'il sacrifiera sur le rivage, parce que le sang de cette bête est le plus capable d'attirer à lui les démons et les souillures. Ces centaines d'attelages comiques, formés d'un humain plus ou moins suant et d'un animal plus ou moins couinant, progressent sous les encouragements hilares de la foule des amis, des parents et des badauds, qui les escortent jusqu'à la plage pour être les témoins de la purification. Je crois bien que je n'ai jamais vu une telle pagaille ! Elle me rappelle les débordements dionysiaques de la fête des Cruches : ces Athéniens me surprendront toujours par le soin qu'ils mettent à introduire de la farce dans leurs cérémonies les plus solennelles.

Pourtant, même si je me sens beaucoup plus libérée que la veille, une part d'inquiétude se mêle encore à ma joie. Une menace confuse obscurcit à mes yeux le paysage lumineux de cette journée si douce de la fin d'été. Là aussi, je peux m'en fournir des explications rationnelles, même si je ne suis pas sûre qu'elles suffisent à justifier l'ambiguïté de mes sentiments. D'abord, je me souviens, comme le reste de la foule que l'année précédente, plusieurs requins, poussés à quelques coudées à peine du rivage par la faim et par la colère de Posëïdôn, ont happé les jambes de deux des futurs initiés. Personne n'a vraiment pris en pitié les malheureux, parce qu'ils avaient dû commettre un crime resté impuni pour que le dieu leur infligeât un châtiment aussi spectaculaire. Mais dans le contexte de la guerre qui menace, un pareil événement, s'il se reproduisait, serait considéré comme un présage si funeste pour l'ensemble de la cité qu'il imprégnerait toute la cérémonie d'une sombre traînée d'angoisse. Ensuite, j'ai une raison plus personnelle de redouter cette course vers le Phalêron : c'est sur l'une de ces plages retirées que l'on a découvert quatre ans auparavant le cadavre mutilé d'Attis et je n'y suis jamais retournée depuis. Même si la déesse de la terre m'a acceptée la veille, le dieu de la mer ne va-t-il pas se mettre en colère contre moi et jeter dans le lagon ses monstres aux dents acérées ? Ne vais-je pas provoquer la catastrophe par mon indignité personnelle ? Pourquoi me sentir encore coupable, alors que j'ai traversé victorieusement tant d'épreuves, alors que j'ai même acquis aux yeux de la foule une certaine aura de mystère et non plus de simple scandale ?

En y réfléchissant bien, je finis par découvrir la raison secrète de mon trouble : ce sentiment de défaite intime ne m'a pas abandonné depuis que j'ai échoué à relever le défi de Praxitélês.

Le Sculpteur est là, pour m'accompagner dans mon initiation, en même temps que plusieurs artistes amis, dont Nikias. Le petit jeune homme, qui a réussi avec son énorme cochon à revenir à hauteur de mon porcelet et qui m'envoie un sourire de triomphe, est déjà l'un des plus brillants élèves du peintre. Âgé de dix-sept ans à peine, il est arrivé à Athênaï quelques semaines auparavant avec une délégation officielle de Kôs. Cette île stratégique, située à quelques encablures de la Karie de Mausôlos, menace sans cesse de sortir de l'Alliance. Pour éviter une pareille catastrophe, l'on choie tout particulièrement ses ambassadeurs. Hypereïdês m'a demandé de jouer avec mes filles mon rôle dans cette importante partie diplomatique. Le jeune Kôsien, qui est venu pour compléter sa formation de peintre auprès de Nikias, a manifestement décidé de profiter de l'occasion pour se faire initier aux différents cultes en vigueur dans notre capitale. Celui de Dêmêtêr, certes, mais aussi celui d'Aphroditê. Je n'ai pas encore eu l'occasion de me pencher en personne sur cette partie de son éducation mais, à la façon dont il me regarde, je me dis que cela ne saurait tarder. Même si Nikias m'a rappelé plusieurs fois le nom du jeune prodige, je ne sais pourquoi, je ne parviens jamais à le retenir. Peut-être à cause du regard méchant que me jette en permanence Praxitélês ? Bien fait pour lui ! Le Sculpteur n'a qu'à se mettre au travail, au lieu de me poursuivre de sa jalousie ! D'ailleurs, il me connaît assez pour savoir qu'en me reprochant une faute que je n'ai pas encore commise, il ne peut que me pousser à lui donner raison !

Nous fatiguons, mon porcelet et moi, sous le soleil du matin déjà haut. Maintenant, c'est l'apprenti de Kôs qui est obligé de ralentir son cochon de compétition pour m'attendre. Au détour de la route, juste avant d'arriver au croisement qui mène vers le port ou vers la plage, j'aperçois un petit temple isolé, dont le sanctuaire n'est clos que par une frêle barrière de bois. J'éprouve soudain un désir impérieux de m'abstraire de la foule. Je suis étourdie par les cris des humains, mêlés aux hurlements de plus en plus stridents des porcs, qui sentent la mer ou la mort approcher. Je me réfugie à l'intérieur du modeste enclos. Le sol de l'esplanade n'est même pas pavé. La terre battue se mêle simplement à l'herbe folle et au sable. Je repense fugacement au petit temple d'Hêraklês qui m'attend patiemment depuis des années en contrebas de Thespiaï. Je vais m'asseoir sur les marches de l'édifice. Il est dépourvu de tout ornement, si bien que je ne peux deviner à quelle divinité est consacré cet endroit étrangement retiré. Je me sens vidée de mes forces, sur le point de m'évanouir. Le jeune élève de Nikias n'a pas osé me suivre dans l'enceinte sacrée, mais mon vieil amant Praxitélês n'a pas eu cette discrétion. Récupérant la corde de l'animal, que j'ai laissée glisser à mes pieds, le Sculpteur demande à l'une des servantes du lieu de m'apporter un peu d'eau. La jeune femme s'agenouille à côté de moi le temps que je boive à la cruche qu'elle me présente. Elle nous apprend que ce sanctuaire appartient à Aphroditê. Elle me glisse : "À ta déesse". Qui est cette charmante novice ? Comment se fait-il qu'elle m'ait reconnue ? Elle ajoute : "La plage est tout près, juste au coin de la route". Après cette matinée entière de marche sous le soleil, je me sens misérable, épuisée, suante, affreuse mais la petite paraît me regarder avec admiration, ou plutôt avec confiance. Qu'attend-elle de moi ? Sa voix douce, les quelques gorgées d'eau pure qu'elle m'offre, la perspective aussi de savoir la mer si proche, me redonnent miraculeusement des forces. La mer, la mer ! J'ai soudain tellement envie de me rafraîchir en son sein ! Oui, c'est peut-être bien là, assise sur les marches du temple rustique de la déesse des rivages, à cause du bien-être répandu sur mon esprit aride par ce filet d'eau et par le regard intense de cette inconnue, que commence à germer l'idée la plus folle qui ait jamais fleuri dans ma cervelle d'hétaïre inconséquente !

Je n'en dis rien à Praxitélês évidemment. Je veux lui réserver la surprise. Le choc. Tout en continuant à m'appuyer sur son bras, mais d'une démarche plus assurée, je descends vers la plage. Pendant mon étourdissement, la foule des mystes a fini d'y confluer. Étrangement, le rituel de la purification n'a pas encore commencé. Aucun des futurs initiés n'a été invité à s'avancer dans l'eau salée pour s'y laver de ses souillures et les remettre aux flots, qui les emporteront au large, là où la mer pourra les dissoudre dans son immensité divine. Les prêtres et les guides, en plein conciliabule paraissent hésiter. Si j'étais dans mon état normal, je me dirais qu'ils se méfient des requins et qu'ils prennent le temps de vérifier que la baie est vide de leur présence menaçante. Mais j'ai oublié jusqu'à la possibilité d'apercevoir au large la forme mouvante d'un des ailerons redoutés. Complètement aveuglée par mon idée lumineuse, ou que j'ai la bêtise de croire telle, je me dis seulement que la déesse leur a fait attendre mon arrivée, parce que rien ne pouvait commencer sans moi. Je me dégage du bras de Praxitélês, je lui dis : "Je t'interdis de bouger, regarde bien ce que je vais faire !" Dans le vertige qui m'a reprise, vertige de jubilation plutôt que de faiblesse, je me sens reliée à l'émotion palpable de la foule. Je la traverse. J'ai l'impression que les mystes s'écartent à mon passage. Les guides aussi, dont Hypereïdês qui se trouve au premier rang. Ils me regardent tous avec stupéfaction. Ou avec admiration. J'arrive au bord de l'eau. Je m'arrête. Mes mains se portent à mon épaule et ouvrent la fibule. Ma tunique glisse sur mes hanches. La retenant d'une main, je la laisse accomplir son chemin le long de mes cuisses et de mes chevilles, puis, la ramassant d'un geste gracieux et tendant le bras à l'horizontale, je la laisse tomber sur le sable à quelques pas de moi.

Voilà, je suis entièrement nue. Devant eux tous, moi qui ne me déshabille jamais en public. Comme je l'ai promis à Praxitélês. Je relève son défi. Alors que je ne leur montre jamais la moindre parcelle de mon corps, là, je le leur offre tout entier, gratis, au nom de ma déesse. Je sens parfaitement les regards sur mon dos, ma nuque et mes reins, dont les courbes se tendent d'autant plus voluptueusement. Je jouis de mon audace. Pour la première fois depuis des années, je suis fière d'avoir de si belles fesses. Je les mérite. Ceux qui veulent me voir de face, ceux qui veulent voir mon sexe, ma figue comme ils disent, n'ont qu'à s'approcher et entrer dans l'eau avec moi, s'ils l'osent. Mais ils restent tous en arrière. Respectueusement. Hypereïdês fait un pas dans ma direction mais, d'un geste du bras, je le tiens à distance. Je commande aux êtres et aux choses. Mes mains de nouveau se lèvent vers mon visage pour dénouer les deux bandeaux et les aiguilles qui maintiennent en place ma coiffure. Mes cheveux tombent sur mes épaules. Machinalement, je secoue la tête pour achever de dénouer leurs longues mèches. Liberté ! Liberté totale ! Revoilà la femme aux cheveux-serpents que j'ai montrée une fois déjà à Praxitélês, la nuit de notre première rencontre ! L'Amazonê, l'Hékatê, l'Aphroditê Gorgô ! Je me sens si extraordinairement belle, dans ce geste provocant ! Mes seins se mettent à pointer, mon ventre devient humide dans le désir d'être moi. Comme si je ne l'étais pas encore tout à fait. Comme si Phrynê était une autre, toujours un peu en avance.

Alors, pour la rejoindre, j'entre dans l'eau. En cette matinée de fin d'été, elle est fraîche, mais pas assez pour me faire frissonner ni sortir de mon rêve. La mer est si parfaitement lisse que j'ai l'impression de

me glisser à travers la surface de bronze poli d'un miroir. Je m'enfonce au sein de mon propre reflet. Le silence de la foule est aussi
étal et profond que les flots. Je la fais taire de stupeur et d'admiration. J'accomplis enfin un geste si totalement en harmonie avec ma
beauté divine qu'il est capable de clouer le bec d'une cité entière
au milieu même d'une de ses farces les plus confuses. Ses citoyens
diront ensuite que je l'ai fait par vanité et non par modestie, dès
qu'ils se remettront à parler et recommenceront à se tromper, mais
là, à l'instant magique où j'entre nue dans la mer, ils comprennent
tout et ils se taisent.

Et puis, évidemment, l'instant d'après, c'est moi qui me rends
compte que je n'ai rien compris ! Alors que je me suis déjà avancée
à mi-cuisses dans l'eau, j'aperçois soudain, là-bas, à quelques dizaines
de coudées à peine, l'atroce aileron ! D'un seul coup, je sors de mon
délire et je reviens à la réalité. L'illusion se déchire, je saisis pourquoi aucun myste n'a osé s'aventurer dans l'eau, pourquoi les guides
regardaient vers le large. Comment ai-je pu ne pas prêter attention
à ces signes ? Comment ai-je pu me laisser à ce point aveugler par
mon orgueil ? Ai-je été abusée par la déesse que je croyais modestement servir ? Veut-elle punir sa servante de la folie de s'être prise
pour elle, en lui réservant cette mort atroce, les jambes et le sexe
déchiquetés sous la surface par la mâchoire inhumaine d'un monstre,
dans un bouillonnement de sang qui tirera un cri d'horreur et de
satisfaction à la foule ? Oui, un vrai frisson de terreur parcourt mon
échine, me couvrant instantanément d'une sueur glacée en pleine eau
tiède, une sueur de mort qui ne peut qu'attirer l'attention du squale.
Mais je n'ai pas le temps d'avoir peur, ni de prendre véritablement
conscience du danger dans lequel je me suis jetée. C'est comme si
l'épouvante avait pris la place de l'exaltation pour former autour de
moi la même carapace de vertige, qui me rendrait capable de bouger
mais pas de réfléchir. Machinalement, je continue à m'avancer dans
la mer, toujours plus profond, vers l'aileron mortel. Celui-ci croise
lentement à distance, peut-être parce que l'animal n'a pas encore
perçu ma présence ou qu'il veut me laisser approcher. Je vais vers
lui au lieu d'essayer de fuir !

Le flot atteint mes hanches, mes seins. Bientôt je serai plongée
dans l'eau jusqu'aux épaules et je sais que c'est à ce moment-là que
le requin m'attaquera, lorsque la mer sera assez profonde pour qu'il
puisse tourner autour de moi. Plus que quelques instants d'attente
et de panique avant l'assaut invisible de l'envoyé du dieu. Tandis

que je regarde fascinée l'aileron aigu, me revient fugacement à la mémoire l'image de la dague brandie de Gorgidas, lorsqu'elle a sectionné la gorge de Phaïdros, le heurt de ses hanches dures, lorsqu'il s'est introduit de force par-derrière entre mes jambes pour me déchirer. Alors je prie mon dieu de mettre rapidement un terme à mes souffrances et je continue mon avancée. Soudain, au dernier instant, le vertige m'abandonne, la réalité me rattrape, et c'est encore plus atroce, et encore plus fou, les deux ailerons, car un autre monstre, que je n'avais pas encore aperçu jusqu'alors, a rejoint le premier, les deux ailerons changent brusquement de direction et s'avancent à toute vitesse vers moi !

Quand ils ne sont plus qu'à quelques coudées, au lieu de plonger pour m'arracher les jambes, les horribles bêtes bondissent, dans un grand jaillissement d'écume, au-dessus de ma tête ! En plein soleil ! Un cri perçant. Qui vient des bêtes et de la foule et peut-être aussi de ma propre gorge. Ce ne sont pas des requins ! Mais des dauphins ! Les compagnons d'Aphroditê ! Elle est en moi, maintenant, vraiment. La brusque juxtaposition de l'exaltation, puis de la terreur, puis du soulagement, m'a fait me dissoudre. M'absenter. Je ne suis plus là. Mon corps seul est là, debout dans l'eau, les mains et les cheveux flottant à la surface de la mer et se mêlant à elle. Pendant de longues minutes, mes dauphins me font fête. Ils tournoient. Ils crient. Joyeusement. Familièrement. Ils se réjouissent tellement de me revoir ! Tout ce qu'ils me disent par leurs cris d'allégresse et leurs bonds d'écume, je le comprends. Et je n'ai même pas besoin de parler pour qu'ils saisissent mon amour et ma reconnaissance. Enfin, ma main se tend vers eux. Ils la frôlent l'un après l'autre. Je leur donne congé. Ils s'éloignent vers le large, vers l'avancée du rocher qui borde la plage, franchissent rapidement le cap et disparaissent. Ils emportent la déesse sur leur dos dans une gerbe de lumière. Il ne reste plus que moi.

Alors je me retourne. Vers la foule des initiés et des badauds qui me regardent stupéfaits depuis la plage. Le silence est encore plus total que tout à l'heure lorsque je me suis avancée vers les squales. Les eaux s'écartent pour me laisser sortir. L'écume me fait une tunique de lin qui glisse de mes épaules. Je me tiens debout sur le rivage. Les gouttes d'eau salée s'accrochent à mes cheveux et coulent entre mes seins polis, dégoulinent le long de mon ventre et de mes hanches jusqu'aux poils de ma toison. Je ne les ai pas rasés. Ils sont bien là, ces poils au-dessus de ma fente qui font si peur au Sculpteur. J'ai seulement dessiné le triangle qu'ils forment, delta fertile de mon Nil, en les tressant de perles comme j'aime à le faire. Dans mon idée, il ne s'agissait que d'un ornement intime, pour honorer les déesses d'Eleusis à ma façon, sans que personne ne le sût. Mais maintenant, sous les yeux éblouis de tous, les gouttes d'eau et de lumière se mêlent aux perles de ma toison pour dessiner la parure la plus brillante dont une femme pourra jamais s'orner. Je brille du centre de mon sexe. J'étincelle de son humidité. Je resplendis, dans l'eau et la lumière, de peur et de fierté mêlées et d'un sentiment vertigineux de dépossession. Idole vivante. Je sens tous les regards de la foule se poser respectueusement sur moi. Me revient un instant le souvenir de celui, insistant et moqueur, de mes amis lors de mon dernier banquet, ce défi de la nudité que je n'ai pas osé relever à ce moment-là. Il n'était pas encore temps. Aphrodité voulait m'emmener beaucoup plus loin qu'un jeu d'après boire. Je comprends qu'en fait j'ai décidé depuis longtemps, depuis bien avant l'instant où j'ai laissé glisser ma tunique sur le sable, depuis bien avant celui où je me suis rafraîchie dans le petit temple et où j'ai cru en avoir l'inspiration, de me déshabiller en public devant l'assemblée entière des Grecs pour répondre au défi de Praxitélês. Quelque chose en moi l'a décidé depuis toujours, parce que ce geste improvisé est l'aboutissement nécessaire de mon parcours chez eux.

J'éprouve encore pourtant un ultime reste de pudeur à me retrouver nue devant eux sous le soleil et non plus dans l'eau. Je fais un geste instinctif pour porter la main vers mon sexe et le cacher. Et puis non ! Je ne vais pas le cacher. Au contraire ! Je vais le leur montrer ! Mon sexe, cette entaille fragile au creux de moi, cette faille de force et de vertige, qui m'a précipitée depuis des années au milieu des vagues vers les longs et sournois squales qui devaient le déchirer, et qu'il a amadoués, qu'il a su transformer, dans une projection d'écume, de requins assassins en dauphins protecteurs ! Regardez ! Regardez tous ! Regardez ça ! Ce que je vous montre ! Ce que j'ose vous montrer ! Ce vers quoi votre propre sexe vous pousse mais que vous osez à peine regarder, ce dont vous êtes issus, ce dans quoi vous vous perdez, ce dans quoi vous oubliez votre raison pour atteindre, par l'œil unique du cyclope qui se trouve au bout de votre gland, à une autre vision du monde, plus obscure, plus profonde, plus humide, et plus accueillante. Eh oui, tout vient de là, de cette fente délicate du fruit mûr qui s'ouvre au bas de mon ventre, de cette ouverture de la grotte par où le serpent se glisse dans les entrailles maternelles de la terre. Le centre du monde aujourd'hui ne se trouve plus à Delphoï mais entre mes cuisses épanouies. Le mouvement de ma main se transforme et, de geste instinctif de pudeur, il devient geste délibéré de défi. Oh non, même plus de défi, non, d'exhibition paisible. D'invite. D'offrande. Ma nudité, en ce point sublime où je suis parvenue malgré vous, je vous la donne ! Afin qu'elle fasse passer sur vous la protection d'Aphroditê et qu'elle transforme votre peur, qui est la mienne, en un frisson d'émotion sacrée ! Et la foule comprend bien, et la foule comprend mieux que moi le sens de ce qui se passe, de ce qui se passe à travers moi, car soudain, sans que nul ne l'y ait invitée, elle se met à chanter. L'hymne sacré à la déesse surgie de la mer. Sur mes lèvres naît un sourire. Qui ne m'appartient pas non plus et dont mes ennemis pourront stigmatiser dans quelques jours la vanité de fille un peu trop jolie, un peu trop consciente de son pouvoir, un peu trop stupidement vaniteuse, alors qu'il n'est que supérieure et infinie bienveillance. Lorsque les fidèles ont fini de chanter, je m'avance de nouveau vers l'endroit où j'ai laissé ma tunique. Parce que voilà, le délire, ça va bien un moment, mais maintenant je suis redevenue une humaine, et même la plus délicate d'entre toutes, de sorte que le soleil commence à me rôtir un peu la peau des fesses. Ce serait quand même idiot, un jour de gloire pareil, d'attraper un coup de soleil sur mon divin petit derrière !

Tandis que je passe près d'eux, certains des mystes me saisissent la main pour l'embrasser ou pour la porter à leur front, et sans m'arrêter, un sourire aux lèvres, je les bénis. Puis je me rhabille. On me rhabille. Comme une statue de chair précieuse qu'il faut protéger. La première fois où l'on m'a transformée en statue de chair, c'était malgré moi, à Korinthos, lorsque je n'étais qu'une petite naufragée du sort échouée dans le labyrinthe horrible du sexe. Puis j'ai été, plus ou moins à mon insu, modèle des œuvres du Sculpteur. Enfin idole abasourdie par la surprise et l'émotion, promenée comme un objet de culte à travers Athênaï à la lumière des torches le soir de mon procès. Mais aujourd'hui, je me suis faite moi-même statue, créatrice de ma propre image, sous les yeux ébahis de la foule.

Praxitélês ne laisse personne d'autre, et surtout pas le petit peintre de Kôs, m'envelopper dans le tissu de lin blanc, et il me frotte le corps de ses mains puissantes qui pétrissent d'ordinaire la glaise et le marbre. Ses yeux brillent. Rien que cet éclat dans les yeux de l'artiste pourrait me faire défaillir de fierté, si j'en étais encore à la fierté. Il se penche vers moi pour me dire quelque chose et puis non, il préfère se taire. Hypereïdês, lui aussi, se tait. Pour une fois. C'est très rare, et c'est la vraie preuve de l'impact extraordinaire du geste que je viens d'accomplir, encore plus audacieux que celui qu'il a trouvé pour m'exposer les seins devant mes juges. Même dans l'invention de la gestuelle, je bats mon orateur à plate couture. Il est bon joueur, et il reconnaît ma victoire par son silence, par son sourire. Nikias et son jeune élève me contemplent tous les deux d'un peu plus loin. Je discerne dans le regard du jeune homme une attention avertie, professionnelle, qui tempère son désir et l'aiguise. Ce salaud de petit peintre est en train de dessiner dans sa tête les masses de sa future composition. Sans même me demander l'autorisation, il se sert déjà de moi. C'est pourquoi il m'est sympathique. Il n'est pas victime de son admiration comme les autres, écrasé sous son poids, mais capable de la saisir à l'échine et de bondir sur elle pour aller plus loin. Un peu comme la déesse tout à l'heure s'est détachée de moi pour s'allonger souplement sur le dos des dauphins qui étaient venus la chercher et s'échapper vers le large d'écume et de soleil d'où elle est issue. Ce petit jeune homme-là, qui me détaille ainsi, n'est plus un apprenti mais déjà un maître, moins timoré que mon Sculpteur et aussi prédateur que lui.

Sur la grève sombre du Phalêron, le bain lustral peut commencer. Les mystes se plongent dans l'eau et commencent à se laver soigneusement, en prononçant d'une voix forte les paroles magiques qui les débarrasseront de toutes les souillures dont ils peuvent se souvenir, et même de celles dont ils n'ont plus ni mémoire ni conscience. Je les regarde. Je sens qu'ils tiennent à ce que je les regarde. Je vois qu'ils se pressent à l'endroit du rivage où je me tiens, qu'ils préfèrent même attendre pour entrer dans l'eau qu'une place devant moi se libère. Alors spontanément, escortée par les prêtres et les guides, je me mets à parcourir tout l'espace de la plage, pour passer devant chacun des futurs initiés. Je suis en accord avec la cérémonie. J'ai mis tellement de temps à être en accord, à atteindre à cette spontanéité du geste fou, que je suis ravie de pouvoir la prolonger dans un moment de gloriole personnelle qui est aussi un moment de partage.

Ensuite, chacun d'entre nous sacrifie le porc qu'il a amené. Moment terrible. Couinements affreux de ces centaines de bêtes que l'on égorge sur le sable noir. Mon porcelet se laisse faire. Les pattes entravées par mes amis et mes serviteurs, ses horribles petits yeux chafouins et épouvantés plantés dans les miens, il se laisse égorger par moi sans protester, parce que j'ai été si souvent égorgée, parce que je ressens ce qu'il ressent. Porc, mon frère en ridicule et en désespoir, moi aussi, qui suis la plus gracieuse des femmes et des déesses, je suis passée par cette mort, par cet afflux des démons assoiffés de sang dans laquelle je te plonge, et toi aussi, comme moi, porc mon ami, porc mon amour, porc mon Attis, tu peux la traverser. Je lui murmure des mots de douceur pendant que je le tue. Je le regarde avec compassion se débattre dans les sursauts de l'agonie, comme, le jour de la destruction de Thespiaï, Gorgidas a regardé avec indifférence Phaïdros et mon père. Je ne refuse plus le sacrifice. Je l'affronte et le dépasse. Je transforme sa violence insupportable en apaisement nécessaire. Après seulement, je l'abandonnerai à tout jamais.

Les assistants font de grands feux et là, sur le rivage, nous nourrissons les dieux de la fumée des graisses et nous nourrissons notre part humaine de la viande cuite. Repas qui réunit les hommes et les dieux. Je me situe entre les deux. Flammes des feux de camp qui me renvoient à un autre repas, impie, celui que les Thespiennes ont préparé pour les soldats thébains dans le temple d'Erôs. La paix que je ressens s'étend même à ce repas ancien et l'enveloppe de son voile. Ce soir, j'achève de faire ma paix en la faisant aux yeux de tous. Je flotte quelque part dans la paix. Tous se rassemblent autour de moi pour goûter un peu de cette douceur qui déborde de moi et que je leur dispense. Dans ma rêverie, je repense aux ailerons des squales, à l'instant où ils se sont précipités vers moi, juste avant de se transformer dans leur jaillissement en dauphins. Je commence seulement à avoir peur. Mais je ressens une sensation d'apaisement si intense qu'elle maintiendra cette peur à distance, je le sais, au moins jusqu'à ce que je sois remontée dans la voiture couverte qui m'a suivie, pour retourner vers Athênaï après le banquet. Quand je serai chez moi, à l'abri des regards, je pourrai bien vomir de peur, personne d'autre ne me verra que la déesse, qui s'est jouée de moi. Que j'ai laissée encore une fois jouer avec mes os et mes entrailles son jeu de grâce divine. Ils croiront tous que je ne suis que la peau souple et les courbes sublimes de l'idole, je serai la seule avec elle à savoir que je suis aussi vomi et diarrhée de peur. Non, personne ne le saura. Jamais. Cela aussi fait partie du jeu.

Alors tout le reste se passe pour moi comme dans un rêve. Les deux jours de retraite, pendant les fêtes d'Asklépios, où les mystes ne doivent pas sortir de chez eux pour ne pas se souiller de nouveau et où je respecte l'interdit : je ne fais l'amour avec personne. À ma grande surprise, Praxitélês ne me rend pas une seule visite. Je ne sais pourquoi, à aucun moment ne me vient l'idée qu'il est peut-être en train de relever à son tour mon défi, et qu'enfermé tout seul dans son atelier, il cherche à se replonger dans l'élan d'enthousiasme collectif qu'a provoqué mon exhibition sur la plage du Phalêron. Que lui aussi tente de saisir l'occasion au vol, pour se mettre nu, entrer dans l'eau, se jeter vers les squales de la beauté qui le guettent. Non, de son tourment de créateur, je ne me doute pas. À vrai dire, Praxitélês ne m'intéresse plus. Je lui ai rendu ce que je lui devais, j'ai envie de passer à autre chose. De croquer la chair tendre d'un autre artiste. Le jeune élève de Nikias ne me quitte plus du regard, son stylet et ses pinceaux dressés devant moi, comme dans sa tunique sa verge, que je devine elle aussi dure et effilée, mais à laquelle je me promets de ne goûter que dans quelques jours, après la fin de l'interdit, parce que je suis la plus sage des initiées. Praxitélês ? Jamais entendu ce nom ! Comme toujours, le désir, l'impatience, le goût de la nouveauté, me rendent bête et cruelle. Tout en gardant la retenue d'une myste, je m'amuse à aguicher l'apprenti de Kôs, en prenant devant lui des poses de rêverie sensuelle. J'abuse du pouvoir que m'a octroyé la déesse, mais, après tout, je l'ai mérité, non ? C'est fatigant d'être elle, il faut bien se reposer un peu, et elle est d'accord.

Puis c'est la grande procession vers Eleusis. Mon guide personnel, Hypereïdês, est venu chez moi la veille, escorté de plusieurs représentants des deux familles sacrées, pour m'annoncer qu'afin de donner plus d'éclat à ma présence de prêtresse d'Aphroditê, on m'autorise à ne pas parcourir le chemin à pied sous le soleil mais à me déplacer en char couvert. De même, je ne serai pas obligée de me rassembler avec la foule au temple des Processions, près de la Double Porte : le cortège officiel fera halte devant ma maison. On m'accorde des marques d'honneur très rares et je sais m'y montrer sensible. Je remercie avec une dignité souveraine, que sûrement quelques-uns de ces aristocrates éleusiniens prennent pour de la suffisance. S'ils m'honorent comme une déesse, ils ne veulent quand même pas que je les écoute aussi respectueusement que le ferait une simple femme, n'est-ce pas ? D'ailleurs, cela m'amuse beaucoup de prendre ces graves notables à leur propre piège, en commençant à tenir en privé pour leur seul usage le rôle qu'ils prétendent me réserver devant la foule. Sur la margelle du pont du Kêphisos, au-dessus du chemin où passe la procession, se tient l'Ombre Masquée, qui est jouée comme chaque année par un citoyen anonyme. Elle est chargée, au nom de tous les morts, de se moquer des vivants, et surtout, parmi eux, de ces puissants d'un jour, qui se mêlent de suivre l'initiation en croyant qu'ils ne devront pas renoncer à l'illusion de leur pouvoir. Lorsque mon char passe sous l'arche, je fais ouvrir par Herpyllis les rideaux qui me dissimulent, afin que le masque puisse m'insulter plus à son aise : j'ai décidé de jouer le jeu même à mes dépens. Mais je suis très surprise d'entendre le Fantôme du Pont m'accueillir lui aussi joyeusement en m'appelant Aphroditê. Il incarne la voix naïve et moqueuse du petit peuple d'Athênaï, qui m'aime toujours aussi peu mais qui m'est désormais reconnaissant, parce que, dans ces temps troublés, il peut grâce à moi s'enorgueillir de la présence d'une déesse invitée. Quelques heures plus tard, une bandelette de safran est liée autour de ma main droite et de mon pied gauche par l'un des membres de l'illustre famille de Krokôn. On m'a fait passer parmi les premières, sans que personne dans la foule ne se plaigne ou, en tout cas, n'ose protester ouvertement. Le noble Athénien prend le temps de s'agenouiller devant moi pour me ceindre de l'insigne sacré. Une fois qu'il a fini, le jeune homme baise même la main qu'il vient d'orner. Jamais Athênaï ne m'aura accordé une telle marque de respect et d'acceptation que ce mince fil de laine à mon poignet.

Puis je me souviens d'un feu mouvant. D'une multitude de torches brandies dans la nuit. Devant les hauts murs clos du Sanctuaire, dont les portes se sont ouvertes tout à l'heure pour laisser pénétrer les statues voilées des deux Déesses et les mystérieux objets sacrés, les futurs Initiés lèvent très haut leurs flambeaux et les agitent en tous sens. Les flammes ne laissent plus apparaître dans la foule qui nous entoure que les éclats indistincts de visages fantomatiques. C'est comme si les morts regardaient les vivants, et comme si nous, les vivants, ne représentions plus que des éclats fugitifs d'individualité, se détachant un instant de la masse obscure de la vie avant d'y replonger. Mais nous sommes tous, les vivants et les morts, unis par la permanence du souffle qui nous traverse dans le chant. Notre chœur, composé de plusieurs centaines de personnes, s'ébroue ainsi qu'un seul être immense, se dilate à se rompre et se resserre, anneaux d'un serpent géant qui honore sa maîtresse, la déesse de la Terre. Là, vraiment, je me laisse emporter. Je ne danse plus seulement avec grâce mais avec frénésie. J'entraîne autour de moi des dizaines d'autres mystes, qui m'entraînent à leur tour. Je ne suis plus que l'une des écailles du Serpent directement reliées à sa tête, à cette étincelante statue de Iakkhos oscillant au-dessus de notre masse grouillante, au Jeune Dieu qui nous conduit et qui unit les torsades de notre enthousiasme. Je jouis de cette plongée dans un anonymat confus, plus encore que de toutes ces marques de respect qui ont fait de moi le centre de l'attention pendant la journée.

Je voudrais rester à dormir avec la foule, sous l'une des nombreuses tentes de toile qui sont dressées devant le sanctuaire, mais je suis obligée d'accepter l'hospitalité des prêtres d'Artémis, dont le temple se trouve à peu de distance et qui se souviennent peut-être que Praxitélès a sculpté autrefois leur déesse en me prenant pour modèle. Je ne m'étonne même plus de toutes ces faveurs accordées à une hétaïre, qui n'était une quinzaine d'années auparavant qu'une putain à une obole. Je sais que ce n'est pas moi qu'ils honorent mais, à travers moi, la jeune Aphrodite rendant visite à la vénérable Dêmêtêr, comme ils racontent que l'ont fait avant elle d'autres dieux, Hêraklês, Hermês et Asklépios, représentés sans doute par d'autres humains aussi beaux et aussi étrangers que moi. Je m'endors paisiblement. Sous l'œil d'Hypereïdês, qui me connaît depuis si longtemps qu'il doit s'amuser quand même un peu du sérieux que je mets à tenir mon rôle d'incarnation officielle de la déesse. Sous ceux, plus attentifs encore qu'admiratifs, des deux peintres, Nikias et son élève. Seul Praxitélès est absent. Il me manque. Son regard me manque. Un peu en tout cas. Avant de sombrer dans le sommeil, je pense un instant à lui. Je me dis que j'aimerais bien qu'il assiste à mon triomphe, ne serait-ce que parce qu'il a assisté à mon humiliation. Pendant ces quelques jours où j'apparais comme une divinité aux yeux de toute une cité, je reste une simple femme, un peu vaniteuse, et qui a toujours tellement besoin qu'on l'aime. Ma part médiocre, je l'accepte autant que ma part divine, avec le même mélange de surprise et de gêne. Le but du jeu, je le sais maintenant, c'est d'accepter tout. Ce qui m'exalte malgré moi comme ce qui me rapetisse.

Dans la journée du lendemain, en attendant la grande cérémonie secrète de la nuit, je me promène avec les autres mystes aux alentours du sanctuaire toujours fermé. On me montre le Rocher de la Tristesse, où la Mère s'est abîmée dans son deuil, devant la faille par où sa fille chérie avait été entraînée au fond des Enfers. On me recommande de ne surtout pas m'y asseoir, si je ne veux pas y être enchaînée après ma mort pour l'éternité. Je n'en ai nul besoin. Il me suffit de replonger dans mes souvenirs pour partager l'affliction de la déesse. Moi aussi, je suis restée sur le rocher, devant le gouffre où venaient de disparaître ceux que j'aimais, moi aussi il m'a fallu attendre longtemps pour les voir remonter d'entre les morts. Mais, désormais, je peux me recueillir sur cette pierre de douleur qui trône au fond de moi et me lever de nouveau librement. La malédiction est rompue. Les autres mystes n'osent pas troubler ma méditation et regardent respectueusement les larmes couler sur mes joues. Lorsque je reviens à la conscience, je fais l'effort d'en verser encore quelques-unes, afin que chacun d'entre eux puisse se réjouir dans un frisson d'avoir assisté à un moment magique.

Commence enfin la grande nuit de l'initiation.
Les portes du sanctuaire ne se sont ouvertes que le temps de laisser passer la foule des anciens et des nouveaux initiés. Au milieu de centaines d'autres mystes, j'attends patiemment sur l'esplanade que le soir tombe, dans une atmosphère d'excitation silencieuse plutôt que de recueillement. Nous n'avons eu le droit de rien manger d'autre de toute la journée que les gâteaux sacrés qui nous sont proposés maintenant. Au bout d'un moment, lorsqu'ils commencent à faire leur effet, nous sommes introduits dans la grande salle du "Télestêrion". Elle me paraît d'autant plus immense que l'obscurité totale qui y règne est trouée seulement, çà et là, par les fûts à peine moins sombres de colonnes massives. À ce moment, malgré mon expérience des cérémonies magiques, je bascule, comme tous les autres. Je me mets à frissonner. J'ai froid. Très froid. Des gouttes de sueur glacées roulent sans discontinuer sur mon front. Je me sens d'un seul coup atrocement oppressée. Environnés par une foule d'ombres qui s'étage au-dessus de nous de tous les côtés, nous sommes plongés dans une tourbe boueuse. Le temps se dilate et l'espace se démultiplie, comme les deux dimensions d'un labyrinthe au fond duquel je m'égare. Pour reprendre un peu le contrôle de moi-même, je fais appel à mes souvenirs de prêtresse, à ces initiations d'Isodaïtês que j'ai dirigées moi-même des dizaines de fois. Je me dis que les prêtres d'Eleusis ont dû trouver un produit particulièrement puissant à faire absorber aux fidèles pour les jeter dans de pareilles transes. Les dimensions démesurées de cette colonnade, bien plus vaste que mon bain privé, et où l'on peut entasser dans le noir une foule de plusieurs milliers de personnes, contribue

aussi puissamment à cette sensation de désorientation et d'étouffement. Je me raccroche à la présence toute proche de notre Guide.
J'ai peine à me persuader qu'il s'agit de mon vieil ami Hypereïdês.
D'une voix atone et désincarnée, il est en train de nous raconter
les différentes étapes de notre plongée dans le bourbier des Enfers.
Pourtant, malgré l'effet d'étrangeté que cette voix de métal cherche
à créer sur l'esprit des mystes rassemblés autour de lui, je sens qu'il
s'efforce de rester en contact physique avec moi. Il me murmure
par instants au creux de l'oreille des mots d'encouragement, afin
que je ne bascule pas tout à fait comme les autres dans l'épouvante.
Ce qu'il nous décrit, nous avons l'impression de le voir se dresser
aussitôt devant nous. Quelle est la réalité de ces visions fugitives,
et d'autant plus angoissantes ? S'agit-il de figurants ? De toiles violemment peintes ? De la simple suggestion de ses paroles sur nos
esprits dilatés par l'atmosphère de piété qui nous entoure depuis le
début de la semaine, sur nos perceptions modifiées par le jeûne et
par la plante contenue dans les gâteaux sacrés ? Malgré mes efforts,
je ne parviens pas à le savoir. Au moment où je le vis, j'ai l'impression d'être scindée en deux. Il y a la prêtresse d'Isodaïtês, qui s'efforce de continuer à raisonner, et puis il y a l'âme épouvantée, qui
vient de mourir et qui se trouve jetée, au milieu de milliers d'autres,
sur le chemin boueux la menant à l'anéantissement. Dans la plus
grande confusion, dans les cris de panique que certains d'entre
nous ne parviennent pas à retenir, nous allons de place en place,
accomplissant un parcours compliqué à travers le labyrinthe des
colonnes. Nous nous serrons autour de notre Guide, qui me soutient par la taille, tout en continuant à s'adresser à notre groupe. Il
nous raconte notre enfouissement inévitable parmi les morts oubliés,
dont les esprits se pressent en foule autour de nous sur ces gradins
pour nous empêcher de trouver le salut.

Et là, soudain, au centre de la colonnade, plus violemment éclairé
que les autres j'aperçois enfin un lieu connu, à quoi me raccrocher ! Le Carrefour ! Les deux Sources, au pied du Cyprès blanc !
L'Arbre immense se dresse magiquement devant moi au moment
où le guide l'évoque. Je le reconnais. C'est celui dont m'a parlé
Aâmet, celui que nous montrons à nos propres fidèles. Comment
se fait-il, ne puis-je m'empêcher de me demander, que ces rituels
différents, qui décrivent chacun à leur façon la descente dans le
monde des morts, fassent voir le même paysage ? La même plongée dans un effrayant labyrinthe de boue humide et puis le même

carrefour, le même arbre ? Qui donc est revenu de ce voyage pour nous raconter ce pays atroce et ses différentes stations ? Qui a osé y descendre à notre place et en revenir ? Si les traditions de tous les pays et de tous les temps proposent la même description, n'est-ce pas la preuve qu'elle dit la vérité ? Que ce paysage n'est pas symbolique, comme je le croyais jusqu'alors, mais réel ? Que ce marécage est celui où nous serons tous précipités après la mort ? Aâmet, lorsque je lui parlerai quelques jours plus tard de cette expérience bouleversante, me regardera avec un sourire de pitié navrée : "Bien sûr que c'est la vérité ! Bien sûr que c'est à cela que ressemble le pays des morts !" Ceux qui en sont revenus les premiers, m'expliquera-t-elle, ne sont pas des Grecs, ni des Thraces, ni des Phrygiens, ni des voyageurs de la Mésopotamie, le pays d'entre les Deux Fleuves, mais des Égyptiens ! Une poignée de fidèles d'Isis et d'Osiris, qui avaient appris les formules magiques pour ne pas perdre conscience et pour voyager invisibles au séjour des morts. Certains de ces audacieux, pourtant, se perdirent à tout jamais, devenant non plus des ombres parmi les ombres mais de pures consciences maudites et désespérées. D'autres revinrent, rapportant chacun une information nouvelle sur l'itinéraire à suivre pour cheminer de plus en plus loin sans se perdre. Les explorateurs égyptiens de l'En Deçà finirent par dresser la carte complète du Pays des Morts, avant de la transmettre aux autres civilisations, dont celle des Grecs. Nul enseignement n'est plus important que celui-là. Car l'être humain qui ne s'est pas préparé à sa mort, qui ne s'est pas équipé pour le voyage des seules connaissances vraiment nécessaires, c'est-à-dire les paroles magiques à prononcer au carrefour de l'Arbre blanc, celui-là sera balayé, entraîné, noyé, comme les centaines de millions d'ombres effrayées des peuples qui n'ont pas connu l'initiation ou qui l'ont oubliée. Tous ces gens qui avaient la possibilité de se sauver mais qui l'ont négligée, ils ont cru avoir autre chose à faire dans leur vie que de se soucier de leur mort mais ils ne pourront rien emporter avec eux de ce qu'ils ont pu y accumuler, leurs ambitions, leurs richesses, pour trouver leur chemin dans le bourbier. Ils auront encombré leur mémoire et leur âme d'illusions inutiles. Oui, tous les rites à mystère, conclura Aâmet, te parlent du même Carrefour, des deux Sources et du Cyprès blanc, parce que tous dérivent des premiers récits capitaux des explorateurs du bord du Nil !

Moi, j'ai écouté les leçons de la sorcière égyptienne, je les ai retenues, je les ai transmises et c'est pourquoi, dans la nuit d'Eleusis, au

moment où le Guide nous fait voir le Cyprès et la Présence féminine assise à son pied, je ne peux m'empêcher de prononcer à voix
haute les premiers mots de la formule magique : *"Tu prendras le chemin de droite"*. Le Guide me regarde avec respect. Tous les autres
mystes aussi. Je suis la déesse et c'est pourquoi je sais avant eux de
quel côté il faut passer. Ils se serrent autour de moi et répètent avec
une dévotion craintive la suite de la formule que leur transmet le
Guide. Celui-ci me fait passer la première près de l'Apparition lumineuse. Elle est chargée, je le sais déjà, de donner à boire à toutes
ces âmes mortes de soif mais, en fonction des mots qu'on sait ou
ne sait pas lui dire, elle choisit l'une ou l'autre des deux sources, la
bonne ou la mauvaise, celle de la mémoire ou celle de l'oubli. Mes
compagnons me suivent et je les entraîne par le bon chemin, celui
de droite, celui très étroit qui monte, tandis que la foule compacte
des Noyés se rue par le chemin de gauche, plus large et plus facile,
qui plonge sinistrement au fond du Bourbier.

Nous les Initiés, nous parvenons au pied du grand Escalier. Un
Prêtre nous y attend. Il tend à chacun la torche qui lui permettra
de grimper sans tomber dans le vide. Nous gravissons ces marches
sans fin vers la Lueur et nous parvenons au sommet. C'est là que,
soudain, nous la voyons ! La Déesse ! Couverte d'or, ses yeux fixes
étincelants, dans la lumière intense qui tombe du fond de la grotte
sacrée, d'où elle est sortie pour nous accueillir ! "D'où vient ce flot
surnaturel de lumière ?" me demanderai-je ensuite, lorsque la prêtresse organisatrice de rituel que je suis aussi sera capable à nouveau
de réfléchir. Un éclat aussi plein peut-il être créé par des torches ?
Ne s'agirait-il pas plutôt des rayons du soleil, tombant, par une
ouverture discrète pratiquée dans le toit de l'édifice, sur une terrasse couverte où l'on nous aurait fait monter ? Ce qui voudrait
dire que nous aurions passé toute la nuit à errer hallucinés sous la
colonnade du rez-de-chaussée et que dehors, puisque dehors existe
encore, puisque le temps normal y progresse encore, ce serait déjà
le jour, ou au moins l'aube ?

Peut-être mais, sur le moment, je ne pense à aucune de ces solutions matérielles. Je suis trop occupée à m'ouvrir à tout le reste.
Oui, c'est Dêmêtêr en personne, et non une statue, ou une figu-
rante, qui reçoit chacun d'entre nous de son inaltérable sourire. Elle
nous montre l'Épi de blé, qui se transforme sous nos yeux en phallus, et la Grenade, qui se transforme en vulve. Elle nous apprend le
grand secret. Il me semble qu'à la différence de mes compagnons,

l'on m'empêche de m'agenouiller, que l'on m'approche de la forme divine plus près que les autres, que sa main se tend vers moi, que ses doigts de métal me touchent la joue avec affection. La Déesse reconnaît en moi sa parente venue lui rendre visite. Je me laisse faire. Je n'ai plus aucun moyen de résister aux visions de félicité dont je suis traversée. Le frisson de terreur glacée qui m'a déchirée tout à l'heure, au moment où l'on nous a fait parcourir en imagination le bourbier, a été si violent, qu'il m'a ouverte de force à la sensation de plénitude et de délivrance me submergeant désormais. Symbole de ma vie entière. De mon parcours. Et maintenant, à la fin de tout, ou au-dessus de tout, ce sont des prairies délicieuses et des ombres amies que l'on nous fait visiter. Je crois apercevoir au loin Attis, Phaïdros (ce sont les mêmes, deux frères), et ici, n'est-ce pas Euthias qui me regarde d'un air grave et sombre, et tout là-bas, l'ombre majestueuse de mon père, Epiklês, le guerrier balafré, qui passe lentement aux bras d'une jeune femme étrangère ? Je voudrais pouvoir courir pour les rattraper mais je n'ai plus beaucoup de force. Je défaille. Je sens encore que le Guide et quelques autres bras me saisissent précautionneusement pour m'allonger sur l'une de ces millions de hautes tiges pointues d'asphodèle qui couvrent la prairie. Ses six paumes blanches s'ouvrent pour me recevoir et répandre sur moi, du haut de leur étamine safran, la poudre dorée d'immortalité. Je perds conscience. Le Rêve dure encore très longtemps mais je n'en ai plus le souvenir.

Le lendemain, le soleil de l'après-midi me réveille dans le petit temple d'Artémis. Hypereïdês vient me demander, avec un petit sourire entendu, si je me sens reposée. Il se doute bien que ce qui domine en moi, c'est la stupéfaction. Devant l'intensité des visions qui m'ont assaillie. Nous avons l'interdiction absolue de parler de ce que nous avons vu, même à d'autres initiés. Pourtant, avec les mystes de la veille, que je reconnais au fil safran à leur poignet, et qui, comme moi, sous le choc, errent devant les murs de nouveau clos du grand sanctuaire, nous ne pouvons nous empêcher d'évoquer à mots couverts la nuit que nous venons de vivre. Je suis frappée de constater à quel point tous ont paru éprouver les mêmes sensations que moi. En tant que professionnelle des initiations, je ne peux qu'admirer la puissance des moyens avec lesquels les prêtres d'Eleusis parviennent à susciter cette hallucination collective. Le phénomène de masse ajoute encore évidemment à la force de suggestion du rituel. Impossible d'échapper à ce qui possède une foule entière autour de vous.

Oui, j'admire. Pourtant je ne peux m'empêcher, déjà, dès le lendemain, d'être un peu déçue. Ce que les prêtres d'Eleusis nous ont vendu, ce n'est pas seulement une carte bien balisée de l'itinéraire à suivre au pays des morts mais aussi la promesse que, à la seule condition de nous souvenir des formules rituelles, nous serons sauvés. Tels quels, tels que nous sommes. Chacun de nous arrivera sain et sauf, en tant qu'individu, dans la prairie bienheureuse du salut, tandis que la masse des malheureux ignorants, qui n'a pas eu le privilège exclusif d'être initiée, se noiera à jamais dans le bourbier. Ce qui rassure tous mes compagnons, ce qui leur donne sur le chemin du retour vers la vie réelle une allégresse folle, moi, me déçoit. Il me semble que le message de mon thiase, celui que délivrent, par ma bouche, Isodaïtês et Anaïtis, celui que j'ai pressenti, la nuit où j'ai initié Praxitélês au bord du modeste bassin de Thespiaï, est bien moins rassurant et bien plus fort. Car aucun des individus qui se présenteront devant mes dieux, sous le Cyprès blanc du carrefour, ne sera noyé mais aucun non plus ne sera sauvé, aucun ne périra mais tous disparaîtront. Les plus avancés dans l'ordre du Désir seront volatilisés dans la pure divinité, tandis que les autres, qui n'en sont encore qu'à leurs premiers pas dans la conscience de la Possession et de la Dépossession, seront replongés au fond du grand cratère du mélange, avant de revenir à la vie terrestre sous une autre forme. Le bourbier lui-même n'étant plus que la matrice gluante de cet aller et retour, dont il ne faut pas redouter qu'il nous broie mais accepter de nous y anéantir pour le traverser. Anaïtis l'Orientale en saurait-elle plus que Dêmêtêr la Grecque ?

Aâmet, lorsque, de retour dans ma maison, je lui confie cette déception, en sourit, comme d'habitude : Dêmêtêr s'adresse aux Grecs, à cette conscience individuelle dont ils sont persuadés qu'elle fait désormais leur supériorité par rapport à la masse servile de ceux qu'ils appellent les Barbares, tandis qu'Anaïtis continue à parler aux foules d'Asie la vieille langue de la métamorphose. Chacune de ces déesses est chargée de tenir à son peuple celui des langages humains qu'il peut le mieux comprendre. Aâmet ajoute, après un instant de rêverie, que même elle, qui pense connaître la Mère de toutes les déesses, parce qu'elle croit que l'Égypte est la Mère de toutes les civilisations, n'est peut-être qu'un tout petit peu plus avancée que nous dans la connaissance des choses secrètes ; sans doute lui reste-t-il encore beaucoup de voiles à soulever avant d'apercevoir la divinité sous son vrai jour ? La vieille sorcière s'est fendue d'un sourire si enfantin, en me parlant de sa chère Égypte, que je ne peux m'empêcher de la prendre dans mes bras, comme la petite fille qu'elle n'est plus depuis deux mille ans. D'abord interloquée, elle s'amuse ensuite avec moi de notre irréductible naïveté.

En tout cas, c'est à cause de cette déception, qui m'arrive presque immédiatement après le choc de la cérémonie, que je ne demanderai pas l'année suivante à recevoir, dans une nouvelle nuit de transe, le troisième degré de l'initiation, pour devenir une "Epopté", une "Voyante", une "Illuminée". Beaucoup d'Athéniens, d'ailleurs, ne vont pas plus loin que moi : rassurés sur leur sort personnel après la mort, ils ne cherchent pas à en savoir plus, ni à percer le mystère ultime de la vie, se consacrant de nouveau tout entiers à leurs si absorbantes petites affaires.

Alors je fais comme eux. Même si, d'une certaine manière, mes petites affaires continuent à les toucher de près.

42

PLUS SEULEMENT LE PÉTALE

Les jours suivant la cérémonie d'Eleusis, je m'occupe, ainsi qu'Hypereïdês m'en a confié la mission, du bien-être de la délégation de Kôs. Et tout particulièrement de celui de mon petit peintre. À plusieurs reprises, je pose pour lui. Il veut me représenter en *Aphrodité sortant des eaux* pour semer la joie et le trouble sur la terre des hommes. À la différence du sculpteur, il ne dispose que d'un espace réduit et de deux dimensions mais sur son panneau de bois toutes les fantaisies lui sont permises. Une modeste planche, enduite d'une préparation malodorante de cire et de résines, lui suffit pour représenter la mer tout entière, et la déesse nue rejouant innocemment sa naissance, au milieu des dauphins et des monstres marins égayés. Le peintre a choisi de me montrer sur le rivage du Phalêron, au moment où j'essore deux de mes longues mèches bouclées, tandis que le reste de ma chevelure est encore réuni en un lâche chignon, dans un geste qui met en valeur la courbe de mes seins. La déesse se trouve dans l'eau à peine à mi-cuisse, mais l'éclat de l'écume se mêle à la forme de ses hanches, qu'il exalte et qu'il dérobe en même temps. Quant au sexe lui-même, le triangle formé par la queue d'un des dauphins facétieux qui joue avec sa maîtresse, à la fois le cache et le représente. Je ne peux pas reprocher au jeune artiste de ne pas l'avoir montré. Bien au contraire, il l'a fait deux fois : le coquillage dont sort son Aphroditê, et qui l'enveloppe encore comme un halo protecteur, sa forme ourlée, sa surface luisante, sa chair humide, tout évoque, pour qui sait voir, un sexe féminin. Au lieu de le cacher, le peintre malin l'a montré en tellement grand qu'on ne le discerne plus, quand on n'y tient pas. La composition est encore un peu gauche, mais le trait déjà affirmé. Et les couleurs extraordinairement délicates, bien plus inventives que celles trouvées par son maître Nikias pour les statues de Praxitélês ou même pour ses propres œuvres. Les nacres rosées du coquillage et de la peau de la déesse répondent aux bleus étonnamment profonds de la mer. Chacune des couleurs qu'il invente est plus intense que dans la réalité, et pourtant, c'est moins en elles-mêmes qu'elles me charment que dans leur accord : il apaise mes yeux et exalte mon âme, comme si je me trouvais face à l'harmonie révélée de la nature. Cette œuvre pleine de grâce surprend de la part d'un aussi jeune homme.

Mon regard sur lui change au fur et à mesure que je vois son tableau se préciser. Je commence à éprouver, non plus seulement de la bienveillance, et de l'amusement face à l'admiration qu'il me voue, mais aussi du respect. Ce sentiment s'adresse à la maturité de l'artiste qu'il n'est pas encore, comme si, plus âgée, j'avais plus de lucidité que lui sur lui-même. Nikias, lorsqu'il se rend compte de ce qui est en train de se passer entre nous, tente bien de me donner quelques nouvelles de son ami Praxitélês, qui ne s'est pas manifesté une seule fois de son côté, mais, tout en l'écoutant d'un air poli, je refuse de l'entendre. Je suis trop occupée à observer les gestes précis du jeune homme qui me peint et à imaginer ceux, tout aussi subtils et efficaces, que je lui apprendrai dès que la séance sera achevée. Je finis par installer chez moi le jeune artiste, qui a sûrement besoin de se délasser après tant d'efforts, et à qui je permets de joindre l'utile à l'agréable en continuant à observer de près son modèle, sous les angles les plus inédits. Maintenant je sais bien le nom de ce jeune génie. Il s'appelle Apellês. Je n'éprouve guère de plaisir entre ses bras, sinon celui, très doux, d'être l'initiatrice. Je lui enseigne les secrets de l'amour comme Nikias ceux de la peinture. Il est un élève zélé, rempli de bonne volonté, mais beaucoup moins doué dans mon art que dans l'autre. Simplement attentif, simplement méticuleux, manquant d'inspiration vraie. Parfois, malgré sa jeunesse, il s'en doute déjà. Il se vexe d'être destiné à devenir un maître de la peinture mais seulement un modeste artisan du plaisir.

Il est un peu plus âgé qu'Hermodotos mais ils deviennent très amis. Souvent, il est soulagé de quitter mon lit pour aller le retrouver. Je les entends rire, sur la terrasse au-dessus du toit, ce petit morceau de plein ciel où ils ont élu domicile la nuit. Apellês fait raconter à mon jeune protégé la vie d'Athênaï et de ses artistes, Hermodotos fait décrire au peintre son île lointaine, et surtout son habitant le plus fameux, Hippokratês, le vieux médecin qui y a établi son école, si savant et si sage qu'il est entré de son vivant dans la légende.

Regardant évoluer lentement les étoiles, ils rêvent chacun de vivre dans la ville de l'autre. Parfois ils parlent de moi et se mettent à murmurer. Parfois ils parlent d'une fille de ma maison et ils rient très fort. Bref, ces deux adolescents sont heureux, plus peut-être qu'ils ne le seront jamais. Moi, en les écoutant se confier leurs secrets et en m'efforçant de ne pas trop tendre l'oreille, je veille de toute ma bienveillance sur leur jeunesse. Je prie pour que la vie, qui est bien plus puissante que moi, ne la massacre pas, comme il lui a plu de le faire avec la mienne.

Le jour, Apellês continue avec enthousiasme à me peindre comme il me voit, en déesse à peine née mais déjà très savante, les yeux plus charbonneux et plus luisants que la nuit, les joues aussi délicatement rosées que l'aube et que le plaisir qui vient. Des coquillages s'entrebâillant, de sombres rochers luisant de joie sous la caresse de la lumière, des monstres aux grands yeux hilares, des bleus transparents comme un rayon de soleil, des verts riants comme une prairie marine, des blancs d'écume et d'allégresse continuent de naître à flots sous son pinceau, dans le remous inépuisable que suscite le surgissement de leur maîtresse. Il faut que Nikias, alerté, lui signifie qu'il est temps de mettre un terme à cette prolifération de vie naïve en train d'envahir toute la composition, avant que cette légèreté ne devienne lourdeur. Le jeune homme a la sagesse d'écouter son maître plutôt que sa propre frénésie. Pour la présentation publique du tableau, j'organise, dans l'atelier même de Nikias, un banquet qu'animent Lykeïna et les plus jolies danseuses de mon école. Elles font et défont gracieusement les tableaux vivants des scènes mythologiques que l'on peut voir esquissées par les peintres sur les chevalets. La société élégante d'Athênaï, l'avant-garde artistique de la capitale, ses politiques et ses diplomates, viennent y rendre hommage au jeune maître de Kôs devant la délégation flattée de ses concitoyens. Hypereïdês est ravi.

J'ai envoyé Adômas inviter Praxitélês, que je n'ai pas revu depuis mon exhibition personnelle sur la plage du Phalêron. À ma grande surprise, il se déplace. Hirsute. Halluciné. Je ne l'ai jamais vu dans cet état depuis les jours maudits où je l'ai poussé à sculpter le premier *Erôs*. Il m'apprend que les envoyés de Kôs, dont je sais qu'ils s'apprêtent à repartir dans leur île après avoir participé aux Mystères mais surtout avoir profité autant qu'ils le pouvaient des nuits athéniennes, lui ont commandé une statue d'Aphroditê et qu'il s'y est mis, enfin. Il ne jette qu'un long coup d'œil fiévreux au tableau d'Apellês. Sourit. "Très beau." Il prend le jeune homme dans ses bras, lui donne l'accolade, s'enfuit. Nikias ne parvient pas à le retenir. Moi, je n'essaie même pas. Ce paresseux, ce velléitaire, maintenant qu'il est lancé, il a mieux à faire que boire et s'amuser. Mieux même que me baiser. Il n'y aura droit que lorsqu'il aura terminé. Mais la nuit de ce grand jour-là, où il me montrera sa femme nue enfin achevée, je jure que, pour le récompenser, c'est moi qui le baiserai, jusqu'à lui faire cracher sa dernière goutte de sperme. Je le ferai râler de cette voix si haute, presque féminine, qu'il prend lorsqu'il meurt de plaisir et que j'ai déjà su tirer de lui à quelques mémorables reprises. Ce sera ma façon de le remercier.

Départ d'Apellês pour son île lointaine. En souvenir de son initiation, il me laisse le tableau de l'*Aphroditê surgissant des eaux*. Il croit sincèrement qu'il me fait don de son premier chef-d'œuvre. Mais (Nikias me l'a bien fait comprendre et, de toute façon, je l'aurais deviné toute seule), il se débarrasse seulement de l'esquisse surchargée d'une composition qu'il reprendra par la suite, amoureux plus mûr d'autres femmes plus jeunes, pour la porter à la perfection du dépouillement. Dans quelques années, le vrai chef-d'œuvre sera exposé à Kôs. Il attendra les pèlerins sur l'une des terrasses dominant la mer du grand sanctuaire consacré au dieu médecin Asklépios, que l'on est en train de construire en l'honneur de son disciple humain, Hippokratês. Pour me consoler, je me dis que le tableau sera placé à côté de la future *Déesse Nue* de mon Sculpteur. Qu'ainsi, les deux œuvres géniales que j'aurai su inspirer en me déshabillant sur la plage du Phalêron se feront face dans ce temple lointain. Que je devrais rayonner de fierté et non de nostalgie. Le jeune peintre m'envoie des baisers depuis le bastingage du navire, en me promettant de revenir. Je me doute déjà qu'il est destiné à devenir le plus grand peintre de la Grèce et que je ne le reverrai jamais.

Hermodotos se tient sur le bateau à côté de son ami. Il rit, il fait de grands gestes tendres pour me dire au revoir et pour couper le filin qui l'attache à moi. Il y parvient enfin et le bateau s'en va. Je me dis que c'est le premier homme que j'aime à me quitter sans être mort ou exilé, parce que ce n'est pas lui, mais moi, qui ai eu le courage de vouloir cette séparation. Une semaine auparavant, j'ai confié mon jeune protégé à l'un des envoyés de Kôs, dont Hypereïdês m'avait recommandé l'influence, afin que le fils de Manthanê puisse aller à la rencontre du vieux médecin dont il rêve et réaliser son destin, en se faisant admettre dans l'école fondée par ce dernier. Après que je lui ai annoncé la nouvelle, Hermodotos défaille de bonheur pendant plusieurs jours. Il palpite dans mes bras comme un oiseau qui attend que la cage s'ouvre pour s'envoler. Il est si pleinement heureux qu'il parvient même à faire semblant de partager un peu ma tristesse. Oh, un tout petit moment à peine, mais qui est déjà un miracle de la part d'un garçon aussi jeune. Ce sont ces quelques minutes de feinte affliction qui me prouvent le mieux la sincérité de son amour pour moi. Ensuite, lorsqu'il pense avoir assez soupiré sur mon chagrin avec mes femmes, il s'enfuit pour aller rejoindre le peintre. Je le laisse s'échapper. Je me prépare à ce moment du bateau. C'est pourquoi, sur le quai, je n'ai pas trop mal. Parce qu'il est déjà parti mille fois. Qu'il a déjà tailladé mon cœur mille fois des éclats de sa joie pour le forcer à s'entrouvrir. Hermodotos s'en va loin de moi et c'est très bien. Nécessaire. Vital.

Avant de s'en aller, il m'a demandé à être initié au culte d'Isodaïtês. "Tu es sûr ? Je ne veux pas te l'imposer." Depuis son tout jeune âge, il suit l'enseignement, il connaît les rites et les épisodes du récit par cœur ; je lui ai permis souvent alors de jouer le rôle de l'Enfant divin dans les mimes sacrés ; quelques années plus tard, il a aidé la prêtresse du jour à revêtir les fidèles de la peau de faon, à couronner leurs bâtons de bandelettes, leur présenter les gâteaux sacrés, leur apprendre les cris rituels ; il a mené les processions à travers le bois du Lykeïon, sous le regard des dieux, puis à travers les rues du quartier de l'Illisos, sous les sarcasmes des badauds. Mais il n'a pas encore participé à la nuit de l'initiation. Bien que j'y aie déjà reçu quelquefois des garçons et des filles plus jeunes que lui, je n'ai encore jamais songé à l'admettre. En fait, je n'ai jamais réellement pris conscience qu'il était âgé de seize ans, avant qu'il osât me demander à être initié, puisque je ne me décidais pas à le lui proposer. Je ne sais même pas s'il a déjà fait l'amour. Lorsque son pédagogue le ramène de l'école ou de la palestre, il vit en permanence dans une maison remplie de femmes, au milieu de filles qui se préparent à devenir des hétaïres, il est joli garçon, peut-être l'une d'entre elles s'est-elle chargée de mettre son enseignement en pratique ? Lykeïna par exemple ? Ma petite protégée n'est plus vierge, je l'ai fait passer depuis plusieurs mois déjà, comme ses compagnes, entre les mains terribles et précautionneuses du Cerbère Adômas, parce qu'à aucun moment elle ne m'a demandé à y échapper. Mais cette fille docile aurait-elle initié à son tour Hermodotos sans me demander d'abord la permission ? J'en doute. Peut-être Hypereïdês a-t-il jugé qu'il faisait partie de sa mission d'éducateur de faire découvrir à son pupille d'autres banquets que les miens ? Cet Athénien n'estime sûrement pas qu'une sœur aînée doive être tenue informée de l'apprentissage érotique d'un garçon. Mais je ne suis pas une Athénienne comme une autre. D'ailleurs, Hypereïdês est tellement bavard, nous aimons depuis si longtemps nous raconter nos vies et celles de nos proches, qu'il n'aurait sûrement pas pu s'empêcher de me narrer avec force détails la façon glorieuse ou amusante dont notre jeune protégé aurait perdu son pucelage entre les bras d'une de mes collègues. Ne m'a-t-il pas rapporté fidèlement les manœuvres d'approche des différents hommes mûrs qui prétendaient prendre sous leur aile le garçon et la gravité farouche avec laquelle celui-ci les tenait à distance ? Une dernière solution serait qu'Hermodotos ait été conduit dans l'un des bordels de la ville, non par Hypereïdês mais par Apellês, qui est plus âgé que lui d'un an ? J'y ai mes rabatteuses et personne ne m'a rien rapporté. Non, je dois reconnaître que l'un des rares jeunes hommes d'Athênaï dont j'ignore les frasques est celui qui vit sous mon toit. En vérité, je ne sais pas du tout où il en est, mais je crois qu'il n'y a guère de chance qu'il soit vierge.

Quoi qu'il en soit, j'accepte de le faire participer à la nuit de l'initiation. Je lui propose de choisir parmi les filles de mon thiase celle qui sera pour lui l'incarnation de la déesse. Je m'attends à ce qu'il prononce le nom de Lykeïna mais il reste silencieux. Il rougit. Puis il me déclare, les yeux baissés, qu'il voudrait être traité comme les autres fidèles, et que, s'il est choisi pour être le dieu, la grande prêtresse elle-même soit la déesse. Je reste interdite. Sait-il ce qu'il me propose ? Il ne répond rien. Il le sait très bien. Cette idée me trouble profondément. Je me demande si j'ai le droit d'agir ainsi. Il ne m'est pas lié par le sang, je ne suis pas sa mère, ni sa tante, j'ai plutôt l'âge d'être sa sœur aînée, ce que je ne suis pas non plus. Nous aurions bien du mal à qualifier d'un mot précis notre relation. Pourtant, nous avons pris l'habitude depuis des années de considérer qu'elle n'est pas celle de deux étrangers simplement unis par un lien d'affection. De l'amour, oui, mais de quel type ? Pour la première fois, j'en veux presque à Hermodotos de m'obliger à me fournir une réponse. Je confie mes doutes à Aâmet. Elle répond à la question qui me tourmente ainsi qu'elle aime à le faire : par une autre question à peine moins énigmatique. "Qu'est-ce que

Manthanê voudrait pour lui ?", me demande-t-elle. Elle ajoute une autre remarque encore plus dérangeante : "S'il est troublé autant que toi, ne vous situez-vous pas à l'endroit exact où se rejoignent la déesse et son parèdre ?" Je continue à hésiter. Initier moi-même ce jeune homme, ne serait-ce pas une parodie graveleuse de notre rituel ? Ou bien au contraire son achèvement ultime dans le don et l'innocence ? Aâmet me renvoie à mes doutes : "La seule qui peut répondre, c'est toi." Alors je finis par accepter. J'ai peur de me tromper, de mal faire, mais j'accepte, en me disant qu'une partie de moi au moins y est prête.

La nuit venue, j'accueille dans le bassin Hermodotos vêtu de la robe du Soleil. Je l'en dénude. Contact de l'eau et de ma main sur tout son corps. Sur ses paupières. Sur ses épaules. Sur son ventre. Sur sa verge que je découvre. Il se met à trembler et moi autant que lui. Pour nous donner du courage, je lui murmure qu'il n'est plus lui mais Isodaïtês, que je ne suis plus moi mais Anaïtis. Je lui demande de se hausser avec moi jusqu'à l'oubli de soi. Il est d'une maladresse si émouvante qu'elle me ramène un peu à lui, le jeune homme réel, sans m'empêcher vraiment d'atteindre au dieu. Nous sortons du bain et je le pousse à s'allonger sur la couche d'herbes et de fleurs. Je suis obligée de le caresser longtemps pour le faire durcir, en lui murmurant des mots doux et rassurants. Enfin, il lâche prise et son sexe se dilate. Je l'introduis en moi. Je m'occupe exclusivement, comme je me le suis juré, de lui donner du plaisir. Pourtant, à un moment où je le chevauche depuis long-temps déjà et où je vais augmenter le rythme pour le projeter vers l'éjaculation, il me fait basculer sur le dos. À partir de là, c'est lui qui me domine. Ce changement de position me fait soudain prendre conscience de l'intensité des sensations que je suis en train d'éprouver. Hermodotos plonge sa langue dans ma bouche. C'est ce contact précis, sa langue d'homme dans ma bouche de femme, et non de prêtresse souveraine et désincarnée, qui déclenche mon orgasme. Un raz de marée écarlate, qui vient des abysses confus de l'amour que j'éprouve pour lui depuis des années mais aussi de l'étendue de mon désir de femme, qu'il atteint pour la première fois. Quelques secondes après, je le sens qui éjacule en moi. Son sperme qui jaillit et se précipite et s'unit à moi, au tourbillon pro-longé de mon plaisir, mêlant toutes ces sensations confuses. Oui, quelques secondes de mélange de tout et d'oubli total. D'aveugle-ment divin.

Puis je le fais basculer de nouveau sur le côté, parce que l'abandon de son corps me ramène à la réalité du mien. Il m'écrase un peu les seins contre sa poitrine et les fesses contre un rameau de la végétation sur laquelle nous sommes étendus. J'ai envie de reprendre de la distance. Sous mon regard attentif, il ferme les yeux. Soudain, il me parle. Il m'avoue que c'était sa première fois. Malgré mon expérience, je suis surprise. Je ne peux que le féliciter. Il a su se laisser prendre mais aussi me prendre, il a su écouter sans timidité ni réserve le désir mâle en lui, cette force qui lui a conseillé d'abord de me laisser agir pleinement, puis de me renverser sur le dos, à un moment où je ne savais pas moi-même que j'en avais envie. Il est plus doué, plus attentif à lui et à l'autre, que bien des hommes mûrs. Surtout qu'il a agi ainsi avec une femme plus âgée, qui peut-être l'impressionne d'autant plus que...

Je laisse ma phrase en suspens, aveuglée par une évidence : n'est-ce pas moi qui suis en train de tomber amoureuse de lui ? Jamais auparavant, je n'avais pensé à lui comme à un homme, et maintenant, je me dis qu'il est peut-être le seul que j'espère depuis toujours, plus jeune que moi mais plus grave, assez profond et assez confiant pour qu'entre ses bras je puisse me reposer tout entière. Celui que n'a pu être Attis, celui que ne seront jamais ni Praxitélês ni Hypereïdês, parce que trop différents de Phaïdros. C'est au moment où je découvre cette évidence qu'Hermodotos, rouvrant les yeux, se relève. Qu'il s'éloigne de moi. Qu'il se rapproche de Lykeïna. Elle l'attend, le regard brillant à travers l'obscurité. Il la prend par la main qu'elle lui tend. Il la fait descendre dans le bassin. Il la purifie de tout ce qu'elle a appris longtemps avant lui, elle le purifie de tout ce qu'il vient d'apprendre devant elle. Quand ils remontent sur le bord et qu'ils s'allongent sur la couche d'herbe et de fleurs, ils sont tous les deux également savants et innocents. Je les regarde faire l'amour ensemble pour la première fois depuis le début du monde. Je suis émue et mon cœur saigne. Je comprends qu'Hermodotos m'a utilisée, parce qu'il ne voulait pas arriver vierge entre les bras de Lykeïna qui ne l'était plus. Je n'ai été que l'intermédiaire dont il avait besoin pour la rejoindre. La barque qu'il voulait emprunter pour franchir le fleuve jusqu'à elle. Cet amour naissant que j'ai éprouvé une seconde pour lui devait peut-être éclore en moi, afin que je le lui sacrifie en toute conscience. Je suis la prêtresse des mille incarnations interdites du désir, qui ignorera toujours la paisible fusion de l'amour.

Maintenant, il fait de grands gestes du bras sur le bateau, à moi et surtout à Lykeïna, qui se tient à mes côtés et qui tente de ne pas pleurer. C'est à elle, pas à moi, qu'il promet de revenir, dans quelques mois, dans quelques années, lorsqu'il aura achevé sa formation de médecin auprès du maître de Kôs et qu'elle aura achevé la sienne auprès de sa maîtresse de Thespiaï. Je peux presque entendre le serment muet qu'elle lui renouvelle de l'attendre fidèlement et, même si je décide de faire d'elle une hétaïre plutôt qu'une servante du sanctuaire, de ne jamais se donner qu'à lui. À travers mes larmes, je leur souris. Je leur garantis ma protection parce que leur union est en harmonie avec l'ordre du monde, et cette promesse de se retrouver en accord avec l'élan fugace de mon dieu. Dès que l'hydre de la jalousie pointe l'une de ses têtes aveugles hors de mon cœur, je la tranche sans faiblir. Je suis assez puissante désormais pour affronter les monstres qui peuplent les défilés les plus hideux de mon cœur.

Pendant que je commence à rêver au retour d'Hermodotos, Praxitélês travaille. J'ai mis cet artiste à l'ouvrage et j'ai perdu par là même mon seul véritable amant, alors qu'il a mis si longtemps à le devenir. Je devine qu'il ne souhaite pas me voir dans son atelier et qu'il se refuse lui-même l'accès à mon lit. Peut-être a-t-il décidé la même chose que moi : que je serai, à la fin de son ouvrage, sa récompense ? Je l'espère ardemment en tout cas. Lorsqu'il me manque trop, je me caresse en pensant à lui. Nous revenons à l'époque ancienne où il me regardait la nuit de loin dans les fêtes, pour vérifier ce que ses mains avaient trouvé de moi dans l'argile pendant le jour. Mais désormais, je sais ce qu'il voit. Ce qu'il tente de faire surgir de la pierre et qui sera à mon image. Je lui souris sans m'approcher, le plus doucement, le plus intensément, le plus mystérieusement que je peux. C'est ma façon de l'aider. Il ne me sourit jamais en retour. Il est de plus en plus hagard. Il perd ses cheveux. Même de loin, je distingue sa calvitie naissante, et les rides qui se creusent au bord de ses yeux fixés sur moi. Il vieillit, il vieillit à toute allure, dans son effort pour saisir mon inaltérable beauté.

Moi, je ne change pas. Je suis immortelle. Pourtant, j'arrive doucement à la trentaine, j'ai presque atteint l'âge qu'avait ma chère Lagiskê, la première nuit où je l'ai vue et où je me suis moquée si cruellement du soupçon de ces rides qu'elle ne prenait pas la peine de dissimuler. Aujourd'hui, je me dis qu'elle agissait peut-être ainsi par amour pour son vieil Isokratês, pour mieux lui ressembler, pour lui montrer qu'elle ne craignait pas plus que lui d'exhiber son âge, et qu'elle prenait le risque de perdre ses autres amants afin de se placer plus complètement sous sa protection. Moi non plus, je n'ai pas peur de vieillir, moi non plus, je n'ai pas envie de mentir, mais je ne veux dépendre de personne. D'aucun homme en tout cas. Pas plus de Praxitélês que d'un autre. Si je ne vieillis pas, c'est parce que je ne veux vieillir avec personne. Si je n'ai pas de rides, c'est parce que je ne veux en avoir aux yeux de personne. Je vais simplement, dans les années qui me restent, profiter de cette image divine que l'on me reconnaît depuis toujours mais que j'accepte depuis peu. Ensuite je mourrai brusquement. Je me mettrai moi-même la corde autour du cou, et je serrerai contre mes seins, avant qu'ils ne soient flasques, la pierre qui me précipitera au fond des eaux du Peïraïeus. Ou peut-être ai-je mérité que mon apogée dure éternellement ? Oui, chaque jour jusqu'à ma mort sera semblable à cette matinée sur la plage du Phalêron, sous les yeux de la foule grecque, aussi lumineux, aussi miraculeux que le jaillissement des dauphins au-dessus de ma tête ! Je laisse le Sculpteur, le fidèle d'entre mes fidèles, acharné à fixer dans la pierre ce moment mouvant, vieillir à ma place.

C'est pourquoi je fais la coquette et parle aussi mélancoliquement avec mes amies du temps qui passe et de notre jeunesse qui s'envole : parce que je n'y crois pas un seul instant. Myrrhina est la seule des trois Grâces à ne pas même supporter que nous évoquions ce sujet. Elle prétend qu'à la différence de nous elle n'a pas la moindre ride, parce qu'elle est encore trop jeune, parce que nous sommes beaucoup plus vieilles qu'elle, de plusieurs décennies au moins ou de plusieurs heures, et que cela se voit enfin. Elle doit reconnaître que je résiste un peu mieux que les autres, même si ce n'est pas à cause de la protection de ma déesse, mais de ce fard que me fabrique ma vieille sorcière égyptienne, à partir d'on ne sait quelle répugnante semence de crapaud. Et puis, si nous continuons à parler sérieusement, Myrrhina se fâche à sa manière, en riant encore plus fort. Elle tape sur l'eau pour nous éclabousser et se rhabille à la hâte pour aller demi-nue dans la rue des Trépieds provoquer quelque nouveau et rassurant scandale. Parfois j'ai envie de l'accompagner, d'exhiber moi aussi un peu de mon corps, quelques centimètres au moins de mes poignets ou de mes chevilles. Je crois que je n'ai jamais eu autant envie de faire l'amour. Les hommes, se méprenant sur le sens de cette fièvre nouvelle qui me possède, se pressent à ma porte et font monter les enchères pour la franchir. Au début de ma vie, j'ai été prise de force, et quelquefois, à ma honte et à ma stupéfaction, j'en ai éprouvé du plaisir. Puis j'ai pris et j'en ai joui avec plus de férocité encore. Depuis peu je sais le grand secret : je me donne, et je reçois si profondément celui qui me prend que je l'oblige à se donner aussi. Mais cet être unique à qui je me livre, ce peut être absolument n'importe qui, le corps n'a pas d'importance, je le transforme à ma guise, ce qui compte, c'est l'âme, la plongée au fond des gouffres de l'âme, et j'éprouve encore plus de plaisir quand j'y entraîne mon partenaire dans un frisson de peur. Voilà pourquoi j'ai tellement hâte que Praxitélês ait achevé son œuvre et me revienne : pour me donner à lui et voir où nous saurons nous retrouver.

En l'attendant, je jouis plus intensément que je ne l'ai jamais fait de ma vie. Cet état de surexcitation, qui durait parfois une semaine de mon cycle mensuel, j'ai l'impression qu'il s'étend maintenant à l'ensemble de cette période dont il ferait comme l'apogée du cycle entier de ma vie. En tout cas, mon désir est si fort qu'il me jette parfois dans cet état de transe que j'ai approché au bord du bassin de Thespiaï, c'est-à-dire au-delà même de la jouissance ou à côté, en dessous. Dans une plénitude plus étale que l'orgasme, tenant au pur plaisir de chaque geste amoureux. Je sais le susciter et le prolonger sans même avoir besoin de la pénétration (ce qui m'arrange bien, puisque je ne connais pas toujours l'homme avec qui je couche). Je ne me sens plus l'écume mais la vague. Plus seulement le pétale mais la plante s'épanouissant depuis ses racines. Voilà exactement où j'en suis. Sur quel état de conscience je flotte. Ces innocents d'Athéniens, eux, comme si rien n'avait changé, continuent à se moquer de ma futilité. Et pendant tout ce temps où je m'approfondis dans un vertige permanent, le Sculpteur, enfermé dans sa solitude créatrice, travaille sur la surface de mon image.

Cette période de lente frénésie, de floraison retardée et d'autant plus intense, dure-t-elle quelques semaines, quelques mois, ou toute l'éternité de la fin de l'été ? Je ne sais plus si c'est au début de l'automne ou de l'hiver ou du printemps suivant (j'ai perdu la conscience du temps et la mémoire des fêtes officielles), que Praxitélês m'ouvre enfin la porte de son atelier.

43

LE VRAI SURGISSEMENT DE LA DÉESSE

Elle me regarde. C'est ça que je vois d'abord. Pas son sexe, ses yeux. Ce regard intense, ce regard luisant, ce regard humide de désir, dont Nikias a fait vivre l'amande délicatement fendue des paupières, est-ce vraiment le mien ? Je parviens avec peine à me détacher de ces prunelles fascinantes et à descendre vers le sexe. Oui, il est là. Tout est là. Le Sculpteur a osé tout mettre. La fente des lèvres, plus qu'esquissée, délicatement ourlée. Les poils de la toison, il les a marqués dans le marbre comme la chevelure, et puis il les a fait peindre eux aussi, de leur exacte nuance de brun léger. Même les perles. Il a ciselé dans la pierre jusqu'à l'éphémère parure intime dont je m'étais ornée ce jour-là, en une délicate chamarrure d'or. Le fou. Je m'arrache à ce sexe magnétique et je tourne autour de la statue. Le dos et les fesses sont aussi infiniment travaillés que le reste, parce que la déesse est faite pour être vue sous tous les angles et sous tous les reliefs. Le poli du marbre, qui est depuis toujours la vraie marque de fabrique de Praxitélês, est si délicat qu'il n'attire pas que les yeux mais aussi les mains. On a spontanément envie de toucher sa déesse, tant elle est présente. J'ai l'impression que mes bras se tendent tout seuls vers elle, pour une caresse ou une supplication, tandis que les mots s'empêtrent dans ma gorge. Je ne parviens pas à exprimer mon émotion, ni même à la mettre en ordre dans mon cœur. Je sais seulement que tout ce que le Sculpteur cherchait jusque-là, toutes ses recherches, toutes ses tentatives, se trouve d'un seul coup concrétisé, achevé, dépassé. Cette œuvre réunit son passé et notre avenir. Elle concentre en elle l'histoire de la sculpture depuis la première hiératique Korê d'il y a plusieurs siècles et elle annonce son évolution future, toutes les femmes que les autres artistes pourront désormais dévoiler mais qui ne seront jamais plus nues que celle-ci. Oui, cette statue surgit et s'impose, comme Aphrodité elle-même, qui, bien après les autres divinités, jaillit de l'eau un beau matin aux yeux éberlués des Grecs sur le rivage de Kypros.

Praxitélês m'a souvent parlé de l'éphèbe de Polykleïtos, le *Porteur de Lance*, dont les proportions, définies par cet artiste mathématicien, étaient si parfaites qu'elles donnaient, même au plus inculte des spectateurs, bien incapable de les calculer lui-même, l'impression immédiate de se trouver face à un chef-d'œuvre. Voilà, j'éprouve exactement, devant cette première femme nue, la même sensation de réussite totale, qui ne tient pas à l'équilibre des proportions mais à leur oubli dans la pure présence, dans le grain si délicat de la pierre qu'il donne envie de fermer les yeux et de laisser tomber les bras pour s'allonger à ses pieds en son mouvement même. L'abandon de la perfection.

Et l'on peut tourner autour d'elle, toujours l'on revient à ce geste de la main qu'elle fait vers son sexe.

À ce geste émouvant.

Pas audacieux. Pas provocant. Pas pudique. Pas timide.

Juste émouvant.

Ce geste qu'il a choisi de représenter, moi seule j'en devine toutes les implications. Il n'a pas voulu montrer, comme le peintre adolescent, le moment où la naïade nouvellement née surgit de l'eau à mi-cuisse, dans l'innocence absolue du premier jour. Non, sa déesse à lui, qu'il regarde dans sa maturité de femme, ne s'est pas encore plongée dans l'eau ou bien elle en est déjà sortie. Ses cheveux, qu'elle n'a pas dénoués, ne tombent pas encore sensuellement sur ses épaules, ou bien, après les avoir essorés, elle les a réunis déjà dans un chignon. C'est juste avant ou juste après le moment mythique du surgissement de l'eau qu'a choisi naïvement le peintre, et c'est beaucoup plus essentiel : la déesse-femme pose d'une main sa tunique sur l'anse du vase des ablutions rituelles, et, de l'autre, elle désigne le sexe qu'elle vient d'exhiber. Ou bien elle le cache. Ou les deux. Mais pas les deux en même temps, non, les deux l'un après l'autre. Le Sculpteur montre l'instant exact où la femme cesse de cacher son sexe et ose, du bout de son doigt, comme y touchant à peine, le montrer. L'instant exact où la femme ose être déesse. Cet instant où je suis passée de l'une à l'autre, d'un état à l'autre, de la honte à la gloire, il a duré pour moi, sous le regard attentif de cet artiste, presque quinze ans. Car je sais que Praxitélês n'a pas représenté seulement le moment où je me suis exhibée devant l'assemblée des Grecs sur le rivage du Phalêron mais aussi celui où je me suis dénudée pour lui seul près du bassin du temple de Thespiaï, la nuit de son initiation, avant de venir tranquillement poser ce sexe que je lui montrais sur le sien, afin de l'en envelopper et de l'en compléter. Et ce moment souverain renvoie lui-même à la première nuit où il m'a vue nue, timide et sauvage, dans l'humiliation sordide du bordel du Peïraïeus. Et aussi à la terrible dernière nuit de Thespiaï. Voilà, tout mon parcours réuni dans cet unique geste.

Mais il n'est pas seulement le mien. Au moment où je découvre cette déesse nue, je devine encore autre chose, de façon plus confuse. Se déshabiller en pleine lumière pour montrer son sexe sans fausse honte, avec l'aisance du naturel, ce simple geste-là a pris aux femmes grecques quinze cents ans et il n'est pas encore achevé dans la réalité. C'est pourquoi l'artiste qui a posé son regard sur moi, la femme libre qu'il aime, ou plutôt la femme servile en train de se libérer, il donne mon geste, non pas seulement aux hommes, pour qu'ils s'en repaissent, mais aussi à toutes les femmes encore enfermées, pour qu'elles s'en nourrissent. À toutes celles qui oseront le regarder, dans le temple d'Aphroditê, les jours de cérémonie, quand elles pourront en grimper quelques marches et glisser un œil prudent à l'intérieur de la nef secrète où se tient la déesse impudique de leur avenir. Mais celui-ci est encore loin d'être advenu. Beaucoup de ces femmes tirent encore leur fierté de rester claquemurées au fond de leur gynécée, même si, de plus en plus nombreuses, elles en sortent, pour rejoindre les cortèges d'Isodaïtês, ou ceux d'Adônis, de Sabazios, de Kybêlê, d'Isis, tous ces cortèges initiatiques venus d'ailleurs qui se multiplient dans Athênaï et qui inquiètent tant leurs hommes. N'y a-t-il pas un lien entre cette statue à l'impudeur paisible et ces processions échevelées et incontrôlables ? L'artiste n'adresse-t-il pas à son époque le même message que moi, la prêtresse de la secte secrète ? Mais lui le dit à sa manière gracieuse, en fidèle d'Apollôn. Par cette délicate incision du sexe au bas du ventre de la déesse nue où fleurit la toison, ne désigne-t-il pas lui aussi cet ordre féminin des choses, qui sourd de partout désormais, parce qu'il a été trop enfermé, trop longtemps, qui ne se contente plus de sortir derrière le dieu Bakkhos certains jours de carnaval, certaines nuits de course sanglante dans la montagne, avant le retour oublieux sous le joug diurne de la cité, mais qui prétend exister à la pleine lumière du jour ? L'artiste ne dit-il pas aux hommes, à sa manière, que ce désordre des thiases féminins dans leurs rues est en fait un autre ordre, aussi harmonieux que le leur, et parfaitement complémentaire ?

Cette évolution de plusieurs siècles donne du sens à mon parcours personnel mais je l'entraperçois seulement aujourd'hui, des années après, comme la voyageuse qui, atteignant le sanctuaire des Muses au creux de la montagne, se retourne pour repérer dans la plaine la bourgade lointaine d'où elle vient. Et lui, le Sculpteur, au moment où, de quelques coups de ciseau audacieux, il marque les lèvres du sexe au bas du ventre de la femme pour la montrer telle qu'elle est, a-t-il conscience de la portée de son geste ? Peut-être s'en moque-t-il après tout ? Peut-être cela ne le concerne-t-il pas ? Peut-être a-t-il bien raison de ne s'intéresser qu'à des problèmes de sculpture ? Lui, c'est en modifiant les lignes du corps qu'il fait bouger celles de la société. Tout le reste, il laisse à ses futurs spectateurs ou spectatrices, à ceux et celles qui s'offusqueront ou s'exalteront de sa statue mais ne pourront en détacher les yeux, le soin de le faire advenir.

Et moi, qui aurai joué mon rôle minuscule dans ce mouvement, tout ce qui se sera dit à travers moi et à travers lui, je n'aurai jamais fait que le pressentir.

"Alors ?" Les yeux du Sculpteur, brillants de fierté, sous ceux luisants de désir de la déesse. Qu'est-ce que je peux bien lui dire ? Rien, bien entendu. Je n'ai jamais vraiment su parler mais, à cet instant, encore moins que d'habitude. Ce que je vais faire, c'est le prendre dans mes bras, fougueusement, l'embrasser et le culbuter, là, dans la poussière de son atelier, dénuder sa verge, la décalotter, la prendre dans ma main, dans ma bouche, dans ma vulve, le faire jouir et me faire jouir de le faire jouir. Je me demande si c'est le bon geste, mais, en tout cas, c'est le seul qui me vient à l'esprit. Après tout, je suis une hétaïre, je pense par mon sexe. D'ailleurs, le Sculpteur n'a pas l'air de s'en plaindre. Il se redresse sur ses coudes, les cheveux et la barbe couverts de copeaux de marbre et de poussière de temps, tout grisonnant mais hilare : "Tu n'es pas un peu folle ?"

C'est en me relevant et en allant m'essuyer dans un recoin de l'atelier que je l'aperçois. L'autre. Celle qui fait face à la déesse impudique et la regarde avec une indifférence réprobatrice. Cette *Aphrodité* est exactement la même que la première mais habillée. Elle dépose non pas sa tunique mais son miroir et ses aiguilles à cheveux dans le vase des offrandes. Elle est très belle, elle aussi, incontestablement. Au lieu du poli subjuguant de la peau, le Sculpteur s'est déchaîné sur les plis bouillonnants de la tunique, qui lui font, des poignets jusqu'aux chevilles, comme une armure d'écume. Elle est aussi belle que mon original nu, peut-être même encore plus, mais j'ai l'impression d'une trahison. D'un retour scandaleux à la banalité et à la convention. Je me retourne vers le Sculpteur, toujours en train de se secouer de la poussière de plaisir dont je l'ai enveloppé. Il me dit en souriant : "Oui, oui, je sais ce que tu vas dire ! Mais je sais aussi ce que vont dire les autres, les envoyés de Kôs, lorsqu'ils verront notre *Aphrodité dénudée*. Ce sont des provinciaux, ma chère, je les ménage, je leur laisse le choix. Il faut bien que j'en vende une des deux, j'ai un atelier à faire marcher, moi !" Il ajoute : "En plus, je ne vois pas ce que tu me reproches : l'habillée, c'est toi avec tes longues tuniques te couvrant le corps, telle que les Athéniens te voient chaque jour dans leurs rues. La nue, c'est toi telle qu'ils t'ont vue un seul jour au Phalêron. Donc, les deux, c'est toi."

Nous commençons aussitôt à nous disputer pour fêter nos retrouvailles. Je lui reproche de ne pas faire assez confiance à la beauté de sa statue dénudée qui balaiera les réticences même des austères prêtres de Kôs : "En leur donnant le choix, tu les incites à être timides et lâches. Il ne faut pas donner le choix, il faut forcer la main. Comme toi, tu m'as obligée à me déshabiller pour entrer dans la mer devant les requins, comme moi, je t'ai obligé à sculpter enfin un sexe de femme." Il n'est pas du tout d'accord. D'après lui, l'artiste propose mais le public dispose. Il faut non pas le bousculer mais le respecter, l'accompagner, l'aider précautionneusement, malgré ses œillères, à voir toujours un peu plus loin. D'ailleurs, il connaît mieux les Grecs et les hommes que moi. "Ah oui ? Excuse-moi, ça fait quinze ans que je couche avec eux ! Alors je crois que je sais quand même ce qu'ils ont dans la tête à ce moment-là !

— D'accord, me rétorque-t-il, en souriant, mais moi je suis l'un d'entre eux, figure-toi ! Alors je connais encore mieux que toi leurs préjugés, leurs inhibitions, et tout ce qui les empêche de voir eux-mêmes ce qu'ils ont dans la tête à ce moment-là !"

Nous nous mettons à supputer les réactions des spectateurs devant les deux statues. Praxitélês, toujours prudent, ou plutôt toujours timoré dès qu'il s'agit non plus de créer mais d'exposer, pense que celle des envoyés de Kôs sera beaucoup moins favorable que celle des amateurs d'art éclairés d'Athênaï. De mon côté, je déclare ma totale confiance dans la nudité de ma déesse, si évidente qu'elle s'imposera à la pudibonderie provinciale des uns comme à l'ironie blasée des autres. Sa pimbêche habillée, dont personne ne voudra, il devra la garder pendant plusieurs mois au fond de son atelier, méprisée, délaissée, oubliée. Et, en fin de compte, c'est moi qui la lui rachèterai, par pitié pour lui, ou pour celle que j'ai été si longtemps !

Nous ne devrions pas tarder à savoir lequel de nous deux a raison. Praxitélês m'annonce le retour imminent des acheteurs de Kôs, quelques semaines à peine après leur dernière visite. Ils ne se déplacent pas spécialement pour la statue mais font partie de la délégation officielle de leur île qui se déplace à Athênaï pour tenter de sauver la paix. J'en entends beaucoup parler aussi par Hypereïdês. Le Sanglier me raconte les efforts qu'il a dû déployer pour amener ses concitoyens et les Alliés à convoquer une session extraordinaire du Conseil de la Ligue, ou de ce qu'il en reste. "Le plus dur, me déclare-t-il avec son optimisme habituel, a été de les réunir. À partir du moment où ils seront assis les uns à côté des autres et où ils m'écouteront tranquillement, je parviendrai à les convaincre d'éviter une guerre suicidaire pour chacun des deux camps". Il a une confiance aussi absolue dans la capacité de son éloquence à s'imposer aux esprits que moi dans la nudité de ma déesse à subjuguer les âmes. Je suis encore plus impatiente que lui de voir arriver les ambassadeurs. Car j'ai un double intérêt personnel dans cette ultime tentative de conciliation : le triomphe de mon artiste mais également le sort de mon protégé, Hermodotos. Je l'ai envoyé peut-être imprudemment étudier dans cette île rebelle de Kôs, même si je me dis pour me rassurer qu'il y bénéficie de protections officielles, et qu'il peut y compter sur l'amitié d'Apellês.

Pour ne pas attendre sans rien faire, j'accepte d'honorer de ma présence le festival d'Aïgina, l'une des îles proches d'Athênaï. Dans ces cérémonies en l'honneur de Poséïdôn, le dieu qui règne sur la mer, Aphroditê, la déesse qui en sort, joue un grand rôle. C'est pourquoi j'ai été invitée spécialement par les autorités religieuses à assister aux jeux, tous frais payés. Je sais très bien ce qu'ils ont dans la tête et cela tombe bien, c'est la même chose que moi. De nouveau la foule s'entasse sur le rivage. De nouveau je me costume en déesse, c'est-à-dire toute nue, de nouveau je dénoue mes cheveux, de nouveau j'entre et je sors de l'eau. Le public se met à chanter avec allégresse dès le moment où je tends la main vers la fibule de ma tunique. Mais je ne retrouve pas l'atmosphère de recueillement inspiré du matin où j'ai accompli spontanément ce geste sur le rivage du Phalêron. À Aïgina, pas de requin-dauphin, rien que de l'eau tiède et vide, et les éclats d'écume jaunâtre de la vulgarité. Beaucoup d'hommes se sont rapprochés pour pouvoir détailler ma nudité et j'entends les remarques obscènes qu'ils formulent à voix haute. D'autres, rompant le cordon de sécurité des prêtres, tentent de me toucher au moment où je sors de l'eau. Les Cerbères et les membres de mon thiase ont bien du mal à me dégager, malgré l'intervention brutale des archers de la cité, venus suppléer les gardes du temple totalement dépassés. La cérémonie menace de tourner à l'émeute. Ce qui n'empêchera pas, j'en suis sûre, d'autres sanctuaires de me faire un pont d'or pour que j'honore de ma présence leur fête sacrée en oubliant encore une fois d'attacher ma tunique. Je me jure que je refuserai toutes ces propositions.

Mais, à Aïgina, j'atteins mon but : faire passer à tous les fidèles le message que, s'ils veulent me revoir entièrement nue, ils n'ont qu'à se précipiter à Athênaï, où Praxitélês le sculpteur s'apprête à exposer sa dernière création. Les filles de mon école, que j'ai amenées avec moi et lancées à travers les banquets de la petite ville comme un nuage de gracieuses sauterelles, tout en caressant les plus riches des pèlerins, leur murmurent à l'oreille : "Viens à Athênaï, mon chéri, viens voir la statue ! La première d'une femme entièrement nue ! Je te jure que tu n'as jamais rien vu de tel !" Elles ne les font jouir que lorsqu'ils ont promis de faire le déplacement. Moi-même, je paye de ma personne avec les grands prêtres d'Aïgina, mais aussi avec un pèlerin en provenance de Kôs, qui a le bonheur de croiser par hasard mon chemin. C'est une campagne publicitaire bien ciblée : on ne parle plus à Aïgina, pendant les quelques jours de la fête, que de la dernière audace de Praxitélês. Un grand vent d'excitation mâle balaye l'île. Dans les tavernes du petit port, les farceurs affirment que le vieux Poséïdôn lui-même, tout émoustillé à la perspective de revoir sa nièce sortant de l'eau dans son plus simple appareil, a déjà fait préparer au fond de son palais marin son char de course, tiré par ses huit marsouins les plus rapides, pour se précipiter au Peïraïeus dès la fin de la cérémonie. Les fidèles se hâtent de diffuser la bonne nouvelle dans tous les ports de la mer Égée.

Bref, de retour à Athênaï, l'atelier de Praxitélês ne désemplit pas. La controverse s'échauffe rapidement entre les partisans de la déesse nue et ceux de la déesse habillée. Les conservateurs, qui ont eu le temps de peaufiner leurs arguments depuis le précédent scandale causé par *L'épouse qui pleure et l'hétaïre qui rit,* s'indignent de l'obscénité de l'artiste et stigmatisent la décadence morale de l'époque. Au premier rang d'entre eux se dresse le propre parent de Praxitélês, l'incorruptible général Phôkiôn, et Lykourgos, l'austère ami d'Hypereïdês : ces deux braves paraissent n'avoir jamais eu à combattre d'ennemi plus redoutable qu'une femme nue. Ils affirment qu'Athênaï, qui passe depuis trop longtemps ses nuits dans les fêtes, qui laisse ses femmes s'exhiber impudiquement, qui se passionne pour une statue vulgaire, alors que la guerre menace et que les îles se rebellent, oui qu'Athênaï, si elle continue à s'oublier ainsi, méritera sa chute prochaine. Mais je remarque que la foule est beaucoup plus nombreuse devant la déesse nue et que ses critiques les plus virulents ne peuvent s'empêcher d'aller y jeter un coup d'œil. Certains d'entre eux, qui s'apprêtaient à insulter la statue, restent bouche bée et ne parviennent à brocarder de nouveau le Sculpteur qu'après être sortis de son atelier. Parfois même ils reviennent et finissent par se taire. Ils me reposent. Je suis comme Praxitélês : tout ce bruit, que j'ai appelé de mes vœux, commence à m'exaspérer. Je n'éprouve plus que l'envie de fuir cette fausse capitale de l'esprit pour me réfugier dans mon sanctuaire de Thespiaï. Aphroditê, même lorsqu'elle se montre nue, est la plus farouche des déesses, la plus timide, la plus secrète. La foule ne lui convient qu'un temps. Je retrouve la brusque frénésie de solitude qui me frappe si souvent en plein cœur de la fête.

Et puis, évidemment, nos adversaires cherchent à me faire mal, et ils y parviennent. Leurs commentaires graveleux sur ma figue et mon cul, oh pas ceux de la déesse, non, les miens, ils les disent assez fort pour que je les entende. J'en pleure, je m'en moque. Je fais semblant de m'en moquer mais ensuite, quand je suis toute seule, j'en pleure. Non, non, la vérité, c'est que d'abord, j'en pleure, même devant eux, parce que je suis encore fragile, parce que ma carapace ne sera jamais que de la peau à vif, et après je m'en moque, parce que c'est tout au fond de ma fragilité que, depuis toujours, je trouve ma force.

Enfin débarquent à Athênaï les ambassadeurs des dernières cités alliées, beaucoup moins nombreux qu'auparavant. Parmi eux, les acheteurs du sanctuaire de Kôs, que Praxitélês et moi nous attendons si fiévreusement. Athênaï partage notre impatience mais pour d'autres raisons que les nôtres. Après plusieurs mois d'atermoiements, l'île va devoir choisir son camp, et l'on a très peur qu'elle ne préfère rejoindre la ligue concurrente, manipulée par le puissant satrape de Karie. Alors, plus encore qu'à l'occasion des fêtes d'Eleusis, on choie ses envoyés. Ils en profitent. Les graves prêtres du nouveau temple d'Asklépios débarquent avec morgue, jouissent sans se dérider de tous les banquets qu'on leur offre, assistent sans s'émouvoir aux représentations théâtrales les plus spectaculaires. Au bout de plusieurs jours, tandis que les négociations diplomatiques s'enlisent malgré l'énergie déployée par Hypereïdês, ils consentent à se déplacer dans l'atelier du Sculpteur. Ils ne jettent qu'un coup d'œil à la déesse habillée, reculent avec stupeur devant la déesse nue, retournent à la déesse habillée, osent enfin s'approcher de la déesse nue, hésitent, vont, viennent, se réunissent en conciliabules dubitatifs, font tomber sur l'artiste un œil incontestablement furibond. Le grand prêtre, qui est le chef de la délégation, articule enfin, d'une voix définitive, que, euh, oui, bon, ben, hum, ils rendront leur décision le lendemain. La foule parie sur leur choix : l'on s'accorde généralement à penser que ces provinciaux puritains n'oseront jamais choisir la nue. Ce soir-là, j'ai invité à un banquet privé l'un de ces émissaires de Kôs, qui m'a transmis une lettre d'Hermodotos. Lykeïna et moi, nous lui faisons raconter en détail son île et la fameuse école d'Hippokratês, dans laquelle mon neveu adoptif, totalement indifférent à l'agitation politique qui l'environne, m'annonce qu'il a été accepté et qu'il reçoit un enseignement si passionnant qu'il n'a jamais été aussi heureux de sa vie. Ces bonnes nouvelles me permettent d'oublier la statue de Praxitélês et de ne pas passer la nuit dans les mêmes transes que le Sculpteur. Je remets néanmoins à notre invité une lettre pour Hermodotos, dans laquelle Lykeïna et moi, nous lui présentons avec une douce insistance la même requête : il faut, s'il nous aime l'une et l'autre, qu'il interrompe provisoirement sa formation, si passionnante soit-elle, et qu'il revienne à Athênaï, pour nous rassurer, le temps que la situation se calme entre la cité et les îles. Lykeïna ne doute pas de sa réponse à un si tendre appel. Moi non plus. Mais, même si je le cache à ma suivante, j'ai peur qu'il ne lui parvienne pas avant le déclenchement de la catastrophe redoutée. À moins, que, sur une ultime inspiration, Hypereïdês ne parvienne à rétablir la paix, et à me sauver une fois encore ?

Le lendemain, les acheteurs de Kôs font connaître leur choix : ils élisent bien évidemment la déesse habillée, qu'ils jugent plus pudique et plus austère, seule digne de figurer dans leur sanctuaire. Ils payent largement l'artiste mais celui-ci a perçu une nuance insultante dans la façon dont ils ont motivé leur décision. L'opinion publique aussi. Elle se retourne contre ces étrangers, qui ont paru critiquer le mode de vie de notre capitale et que l'on raccompagne, avec une hostilité presque ouverte, jusqu'au port. Quelques sarcasmes bien athéniens les frappent au visage, tandis qu'ils surveillent l'embarquement de la statue et que, sans même attendre la fin officielle de l'assemblée extraordinaire, qui n'a eu aucun résultat concret, ils s'apprêtent à repartir vers leur médiocre petite île, où ces crétins parleront sans doute en faveur de Mausôlos. Après leur départ, l'opinion, qui n'a plus d'autre cible, se déchaîne contre le Sculpteur : il a exposé sa cité à l'humiliation de se voir reprocher son manque de morale par des demi-barbares, prêts à se donner à un satrape perse mais se permettant de hausser le sourcil devant la soi-disant indécence de ceux qui leur ont toujours fait l'honneur de les protéger. On lui tient rigueur de cette avanie, on l'accuse presque d'avoir contribué à la dégradation des relations entre Athênaï et son alliée, en fourrant le doigt de sa gourgandine exhibitionniste dans une affaire diplomatique où celui-ci n'avait rien à faire.

Praxitélês se moque de l'hostilité du grand public. Il se réjouit que les gens de Kôs aient refusé sa déesse nue parce qu'il conserve le secret espoir de la voir acheter par le sanctuaire d'Aphroditê Ourania : elle restera ainsi à Athênaï, où elle pourra trouver le seul cadre digne d'elle et assurer à son audacieux créateur la célébrité qu'il mérite. Il parvient à faire se déplacer les prêtres mais ceux-ci ne jettent qu'un coup d'œil dédaigneux à mon image de pierre : totalement indigne de la déesse céleste. Ils ne restent que quelques instants dans l'atelier et Praxitélês comprend qu'ils ne s'y sont déplacés que pour lui infliger ce camouflet. Il est bientôt obligé de fermer sa porte au public. Les visiteurs se font de plus en plus insultants et certains excités menacent de venir détruire à coups de marteau ce témoignage honteux de turpitude morale. Je tente de rasséréner le Sculpteur de toute ma science d'hétaïre et de toute ma tendresse d'amoureuse mais je vois bien qu'il est touché. Pour la première fois depuis ses débuts, il commence à mépriser les Athéniens. À part son séjour à Mantineïa, et son détour inaugural par Argos, il est toujours resté fidèle à la vieille capitale, où les clients étrangers viennent le solliciter. Il a toujours refusé d'aller travailler, comme la plupart de ses collègues, sur les chantiers d'Iônie. Là-bas, les cités, prodigieusement enrichies par le commerce avec l'Empire perse, attirent les artistes les plus prestigieux, tandis que la Grèce centrale, ravagée par des décennies de dissension sanglante et coûteuse, n'a plus les moyens d'engager de grands travaux. Praxitélês n'a encore jamais prêté l'oreille à la voix d'or des sirènes d'Asie. Et voilà que, seul dans son atelier devant sa statue nue et méprisée, tandis que je caresse ses cheveux de plus en plus rares et m'efforce sans l'irriter de lui montrer que je tiens à lui, il rumine des pensées d'exil. J'ai peur qu'il ne me tienne responsable de ce gâchis et ne m'en veuille de lui avoir forcé la main, en le jetant dans une expérience artistique et morale qui tourne au désastre. Il pousse un soupir exaspéré : "Toi ou une autre, moi ou un autre ! C'était une évolution inéluctable. Nous n'avons été que les instruments de quelque chose qui nous dépasse. Alors je ne regrette rien du tout. Simplement la bêtise m'exaspère." Et il replonge dans son silence morose.

Enfin, un après-midi où je reste avec lui à le réconforter mais où je commence à trouver le temps long, quelques coups discrets sont frappés à la porte de l'atelier.

C'est un petit bonhomme moricaud. Sa peau étrangement grisâtre m'inspire le même sentiment de malaise que la mienne, peut-être, aux Athéniens. Il s'adresse à moi dans un dialecte étrange, mêlé de rudesse dorienne et de fluidité iônienne, que je ne parviens pas à identifier. L'inconnu me dévisage avec inquiétude et me demande, tout à trac : "Elle est encore là ?" De qui parle-t-il ? "Elle, la statue !" Je souris sans rien dire. Il paraît un peu rassuré et se lance dans une explication très compliquée, d'où il ressort qu'il débarque à l'instant pour la voir et qu'il vient tout droit de Knidos. Je lui réponds que je n'ai jamais entendu parler de cette île. Il me rétorque, un peu vexé, qu'il ne s'agit pas d'une île, mais d'une ville du sud de la Karie, située sur un promontoire juste en face de Kôs : "Nous faisions partie autrefois de l'Alliance athénienne et c'est sur nos côtes, il y a bientôt vingt ans, à une époque où tu étais à peine née, que votre fameux général Konôn a battu l'escadre de Lakédaïmôn. C'est devant chez nous que votre cité a pris sa revanche !" Je sens qu'il cherche à flatter ma fibre patriotique, sans se douter que, même après toutes ces années passées à Athênaï, j'en suis totalement dépourvue. D'ailleurs, manifestement l'inconnu se fiche de Konôn autant que moi. Il poursuit ses explications. Pendant un voyage d'affaires à Halikarnassos, il a entendu parler de la fameuse statue dénudée par un marchand de retour du festival d'Aïgina. Or, Knidos s'enorgueillit d'abriter un temple d'Aphroditê Euploïa, protectrice de la navigation, qui domine les deux ports de la ville et qui est célèbre, non pas jusqu'à Athênaï, sans doute, mais dans la région alentour. En tant qu'émissaire de sa cité, il dispose d'une somme assez importante allouée par le sanctuaire. Même Mausôlos, empêtré dans les travaux de reconstruction de sa capitale, aurait du mal à rivaliser. Quand le Knidien a appris que les prêtres de Kôs avaient refusé la statue dont tout le monde parlait, il s'est précipité vers Athênaï. Il craignait d'arriver après les émissaires du satrape ou ceux d'une autre cité de Phrygie. Mais d'après ce qu'on lui dit, lorsqu'il a débarqué au Peïraïeus, elle n'est pas encore vendue. Comment cela est-il possible ? Peut-on la voir ? Je le conduis moi-même devant la déesse, tandis que Praxitélês lui crie sans se déplacer : "Personne n'en veut à Athênaï et elle est beaucoup trop belle pour des imbéciles de Kariens !"

L'autre ne prend même pas la peine de lui répondre. Il reste bouche bée. Il vient d'apercevoir la statue. Peut-être la seule chose au monde capable de lui faire oublier sa fierté patriotique et ne pas rétorquer à ce prétentieux mal embouché que Knidos s'est affranchie d'Athênaï une génération avant tous les autres alliés, que sa cité se réjouit de la révolte de Kôs, et que, si lui-même, Knidien et fier de l'être, avait fait une semaine de navigation simplement pour se moquer devant un Athénien du désastre de sa Ligue militaire, eh bien, il considérerait n'avoir pas perdu l'argent de la traversée. Non, il se tait. Silence. Beauté. Oubli. Il finit quand même par se tourner vers moi, paraît découvrir avec stupeur ma ressemblance avec la statue, ouvre la bouche pour dire quelque chose, oblique de nouveau d'un quart de tour vers la déesse. Ses lèvres murmurent. Que dit-il ? Je crois qu'il prie dans son sabir étrange. Puis il jette à voix haute vers le coin de l'atelier où se tient Praxitélês, qui n'a toujours pas daigné se lever pour l'accueillir : "D'accord, Athénien, ton prix sera le mien." Celui-ci, sans même lever la tête, lui jette : "Une obole, c'est tout ce qu'elle vaut, cette pute !"

Je sursaute, le Knidien aussi. En me jetant des coups d'œil affolés, il proteste, supplie l'Athénien de ne pas blasphémer en sa présence. La déesse a fait incompréhensiblement la grâce à ce sculpteur grossier de s'incarner dans sa statue mais elle pourrait bien s'irriter de voir méprisée sa faveur, non seulement contre l'artiste mais aussi contre le fidèle qui l'aura laissé insulter. Elle pourrait bien décider de jeter son navire aux monstres de la mer pendant la traversée du retour, car les colères de la douce Aphroditê sont les plus terribles de toutes celles qui agitent les divinités. Elle est prompte à punir les humains qu'elle a favorisés et qui ne lui marquent pas assez leur reconnaissance. De nouveau, les lèvres du Knidien superstitieux se hâtent de marmonner une prière. J'ai même l'impression qu'il me prend à témoin de la sincérité de ses excuses. Toujours dans son patois maladroit mais avec une finesse d'esprit surprenante, il m'explique que les Kariens ont la réputation méritée parmi les Grecs d'être rusés en affaires, voire carrément malhonnêtes, et que les Knidiens sont les plus kariens de tous les Kariens, que pour un marchand de sa cité, ce serait un plaisir tout à fait légitime, et presque un devoir patriotique, d'escroquer un Athénien, surtout un Athénien aussi ridiculement prétentieux que l'est ce sculpteur. Il pourrait profiter de l'état d'ivresse dans lequel se trouve manifestement mon ami et le détrousser, en lui achetant sa statue une bouchée de pain, n'est-ce pas, pour un négociant expérimenté comme lui, ce serait un jeu d'enfant, mais il ne le fera pas, il me le fait constater, parce qu'il agit sous le regard de la déesse, à qui il tient à prouver son respect. C'est pourquoi il va fixer lui-même le montant de la transaction. Deux talents d'or. Un prix plus qu'honnête. Mais c'est ce que mérite la statue. Et c'est tout l'argent dont il dispose, il le jure devant Aphroditê. J'aperçois ses lèvres qui, pour la troisième fois, murmurent son invocation à sa déesse nationale, protectrice de toutes les navigations et de toutes les circulations d'argent.

Tout en l'écoutant déblatérer, je m'amuse de constater que ce type foncièrement louche se montre d'une honnêteté scrupuleuse, pour peu que sa déesse soit en jeu. Il est de la race de ces trafiquants de chair humaine, de ces Satyros pullulant dans chaque port des deux mers dont j'ai déjà été une fois la victime. Il me vendrait comme esclave sans aucune hésitation s'il avait le moindre pouvoir sur moi mais il me confie son âme simplement parce que j'ai servi de modèle à Aphroditê. Bien que Karien, me dis-je, il doit être sincère. Il me semble soudain que c'est à moi que revient la charge de conclure cette affaire inespérée au nom de Praxitélês, qui s'en désintéresse toujours autant, et de vendre ce chef-d'œuvre dont personne ne veut à cet étranger anonyme. D'ailleurs, il a raison. Deux talents, c'est une vraie somme !

Pourtant, au dernier instant, je me ravise. En regardant l'émissaire bradouiller son action de grâce, j'ai une inspiration et je lui déclare dans un sourire : "C'est bien, Knidien, tu défends l'argent du sanctuaire. La déesse t'en est reconnaissante. Mais elle veut que tu nous donnes les trois talents dont tu disposes." J'ai jeté cette phrase au hasard, un coup de sonde lancé juste pour voir, presque un jeu. Le marchand blêmit : "Comment tu as fait ça ? Comment tu sais ça ?" Je ne réponds rien, je me contente de sourire mystérieusement, en désignant du doigt la statue dans notre dos. Je ne vais sûrement pas lui expliquer que mon talent divinatoire a des origines plus prosaïques. Qu'il vient de mon expérience de la prostitution, de mon habitude de parler argent avec des hommes de toutes les origines dont l'unique caractéristique commune est que les plus riches d'entre eux sont aussi les seuls à tenter sans vergogne de me faire baisser mes tarifs. Je me suis demandé pourquoi ce Knidien si pieux invoquait Aphrodite au moment de conclure notre affaire. Peut-être prenait-il la précaution d'expliquer à la capricieuse déesse que, s'il mentait encore au moment où il jurait sur son nom qu'il disait la vérité, c'était afin de mieux défendre ses intérêts divins ? Après tout, quelle action de grâce plus sincère un marchand peut-il offrir à la divinité qu'il sert que de permettre à son temple d'économiser un talent ? Ma soudaine clairvoyance, j'aime à me dire aussi qu'elle me vient de notre commune protectrice. La déesse ne veut pas se rouler elle-même. Au moment où elle dépouille le sculpteur de son chef-d'œuvre, elle exige du négociant le sacrifice de sa rouerie. Je me souviens de la première négociation que j'ai menée avec Praxitélês, la nuit où nos chemins se sont croisés au fond d'un bordel ignoble. La divinité et ma propre rage de vivre, en parlant d'une même voix par ma bouche, m'ont alors insufflé l'audace de lui extorquer ses huit drachmes et neuf oboles, dans une inspiration qui a décidé de tout mon destin. Cette nuit-là, j'ai dépouillé Praxitélês grâce à l'aide d'Aphrodite, il est juste qu'aujourd'hui j'acquitte en son nom ma dette au centuple.

Le Knidien attend avec une crainte respectueuse que j'émerge de ma rêverie. Bafouillant, transpirant, plus blêmissant que jamais, il se prosterne presque devant moi pour me tendre, non seulement sa lettre de change de trois talents sur un banquier de l'Agora, mais encore sa bourse : "Voilà, maîtresse, c'est tout ce que j'ai, je donne tout, je te jure !" Cette fois, je sais qu'il dit vrai. Je prends la lettre, que je dépose négligemment sur le coin d'une table de l'atelier, et je rends la bourse au Knidien : "La déesse veut que tu puisses voyager confortablement au retour, afin que tu aies tout le loisir de veiller sur sa statue." En bredouillant, il me remercie et me jure qu'il reviendra dès le lendemain s'occuper du transport du chef-d'œuvre.

Je lui déclare : "Ce soir, quand tu auras repris un peu tes esprits, ne t'en veux pas de m'avoir donné les trois talents, notre déesse est d'accord. Le sculpteur fait une bonne affaire, certes, mais, grâce à toi, le sanctuaire d'Aphroditê Euploïa aussi." Je lui révèle l'avenir : dans quelques mois à peine, la renommée de la statue sera telle qu'on commencera à faire le voyage vers Knidos spécialement pour la voir. À elle seule, elle assurera la renommée et la prospérité de la petite cité. Ce pèlerinage durera autant que le marbre de la statue et que la jeunesse de notre déesse, c'est-à-dire l'éternité ou quelque chose d'approchant. Le marchand m'écoute prophétiser, ravi, et je me demande si ce pieux mensonge que j'invente pour le rassurer n'est pas la vérité. Je tends la main vers la chevelure grasse du bonhomme incliné devant moi. Le dégoût, je ne l'éprouve que quelques secondes après qu'il a disparu, plus furtivement qu'un fantôme blême et sans consistance, ne laissant pour preuve de son passage qu'une trace moite sur ma main et un rouleau de papyrus cacheté d'un sceau de cire noire sur un coin de table.

D'ailleurs, dès que la nouvelle se répand du départ de la *Déesse Nue*, l'opinion athénienne se retourne, avec la versatilité catastrophique qui la caractérise, et cette frénésie d'action qui suit ses plus coupables négligences. On supplie le Sculpteur de la garder dans la cité, plusieurs de ses sanctuaires lui font des propositions mirobolantes, prêts à s'endetter pour dépasser la somme proposée par le Knidien. Mais Praxitélês refuse de dénoncer un marché conclu pourtant en dehors des règles, sans témoin ni contrat, dans un coin d'atelier. Je ne sais s'il agit ainsi par fidélité à la parole donnée ou simplement par orgueil, pour faire payer leurs rebuffades à ses concitoyens. Comme me l'explique Hypereïdês, les Athéniens voient partir avec elle un peu de leur sentiment de supériorité artistique, de leur certitude rassurante d'être la plus progressiste et la plus légitime de toutes les villes de la Grèce, à l'avant-garde des recherches esthétiques et des combats politiques. Un peu comme, à la génération précédente, juste avant l'ultime désastre de la guerre contre Lakédaïmôn, ils ont laissé Euripidês s'exiler à la cour provinciale de Macédoine, où ce misanthrope raffiné mourut, dit-on, dévoré par des dogues laissés en liberté, sans avoir revu la ville qui n'avait que trop rarement reconnu son génie. Maintenant il est considéré comme le plus grand, joué et rejoué sans cesse. Avant chacune de ses défaites, Athênaï laisse s'enfuir ses œuvres et ses artistes, comme les autres peuples leurs dieux, qui s'envolent des temples pour ne pas être souillés par le carnage. La cité de Praxitélês, en regardant s'embarquer l'*Aphroditê nue* vers Knidos, s'aperçoit, juste un peu trop tard, qu'elle perd une partie de son âme.

Et puis, la vie athénienne reprend son cours, comme si de rien n'était. Des fêtes, des statues, des procès. La guerre générale avec les Alliés rebelles, qui couvait depuis si longtemps, finit par éclater officiellement. L'ignoble Aristophôn et son compère Kharês se targuent de ramener dans l'Alliance les peuples révoltés par les moyens habituels : le massacre d'une partie de la population et la lecture aux survivants du *Panégyrique d'Athênaï*, que cette vieille barbe idéaliste d'Isokratês paraît avoir écrit tout spécialement pour légitimer n'importe quelle exaction. Plus une bonne amende, évidemment, afin de renflouer un peu les caisses de l'État, que les riches citoyens répugnent de plus en plus à remplir. Les deux complices en stupidité et en brutalité ne peuvent qu'échouer. Athênaï devra bientôt reconnaître qu'elle n'a plus les moyens d'être une grande puissance, pas plus que Thêbaï ni que Lakédaïmôn. Je l'ai deviné depuis plus longtemps que les subtils Athéniens, simplement parce que je ne suis pas athénienne. Et aussi, accessoirement, parce que j'ai subi dans ma chair la destruction d'une autre petite cité rebelle. Hypereïdês, totalement dégoûté, se retire de la vie publique. Il ne rédigera plus des chefs-d'œuvre d'éloquence ironique que pour des affaires d'adultère ou de copropriété. Beaucoup de ses concitoyens les plus lucides font comme lui et se jurent de ne plus se consacrer qu'à leurs petits intérêts particuliers. Au lieu de se chicaner avec Thêbaï ou Lakédaïmôn pour l'hégémonie de la Grèce, ils se chicanent avec leurs voisins pour un champ d'oliviers, tant la chicane fait partie de leur façon de voir le monde. Les procès sont donc de plus en plus modestes mais ils nécessitent de plus en plus d'avocats. Hypereïdês gagne énormément d'argent. Presque autant que moi avec mon école d'hétaïres, ce qui n'est pas peu dire. Il ne sait même plus comment le dépenser pour oublier son amertume. Je l'aide à trouver chaque nuit une façon nouvelle de le jeter par les fenêtres, en les ouvrant encore plus largement sur la douceur infinie de la vie. Moi, Myrrhina, et toutes les autres, nous faisons tellement les folles qu'il y a même des moments où je m'amuse.

Puis je vais voir Praxitélês dans son atelier. Lui aussi continue à vivre et à créer, comme si de rien n'était, comme si Athênaï ne jetait pas étourdiment ses derniers feux. Avec Hypereïdês, je m'enivre de la fraîcheur éphémère de chaque nuit, avec Praxitélês je respire la poussière de marbre de l'éternité. Parfois j'arrive à trouver des points communs à ces deux hommes, à ressentir leur différente mais semblable solitude.

Le Sculpteur et moi, contrairement à ce que je croyais en attendant nos retrouvailles, nous faisons de plus en plus rarement l'amour. De plus en plus doucement aussi, unis par les liens d'une familiarité ancienne à laquelle aucun de nous deux ne consent à renoncer parce qu'elle est, dans le domaine sensuel, ce que nous avons touché de plus précieux. Et puis il me parle d'art. Il fait le bilan de ce qu'il appelle son aventure, comme mon père le baroudeur me racontait la sienne, lorsque j'étais petite fille et qu'il me prenait sur ses genoux. Les hommes ont toujours aimé se confier à moi, même lorsqu'ils se trompent en prenant ma distraction rêveuse pour de l'attention. Dans le fond, j'aime les écouter. Les moments où ils m'ouvrent simplement leur âme, sans faire les malins, sans vain orgueil ni fausse modestie, c'est ce que d'eux depuis toujours je préfère. Je prends leur cœur entre mes paumes, comme la prêtresse celui de l'animal sacrifié, et je recueille leur vie dans ses battements ultimes. Le Sculpteur me dit qu'il ne regrette rien de tous nos scandales. Je lui ai permis, non pas seulement de représenter pour la première fois la nudité féminine, mais de s'écarter du type idéal que lui avait légué Pheïdias et même Polykleïtos, pour incarner une femme réelle. Je l'ai aidé à se débarrasser de toutes les images fabriquées qu'il avait dans la tête pour trouver ce que ses doigts entendent par féminité. Il a la sensation d'avoir achevé son évolution : elle l'a amené, à sa propre surprise, vers une forme de beauté moins virile, qui contamine aussi bien les hommes que les femmes. La seule chose qui l'agace, qu'il ne parvient pas à considérer avec son détachement coutumier, c'est qu'on le critique ou qu'on l'admire pour de mauvaises raisons. On vilipende ses statues pour affirmer une fidélité à un passé glorieux ou bien on les place au-dessus de tout pour se donner la satisfaction d'être à l'avant-garde de l'art et des mœurs, mais, d'un côté comme de l'autre, on ne les regarde pas. Les orateurs et les stratèges peuvent bien entretenir l'illusion, lui, le sculpteur, il sait qu'il est trop tard pour revenir en arrière. Les rêves de puissance qui agitent encore ses concitoyens, ou l'angoisse du déclin de la cité, rien de tout cela ne le concerne plus. Il a découvert que c'est en étant le plus décalé, le plus éloigné des préoccupations urgentes de sa génération, qu'il est le plus intimement en lien avec elle. C'est en fouillant tout au fond de lui-même qu'il met au jour le secret le mieux caché de son époque, cette conception d'une relation entre les sexes plus fragile, plus ambiguë, dont ses contemporains eux-mêmes ne savent pas encore tout à fait qu'ils la cherchent. De ce point de vue-là, lui et moi, sur nos chemins parallèles mais qui se croisent parfois miraculeusement, nous allons dans la même direction.

Pendant ces quelques semaines de temps suspendu et d'apogée personnel, je passe beaucoup de temps avec ces deux hommes parce qu'ils me permettent, chacun à sa manière, de me tenir le plus à distance possible de l'actualité. Et puis, malheureusement, je suis rattrapée par le déroulement catastrophique de cette guerre lointaine qui ne me concerne pas. Comme les Athéniens le redoutaient, ils reçoivent la confirmation de la défection de Kôs, l'île dans laquelle j'ai eu l'imprudence d'envoyer mon pupille étudier auprès du vieux sage en médecine. Malgré mes demandes de plus en plus pressantes, malgré celles de Lykeïna à qui j'ai demandé d'écrire elle aussi à plusieurs reprises, Hermodotos, tout en nous assurant de sa tendresse, a toujours refusé de quitter l'école, confiant dans la pureté de son attachement pour la science et dans la protection de ses maîtres. Et voilà qu'à trop tarder, il se retrouve pris dans la tourmente. Sur la petite île, le massacre des partisans d'Athênaï n'épargne rien ni personne, dit-on, même pas les sanctuaires du savoir ni les retraites de l'art. Pendant plusieurs jours, je reste sans aucune nouvelle. J'ai l'impression de replonger au fond du cauchemar de la disparition d'Attis. Si Hermodotos était vivant, lui qui a connu enfant les tourments dont sa grande sœur d'adoption a souffert à cette époque affreuse, je suis sûre qu'il aurait trouvé un moyen, n'importe lequel, de me rassurer.

Je finis quand même par recevoir une lettre. D'Apellês et non d'Hermodotos. Elle me parvient avec beaucoup de retard car elle a dû passer d'abord par l'intermédiaire d'un agent de Mausôlos, qui est en contact avec le jeune peintre et qui étend sur lui la protection du satrape ami de la rébellion. Puis elle est arrivée jusqu'à moi grâce à Diôn, le marchand d'Halikarnassos, que j'ai rencontré brièvement à Korinthos le jour où j'ai racheté Attis, et qui est resté depuis l'un de mes clients occasionnels. Il a réussi à franchir le blocus des rebelles en leur cachant qu'il se rendait à Athênaï. Ce risque, il l'a pris en priorité pour ses affaires, évidemment. Mais il est heureux aussi d'entrer plus avant dans mes bonnes grâces en me remettant son précieux message. Je n'ai pas le cœur à l'en remercier moi-même sur-le-champ mais je le confie à deux des filles de mon école, que je charge de lui faire oublier sa déception et qui y parviennent aisément. Pendant ce temps, Lykeïna s'assied sans un mot à mes pieds et nous lisons toutes les deux la lettre venue de Kôs. Elle nous apprend des nouvelles un peu anciennes mais rassurantes : les professeurs de l'école de médecine ont réussi à cacher leur élève athénien pour le sauver du massacre, puis, dans la panique, le peintre a fait embarquer son ami secrètement sur le premier navire en partance pour Halikarnassos, la capitale du satrape. De là, mon protégé devait tenter de trouver un moyen de reprendre la mer, non pas pour Athênaï, dans les circonstances actuelles c'était trop dangereux, mais pour Korinthos.

Nous sommes toutes les deux soulagées d'apprendre qu'il a échappé au danger le plus menaçant. Mais nous restons très inquiètes de n'avoir pas eu de ses nouvelles depuis. À Korinthos, où Aâmet envoie immédiatement un courrier, personne n'a entendu parler de lui. Diôn, de retour à Halikarnassos, se débrouille pour me faire savoir que les premières recherches qu'il a entreprises dans toute sa cité pour retrouver la trace du jeune homme sont restées vaines. Aucun navire en provenance de Kôs ne paraît l'avoir eu à son bord. Où peut-il bien être ? J'envisage le pire : a-t-il sombré dans une tempête ? Est-il tombé sur des pirates, qui l'ont vendu ? Un matelot criminel l'a-t-il jeté à la mer, après l'avoir détroussé de ses maigres richesses ? Avec l'équipage et le bateau tout entier, ont-ils été aspirés dans la gorge tourbillonnante d'un de ces monstres à dents de récifs qui sont si nombreux à hanter ce détroit ? J'essaie de me rassurer en énumérant les raisons de croire en la protection des dieux. Il est le fils de Manthanê la Kappadocienne et d'Aram l'Arménien, l'enfant du miracle à qui elle a réussi à faire traverser, caché dans son ventre, le sac de Thespiaï, en le plaçant par son nom sous la double protection d'Hermês et de Mithra ; il est le jeune savant qui a commencé à réaliser son destin en allant étudier la médecine dans le sanctuaire d'Asklépios ; il est aussi l'amoureux, qui a promis à Lykeïna de revenir la chercher, en se remettant entre les mains d'Isodaïtès et d'Anaïtis : un humain protégé par tant de divinités différentes peut-il être bêtement la victime de l'une des incessantes petites guerres grecques ou d'une banale traversée de quelques jours ? Non, ce n'est pas possible ! Et pourtant, me murmure une autre voix, tu as déjà vu mourir sous tes yeux, de manière aussi atrocement incompréhensible, tant d'autres jeunes gens qui devaient vivre, dont Phaïdros, le poète thespien favorisé par Apollôn. Qui peut compter de manière certaine sur la faveur des dieux ? Qui peut placer sa confiance dans le mystère de leur protection et de leur brusque indifférence ? Et puis (la petite voix recommence à me ronger de l'intérieur), tous ces jeunes hommes que tu as aimés, tous, ils sont morts, l'un après l'autre, et tous à cause de toi, à cause de ton amour ! Tous, tu les as laissés mourir sans parvenir à les sauver, tous, tu les as tués !

C'est le Sculpteur qui me permet d'échapper à la remontée de l'angoisse. Un jour, il me dit qu'il va partir. Il me parle de son brusque désir d'Orient. À la suite de la vente de l'*Aphroditê nue*, qui a fait du bruit jusque de l'autre côté de la mer, il a été contacté par des émissaires de Mausôlos. Le satrape, après avoir réussi à s'affranchir de la tutelle perse, veut de son vivant édifier un tombeau digne d'un roi sur l'une des deux collines qui dominent Halikarnassos. Il engage à prix d'or les sculpteurs les plus prestigieux, pour y travailler sous les ordres de son architecte personnel. On dit que Skôpas et l'athénien Léôkharês, qui s'est exilé depuis quelques années en Asie, ont déjà donné leur accord. Ce serait agir en mercenaire, mettre son art au service de l'ennemi le plus puissant et le plus habile d'Athênaï. Oui, et alors ? La cité, dévorée par la guerre, abandonnée par ses derniers alliés, n'a plus d'argent à consacrer à ses artistes. Et puis Praxitélês en a assez du vieux continent. De sa ringardise. Il a envie d'aller voir si son art de l'intime pourra s'épanouir dans le monumental, sous le soleil d'or qui se lève à l'orient au-dessus des métropoles commerçantes. Évidemment, il laisserait à Athênaï sa femme, la raisonnable et indocile Philomélê, qui n'a pas envisagé plus de quelques instants l'idée d'élever ses deux enfants ailleurs que dans la cité de leurs ancêtres. Il ose à peine me demander de l'accompagner en Asie, parce qu'il sait qu'il n'en a aucun droit, parce que je ne vais pas tout abandonner, pour le suivre, mes clients, mon thiase, mon école d'hétaïres, cet édifice de prospérité et de liberté que j'ai réussi à bâtir en plein cœur d'Athênaï, merveille plus étonnante peut-être que le tombeau d'un roi. Eh bien si, je vais faire ça ! Je vais le suivre, et me rapprocher d'Hermodotos. En une fraction de seconde, j'abandonne tout ce que j'ai mis quinze ans à construire.

Les jours suivants, dans la fièvre, je m'occupe de ne rien détruire vraiment. Je pousse mes amants réguliers dans les bras de Myrrhina et je lui confie Hypereïdês, en lui demandant d'en prendre le plus grand soin ; j'abandonne le thiase d'Isodaïtês à Aâmet, qui me déclare sans ambages que je ferai sans elle ce voyage dont je parais avoir besoin pour savoir ce qu'Hermodotos représente à mes yeux ; je charge Thratta de l'administration du temple de Thespiaï ; l'école d'hétaïres athénienne sera dirigée par Nikarétê (à qui je demande en échange de me laisser emmener son intendant et son mari secret, en me disant que Kariôn pourra m'être d'un grand secours dans le périple que j'entreprends sur sa terre natale). Ma maison, c'est Herpyllis qui s'en occupera en mon absence, comme elle l'a déjà fait. Elle est la seule qui manifeste le désir de m'accompagner mais je sais que c'est en me taisant celui de rester auprès de son philosophe. Je n'emmène que deux des Cerbères, les plus jeunes, le Tatoué et le Taciturne : prenant en pitié l'âge et les cicatrices de Mentês, j'ai prétendu que je lui confiais la mission essentielle de veiller à la porte de ma demeure jusqu'à mon retour. Il a fait semblant de me croire et il a bu toute la nuit avec Adômas et Kistôn, ses cousins, ses frères d'armes, pour se donner le courage de les abandonner. Je choisis aussi quelques suivantes. Dont Lykeïna, évidemment. Cette dernière ne me demande même pas l'autorisation de faire partie du voyage vers Hermodotos, sans doute parce qu'elle l'a déjà obtenue d'Anaïtis.

Et je m'en vais.

Bien que nous puissions compter sur la protection des agents de Mausôlos, nous jugeons plus prudent de nous embarquer à Korinthos et de déguiser notre identité, pour ne pas risquer d'être capturés par l'une des trières des îles révoltées, que la flotte d'Athênaï, autrefois maîtresse de l'Égée, n'arrive pas à détruire. Pendant la traversée, je me demande pourquoi j'ai accepté aussi vite d'accompagner Praxitélês. Quel besoin de partir alors que j'avais tout obtenu ? Retrouver Hermodotos ? Bien sûr, mais n'aurait-il pas été plus sûr de laisser agir Diôn, comme il me le conseillait lui-même, plutôt que d'aller embrouiller ses recherches de mon impuissance d'amante ou de sœur, moi qui ne suis ni tout à fait l'une ni tout à fait l'autre ? Je vais débarquer en Athénienne dans une partie du monde où les Athéniens ne sont plus vraiment les bienvenus. Quoi d'autre alors ? Quel appel ancien me pousse vers la côte d'Asie, comme mon père en son temps, comme les Grecs les plus ambitieux et les plus avides de nouveauté ?

Malgré mon inquiétude lancinante, je flotte dans un état nauséeux assez doux. Je n'aime pas la mer, c'est elle qui m'aime. Bien que le capitaine nous mette en garde contre les tempêtes, si fréquentes aux abords de la Karie, la mer se fait toute calme quand je passe sur elle. Moi qui viens du centre aride de la Grèce, j'aime l'eau. Celle des embruns salés, qui me giflent le visage à la proue du navire, et me font revivre les émotions de la petite Mnasaréta, rêvant de la traversée de son père vers l'armée d'Agêsilaos. Celle, glacée comme la mort ou comme la vie à l'état pur, qui ruisselle des sources de montagne et des torrents. Celle qui coule, goutte à goutte, de la grotte dans la Montagne Torse, où je me suis aventurée un jour de mon enfance avec Phaïdros. Celle qui s'offre, tiède et humble, aux moustiques et aux grenouilles, dans le bassin derrière le temple d'Erôs. Celle qui sourd de toutes les plantes et qui perle sur chaque brin d'herbe, à l'aube, avant que le désir ardent du soleil ne la volatilise. L'eau, de plus en plus, est mon élément. Elle m'enveloppe et elle m'apaise. Étrange. Je parle de loin. Je rêve de loin. Mes paroles se font distantes, s'effilochent sur un voile de lin gris comme la brume de lumière qui emporte notre navire.

Je crois m'en aller pour quelques semaines seulement, le temps d'accompagner Praxitélês sur le chantier d'Halikarnassos et de retrouver mon protégé dans l'une des villes grecques de la côte d'Asie où il se sera réfugié. Je crois n'avoir plus besoin de me chercher moi-même parce que je me suis atteinte définitivement. Je crois être sortie du cycle des métamorphoses. Illusion rassurante.

VI

LE VOYAGE EN ORIENT

44

ÉNIGMES DE LA DÉMESURE

Sitôt débarquée dans le port d'Halikarnassos, je me fais conduire chez Diôn, le marchand. Celui-ci n'a malheureusement rien de nouveau à m'apprendre. De son côté, l'intendant Kariôn retrouve sa tribu natale, qui me voue aussitôt un véritable culte pour le retour miraculeux de son fils perdu. Tout en échafaudant avec ses innombrables cousins des trafics de biens et de personnes plus ou moins louches, à mettre sur pied entre la Karie et Athênaï dès que la guerre sera finie, celui que je continue à appeler "le Karien" parce que je ne parviens pas à retenir son véritable nom lance des recherches dans tous les quartiers populaires auquel le marchand n'a pas accès, et même dans les villages environnants. Mais nulle part la moindre trace d'Hermodotos.

Je ne suis pas la seule à subir les affres de l'angoisse. Un matin, mon ami Diôn, la mine soucieuse, m'annonce qu'il met à ma disposition son intendant, lui-même devant suspendre nos recherches le temps d'un voyage dans la province voisine de Lydie. Il vient d'apprendre la terrible catastrophe qui a frappé l'antique cité d'Ephésos et qui met en péril ses propres affaires : quelques nuits auparavant, le temple d'Artémis, le plus vaste, le plus ancien, le plus beau de tout le monde grec, a été entièrement ravagé par un mystérieux incendie. Le négociant ne parvient pas à comprendre comment le feu a pu se déclarer dans le marécage sablonneux des berges du fleuve Kaÿstros, où se dressait l'énorme édifice de pierre, mais il sait de source sûre que tous les trésors entreposés dans le temple ont été détruits par les flammes. Or, l'Artémision servait de banque à bien des cités et bien des marchands de la côte, dont lui, Diôn. Il doit absolument aller à Ephésos trouver un moyen de récupérer ses fonds, s'il veut éviter la ruine. J'écoute jusqu'au bout les plaintes de mon ami, qui n'ose pas récriminer contre la déesse mais se déchaîne contre ces stupides Éphésiens incapables de protéger leur sanctuaire bancaire. Et puis soudain, sans l'avoir prémédité, je lui demande la permission de l'accompagner dans son voyage. C'est là-bas, je le devine maintenant, que m'attend Hermodotos. Pendant que Diôn se lamentait, le nom d'Ephésos est remonté à la surface des profondeurs de ma mémoire. Dans ce port d'Iônie, le jeune Epiklês, après la mort de son cadet, a hésité plusieurs jours à monter sur le bateau qui le ramènerait vers la Grèce, avant de choisir à la dernière minute son destin de mercenaire. Peut-être dois-je marcher sur les traces de mon père pour retrouver celles de mon frère adoptif ? J'ai une confiance de plus en plus aveugle en mes intuitions. Diôn accepte bien volontiers l'idée de voyager quelques jours en ma compagnie.

Pendant les préparatifs de notre départ, je trompe mon impatience auprès de Mausôlos et de sa femme, Artémisia. Deux personnalités singulières. Le lendemain de notre arrivée, nous sommes invités à leur table, dans le palais que le satrape s'est fait construire sur une île fortifiée à l'entrée du port. La cour qui l'y entoure est étonnante : on y parle grec, on y pense grec et pourtant l'on y vit dans une profusion orientale. Le banquet lui-même, réunissant plus d'une centaine d'invités, se déroule selon la rigide étiquette perse, que tempère parfois une simplicité attique, comme l'eau coupe le vin pour qu'il ne monte pas trop à la tête. On y sert les mêmes mets qu'à Athênaï, essentiellement des poissons, des légumes, des galettes, mais plus nombreux, plus variés, préparés avec des aromates plus subtils, et surtout proposés en quantité astronomique. Le vin très fort, mêlé d'âpres épices, accompagne les aliments dès la première partie du banquet, qui se clôt non pas avec quelques fruits, mais, à la mode perse, par une accumulation de pâtisseries si sucrées qu'elles nous paraissent écœurantes. Je ne veux ni me choquer de ce luxe barbare ni en être naïvement la victime. Ni surtout faire les deux en même temps, comme Léôkharês, que nous avons retrouvé la veille et qui nous a fait bon accueil, même s'il se doute que Praxitélês l'a toujours considéré comme un médiocre rival. Lui et ses assistants, dont le transfuge Sthennis, sont installés pendant ce premier banquet à nos côtés. Ils nous expliquent les usages de la cour. Je suis frappée par la mesquinerie de leurs remarques. Bien qu'ils séjournent en Asie depuis plusieurs années, ils restent encore plus étroitement athéniens qu'à Athênaï et, tout en profitant avidement de ce qu'on leur offre, ne comprennent rien de ce qui se joüe sous leurs yeux. Je m'efforce au contraire d'adapter mon âme à ce spectacle pour en jouir le plus intelligemment possible : ne pas m'empêcher d'être éblouie par ce faste tout en gardant mes yeux vifs de Grecque grands ouverts.

Les deux souverains mangent seuls sur un lit d'apparat placé au centre du banquet, les autres invités disposés autour d'eux en quadrilatères concentriques qui symbolisent, j'imagine, d'après la morgue et la richesse du costume des dignitaires occupant les banquettes les plus proches du couple royal, la hiérarchie de la cour. Nous ne sommes que des artistes : nous nous retrouvons placés à l'un des angles les plus éloignés de l'immense salle de réception, sans même avoir été présentés à nos hôtes. Pourtant, à un moment, un serviteur vient nous chercher pour nous conduire jusqu'à la banquette royale. De près, Mausôlos est un homme grand et lourd, au visage déjà empâté malgré la barbe, le front barré de plusieurs rides. Mais son regard est profond. Le souverain nous déshabille des yeux, ma suivante Lykeïna et moi, avec une nonchalance qui n'exclut pas la précision, tout en s'enquérant courtoisement, dans un grec un peu rugueux, des circonstances de notre arrivée. Son épouse, Artémisia, me propose avec beaucoup de naturel de m'asseoir près d'elle. C'est une assez belle femme, à peine un peu plus âgée que moi, de plus petite taille mais d'apparence sûrement plus royale. Sur le front, ses cheveux très noirs sont coiffés de façon curieuse, en une triple rangée de petites boucles soigneusement frisées et ordonnées d'un côté et de l'autre. Cette coiffure rigide, totalement désuète à Athênaï, mais encore à la mode chez les Kariennes, qu'elle fait toutes ressembler à des statues archaïques, met en valeur par contraste les traits aigus et mobiles du visage d'Artémisia. Son regard, bien que nous n'échangions pas trois mots, me paraît rayonner d'une intelligence fiévreuse. Lorsque nous sommes de retour à notre place, les autres Athéniens m'apprennent qu'elle n'est pas seulement la femme de Mausôlos, mais aussi sa sœur, née du même père. En cela, me disent-ils, ces demi-barbares de Kariens imitent les usages de la cour perse, dans laquelle de tels mariages consanguins sont la règle, parce qu'ils permettent de garder le sang pur et de conserver le pouvoir à l'intérieur d'une même famille.

En continuant à l'observer, je crois deviner qu'Artémisia est bien plus que la femme-sœur réclamée par les nécessités dynastiques. À les voir se tenir l'un à côté de l'autre, mener à deux la conversation, rire ensemble, se comprendre à demi-mot, se conduire au centre de ce banquet comme dans l'intimité, on a l'impression qu'Artémisia est aussi la maîtresse de Mausôlos, ou au moins sa seule amie, sa confidente. Ce couple étrange unit ce que j'ai toujours vu les Grecs séparer, l'épouse légitime et la pallatrix, la concubine de cœur. J'éprouve presque une pointe de jalousie devant une si parfaite complicité. Je me dis qu'Artémisia a peut-être cultivé depuis l'enfance ce lien particulier avec son aîné, bien avant qu'ils ne soient officiellement mari et femme, excluant de leur cercle les trois autres rejetons royaux d'Hékatomnos, Hidrieüs, Ada et Pixôdaros, dont on me cite les noms mais dont on m'apprend aussi qu'ils sont tous trois absents ce soir-là. Je ne sais pourquoi, je les pressens aussi irrités que moi par ce couple trop brillant. Plus j'observe la façon dont Artémisia regarde Mausôlos, plus je l'imagine unie à lui depuis toujours par ce dessein incestueux, dans lequel ont fusionné leurs deux intelligences, de régner un jour ensemble. C'est par cette conformité ancienne avec eux-mêmes qu'ils me fascinent, moi qui ai dû changer de destin à plusieurs reprises. Je me demande si cette réussite extérieure éclatante, dont j'ai entendu parler à Athênaï par Hypereïdês et ce soir par Léôkharês, et qui amène la Karie à louvoyer avec succès, pour tracer son propre chemin, entre l'attachement à la communauté grecque et l'allégeance à l'Empire achéménide, n'est pas fondée sur l'accord intime qui existe entre ces deux êtres. Peut-être la conduite des affaires de Mausôlos est-elle plus subtile que celle des autres satrapes ou des autres roitelets de la côte, parce qu'elle sait allier son autorité masculine avec l'intelligence plus souple d'Artémisia ? N'y a-t-il pas un lien entre la façon originale dont la Karie est en train d'unir la Grèce à la Perse et celle dont cet homme et cette femme assument ensemble le pouvoir ?

Leur entente m'est d'autant plus difficile à saisir que j'en viens à douter, au bout d'un moment, qu'ils fassent encore l'amour. Ils ne se permettent aucun geste déplacé, évidemment, mais je ne perçois pas non plus, malgré mon habitude, cette relation fluide d'intimité physique, qui n'a pas besoin de gestes pour circuler entre les corps de deux amants, et dont je crois, par exemple, que nos voisins peuvent la percevoir, malgré notre indépendance, entre Praxitélês et moi. Est-ce pour cela que je devine aussi maintenant quelque chose d'inquiet, de trouble, dans la personnalité radieuse d'Artémisia ? Mausôlos, m'apprend Sthennis avec un sourire de mépris envieux, entretient à la mode des satrapes un harem composé de plusieurs dizaines de concubines, qui forme comme une autre cour, aussi nombreuse que la nôtre mais recluse dans la partie la plus retirée du palais. On dit qu'en font partie aussi des garçons. Et la reine ? S'ils sont égaux en tout, le sont-ils aussi sur ce plan-là ? Règnent-ils ensemble sur ces êtres des deux sexes réunis pour leur bon plaisir ? L'Athénien paraît moins choqué par l'existence du harem de Mausôlos que par cette idée qu'il puisse y partager le trône avec sa femme. D'ailleurs, je crois qu'il a raison. Je ne vois pas Artémisia se plaire à cette domination-là. Alors avec qui cette femme fait-elle l'amour ? Personne ?

Le lendemain, la reine me retient auprès d'elle, pour faire plus étroitement connaissance. Nous passons tout l'après-midi ensemble, sur la terrasse de son palais fortifié qui surplombe le port et l'immensité de la mer orageuse. Tout en la délassant de ma compagnie d'hétaïre célèbre, je tente de la déchiffrer, sans vraiment y parvenir. Le couple royal m'intrigue de plus en plus, parce que, si son entente ne paraît pas fondée sur le sexe, elle ne s'épanouit pas non plus dans cette relation de tendresse qui peut unir Herpyllis à Aristotélês ou Lagiskê à Isokratês. Ce qui les lie vraiment n'est peut-être rien d'autre que la pure volupté du pouvoir, le plaisir qu'ils peuvent prendre à décrypter à deux le monde mouvant des marches de l'Empire, dans lequel ils font jouer à leur province un rôle de plus en plus actif avec une ivresse toujours plus froide. Leur vraie chambre à coucher, n'est-ce pas cette salle du conseil, que tient à me faire visiter la reine et qui donne non sur la mer mais sur la ville et les collines rocheuses des alentours ? Lorsque je lui demande si elle y a sa place réservée, Artémisia se contente de me sourire, en me répondant qu'elle ne juge bon d'assister officiellement à ces réunions ennuyeuses que lorsqu'il y est question d'architecture. Les deux souverains ne sont peut-être unis ni par le corps ni par le cœur, comme les autres couples que je connais, mais par la raison. À ma grande surprise, ils paraissent en tirer des jouissances plus puissantes encore que celles des autres amants.

En plein milieu de l'après-midi, Mausôlos entre, sans s'être fait annoncer, dans la pièce des appartements de la reine où nous nous sommes réfugiées, pour échapper aux bourrasques du vent soufflant de plus en plus fort sur la terrasse. Artémisia m'y retient encore, sous le prétexte de me demander des conseils de maquillage et de me faire parler des dernières œuvres de Praxitélês. Le roi se met à converser avec elle dans une langue étrangère, peut-être celle officielle de la

Perse, afin que je ne les comprenne pas. C'est lui qui parle, d'une voix toujours autoritaire mais trahissant une certaine nervosité. Elle lui répond tranquillement, parfois d'un simple hochement de tête, ou d'un silence que je devine chargé de sens, tout en continuant à s'entretenir avec moi en grec et à accomplir avec vivacité les gestes précis du maquillage. À un moment, il me semble reconnaître le nom de Kharês, l'amiral que les Athéniens, un peu avant notre départ, ont chargé de rétablir l'ordre dans les îles, mais je me garde bien de laisser paraître le moindre signe d'intelligence. Au bout de quelques minutes de cet étrange dialogue, le roi repart, l'air satisfait, aussi brusquement qu'il est arrivé, après avoir effleuré de sa main l'épaule de sa femme-sœur, et s'être excusé avec courtoisie dans ma langue de nous avoir interrompues. Cette petite scène me frappe beaucoup. Même si, à part le nom de l'Athénien, je n'ai pas saisi l'objet de la discussion, j'ai perçu l'entente entre les deux souverains et le partage de leurs rôles : Artémisia a la finesse de laisser à Mausôlos les apparences masculines du pouvoir mais elle décide de tout aussi bien que lui, simplement parfois d'un battement de paupières ou d'un sourire ironique, tandis qu'il lui explique les négociations qu'il mène et les choix qui se présentent à lui. D'après notre échange sur Praxitélês, je comprends aussi qu'elle joue le rôle essentiel dans l'orientation hellénique de leur satrapie, dans leur goût pour l'art et pour la culture grecque, dans leur volonté de s'attacher nos sculpteurs, nos orateurs, nos peintres, nos poètes, dont elle me fait évoquer la personnalité intime mais dont elle connaît les œuvres mieux que moi. Elle invite le satrape à aller toujours plus loin dans cette voie de l'hellénisation mais lui, habilement, sait maintenir les formes avec l'Empire perse. À deux, ils sont deux fois plus souples et plus intelligents. En fait, ils sont en train de créer ensemble un royaume, exactement comme Praxitélês et moi nous créons une œuvre, par l'entente tacite et le défi réciproque. La nature exacte du lien qui m'unit au Sculpteur n'est-elle pas tout aussi difficile à saisir pour les autres que pour moi cette étrange monarchie à deux têtes ? Je devine que j'attire et déroute Artémisia autant qu'elle m'intrigue. Pas seulement à cause de l'expérience qu'elle me prête dans un domaine, l'érotisme, qui lui est plus ou moins refusé, mais aussi à cause de la puissance que j'exerce sur ceux qui m'entourent, puissance touchant à leur âme et pas seulement à leur corps. Nous sommes l'une à l'autre à la fois familières et exotiques. La reine et la putain : deux parentes étrangères qui se reconnaissent.

Le Sculpteur, lui aussi, s'interroge sur la personnalité des deux souverains qui l'ont attiré en Asie.

Le premier soir, tandis que nous revenons du palais vers la maison mise à notre disposition, près du chantier du Tombeau Royal, et que nous traversons lentement en char les larges rues rectilignes d'Halikarnassos à la lumière des torches portées par plusieurs dizaines de gardes, nous en discutons longuement. Lui, ce qui le déconcerte et le fascine, ce n'est pas le lien secret qui unit leur couple, ni ce qu'ils en laissent percevoir au monde, leur clairvoyance politique, leur ruse diplomatique, mais l'audace novatrice de leurs projets architecturaux. Lorsque Mausôlos et Artémisia ont décidé de s'établir à Halikarnassos, ils ont commencé par raser presque entièrement la vieille bourgade marchande, avant de la reconstruire sur les plans rationnels d'une capitale moderne. Ils ont pour ainsi dire fait surgir de la mer un nouveau port, qu'ils ont équipé de jetées mais aussi de murailles et de défenses ultraperfectionnées, pour l'adapter aux doubles nécessités du commerce et de la guerre. Ils ont réussi le prodige de créer une ville ouverte sur le monde mais imprenable. C'est pour cela aussi, continue à m'expliquer Praxitélês, qu'ils ont bâti leur palais sur une île à l'entrée du port. De là, ils surveillent à la fois la mer et l'intérieur des terres, c'est-à-dire les deux chemins d'accès que pourraient emprunter d'éventuels envahisseurs. Maintenant qu'ils ont réussi à organiser les îles autour de la Karie, la Karie autour d'Halikarnassos et Halikarnassos autour de leur palais, ils s'occupent de parachever leur œuvre en faisant ériger, sur l'une des deux collines de la ville, un immense tombeau, qui dominera le paysage autant que, de l'autre côté, le palais du roi vivant qu'ils légueront à leur successeur. Praxitélês est comme moi dévoré de curiosité à l'idée de découvrir l'édifice projeté par ce couple étonnant de satrapes grecs.

Le lendemain matin, Mausôlos et Artémisia se déplacent en personne pour nous faire visiter le chantier, où travaillent des centaines d'ouvriers de tous les corps de métiers. Les trois autres sculpteurs, Skôpas, Léôkharês et un certain Bryaxis, viennent nous accueillir avec tous leurs assistants. Ce que nous découvrons du tombeau en pleine construction nous laisse encore plus stupéfaits que le reste de la ville. Ce monument, édifié de son vivant à son propre souvenir et à celui de son épouse, le roi l'a conçu lui-même. Au lieu de lui donner un style unique et harmonieux, il l'a rêvé à l'image de son royaume, à la fois démesuré et hétéroclite. "Un vrai prodige de bric et de broc !", me souffle Praxitélês interloqué.

Le premier étage est constitué d'un simple socle de pierre et de brique, mais si démesurément élevé qu'il est pourvu d'un escalier monumental de plusieurs dizaines de marches. Cela ressemble à ce qu'on appelle chez les Perses un "apadana", m'explique Skôpas, c'est-à-dire la grande salle de réception d'un palais royal, et, comme à Persépolis, chacun des quatre pans de ce cube monumental devra être entièrement décoré d'une frise de marbre sculptée en bas-relief : c'est cette décoration d'inspiration perse, située à hauteur d'homme mais dépassant largement la taille humaine, que l'on demande aux quatre sculpteurs grecs de réinventer. Le second étage, qui se dresse déjà sur ce socle barbare, ressemble lui à un temple grec tradition-nel, par les colonnes de son péristyle et sa nef centrale fermée aux regards. Pourtant, à l'intérieur, on ne placera pas la statue d'une divi-nité mais celles des deux souverains bâtisseurs. Le troisième étage est à peine commencé : on a prévu un toit en degrés, qui s'élèvera aussi haut que le temple lui-même, et qui formera une pyramide ! L'ensemble aura sûrement plus de cent coudées de haut. Mais ce n'est pas fini : tout au sommet de cet édifice démesuré, Skôpas nous apprend que Mausôlos envisage encore de placer un quadrige de marbre blanc, conduit par lui et par sa femme-sœur, comme s'ils étaient prêts à s'envoler pour traverser le ciel et la mer. Ainsi, les navires qui approcheront du port d'Halikarnassos ne pourront man-quer d'apercevoir depuis le large le couple royal étinceler dans toute sa gloire ! Le sculpteur qui aura l'honneur de se voir confier le qua-drige n'est pas encore choisi : les souverains l'attribueront sûrement à celui des quatre dont la frise les aura le plus satisfaits, de manière à créer un climat d'émulation entre ces artistes prestigieux.

Je sens que les proportions de cet édifice, autant que son carac-tère composite, laissent Praxitélês dubitatif. Si la conduite de sa poli-tique, si les difficultés rencontrées par l'Alliance athénienne prouvent incontestablement que Mausôlos est un dirigeant habile, ce monu-ment ne révèle-t-il pas qu'il est aussi un autocrate complètement fou d'orgueil ? Son épouse, malgré son amour proclamé pour la Grèce, ne paraît pas non plus capable de le ramener au sens de la mesure qui caractérise notre façon de voir le monde. Ce tombeau, qu'ils ont décidé d'appeler l'Hékatomneïon, du nom du fondateur de la dynas-tie, Artémisia nous déclare qu'ils veulent en faire une merveille mais je sens bien que Praxitélês l'Athénien y voit l'un des témoignages les plus délirants jamais édifiés par des êtres humains à leur propre vanité. Les deux souverains devinent aussi sa pensée à son silence embarrassé. Au lieu de s'en formaliser, ils sourient de ce qu'ils perçoivent comme les réticences étriquées d'un Grec du vieux continent. La construction de ce tombeau, nous explique le roi, est un acte de sagesse politique : les descendants d'Hékatomnos s'occupent non seulement de perpétuer le souvenir de leur règne mais aussi d'affirmer la grandeur future de leur dynastie. Car les sarcophages royaux de leurs successeurs seront placés un jour à côté des leurs !

Au moment où Mausôlos prononce ces mots avec force, Artémisia, malgré sa maîtrise d'elle-même, ne peut s'empêcher de tressaillir. Soudain, je comprends. Sa nervosité. La raison pour laquelle on pourrait sourire de la naïveté de ces deux souverains profonds, qui maîtrisent tout sauf l'essentiel, et qui bâtissent les symboles impérissables de leur pouvoir avant d'avoir conçu l'être de chair à qui les transmettre. Artémisia a tout donné à Mausôlos, sauf un enfant. Ce sourire, je sens que je ne dois surtout pas le laisser affleurer sur mes lèvres, si je ne veux pas voir celui de la reine se changer en grimace et le front du roi se plisser de façon menaçante. Peut-être n'ont-ils pas perdu l'espoir ? Peut-être font-ils encore l'amour de temps en temps, chacune des nuits prescrites par les mages khaldéens qu'ils font venir à grands frais de Babylôn, puisque les médecins grecs de l'île toute proche de Kôs ne parviennent pas à leur établir le régime qui leur permettra d'engendrer ? Peut-être cette grâce leur sera-t-elle à jamais refusée par les dieux, alors qu'elle est accordée à n'importe quelle paysanne, imposée à n'importe quelle petite esclave que l'on viole au coin d'une porte, peut-être ce rêve restera-t-il pour eux seuls irréalisable parce qu'il rend tous les autres caducs ? Peut-être, lorsque le tombeau sera achevé, leur puîné Hidrieüs ou même leur cadet Pixôdaros, y enfermera-t-il vivant dans un même sarcophage leur couple stérile, avant d'épouser leur sœur, Ada, qui est beaucoup moins belle, certes, beaucoup moins intelligente, mais féconde ? Ou peut-être le Grand Roi décidera-t-il de placer après eux un Perse sur le trône de leur père, s'appropriant leur ville et leur tombeau, et les plongeant pour l'éternité dans l'oubli, parce qu'ils auront tout réussi pendant leur règne, sauf à lui donner du sens ?

Après le départ de Mausôlos, tandis qu'Artémisia m'enlève pour l'après-midi et que les trois autres sculpteurs se remettent au travail, Praxitélês reste un moment à errer sur l'immense chantier. Le soir, il me rebat les oreilles de ses doutes. Il est bien possible que les deux architectes, Pythéos de Priênê et Satyros de Samos, deux maîtres d'œuvre locaux dont il n'avait jamais entendu parler mais qui lui ont paru compétents, réussissent le prodige de faire du délire hétéroclite de Mausôlos un ensemble harmonieux. Il se demande si ce ne sera pas l'un des talents que l'on demandera désormais aux artistes, de savoir transformer les lubies des puissants qui les emploient en édifices cohérents. Il se rend bien compte aussi que, pour la décoration extérieure, Mausôlos et sa reine ne se sont pas contentés de se payer au hasard les sculpteurs les plus prestigieux. Avec une profondeur de vue singulière, ils ont fait de leur recrutement bien plus qu'un simple choix esthétique. C'est une véritable déclaration politique adressée aussi bien aux cités de la Grèce centrale qu'aux roitelets du nord, pour leur montrer la double façon dont ils envisageaient de réussir enfin l'union du monde grec : d'abord par la puissance d'une monarchie absolue, contre laquelle ne peuvent lutter les premières, et ensuite par la culture, à laquelle ne comprennent rien les seconds. Dans leur choix magistral, ils ont uni l'Iônie et l'Attique, la Grèce du continent et celle de l'Asie, ainsi que deux générations d'artistes. Ils ont engagé d'abord deux sculpteurs locaux, le génial Skôpas de Paros, que Praxitélês lui-même admire depuis que ce dernier est venu le défier à Athênaï, et le tout jeune Bryaxis, qu'il ne connaît pas bien mais dont le travail lui paraît très prometteur. Puis, ils ont voulu leur adjoindre à prix d'or deux artistes du vieux continent. Le jeune athénien Léôkharês, qui travaillait déjà en Asie, il ne fut pas trop difficile de le débaucher. Alors, au lieu d'aller chercher un Argien pour couronner leur recrutement, comme on aurait pu s'y attendre, ils ont tenté un pari : ils sont allés débusquer au fond de son atelier du Kérameïkos, d'où il n'avait jamais consenti à sortir, le grand Praxitélês lui-même, qui venait de créer l'événement avec sa première femme nue. À leur grande surprise, ce dernier a accepté leur proposition. Les émissaires d'Artémisia ont dû considérer qu'ils avaient achevé leur campagne de recrutement sur un coup de maître.

Pourtant, mon Sculpteur se demande si cette souveraine habile ne s'est pas trompée pour une fois. Peut-être n'a-t-elle pas vraiment fait le bon choix avec lui. D'abord, il déteste découvrir qu'il est ainsi mis en concurrence, notamment avec son compatriote Léôkharês, qu'il méprise depuis toujours. Il sait qu'il n'a pas la souplesse de son jeune rival pour se faire bien voir à la cour, où il craint que je ne sois souvent obligée de parler à sa place, afin qu'on ne le prenne pas pour un crétin mal embouché. Ensuite, il n'a jamais aimé travailler avec d'autres, et ceci depuis ses débuts, sur le chantier de Mantineïa, avant même notre rencontre. Enfin, et surtout, il n'est pas convaincu par cet édifice tarabiscoté. S'il veut réussir à inventer quelque chose, il faudra qu'il se concentre sur son mur, sans jamais regarder l'ensemble de cette monstrueuse et indigeste pâtisserie perse. D'emblée, il se sent malheureux. Il regrette déjà Athênaï. Il ne va pas être porté. Quel sujet choisir pour sa frise, il ne voit pas. Skôpas, sur la paroi qui regarde vers l'Orient, s'est lancé dans un *Combat entre les Grecs et les Amazones*, thème qui n'a vraiment rien d'original mais dont le traitement par ce maître promet d'être audacieusement pathétique. Léôkharês, du côté occidental, a décidé de se lancer dans un *Mausôlos au milieu de sa cour chassant le lion*, sujet inédit qui va sûrement permettre à cet artiste habile d'atteindre un sommet d'obséquiosité. Il paraît que le roi a donné son accord à condition d'être représenté en satrape, vêtu à la mode perse. Bryaxis garde le secret sur ses dessins. Quant à lui, Praxitélês, il ne sait pas encore, et d'ailleurs personne ne le lui a demandé. Il n'a aucune idée mais tout le monde s'en moque. Je l'écoute se plaindre, bien sûr, avec tendresse. Mais je ne m'inquiète pas trop pour lui, parce que je sais que cet artiste de la grâce n'a jamais trouvé que dans la douleur.

D'ailleurs, je ne peux pas l'aider cette fois. Mon esprit est tout entier tourné vers ma quête d'Hermodotos. J'ai presque abandonné mes recherches dans la région d'Halikarnassos, tant s'est imposée à moi la certitude irrationnelle que mon protégé m'attend en Lydie. Depuis que j'ai appris la destruction de l'Artémision, je ressens pourtant une inquiétude sourde. J'ai entendu dire que les autorités du sanctuaire, la nuit même de la catastrophe, avaient mis la main sur l'un des incendiaires. Au lieu de s'enfuir, le criminel dansait de joie devant les flammes. Gardant son identité encore secrète, les prêtres sont en train de le torturer pour lui faire avouer le nom de ses complices et les raisons d'un sacrilège aussi épouvantable. À voix basse, en prenant bien garde à ne pas être entendu même de ses propres serviteurs, Diôn me révèle ce qui se dit sous le manteau : certains soupçonnent l'argent de Mausôlos, et sa volonté de ruiner le prestige d'Ephésos, afin d'imposer sa propre capitale comme principale place commerciale de la région. Ne fallait-il pas aussi que l'Artémision, l'antique merveille glorifiant une déesse, soit détruit, pour que l'Hékatomneïon, la merveille moderne dédiée à une dynastie humaine, puisse prendre sa place dans l'admiration des voyageurs ? Incendie providentiel pour le dynaste de Karie et tellement symbolique des changements en cours dans cette partie du monde !

Mais d'autres, presque aussi nombreux, dénoncent les menées criminelles des agents de la démocratie athénienne, furieux de voir qu'une tyrannie favorable à l'Empire perse se soit imposée dans la ville et qu'elle prête une oreille complaisante aux îles révoltées contre leur Ligue. Bref, les Éphésiens refusent absolument d'envisager que les coupables puissent faire partie de leurs concitoyens. Ces explications confidentielles de Diôn m'inquiètent énormément. J'ai peur qu'Hermodotos ne se retrouve mêlé à cette histoire. Connaissant un peu les hommes et les foules, je me dis que les magistrats locaux et le satrape peuvent très bien être tentés de détourner la colère populaire contre un étranger, même innocent, pourvu qu'il soit sans protection.

Diôn, qui se demande avec une angoisse égale à la mienne s'il va pouvoir être remboursé de la somme qu'il avait déposée dans l'Artémision, hâte les préparatifs de notre départ, malgré le danger pour un Karien et une Athénienne de séjourner à Ephésos dans des circonstances aussi troubles. Au milieu de cette frénésie, qui nous jette tous les deux vers l'antique cité en quête de ce que nous avons de plus précieux, lui son argent et moi le garçon qui m'a été confié, il garde la tête froide. Il réussit à me persuader de voyager par la terre, même si nous mettons plus longtemps, à cause de la tempête qui menace de balayer toute la côte depuis le sud de la Karie et qui rend la navigation beaucoup trop dangereuse. Le voyage est exténuant. Nous avançons dans des tourbillons de poussière. Les emportements contradictoires des bourrasques secouant notre char soufflent à nos oreilles des prophéties menaçantes. Enfin, après quatre longs jours, nous arrivons dans la cité d'Ephésos.

Nous la trouvons plongée dans un état de surexcitation encore plus intense que la tempête, mais dont je me demande s'il ne s'agit pas de son état habituel. Car Ephésos est, d'après Diôn, exactement le contraire d'Halikarnassos. Situé dans la cuvette de marécages et de lagunes formée par l'embouchure du Kaÿstros, ce port est lancé depuis toujours, comme un énorme crabe, à la poursuite de la mer, que les alluvions du fleuve éloignent sans cesse. Plusieurs fois déjà on a dû le déplacer, le reconstruisant sur le même modèle, c'est-à-dire sans aucun plan. Vraie ville de mélange, bien plus que la moderne Halikarnassos, non seulement entre l'eau et la terre, mais entre l'Orient et la Grèce. Immense bouillon de cultures, où tout croupit, tout s'enfonce, tout se féconde. Seul, me dit Diôn, le sanctuaire de la Déesse du Marais, à laquelle les Grecs, depuis plusieurs siècles qu'ils occupent ce site immémorial, ont donné le nom d'Artémis, ne change pas de place dans cet univers mouvant. On ne le voit plus, lorsque l'on arrive comme nous depuis le sud, parce qu'il est désormais éloigné de plusieurs stades de la mer et du port, mais il reste le centre invisible du paysage. Diôn ne parvient tout simplement pas à concevoir qu'on ait pu détruire le seul point fixe du monde.

Nous descendons chez son hôte, Artémidôros, qui habite dans le quartier du Koressos, tout près du port. Il y possède une fabrique spécialisée dans ces statuettes à l'effigie de la déesse dont raffolent les pèlerins étrangers. Il s'estime donc, autant que Diôn, l'une des victimes directes de la destruction du temple. Il nous apprend que, pour éviter des débordements contre les étrangers et d'autres désordres nuisibles au commerce, les magistrats ont dû, sur l'ordre formel d'Artabazês, le satrape perse, se résoudre à faire circuler quelques informations concernant l'incendie. Il s'agirait non pas d'un complot politique dirigé contre la cité mais bien de l'acte sacrilège d'un fou isolé. On raconte que, sous la torture, le criminel a avoué qu'il avait agi poussé par une seule motivation : devenir célèbre. Comme il ne voyait aucun autre moyen d'y parvenir, n'ayant ni l'ambition d'un fondateur de cité ni le talent d'un artiste, il a voulu qu'on se souvînt de lui pour l'éternité comme d'un profanateur. Il s'est attaqué à ce temple dont il considérait lui-même qu'il était le plus beau du monde, si vaste et si richement décoré qu'on ne pourrait le reconstruire à l'identique et qu'ainsi on ne se consolerait jamais de sa perte. Pour le punir, les juges, après l'avoir fait exécuter en secret par les bourreaux du satrape et avoir jeté son cadavre mutilé dans les marais à l'écart de la ville, afin que l'anéantissent une deuxième fois les oiseaux amis d'Artémis et ses armées de crabes, ont interdit que soit jamais dévoilé son nom, vouant à l'anonymat celui qui avait osé aspirer à la postérité du crime. Personne ne sait s'il s'agit d'un Éphésien ou pas. Artémidôros, quant à lui, comme la plupart de ses concitoyens, demeure convaincu que le coupable ne pouvait être qu'étranger.

Avec notre hôte, nous discutons une bonne partie de la soirée des motivations de cet inconnu. Elles effarent le raisonnable Diôn qui en vient à trouver toute l'affaire particulièrement louche : l'arrestation puis l'exécution d'un dément isolé ne satisfait-elle pas un peu trop de monde, disculpant Mausôlos et les Athéniens, évitant aux magistrats et au satrape d'avoir à mener une enquête gênante ? Quant à moi, l'idée d'un criminel cherchant à détruire ce qu'il regarde lui-même comme sacré me trouble, m'angoisse, me menace intimement, sans que je parvienne à me dire pourquoi. Au milieu de la nuit, me réveillant en sursaut, je finis par trouver. Cette folie de détruire ce qu'on admire mais qu'on ne peut s'approprier, ne l'ai-je pas déjà vu à l'œuvre dans ma propre vie ? Euthias n'a-t-il pas cherché à me faire condamner à mort par amour, comme le fidèle a incendié le temple qu'il vénérait ? Cet édifice si imposant de l'Artémision n'était-il pas finalement aussi vulnérable qu'un corps de femme, exposé comme lui à la folie impuissante d'un amant ? Et d'ailleurs n'ai-je pas rêvé moi-même sans me l'avouer de détruire Attis, lorsque j'ai compris que je ne pourrais jamais le posséder ? Oui, l'incendie du sanctuaire immémorial me parle de moi, de ma fragilité, de mes failles. C'est pourquoi je suis si angoissée par cette malédiction de l'anonymat lancée contre le criminel. Tout le reste de la nuit me hantent les yeux graves d'Hermodotos, dont j'ai l'impression qu'il m'appelle à l'aide. Je sais qu'il n'a jamais été tourmenté par l'énigme de la beauté, sauf lorsqu'il regardait, enfant, danser Lykeïna. Son obsession à lui, c'est la santé, c'est la compréhension de la machine interne des organes et de l'équilibre des humeurs. Jamais il ne détruira un temple parce que jamais il ne pourra assez l'admirer. À ses yeux, le pouvoir de la déesse ne réside pas dans cet assemblage de pierre inanimée mais dans le chef-d'œuvre de chair et de fluide qu'est un corps vivant. Ce que je crains, c'est qu'il ait été pris au piège et puni à la place d'un autre.

Je décide d'accompagner Diôn près des restes du grand temple pour tenter d'en apprendre plus de la bouche des prêtresses et des prêtres. Notre hôte Artémidôros m'a appris qu'on les appelait les Mélissaï et les Essènes, les "Abeilles" et les "Bourdons" de la Déesse de l'Arbre. Ils sont voués, pendant tout le temps de leur sacerdoce, à la pureté la plus absolue. Ceux d'entre eux qui savent la vérité ne pourront pas me mentir, si du moins je parviens à les faire parler. Ils m'apprendront peut-être la mort d'Hermodotos, je dois avouer que j'y suis presque résignée. Mais, même si je dois fouiller ensuite l'ensemble du marais, je retrouverai son corps, je le disputerai de mes ongles de femme aux chiens, aux corbeaux et aux crabes de la déesse vierge, je le soignerai, je le parfumerai, je pleurerai sur lui, comme je n'ai pu le faire sur ceux d'Attis, de Phaïdros, d'Euthias. Lykeïna m'écoute horrifiée lui confier mes angoisses et mes résolutions. Elle les affronte bravement de son seul sourire. La pauvre petite reste persuadée qu'Hermodotos est encore vivant, plus confiante que jamais dans l'innocence du jeune homme et dans leur bonne étoile commune.

45

MARÉCAGE DU DOUTE

Le lendemain, nous nous mettons en chemin vers le sanctuaire, en compagnie de plusieurs autres marchands et d'envoyés officiels venant de toutes les cités du littoral, de Thrace, de Phrygie et jusque du Kaptatuka, le pays de Manthanê. Ils affluent comme nous à pied par la voie sacrée qui longe la colline ou, en bateaux plats, par les canaux compliqués reliant le port et le temple à travers la lagune. Je suis entourée de mes serviteurs, de Diôn, et de notre hôte Artémidôros, qui a tenu à nous accompagner. Notre petit cortège progresse difficilement sous un ciel de catastrophe noir et lourd, à travers une sorte de limon sablonneux où poussent des roseaux, des arbustes épineux, des herbes géantes, dans lesquelles nous disparaissons parfois tout entiers. Partout se lèvent à notre approche des volées d'oiseaux, qui s'enfuient vers le sanctuaire avec des cris menaçants, comme s'ils cherchaient encore à prévenir Artémis de notre approche, bien que la déesse ait déserté son temple.

Nous marchons au milieu d'une procession ininterrompue d'habitants de la ville, hommes, femmes et enfants mêlés, plus nombreux encore, me dit Artémidôros, que lors de la grande procession où l'on emmène la statue de la déesse se baigner dans la mer. La tête rasée en signe de deuil, les Éphésiens chantent lugubrement l'hymne immémorial à leur temple détruit. Il parle de ce centre secret du Marais, où les fameuses Amazones dressèrent les premières une statue de la déesse. Après l'avoir installée dans la ramure d'un arbre immense qui s'étendait au-dessus du fleuve, elles dansèrent leurs rondes guerrières sous ces branches sacrées, autour du tronc puissant jaillissant de la boue. Cela, chante la foule, c'était bien longtemps avant que le fameux roi Kroïsos ne construisît le temple de marbre pour abriter la statue de bois. Après le chant éclatent les lamentations : maintenant, tout est détruit, le lien avec le passé, la garantie d'un présent prospère, le salut de la cité, tout est détruit à cause de la vanité d'un seul ! Qu'il soit maudit ! Les habitants accablés apportent aux prêtres leur argent, leurs bijoux, leur vaisselle précieuse, ou la force de leur bras, s'ils n'ont rien d'autre à proposer. Mais aucun de ceux avec lesquels Artémidôros et Diôn engagent la conversation ne pense vraiment à une reconstruction. Tous savent que c'est fini. Ils viennent seulement parce qu'ils veulent voir. Et moi, au milieu d'eux, me laissant dériver dans le marais de leur détresse, je suis comme eux : j'ai perdu espoir de retrouver Hermodotos vivant. Je viens seulement parce que je veux savoir.

Dès que nous avons franchi l'enceinte du sanctuaire, entraînés par l'habitude, les Éphésiens se dirigent vers l'immense talus de terre où se dressait leur temple. Artémidôros m'a expliqué la veille, avec un reste de fierté mêlé à son chagrin, que, pendant des siècles, ses ancêtres le consolidèrent à grand-peine sans jamais trouver le moyen de le mettre à l'abri des crues du fleuve, jusqu'à ce qu'un architecte génial ait l'idée de renforcer ses fondations grâce à un lit fait de charbon de bois et de milliers de peaux des bêtes sacrifiées, afin d'éviter que la lourde structure de pierre ne s'enfonçât comme tout le reste dans le marécage. Tant d'ingéniosité, tant de labeur, tant de splendeur détruits en une nuit ! Lorsqu'ils aperçoivent les ruines calcinées du prodigieux édifice, dont quelques colonnes seulement du double péristyle offert par Kroïsos n'ont pas été renversées dans l'effondrement des poutres de la toiture, ils se mettent à pleurer, les hommes comme les femmes et les enfants. Bien que je n'aie jamais vu le temple debout, l'impression de puissance qu'il dégage, de puissance dévastée, de saccage, de fin du monde, est si forte que j'en frissonne moi aussi. Je vois l'écroulement de l'effort humain dans le marais mouvant de l'univers.

Aux armées de gardiens, qui n'ont pas su protéger le temple mais qui surveillent ses ruines avec rudesse, les habitants demandent si la statue a survécu. Artémidôros m'a décrit aussi cette étrange représentation d'Artémis, si différente de la jeune vierge farouche que j'ai incarnée dans ma jeunesse pour Praxitélês. À moitié grecque, à moitié orientale et tout entière quelque chose d'autre de bien plus ancien, la *Déesse de l'Arbre* était faite d'un seul bloc de cèdre sombre mais toute couverte de plaques d'or, ciselée de fruits et de bêtes fauves, ceinte d'un quintuple pectoral de mamelles et de testicules de taureau, couronnée de tours. Depuis des générations, on la baignait pieusement chaque jour d'huile sacrée pour la nourrir et la protéger, comme elle nourrissait et protégeait le monde autour d'elle. Cette image de bois, dont la description m'a évoqué la Robe d'Anaïtis que je revêtais lors de la cérémonie du Changement de Lune, était plus précieuse encore aux yeux des fidèles que le temple de marbre tout entier. Lorsqu'ils apprennent qu'elle a disparu avec lui dans l'incendie, leurs gémissements redoublent. Revoyant le sourire mystérieusement rassurant du *Xoanon* dans le temple de Thespiaï, repensant au jour de la destruction de ma petite cité lointaine, je me sens traversée soudain par le désespoir des Éphésiens qui m'entourent et je me mets à pleurer spontanément avec eux. Je pleure aussi sur Hermodotos disparu, mon angoisse de sœur aînée trouvant providentiellement à se fondre dans leur détresse collective. Lykeïna pleure elle aussi, simplement parce qu'elle est une servante fidèle et une amoureuse, et que, même lorsque je ne lui explique rien, elle comprend tout. Les gens regardent les deux étrangères que nous sommes avec plus de sympathie depuis que nous versons des larmes sur leur merveille disparue. Je tente d'en profiter mais aucun de ces anonymes n'est capable de me révéler le nom du coupable exécuté et de soulager mon angoisse.

Tandis que nous gémissons, Diôn s'est rendu compte au premier coup d'œil que la salle du trésor, qui servait de banque aux cités et aux marchands les plus riches, était entièrement détruite. Mais lui, il ne pleure pas. M'entraînant à l'écart de la foule, il m'annonce qu'il va demander à être reçu par l'un des intendants du sanctuaire. À cause de l'importance de la somme qu'il avait déposée et grâce à l'influence de son hôte, il pense qu'il n'aura pas trop à attendre. Je décide de l'accompagner, dans l'espoir de recueillir auprès du fonctionnaire sacré le renseignement qui pourra m'apaiser.

Peu de temps après que nous avons fait notre entrée dans l'un des bâtiments encore debout, nous sommes reçus à la fois par un intendant et par un prêtre, l'un des fameux Essênes, que j'identifie à son vêtement immaculé. Les deux hommes ont l'air épuisé mais étrangement calme. Diôn, après les salutations d'usage et quelques lamentations sur le temple, exige avec fermeté le remboursement immédiat de son dépôt. Puis, changeant de ton, la voix tremblante, il leur avoue que, s'il ne rentre pas dans ses fonds, il est ruiné. Les deux autres l'écoutent sans jamais chercher à l'interrompre. Ils ne lui opposent qu'un sourire de compassion. Lorsqu'il a fini de se plaindre, l'intendant prend la parole. "Ce que tu demandes, déclare-t-il à Diôn, est tout à fait légitime mais malheureusement impossible. Si tu veux être remboursé de ton avoir, comme tu en as le droit, le seul moyen est d'attendre que le sanctuaire ait reconstitué sa richesse. Voire, ajoute-t-il après un instant de silence, d'y contribuer, en t'associant à sa reconstruction.

— Oui, un jour, intervient l'Essên, un tout jeune homme, qui a écouté le discours de son compagnon avec une certaine lassitude et beaucoup de dignité, tant il doit avoir déjà assisté à ce genre de scène depuis la catastrophe, un jour notre Temple se dressera de nouveau à sa place immuable, bâti sur le même modèle mais encore plus vaste, encore plus beau, encore plus richement décoré ! La reconstruction, ajoute-t-il, prendra peut-être un siècle entier, ou même deux, mais quelle importance ? Nous avons l'éternité pour nous !" Je suis impressionnée par la voix calme mais vibrante de ce jeune homme, qui contraste avec les lamentations impuissantes de la foule des fidèles au dehors. Mais je me demande s'il pense sérieusement pouvoir convaincre par cet argument un commerçant aussi avisé que Diôn. Avec un fin sourire, l'intendant reprend la parole : "Le plus urgent est évidemment de restaurer le grand autel devant le temple, afin d'y accomplir les sacrifices qui inciteront la déesse à revenir dans la lagune.

— Là où elle réside depuis des millénaires, s'exclame l'Essên, et d'où seul un dément a pu la chasser !

— Alors, poursuit l'autre, les fidèles étrangers reviendront en foule, et leurs offrandes avec eux. Bien avant l'achèvement du nouveau temple, le sanctuaire retrouvera sa prospérité. Il s'agit donc de financer au plus vite la restauration de l'autel. Les généreux donateurs seront les premiers que nous pourrons rembourser de leur avoir initial. D'ailleurs celui-ci, s'ils décident finalement de le laisser au sanctuaire, sera augmenté d'un intérêt substantiel, qui sera calculé en fonction de la contribution exceptionnelle qu'ils auront versée. L'ensemble de cette première opération est l'affaire de deux ou trois ans, tout au plus.

— Enfin, intervient de nouveau le jeune prêtre, tu auras l'honneur de voir ton nom gravé pour l'éternité sur la base d'une des colonnes décorées du nouveau temple !

— Les premières seront mises en place très rapidement", glisse avec finesse l'intendant.

Je me rends compte que le discours des deux serviteurs du temple est bien rodé, non pas contradictoire mais complémentaire, l'un jouant sur la corde de l'enthousiasme pieux et l'autre sur celle du réalisme des intérêts bien compris. Artémidôros, qui ne dit pas un mot, les appuie de son regard chaleureux posé sur mon ami, afin de l'inciter à se laisser convaincre et à continuer de faire crédit à la cité d'Ephésos. Tout cela, Diôn doit le saisir aussi bien que moi. Tourné vers l'Essên, il paraît hésiter, comme s'il était ébranlé moins par les arguments financiers de l'intendant que par la ferveur religieuse du prêtre, ou, du moins, comme s'il voulait en donner l'impression aux trois autres. Puis il se reprend. Il fronce les sourcils et recommence à jurer devant la déesse que, s'il en avait les moyens, il aiderait volontiers le sanctuaire mais qu'il a un besoin urgent de ses fonds. Ses interlocuteurs ont perçu autant que moi son hésitation. Ils reviennent aussitôt à la charge et je comprends que la négociation va être longue. Au ton de voix dont l'Essên a évoqué le coupable maudit, je devine aussi que ce n'est pas auprès de lui que je pourrai obtenir l'information que je cherche. Je me retire discrètement. Livrée à moi-même, j'erre de nouveau au milieu de la foule hagarde des Éphésiens.

Je finis par repérer la personne qui pourra peut-être m'aider. C'est une femme de mon âge. Elle sort des ruines du temple, à la tête d'un groupe de jeunes filles, toutes vêtues de longues tuniques blanches et portant une collection d'objets à moitié calcinés. Elle attire mon regard à la fois par la différence de son costume (elle est la seule à porter un vêtement rouge), et par son air d'autorité. Sûrement l'une des Mélissaï, des prêtresses permanentes. Je sais qu'elle a fait vœu de chasteté absolue mais peut-être pourra-t-elle comprendre mon angoisse de femme et me rassurer sur le sort du jeune homme que je cherche ? Je la suis à l'intérieur d'un des bâtiments encore intacts. Là, me présentant à elle comme prêtresse du temple d'Erôs à Thespiaï, je sollicite une audience secrète. D'un ton las, sans presque me regarder, elle me la refuse, me conseillant de revenir plus tard, dans quelques jours, lorsque seront achevées les tâches les plus urgentes du déblaiement de la nef sacrée. Je ne me laisse pas décourager : m'accrochant au pan de sa tunique rouge, tandis qu'elle continue à vaquer à sa tâche sans s'arrêter un instant, je lui raconte toute mon histoire. La disparition d'Hermodotos. Ma peur qu'il n'ait été par erreur le criminel exécuté. J'ai juste besoin d'un nom pour être rassurée ! Lorsqu'elle comprend que je lui demande de me révéler l'identité de l'incendiaire, la prêtresse se dégage dans un sursaut d'indignation. Les novices, autour de moi, ont écouté avec curiosité notre conversation. Elles se récrient. Quelques gardes, et la foule à l'extérieur du bâtiment, commencent même à s'attrouper. Instinctivement Lykeïna et les deux Cerbères, qui m'ont suivie à distance, se rapprochent pour me protéger. Alors, je joue le tout pour le tout : ôtant le collier d'or à l'effigie d'Aphroditê qu'Aâmet m'a donné à l'issue de mon procès et qui est le seul que je porte en permanence, je déclare à la prêtresse que je suis prête à en faire don au sanctuaire. J'offre d'autres bijoux, tous ceux que je possède, et une grosse somme d'argent, pour la reconstruction du temple, si l'on sait m'écouter. La prêtresse hésite, les yeux fixés sur le collier que je lui tends. Je ne sais si c'est le pollen doré du bijou à l'effigie de ma déesse ou ma promesse sucrée de faire d'autres dons qui emportent la décision de l'industrieuse Abeille, mais, tournant les talons, elle m'ordonne de la suivre.

Je devine aussitôt vers qui elle me conduit : vers sa reine. Et je sais, parce qu'Artémidôros me l'a appris la veille, que la reine des Abeilles est un roi. Un homme dont on a fait un eunuque, à la mode barbare, afin qu'il soit assez pur pour assumer sa puissance. Le grand prêtre de la déesse grecque porte depuis des générations un titre perse : lorsqu'il entre en fonction, renonçant à son nom personnel, il devient le "Mégabyzês". Plus influent que les magistrats de la cité, respecté par le satrape lui-même, il est l'objet d'une unanime vénération, que lui valent la sainteté de ses actions et la sagesse de ses décisions. Il a voué sa vie entière à Artémis, ayant accepté d'être châtré pour mieux servir la déesse vierge de la fécondité. Lui seul pourra prendre la décision de transgresser le tabou et de me renseigner, s'il le juge bon. C'est auprès de cet étrange Roi, dans ce qui reste du cœur de la Ruche détruite, que l'Abeille m'entraîne.

Lorsque nous sommes introduites en présence du Mégabyzês, je m'incline profondément, comme la prêtresse. Ensuite seulement je lève les yeux vers lui. Et je suis surprise de découvrir, non pas le vieillard respectable que j'attendais, mais un homme encore jeune, peut-être même un peu plus que moi. Il est vêtu d'une longue robe immaculée, comme l'Essên de tout à l'heure, sur laquelle est posée une sorte de châle safran tressé de fils d'or. Au milieu de l'affliction générale, il dégage une autorité souriante, comme s'il n'était pas atteint par la catastrophe. Pourtant, lorsque la prêtresse l'informe à mots couverts de ma demande, son visage se ferme. Je sens que le combat va être difficile. Il me regarde sans hostilité mais sans bienveillance, et je comprends que ma beauté n'a aucune prise sur lui. La servante d'Aphroditê ne peut agir sur le prêtre d'Artémis. Il ne me reste qu'une solution : lui dire la vérité, sans rien lui cacher. Je juge de bonne diplomatie de me placer d'abord sous le patronage de ma déesse, qui vient, par mon entremise, témoigner à la sienne son respect et son affliction. Je mentionne ensuite mes bijoux et l'argent que j'ai promis. C'est seulement en guise de conclusion que je lui raconte l'histoire de mon jeune parent disparu, qui porte le double nom d'Hermodotos et de Mithradatês et dont j'ai des raisons de craindre qu'il ne soit le criminel exécuté. Le Mégabyzês me laisse parler tout du long sans m'interrompre une seule fois mais je me demande s'il m'écoute vraiment. Peut-être mon discours n'a-t-il pas plus d'effet sur lui que mon apparence ? Je finis par me taire. Il reste silencieux. Va-t-on vraiment me renvoyer sans qu'il m'ait dit un mot ? Soudain, il se penche vers moi. Il me déclare, dans un grec impeccable mais où je perçois un accent étranger, qu'il a moins que quiconque le droit de prononcer le nom maudit. Pour apaiser mon angoisse, dont il ressent à quel point elle est sincère, il peut seulement me révéler qu'il ne s'agit d'aucun des deux que je lui ai cités. Le criminel n'était pas un étranger mais bien un citoyen d'Ephésos. Cette simple promesse, faite par le Mégabyzês lui-même au nom d'Artémis, doit me suffire, si je suis sage, à être entièrement rassurée. Au bout d'un instant il ajoute que, pour la remise des dons, je m'arrangerai avec la prêtresse et un intendant, avant, d'un geste de bénédiction distrait qui effleure mes cheveux, de me balayer loin de lui. Je me retrouve dehors au milieu de la foule sans presque savoir ce qui m'est arrivé.

L'Abeille à la tunique rouge, tout en me regardant avec respect, m'escorte d'une pression enveloppante et ferme jusqu'à l'intendant, à qui je remets en un tournemain le collier d'or, les quelques autres bijoux que je porte (je n'en exclus dans un réflexe que la bague de Lêtô donnée par le Sculpteur), plus tous ceux de Lykeïna, et la promesse écrite de verser deux talents pour la reconstruction du temple. Je retrouve Diôn, qui est en train lui aussi de verser sa contribution spéciale. Il ne le fait pas, comme moi, dans un vertige d'angoisse et de soulagement, mais après avoir calculé qu'il s'agissait pour lui de l'option la plus avantageuse. La réaction des autorités du temple, m'explique-t-il lorsque nous sommes seuls, lui a fait bonne impression : il aime les gens qui ne voient dans une destruction que le préalable nécessaire à une juteuse reconstruction. L'imbécile anonyme qui pourrit dans les marais aura peut-être trouvé le moyen le plus radical de relancer le commerce dans toute la région. Quant à lui, Diôn, la reconnaissance et le prestige que lui vaudra dans le port d'Ephésos la confiance qu'il maintient au sanctuaire lui permettra sûrement d'y développer ses affaires. De toute façon, ajoute-t-il avec un sourire matois, il se doutait bien de ce qu'on allait lui demander. C'est pourquoi il avait apporté secrètement une somme d'argent assez importante pour couvrir sa participation. Et la mienne aussi, que je lui rembourserai par la suite. Sans intérêt, précise-t-il, en s'inclinant galamment. Il se frotte les mains, satisfait de cet investissement qui pourra lui valoir la triple reconnaissance des Éphésiens, d'Artémis et de la belle Phrynê.

Je le regarde avec plus d'attention, sensible soudain à l'énergie qu'il dégage et que je n'avais jamais vraiment perçue depuis que je le connais. L'un des avantages d'avoir fait ma paix avec les hommes, c'est que je peux observer leur comportement de manière plus détachée. Notamment celui de ces négociants enrichis par les trafics, qui forment depuis toujours une bonne partie de ma clientèle mais dont je haïssais à mes débuts, pour en avoir été victime en la personne du marchand d'esclaves Satyros, la vulgarité et le cynisme. Maintenant je peux être sensible aussi à leur vitalité. Peut-être même un jour pourrai-je me réconcilier avec Léôkratês, qui est le pendant athénien de Diôn ? Ce genre de commerçants excités uniquement par le commerce, on en trouve partout, à Halikarnassos, à Athênaï, à Syrakousaï, et sûrement dans toutes les cités de l'Empire perse. Ils se moquent de l'Empire, de l'Alliance athénienne, des satrapies et du royaume de Mausôlos. Le seul pouvoir valable à leurs yeux est celui qui leur permet de faire tranquillement leurs affaires, les seules taxes acceptables celles qui assurent la protection de leurs biens et la sécurité de leurs navires. Ils n'ont pas de générosité et pas d'idéal, mais pas d'œillères non plus, ni de frontières. Je peux enfin goûter leur force de vie sans m'en sentir blessée. Le soir même, pour la première fois depuis le début de notre voyage, je passe la nuit avec Diôn, qui n'osait même plus me le demander. Je ne suis pas poussée seulement par la reconnaissance mais aussi par une curiosité sincère à son égard. Comme je m'y attendais, il ne me donne guère plus de plaisir qu'avant, dans les quelques occasions où, à Athênaï, il avait payé fort cher le droit de coucher avec moi. Mais, aussitôt après avoir joui, il commence à devenir véritablement mon ami. Cela aussi, désormais, je suis capable de l'apprécier à sa juste mesure.

Pendant ces quelques jours que je passe à Ephésos dans les bras du riche Karien, je suis frappée par le dynamisme extrême que manifeste toute cette partie du monde grec. C'est comme si j'en percevais soudain la pulsation intime, plus intense que celle des cités de l'ancien continent. La foule bigarrée pleure avec rage son temple détruit par un fou, les prêtres œuvrent déjà à sa reconstruction, les marchands négocient leur participation, mais aucun, finalement, ne se laisse abattre. J'aime cette force qui se nourrit du désespoir, cette vie qui renaît du chaos, je la reconnais comme mienne. J'y vois l'indice d'une ouverture d'esprit, d'une acceptation de la profusion brutale et désordonnée du monde, qui me change de l'atmosphère étriquée d'Athênaï et de la Grèce centrale, enfermée dans ses catégories et ses petites cités.

Pourtant, je me souviens que, dans le bâtiment administratif du temple, lorsque le fonctionnaire sacré m'a demandé quel nom inscrire sur la base de la colonne que j'aurais contribué à remettre debout pour la plus grande gloire de la déesse, Diôn m'a jeté un coup d'œil pénétrant. Saisissant l'avertissement qu'il me lançait, j'ai prononcé celui de Mnasaréta de Thespiaï, plutôt que celui de Phrynê d'Athênaï. La foule des fidèles me regarde avec reconnaissance mais je préfère qu'elle ignore sous quel nom est connue sa riche bienfaitrice étrangère, de quelle ville et de quel métier elle tire sa fortune. On n'est jamais trop prudent.

Car l'atmosphère d'affliction générale connaît encore un nouveau changement, très perceptible dans les tavernes du vieux port que hantent pour moi les deux Cerbères. Les regards, se détournant un peu des ruines calcinées du temple au fond du marais, se portent vers la mer. Vers le nord. Vers la grande île de Khios, qui se trouve à quelques jours de navigation. On dit que la flotte athénienne, commandée par Kharês et deux autres amiraux, abandonnant le siège de Byzantion, vient de se ranger dans le détroit séparant l'île de la côte, pour y affronter enfin face à face l'escadre rebelle. Je repense à la conversation entre Mausôlos et Artémisia, au cours de laquelle il m'a semblé entendre prononcer le nom du stratège athénien. Je comprends que se prépare une bataille navale décisive, qui n'est plus retardée que par la tempête. Elles sont très fréquentes, paraît-il, à l'automne sur ce littoral mais celle-ci se déchaîne avec une particulière violence, comme si les éléments eux-mêmes étaient entrés en conflit. Ce vent qui secoue maintenant le port d'Ephésos et les îles du Nord, je me rappelle en avoir senti les premiers souffles sur la terrasse des appartements d'Artémisia. Peut-être l'habile Mausôlos a-t-il réussi à négocier un accord avantageux avec le dieu Eôlos, obtenant de lui le pouvoir de faire naître la bourrasque au fond de son palais fortifié d'Halikarnassos et d'en balayer toute la côte jusqu'au détroit de Khios, pour compliquer la tâche des Athéniens ? La ville d'Ephésos guette avec une fièvre mauvaise le résultat du combat. Les esprits, qui n'attendent qu'une occasion de se décharger de la rage causée par l'incendie du temple et qui n'ont pu le faire lors de la mise à mort secrète du coupable, s'échauffent dangereusement. J'ai l'impression que toute la région se couvre de nuages noirs menaçants et que le vent de la haine y souffle aussi dangereusement que celui de la tempête. Même si la cité est officiellement neutre, il vaut mieux taire que l'on vient d'Athênaï. Diôn m'a conseillé la plus grande discrétion et, lorsque je vois les gens froncer les sourcils dès qu'ils perçoivent mon accent attique, je peux constater à quel point les Athéniens sont détestés. Encore plus que Mausôlos. À l'instant décisif du choix, plus personne ne paraît vouloir saisir que le roi karien se dresse, menaçant, derrière les îles rebelles. Seul le don de mes bijoux, qui a fait quelque bruit dans la ville, parce que j'ai eu l'habileté de le présenter comme venant d'une prêtresse d'Aphroditê, parvient encore à m'attirer quelques sourires de gratitude. Je décide de déguiser mon accent. J'en reviens à la rudesse de la langue que je parlais dans mon enfance à Thespiaï. Chaque fois que l'on me demande mon nom, je réponds désormais, comme au fonctionnaire du temple, que je m'appelle Mnasaréta et que je viens de Béôtie.

Mais j'ai peur évidemment que ma quête d'Hermodotos ne soit entravée par toute cette agitation. Laissant Diôn à ses négociations compliquées avec les prêtres d'Artémis pour le calcul des intérêts de nos deux contributions, je me lance avec Lykeïna, sous la protection des deux Cerbères, à la recherche de celui que je présente désormais comme mon neveu et dont le Mégabyzês m'a juré solennellement qu'il n'était pas le cadavre pourrissant dans les marais. Je me force d'abord à agir rationnellement. Je vais frapper à la porte de la prêtresse du thiase local d'Anaïtis, dont m'a parlé Aâmet. Elle n'est pas du tout, comme moi, une hétaïre, mais la femme d'un petit armateur d'origine lydienne, dont la famille est installée depuis quelques générations dans le port. Je me dis que, si Hermodotos, comme je le pressens, a débarqué ici plutôt qu'en Karie, il aura eu l'idée de trouver refuge auprès de la déesse que je sers. Pourtant aucun des membres du thiase que la prêtresse fait interroger ne peut me donner de nouvelles de lui, même après avoir mené une petite enquête dans les autres cités grecques du littoral, dans l'administration perse ou dans les bourgades lydiennes de l'intérieur des terres. Je ne suis pas vraiment surprise de cet échec. Il me permet seulement de me livrer l'esprit tranquille à mon idée fixe : descendre vers le port pour errer sur les traces de mon père, et là, par le plus providentiel des hasards, tomber sur le jeune homme que je cherche. Je me promène sur les quais qu'Epiklês a dû arpenter bien des années auparavant, et dont plusieurs, ensablés par les alluvions du fleuve, sont à l'abandon. Les conversations guerrières des badauds dans l'attente de la bataille navale, les craquements des mâts des bateaux rentrés au port, les dernières escarmouches entre les vagues de la mer pourpre et le vent de la tempête qui se hâte de remonter vers le détroit, où, dit-on, vont s'affronter les deux escadres ennemies, tous ces signes me permettent de me plonger dans le passé. Je me place en esprit à la fin de l'expédition triomphale du spartiate Agêsilaos, lorsque le jeune cavalier s'est demandé s'il continuerait à combattre le Grand Roi comme mercenaire ou s'il reviendrait chez son père faire le métayer à la place de son cadet disparu. Pourtant, bien que je puisse respirer l'atmosphère tumultueuse de ma légende familiale, je ne découvre nulle part Hermodotos, efflanqué mais vivant, attendant de prendre le premier bateau en partance vers la Grèce sur le même quai que son aîné quarante ans auparavant. Les deux me fuient, le spectre de l'un confondu avec la silhouette famélique de l'autre. J'attends des heures. Adômas, qui a moins l'accent d'Athênaï que moi et qui est le plus liant des deux Cerbères, s'enquiert auprès des marins mais aucun ne peut le renseigner. Lorsque la nuit remplace le soir livide et qu'il ne reste plus aucun espoir, je laisse Lykeïna et mes gardes du corps me ramener chez Artémidôros.

Au bout de deux ou trois jours de cette recherche vaine, Diôn, qui a conclu notre affaire avec les intendants du temple, finit par me persuader de prendre le chemin du retour pour Halikarnassos. Je suis effondrée. Trompée pour la première fois dans la confiance absolue que j'accorde aux signes. Déçue cruellement dans mon dernier espoir, le moins raisonnable mais celui auquel je tenais le plus, de retrouver la trace du disparu. Tout ce voyage à Ephésos n'aura-t-il servi à rien, sinon à me dépouiller de mes bijoux, notamment le collier magique que m'avait donné Aâmet, et à me faire douter de la protection de ma déesse ? J'ai l'impression de voir s'effriter entre mes doigts, comme une rose des sables, le seul sens un peu solide que j'avais cru donner à ma vie.

46

PETITE LEÇON DE PUISSANCE

Le soir même de mon retour à Halikarnassos, le roi et la reine
nous font mander au palais. Malgré la fatigue du voyage et malgré mon abattement, Praxitélês me persuade que nous ne pouvons
refuser l'invitation. Cette fois-ci, nous sommes installés, les sculpteurs et moi, à la place d'honneur, juste à côté du lit d'apparat du
couple royal. Peut-être le cruel Mausôlos tient-il à apprendre lui-
même à ses invités athéniens le désastre qui vient de frapper la
flotte de leur cité devant Khios ? À moins que la reine ne veuille
donner à ses chers artistes une preuve d'affection dans ce jour
de deuil pour eux ? En tout cas, le roi, parlant à voix très haute
et feignant de s'adresser à ses courtisans, ne nous épargne aucun
détail sur le déroulement des opérations. Le grand amiral Kharês, n'écoutant que sa bravoure et négligeant les conseils de prudence des deux autres stratèges, Timothéos et Iphikratês, s'est
obstiné à lancer l'attaque en pleine tempête ; il a réussi le prodige de perdre à lui tout seul la bataille et de nombreux navires.
"Le plus drôle, poursuit Mausôlos, c'est que, lorsque l'on a étudié
un peu comme moi la psychologie de ce Kharês et les mœurs de
la cité athénienne, il est possible d'envisager une suite des opérations encore plus favorable à nos intérêts : ce bravache, au lieu de
reconnaître son erreur, va sûrement se retourner contre ses deux
collègues. Vous allez voir qu'il va porter plainte contre eux pour
avoir été trop prudents et qu'il va gagner son procès !" Il ajoute,
en se tournant directement vers notre groupe : "Les démagogues,
si puissants dans votre cité, vont inciter la populace à éliminer les
plus sages pour confier le commandement suprême au plus fou !
Ce sont les bienfaits de cette démocratie, dont vous êtes si fiers !"
Malgré son habituelle maîtrise de lui-même, Mausôlos ne peut

s'empêcher de céder à l'ivresse de la victoire et de se réjouir de la défaite d'Athênaï devant ses invités, qui blêmissent sous l'outrage. Peut-être s'est-il laissé aller à boire, ce soir où il fête devant sa cour l'indépendance de ses alliés de Khios, qui seront bientôt ses sujets ? Peut-être considère-t-il qu'il n'a nul besoin d'user de prudence diplomatique devant de simples artistes ? Peut-être enfin juge-t-il que la marque de respect la plus sincère qu'il puisse donner à des hommes intelligents, venant d'une cité qui se targue à la face du monde d'être capable de philosopher, consiste à leur dire crûment la vérité, même si elle leur fait mal ?

La vérité, continue-t-il, la vérité du monde moderne, quand on la regarde avec des yeux non pas cyniques mais lucides, est celle-ci : l'indépendance des cités, la démocratie, Athênaï, c'est du passé ! Balayées, non pas seulement par la tempête du détroit de Khios mais par le vent de l'histoire ! Lui, Mausôlos, il représente l'avenir ! L'indépendance, il s'en moque depuis toujours, c'est une tentation qu'il se refuse à lui-même, comme les Cités devraient bien le faire ! Contrairement à ce qu'on dit de lui, il ne cherche pas vraiment à se révolter contre le Grand Roi, malgré les difficultés actuelles de l'Empire. Il a compris qu'il était beaucoup plus avantageux de lui faire allégeance, et d'accomplir le devoir d'un satrape, en conquérant toujours de nouveaux territoires au nom d'Artaxerxês, parce que ce dernier le laissera ensuite les administrer à sa guise. Qu'est-ce qu'Athênaï et sa démocratie ont apporté aux îles et aux comptoirs grecs d'Asie ? Des idéaux vains, de l'instabilité, des stratèges et des stratégies changeant chaque année, des impôts extraordinaires qui n'ont d'extraordinaire que leur montant et qui sont toujours utilisés pour faire la guerre contre les deux autres petites puissances de Thêbaï et de Lakédaïmôn, dont les Grecs d'Asie se contrefichent ! La démocratie est condamnée, tout simplement parce qu'à l'usage, elle n'est pas bonne pour le commerce. Lui, Mausôlos, que propose-t-il au contraire à ces peuples de banquiers et de négociants ? Bien sûr, des taxes impériales, très lourdes, et collectées sans faiblir au nom du Grand Roi, bien sûr, des taxes locales, tout aussi lourdes, et collectées encore plus rigoureusement en son propre nom. Mais, en échange de cela, une puissance militaire apte à assurer la sécurité de leurs navires, un pouvoir fort et stable, un programme de grands travaux qu'il mène pour son prestige personnel mais dans lequel il redistribue une bonne partie de l'argent des taxes à leurs petits entrepreneurs locaux et à leurs importateurs en tout genre. Et puis, surtout, en leur ouvrant l'accès au réseau des routes royales sillonnant l'Empire, il leur permet de faire circuler leurs précieuses caravanes jusqu'à Damaskos et jusqu'à Baktra, jusqu'en Égypte et jusqu'aux confins mystérieux du monde des Sêres ! Alors ? Les cités n'auront pas la liberté, d'accord, mais en ont-elles vraiment besoin ? Ces fichus Grecs ont du mal à renoncer à ce mot creux, mais c'est sans doute la dernière génération qui y est attachée. Bientôt ce sera fait, bientôt on sera passé à autre chose, que lui seul, Mausôlos, entrevoit et prépare déjà, un système moderne et apaisé qui permettra, depuis les cités périphériques jusqu'au centre de l'Empire, d'assurer une circulation toujours plus efficace des marchandises, grâce à un réseau de monarchies-satrapies plus ou moins autonomes comme la sienne.

Quant à Athênai, ajoute le souverain, en se tournant de nouveau vers les deux sculpteurs, avec un sourire dont je ne parviens pas à décider s'il est insultant ou aimable, votre vieille cité n'est pas encore tout à fait finie, si, du moins, elle sait mettre son intelligence à se trouver une petite place dans ce monde nouveau qui est en train d'advenir de ce côté-ci de la mer. Son ultime richesse, ce ne sont évidemment pas ses lamentables stratèges, ni même ses prestigieux orateurs, qui ne manient plus que des mots vides de sens à force d'avoir trop servi. Mais ses artistes. Parce que ceux-ci ont appris depuis des générations la science exacte qui leur permet d'inscrire leurs visions dans la pierre en formes harmonieuses. Ils représentent le seul passé d'Athênaï qui pourra servir à quelque chose dans l'avenir. "Vous êtes, dit-il à Praxitélês et Léôkharês, qui l'écoutent pour une fois réunis dans le même silence blême, le dernier vrai atout d'Athênaï ! N'en donnez-vous pas la preuve ce soir ? Alors que vos généraux croient encore qu'ils peuvent gagner la guerre, vous, les sculpteurs, vous êtes déjà ici, auprès de moi, Mausôlos, dans ma capitale, où vous construisez le monument qui assurera ma gloire mais aussi la vôtre. Et finalement, celle de votre cité, qui a su vous former. C'est vous qui avez raison, vous qui avez tout compris, je vous félicite, vous êtes bien plus lucides que vos philosophes, qui en sont encore à théoriser le monde ancien. Ce chef-d'œuvre que vous décorez pour moi, vous savez qu'il est bien plus novateur et bien plus durable qu'une bataille navale ou que les tempêtes de mots que ne vont pas manquer de soulever vos bavards dans leurs fumeuses assemblées du peuple !" Et il oblige les sculpteurs, le soir de la terrible défaite du Détroit, à boire au succès de leur grande œuvre commune et à leur propre lucidité. Aucun des deux n'ose refuser.

La reine Artémisia, qui perçoit ce que le triomphe de Mausôlos peut avoir de mauvais goût cruel, détourne dès qu'elle le peut la conversation. Lorsqu'elle me demande aimablement la raison de mon voyage à Ephésos, je suis tellement découragée que je finis par lui avouer le but véritable de ma présence en Asie. Elle se récrie, s'intéresse vivement, me questionne. Dans son ostensible curiosité, je discerne bien sûr sa courtoisie de reine et l'envie de dissiper la gêne qu'ont suscitée les propos de son mari. Mais je sens aussi que je fais vibrer en elle une corde plus secrète. Rien d'étonnant à ce que cette femme, dont le tourment est de n'avoir pas encore d'enfant, et notamment pas d'enfant mâle, se passionne pour la quête désespérée du garçon qui m'a été confié par le destin. Elle me reproche de ne pas lui en avoir parlé plus tôt, me promet qu'elle va m'aider, et entamer, dès le lendemain, avec ses moyens qui dépassent les miens, des recherches dans toute la Karie. Elle interviendra même pour moi auprès des satrapes des régions voisines, la Lydie au nord et la Lycie au sud, en les priant de faire mener une enquête par leur intendant et leurs services de police : personne ne peut échapper longtemps à ceux que l'on appelle "les Yeux des satrapes" ! Si ce jeune homme est vivant, nous le trouverons !

Son enthousiasme nerveux me redonne courage. Pressée par ses questions, je me retrouve en train de lui raconter non seulement mon enquête mais aussi une bonne partie de ma vie. Elle n'en connaît que les anecdotes les plus croustillantes, qui paraissent m'avoir rendue célèbre jusque de ce côté-ci de la mer. Bien que je m'en amuse de bon cœur, je n'y aperçois, à cette distance, que la conduite irréfléchie d'une fille très belle, très cupide et très sotte. Pour lui donner meilleure opinion de moi, je lui révèle que je ne suis pas seulement une hétaïre mais aussi la prêtresse d'Isodaïtès et d'Anaïtis. La reine marque son étonnement. Elle m'explique que, si elle n'a jamais entendu prononcer le nom de ce dieu, elle reconnaît bien celui de la déesse. Les Perses l'appellent Anahita. Elle est l'une des trois plus importantes divinités de leur panthéon, avec Ahura Mazda et son fils Mithra. À mon tour, je suis frappée de surprise : ainsi la déesse que je sers, cette figure secrète, rebelle, mal connue, méprisée, est ici l'une des plus puissantes et des plus officiellement révérées ? Je suis émue de me retrouver, sans même y avoir songé, aux portes de l'empire d'Anaïtis. C'est comme si j'avais l'occasion d'entrer magiquement dans le royaume de mon enfance. Les récits de Manthanê ont toujours gardé pour moi un caractère légendaire mais ils font, de ce côté-ci du monde, partie de la réalité : Artémisia m'apprend que le précédent Grand Roi, Artaxerxês Mémnôn, mort il y a quelques années à peine, avait décidé de donner encore plus d'éclat au culte de cette déesse, qu'il révérait tout particulièrement. Pour cela, il avait fait installer des statues la représentant en majesté dans les plus grands sanctuaires qu'elle possédait à travers tout l'Empire, depuis le triangle intérieur de Sousa, Persépolis, et Babylôn, jusqu'aux capitales des confins, Damaskos, Baktra et Eridza.

Mausôlos, qui est resté muet depuis sa sortie contre Athênaï mais qui s'intéresse de nouveau depuis quelques instants à notre conversation, intervient brusquement : "Le vieux Mémnôn, m'explique-t-il avec un sourire, s'est montré très novateur en cela, presque révolutionnaire ! Il n'a pas hésité à s'attirer l'hostilité d'une grande partie du clergé d'Ahura Mazda, parce qu'il est normalement interdit dans la religion perse de représenter la divinité, à la différence radicale de ce qui se fait chez vous, les Grecs, qui aimez à figurer la multitude de vos dieux sous des traits humains. Beaucoup de mages perses vont jusqu'à affirmer qu'Ahura Mazda est non seulement le plus grand dieu de tous, mais aussi le seul, et qu'à cause de cela, il est irreprésentable, à part sous la forme du feu. Pourtant, Mémnôn a décidé d'installer partout des statues d'Anahita, dans toute sa majesté et même toute sa féminité.

— Car, ajoute la reine en se tournant vers Praxitélês, beaucoup de ces œuvres, qui sont à leur manière aussi provocatrices que les tiennes, la montrent à demi nue.

— Je me suis longtemps demandé, reprend le roi, quel était le véritable but poursuivi par Mémnôn, qui n'avait rien d'un mystique, ni même d'un esthète. Ma chère Artémisia vous l'a présenté comme un fidèle convaincu de la déesse, et elle a raison, bien sûr, mais je sais, pour l'avoir pratiqué, qu'il était aussi un vieux renard, un très fin politique, dont j'ai beaucoup appris. Je crois que, confronté à l'impossibilité de maintenir par la force l'unité de son empire immense, il a cherché ce qui pouvait bien unir toutes les populations qui le composent. Et qu'a-t-il trouvé ? Non pas Ahura Mazda, le dieu mâle et désincarné de la guerrière aristocratie perse, mais elle, la Grande Déesse, maternelle, féconde, paisible, présente. C'est devant elle seule que se rejoignent les peuples de l'Empire, depuis les Sakes de l'autre côté de la mer d'Occident jusqu'aux Indiens de l'Hydaspos. Mémnôn a eu l'intelligence de chercher dans sa propre religion ce qui pouvait parler au cœur de ses multiples sujets et il a trouvé Anahita, qui était vénérable avant lui mais encore méconnue. Alors, il l'a mise au premier plan. Si, contrairement à l'usage perse, il a installé l'une de ses statues dans chacune des villes de son empire, c'est, à mon avis, pour que les multitudes diverses qui le composent viennent s'agenouiller devant elle, au lieu de se révolter. Il était malin, le vieux Mémnôn, il comprenait l'utilité de la religion bien mieux que ses prêtres, et que son successeur actuel, le brutal et mazdéiste Okhos, qui va avoir du mal, je le crains, à maintenir par l'épée et par l'arc ce que son père a tenté de rassembler autour d'un sein de femme. Sa mort m'a bien arrangé, parce qu'elle m'a laissé les coudées franches, mais, dans le fond, j'admirais le vieux bonhomme."

Artémisia m'apprend encore que le plus colossal des temples de ma déesse, bien plus grand et bien plus somptueux que le fut jamais l'Artémision d'Ephésos, se trouve à Ekbatana, l'antique capitale de l'Assyrie. Il est dirigé depuis quelques années par une certaine Aspasia, qui était la concubine préférée de Mémnôn, et, malgré ce qu'aurait pu suggérer sa chevelure blonde, une Grecque. Voyant ma surprise, la reine se met à me raconter l'histoire extraordinaire ou lamentable de cette femme de ma race : on dit que Mémnôn, après l'avoir aimée plus de trente ans, la voua au culte d'Anaïtis, pour faire honneur à la déesse mais surtout pour en priver son propre fils, Dareïos. Celui-ci l'avait réclamée lorsqu'il fut choisi pour succéder à son père, bien que cette femme fût beaucoup plus âgée que lui. Le souverain ne pouvait, d'après la coutume perse, refuser cette première faveur à son héritier mais il voulut qu'Aspasia choisît elle-même celui qu'elle préférait. Elle osa se déclarer pour le jeune. Alors le vieux la condamna à la chasteté dans le temple d'Ekbatana et il finit par éliminer Dareïos à cause d'elle. "Il aurait bien dû, ajoute Artémisia, la faire plutôt étrangler, pour punir cette putain de le trahir et ne pas vouloir rester la femme d'un seul homme !" Je devine, aux accents sourds de sa voix, qu'Artémisia évoque le sort de cette Aspasia non pas à mon intention, mais à celle de Mausôlos, et je me risque à surprendre le regard prolongé qu'échangent le roi et la reine, qui sont aussi frère et sœur. Puis elle reprend la parole, en s'adressant de nouveau à moi : le temple d'Anahita le plus proche se trouve à Sardeïs, la capitale de la province voisine de Lydie. Elle pourra m'obtenir un sauf-conduit, si je désire, bien que Grecque, me prosterner à la mode barbare au pied d'une de ces fameuses statues de la grande déesse, pour lui demander à elle aussi la faveur de retrouver mon jeune parent. J'accepte avec enthousiasme. Le nom de cette ville, je m'en souviens bien, apparaissait aussi dans le récit que me faisait mon père de la campagne d'Agêsilaos. Peut-être me suis-je simplement trompée de cité dans mon intuition, peut-être est-ce dans la perse Sardeïs et non dans la grecque Ephésos, que j'obtiendrai le premier signe concret qu'Hermodotos est toujours vivant ?

Praxitélês paraît lui aussi vivement intéressé par notre conversation, sortant pour une fois de la morosité qui l'accable depuis qu'il a retrouvé son rival Léôkharês à Halikarnassos et que les flatteries de ce dernier l'empêchent de se concentrer sur l'idée de sa frise. Il déclare qu'il aimerait beaucoup voir l'une de ces statues d'Anahita. Artémisia, qui a été l'une des premières à faire quelques mois auparavant le voyage dans la petite ville de Knidos toute proche pour admirer son *Aphroditê nue*, lui sourit finement : la sculpture perse risque de surprendre le maître grec, et même de le décevoir, car elle est radicalement différente de la sienne, beaucoup plus monumentale et rigide. D'ailleurs, ajoute-t-elle, Mausôlos et elle se situent, en art comme pour la langue et les usages, du côté des Grecs. Ils ont déjà érigé dans leur nouvelle capitale un grand temple à Arês, le dieu de la guerre, qui ne choque pas trop la population locale parce qu'il peut lui rappeler Mithra. Si jamais ils décident d'élever son pendant à une déesse, ils choisiront Aphroditê, comme à Knidos, ou Artémis, comme à Ephésos, plutôt qu'Anahita. Ils ne sont pas des barbares, conclut-elle d'une voix méprisante (dont je m'amuse intérieurement, puisqu'ils sont considérés comme tels par la majorité des Grecs). Mais son mari et elle accordent volontiers à Praxitélês l'autorisation de délaisser quelques jours son travail sur le chantier de l'Hékatomneïon pour m'accompagner dans la capitale de la province voisine. "Nos invités y seront reçus avec les honneurs, reprend Mausôlos, car la Karie entretient depuis longtemps avec la Lydie les meilleures relations du monde." Cette fois-ci, c'est lui qui esquisse un sourire rusé, dont je devine le sens : chacun des deux satrapes doit faire dans son coin ce qui lui plaît, c'est-à-dire servir ses propres intérêts en feignant qu'ils se confondent avec ceux du Grand Roi, jusqu'au moment, peut-être, de s'allier avec son voisin pour une nouvelle grande révolte.

Au moment de nous séparer, la reine me glisse à l'oreille que notre conversation est vraiment un hasard providentiel. Il se trouve que le puissant maître de la Lydie, Artabazês, accompagné de son collègue de Mysie, le vieil Orontês, l'un des hommes les plus influents de tout l'Empire, puisqu'il est de sang royal achéménide, doivent arriver dans quelques jours en visite officielle à Halikarnassos, pour y discuter d'importantes affaires politiques. Lors du banquet officiel qui suivra, et où elle tient à ce que les artistes grecs et moi nous soyons présents, elle me fournira l'occasion de glisser un mot, non pas à leurs intendants mais aux satrapes en personne, à propos du jeune homme dont le salut nous occupe désormais toutes deux.

De retour dans la maison des artistes, les deux sculpteurs athéniens, toujours sous le coup de l'humiliation que leur a fait subir le Roi en leur annonçant la défaite du Détroit, annoncent cette nouvelle catastrophique à leur équipe. Praxitélês, oubliant son projet d'aller voir la statue d'Anahita à Sardeïs, envisage même à voix haute de quitter sur-le-champ Halikarnassos, pour s'embarquer vers leur vieille cité, qui leur est d'autant plus chère dans le malheur, et planter là l'impudent souverain. Mais il renonce vite à cette idée, à la fois parce qu'aucun de ses assistants ne veut prendre le risque d'affronter sur mer la colère du satrape et parce qu'il sait très bien que ce retour patriotique ne serait qu'un prétexte pour fuir son impuissance d'artiste. Et puis il voit que je n'ai aucune envie de rentrer. Bien au contraire ! Jamais depuis mes débuts je n'ai attendu un banquet avec une telle impatience. Je me sens plongée dans une sorte de frénésie. Je me fais tailler une tunique dans une pièce de soie à rendre jalouse Myrrhina elle-même, d'une finesse et d'une pourpre plus éclatante que toutes celles que l'on pourrait trouver sur le port d'Athênaï. Le marchand m'assure qu'elle vient tout droit de l'île proche d'Amorgos, où elle a été tissée spécialement à mon intention par les novices du temple d'Aphroditê, et que lui-même a affronté, pour me l'apporter à temps avant mon banquet, les flots de la mer déchaînée. À la grande déception de ce Karien bavard, je ne prends même pas la peine de marchander. J'emprunte de nouveau de l'argent à Diôn, pour acheter des bijoux remplaçant ceux que j'ai donnés en vain à l'Artémision, et je fais ce qu'il faut pour qu'il me le prête sans intérêt, tout en évitant de rendre trop jaloux mon ami le Sculpteur. Je pare aussi mes suivantes, je leur fais répéter des pas de danse plusieurs heures par jour, bien qu'Artémisia ne m'ait pas loué officiellement leurs services. La petite Lykeïna, à qui j'explique la cause de ces préparatifs, partage ma fièvre.

Praxitélês nous regarde avec un sourire. Puis il tente de me ramener à la raison. Il s'est renseigné pour moi auprès des assistants de Skôpas les mieux informés de la situation de l'Empire. Il les a interrogés sur les raisons de la visite des deux satrapes voisins. Il a appris des nouvelles peu rassurantes. Il paraît qu'Okhos, le nouvel Artaxerxês, après avoir réglé la querelle de succession à la mode achéménide, en faisant étrangler les quatre-vingts membres les plus proches de sa famille, a donné l'ordre à tous les satrapes un peu trop indépendants du rivage occidental de licencier leurs armées de mercenaires grecs. Ceux de Lydie et de Mysie n'ont pas encore obéi. Ils viennent, sous un prétexte officiel, négocier en secret avec le dynaste de Karie l'appui de ce dernier dans la nouvelle grande révolte qu'ils envisagent de déclencher contre le Grand Roi, après celle que son père, le vieux Mémnôn, a su régler par le pardon quelques années auparavant. Mais Mausôlos, d'après ce que nous avons pu saisir, n'est sans doute pas disposé à se lancer dans l'aventure d'une rébellion. Si l'entrevue entre les satrapes se passe mal, Artabazês n'aura pas l'esprit disposé à regarder mes danseuses ni à écouter ma requête pour complaire à Artémisia. Peut-être même la reine, préoccupée par l'importante négociation politique, aura-t-elle complètement oublié la promesse qu'elle m'a faite ?

Je sais que les arguments de Praxitélês sont raisonnables. Mais je secoue la tête avec obstination, sans prendre la peine de discuter, et Lykeïna fait comme moi : nous voulons croire toutes deux que la reine se souviendra de nous, et que le sort de notre protégé ne quittera pas tout à fait l'esprit de cette femme sans enfant, même à un moment où elle se verra sur le point de plonger la moitié de l'Empire dans le chaos. C'est pourquoi Lykeïna, mes servantes et moi, nous continuons à peaufiner nos costumes et, les dents serrées, le sourire aux lèvres, à préciser nos gracieuses attitudes de combat. Nous voulons éblouir si bien ces trois satrapes préoccupés par le sort du monde qu'ils ne pourront plus, pendant quelques instants, penser à rien d'autre qu'à nous. Qu'ils seront obligés de distraire de la guerre une petite partie de leurs précieuses forces, pour la consacrer à la recherche d'un jeune homme disparu à travers l'immensité de leurs provinces ! J'ai l'impression de me retrouver quinze ans auparavant au moment d'affronter mon premier banquet à Athênaï, et d'y rencontrer Hypereïdês et Euthias. J'adresse une pensée émue à ma chère Stéphanê, qui continue peut-être, là où elle est, tout en lançant ses cerceaux enflammés pour charmer les Ombres, à veiller sur moi. Si la situation n'était pas à ce point angoissante, je crois que je me réjouirais aussi de vivre ce moment de fièvre en compagnie de Lykeïna.

Au début de l'après-midi précédant le banquet, un serviteur du palais vient me chercher. Je me hâte de le suivre, pensant qu'Artémisia souhaite examiner avec moi les moyens de circonvenir les satrapes. Mais, évitant avec soin les appartements où la reine demeure avec ses femmes, c'est auprès du roi que l'esclave, sans un mot d'explication, me conduit. Mausôlos m'attend dans la petite pièce de repos jouxtant la grande salle du conseil, dont la fenêtre est ouverte sur la ville et sur les collines alentour. Je parviens à dissimuler ma surprise d'être reçue en tête à tête par le souverain, qui non seulement ne s'est guère intéressé à moi lors du banquet précédent, tout à l'ivresse de la défaite athénienne, mais ne m'a pas jeté d'autre regard insistant que celui de notre première rencontre. Il m'accueille avec une courtoisie royale et me pose quelques questions sur mon séjour à Ephésos. M'efforçant de rentrer dans sa logique d'homme de pouvoir, je mets de côté mes angoisses personnelles pour lui décrire l'état d'esprit des Éphésiens après la destruction de leur temple et avant la bataille du Détroit. Au bout de quelques phrases, son œil s'éclaire d'une lueur ironique et je rougis de ma naïveté : il a sûrement des espions qui sont capables de le renseigner bien plus précisément que moi. Néanmoins, il me déclare que je ne suis pas seulement la plus belle femme qu'il ait rencontrée mais aussi l'une de celles dont le regard est le plus vif. Contrairement à la plupart des hommes de son temps, il ne déteste pas l'intelligence chez les représentantes de l'autre sexe. Pendant qu'il prononce ces mots, l'image d'Artémisia me passe par l'esprit. Je ne dois sûrement pas être la première courtisane étrangère que Mausôlos reçoit dans cette petite pièce de repos, en plus des concubines de son harem. La reine me semble trop fine pour ne pas le savoir, et trop amoureuse peut-être pour ne pas en souffrir. Mais trop orgueilleuse aussi pour s'en plaindre, trop fière d'elle et de lui, de ce que représente leur entente, non seulement aux yeux du monde mais aux leurs, pour le pousser à lui mentir sur ce sujet. Lui a-t-elle autorisé ce rendez-vous qu'il m'octroie ? Le lui a-t-elle même organisé ?

Le subtil Mausôlos devine sûrement mes pensées. Il se hâte de claquer dans ses mains. Un serviteur entre aussitôt, portant une cassette. Le roi me demande de l'ouvrir. À l'intérieur se trouve un collier, le plus beau, le plus précieux que j'aie jamais vu de toute ma vie. Il est d'or fin, serti d'une multitude de petites émeraudes représentant divers motifs végétaux et rehaussé en son centre d'un énorme rubis, dont la taille très fine dessine comme le cœur d'une rose. Malgré mon habitude de me voir couverte de cadeaux par mes admirateurs, je reste bouche bée. Ce bijou est beaucoup trop beau pour moi, ou du moins pour un moment passé avec moi, c'est ce que je me garde bien de lui dire. Car, après cet instant de stupeur, mes réflexes professionnels reprennent le dessus. Je sais que les clients n'aiment pas que nous nous dévalorisions en estimant nos faveurs inférieures à leurs offrandes. Parce que ce serait les rabaisser aussi, eux et leur désir. Ils souhaitent au contraire que nous les flattions, en leur montrant qu'ils font partie des rares hommes assez raffinés pour nous estimer à notre juste valeur. Nous devons les persuader que la relation unique que nous allons entamer avec eux sur ces bases sera, à tous les sens du terme, hors de prix. Mais là, devant le présent somptueux que m'offre Mausôlos avec une négligence étudiée, je ne parviens à déguiser ma stupeur qu'en une moue de considération. Je me demande s'il a fait monter cette parure spécialement à mon intention pendant ces semaines où il semblait ne pas s'apercevoir de ma présence, ou bien si ce séducteur est assez fastueux pour tenir dans ses coffres en permanence un pareil présent à offrir à sa prochaine tocade.

Le roi ne peut réprimer un sourire de triomphe. Il a appris, me déclare-t-il, que j'avais offert un collier pour la reconstruction de l'Artémision ; il souhaite me remercier de contribuer à la gloire d'une cité à laquelle il s'intéresse de près, en me dédommageant du bijou dont je me suis dépouillée par celui-ci, dont il espère que je ne le trouverai pas trop indigne du premier. Je me récrie, évidemment. Mausôlos, qui tient à me le passer lui-même autour du cou, me montre ensuite qu'il est temps que je lui donne à mon tour une preuve de ma reconnaissance. Après tout, pense-t-il sans doute, une femme aussi avisée que moi pourra comprendre qu'un satrape soit réclamé par beaucoup d'autres affaires aussi urgentes que l'hommage dû à une hétaïre célèbre, surtout lorsqu'il reçoit deux de ses collègues les plus puissants de la côte. Sans m'offusquer du caractère expéditif que prend notre rencontre, je le laisse me déshabiller et m'allonger sur la banquette de repos, avec presque la même impatience que lui. Je suis curieuse de savoir comment fait l'amour l'un de ces représentants du pouvoir absolu de l'Empire, qui excitent tant les imaginations grecques. Et puis j'éprouve un intérêt sincère pour celui-ci, dont l'intelligence aiguë m'intrigue depuis le début. Peut-être même, en profondeur, m'impressionne-t-il ? Une partie de moi, s'identifiant sans peine à Artémisia, ressent très bien pourquoi elle a pu tomber amoureuse de cette personnalité si autoritaire et si brillante.

Je suis un peu déçue : il se conduit avec le corps féminin en homme d'expérience mais sans véritable intimité. Je sens qu'il tient à me montrer qu'il reste souverain dans ce moment-là. Son corps lourd est encore puissant, si bien que je peux me laisser faire sans trop me forcer. Pourtant, au bout d'un moment, alors que j'ai l'impression qu'il contrôle totalement les opérations, avec la même aisance qu'il met à diriger les intérêts multiples de sa province, il perd souffle. Rouvrant les yeux, je m'aperçois qu'il est devenu tout pâle, les narines pincées, des gouttes de sueur perlant à son front, l'air absent. Je suis obligée de l'aider à basculer sur le côté. J'esquisse le mouvement de me relever de la banquette, pour échapper à cette situation gênante en lui servant un peu de vin d'une des cruches posées sur la table basse. Mais son bras, qu'il pose pesamment sur mon ventre, m'en empêche. Il me maintient allongée à côté de lui tout le temps qu'il cherche sa respiration. Je devine la signification de ce geste impérieux : lui qui se considère comme l'un des princes du monde ne veut pas abandonner la partie sur un échec, ce mot-là étant le seul dont il ignore le sens. La vanité de ce type balourd, qui continue à se croire un maître absolu alors qu'il est trahi par son corps défaillant, pourrait m'irriter mais elle me touche. J'y vois l'orgueil enfantin, émouvant, de l'homme puissant qui se sent vieillir mais refuse encore d'abdiquer. J'imagine que cette compassion est un autre des sentiments que doit ressentir à son égard Artémisia, sa femme-sœur qui le connaît depuis toujours et le voit depuis quelque temps décliner. Curieusement, au moment où je laisse son mari me faire l'amour, c'est surtout vers elle que ma pensée se dirige, c'est dans son esprit que je m'installe, sans doute parce qu'elle m'intrigue encore plus que lui. Alors j'attends patiemment que notre maître commun veuille bien retrouver son souffle. De toute façon, me dis-je, le rubis du collier à la rose vaut bien à lui tout seul quelques minutes de ma fausse complaisance d'hétaïre.

Pourtant, au moment où il s'apprête à m'escalader de nouveau, je sens qu'il fait un tel effort sur lui-même que je crains de le voir aller vers un nouvel échec, aussi gênant pour mon amour-propre que pour le sien. Si j'étais l'une de ses habituelles concubines, sûrement il m'aurait déjà renvoyée. Il ne se force que parce que je suis une hétaïre étrangère, une célébrité qu'il veut pouvoir compter à son tableau de chasse et dont il tient à se dire, non seulement qu'il l'aura eue mais qu'il l'aura prise plus virilement que ses autres amants, de manière à ce qu'elle garde de lui un souvenir royal. Alors ce conquérant va lutter pour me donner le change, comme il le fait depuis des années avec les îles rebelles, les escadres d'Athênaï et les émissaires du Grand Roi. Peut-être n'y a-t-il que dans les bras d'Artémisia qu'il a renoncé à cette illusion de la puissance ? Pauvre Mausôlos ! Craignant que la mission officielle qu'il s'impose ne me donne guère plus de plaisir qu'à lui, je décide qu'il est temps d'intervenir.

D'une main douce mais ferme, encore plus autoritaire que la sienne, je repousse son épaule en arrière. Je le force à s'allonger sur le dos. Il peut s'en remettre à moi, je vais beaucoup mieux m'occuper de lui que toutes ses concubines réunies, beaucoup mieux que la gauche, la fébrile, l'inexperte et amoureuse Artémisia. Il ferme les yeux de soulagement. Pourtant, au bout de quelques instants, lorsqu'il les rouvre, et qu'il s'aperçoit que je tiens les miens fixés sur lui, il sursaute, cherchant à m'échapper. Cet homme n'aime pas être observé, ni dans ce moment-là ni dans aucun autre, parce que c'est lui qui observe, lui qui surprend les secrets de ses partenaires ou de ses adversaires (ce sont souvent les mêmes je le devine). Lui qui contrôle tout, toujours. M'agenouillant à ses côtés, je lui pose carrément la main gauche sur les yeux. Tout en continuant de la droite à manier son sexe, je me mets à lui murmurer à l'oreille des paroles qui sont d'autres caresses, aussi habiles que les siennes lorsqu'il flatte ses alliés ennemis et qu'il les emmène là où il a prévu qu'ils aillent. Surpris, il ne bouge plus. Il se laisse enserrer dans le filet patient de mes doigts et de mes mots. Mais tout au fond de lui, il est encore réticent. Tant de concubines et d'hétaïres ont déjà dû faire durcir son sexe entre leurs paumes, le prendre dans leurs bouches, mais c'était uniquement pour le servir. Quant à Artémisia, elle est beaucoup trop la femme d'un seul homme pour lui apprendre quoi que ce soit au lit. Alors il se méfie. J'insiste. Avec ruse, avec art, je circonviens l'habile diplomate, je pousse le satrape rusé dans ses derniers retranchements, je m'empare une à une de ses possessions, je dépouille le maître du monde. Au bout d'un long moment, je sens qu'au fond de lui il cède, que tout son corps se relâche, tandis que son sexe se dilate. Il se met à gémir dans sa lente montée vers la jouissance. Mais je le maintiens encore sur le fil, je le fais sans pitié descendre et remonter, jusqu'à ce que, ôtant ma main de ses yeux, je découvre qu'ils sont restés fermés et qu'il accepte enfin de se livrer à mon regard.

Alors, tout en me mettant à lui caresser le front, aussi fermement que le sexe, et aussi tendrement, parce que, ces deux gestes, je ne les fais pas en mon nom propre, je me laisse aller de mon côté à lui murmurer les paroles folles qui me passent désormais par l'esprit : "C'est bien, ô puissant roi, ô petit bonhomme Mausôlos, tu te remets à moi, mais écoute-moi bien, il faut que tu comprennes cela, que tu le comprennes en une seule fois, alors que moi, j'ai mis tellement de temps à le saisir. Je ne suis pas chargée de t'apprendre la soumission, à toi qui ne connais que la domination. Mais quelque chose de bien différent, de bien plus subtil, de bien plus profond : l'abandon. Et peut-être que je te l'apprends pour une autre. Qui sait, si tu retiens la leçon, la prochaine fois que, suivant le conseil de vos mages, une nuit favorable de pleine lune, tu feras l'amour à Artémisia, si tu la laisses t'envelopper de son sexe comme moi, je t'enveloppe de ma paume, si tu t'abandonnes à elle comme elle, manifestement, s'abandonne à toi, si tu laisses la Déesse te prendre pour t'amener jusqu'à ce point où Artémisia t'attend, alors peut-être le jeune Dieu son parèdre donnera-t-il à ta semence la force de jaillir de tes couilles royales jusque dans les tréfonds de ta sœur-épouse, de forcer toutes les barrières du sort qui vous séparent, et de lui faire un enfant ? Peut-être la Déesse, qui est bien plus puissante que tous tes magiciens et tous tes médecins réunis, te donne-t-elle aujourd'hui par mes doigts ce pouvoir-là, celui d'inverser ta malédiction ? Tu entends, petit grand roi ? Tu comprends ?"

Je sais que je lui raconte n'importe quoi mais, à ses sourcils qui se froncent, je devine qu'il trouve plus de sens encore que je ne peux le supposer à mes paroles. D'ailleurs, j'attends que, derrière ses yeux fermés, d'un signe de tête il me dise que oui, qu'il m'entend, qu'il me comprend, j'attends cela avant de le faire jouir. Il finit par s'y résoudre, à ce geste d'acceptation du menton. Alors seulement, j'accomplis de ma main droite ceux dont il a besoin pour que son sperme jaillisse. Le roi se met à crier. C'est très étrange, presque comique. Un peu effrayant aussi, ou émouvant : il pousse un seul grand cri de bête fauve blessée, puis, très haut, un long râle d'agonie, tandis qu'il éjacule. Trois ou quatre giclées seulement mais très puissantes. Je vois le liquide blanchâtre, après quelques instants de vol, retomber sur sa poitrine, une ou deux gouttes même finissant dans sa barbe. Sa tête, comme si les fils qui la maintenaient dressée étaient coupés, bascule aussitôt en arrière. Il n'a pas dû jouir ainsi depuis plusieurs années, voire plusieurs décennies, retrouvant l'énergie de sa jeunesse, la dépassant largement, non pas dans la profusion étale mais dans l'intensité aiguë. Je ne lui ai pas seulement vidé les bourses mais aussi le cerveau. Il en palpite encore longuement, me laissant lui caresser les cheveux comme à un enfant et le regarder d'un air amusé.

Une fois qu'il a un peu repris ses esprits entre mes bras bienveillants, je me dégage et je me penche vers la table basse, pour lui tendre le linge dont il a besoin. J'ai pitié de lui, et je finis par lui essuyer moi-même la barbe, dans laquelle il n'a pas vu que deux gouttes de sperme sont allées se nicher. J'agis par pure délicatesse : je ne voudrais surtout pas que ses débordements lui fassent perdre de sa royale dignité au moment d'entamer des négociations délicates avec les deux autres satrapes. Lorsqu'il comprend ce que je suis en train de faire, nous échangeons notre premier et notre seul sourire.

Même s'il ne fait aucun commentaire, même s'il a recouvré une bonne partie de sa maîtrise de lui-même et de son autorité, je sens qu'il frémit encore de ce qu'il vient d'éprouver à l'intérieur, sous la surface majestueuse. Du moins, je l'espère. En tout cas, il ne me salue plus seulement avec courtoisie, mais avec ce qui ressemble à un respect teinté de stupéfaction. Me gardant bien de lui montrer que j'ai remarqué son changement d'attitude, intérieurement je m'en amuse. Oh, ce mâle royal, il ne s'attendait sûrement pas à vivre une pareille expérience, lorsqu'il a envoyé son serviteur chercher l'hétaïre étrangère, pour se détendre un peu après le conseil et avant l'entrevue secrète. Je crois que j'ai bien mérité la parure qu'il m'a offerte. Si cet homme un peu trop intelligent prend le temps de se distraire encore quelques minutes des affaires du monde, peut-être découvrira-t-il qu'il n'a pas comme d'habitude à se reprocher d'avoir gaspillé son temps, ni son énergie, avec une femme.

Pour une fois, ce n'est pas lui qui s'est montré le plus généreux. Cet éclat d'humanité, que ma déesse et moi nous lui avons procuré en échange de son bijou, n'a-t-il pas plus de valeur que tous les rubis du monde ? C'est à lui maintenant d'y réfléchir. De tailler cette illumination, pour en faire une pierre précieuse à sertir au centre de sa vision du monde, ou bien de l'oublier, en la jetant sur le chemin comme un vulgaire caillou. Au moment de suivre le petit esclave qui va me raccompagner, je demande à Mausôlos s'il souhaite que je porte son présent lors du banquet qu'il donne aux satrapes perses, en souvenir du moment rare que nous venons de vivre ensemble. Peut-être devine-t-il le sens caché de mes paroles, mais, me renvoyant d'un sourire, il se garde bien de répondre. Le roi fait semblant déjà de penser à autre chose. Tant pis pour lui.

Une fois de retour à la maison des sculpteurs, je commence à me préparer pour le banquet. La rose d'émeraudes et de rubis posée devant moi, j'hésite longuement : je crains de commettre une indélicatesse cruelle vis-à-vis d'Artémisia en l'arborant, mais, si je n'ose pas, un impair plus dangereux encore. Moins vis-à-vis du roi que de la déesse. Ma souveraine ne m'a investie de sa présence cet après-midi que pour me montrer qu'il me faudra également compter sur elle cette nuit. Pour me faire sentir à quel point, plus que jamais, j'ai besoin d'elle. Seule sa protection pourra me permettre de retenir plus de quelques instants l'attention des deux dignitaires perses. L'état d'euphorie, de certitude triomphante de mon pouvoir, auquel m'a fait accéder mon rendez-vous avec Mausôlos, se teinte d'inquiétude, d'un reste de timidité sans doute salutaire. Peut-être après tout suis-je aussi naïve que ce roi, qui se croyait supérieur à l'hétaïre de toute sa courtoisie et de toute son autorité mâle ? Peut-être me reste-t-il encore autant à apprendre que lui, et notamment à ne pas être trop sûre de moi ? Peut-être ne dois-je pas, comme je le croyais avant mon premier banquet à Athênaï, comme je l'ai cru encore pendant des années, empêcher mon cœur de battre la chamade, mais au contraire tenter de palpiter tout entière au même rythme que lui ? Ne pas nier cet état d'intime panique, mais le garder précieusement, le cultiver, parce que c'est le seul endroit de moi d'où je puisse tirer des ressources insoupçonnées ? Ma seule vraie richesse, et la seule expérience humainement valable : celle d'une radicale, d'une définitive inexpérience. Plus que l'acceptation de l'angoisse : la confiance aveugle en elle.

J'appelle Lykëina pour qu'elle m'aide à passer le collier. Elle se pousse un cri d'admiration devant la splendeur du bijou mais se garde bien de me poser la moindre question. Cette fois, je suis prête.

47

RÉALITÉ DE LA LÉGENDE

Debout devant les banquettes éloignées où nous avons été relégués, les sculpteurs grecs et moi, nous nous inclinons respectueusement à l'entrée du couple royal et de ses prestigieux invités, suivis de toute leur cour respective. Il s'agit de ma première vraie rencontre avec des Perses (car Mausôlos et Artémisia ne sont que des Kariens qui vivent à la mode grecque pour mieux marquer leur différence avec les autres représentants du pouvoir achéménide et s'attirer la sympathie des cités de la côte). Là, en voyant arriver les deux satrapes, je suis stupéfaite. Bien qu'ils soient extrêmement différents, un homme mûr de forte corpulence et un agile vieillard, c'est l'éclat semblable de leur costume qui me frappe. Ils portent de longues tuniques, dont les manches cousues leur recouvrent les bras jusqu'aux poignets. Elles ressemblent un peu à celles que j'arbore depuis des années pour agacer les Athéniens. Les leurs, qui se ferment, non pas avec des fibules sur le côté, mais par le devant, sûrement grâce à des agrafes que je n'aperçois pas, donnent l'impression d'une carapace somptueuse, faite d'une seule pièce, qui les enserrerait tout entiers. Le tissu, bien plus précieux encore que la soie de la mienne (je rougis de ma prétention naïve à les étonner), pour l'un d'une pourpre éclatante, pour l'autre de safran, est festonné, sur toute la longueur des manches et depuis les épaules jusqu'aux pieds, de fils d'or et d'argent, qui forment d'extraordinaires motifs. Par-dessus, ils arborent une ceinture très large, plaquée elle aussi d'or et d'argent, et fermée par une boucle, qui jette les reflets profonds ou limpides d'émeraudes et de lapis-lazuli. Leur haute coiffe est également incrustée de pierres précieuses. Leur barbe et leurs cheveux longs sont frisés au fer. Ils portent beaucoup de bijoux, encore plus que mes femmes : des pendants d'oreille en or et en perles blanches, des colliers qui font plusieurs tours de cou, des bracelets aux poignets, des bagues presque à chaque doigt. Il me semble remarquer que leurs yeux sont peints, rehaussés d'un large trait noir. Ils sont engoncés dans leur costume de cérémonie rigide comme moi dans la Robe d'Anaïtis lors des Changements de Lune.

Leur attitude est aussi frappante que leur vêtement : ils marchent les épaules très droites, le torse bombé, le menton dressé, avec ce qui apparaît sans doute à mes voisins grecs comme une morgue insupportable. Mais j'y perçois autre chose : l'expression figée d'un pouvoir supérieur, dans lequel ils tentent de se fondre, dissimulant leur personnalité individuelle derrière la raideur hiératique de leur enveloppe. Après avoir traversé la salle sans un regard pour la foule humblement inclinée ou prosternée, ils récupèrent soudain un peu de souplesse, révélant les cavaliers qu'ils sont d'ordinaire, pour s'installer sur leurs banquettes, qui forment au centre du banquet un carré avec celles du couple royal. Les Perses s'y tiennent allongés dans une immobilité de nouveau totale. Je vois qu'ils contrôlent chacun de leurs gestes et chacune de leurs expressions, pour ne rien laisser deviner de leurs sentiments et garder en toute occasion quelque chose d'une rigide splendeur. Ils me font irrésistiblement penser à ces personnages mythiques, que, costumés, masqués, juchés sur leurs cothurnes, j'ai vu arpenter avec une gaucherie solennelle la scène du théâtre d'Athênaï. Il s'agit d'un enjeu semblable pour ces dignitaires de l'Empire : paraître plus grands que nature, étaler de la manière la plus ostentatoire possible une richesse qui est moins la leur que celle attachée à leur fonction. Ils donnent à tous le spectacle de l'ordre perse. Farce grotesque pour Praxitélês et les artistes grecs, dont je devine à quel point ils sont choqués par cet apparat. J'en saisis mieux la portée que ces hommes libres parce que je fus longtemps moi aussi obligée de porter le masque du maquillage, forcée de me cacher et de m'exposer tout à la fois dans mon costume d'hétaïre. Transparent, et non opaque comme celui de ces princes, il lui ressemblait pourtant dans sa totale artificialité. C'est pourquoi je suis peut-être la seule dans cette salle immense à pouvoir apprécier leur performance à sa juste mesure, leur façon parfaitement contrainte de se fondre dans le métal précieux de leur personnage. Je sais combien a dû leur demander de contrôle et d'oubli de soi cette incarnation de la puissance absolue.

Je remarque aussi que même leurs serviteurs jouent un rôle dans cette pièce qu'ils nous donnent. Ces esclaves, dont le moindre est plus richement vêtu que nous, adoptent un comportement tout aussi théâtral que celui de leurs maîtres. Après s'être prosternés, ils restent debout, totalement immobiles, les yeux baissés, les mains jointes sur le ventre et les doigts entrecroisés, montrant qu'ils sont tout entiers dans l'attente des ordres ; puis, la tête toujours inclinée, ils se précipitent pour les exécuter. Mais ces gestes, peut-être les considèrent-ils eux aussi comme moins humiliants que codés, ne mettant pas en jeu leur personne mais uniquement la tâche qui leur a été dévolue par le sort ? Tous ces esclaves jouent la comédie de l'obéissance avec un orgueil qui peut paraître déplacé, mais dont, moi qui ai été esclave comme eux, je crois deviner le sens : s'ils respectent le plus ostensiblement possible les apparences de la parfaite soumission, ils obligeront leurs maîtres à leur accorder en retour leur protection. Qui sait ce que chacun est en réalité, le satrape, l'intendant eunuque, le domestique stylé et servile ? Qui sait ce que chacun d'entre eux pense, aussi bien de cette chorégraphie hiératique dans laquelle il tient sa partie que de ces Grecs avachis mollement sur leurs banquettes, en train de les regarder avec un mélange de stupéfaction, de fascination ou de réprobation ironiques ? Tant qu'il porte son masque, l'acteur se dissimule derrière son personnage et se protège. J'ai entendu raconter par mes voisins horrifiés, que, dans cette représentation du pouvoir perse, qui imite du haut jusqu'en bas le ballet de l'ordre cosmique, le moindre écart pouvant entraîner collision est synonyme, pour les humbles, de mort immédiate, et, pour les puissants, de spectaculaire supplice. Cette comédie du luxe qu'ils nous donnent tient aussi de la tragédie du pouvoir.

J'attends patiemment qu'Artémisia envoie un serviteur me chercher et m'accompagner jusqu'au carré central, pour voir les satrapes de plus près et leur présenter ma requête. Mais l'occasion ne vient pas et je commence à me dire que Praxitélês avait raison. À un moment pourtant, je crois bien que le moment est venu. Deux serviteurs s'approchent de notre banquette. Mais ils la dépassent sans s'arrêter et sortent de la salle sans un mot. Ils reviennent presque aussitôt, portant chacun quelques objets posés sur un coussin. Lorsqu'ils passent à ma hauteur, je m'aperçois qu'il ne s'agit que d'une hampe de bois de cinq à six coudées et de deux ou trois pièces de métal qui ressemblent à des pointes de flèche de grande dimension. Je suis surprise de voir apporter avec de telles précautions, comme s'il s'agissait de bijoux aussi précieux que le collier qui m'a été offert dans l'après-midi, deux banales lances en pièces détachées. Je me demande ce que Mausôlos prépare à ses hôtes. Le Roi paraît avoir totalement récupéré de sa faiblesse de l'après-midi et des émotions qu'il a traversées en ma compagnie. Il se lève à l'approche des serviteurs, auxquels il donne, d'un geste impérieux, l'ordre de s'arrêter à quelques pas de lui. Je discerne une certaine tension dans l'entourage des deux satrapes, qui considère avec méfiance les pointes métalliques apportées dans une telle pompe. Mais les deux dignitaires perses eux-mêmes, dissimulant toute curiosité ou anxiété malséantes, regardent leur hôte d'un œil attentif sans se départir de leur amabilité figée.

Mausôlos commence à parler, tourné vers ses deux invités, mais d'une voix assez forte pour que l'ensemble de la salle l'entende, tous les convives comprenant aussitôt qu'ils doivent se taire. Curieusement, le roi s'exprime en grec. Je me doute que ce n'est pas parce qu'il lui est plus aisé de discourir dans cette langue que dans celle officielle de l'Empire. Peut-être tient-il à être compris de tous les courtisans, ou à garder ses distances par rapport aux satrapes ? Chacun des deux écoute, le visage impassible, la traduction chuchotée à son oreille par ses serviteurs. "J'ai été, comme vous, je pense, débute le roi, alerté par les récents succès de ce Philippos, qui, après avoir pris le pouvoir en Macédoine, s'est emparé d'Amphipolis, puis s'est lancé en campagne contre les redoutables Illyriens. Ce que j'en ai entendu dire m'a tellement intrigué que j'ai décidé de lui envoyer des espions, pour savoir un peu ce qu'il avait dans le ventre. J'imagine que vous, qui êtes son voisin, avez dû prendre la même précaution", ajoute-t-il en se tournant vers le plus vieux des deux satrapes, qui se contente d'esquisser un sourire impénétrable. "Ce que j'ai appris, reprend le Karien, est très intéressant. Pas encore tout à fait alarmant mais presque. Ce Philippos ne s'intéresse, dit-on, ni au commerce ni à l'art, mais uniquement à la guerre. Il est en train d'organiser son petit royaume montagnard dans ce but et, étant donné qu'il vient de s'emparer des mines d'or du Pangaïon, il commence à en avoir les moyens. Les cités de Grèce centrale, dans leur insondable naïveté, ne le considèrent que comme un demi-barbare, encore moins évolué que nous en Asie, ajoute Mausôlos avec un sourire ironique, et pourtant c'est lui qui a su le mieux tirer la leçon des erreurs qu'elles commettent depuis toujours. Comme à Lakédaïmôn, toute l'éducation des garçons tourne autour de la préparation militaire mais Philippos ne se limite pas orgueilleusement à la petite élite des Égaux, au contraire il ouvre largement son infanterie aux paysans et même, dit-on, aux plus endurants et aux plus résolus des esclaves. Chacun pourra avoir sa chance dans l'aventure qu'il prépare. La Macédoine se dote d'une armée professionnelle, et non, comme Athênaï, d'un congrégat de citoyens qui supportent mal la discipline, parce qu'elle empiète sur leur liberté individuelle, et qui ne pensent qu'à rentrer chez eux pour leurs récoltes ou leurs affaires. Mais c'est de Thêbaï que Philippos s'est surtout inspiré, parce que cette cité avait étendu son protectorat sur la Macédoine quand il était plus jeune, et qu'il a vécu quelques années dans la cité du Dragon auprès du fameux Epameïnôndas, en tant qu'otage. Ce jeune homme intelligent a dû soigneusement observer la renaissance militaire de ces soi-disant protecteurs, qu'il considérait sûrement déjà comme ses principaux ennemis. Pour mieux les affronter un jour avec succès, il leur a volé toutes leurs inventions. Et il les a même perfectionnées. Je vais vous montrer quelque chose !"

Il claque des doigts, les deux serviteurs approchent. Tout en poursuivant ses explications, il saisit les pièces posées sur les coussins et commence à les manier avec dextérité, plaçant la pointe de chacune des deux lances au bout de sa hampe et la fixant à l'aide d'une goupille de métal. Ses gestes vifs pour monter ces objets dangereux suscitent de nouveaux murmures dans l'entourage des satrapes mais ceux-ci ne marquent aucune réaction. Mausôlos continue à parler d'une voix calme, comme s'il ne se rendait pas compte de l'agitation qu'il provoque : "Que voyez-vous ? Rien d'autre que deux lances, n'est-ce pas, dont la forme de la pointe et l'épaisseur de la hampe dépassent sans doute les proportions normales, ce qui en fait des armes assez laides, je dois le dire, déséquilibrées mais relativement conventionnelles. Alors regardez bien ce que je vais vous montrer maintenant, car c'est là que Philippos commence à innover et que l'on voit se dessiner sa personnalité."

Le roi se saisit alors d'une large et épaisse douille de métal, dans laquelle il fiche l'extrémité de chacune des deux hampes, faisant des deux lances une seule arme. L'aisance avec laquelle Mausôlos accomplit cette opération, rendue difficile par la taille inhabituelle de l'engin qu'il met en place, me prouve qu'il a dû s'entraîner en secret, pour impressionner son auditoire et rendre sa démonstration plus frappante. L'une des deux énormes pointes s'avance maintenant en oscillant, comme la tête plate d'un serpent aveugle, entre les banquettes où sont allongés les satrapes, qui n'esquissent toujours pas un seul geste mais dont les yeux, me semble-t-il, se plissent d'inquiétude, ou au moins de curiosité. "Ce que vous avez désormais sous les yeux, s'exclame Mausôlos, c'est la « sarisse », la lance de la phalange macédônienne ! Vous pouvez constater que ce Philippos ne manque pas d'ambition : il n'a pas hésité à tripler la longueur de l'arme habituelle ! Celle-ci, que m'ont rapportée mes espions, je l'ai mesurée moi-même, elle fait douze coudées de long ! Incroyable, non ? Vous imaginez un peu la puissance dévastatrice de cette double lance lorsqu'elle est maniée par une phalange entière en mouvement ? Évidemment, il faut savoir s'en servir, car un pareil objet est extrêmement lourd et peu maniable." Le roi, dont le front se couvre de quelques gouttes de sueur dans l'effort de maintenir cette pique démesurée à l'horizontale, finit par en laisser retomber sur le sol la pointe, qui heurte le carrelage de marbre avec un bruit sinistre.

"La première chose vraiment ingénieuse dans cette arme, reprend Mausôlos au bout de quelques instants, c'est sa douille de métal. Grâce à elle, les phalangistes macédôniens peuvent facilement transporter leur sarisse en deux morceaux pendant les marches, et ne la monter qu'au moment d'engager le combat. Par ailleurs, cette douille permet d'éviter les vibrations qu'aurait une hampe aussi longue si elle était d'un seul tenant. Tout ceci me paraît bien pensé. Vous voyez que cette arme n'a pas seulement des dimensions folles, mais qu'elle les met en œuvre de manière très rationnelle. C'est pourquoi elle est vraiment dangereuse, et celui qui l'a inventée sûrement autant qu'elle." Le roi, tout en discourant, a repris un peu son souffle. Il poursuit : "Il faut évidemment saisir la sarisse à deux mains pour pouvoir la mettre en position d'attente. Comme ceci !" Il refuse d'un mouvement de tête impatient le concours des deux serviteurs et, s'aidant d'un cri de guerre guttural, dont la violence résonne d'autant plus étrangement dans cette salle de banquet où plusieurs centaines de personnes le regardent agir en silence, il soulève d'un seul mouvement l'immense lance pour la placer à la verticale. Mausôlos ne peut dissimuler un sourire de triomphe lorsqu'il arrive à la maintenir en équilibre. J'imagine qu'il a dû aussi beaucoup s'entraîner pour réaliser ce geste technique avec aisance. "Vous voyez, dit-il, ahanant un peu, que l'on place la main gauche en avant à peu près à hauteur de la douille et la main droite contre la hanche. Même ainsi, à deux mains, il faut une grande force physique et beaucoup de discipline pour la manier sans dégâts. Cette position verticale est celle que donnent à la sarisse les derniers rangs de la phalange, tandis que les premiers, qui sont au contact direct de l'ennemi dans la charge, la font pivoter à l'horizontale. Comme ceci !" Il tente de réaliser l'opération mais ne parvient à tenir l'arme parfaitement immobile que quelques instants, la terrible pointe de la sarisse se mettant de nouveau à osciller dangereusement à hauteur de la tête des deux satrapes, qui se forcent à garder leur immobilité mais ne peuvent empêcher leurs sourcils de se froncer, ce qui trahit assez leur nervosité.

Artémisia, elle, s'est carrément levée, pour échapper à la menace et s'approcher du roi. Elle lui demande, avec un peu d'inquiétude, voire même d'agacement, de bien vouloir mettre fin à cette démonstration, qui a largement obtenu son effet. Mais Mausôlos, après avoir, d'un nouveau cri, replacé la lance en position verticale, lui enjoint de patienter encore quelques instants et d'aller se rasseoir sans crainte : "Je tiens à vous montrer, déclare-t-il à ses invités, dans une tension que révèle sa voix, la deuxième invention géniale dont Philippos a pourvu cette arme. Vous vous demandez sans doute pourquoi elle dispose à sa deuxième extrémité, celle qui n'est pas dirigée vers l'ennemi, d'une sorte de pointe ? Eh bien regardez !" Il claque de la langue, et l'un des deux serviteurs, obéissant à un ordre fixé à l'avance, vient placer derrière son maître, sur le carrelage de marbre, le coussin qui a servi tout à l'heure à apporter les pièces de la lance. "Le phalangiste, explique le roi, peut la fixer en terre, comme je le fais dans ce morceau de tissu, et lui donner une position oblique. De cette manière, la sarisse pourra résister à l'assaut d'un cheval lancé au galop, qui viendra s'empaler sur elle sans que le cavalier puisse atteindre le fantassin. La phalange, poursuit Mausôlos au bout de quelques instants, d'une voix entrecoupée, tandis que la lance, plantée dans l'épaisseur peu stable du coussin, se met à trembler de plus en plus dangereusement, la phalange, dis-je, est capable grâce à la longueur de sa sarisse de détruire n'importe quelle ligne d'hoplites grecs mais aussi, grâce à cette deuxième pointe dont elle est pourvue, de résister à l'assaut d'une charge de cavaliers, même ceux en armure des armées perses. Offensivement comme défensivement, cette arme est..."

Le roi, comme tout à l'heure entre mes bras, a présumé de ses forces. Son front se couvre de sueur, il devient de nouveau d'une pâleur extrême et lâche la lance trop lourde. Celle-ci s'écrase avec un bruit terrible contre la table basse, qui se trouve au milieu des banquettes, renversant les coupes de fruit et de vin dont elle est chargée. Les deux satrapes, cette fois-ci, n'ont pu réprimer un réflexe de peur, qui leur évite d'être assommés ou éborgnés au passage mais les jette tous les deux grotesquement à bas de leurs banquettes. Leurs gardes, dégainant leurs armes, se précipitent autour d'eux, et il faut un ordre brutal, jeté en langue perse, par les deux gouverneurs, pour les empêcher de se jeter contre Mausôlos, que sont venus entourer ses propres gardes. Dans ce moment de confusion, le roi s'est affaissé à genoux. Artémisia, avec le secours des deux serviteurs, l'aide péniblement à se relever, et, repoussant les soldats en armes d'une voix sèche, le ramène jusqu'à la banquette, où elle l'oblige à s'allonger de nouveau. Après avoir glissé un ordre à l'un des deux esclaves, qui s'éclipse aussitôt, elle évente son mari, essuie elle-même, du rabat de son élégante tunique grecque, les gouttes de sueur qui continuent à dégouliner du front royal, tout en lui murmurant quelques paroles à l'oreille. Tandis que l'autre domestique, à genoux, tente maladroitement de démonter la sarisse, afin d'en évacuer les morceaux au plus vite, les satrapes se réinstallent dignement sur leurs banquettes. Figés de nouveau dans leur immobilité rituelle, ils donnent l'impression que la scène d'affolement qui est encore en train de se dérouler autour d'eux n'a rien d'inhabituel. Ou plutôt qu'elle n'existe tout simplement pas.

Mausôlos, la main posée sur sa poitrine, comme s'il cherchait à en repousser un poids, dans un effort plus incroyable sur lui-même que tout à l'heure lorsqu'il a soulevé la lance, ou encore plus tôt dans l'après-midi lorsqu'il était allongé à mes côtés, parvient à discipliner sa respiration. Il éconduit d'un geste le médecin qu'Artémisia a envoyé chercher et réclame seulement une coupe de vin. Après quelques gorgées, il se tourne vers les satrapes et, se forçant à sourire, leur déclare d'une voix sourde : "J'espère que vous voudrez bien me pardonner ma maladresse. Elle vous a permis au moins de constater le danger que représentait cette arme révolutionnaire." Les deux Perses, voyant que le roi tient bravement son sourire, décident de laisser en retour le leur naître sur leurs lèvres. Ils poussent même la courtoisie diplomatique jusqu'à se mettre à rire franchement avec lui. Tous les invités, rassurés, ou feignant de l'être, se hâtent de leur faire écho, dans une explosion d'hilarité que chacun cherche à rendre plus sonore que celle de son voisin. Mais je remarque qu'Artémisia, tout en se forçant à sourire elle aussi, continue d'observer Mausôlos avec inquiétude. Celui-ci, d'une voix qu'il ne parvient pas à rendre parfaitement naturelle, reprend la parole : "La sarisse est si peu maniable que la phalange est conçue seulement pour avancer. Il lui est très malaisé de changer de direction et elle est très exposée sur ses flancs. C'est là qu'intervient la dernière innovation de ce Philippos. La cavalerie. Une vraie force autonome. Elle n'a pas pour fonction seulement de protéger la phalange sur ses côtés mais aussi de créer des brèches en chargeant. À la différence des fantassins, les cavaliers sont recrutés exclusivement parmi les enfants de la noblesse. Ils font tout ensemble, ils s'exercent, ils chassent, ils boivent, ils font l'amour, ils se battent, ils s'aiment à la vie à la mort. On dit qu'ils sont déjà aussi bons cavaliers que les meilleurs Thessaliens, que vos Kappadociens ou même que les Parthes du Grand Roi. Toute une meute de jeunes chiens carnassiers montés sur des chevaux. Ils font déjà du grabuge dans le petit palais de Pella mais ils en feront bien plus encore, croyez-moi, quand il les lâchera sur le monde…"

Tandis qu'il prononce ces mots, la voix de Mausôlos reste blanche, presque distante. Je sens qu'il parle dans un vertige, qu'il se force à réciter un discours appris à l'avance. Artémisia, qui le connaît bien mieux que moi, doit percevoir avec encore plus d'angoisse les difficultés qu'il éprouve à se dominer. Elle se penche pour lui glisser quelques mots à l'oreille mais il la repousse doucement. Malgré la distance qui me sépare d'eux, j'ai l'impression de deviner ce qu'il lui murmure à son tour : elle sait bien qu'il doit finir, sinon tout son discours ne servirait à rien, ensuite seulement il pourra se reposer. Puis, se tournant de nouveau vers les deux Perses, il reprend, de sa voix la plus calme et la plus assurée, que démentent pourtant la pâleur persistante de son visage : "Bref, ce soudard des montagnes du Nord est en train de se fabriquer la plus efficace des machines humaines de guerre qu'on ait vues depuis longtemps. Même le Bataillon Sacré du thébain Epameïnôndas, même les dix mille Immortels de la garde du Grand Roi, me paraissent moins redoutables. Mais tout cela, je vous le demande, pour quoi faire ? Croyez-vous qu'il se contentera longtemps de guerroyer contre les peuplades à demi sauvages de Thrace ? Si j'étais à la place des cités de la Grèce, si j'étais à la place d'Athênaï ou même de Thêbaï, je commencerais à m'inquiéter. Mais nous, dont les riches provinces se trouvent de l'autre côté d'un détroit à peine plus large qu'un chenal, ne devrions-nous pas également nous soucier de ce chef de guerre un peu trop turbulent ?"

Ses yeux se plissent soudain, il se penche vers les satrapes, mais, au lieu d'employer le ton de la confidence que ce geste laisserait attendre, il prononce d'une voix encore plus forte, comme s'il cherchait à la faire résonner jusqu'à l'autre bout de la vaste salle : "Heureusement, et c'est là que je voulais en venir, nous pouvons nous appuyer sur les forces d'un Empire immense. Nous pouvons nous reposer sur l'énergie de notre nouvel Artaxerxês, le grand Okhos, qui m'a l'air d'être un guerrier aussi expéditif et brutal que ce Philippos et qui est dix mille fois plus puissant que lui. Le Grand Roi n'acceptera jamais, s'il prenait au Macédônien l'envie de débarquer en Asie, de se voir privé de son accès à la mer occidentale. L'Empire perse, ce sera peut-être un trop gros morceau pour ce petit montagnard, même s'il a un appétit aussi démesuré que sa sarisse. Notre maître exige que nous licenciions nos mercenaires, pourquoi ne pas lui obéir, puisqu'il sera bientôt obligé de nous demander lui-même de les réengager et qu'il nous en payera peut-être l'entretien sur les taxes impériales de nos provinces ? Jusqu'ici, les Grecs étaient trop désorganisés pour représenter un danger véritable. Si une puissance plus cohérente prend le relais de l'autre côté de la mer, le plus intelligent me paraît de renforcer l'Empire pour pouvoir compter sur sa protection, plutôt que de contribuer à sa faiblesse." Et il ajoute, d'une voix soudain presque inaudible, comme s'il défaillait de nouveau ou comme s'il voulait cette fois n'être compris que de ses deux invités, si bien que je ne suis pas sûre de saisir clairement les derniers mots : "Je vous propose de ne pas nous tromper d'ennemi." Mais le sens de sa démonstration est clair. Même si les deux Perses se contentent de lui répondre d'un sourire inexpressif, je crois que comme moi, comme aussi les espions d'Okhos, qui doivent pulluler à la cour d'Halikarnassos et dans cette salle de banquet, ils ont compris le message que leur envoie, de cette façon délibérément spectaculaire, le prudent Mausôlos : il juge inutile de participer à une nouvelle révolte contre le Grand Roi. Je devine même qu'il a exagéré à dessein la menace représentée par le petit royaume de Macédoine, pour leur fournir une raison plausible de ne pas se risquer dans une aventure moins dangereuse que vaine.

Mais ce discours, dont je peux admirer l'habileté, me remplit d'inquiétude. J'ai l'impression que la sarisse, en s'abattant sur cette table de banquet, a fait voler en éclat mon dernier espoir. Je me moque des relations entre les satrapes et leur Artaxerxês, je me moque des intentions belliqueuses du soudard de Macédoine et même du sort de la Grèce, je comptais sur un rapprochement entre Mausôlos et son collègue Artabazês seulement pour que ce dernier acceptât de complaire à l'épouse de son nouvel allié, en faisant rechercher par sa police le neveu égaré d'une de ses amies. Mausôlos ne vient-il pas de réduire à néant ma petite intrigue personnelle, en même temps que celle de ses deux puissants invités ?

Le Roi a été bravement jusqu'au bout du message qu'il destinait sous les yeux de la foule aux rares personnes capables dans cette salle, à des titres divers, d'en saisir la portée. Maintenant il peut se lever. Lourdement. Il déclare à ses invités qu'il doit prendre un peu de repos, parce qu'il s'est réveillé très tôt ces derniers jours et qu'il a dépensé un peu trop d'énergie dans la chasse qu'il a donnée en leur honneur le matin (repensant à la scène de l'après-midi, je souris discrètement). Mais il les laisse en compagnie de sa chère épouse, Artémisia, afin qu'ils puissent profiter encore un peu des plaisirs de la soirée. Les deux satrapes, obligés par ces paroles de rester un moment, malgré leur déception qui doit être égale à la mienne, s'inclinent courtoisement. Mausôlos, appuyé sur l'épaule d'un serviteur mais s'efforçant de garder le sourire et de ne pas tituber plus que ne le ferait un homme légèrement pris de vin, s'éloigne dans le silence général vers ses appartements, où l'attend sûrement avec impatience son médecin. Et peut-être aussi, ne puis-je m'empêcher de penser, si ce souverain, l'un des hommes les plus intelligents que j'aie jamais rencontrés, est aussi inconséquent que les autres, une concubine docile, prête à lui faire oublier le sort du monde, l'angoisse d'Artémisia, et sa propre implacable lucidité sur la progression de sa maladie. Sans compter tout ce que j'ai essayé de lui apprendre dans l'après-midi et qui ne lui servira à rien.

La reine, dont je crois deviner à distance l'inquiétude secrète mais qui garde son sourire gracieux, ordonne de remplir la coupe de ses hôtes, pour dissiper la gêne que, malgré leur maîtrise d'eux-mêmes, ils paraissent ressentir depuis le discours et la sortie prématurée du roi. Puis elle parcourt des yeux l'immense salle du banquet, et, lorsqu'elle a trouvé le coin où je suis installée au milieu des sculpteurs grecs, elle glisse quelques mots à l'oreille d'un serviteur, en gardant les yeux fixés sur moi. Mon cœur, après cet affreux moment de suspension causé par la sortie de Mausôlos, se met à battre à toute allure. Tandis que le serviteur se fraie un chemin au milieu de l'agitation des convives qui a repris, je comprends que mon moment est venu. Vais-je me montrer capable de retenir plus de quelques instants l'attention des satrapes ? Artémisia ne m'a pas oubliée, j'espère qu'Isodaïtês et Anaïtis non plus !

Lorsque nous arrivons devant les banquettes royales, Artémisia informe les deux dignitaires perses que ses invités sont des Grecs, qui ne sont pas habitués à se prosterner. Avec bonne grâce, les satrapes renoncent au cérémonial de leur cour pour se faire présenter les sculpteurs étrangers et la célèbre hétaïre. Artabazês s'adresse à nous, sans l'aide de son traducteur, dans un grec presque fluide : il nous déclare qu'il a épousé une femme de notre race, la sœur des deux fameux généraux qui commandent à son armée de mercenaires, Mentôr et Mémnôn de Rhodos. Il s'apprête même à donner l'une de ses propres filles, Barsinê, en mariage à l'un des deux. L'autre satrape, le vieil Orontês, consent à nous montrer, par l'éclat enjoué de son regard, qu'il saisit lui aussi le sens de notre conversation. Je constate avec surprise que ces deux aristocrates perses, dont nous moquons habituellement la morgue barbare, connaissent mieux notre langue et nos mœurs que nous les leurs, se penchant avec bienveillance vers nous du haut, sans doute, de ce qu'ils considèrent comme l'indiscutable supériorité de leur civilisation.

Soudain, une inspiration. Si ces deux souverains s'amusent à jouer les Grecs, je vais essayer pour retenir leur attention de me conduire en sujette de l'Empire. Je leur déclare que, puisqu'ils me font la grâce de m'autoriser à ne pas les saluer d'une façon contraire à mes usages, je désire leur offrir ce que j'ai de plus précieux, une exhibition de mes danseuses, que je vais accompagner moi-même de la flûte, en espérant que ce présent, bien indigne d'eux, pourra leur prouver ma déférence. Je sais attendre que leurs yeux, s'allumant de curiosité, m'en donnent la permission, avant de claquer dans mes doigts et d'inviter à s'approcher Lykeïna et mes suivantes, qui n'attendaient que cette occasion de se dégourdir un peu les jambes. C'est bien la première fois de ma carrière que je les fais danser gratuitement. Mais ce que j'escomptais se produit. Avec un sourire, le plus âgé des deux Perses me remercie de mon offrande et me déclare qu'il veut m'en récompenser. Il enlève de son petit doigt l'une de ses bagues, un anneau d'or dont le chaton est serti d'une magnifique émeraude, et il me la tend, en me faisant traduire son compliment par l'interprète qui se trouve en permanence à ses côtés : peut-être cette bague pourra-t-elle s'harmoniser avec le collier digne d'une reine que je porte si gracieusement ? Puis il frappe légèrement dans ses mains et l'un de ses serviteurs, puisant dans une sorte de vaste bourse en cuir qu'il tient sur sa hanche, jette une poignée de pièces d'or à chacune de mes danseuses, qui ne peuvent s'empêcher de pousser des petits cris de joie en les ramassant. Aussitôt l'autre satrape enlève l'un de ses bracelets pour le passer lui-même à mon poignet, et ordonne à son intendant de distribuer d'autres poignées, encore plus généreuses, de pièces d'or aux petites. Jamais nous n'avons été payées un tel prix !

Tout en m'inclinant très bas, je me demande avec un sourire si je n'ai pas d'accomplir mon premier pas dans la compréhension de la mentalité perse et les yeux attentifs du plus âgé des deux dignitaires achéménides posés sur moi semblent me répondre que oui. Le regard de l'autre, plus banalement insistant, j'en devine aisément le sens. Il me demande d'ailleurs de bien vouloir le rejoindre sur sa banquette, ce que j'accepte volontiers, tandis que l'on raccompagne les sculpteurs à leur place. Je laisse partir Praxitélês sans un regard, qui serait de toute façon déplacé. La conversation s'engage de façon beaucoup plus enjouée qu'au début du banquet. Artabazês, qui paraît se détendre, s'occupe de moi avec un empressement appuyé et je me retrouve en terrain tout à fait familier. Je m'arrange pour le faire briller par mes questions faussement naïves, sans oublier de m'adresser aussi au vieillard qui se trouve allongé sur la banquette voisine, afin qu'il ne se sente pas négligé. Artémisia me remercie d'un regard de la seconder dans ses devoirs d'hôtesse, que sa pensée inquiète toujours tournée vers Mausôlos ne lui permettait pas de remplir aussi brillamment que d'habitude. Bref, je sens que mes affaires progressent à merveille et qu'il va être bientôt temps de mentionner le nom d'Hermodotos. Peut-être d'ailleurs vaudra-t-il mieux l'appeler Mithradatês ?

À un moment, pourtant, je perds le fil de mes pensées. Le vieux satrape, pour se mettre tout à fait son aise, vient d'ôter sous mes yeux ses cheveux et sa barbe frisés. Sous les postiches, il est presque chauve, et presque glabre. Son visage, dont j'aperçois mieux les traits émaciés, me paraît d'un seul coup révéler son intelligence subtile et trahir son âge. Tandis que je contemple bouche bée le vrai visage du vieux Perse, une autre idée, tout aussi imprévue, s'impose à ma conscience… Un souvenir, remonté lentement, sans même que je m'en doute, du gouffre de ma mémoire… Orontês, ce nom me dit quelque chose depuis que je l'ai entendu prononcer et je me rappelle brusquement pourquoi : il était celui du satrape d'Arménie qui jouait un rôle si important dans les récits de mon père ! Pour dissiper la gêne de ce petit moment de silence, où je l'ai observé étourdiment en train d'enlever ses perruques, je demande au vieil homme, par l'intermédiaire du traducteur, s'il est de la famille du fameux satrape d'Arménie ou bien si Orontês est un nom répandu dans la noblesse perse. Pour faire passer ce que ma question pourrait avoir d'incongru, je le prie avec la plus extrême déférence de bien vouloir pardonner sa naïveté à une femme qui vient d'arriver de Grèce et qui n'a pas l'honneur de bien connaître les usages de son monde. Mais lui me répond alors directement en grec, avec un sourire enjoué, qu'il est lié de façon très proche à cet Orontês dont je lui parle, puisque l'ancien satrape d'Arménie et lui sont une seule et même personne !

Je reste abasourdie par cette révélation. J'ai l'impression de voir surgir devant moi un pan de ma légende intime, celle qui m'a été transmise par mon père et dont je ne me doutais même pas qu'elle pût entrer en contact avec la réalité. J'éprouve une émotion encore plus forte que lorsque j'ai appris que la secrète Anaïtis s'appelait en fait Anahita et qu'elle était révérée dans tout l'Empire. Ce qui me déconcerte aussi, c'est de découvrir que ce personnage fabuleux n'est qu'un vieil homme, qui, une fois débarrassé des postiches de sa puissance, même s'il reste très richement habillé d'une longue robe de tissu précieux, couvert de bijoux, et que son sourire fin laisse deviner sa perspicacité et son expérience, n'a en lui-même rien d'extraordinaire. Son apparence véritable ne révèle qu'une extrême fragilité. Il est à la fois si étrange dans son accoutrement et si banal dans son physique qu'il m'est difficile de l'identifier à ce souverain mythique dont j'ai tant de fois rêvé enfant. Comme tout à l'heure, je le dévisage sottement, si bien que le satrape, les sourcils froncés, finit par me demander pourquoi je lui ai posé cette question sur son nom.

Dans mon trouble, au lieu de me taire sur mon passé, comme j'en ai l'habitude devant les étrangers, je me mets à lui raconter mon histoire, celle de mon père Epiklês, celle du légendaire Orontês et de sa fille Bathimandis. Il m'écoute jusqu'au bout sans rien dire, paraissant encore plus étonné que moi. Puis il me déclare que je fais erreur. Bathimandis n'était pas sa propre fille, mais sa nièce, une orpheline, née d'un cousin mort prématurément, qu'il avait recueillie et élevée à sa cour. "Mais ceci n'empêche pas, me déclare-t-il, que nous soyons parents. Je suis votre grand-oncle et vous êtes ma petite-nièce. Savez-vous que, si votre récit est vrai, comme je le crois, ajoute-t-il aussitôt, en s'inclinant aimablement, coulent dans vos veines quelques gouttes de sang de la famille royale achéménide ?" Je me demande si le vieil aristocrate perse, qui, après ce moment de surprise, a repris contenance, est vraiment enchanté de voir réapparaître l'une de ses lointaines parentes sous la forme d'une courtisane grecque, si célèbre soit-elle. Pourtant, malgré sa froideur, ou à travers elle, il semble touché. Presque ému. Je ne sais comment interpréter son silence, ce léger tremblement qui agite ses mains et ses lèvres. Peut-être cette difficulté à se contrôler est-elle parfaitement volontaire elle aussi ? Peut-être juge-t-il qu'il serait malhabile de montrer trop de morgue à l'une des invitées grecques de son puissant hôte philhellène de Karie, surtout s'il n'a pas renoncé à ce que celui-ci lui soit utile ? Peut-être aussi, face à ce tour imprévu du destin, préfère-t-il laisser affleurer sur son visage impénétrable d'homme familier de la cour impériale la seule émotion qui soit décente et qui ramène l'épisode à sa véritable dimension : un peu de sympathie sincère mais de courte durée ?

Sans que je sache s'il s'agit de la politesse convenue d'un courtisan ou d'une curiosité véritable, il m'interroge sur mon père. Il s'apitoie sur sa fin tragique. Puis consentant à répondre à mes questions, il me raconte à son tour ce qu'il sait de lui. Les guerres qu'ils ont menées ensemble pour pacifier les tribus sauvages des hautes montagnes du nord de l'Arménie, au-delà de la rivière Kyra, dans cette région mystérieuse qu'on appelle "le pays d'Anahita". L'alliance qu'il lui a proposée lorsqu'il a senti que son rival, Tiribazês, qui n'était pourtant que "Maître de la cavalerie" dans la petite province voisine, devenait trop ambitieux et trop entreprenant. Le désespoir de la jeune Bathimandis, lorsqu'elle a découvert que son oncle la destinait à ce guerrier étranger et balafré, les larmes que ma future mère a versées à l'approche du mariage, la façon rapide dont elles ont séché juste après. Puis ma naissance et la mort de sa nièce, que le satrape évoque pudiquement d'une phrase. Enfin, le départ d'Epiklês de la cour d'Arménie : le Grand Roi, pour forcer le satrape et Tiribazês à se réconcilier, venait de leur donner l'ordre de mener campagne ensemble contre Euagoras, le tyran grec de l'île de Kypros qui s'était révolté. Epiklês demanda son congé. Peut-être se refusait-il à guerroyer contre des gens qui parlaient la même langue que lui ? Noble principe aux yeux du Perse, même s'il constate que les autres Grecs sont loin de le respecter, puisqu'ils passent leur temps à s'entretuer sous les prétextes les plus futiles, comme le prouve trop bien le sort de son ancien lieutenant, que je viens de lui apprendre. Peut-être en ce temps-là Epiklês avait-il aussi été sincèrement meurtri par la mort de ma mère, ce qu'encore une fois le satrape veut bien comprendre, même s'il a du mal à accepter que, pour l'amour d'une femme, on puisse renoncer à la guerre, et se dérober aux commandements de celui qui est chargé par le Dieu des dieux de faire régner l'ordre chez les hommes. Néanmoins, puisque le capitaine grec l'avait bien servi jusque-là et qu'il lui laissait son armée de mercenaires, Orontês voulut bien fermer les yeux sur son refus d'obéissance. Epiklês, n'emmenant avec lui que son enfant et quelques serviteurs, disparut à jamais du regard du satrape et de celui du monde.

Voilà, le vieillard perse me montre par son attitude qu'il a fini de me parler de mon père. Il m'a dit tout ce qu'il savait sur lui, tout ce qu'il se rappelait de ce temps de leur splendeur commune. J'ai été touchée de le voir dessiner devant moi une figure un peu différente de celle du héros de mon enfance, un homme mûr, raisonnable, pris dans des intrigues de palais, soumis à des commandements, et dont l'adulte que je suis devenue peut percevoir un peu mieux les motivations. Pour la première fois de ma vie, je me demande quel aurait été mon jugement sur Epiklês, si nous avions eu le même âge lors de notre rencontre, ou s'il avait participé à ce banquet dans l'entourage d'Orontês. Et Bathimandis, que je n'ai jamais connue, ressemblait-elle, par ses larmes, par sa douceur, par son trouble, par sa fidélité, à Lykeïna, qui se tient à mes côtés ? Étrange de penser que je suis maintenant plus âgée que ma mère, que je suis désormais, lorsque je pense à elle, sa sœur aînée. Je me rends compte en tout cas que le satrape n'a jamais vraiment saisi le sentiment incongru que mon père et ma mère ont éprouvé l'un pour l'autre. Sa nièce et son capitaine grec, dont il m'a parlé avec un mélange d'affection et de supériorité un peu méprisante, lui sont toujours restés mystérieux. Mais le vieillard ne me laisse pas la liberté de rêver sur ce qu'il vient de m'apprendre d'eux. Il ne peut s'empêcher, dans cette atmosphère de fin de banquet, face à cette parente imprévue qui lui paraît ressurgir tout droit du passé, de poursuivre ses confidences amères sur son propre destin. Je dois faire un effort pour écouter jusqu'au bout son histoire, qui ne concerne plus mes parents. De cette campagne sans sa nièce préférée ni le cavalier étranger auquel il avait eu la faiblesse de s'attacher, le vieux satrape garde un très mauvais souvenir. Ses relations avec Tiribazês, bien qu'il détînt officiellement le commandement du corps expéditionnaire contre Kypros, s'envenimèrent au point qu'il se trouva forcé de l'accuser de trahison devant l'Artaxerxês, pour mettre ce dernier en demeure de choisir entre eux deux. Maladresse fatale : il eut la douleur de voir le Maître qu'il connaissait depuis l'enfance lui préférer son rival et l'écarter du cercle fermé de ceux que l'on appelle les Amis du Roi. Orontês, la mort dans l'âme, dut abandonner le paradis qu'il s'était fait planter dans la vaste et riche Arménie. Exilé en Mysie, l'une des plus petites satrapies de la mer d'Occident, il y végète depuis vingt ans, sans avoir jamais eu l'occasion de rentrer en grâce. "Je m'y ennuie, ajoute-t-il avec un sourire résigné, j'y vieillis. Un peu comme si, au lieu de ta double flûte de musicienne célèbre, on ne te donnait plus pour jouer qu'un pipeau de gardienne de chèvres." Ces derniers mois seulement il peut se dire qu'il a eu raison de ne pas mettre fin à ses jours, comme il en a éprouvé plusieurs fois la tentation, mais d'accepter le coup du sort envoyé par Celui qui voit tout et qui finit toujours par rétablir la justice : après bien des péripéties, son propre fils, Araontês, vient d'être nommé aide de camp du nouveau maître des deux Arménies, le jeune Artasatês Kodoman, un administrateur brillant et un guerrier valeureux, qui, de plus, est de sang royal. Son fils n'est plus qu'à une marche de retrouver la place qu'occupait son père. Et qui sait ce que l'avenir leur réserve à tous ? Que la volonté d'Ahura Mazda s'accomplisse !

Le satrape, qui m'a tenu tout ce discours en langue perse, baisse humblement la tête pour dissimuler son sourire rusé. Dès que le traducteur a fini son office, je m'incline moi aussi, avec une humilité encore plus marquée, pour lui montrer que j'ai saisi tout ce qu'il est en train de m'apprendre des droits et des devoirs de la noblesse achéménide, à laquelle il veut bien feindre de croire, le temps d'un banquet, que j'appartiens un tout petit peu. D'ailleurs, flatté, le vieil homme me caresse d'un geste bref les cheveux, peut-être pour me bénir, en tout cas comme pourrait le faire un chef de famille s'adressant à l'une de ses jeunes parentes éloignées. Un bref contact, un effleurement paternel, qui ne dure pas plus que l'instant requis. Ensuite, pris dans notre émotion, nous restons tous les deux à rêver, lui sur son exil et moi sur cette jeune femme qui fut sa nièce avant d'être ma mère.

L'autre satrape, Artabazês, a écouté toute notre conversation avec une impassibilité polie. J'ai l'impression que le contact de sa hanche contre la mienne a changé depuis le geste de protection d'Orontês pour me toucher les cheveux. Il s'est imperceptiblement retiré, plus respectueux mais plus distant. Je me demande pendant un moment si je dois m'en inquiéter. Pourtant, lorsqu'Artémisia, respectant sa promesse, lui explique la disparition de mon neveu et le désir de mon ami, le fameux artiste Praxitélês, de voir l'une des grandes statues d'Anahita, le satrape s'engage aimablement à lancer des recherches dans toute sa province et nous invite à voyager en sa compagnie jusqu'à sa capitale de Sardeïs, où nous serons ses invités, afin que le Sculpteur y admire la magnificence du grand temple et que je puisse m'y placer sous la protection de la déesse. Je le remercie avec beaucoup de chaleur, à laquelle il répond par un sourire de bienveillance hautaine.

Je remercie aussi Artémisia, qui se hâte, maintenant qu'elle a accompli sa mission, de mettre un terme au banquet. Tandis qu'elle me fait l'honneur de me serrer dans ses bras, elle me glisse à l'oreille que je porte un collier magnifique et qu'elle connaît le seul joaillier d'Halikarnassos capable de monter ces pierres. Elle me jette un regard pénétrant mais n'ajoute rien de plus. Qu'a-t-elle voulu me dire ? Qu'elle sait très bien qui m'a donné ce bijou ? Qu'elle n'est pas dupe ? C'est aussi pour cela que j'ai fini par me décider à le porter, pour montrer à la reine que je ne souhaitais pas lui mentir et lui permettre de prendre sur moi la petite revanche d'orgueil de sa lucidité. Je la regarde se presser de regagner ses appartements, où elle va prendre des nouvelles de son seigneur et maître, qui est aussi son frère et son mari, mais surtout son unique enfant. Étrange couple. Étrange femme.

Pourtant, c'est à son appui fidèle que je dois de pouvoir continuer ma quête et de voyager, en compagnie du satrape lui-même, jusqu'à Sardeïs, la cité perse où le destin a prévu que Lykeïna et moi retrouvions le jeune homme que nous cherchons.

48

LA VOIE ROYALE

Accompagnée de ma petite cour, qui est composée exclusivement de Praxitélês, de ma suivante Lykeïna, et des deux Cerbères, je voyage avec les deux satrapes en grand équipage : leurs courtisans, leurs soldats, leurs concubines, leurs intendants, leurs cuisiniers. Une foule imposante rangée selon une étiquette très stricte. Nous progressons lentement. Rien à voir avec la course tempétueuse, précipitée par le vent de la catastrophe, que j'ai faite sur cette même route de la côte dans la voiture légère de Diôn. Aux étapes, nous sommes entièrement à la charge des villes, ou même des simples villages, qui nous reçoivent, et dont j'imagine que les plus humbles d'entre eux mettront un bon moment à se remettre du passage de notre nuée de sauterelles. Le soir, les deux satrapes donnent audience commune, Artabazês se plaisant à associer pour quelques jours son aîné à l'administration de son territoire. Les paysans et les artisans qui les sollicitent s'agenouillent devant eux pour leur présenter ce qu'ils ont de plus précieux, du bijou à la simple poule, et les princes acceptent tout. Mais je remarque qu'ils redistribuent aussi beaucoup, en pièces d'or, en achats dispendieux et en jugements droits. Nous repassons par Ephésos, où je retrouve Artémidôros, l'hôte de Diôn, et où Artabazês s'acquiert une faveur bien plus grande que tous ses prédécesseurs réunis auprès de la population grecque, en promettant au Mégabyzês du temple de lui confier de nouveau une partie du trésor impérial de la province. Les satrapes m'ayant demandé de me tenir à leurs côtés dans cette audience, le Mégabyzês, qui me reconnaît avec surprise, croit que je suis pour quelque chose dans cette décision et m'en rend grâce, sans que je parvienne à le détromper. C'est dans cette ville que nous nous séparons d'Orontês qui veut continuer à remonter vers son domaine en visitant les cités de la côte. Aux étapes, il a continué à me traiter avec bienveillance, mais sans plus jamais me marquer la même familiarité que le soir du banquet d'Halikarnassos. Néanmoins, au moment de nous quitter, tandis que je m'incline devant lui, il a de nouveau ce geste étrange de me toucher le front pour me bénir et me remettre entre les mains d'Anahita et de Mithra. Je regarde le frêle vieillard s'éloigner avec sa cour, le cœur serré, étrangement émue, comme s'il emportait loin de moi, perdues au milieu de son bruyant équipage, les ombres pâles de la jeune Bathimandis et de son guerrier balafré.

Le lendemain, nous nous mettons en route d'Ephésos vers Sardeïs, qui se trouve à quelques jours de voyage à l'intérieur des terres. Je me dis que, délaissant les cités grecques du littoral, je vais entrer vraiment dans l'Empire perse. Peut-être l'air, les arbustes, la poussière du chemin, y seront-ils aussi différents que les costumes, les langues ou les mœurs des habitants ? Je me souviens du récit de la première expédition de mon père, qui s'y est enfoncé avec l'armée d'Agêsilaos, pour ravager la capitale du précédent satrape, Tissaphernês. Nulle part, je ne retrouve le défilé pierreux du Kara-Bel, ni cette image, qui me hante depuis toujours, des sept jeunes Thespiens courant à perdre haleine pendant plusieurs jours sur les cailloux du chemin pour échapper aux terribles cavaliers en armure lancés à leur poursuite. Au contraire, notre troupe progresse le long d'une large route bien aplanie, où deux chars peuvent aisément se croiser. Artabazês me déclare avec fierté qu'il s'agit de la Voie Royale, qui conduit sur des milliers de stades, à travers le Katpatuka, puis le pays des Deux Fleuves, jusqu'aux marches du palais du Grand Roi, à Sousa, ou bien, en passant par les hauts plateaux du nord et par Ekbatana, jusqu'à la cité lointaine de Baktra, et jusqu'aux rives de l'Hydaspos indien. Cette route traverse ainsi l'immense Empire d'un bout à l'autre. Le satrape, au moment même où, négligeant le conseil de prudence de Mausôlos, il entre en révolte contre l'Artaxerxês, ne peut s'empêcher de s'enorgueillir de la puissance de son souverain et de la supériorité du peuple perse qu'elle révèle.

Tant que nous avons voyagé en compagnie d'Orontês, qu'il considérait, même de loin, comme mon parent, Artabazês ne s'est pas approché de moi. Mais, à la première étape sur le chemin de Sardeïs, sans se soucier le moins du monde de Praxitélès, dont il sait pourtant qu'il est mon amant, le satrape me fait appeler dans la tente somptueuse qu'on dresse pour lui chaque soir à quelque distance du relais de poste officiel, entourée par celles plus petites de ses femmes, de ses concubines et de leurs différents enfants. Son intendant me demande de me faire tout particulièrement belle. Je me garde de désobéir. Je porte le collier de Mausôlos et ma tunique nouvelle de soie pourpre d'Amorgos. Lykeïna, qui m'accompagne, me déclare que je suis aussi belle qu'Anaïtis en personne. Artabazês est lui aussi paré et parfumé, ayant troqué ses vêtements de voyage contre un costume de fête, moins rigidement fastueux que l'habit de cérémonie qu'il avait revêtu à Halikarnassos, mais d'une soie damasquinée tout aussi précieuse. Ce satrape-là me reçoit encore plus somptueusement dans sa tente de voyage que Mausôlos dans son palais mais il fait encore plus mal l'amour que son collègue. Une fois débarrassé de l'attirail de sa puissance, le Perse se révèle n'être qu'un homme assez bedonnant et tout à fait dépourvu d'imagination, qui épuise vite ma curiosité. Je laisse faire tous les efforts à ma suivante, Lykeïna : elle se dépense sans compter, parce qu'elle veut me complaire, qu'elle est plus jeune et plus généreuse que moi, ou que le faste l'impressionne encore un peu. De retour dans notre chambre exiguë de l'auberge, je lui remets, malgré ses protestations, tous les bijoux dont le satrape s'est cru obligé de me couvrir pour qu'ils surpassent par leur nombre l'éclat unique du collier de Mausôlos. Elle les mérite plus que moi. Nous rions de l'orgueil un peu vain de tous ces souverains que nous croisons et qui, dans leur volonté même de nous éblouir, nous déçoivent.

Et puis, soudain, nous nous sentons toutes les deux prises par un accès fulgurant de nostalgie. Les larmes nous viennent aux yeux, devant la misère de ces hommes puissants et la nôtre, simples femmes obligées de les servir, aussi éloignées qu'eux de la vraie liberté. Je vais oublier mon dégoût auprès de Praxitélês, qui m'accueille sans me poser de question, tandis que Lykeïna reste dans ma chambre pour continuer à pleurer en rêvant d'Hermodotos, dont elle est prête à suivre sur mes pas la trace jusqu'au fond de l'Empire perse. Elle obéit à mes ordres sans jamais se plaindre, comme si elle était au service de la déesse en personne, dans l'espoir qu'à la fin de son épreuve, lorsque nous aurons retrouvé le jeune homme que nous cherchons (ce dont elle ne doute pas un instant), je les donnerai souverainement l'un à l'autre. Alors elle n'appartiendra plus qu'à celui qu'elle s'est choisi depuis toujours. Entre les bras puissants et frêles du Sculpteur, moi aussi, je rêve. Je rêve à elle, ma suivante, qui m'est de plus en plus proche. N'est-elle pas en train de devenir la véritable héroïne de mon histoire, dont je ne suis plus que le personnage secondaire, elle, l'amoureuse fidèle que j'étais à son âge mais que le destin m'a interdit de rester ? Pourtant, ce sentiment étrange qui me lie à Praxitélês après toutes ces années, ce sentiment qui me paraît parfois le contraire de l'amour, ce désintéressement généreux et apaisé, je me dis qu'il est peut-être tout aussi profond que celui qui l'unit à Hermodotos. Le trop puissant Artabazês, le trop subtil Orontês, ne seront jamais capables de comprendre ces deux modes de relations entre un être et un autre, qui n'ont rien à voir avec la soumission mais tout avec l'appartenance. Ce que j'éprouve pour Praxitélês, pourquoi ne serait-ce pas tout simplement de l'amour, d'ailleurs ? Ne puis-je, en me débarrassant de la vieille méfiance inculquée par Nikarétê, le reconnaître enfin ? Plus j'avance en expérience, plus je suis frappée par la multiplicité des formes que ce lien peut prendre, et dont la passion exclusive n'est que la moins subtile. Lykeïna et Hermodotos, qui n'ont peut-être fait l'amour qu'une seule fois et dont les âmes se cherchent à travers l'obscurité immense de la Perse, Artémisia et Mausôlos, qui ne font plus l'amour que les rares nuits fécondes mais qui sont unis en permanence par l'esprit, Isokratês et Lagiskê, qui écoute son grand homme discourir avec une tendresse patiente, Herpyllis l'esclave et Aristotélês le savant théoricien de l'esclavage, qui ne partagent rien d'autre que le souvenir de Stageïra, la cité libre de leur enfance, ma mère Bathimandis et mon père Epiklês, que tout séparait et qui ne furent réunis qu'un an, et puis, je ne sais pourquoi leur image vient me frapper, alors que je n'ai pas pensé à eux depuis plusieurs mois, Kratês le philosophe-chien et Hipparkhia, qui a la folie ou la sagesse de se vouloir sa chienne, là-bas, si loin de la tente somptueuse d'Artabazês, enlacés dans une jarre poussiéreuse au milieu des clochards d'Athênaï, dont ils tentent d'oublier la puanteur pour les réchauffer de leur chaleur humaine : tous ces couples différents que j'ai croisés, mais qui expérimentent, en dehors de la simple obligation sociale du mariage, le lien unique, et à chaque fois singulier, entre l'âme féminine et l'âme masculine. Tant de couples amoureux, chacun à leur manière, tant de formes d'amour, et tant encore que je ne connais pas. Et moi aussi, tout au bout de la chaîne ? Moi l'hétaïre, la femme des passades multiples, l'incarnation de ce désir que j'ai mis si longtemps à accepter, oui, moi aussi avec Praxitélês, qui sait patiemment fixer dans la pierre les différents éclats de ma beauté unique pour la donner aux autres ? Notre forme d'amour à nous, elle a dû s'arracher au vertige de la possession, celui que nous avons éprouvé chacun de notre côté, lui pour moi et moi pour Attis. Puis-je dire désormais que je forme un couple avec Praxitélês ? Je crois que cette nuit-là, au sortir de la tente d'Artabazês où j'ai consenti encore une fois à faire l'amour loin de lui, cette nuit-là est la première où je me le demande vraiment. Pleure, pleure, Lykeïna, ma petite amoureuse, sur ton Hermodotos-Mithradatês ! La déesse que nous allons prier à Sardeïs me le rendra peut-être, si tu le pleures avec assez de constance, afin que je puisse te le donner et me donner ensuite à Praxitélês. Me reposer enfin, ma mission accomplie, entre les bras de mon Sculpteur, non seulement de ce voyage bouleversant dans la légende de mon enfance mais aussi de toutes les années de métamorphose qui l'ont précédé.

Le temple d'Anahita. Contrairement à ce qui se fait en Grèce, les fidèles ont le droit de pénétrer dans la nef et de s'approcher de la déesse, à condition de se prosterner et de ne pas lever les yeux sur elle. Le Sculpteur, lui, l'observe longuement, d'un œil attentif. La statue colossale, entièrement en bronze, rehaussé d'or et d'argent, représente Anahita assise sur un trône. Les pieds posés sur des lions couchés, les mains à plat sur ses genoux, la tête couronnée d'une sorte de halo de tours crénelés, les seins nus, le buste, les hanches, les poignets ceints de colliers de perles et de grappes de fruits précieux, elle pose un regard torve sur ses fidèles. Seuls ses yeux et ses lèvres sont peints, tout le reste, tunique et peau, garde la couleur sombre du métal pour mieux faire ressortir l'éclat vif des bijoux. Le sculpteur grec fait la moue. Puis, d'une voix sèche, il me détaille ses critiques : la représentation du corps reste gauche, figée, d'un hiératisme maladroit ; même les proportions sont mal étudiées, la tête beaucoup trop grosse par rapport au corps, les hanches trop étroites, les jambes trop grêles ; le buste, lui, est bien modelé, certes, mais peu attirant, parce que les seins sont trop lourds ; surtout, on ne discerne là-dedans aucune volonté de représenter la vie, d'exprimer le mouvement humain, dans la tension entre l'équilibre et le déséquilibre d'un geste suspendu ; quant à tout ce symbolisme des fauves et des fruits, qui procède par accumulation, par empilement, il est d'un mauvais goût parfait, ou d'une grande naïveté. Finalement, me dit Praxitélês, c'est moins la géographie qui sépare les artistes perses de leurs collègues grecs, que l'histoire : trois siècles d'observation attentive du corps et de recherche mathématique de ses proportions idéales. Le sculpteur qui a fait cette déesse n'est pas mauvais, dans le contour il a même de la sûreté, il sait utiliser les matériaux, les différents métaux, les pierres précieuses, les lier l'un à l'autre, simplement il est en retard. Sa culture tout entière est définitivement en retard, incapable d'évoluer, prise au piège de la richesse des matières, ce qui l'empêche de se poser la question fondamentale de leur mise en mouvement. Les Grecs bougent, comme ils tentent de faire bouger leurs statues, pas les Perses, figés dans leur luxe !

Je ne suis pas surprise de cette réaction négative de mon ami. Je vois bien qu'entre son *Aphroditê* de Knidos et cette *Anahita* de Sardeïs, qui sont presque contemporaines, il n'y a rien de commun. Pourtant, même si je n'ai pas les moyens de discuter ses arguments esthétiques, je ressens la puissance de l'œuvre perse, à côté de laquelle il passe complètement. Ce hiératisme, ce symbolisme qui le gênent, moi, ils me saisissent. Et pour la même raison que lui. Parce que je les trouve archaïques, parce qu'ils me ramènent à un âge plus ancien du sentiment religieux et de ma propre vie : je me trouve face à une déesse sortie tout droit des récits de ma nourrice Manthanê. C'est pourquoi cette statue me touche personnellement, et me procure une émotion que je ne parviens pas clairement à analyser. Non pas, comme devant les œuvres de Praxitélês, le plaisir de l'audace, de l'invention, de la découverte, mais celui des retrouvailles intimes avec une vérité oubliée.

Les prêtresses du temple m'impressionnent aussi beaucoup. Vêtues d'une longue tunique immaculée et élargie vers le bas, de manière à cacher jusqu'à leurs pieds, elles portent une sorte de haute coiffe carrée. Le voile blanc qui y est attaché leur dissimule entièrement le visage. Des spectres, des présences mystérieuses, silencieuses, isolées en elles-mêmes derrière l'enveloppe opaque du tissu. N'est-ce pas une distance du même genre que j'ai tenté d'imposer quelques années auparavant aux Athéniens ? Elles y parviennent bien mieux que moi, évoluant entre les fidèles prosternés sans paraître remarquer leur présence, comme si elles se situaient sur un plan différent de la réalité. Pourtant, puisque nous bénéficions de la protection d'Artabazès, qui nous a fait escorter par l'un des serviteurs de son palais et par quelques gardes, plusieurs d'entre les divines se dévouent. Dévoilant uniquement le bas de leur visage, pour pouvoir communiquer avec les invités de marque que nous sommes, elles nous font les honneurs de leur temple. À plusieurs reprises, elles évoquent celui d'Ekbatana, l'ancienne capitale assyrienne située sur les hauteurs d'un plateau en plein cœur de l'Empire, comme le plus magnifique qui se puisse concevoir. Je me souviens qu'Artémisia m'en a déjà parlé. Alors je me dis qu'il s'agit peut-être d'un signe. Sur une impulsion, je retourne avec Lykeïna me prosterner au pied de la statue colossale. M'allongeant de tout mon long sur le sol devant la mère de Mithra, je lui jure que, si elle me permet de retrouver celui que j'appelle devant elle mon fils adoptif, je ferai les trois mois de pèlerinage vers son antique sanctuaire, où je lui offrirai le collier de Mausôlos. Lykeïna, étendue à côté de moi, lui promet en écho tous les bijoux donnés quelques jours auparavant par Artabazês.

De retour au palais, je persuade Praxitélês d'attendre avec moi la réponse de la déesse. Pendant ces quelques jours, le satrape ne nous reçoit pas une seule fois, accaparé par ses manœuvres politiques. En refusant pour de bon de licencier son armée de mercenaires, commandée désormais par le chef grec qui est devenu son gendre et par le frère de ce dernier, il est entré en rébellion ouverte contre Artaxerxês Okhos. Celui-ci vient de le destituer officiellement. Néanmoins, malgré les préparatifs de la guerre, Artabazês, qui n'a pas renoncé sans doute à s'acquérir l'appui du couple royal de Karie, ne m'oublie pas tout à fait. L'un de ses intendants parlant le grec m'informe chaque jour des recherches qu'il mène au nom de son maître dans toute la province pour retrouver la trace de mon protégé. À ma grande surprise, alors que je crois m'être acquise la protection d'Anahita, elles ne donnent rien. Contrairement à mon intuition, Hermodotos paraît ne jamais avoir posé le pied en Lydie. Au bout d'une semaine, Praxitélês, très inquiet, me supplie de quitter Sardeïs au plus vite avec lui, pour ne pas risquer d'être pris au piège dans le conflit entre le satrape révolté et le Grand Roi qui risque de mettre à feu et à sang la province tout entière, si ce n'est la moitié de l'Empire. Nous ne serons en sécurité qu'à Halikarnassos, me répète-t-il. Je ne sais que faire. J'hésite, partagée entre la prudence et ma confiance dans les signes. Au moment où je vais me laisser convaincre par les arguments raisonnables de mon ami et me remettre en chemin avec lui vers la capitale de la Karie, un courrier à cheval nous arrive de cette même ville. Il m'est envoyé par la reine Artémisia pour me transmettre un message urgent.

C'est une lettre, en provenance d'Athênaï. Elle a mis, par miracle, moins de deux semaines à me parvenir, sur une mer rendue pourtant dangereuse par la mauvaise saison et par les pirates des îles rebelles. Elle est d'Hypereïdês. Celui-ci me donne enfin des nouvelles de mon neveu, son pupille. Je ne comprends d'abord que cela, tandis que les caractères tracés par mon ami athénien se mettent à palpiter devant mes yeux, au même rythme désordonné que mon cœur à l'intérieur de ma poitrine : Hermodotos est vivant ! Je pousse un cri mais c'est Lykeïna qui manque de s'évanouir. Je devine à sa réaction qu'elle était encore plus inquiète que moi, même si, dans les moments de découragement où je venais chercher auprès de sa confiance juvénile le courage qui me manquait, la brave petite parvenait à me le cacher. Dans les bras l'une de l'autre, son front contre le mien, nous lisons fébrilement la suite du message d'Hypereïdês. Ce dernier n'a écrit que quelques lignes : il me transmet au plus vite une autre lettre, écrite par mon neveu lui-même, qu'un commerçant de la ville de Tarsoï débarqué depuis peu dans le port d'Athênaï est venu chez moi remettre à ma servante Herpyllis.

Nous déroulons avec fièvre le second message inclus dans le premier. Hermodotos, d'une écriture hâtive, nous y apprend tout ce qui lui est arrivé depuis qu'il a échappé aux massacres de Kôs. Dérouté par la tempête, le capitaine du navire auquel ses maîtres et Apellês l'avaient confié, l'a débarqué plusieurs semaines auparavant dans le port d'Issos, qui se trouve non pas au nord d'Halikarnassos, où, trompée par mon intuition, j'ai perdu du temps à le chercher, mais au sud, dans la petite province de Cilicie. La mer refusant de se calmer à Issos, il est remonté vers Tarsoï, la capitale. C'est là qu'au chevet d'une des prêtresses du thiase d'Isodaïtês, à qui il venait demander protection et qu'il a trouvée alitée, il a fait la connaissance d'un personnage extraordinaire. Un mage du nom d'Abaxis. Une sorte d'Hippokratês khaldéen, un sage féru de médecine et de divination, qui a accepté, après qu'ils ont réussi tous les deux à guérir la prêtresse, de le prendre à son service pour lui enseigner les principes de son art. Hermodotos, qui se fait appeler Mithradatês dans cette partie du monde, considère que le dieu oriental dont il porte désormais le nom lui offre, grâce à cette rencontre inespérée, la possibilité de compléter sa formation médicale interrompue par la guerre. Il pourra adjoindre aux récents progrès de la science grecque la connaissance des plantes et des astres qu'ont acquise les Khaldéens depuis des temps immémoriaux. Au moment où il a pris contact avec le négociant que ses affaires appelaient à Athênaï, pour lui confier cette lettre, Mithradatês s'apprêtait à se remettre en chemin avec son nouveau maître. Ce dernier envisageait en effet de remonter vers la Voie Royale, dans l'idée sans doute de l'emprunter ensuite jusqu'à Babylôn et Sousa, où dispenser ses soins aux riches clients qu'il ne pourrait manquer d'y trouver. Mithradatês nous demande de ne pas nous inquiéter, et de l'attendre à Athênaï, où il trouvera le moyen, lorsqu'il aura achevé son initiation, et malgré toutes les guerres qui menacent, de revenir, comme il en a fait la promesse à Lykeïna.

Nos deux cœurs, celui de la petite et le mien, se sont arrêtés en même temps : au moment où nous avons lu que Mithradatês projetait, plus de deux semaines auparavant, de quitter Tarsoï pour un nouveau périple, sans doute aussi dangereux que celui qui l'avait conduit, poussé par la tempête, de Kôs jusqu'en Cilicie. Ils ne se sont remis à battre ensemble la chamade hésitante de l'espoir que lorsqu'il nous a promis son retour. Nous relisons encore une fois ou deux l'ensemble de la lettre et puis nous commençons à réfléchir. Ou du moins à essayer. Car les premières idées qui me traversent l'esprit ne sont pas les plus rationnelles. Même si cette lettre a été écrite bien avant le moment où j'ai prié dans le temple de Sardeïs, même si elle courait déjà derrière moi ce jour-là d'un bord à l'autre de la mer Égée, je me dis que je viens de recevoir la réponse d'Anahita à ma supplique. C'est comme si la Mère perse avait entendu la mère grecque, puisque j'ai eu l'audace de prétendre devant elle que le jeune disparu était mon fils. Ces nouvelles, qui me parviennent dans des circonstances aussi romanesques, m'éblouissent de joie : le jeune mort est vivant, il pense à moi et à Lykeïna, il pense aussi à lui et à sa formation, tout en changeant de nom il est resté le même ! Je l'imagine en train de marcher et d'apprendre les secrets d'une autre médecine, sur cette Voie Royale dont je sais qu'elle commence justement à Sardeïs, où je me trouve par hasard. L'intendant du satrape, à qui je demande plus de renseignements, m'apprend que l'embranchement de Tarsoï rejoint la route principale venant de Lydie au poste de Komana, qui se trouve à plus de trente jours de route, à peu près au tiers du voyage vers Sousa, juste après que l'on a franchi le massif du Tauros par le défilé des Portes Ciliciennes et que l'on débouche dans la plaine marécageuse de l'Euphratês. Alors que c'est moi qui lui ai demandé des précisions, je l'écoute à peine. Je ne comprends rien à ce qu'il tente de m'expliquer, sinon que j'ai peut-être une chance de rejoindre l'imprudent voyageur dans un endroit perdu nommé "Komana". Ces trois syllabes, lorsque je me les répète à mi-voix, font surgir aussitôt devant mes yeux l'image d'une forteresse mystérieuse perdue dans le désert

rocheux d'un massif de montagnes. Quelque chose qui ressemblerait en plus grand à la Tour Carrée d'Askra, construite autrefois par
mon père pour veiller sur le vallon sacré ! Oui, ce lieu-là m'appelle
irrésistiblement !

À cet éblouissement se mêle aussi très vite l'obscurité amère de
l'angoisse. Je suis atterrée de savoir, qu'après avoir échappé par
miracle à la mort dans l'île de Kôs, mon protégé a décidé de s'enfoncer à travers un Empire perse en pleine déliquescence sur les pas
d'un charlatan peut-être dangereux. Qui est cet Abaxis ? En Grèce,
j'ai souvent entendu parler de ces mages khaldéens itinérants, à la
fois comme de sorciers aux pouvoirs mystérieux et comme d'impos-
teurs, prêts à tous les crimes pour détrousser les naïfs de rencontre.
Vais-je laisser celui que j'ai osé appeler mon fils devant la déesse se
perdre en cette dangereuse compagnie dans les profondeurs de l'Empire ? Et ceci alors même que je suis arrivée, non par hasard, mais
après des pérégrinations peut-être nécessaires, juste à l'entrée de la
route qu'il s'apprête de son côté à suivre ? Comment l'y retrouver ?
Ai-je une chance réaliste d'y parvenir ? Combien y a-t-il, je ne sais
pas, de dizaines de milliers de stades jusqu'à Sousa ? Mithradatês et
son inquiétant mentor nous devanceront de plus de deux semaines
sur cette voie qu'ils emprunteront depuis Komana seulement, en
son tiers, et non depuis Sardeïs. Penser les rattraper est absurde !
Pourtant je sens ce garçon que j'aime menacé d'un danger mortel,
dont je peux seule le protéger. J'éprouve un besoin trop viscéral de
le revoir, de l'entourer de mes bras, de chasser l'obscurité qui l'environne du halo de ma lumière !

Soudain, je comprends. Ce qui m'arrive. Ce en quoi je suis en
train de me transformer, dans ces quelques secondes de déchirement
qui suivent la lecture de la lettre d'Hypereïdês, dans ces quelques
semaines d'errance vaine sur la côte d'Iônie, dans ce mot que j'ai jeté
presque au hasard devant la statue d'Anahita : je suis en train de devenir mère, bien plus que lors de mes accouchements ! Je suis Anaïtis
recherchant Isodaïtês, dans le mythe qu'a fabriqué pour moi l'Égyptienne Aâmet à partir de celui d'Isis et d'Osiris, et que j'ai si souvent
raconté à mes disciples athéniennes sans jamais le comprendre. Je suis
Dêmêtêr poursuivant sa fille Perséphonê jusqu'à l'entrée de la faille
d'Eleusis, qui plonge dans les ténèbres du royaume d'Hadês. Je suis
une mère de substitution, devant chercher sur les routes du monde
celui qui n'est pas sorti de son ventre, afin de pouvoir le prendre vraiment dans ses bras. La mère, je le saisis soudain, moi qui me croyais

totalement étrangère à cette vérité, ce n'est pas seulement celle qui enfante, ni celle qui attend le retour de son fils devenu grand. Non, c'est aussi celle qui le cherche, celle qui le devance et qui l'entoure, celle qui le maintient en vie de son amour et de son angoisse, celle qui ne se résigne pas à l'oublier. Me voici transformée en Kybélê recherchant Attis. Si j'ai échoué à sauver mon parèdre mutilé sur la plage du Phalêron, comme j'ai laissé mourir sous mes yeux le premier jeune homme égorgé devant la porte de Thespiaï, oh, je me jure que je retrouverai celui-ci, avant qu'on ne me le tue lui aussi ! Oui, je suis obligée de partir, quelque chose de trop fort en moi m'y pousse ! Je suis obligée de me lancer toute seule et toute faible sur les routes dangereuses de l'Empire qui s'apprête à basculer dans la guerre civile. Voilà, je suis mère : obligée d'être folle !

Et Lykeïna, à côté de moi, pour des raisons différentes des miennes, est forcée elle aussi de se jeter à la poursuite du disparu ! Elle, que j'ai toujours prise pour une douce petite, elle brûle ! Elle brûle, plus que moi encore, de l'angoisse de perdre l'homme qu'elle aime et de la fièvre d'aller le chercher jusqu'aux Enfers ! C'est son énergie à elle, c'est sa force, c'est sa jeunesse qui m'atteint et qui m'échauffe dangereusement ! Nous sommes ses Orphées, il est notre Eurydice. À la fin de cette quête, lorsque j'aurai enfin refermé mes bras de mère sur mon fils, je me demande où je trouverai le courage de les ouvrir à nouveau et, sans me retourner, sans lui jeter un seul regard, de le pousser vers elle pour le sauver vraiment. Et pourtant, c'est alors seulement, n'est-ce pas, que j'aurai le droit de revenir toute seule et toute vide me réfugier entre les bras de Praxitélês, comme je l'ai déjà fait il y a quelques nuits ? Oh, je ne sais pas si j'ai raison, non, je ne sais pas si je fais le bon choix. En tout cas, Lykeïna et moi, nous n'avons pas besoin d'échanger un seul mot pour nous jeter toutes les deux en pensée sur la Voie Royale. Pour prendre cette décision commune, à la fois totalement inconsidérée et totalement irrévocable.

Mais je mets encore plusieurs jours à convaincre le Sculpteur qu'il ne peut pas m'accompagner. Il doit au contraire retourner à Halikarnassos, où l'appelle sa vocation d'artiste et le contrat qu'il a signé avec Artémisia. Son propre périple, parallèle au mien, il l'accomplira en faisant sortir de son imagination habituée aux scènes intimes une frise monumentale. Il réglera les moindres détails de cette procession de pierre, il l'obligera à se dérouler harmonieusement tout le long du mur de fondation de l'Hékatomnéïon. Ce sera sa manière à lui de m'escorter sur la Voie Royale. J'ai besoin qu'il garde les meilleures relations possibles avec le couple des souverains de Karie. Je lui confie la mission de rentrer au plus vite à Halikarnassos, afin d'y obtenir, pour moi et pour ma petite escorte, un sauf-conduit officiel de la part de Mausôlos. L'intendant m'a bien fait comprendre que seul un document de ce genre me permettrait, non seulement de circuler sur la Voie Royale sans crainte d'être arrêtée, mais aussi de faire halte dans les relais de poste de l'Empire. Or, la protection d'Artabazês, qui vient d'être destitué officiellement par le Grand Roi, ne me paraît pas du tout suffisante pour circuler hors des limites de la Lydie. Praxitélês devra obtenir pour moi de la Reine Artémisia le précieux sésame et me le faire parvenir à Sardeïs par le coursier le plus rapide qu'elle pourra mettre à sa disposition. Il devra aussi envoyer par son entremise un messager vers la prêtresse d'Isodaïtês à Tarsoï, pour demander à cette dernière, qui connaît peut-être l'itinéraire précis emprunté par les deux voyageurs, de leur faire parvenir une lettre où je leur enjoins de m'attendre à Komana. Ainsi, nous serons lancés à la recherche de Mithradatês aussi bien par le nord que par le sud et nous aurons une meilleure chance de le retrouver. Vaincu par ces arguments, le Sculpteur finit par accepter de m'abandonner. La nuit qui précède son départ, il tente de me faire l'amour une dernière fois, mais il est tellement angoissé, et moi aussi, qu'il ne parvient à rien, et moi non plus. Lorsque nous nous retrouverons, lorsqu'après avoir sauvé Mithradatês j'aurai enfin pu le laisser aller, j'aimerai si tendrement, si follement, si exclusivement mon amant, que je lui ferai oublier mon absence, toutes mes absences désormais révolues. Je le lui promets et je me le promets aussi.

Le lendemain matin, il m'oblige encore plusieurs fois à lui jurer de lui donner des nouvelles, par n'importe quel moyen, à chaque étape de mon périple vers Komana. Je jure tout ce qu'il veut, cela et plein d'autres choses encore sur les sentiments qui nous lient, mais je ne suis déjà plus avec lui, je suis déjà en avant sur la route, à la poursuite du jeune homme qui est en train de devenir mon fils. Le Sculpteur m'attire à lui de ses mains fines et puissantes pour que nous nous disions adieu. Ce n'est pas la première fois, remarque-t-il, que nous avons l'impression de nous voir pour la dernière fois. Depuis que nous nous connaissons, depuis qu'il m'aime et que l'on me considère comme sa maîtresse officielle, nous aurons passé plus de temps à nous quitter qu'à vivre ensemble, même quand nous habitions tous les deux la même ville, même quand nous couchions dans le même lit. Peut-être, après tout, nous plaisons-nous à ces deux solitudes juxtaposées, qui ne se rejoignent que dans des moments de fulgurance ? Peut-être est-ce notre façon à nous de vivre en couple ? Mais cette fois-ci, nous savons que la séparation sera longue, peut-être définitive. "C'est toi, la femme, me glisse-t-il, qui pars sans cesse au loin sur les routes, et moi, l'homme, qui reste à la maison ou au fond de mon atelier. Toujours tous les deux nous faisons l'inverse de ce qui se fait." Il s'en va sur ce sourire un peu triste qui me poursuit pendant plusieurs jours.

Et puis je l'oublie, me consacrant avec une sorte de frénésie, dans l'attente du sauf-conduit de Mausôlos, aux préparatifs matériels de mon voyage. Grâce à la protection d'Artabazès, qui insiste pour me délivrer lui aussi un laissez-passer, comme si la guerre qu'il s'apprêtait à mener contre l'Artaxerxês n'était qu'une affaire personnelle et qu'il conservait aux yeux du monde ses prérogatives de satrape, je trouve rapidement un guide, qui parle assez bien notre langue et qui a déjà parcouru plusieurs fois, nous assure-t-il, les trois mois de route entre Sardeïs et Sousa. C'est un jeune Lydien très enjoué, du nom de Siminthês. Il supplée aux mots de grec qu'il ignore par des gestes expressifs, si bien que nous parvenons à peu près à nous entendre. Nous cheminerons dans l'un de ces larges chariots tirés par quatre chevaux, qui forment une sorte de tente ambulante et que l'on appelle ici "harmamaxa". Artabazès a mis gracieusement à ma disposition l'un de ceux qui servent à ses déplacements officiels. Le guide m'assure que la route impériale sera partout assez large pour laisser circuler cet imposant véhicule, même lorsqu'il s'agira de traverser des montagnes, et que, chaque soir, nous trouverons un relais où nous reposer. Le laissez-passer officiel comporte l'indication précise du ravitaillement dont nous aurons besoin et que nous pourrons retirer gratuitement à chaque étape. D'après les explications, à moitié parlées et à moitié mimées, que le guide continue à me donner dans son inépuisable faconde, je comprends que les différents satrapes qui tentent de se libérer de l'Empire ne cherchent pas à interrompre la voie mais au contraire à la renforcer et à la contrôler. Il arrive qu'elle soit parfois le seul espace sûr dans une région livrée au désordre. Siminthês me recommande de partir avec de l'argent, et non pas seulement des lettres de change, parce que les escouades de police itinérantes, que l'on appelle "datihmara", ce qui veut dire les "Gardiens de la route", repoussent les voleurs vers les montagnes mais rançonnent parfois les caravanes de commerçants, en monnayant leur protection. Chaque ville traversée soumet de même les voyageurs à des taxes et des droits de passage. Malgré ces quelques inconvénients, la Voie Royale qui court entre Sardeïs et Sousa est, d'après le guide, l'une des plus importantes et des plus sûres de tout le réseau. Le seul danger véritable se trouve dans les environs d'Arbêla. Les bandes de brigands qui y pullulent n'hésitent pas à descendre sur la Route pour enlever les imprudents isolés. Ils les entrainent dans les montagnes et, après les avoir détroussés et égorgés, ils se débarrassent des corps dans des ravins où on ne les retrouve jamais. Si nous ne parvenons pas à rattraper les deux personnes que nous cherchons aux alentours de Komana et que nous devons les poursuivre jusque dans cette région, il nous faudra être très prudents. Le plus sûr sera d'essayer de nous attacher une patrouille de datihmara, même si cela nous coûte un peu cher. Siminthês se fait fort d'obtenir pour nous le prix le plus avantageux. Avec un guide aussi expérimenté que lui, conclut-il dans un franc sourire, tout devrait se passer au mieux !

Je sens que ce jeune homme tente d'impressionner la faible femme que je suis. Pour le conforter dans l'idée rassurante qu'il se fait de moi, je lui donne un peu de la frayeur qu'il attend, et même un peu de celle que je ressens vraiment. Dans le fond, je préfère qu'il ne me cache aucun des dangers que nous allons courir. Le rusé Lydien cherche aussi à me sonder adroitement sur l'argent dont je dispose. Je lui parle, à mots couverts, de la bourse de monnaie perse que je garde directement sous ma tunique et des lettres de change que je pourrai faire valoir dans les villes importantes que nous traverserons. Mais je lui tais les dariques d'or et les bijoux, notamment le précieux "collier à la rose" de Mausôlos : je les ai serrés dans un petit coffre fermé à clé, que j'ai caché moi-même au fond du chariot.

Au bout de quelques jours, le laissez-passer de Mausôlos me parvient, par le même courrier que précédemment. Praxitélês n'a pas perdu de temps. Il m'informe aussi qu'un envoyé d'Artémisia est parti vers Tarsoï, puis vers Komana par la route du sud. J'écris à la hâte un mot de remerciement tendre pour le Sculpteur et je le confie au messager qui s'apprête à retourner vers Halikarnassos. Puis, poussés par l'impatience de la petite Lykeïna, nous nous lançons sur la Voie Royale.

49

ORDRE ET DÉSORDRE DE L'EMPIRE

Premiers jours de voyage. La route est large, fréquentée. Nous progressons sur un plateau fertile, bordé de petites montagnes rocheuses, où paissent en liberté de nombreux troupeaux de chèvres et de moutons. La terre qui affleure est d'un brun tirant sur le noir ou sur le rouge, l'herbe plus verte que je ne l'ai jamais vue en Grèce, et l'éclat sombre de ce paysage encore accentué par les armées de nuages aux gris métalliques qui traversent en hâte le ciel, comme si elles se précipitaient au combat vers la côte. L'ensemble me laisse une impression de fertilité, de richesse paisible, mais aussi d'immensité profonde, presque menaçante, à laquelle je ne suis pas habituée. Il me semble que mes compagnons la ressentent autant que moi, parce qu'après l'excitation des premières heures du départ, nous ne parlons pas beaucoup. Je sors de son étui mon vieil aulos et je joue pendant des heures, exerçant mes doigts et mon souffle, retrouvant le plaisir que j'éprouvais autrefois à maîtriser cet instrument difficile. J'ai l'impression que les notes de la flûte double trouvent enfin, sur ce plateau venteux, un paysage à leur mesure, bien plus que dans les montagnes étroites de mon enfance grecque. Tandis que je gonfle mes poumons à m'en étourdir pour changer mon angoisse en musique, mon âme trouve le seul moyen de se laisser envahir par la mélancolie de ce paysage et de se dilater à ses dimensions sans en être brisée. Lykeïna m'accompagne au rythme entêtant de ses crotales. La nourriture que nous retirons dans les relais officiels grâce à notre laissez-passer se compose essentiellement de galettes de blé ou d'orge et de boulettes de viande mais elle est très suffisante. Nous croisons, dans un sens comme dans l'autre, de nombreux voyageurs. Siminthês, notre guide, échange quelques mots avec eux en persan ou dans un mauvais grec, pour savoir d'où ils viennent. Certains sont vêtus de costumes étranges. Ils se protègent sous des pantalons bouffants et des manteaux de laine matelassés, comme des resca-pés sortis tout droit du pays glacial des Hyperboréens, ou bien, au contraire, ils rehaussent leur peau cuivrée de tuniques si chatoyantes qu'on dirait qu'ils arrivent d'une contrée où les couleurs et le soleil sont d'une qualité plus ardente. Nous sommes arrêtés à plusieurs reprises par des patrouilles de datihmara un peu nerveux, sur les-quelles, puisque nous cheminons encore sur son territoire, je teste le pouvoir miraculeux du laissez-passer d'Artabazês. Bref, tout se passe comme dans un rêve.

Au bout de quatre jours de voyage et d'ivresse musicale, où nous n'avons dû dormir qu'une seule fois dans le chariot, tant, mal-gré l'affluence, les hôtelleries sont spacieuses, nous parvenons à la grande cité bruissante d'activité de Kélaïnaï, dont le guide m'ex-plique qu'elle est construite au carrefour de quatre routes commer-çantes. L'agora grecque, que prolongent les ruelles d'un marché à la mode orientale où se rencontrent les caravaniers et les marchands locaux, se trouve au pied d'une colline. À son sommet, j'aperçois les murailles crénelées d'une citadelle. Elle fait peser sur cette ville ani-mée sa présence muette. Siminthês m'apprend qu'elle fut construite par Xerxês au retour de son expédition contre les Grecs. Bien que située au milieu du territoire du satrape de Lydie, elle appartient directement au Grand Roi. Sans doute sa garnison, retranchée der-rière ses murailles, y est-elle encerclée par les troupes du serviteur révolté. Il est plus prudent de faire comme la population locale : ne surtout pas s'en approcher, laisser les puissants s'expliquer entre eux sur les hauteurs et continuer dans la plaine à mener, comme si de rien n'était, sa petite vie industrieuse.

Le guide, pour me flatter et m'intéresser, me raconte aussi en quoi cet endroit est lié à l'instrument dont j'ai joué si merveilleusement pendant les premiers jours de notre voyage. Avec un sourire mys-térieux, il me conduit sur les berges d'un des deux petits fleuves qui traversent la ville. Après m'avoir appris que le cours d'eau trouve sa source sur ces mêmes rochers fortifiés, où la guerre menaçant entre les deux Perses a déjà commencé, il me fait remarquer comme ses flots à la lumière se teintent de reflets rougeoyants. "Du sang !" me dit-il. Mais un sang très ancien. La rivière s'appelle Marsyas. Dans les temps légendaires, c'est au sommet de cette colline interdite qu'eut lieu le concours entre la lyre d'Apollôn et l'aulos du Satyre, dont l'issue tragique est parvenue jusqu'en Grèce. Parce qu'il avait voulu rivaliser avec un dieu, l'inventeur de mon instrument fut écorché vif par son vainqueur, qui laissa suspendue la peau de son rival à l'entrée d'une grotte, maintenant incluse dans la citadelle achéménide. Une source naquit du sang de l'imprudent musicien et des larmes de la seule Muse qui osa pleurer sur son sort. Je me souviens soudain que cette histoire m'a été contée aussi par Praxitélês, lors d'une de nos premières rencontres. Peut-être même la toute première, dans le bordel du Peïraïeus. Le Sculpteur avait regretté alors de ne m'avoir pas croisée assez tôt pour donner mon visage, sur le bas-relief d'un autel de Mantineïa que son père lui avait confié, à l'une des huit autres jeunes filles en train de regarder d'un air indifférent le châtiment atroce du flûtiste. Oh, il est loin, le temps de mon absence ! Maintenant, à mes risques et périls, pour le plaisir et pour la douleur, je suis présente. Et, comme l'unique muse compatissante, je me sens instinctivement du côté de Marsyas, révoltée par le sort injuste que lui inflige Apollôn. Le dieu n'a traité si cruellement le satyre que parce que celui-ci l'avait vaincu, j'en suis persuadée, tant je trouve la double flûte plus expressive, plus humainement touchante, que la froide et divine lyre. Oui, l'instrument que nous avons choisi, Marsyas et moi, est celui des sentiments humains, qui jouent souvent si étrangement ensemble, la mélancolie et l'espoir, l'amour et le deuil. Il est la voix double de notre âme, même si j'en ai joué pendant des années sans saisir sa portée. Maintenant je sais, maintenant j'ose, jouer vraiment, tirer l'air non pas seulement de mes poumons mais de mon cœur et de mes entrailles. Je demande soudain à Siminthês, un peu interloqué, de me laisser seule, et je reste à marcher sur la berge du fleuve de sang. J'ai besoin de fraîcheur et de solitude. Le récit de cette légende, que le guide voulait plaisant, m'a rappelé l'obscurité poisseuse du bordel de mes débuts. Il s'est joint aussi dans mon esprit à la masse oppressante de la citadelle de Xerxês pour me causer une impression de malaise. C'est comme si la présence commune d'un dieu cruel et de la puissance perse faisait peser sur la suite de mon voyage une menace.

Siminthês revient, tout excité. Il m'apprend que l'après-midi même doit se tenir sur l'agora de Kélaïnaï un concours d'aulos, donné en l'honneur de son inventeur et réputé dans toute la province. La flûtiste accomplie que je suis souhaite sans aucun doute y participer ? Avant que j'aie eu le temps de répondre, le jeune Lydien m'apprend qu'il a réussi à m'y inscrire, grâce à la protection lointaine d'Artabazês et surtout à sa propre débrouillardise. Je me laisse faire. Évidemment, je redoute un peu de paraître ridicule au milieu des virtuoses locaux qui vont s'affronter mais j'ai besoin d'oublier l'angoisse m'enveloppant depuis notre arrivée dans la ville. Alors je me jette à corps perdu dans la musique, accompagnée par les percussions de Lykeïna, et je finis par m'amuser beaucoup. Plusieurs des aulistes professionnels en compétition m'enthousiasment, parce qu'ils sont capables de faire passer la mélodie de l'une à l'autre des deux flûtes, au lieu, comme moi et les musiciens grecs que j'ai rencontrés jusqu'alors, de ne la jouer que sur la plus basse, en réservant la plus haute à l'accompagnement. À côté d'eux, j'ai l'impression d'être à peine plus qu'une maladroite joueuse de pipeau. Je tente de compenser ma faiblesse technique par cette vérité de mon instrument que j'ai redécouverte l'après-midi même sur les berges du Marsyas : l'intensité du sentiment. Je le surjoue, et, à certains instants, je parviens à le ressentir vraiment, en pensant au satyre injustement supplicié et à Mithradatês, mon fils perdu, que j'appelle avec tendresse, si loin qu'il se trouve. Bien que je ne perde pas complètement de vue ma coquetterie et que je fasse très attention à ne pas m'enlaidir en gonflant mes joues, les larmes me viennent aux yeux, ravageant mon maquillage, à cause de l'intensité de l'effort mais aussi de la nostalgie. Je finis en pleurs. Le public, touché, veut bien m'accorder l'un des prix, même si je me doute que c'est plus à cause des traits réguliers de mon visage, de mon émotion spectaculaire et de mon statut d'étrangère protégée par le satrape, que de mes simples qualités de musicienne.

Au grand banquet public qui suit le concours, on nous régale de grillades d'agneau, de porc, de bœuf, et de ratatouilles de légumes aromatiques, qui nous paraissent délicieuses en comparaison de la nourriture peu variée des relais. Au début, je me prête volontiers au jeu, non seulement pour remercier les habitants de la cité de leur hospitalité mais parce que j'y trouve du plaisir après ces quelques jours de voyage. Pourtant le vin, les viandes, l'agitation et les cris de cette foule bariolée finissent par me peser, au point que je regrette d'avoir accepté de participer aux cérémonies. Les marchands et les notables de la ville, se disputant l'honneur d'inviter chez eux les deux belles étrangères, assiègent l'hôtellerie où nous nous sommes réfugiées, comme la garnison du Grand Roi sur sa colline, et il faut presque que les Cerbères fassent le coup de poing pour leur interdire notre porte. Je dors très mal. La masse crénelée de la citadelle perse, l'ouverture sombre de la grotte où dégoutte la peau du satyre, obscurcissent mon âme. Il est en train d'arriver malheur à l'un de mes proches, je le sens ! Mais à qui ? À Mithradatês ? À Praxitélês ?

Le lendemain, malgré la fin de soirée pénible de la veille, je sens que je ne peux pas encore quitter Kélaïnaï. Pourquoi ? Que me reste-t-il à faire ici ? Qu'ai-je oublié ? Peut-être consacrer un trépied à Marsyas et à Apollôn ? Oui, bien sûr ! Il me faut remercier le satyre du prix qu'il m'a permis de remporter mais surtout montrer au dieu que je m'incline désormais humblement devant lui ! Afin qu'il m'accorde la grâce de retrouver mon enfant et de revenir vers mon amant, avant qu'il ne soit trop tard pour l'un ou pour l'autre ! Par ma piété, par mon humilité absolue, je veux protéger les deux hommes que j'aime et dont le salut dépend de moi. C'est pourquoi je passe une bonne partie de la journée à parcourir le marché pour acheter les trépieds et les animaux, puis à accomplir les sacrifices au milieu de la foule. Je dois me contenter du petit autel anonyme devant lequel s'est tenu le concours la veille, perdu dans un coin de l'agora, au pied de la citadelle. Depuis que Xerxês s'est attribué la colline, on ne peut plus accéder directement à la grotte où se déroulait originellement le rite et où mon imagination m'appelle en vain. Je perds du temps. Je sens que Lykeïna, sans oser me le dire, me le reproche. Mais, après que je lui ai expliqué l'impression néfaste laissée par mon rêve confus de la nuit, elle est du même avis que moi : nous ne devons surtout pas prendre le risque de partir avant d'avoir accompli cette cérémonie.

Lorsqu'elle est enfin achevée, Siminthês me fait comprendre qu'il est trop tard pour reprendre notre voyage. Afin de nous éviter une deuxième nuit aussi désagréable que la première dans l'hôtellerie bondée, il nous fait remonter dans le chariot et, refusant de nous révéler où il nous conduit, il nous entraîne à l'orée d'une plaine fertile, éloignée d'une heure à peu près de la ville. Elle est étrangement vide de toute présence humaine, alors que les ifs majestueux qui en marquent l'entrée transforment notre chemin en route d'apparat. Nous finissons par nous arrêter devant les murs d'une propriété immense. Au guichet de sa porte hermétiquement close, le guide, qui m'a emprunté le laissez-passer et de l'argent, parlemente longtemps. Il revient très fier de lui : nous allons être hébergés pour la nuit dans le Paradis du satrape ! Kyros, le frère magnifique et rebelle d'Artaxerxês Mémnôn qui régnait jadis sur cette partie de l'Empire, l'avait fait édifier, pour ses délices personnels, avant d'aller se perdre dans son expédition insensée contre son souverain légitime. Tandis qu'on ouvre les deux lourds vantaux de la porte devant notre char de voyage, le guide ne se lasse pas de nous faire remarquer qu'il nous permet de bénéficier d'un privilège incroyable, l'entrée étant d'ordinaire totalement interdite en l'absence de son propriétaire. Il a pu l'obtenir parce que je suis une étrangère célèbre invitée à la cour d'Artabazês, mais surtout, se rengorge-t-il, parce qu'il connaît l'intendant en personne !

Je pénètre dans cette propriété mystérieuse en tremblant d'émotion. Moins à cause du bagou naïf de notre guide que d'un souvenir personnel très ancien, lié au récit de la première campagne d'Epiklês. Ce Paradis n'est-il pas celui que les Grecs d'Agêsilaos ravagèrent une génération auparavant, après qu'il soit passé de Kyros à son ennemi mortel, Tissaphernês ? Celui dans lequel le cavalier thespien obtint en butin l'une des musiciennes du satrape, qui me ressemblait peut-être, ou bien l'une des filles d'un jardinier, qui avait la grâce de la petite Lykeïna, et dont je me dis aujourd'hui que le jeune homme qui n'était pas encore mon père, aussi brutal, aussi insensible, aussi inachevé que le thébain Gorgidas, dut la violer et la revendre sans pitié ? Plus aucune trace, sauf dans ma mémoire, de ces jours de saccage, qui ne sont pourtant pas si éloignés. Le Paradis de Kyros a dû être entièrement reconstruit, comme si rien ne s'était passé, comme si l'incursion des barbares grecs n'avait jamais eu lieu. Parce qu'elle ne pouvait pas avoir lieu, parce que l'Empire incarnait un ordre plus ancien, plus puissant, plus légitime, plus durable. Mais moi, derrière l'arrogance paisible de ces murs clos, derrière la beauté majestueuse de ces plantations, je devine la ruine possible. Je me dis aussi que je reçois un signe, le troisième après la tempête sur les quais d'Ephésos et la rencontre avec Orontês, l'ancien satrape d'Arménie, de la présence d'Epiklês. C'est sur ses traces à lui aussi que je marche. C'est lui aussi que je cherche et que je redécouvre dans un frisson.

Mes compagnons gardent comme moi le silence. Le contraste avec le marché, avec les ruelles étroites et populeuses de la cité de Kélaïnaï, nous saisit tous : cette propriété magnifique est totalement déserte, à part quelques serviteurs fantomatiques qui passent discrètement le long des bassins et des bâtiments d'enceinte. L'un d'entre eux nous montre les chambres somptueuses, carrelées de marbre, aux murs décorés de stuc peint, que nous occuperons pour la nuit. Puis il nous conduit sur une terrasse immense, où nous trouvons servi le repas que les cuisiniers du satrape, désœuvrés, ont préparé à notre intention exclusive : les viandes, les pâtisseries, les fruits exotiques y occupent plusieurs tables basses, comme si nous étions trente, et non cinq. Le serviteur, à qui nous avons proposé de partager ce festin mais qui a refusé avec indignation, nous fait ensuite les honneurs de ce palais enchanté, sur lequel il veille en l'absence de son maître. Il nous promène à travers des vergers et des bosquets plantés d'essences précieuses, irrigués par des canaux agrémentés de jets d'eau, jusqu'à une grotte. Elle est plus grande que celle du Marsyas, nous déclare-t-il avec fierté, et il en jaillit une deuxième source, plus abondante. Celle du Méandros, qui arrose en priorité le palais du représentant du Grand Roi, comme c'est le devoir d'un fleuve, avant d'aller accomplir paresseusement la même mission pour le reste des habitants de la Phrygie. Le serviteur nous engage à ne pas poursuivre plus loin notre promenade. Au-delà de la grotte s'étendent les forêts privées du satrape, dans lesquelles ce dernier entretient des centaines de bêtes féroces en toute liberté, pour trouver plus de plaisir ensuite à les chasser à cheval. Ce jardin sans fin m'emplit d'une impression de calme presque désespérant, de paix et de menace mêlées. C'est comme s'il était l'image en réduction de l'Empire perse dans lequel je m'aventure. Après les vergers de la Phrygie, il me faudra peut-être m'enfoncer dans des profondeurs hostiles, où je n'ai presque aucune chance de retrouver celui que je cherche. Lykeïna et moi, nous quittons le Paradis le lendemain à l'aube avec un soulagement que notre guide serait bien incapable de comprendre. Le bavard Siminthês se réjouit pendant des heures d'avoir dormi dans l'une des chambres du palais du satrape et mangé à sa table. Quant aux deux Cerbères, comme d'habitude, ils se taisent.

Après le contretemps magique de Kélaïnaï, nous parvenons à rattraper notre retard en brûlant les étapes. Nous dépassons la cité de Gordion, où je me garde de me mêler à la foule, et nous atteignons le défilé débouchant sur les berges de l'Halys, la Rivière Salée aux eaux, elles aussi, presque rouges. Elle tient lieu de frontière entre la Phrygie et le Katpatuka, c'est-à-dire entre les provinces rebelles des satrapes et celles qui sont restées fidèles au Grand Roi. Une citadelle fortifiée garde le passage de chaque côté du pont de bateaux. Au poste de contrôle de la Phrygie, une file de marchands s'étend presque démesurément. Le guide, qui part aux informations, nous apprend que la circulation est rendue difficile par les pluies qui ont grossi le cours boueux du fleuve, mais surtout parce que les soldats du Katpatuka, de l'autre côté, ne laissent plus passer aucun voyageur depuis la veille. On attend, paraît-il, l'arrivée imminente de l'armée d'Okhos, qui vient en personne rétablir l'ordre et faire crucifier Artabazês et Orontês, ses infidèles cousins. Les troupes du Grand Roi ont priorité absolue sur toutes les caravanes et les gardes ont sûrement reçu l'ordre d'éviter d'encombrer la Voie Royale à son approche. Même dans Kélaïnaï, je n'ai jamais vu une telle confusion. "Il faut attendre", nous disent avec fatalisme nos voisins dans la file des chars et des carrioles de toutes tailles. Combien de temps ? Plusieurs jours, une semaine, deux, trois, qui sait ? Tous ces marchands avisés s'inquiètent moins du retard que de la perspective de devoir croiser l'armée impériale et d'être repoussés sans ménagement dans les collines alentour, pendant tout le temps que durera le défilé des soldats. Assis sur leurs talons à l'ombre des chariots, ils s'exaspèrent placidement de la stupidité des gardes, qui créent eux-mêmes l'embouteillage qu'ils prétendent éviter. L'un d'entre eux tente, avec force gestes et quelques mots de grec, de me persuader que le plus sage est de revenir en arrière à Gordion, où nous pourrons attendre ensemble tranquillement chez son hôte la fin des opérations. D'autres se résignent à patienter sur place tout le temps qu'il faudra et commencent à établir leur campement. Une file entière d'une douzaine de chariots reste bloquée sur le pont lui-même, entre les deux postes, depuis plusieurs heures. D'autres chefs de caravane, la mine importante, se glissent des deux côtés de la rampe pour venir s'entasser à leur tour devant le poste de garde. La foule est si dense que les cordages liant les bateaux se tendent à se rompre.

Je suis catastrophée. Mais Siminthês, toujours aussi entreprenant, me demande de le suivre discrètement. Nous nous faufilons pour échapper au contrôle phrygien, et, après avoir remonté toute la file des chariots sur le pont, nous parvenons au poste kappado-cien. Là, au lieu de parlementer, comme tentent encore de le faire, dans le chaos et les éclats de voix, les marchands de la caravane bloquée, il attire l'attention d'un des gardes. Après lui avoir glissé quelques pièces, il lui demande de conduire jusqu'à son chef une voyageuse de marque, amie personnelle de plusieurs satrapes et de Bagoas, l'intendant du Grand Roi en personne. Le commandant accepte de nous recevoir au bout d'un moment. Ce soldat à la peau mate et aux traits rudes n'est pas dénué de prestance, son front soucieux lui donne même une belle autorité. Un officier perse sûrement. Je le regarde avec attention. Je me dis que cet homme à l'air énergique doit diriger ce poste frontière en guettant l'occasion de se faire remarquer par "l'Œil du Roi". Peut-être même fait-il du zèle, en bloquant toutes les caravanes avant d'avoir reçu l'annonce officielle de l'arrivée des troupes impériales, pour mieux se démarquer de son collègue de l'autre côté du fleuve ? Le guide commence à parlementer mais je devine rapidement que, cette fois, il n'obtiendra aucun résultat. Alors je décide de prendre les choses en main. Tout en posant sur la table deux des dariques d'or que j'ai préparées, une pour mon passage et une autre pour celui des membres de ma petite escorte, je demande à Lykeïna d'abaisser le voile qui lui couvre les cheveux et le visage. Je fais de même. Siminthês traduit mes paroles à l'officier : nous sommes deux hétaïres grecques célèbres, qui voyageons sur l'ordre de Mausôlos, le fidèle satrape de Karie (en disant ces mots, je déroule devant lui le laissez-passer officiel), nous cherchons à rejoindre la cour itinérante du Grand Roi, qui accompagne partout son armée en campagne, et où Bagoas, l'eunuque d'Artaxerxês Okhos en personne, nous attend pour nous présenter à son souverain. Nous sommes pressées mais, si l'énergique commandant nous facilite le passage, nous serons ravies de lui offrir un échantillon de nos talents de musicienne et de danseuse. Ce qui lui permettra, outre le fait d'être agréable à des invitées personnelles du Maître, de se délasser des soucis qui l'accablent dans cette situation de crise. Après s'être frotté un instant le menton, en examinant le document, l'officier finit par me le rendre et par empocher les pièces d'or. Le sourire matois qui remplace sur son visage l'air grave ne me déplaît pas (voilà un homme qui sait s'adapter aux circonstances et allier la souplesse à la rigidité). Le soir, nous dînons dans ses appartements de fonction qui dominent le pont et d'où j'aperçois la caravane toujours bloquée. Je ne laisse pas ma suivante s'occuper de lui mais je m'en charge moi-même. Je n'ai pas à m'en plaindre. Lui non plus d'ailleurs. Le lendemain matin, pour continuer à m'être agréable, il envoie un détachement chercher sur un bateau plat notre chariot de voyage, qu'Adômas a surveillé pendant la nuit, et à qui l'homologue phrygien de mon commandant accepte de laisser traverser le gué contre une autre darique. J'ai dû puiser dans mon coffre secret mais nous laissons derrière nous le fleuve frontière et ses files de marchands dépités. Notre guide paraît flatté de voyager en compagnie d'une femme aussi débrouillarde que lui.

Le Katpatuka. Paysage plus tourmenté que celui de la Phrygie, aussi désert qu'elle était populeuse. Pendant plus de deux semaines d'une course précipitée, nous ne croisons pas âme qui vive. Nulle trace, en tout cas, de ces soldats impériaux, dont nous croyons au début voir surgir derrière chaque rocher l'avant-garde qui nous jettera hors du chemin, mais dont la menace finit par s'évanouir complètement, dissoute dans une autre armée encore plus nombreuse, celle des nuées, qui sont quelquefois si basses qu'elles nous environnent de leur brume. Lorsque nous marchons pour ainsi dire à l'intérieur des nuages, lorsque nous nous mouvons au milieu de ce paysage irréel où la terre et le ciel se mélangent dans la même intensité humide, simplement striée de brusques et grises barres rocheuses, j'ai l'impression que le Grand Roi et tout son empire n'ont jamais vraiment existé. C'est comme si nous pouvions regarder les contours de la terre humaine avec les yeux vaporeux des dieux. Nulle trace non plus de ces troupeaux de chevaux rapides qui donnent leur nom à ce pays blafard. Bien mieux armés que nous pour y vivre, ils doivent s'échapper dédaigneusement dans les rochers à notre approche, ne supportant pas que nous osions poser sur eux notre regard pesant. Je me dis que je foule la terre natale de ma nourrice Manthanê et celle de notre dieu Isodaïtês, mais je ne perçois nulle part leur présence. Aucun des deux ne séjourne plus ici depuis longtemps. C'est dans mes souvenirs seuls que je peux les atteindre. La musique de l'aulos ne m'est pour cela d'aucun secours, les notes ne se dilatent pas comme dans la plaine fertile de Phrygie, elles rebondissent contre la brume et s'étouffent. Je suis seule. Ce que je découvre aux détours de ma rêverie, ce contre quoi je me heurte sans cesse, c'est la certitude de la vacuité totale de mon voyage. Il ne sert à rien. Je ne retrouverai jamais celui que j'ai eu la folie de prendre pour mon fils. Je vais au contraire m'égarer à jamais dans ce brouillard.

Peut-être Lykeïna est-elle en train de faire de son côté la même expérience désespérante ? Dans ces nuées qui nous enveloppent et nous isolent, elle se rapproche encore de moi. Comme si nous nous trouvions dans un grand lit glacé de brume, nous nous serrons l'une contre l'autre pour nous réchauffer. Le seul moyen que nous trouvons de nous désennuyer, mais surtout de nous raccrocher à quelque chose de solide et d'éviter de nous perdre dans les dédales dangereux de nos rêveries parallèles, c'est de faire résonner nos voix humaines. Alors, nous nous parlons, sans trêve. Je lui fais raconter son enfance de petite fille libre en Thessalie, avant qu'Alexandros de Phéraï ne détruise son village. Elle me confie l'horreur d'une nuit de massacre semblable à celle que j'ai vécue, le traumatisme de la séparation d'avec sa mère, la déportation dans la cale d'un bateau infect, les coups, les cris, les filles plus âgées que l'on viole à côté d'elle et qui disparaissent à chaque escale. Et puis le calme soudain d'une grande maison lumineuse, les yeux graves d'un garçon de son âge qui la regarde danser, et ceux, bienveillants, d'une femme très belle, assise sur un trône un peu plus loin. Lorsqu'elle me raconte sa rencontre providentielle avec Hermodotos et avec moi, dans sa façon naïve de parler de nous comme d'un enfant dieu et d'une déesse mère, je retrouve des échos adoucis de mon propre désespoir et de la confiance forcenée que j'avais placée dans la rude Nikarétê. Alors je m'ouvre à la petite comme elle s'ouvre à moi. Je lui transmets à mon tour le souvenir de mon enfance et de ma jeunesse, qu'elle ne se lasse pas d'écouter. C'est là, dans les brouillards rocheux du Katpatuka, dans cette étreinte de mots, de bras et de souvenirs qui nous tient arrimées l'une à l'autre, qu'elle finit de devenir, sans que je me le dise encore, une partie de moi-même.

L'ennui dans lequel s'enfonce notre petite escorte est si enivrant qu'Adômas, le plus jeune et le plus loquace de nos deux Cerbères, finit par faire comme nous pour éviter de perdre la tête : il se met à parler. Il évoque à voix haute pendant des heures, avec rudesse et drôlerie, sa jeunesse et celle de ses frères dans les montagnes rugueuses de Thrace, son arrivée à Athênaï avec son cousin Kistôn pour rejoindre un autre cousin plus âgé, Mentês, qui servait chez les archers scythes, leurs années dans la police athénienne, leur entrée dans la maison de Nikarétê remplie de danseuses à surveiller et à déflorer. Et enfin, ultime péripétie à ce jour, mais pas la moins folle de toutes celles pourtant nombreuses qu'ils ont traversées à trois, leur rencontre avec une fille à la beauté royale, qui les appelait Cerbères et qu'ils ont mis longtemps à apprivoiser dans son exil aux Enfers. Peut-être ont-ils fini par trouver leur vraie place en la suivant pas à pas partout où elle va, comme si elle était Perséphonê en personne ? Même le taciturne Kistôn se rapproche de nous pour l'écouter, sans jamais prononcer un mot, un bref sourire lui passant parfois sur les lèvres. C'est sa manière à lui de partager la chaleur vitale du récit de son frère d'armes. Pour les en remercier, étant donné que nous ne trouvons pas beaucoup de femmes aux relais d'étapes, je leur prête parfois Lykeïna. Ou plutôt, je n'ai pas besoin de le lui dire, lorsque le désir les rend de nouveau muets et renfermés en eux-mêmes, c'est elle qui se prête gentiment à eux. Quant à moi, je laisse une ou deux fois me rejoindre dans ma chambre du relais le jeune Lydien, afin qu'il continue à me servir avec autant de diligence. Même si, dans ce rêve éveillé qui nous tient depuis tant de jours, la jouissance elle-même garde quelque chose de superflu, d'évanoui et de languide.

Je tente de faire parler Siminthês des pays que nous traversons mais il s'exprime dans un grec trop maladroit pour que je comprenne grand-chose à ses explications véhémentes. Tout ce que je sais, c'est qu'il me promet chaque jour que nous parviendrons le lendemain à ce qu'il appelle "les Portes", le défilé de montagnes qui sépare la petite province de Cilicie de celle beaucoup plus vaste du Katpatuka où nous sommes égarés, le pays non pas des chevaux mais des nuages rapides. C'est là que nous trouverons le fameux carrefour de Komana, où la route venant de Tarsoï rejoint la Voie Royale. C'est là que nous attendra mon fils. Ou, en tout cas, que nous nous mettrons enfin à marcher directement sur ses traces et celles de son magicien. Mais j'en viens à croire que nous n'atteindrons jamais ces fameuses Portes, parce qu'elles n'existent tout simplement pas.

Pourtant, un jour, la route, s'élevant au-dessus du plateau, finit par se mettre à grimper vraiment, et je comprends, sans que le guide ait besoin de me le dire, qu'il s'agit des contreforts du Tauros. À un moment, nous nous trouvons même, pour la première fois depuis des semaines, au-dessus des nuages, juste sous le ciel, dont nous avons la surprise de découvrir qu'il est devenu rigoureusement blanc. Au sommet du défilé, nous franchissons sans encombre le premier petit poste frontière, nous redescendons de l'autre côté et nous atteignons le deuxième poste, où se tiennent les gardes ciliciens. Le fort de Komana! Enfin! Mais ce modeste bâtiment n'a rien de la citadelle mythique dont j'ai tant rêvé. Et l'on n'y a jamais entendu parler, ni de l'arrivée du Grand Roi ni des deux mages itinérants que nous cherchons. Un miracle se produit pourtant, qui balaie notre déception d'avoir voyagé plusieurs semaines pour rien : d'un seul coup, c'est le beau temps ! Lykeïna nous invite d'un sourire à nous remettre sans tarder en chemin. Ce versant de la montagne est plus étroit et plus humain. Après m'être égarée si longtemps dans le brouillard humide de mon imagination, j'ai l'impression de reprendre pied dans le réel. Pendant les quelques jours où nous longeons sans nous y enfoncer la petite plaine riante de la Cilicie, entourée de tous côtés par de hautes montagnes qui la préservent, comme si elles formaient l'enceinte infranchissable d'un Paradis cyclopéen, nous espérons à chaque étape recueillir les premières nouvelles des deux voyageurs que nous poursuivons et qui ont dû passer sur cette même route quelques jours ou quelques semaines auparavant. Nouvelle déception. Rien, aucune trace. Personne ne les a vus. Ils ne paraissent pas avoir plus d'existence que l'armée impériale. Sommes-nous en train de poursuivre un rêve ?

Nous finissons par arriver devant un fleuve immense, beaucoup plus important que tous ceux que nous avons eu à traverser jusque-là. Au moins quatre ou cinq stades de large. C'est l'Euphratês. Le fort de Méliténê marque la limite entre la Cilicie et l'Arménie, mais là non plus, on n'a jamais entendu parler de l'arrivée du Grand Roi. Je repense à l'Halys, à l'autre poste frontière sur l'autre fleuve, et je me demande si, depuis trois semaines, les voyageurs y sont toujours bloqués par mon commandant perse, à attendre une armée de plusieurs centaines de milliers d'hommes qui ne se trouve en fait nulle part.

En été, on peut traverser l'Euphratês à cheval, ou même à pied, sans jamais avoir de l'eau plus haut que les épaules, mais, à l'approche de la mauvaise saison, il faut le passer en bateau. Et c'est là, de l'autre côté du fleuve limoneux, dans le marécage d'alluvions et de légendes qui longe la chaîne des montagnes d'Arménie avant de descendre vers la célèbre Babylôn, que nous commençons brusquement à découvrir des traces du magicien et de son aide. Au premier relais, situé sur la berge du fleuve que nous longeons, et où je demande à Siminthês par habitude, sans presque plus y croire, de poser la question, l'hôte répond à mon guide : "Oui, bien sûr, nous avons vu passer celui dont tu nous parles !" Et le ton de sa voix est si chargé d'émotion, le regard qu'il nous jette si prolongé, que je n'ai pas besoin de la traduction pour deviner que j'obtiens enfin un signe.

L'hôtelier nous apprend que le mage est passé presque trois semaines auparavant. Il voyage seulement avec un assistant muet mais il n'a besoin ni d'escorte ni de laissez-passer, tant il a de pouvoir sur les choses. La maîtresse de maison, dès qu'elle entend le sujet de notre conversation, se hâte de franchir la porte de la cuisine. Elle tient au creux de ses bras un bébé, qu'elle continue à nourrir tout en avançant. Sans prendre la peine de cacher son sein, elle vient s'asseoir à côté de nous sur le banc de la grande salle, pour nous raconter elle-même ce qui s'est passé cette nuit-là. Le mage est arrivé sans prévenir, un soir de tempête et de pluie diluvienne où les eaux du fleuve avaient débordé et où aucun autre voyageur n'aurait osé se risquer sur les routes. L'hôtesse était en couches, le travail avait commencé depuis deux jours, mais elle perdait son sang et ses forces sans parvenir à se délivrer. La sage-femme du village, impuissante, lui répétait qu'elle était victime d'une malédiction, sans doute celle d'une voisine envieuse, et qu'elle subissait l'emprise maléfique de Lamakhtu. L'hôtelière baisse spontanément la voix, et son mari incline la tête, tandis qu'elle prononce ce nom. Le guide m'explique qu'il s'agit du plus redoutable des démons femelles, qui s'acharne sur les femmes mais dont même les hommes ne parlent qu'avec terreur, un monstre aux seins nus qui emporte les nouveau-nés dans ses serres crochues de rapace et dont les battements d'ailes font trembler de fond en comble les maisons sur lesquelles il se pose. Toute la nuit, continue l'hôtesse, le mage et son jeune assistant muet luttèrent pour la défendre contre la Malfaisante, à coups d'incantations, d'impositions des mains, de sacrifices répugnants de petits animaux, dont ils lui firent couler le sang sur la poitrine, de fumigations repoussantes. Jusqu'à ce qu'elle sentît quelque chose se dénouer en elle, dans son ventre et dans son âme. Il lui sembla perdre connaissance et la douleur n'être plus ensuite qu'un rêve confus. Lorsqu'elle se réveilla au matin, elle était délivrée et l'enfant dormait paisiblement dans ses bras. Lamakhtu avait dû lâcher prise, emportant avec elle au loin la tempête. Le mage, épuisé par le combat, dut se reposer pendant presque dix jours avant de reprendre sa route. Son assistant et lui ne furent pas moins bien traités que ne l'aurait été le satrape ou le Grand Roi en personne.

Je suis rassurée d'apprendre que, si ce magicien possède des pouvoirs, il les utilise pour faire le bien. Pourtant, dès l'étape suivante, l'hôte du relais impérial maudit le souvenir de ces deux malfaiteurs dont nous lui demandons des nouvelles et dont il espère que les datihmara les crucifieront sur le bord de la route : ils ont plongé toute son auberge, nous affirme le bonhomme, dans une catalepsie profonde qui leur a permis de partir sans payer le gîte et le couvert, parce qu'on avait refusé à juste titre de les servir, étant donné qu'ils ne disposaient d'aucun ordre de réquisition ; ils ont même dérobé les bijoux d'un des commerçants avec lesquels ils avaient sympathisé avant le dîner. Une autre chose qui m'inquiète, c'est d'entendre pour la deuxième fois évoquer l'assistant du mage comme un personnage muet. S'il s'agit bien de mon fils, pourquoi ne parle-t-il pas ? Parce que son mentor lui a recommandé d'ouvrir la bouche le moins possible pour ne pas révéler qu'il était étranger ? Parce que ce maître cruel lui a tranché la langue ? Qu'il l'a liée par un sortilège ?

J'en viens à examiner toutes les hypothèses, même les plus bizarres et les plus inquiétantes.

Nous nous éloignons des plaines de l'Euphratês, pour nous diriger vers celles du Tigris, en longeant un nouveau massif de montagnes menaçantes, dont le guide m'apprend qu'il s'appelle le Zagros et qu'il est infesté de brigands. Nous gagnons sans cesse du terrain sur les deux voyageurs que nous poursuivons. Ils circulent à pied, sans se hâter, et paraissent désormais n'avoir plus qu'à peine une semaine d'avance sur nous. Dans un autre relais, sur le chemin de la citadelle d'Arbêla, nous apprenons qu'avec des herbes magiques, certaines tirées du grand sac de cuir qu'il porte à son côté et d'autres fraîchement cueillies dans les collines alentour, le mage est parvenu à soigner, cinq jours auparavant, la plaie de l'hôtelier, qui s'infectait dangereusement. Le bonhomme, sans se faire prier, relève la jambe de son pantalon bouffant pour nous montrer, au-dessous de son genou, une plaie répugnante mais sur le point de cicatriser, couverte d'un onguent verdâtre et puant qu'il regarde avec un sourire attendri de reconnaissance. Pourtant, à l'une des étapes suivantes, l'hôte nous raconte avec colère que les deux méchants magiciens se sont arrêtés il y a trois nuits à peine, et qu'avec d'autres herbes, ils ont rendu malade toute l'auberge, ce qui leur a permis de s'enfuir de nouveau sans payer. Ici, ils se sont acquittés de leur passage en révélant à leur hôtesse l'avenir prospère qui était écrit spécialement pour elle dans les mouvements des astres. Là, on est encore sous le choc de leur bref séjour : ils ont prédit la mort brutale d'une servante, dont la fièvre s'était à peine déclarée, et qui, saisie de frayeur, mourut effectivement dans la nuit. J'ai l'impression que le mage se plaît à laisser des traces contradictoires de son passage à d'éventuels poursuivants. Il n'a plus qu'un jour ou deux d'avance sur nous. Soudain, la vérité me traverse : il a deviné que nous étions à sa poursuite, ou peut-être réussi à intercepter le messager que j'ai envoyé à Mithradatês depuis Tarsoï ! Et depuis il nous attend ! Il ne progresse qu'assez lentement pour nous laisser le rattraper, tout en nous donnant l'illusion rassurante qu'il ne s'est rendu compte de rien ! Mais il sait que je le poursuis pour lui arracher mon fils et il s'apprête à me le disputer !

Le lendemain matin, le guide m'apprend que nous sommes sur le point de déboucher dans une plaine immense et poussiéreuse. Elle porte le nom sonore de Gaugamélês, et nous pourrons sans doute y apercevoir de loin nos deux voyageurs avant de les rattraper. Je me dis que nous touchons enfin au but, à l'affrontement décisif avec le mage ! C'est alors qu'une catastrophe imprévue se produit : nous sommes brusquement arrêtés dans notre progression par une escouade de datihmara à cheval, qui nous ordonnent sans ménagement de quitter la route. Ils consentent à fournir quelques explications à notre guide : l'armée du Grand Roi, à laquelle nous avions fini par ne plus croire, s'est rassemblée depuis plusieurs semaines autour du rocher circulaire de la citadelle d'Arbêla. Elle s'est enfin mise en marche malgré l'arrivée de la mauvaise saison. Forte de plusieurs dizaines de milliers d'hommes, elle approche. Malgré nos protestations, malgré nos laissez-passer, notre char est dérouté sur un petit chemin qui monte en lacets dans la montagne.

Notre guide, d'ordinaire enjoué, devient très nerveux. Ce qu'il craignait le plus est en train d'advenir : nous nous trouvons expulsés de la Voie Royale dans la partie la plus dangereuse de notre itinéraire, à la merci des bandes de pillards qui pullulent derrière chacun des rochers inexpugnables du Zagros. Nous n'osons guère nous aventurer plus loin que le coude du chemin désertique en deçà duquel les policiers nous ont interdit de revenir. Que faire ? Nous résigner à attendre sur place que l'armée impériale soit passée, ce qui peut prendre, nous annonce le guide, une semaine entière, ou tenter de continuer notre progression à l'aventure, par les sentiers qui doivent longer la Voie, mais en prenant le risque de tomber sur des voleurs ou des villageois mal intentionnés ? Siminthês est pour attendre, mais la fragile, la docile Lykeïna ne peut cacher pour une fois sa colère de nous voir retardés, au moment même où nous allions enfin atteindre Mithradatês. Elle plaide pour que nous continuions notre route sans plus attendre. J'hésite. J'envoie le guide et Adômas en reconnaissance, tandis que Kistôn reste près du chariot pour nous protéger. Les deux explorateurs reviennent au bout d'une heure avec des nouvelles rassurantes : à quelques stades à peine devant nous, dans une sorte de combe creusée par le lit d'un ruisseau, ils sont tombés sur une caravane entière d'au moins trente chariots, défendue par une bonne douzaine de gardes solidement armés. Les marchands acceptent de nous accueillir, le temps que l'armée soit passée et que nous puissions revenir tous ensemble sur la route. Mais l'argument qui nous convainc surtout, Lykeïna et moi, c'est celui proposé par le mutique Kistôn. Sortant brusquement de son silence, il nous jette quelques mots : "Le gamin a sûrement choisi d'attendre".

Adômas complète la pensée de son cousin : Mithradatês, qui est un garçon intelligent, et son mage, qui a l'air d'être plein d'expérience, auront sûrement préféré eux aussi patienter tranquillement, à quelques heures devant nous, et nous risquons de les manquer en nous aventurant sur d'autres chemins de montagne. Pour rasséréner Lykeïna, il ajoute qu'il est prêt à aller en compagnie du guide explorer les alentours et tenter de glaner des informations sur les deux voyageurs, pendant que nous resterons ici en sécurité, protégées par son compagnon et par les autres gardes. La petite, malgré son impatience et son inquiétude, finit par céder.

Le chef de la caravane nous accueille avec un large sourire, mais je comprends vite que ce n'est pas parce que nous sommes deux jolies femmes sans défense. Le chargement de ces marchands est suffisamment précieux pour qu'ils aient bénéficié d'une escorte de datihmara depuis Baktra jusqu'à Arbêla. Dans cette dernière ville, ils n'ont pas trouvé la patrouille qui devait prendre le relais. Peut-être était-elle en retard, ou réquisitionnée par l'approche du Roi. Après avoir décidé de ne pas l'attendre et de devancer l'immense armée encore en train de se rassembler autour de la citadelle, ils ont pris la précaution de louer les services de douze gardes mais ceux-ci restent moins sûrs que des gendarmes. Ils sont donc satisfaits de voir arriver trois hommes en renfort, dont deux paraissent des vétérans expérimentés. Malgré leur inquiétude, ils s'apprêtent à une halte prolongée avec un fatalisme tranquille. Ils sont en route depuis plus de trois mois : ils nous expliquent qu'ils font le commerce entre l'Inde et l'Iônie, apportant des tissus, des aromates, des pierres précieuses, et rapportant de l'huile d'olive, du vin, ou de la céramique. Il leur est déjà arrivé plusieurs fois dans le passé d'être détournés de la route par le service prioritaire du Grand Roi ou obligés de s'arrêter pour assurer leur sécurité.

Plusieurs des gardes sont partis observer discrètement la Voie Royale : ils reviennent en nous disant qu'ils n'ont rencontré que des fourriers. L'armée elle-même est encore distante de deux jours. Quelques heures plus tard, arrivent à notre campement des fonctionnaires impériaux, escortés d'une escouade entière de datihmara. Ils sont chargés de réquisitionner, par la force si nécessaire, tout l'approvisionnement qu'ils pourront trouver dans les villages alentour. Ils acceptent de ne pas confisquer les ressources dont dispose notre caravane contre une somme d'argent, à laquelle je contribue de mon propre mouvement, pour me faire encore mieux accepter des marchands. Les officiers et les fourriers se la partagent, puis repartent à bride abattue, leurs chariots brinquebalant sur le sentier qui conduit vers la montagne. Par précaution, le chef de la caravane fait cacher nos provisions dans les rochers un peu plus loin. Nous voyons repasser les Impériaux dans l'autre sens quelques heures plus tard. Cette fois-ci, leurs voitures sont si lourdement chargées de tout ce qu'ils ont pu arracher aux paysans des hauts plateaux qu'ils ne s'arrêtent pas devant nous. Ils se hâtent encore plus qu'à l'aller. J'ai l'impression que même une troupe aussi solidement armée que la leur paraît n'avoir aucune envie de passer trop de temps loin de la Route, ce qui ravive mon inquiétude. Nos guetteurs nous signalent que plusieurs feux brûlent dans la montagne. Peut-être les villages incendiés pour avoir refusé la réquisition ou n'avoir pas obtempéré assez vite. Adômas et notre guide sont de retour avec le soir : ils n'ont découvert aucune trace du mage et de son assistant mais ils ont effectivement assisté de loin à une scène de pillage. Malgré ces nouvelles alarmantes, la nuit se passe très calmement.

Le chef de la caravane est un beau vieillard, auquel le contraste entre sa barbe déjà blanche et la netteté des traits de son visage cuivré donne un air étonnant de sagesse et de jeunesse mêlées. Il porte un nom étrange, qu'il tente de transcrire imparfaitement dans mon alphabet, en l'écrivant avec son bâton sur la poussière du chemin : Mô-San. Il nous invite le soir à dîner dans sa tente, où ses femmes nous servent un délicieux ragoût de viandes et de légumes cuits ensemble dans une épice au goût aussi éclatant que sa couleur, velouté et poivré à la fois. Elles nous servent à boire non pas du vin mais du lait de chèvre caillé, avant de se retirer. Au cours du repas, Mô-San nous apprend qu'il ne vient pas de la région indienne du fleuve Hydaspos mais des montagnes qui dominent la Baktriane. Elles sont incroyablement plus hautes que le Zagros. Leur nom, qu'il nous traduit, veut dire "les Colonnes du Temple du Monde". Il nous apprend avec fierté que c'est dans ce haut pays tout près du ciel qu'est né autrefois le premier des mages, Zarath-Ustra, que nous les Grecs appelons Zoroastrès, qui en est descendu ensuite pour enseigner le culte d'Ahura Mazda, le Dieu Unique, au reste des hommes.

Lorsque nous lui apprenons à notre tour d'où nous venons et le but de notre voyage, il nous déclare d'une voix paisible qu'il a entendu parler du mage khaldéen et de son assistant. Il ne les a pas rencontrés directement mais il a croisé quelques jours auparavant une autre caravane, dont les marchands lui ont raconté une histoire très curieuse : au moment où ils s'apprêtaient à traverser le Tigris, ils auraient été capturés en même temps que nos deux voyageurs par une troupe de voleurs descendue des montagnes. Comme le mage ne possédait rien, il a proposé à leur chef de le relâcher avec son assistant. Mais le brigand, furieux, au lieu de respecter son costume et sa dignité, l'a giflé, en le jetant à terre dans la boue. Puis il a ordonné à deux de ses hommes de conduire les deux prisonniers au bord du fleuve, de les égorger, pour les punir de s'être moqués de lui, et de jeter leurs cadavres à l'eau. Les voleurs sont partis en poussant les mages ligotés. On n'a vu revenir ni les uns ni les autres. Mais le temps s'est brutalement mis à changer. Des nuages noirs se sont amoncelés à toute allure sur la berge du fleuve, tandis qu'une voix furieuse se faisait entendre à travers la tempête. Tout le monde, brigands comme marchands, l'a reconnue sans peine : c'était celle d'Ea, le dieu protecteur des mages ! Les voleurs, terrorisés, ont tenté de s'enfuir sur des barques vers l'autre rive du fleuve où l'on voyait encore régner le beau temps, mais, au moment où ils allaient l'atteindre, une vague énorme, née des profondeurs du Tigris, les a submergés. En quelques instants, ils ont tous péri noyés. Aussitôt la tempête s'est calmée. Les marchands n'ont trouvé aucune trace, à travers les roseaux, ni des deux mages ni des deux assassins. Après s'être remis de leurs émotions, ils ont pu reprendre leur route. Pourtant, au relais suivant, ils sont tombés sur l'assistant muet qui se restaurait tranquillement, tandis que son maître se reposait dans l'une des chambres de l'hôtellerie. Le jeune homme n'a répondu à aucune de leurs questions, sinon par un sourire, avant d'aller s'enfermer, pour toute la nuit et la journée suivante, dans la chambre du mage.

Mô-San tient ce conte des rescapés eux-mêmes. Son expérience lui a prouvé que, le soir à l'étape, on raconte beaucoup de sornettes aux voyageurs que l'on croise, comme si l'on profitait de ce qu'on ne les reverrait jamais pour s'affranchir des règles de la vraisemblance ou de la pudeur. Il arrive aussi que certaines de ces choses incroyables, on les dise aux étrangers, non pour le plaisir de les inventer mais pour le soulagement de s'en délivrer. Il me transmet ce récit, à moi qui, malgré ma jeunesse, ai l'air d'être une femme avisée et pleine d'expérience : je saurai sûrement démêler le vrai du faux. Je souris finement, mais je ne sais pas du tout quoi en penser. M'efforçant de ramener l'anecdote à des proportions réalistes, je me dis que le mage, à l'abri des roseaux, a réussi à fléchir les deux bandits avec l'argent qu'il ne voulait pas montrer à leur chef, que ceux-ci se sont enfuis après avoir relâché leurs prisonniers, que l'une de ces tempêtes caractéristiques de la mauvaise saison s'est levée par hasard à ce moment-là, assez violente pour inspirer aux voleurs la crainte de perdre leurs barques, s'ils ne s'enfuyaient pas immédiatement en abandonnant les caravaniers. Malgré mes efforts pour raisonner, je reste agitée de sentiments contradictoires : d'abord l'inquiétude d'apprendre que mon protégé a failli être victime d'une de ces bandes des montagnes du Zagros, qui paraissent aussi dangereuses en réalité que dans l'imagination des voyageurs ; ensuite le soulagement qu'il s'en soit tiré sain et sauf, quel que soit le moyen employé. Enfin, une nouvelle fois, ce qui me déconcerte le plus dans tous ces récits merveilleux et contradictoires concernant le mage, c'est ce qu'on dit de son jeune serviteur, qui l'assiste dans ses cérémonies secrètes sans jamais prononcer un seul mot, mais lui sert aussi de portefaix, d'esclave dévoué, de mignon peut-être, passant la nuit dans la même chambre. D'après ce récit, Mithradatês, s'il s'agit bien de lui, aurait parfaitement pu s'enfuir de l'hôtellerie pendant que son maître se reposait. Donc, il est libre. Je ne peux plus penser, comme la veille, qu'il soit contraint de suivre le sorcier, à moins d'être la première victime de ses sortilèges, enchaîné à lui par des liens invisibles et obligé de le servir. Peut-être dois-je au contraire accepter le fait que mon fils, qui est un garçon sensé, chemine en sa compagnie parce qu'il le considère toujours, après plusieurs semaines de marche, non comme un charlatan dangereux mais comme un mystérieux savant ? J'essaie de me réconforter à cette idée. Mais elle ne diminue pas mon envie de le retrouver au plus vite. Lykeïna, qui m'écoute sans ajouter un mot, parce que je dis tout ce qu'elle ressent elle-même, brûle encore plus que moi de ce désir.

Pourtant, nous sommes bien obligées d'attendre. Le lendemain, le défilé de l'armée impériale commence. Il dure plus d'une semaine. Parce que le Grand Roi va à la guerre avec des soldats fournis par toutes les régions de l'Empire, avec sa garde rapprochée des dix mille Immortels, avec toute sa cour, son épouse, ses concubines, ses musiciennes, ses enfants, ses eunuques, ses cuisiniers, ses panetiers, ses échansons et tout son trésor, sur lequel veillent des dizaines d'intendants et de gardes d'élite. Lorsque nos guetteurs nous annoncent le passage imminent, au centre de l'armée, du souverain et de ses femmes, je me déplace jusqu'à un promontoire rocheux, d'où l'on peut voir la Route en contrebas. Je n'aperçois qu'un char immense, le double de la taille habituelle, étincelant sous la lumière de toutes ses dorures mais obstinément fermé. Après une multitude de fantassins et de chevaux menés à pied, défilent une trentaine d'autres chars de voyage, plus petits que le premier mais presque aussi richement décorés. Je ne verrai rien d'autre du Grand Roi, au milieu de l'interminable défilé des gardes et des soldats, que ces véhicules rutilants et aveugles.

Enfin, un soir, nos guetteurs remontent nous dire que, sur la Voie, ne passent plus désormais que les unités d'arrière-garde. Nous pourrons y redescendre le lendemain matin et reprendre nos routes respectives. Spontanément, nous organisons une petite fête pour célébrer la fin de notre attente. Le prudent Mô-San commence par faire doubler les tours de veille des guetteurs : il ne veut pas risquer d'être victimes d'un coup de main, maintenant que s'éloigne l'armée impériale qui tenait en respect les villageois des montagnes. Mais ensuite, il déballe les plus belles de ses marchandises. Même si je tiens à rester discrète et que je n'ai dépensé jusque-là, pendant notre halte forcée, que de quoi nous procurer de la nourriture auprès de ceux qui avaient des réserves, je ne peux m'empêcher d'ouvrir mon coffre secret et de nous acheter, à Lykeïna et à moi, plusieurs magnifiques pièces de soie. L'une d'un vert émeraude brillant et l'autre d'un jaune soleil éclatant. Mô-San nous montre comment l'on s'en enveloppe tout le corps dans le pays d'où vient ce merveilleux tissu. J'achète aussi à un autre marchand deux bracelets d'argent, représentant les torsades écaillées d'un serpent aux yeux incrustés de jade et se portant sur l'avant-bras. J'en offre un à Lykeïna. Je donne aussi à Siminthês notre guide, et à mes deux Cerbères, de quoi s'amuser à leur guise. Ma suivante, les yeux brillants, me persuade que nous n'avons rien à craindre de ces caravaniers, avec lesquels nous venons de passer assez de temps pour nous rendre compte qu'ils étaient honnêtes, et que nous pouvons nous parer pour la fête des bijoux que je tiens soigneusement cachés dans notre chariot. Renonçant pour un soir à ma prudence habituelle, je sors le collier de Mausôlos, dont la rose de rubis au milieu de ses feuilles d'émeraude provoque l'admiration de tous ces marchands, habitués pourtant à acheter et à vendre des merveilles.

Nous passons une bonne partie de la nuit dans les chants et les rires. Tandis que je joue de l'aulos, Lykeïna danse. À un moment, elle improvise un duo en compagnie de l'un des guetteurs. Alors que je n'avais jamais remarqué sa présence dans les journées d'attente que nous venons de vivre, il attire cette nuit-là tous les regards, en évoluant aussi gracieusement que ma suivante, sans art mais avec une souplesse naturelle étonnante. C'est comme si, pendant ces heures suspendues, la magie d'Isodaïtès se posait sur le plus invisible d'entre nous. Le numéro des deux jeunes gens, qui font connaissance en dansant, est si charmant que tous les spectateurs leur jettent des pièces et des éloges. Le feu danse lui aussi, et ses étincelles se mêlent aux étoiles luisant dans le ciel nocturne enfin dégagé. Mô-San, contre lequel je me tiens appuyée, me fait comprendre qu'il est heureux de reprendre sa route mais un peu mélancolique de devoir me quitter. Il nuance sa gravité de juste assez de légèreté pour que je puisse m'abandonner à l'atmosphère de la fête et explorer avec plaisir la profondeur de la nuit entre ses bras de voyageur un peu âgé mais plein d'expérience. Au matin, un seul incident. J'ai donné la permission à Lykeïna, qui paraissait dans le même état d'esprit voluptueux que moi, de rester en compagnie du joli jeune homme, mais la pauvre n'a pas eu ma chance. Son partenaire de danse a disparu en plein milieu de la nuit, sans même l'avoir touchée, en emportant le bracelet que je venais de lui offrir. Personne ne le connaissait dans la caravane : nous pensions qu'il s'agissait d'un guetteur et les marchands, malgré leur surprise, qu'il était avec nous. Sûrement un petit paysan du coin, assez miséreux pour préférer le bijou aux charmes de ma suivante. Lykeïna a l'air si dépitée que je ne peux m'empêcher de rire. Peut-être, lui suggéré-je avec malice, Isodaïtès ne voulait-il pas qu'elle succombât aux charmes d'un autre jeune homme que Mithradatès et c'est pour cela qu'il a fait miroiter dans la nuit aux yeux du jeune inconnu son bracelet plus que les courbes blanches de ses hanches ? Pour toute réponse, elle rougit. Au même moment, Adômas et notre guide sortent ensemble très guillerets d'une des tentes des servantes. Quant à Kistôn, comme d'habitude, je ne sais rien de l'endroit où il a passé la nuit, mais il est là, silencieux, prêt à partir.

De retour sur la Route, nous quittons les marchands, après nous être mutuellement souhaité bonne chance. Même si j'ai beaucoup taquiné ma suivante, je ressens depuis le matin un mauvais pressentiment. Je ne sais sur lequel de nos deux groupes la catastrophe va s'abattre. Ils sont plus nombreux que nous, paraissent plus à même de se défendre, suivent l'armée impériale, mais leurs marchandises attirent sûrement bien plus les convoitises que nos personnes. Du moins, c'est ce que j'espère. Les Cerbères, eux aussi, redoublent de précautions, Adômas devant nous et Kistôn derrière. Moins de deux heures plus tard, lors de la première halte, ce que je craignais depuis le début finit par arriver. Nous sommes attaqués par une douzaine de voleurs, qui débouchent soudain du chemin devant nous. Pourtant Adômas monte la garde un peu plus loin mais les bandits ont dû réussir à tromper sa vigilance. Kistôn est désarmé avant d'avoir pu esquisser un geste pour nous défendre. Les assaillants encerclent le chariot, dans lequel Lykeïna et moi avons juste eu le temps de nous réfugier et nous donnent l'ordre de descendre. Ils poussent des cris de joie lorsque nous sommes obligées de baisser notre capuche. Parmi eux, je reconnais le garçon de la veille, qui porte à son bras nu le bracelet qu'il a volé à Lykeïna. Plus jeune, plus beau, plus propre que ses compagnons, mieux habillé, il est sûrement chargé de s'infiltrer parmi les caravanes pour observer les marchandises. Je regrette amèrement d'avoir cédé à la tentation d'acheter des tissus et des bijoux la veille au soir. Moi qui n'ai jamais été la plus coquette des hétaïres, bien au contraire, voilà que je suis perdue par un unique moment de faiblesse !

J'ai un instant l'illusion de croire que c'est le joli jeune homme qui commande les brigands mais je dois rapidement déchanter. Le vrai chef approche. La barbe grisâtre et en désordre, les yeux éraillés, les dents gâtées, il est l'un des boucs les plus vieux, les plus laids, et les plus sales que j'aie jamais vus. Il a l'air féroce, sans pitié aucune. Je suis terrorisée mais je parviens à donner l'ordre au Cerbère, qui tente de faire un geste pour nous protéger, de ne pas résister. Le chef nous observe toutes les deux, ses petits yeux luisant de triomphe et de convoitise. Puis il repousse brutalement Lykeïna vers le groupe de ses compagnons et pose sa main sur ma nuque. Je retrouve instantanément la mémoire de ce geste de violence : c'est celui que Gorgidas le Thébain m'a déjà obligée à subir autrefois. Je suis moins désarmée qu'à l'époque, plus expérimentée, mais je ne vois aucun moyen de résister. Dans ma panique, je me souviens des propos prophétiques du guide sur ces voleurs, qui entraînent les voyageurs dans les montagnes pour jeter leurs cadavres au fond des ravins. Après tout ce que j'ai vécu, vais-je finir anonymement égorgée par des bandits sur une route perdue de l'Empire ? Ce serait totalement absurde et donc totalement vraisemblable. Dans l'immédiat, je ne peux rien faire qu'essayer de gagner du temps. Je ploie la nuque humblement. Je tente de sourire à l'horrible bonhomme, qui, répondant à mes avances par une brutalité, me renverse la tête en arrière et commence à me rudoyer les seins. Il sent tellement mauvais que je me demande comment je vais parvenir à le satisfaire sans vomir. J'entends les cris de la malheureuse Lykeïna que les autres types sont en train de se disputer. J'espère qu'elle va avoir comme moi la présence d'esprit de ne pas résister. Je me doute que le jeune homme agile n'aura pas l'autorité nécessaire sur ses compagnons pour éviter à ma servante d'être trop mise à mal. Bien que le dégoût, mêlé à la terreur, me serre la gorge, je me dis qu'il faut que je me dépêche de donner du plaisir à cet animal puant, de gagner ses faveurs et sa protection, pour pouvoir le plus tôt possible venir en aide à Lykeïna et à mes deux serviteurs. Je dois nous maintenir en vie le temps qu'Adômas, le deuxième Cerbère, notre dernier espoir, qui a dû maintenant se rendre compte que quelque chose d'anormal était en train de se passer, trouve le moyen d'intervenir. Bravement, je me mets à genoux devant mon bourreau et je plonge une main dans l'infection qui lui tient lieu de pantalon bouffant pour dégager son sexe. Ah, l'ignoble bouc ! Devant mon brusque changement d'attitude, il éclate de rire, desserre sa prise pour me laisser le satisfaire et se redresse de toute sa hauteur. Soudain, avant même que je l'aie vraiment touché, il a un sursaut de plaisir, son rire devient une sorte de gargouillis, il tombe à genoux à côté de moi, sa tête venant heurter mon épaule dans un brusque geste d'abandon. Par réflexe, je le repousse de toutes mes forces. Il ne résiste pas, s'écroule sur le dos, et je distingue la pointe d'une flèche qui lui sort du ventre.

À ce moment-là seulement j'entends les cris. Discerne le tumulte. Je tourne la tête et j'aperçois une vingtaine de cavaliers, vêtus de noir, armés d'arcs et de longues épées courbes. Après avoir massacré ceux des voleurs qui s'apprêtaient à égorger mon serviteur et le guide, ils se ruent au galop à la poursuite des autres. Une escouade providentielle de datihmara ! En quelques minutes à peine, dans un silence étrange que troublent seulement le sifflement des armes et les ordres gutturaux que se jettent les hommes, ils ont abattu encore deux ou trois voleurs, et capturé les autres. J'ai l'impression que deux seulement de nos assaillants ont réussi à s'enfuir dans les éboulis de la montagne. Les policiers viennent l'un après l'autre rendre compte à celui qui paraît être leur chef. Ce dernier, sans même descendre de cheval, s'avance vers nous et nous jette quelques mots impérieux en persan. Le guide lui répond d'une voix tremblante. Un bref dialogue

s'engage et Siminthês, dans un grec que la frayeur rend plus hésitant encore que d'habitude, parvient à me traduire les rudes propos de l'officier. D'après celui-ci, nous avons eu de la chance que les
voleurs ne nous entraînent pas loin de la route, dans leur retraite de
la montagne, où jamais nous n'aurions été retrouvés. À vouloir violer les deux femmes sur place, nos assaillants ont oublié toute prudence et ils vont le payer cher. Se retournant, le capitaine donne
un ordre à ses soldats, qui se saisissent aussitôt dans leur paquetage
de haches et se mettent à émonder deux ou trois des arbustes environnants, taillant leurs branches pour en faire des pointes acérées.

Pendant ce temps, le capitaine me conduit un peu plus loin
jusqu'à un corps étendu sur le sol. Et là, j'ai la douleur de reconnaître Adômas, mon Cerbère, égorgé. Je pousse un cri de désolation. Le guide me demande de la part du capitaine s'il s'agit d'un
de mes serviteurs. Si oui, ce mort-là sera traité avec les honneurs.
Puis, sans me laisser le temps de me lamenter sur le cadavre de mon
fidèle garde du corps, l'officier me ramène de force vers le chef des
bandits, l'ignoble vieux bouc qui s'apprêtait à me violer. La pointe
de la flèche qui l'a frappé par-derrière lui sort toujours du ventre.
Pourtant, il n'est pas mort mais se tord en gémissant de douleur
sur le sol. D'une voix suppliante, il s'adresse au policier, et, même
si je ne connais pas la langue dans laquelle il parle, je devine qu'il
lui demande, non de l'épargner mais de l'achever. L'autre dégaine la
longue dague qu'il porte au côté. Il pose ses deux bottes sur les bras
de l'homme à terre pour l'immobiliser, il se penche, et l'attrapant
par les cheveux, au lieu de l'égorger, il lui plante son arme successivement dans chacun des yeux. Puis, de quelques gestes affreusement
précis, il lui tranche le nez et les oreilles, les pieds et les mains. Le
sang jaillit, et à chaque mutilation, le brigand pousse un cri affreux,
dans un sursaut de révolte ou de douleur.

Ensuite, sans marquer aucune émotion, l'officier donne un ordre
bref à ses soldats. Ceux-ci se saisissent du corps pantelant du brigand
mutilé, qui pousse de longs râles, mais aussi des six ou sept autres
voleurs restés entre leurs mains, dont le jeune homme souple de
la veille. Ce dernier, malgré son agilité, n'a pas réussi à s'échapper,
peut-être parce qu'il était trop occupé à déshabiller Lykeïna. Aucun
d'entre eux ne me paraît plus du tout effrayant, mais effrayé, efflanqué, crevant de faim et, maintenant, de trouille. De simples paysans,
sans doute, descendus d'un des villages des alentours qu'a réduits à la
famine le passage de l'armée impériale. Les soldats, avec brutalité, les

mettent entièrement nus. Vision pitoyable de leurs corps maigres et sales. Malgré leurs supplications, qui résonnent affreusement contre les rochers nous environnant, ils les entraînent vers les arbustes. Après leur avoir infligé les mêmes mutilations que l'officier à leur chef, se mettant à trois pour accomplir leur épouvantable besogne, ils les empalent l'un après l'autre sur les branches émondées. Le plus jeune passe l'un des derniers. Je ne peux m'empêcher de remarquer son sexe en érection. Le malheureux bande de douleur, de panique, de révolte, de peur de mourir, de désir fou de vivre. Je ressens tout cela pendant quelques instants comme si j'étais en lui. Mais je ne parviens pas non plus à éviter de penser, avec une distance cruelle, qu'il aurait bien dû cette nuit faire l'amour à ma douce Lykeïna, au lieu d'aller rejoindre ses compagnons et leur signaler notre arrivée. J'ouvre la bouche pour demander sa grâce, mais l'officier, d'un geste rude, m'intime l'ordre de me taire. Cela ne me concerne pas. L'un des soldats, qui a remarqué comme moi l'étrange preuve de terreur que leur donne le jeune homme, dégaine de nouveau sa dague et, d'un seul mouvement, lui tranche le sexe, qu'il jette avec dégoût dans les rochers. Pendant qu'on maintient le malheureux, qui s'est mis à hurler, et qu'on accomplit sur lui le reste de la mutilation, l'officier lui arrache le bracelet qu'il porte au bras. Il me le tend et je devine qu'il me demande dans sa langue si le bijou m'appartient. Les lèvres scellées, je le saisis machinalement.

Quelques minutes après, le pauvre gamin, qui ne doit pas avoir seize ans, et qui n'a pas cessé, pendant toute son exécution, de pousser des gémissements pitoyables (je devine qu'il appelle sa mère au secours, ou peut-être moi), se tord, le visage grumeleux de sang, dans des postures et des grimaces repoussantes, suspendu comme ses compagnons de rapine et d'infortune à ces deux horribles chandeliers humains. Vision de cauchemar. De toute ma vie, même la nuit où Thratta et moi nous avons pendu un étranger dans un bouge du Phalêron, même celle où nous avons émasculé un esclave pour faire revenir l'ombre d'Attis, je n'ai jamais assisté à scène plus atroce. Le seul de mes souvenirs qui pourra jamais l'égaler en horreur, ce sont les sursauts d'agonie de mon père et de Phaïdros entre les bras indifférents de leurs meurtriers et mes propres ruades désespérées sous l'assaut humiliant de Gorgidas. La violence subie par ce jeune villageois du Zagros fusionne instantanément dans mon âme avec celle que j'ai vécue moi-même autrefois. Épouvantée, je vois les gardes à ramasser sur le sol les corps des cinq voleurs, qu'ils ont tués à coup de flèches pendant l'assaut, pour leur faire subir, en jurant, le même sort humiliant : ils mutilent et empalent des cadavres !

Tandis que les autres suppliciés, ceux qui ont l'infortune de ne pas mourir sur-le-champ, continuent à pousser des cris déchirants de douleur et de supplication, le capitaine se tourne vers nous, qui restons pétrifiés d'horreur. Il nous tient tout un discours, qui n'est qu'une juxtaposition de phrases rudes. Notre guide nous les traduit en tremblant. L'officier, nous dit-il, ne fait pas cela pour venger notre compagnon, car il ne sait pas encore qui nous sommes et si nous ne méritons pas le même sort que ces hommes. Il agit ainsi pour servir d'exemple aux autres voleurs qui doivent craindre la justice de l'Empire. Nous avons eu beaucoup de chance que son escouade passe ici par hasard. Le policier se demande bien ce que deux femmes presque seules font dans un pays aussi dangereux. Si nous avons vraiment le droit d'emprunter la Voie Royale, nous sommes comme lui des serviteurs du Grand Roi et nous devons nous réjouir de voir son ordre respecté. Si nous sommes de simples prostituées itinérantes, nous subirons pour l'exemple le même sort que ces voleurs. Le capitaine nous demande alors notre laissez-passer. Il le déroule et commence à l'examiner d'un œil soupçonneux.

Je l'observe avec toute l'attention et la froideur dont je suis capable. Rassemblant le peu de raison qui me reste, je m'efforce, à la lumière de ses paroles, de deviner le mouvement de pensée de ce soldat perse. Je sens qu'il hésite. Non pas évidemment à nous mettre à mort, comme de simples voleurs de grand chemin, mais à nous arrêter. Il est en train de se demander s'il est bien nécessaire de s'encombrer de quelques prisonniers, qu'il faudrait entasser dans leur chariot de voyage et qui risquent de le retarder dans sa cavalcade. Car il est lancé, j'en ai soudain le pressentiment, à la poursuite de la caravane qu'il était chargé d'escorter et que, pour une raison quelconque, il a manqué à Arbêla. D'un autre côté (j'ai l'impression de suivre ses atermoiements derrière ses sourcils froncés), est-il bien prudent de laisser s'échapper des envoyés du satrape de Karie, personnage très puissant mais dont il croit savoir qu'il est en rébellion plus ou moins ouverte contre le Roi, sans les avoir fait contrôler par une autorité plus compétente que la sienne ?

Alors je décide d'intervenir. Je m'adresse à lui en grec, mais sur un ton dont je veux qu'il perçoive la solennité. Je lui déclare que je ne suis pas au service du satrape de Karie mais de la grande déesse Anahita. Je ne viens pas d'Halikarnassos mais de beaucoup plus loin, du côté du soleil couchant et des limites extrêmes de l'Empire, de l'autre côté de la mer. Je suis chargée d'un message important, adressé au chef du collège des Mages à Sousa, qu'il ne convient pas à un simple officier respectueux de son devoir et de sa place, ni d'entendre ni de retarder. Si je voyage en faible équipage, sans les marques d'honneur qui m'accompagnent d'ordinaire, c'est pour aller plus vite et plus discrètement. Je suis placée sous la protection de la Déesse. Lui et ses soldats ne sont pas arrivés par hasard, comme il le croit, ni parce qu'ils avaient manqué la caravane qu'ils avaient pourtant reçu l'ordre d'escorter. Ils ont été retardés par la volonté d'Ahura Mazda, qui voit tout, pour protéger les servantes de son Épouse divine. Je le remercie d'ailleurs d'avoir si bien accompli la mission que le destin lui avait confiée sans qu'il le sût lui-même. Je vais relever son nom et il recevra bientôt, de la part de l'intendant du Grand Roi en personne, la récompense honorifique qu'il mérite pour sa loyauté. Il sera chargé également de distribuer quelques autres faveurs, d'importance moindre, à chacun de ses soldats, ou du moins à ceux qui le servent comme ils le doivent. "Tout sera fait selon la volonté de la Souveraine Anahita et d'Ahura Mazda, le Maître des Eaux et de la Terre."

Siminthês me regarde stupéfait, puis il se met à traduire lentement mes paroles. J'ai essayé d'entrer dans la mentalité perse, comme je m'étais déjà essayée à le faire devant les deux satrapes et devant le commandant du fort de l'Halys, afin de tenir à cet officier un discours qu'il puisse comprendre mais qui soit apte aussi à le dépasser, à l'impressionner sans le déconcerter. Ai-je réussi ? Le soldat écoute, impatient d'abord, très méfiant ensuite, hésitant, puis décidant brusquement de se laisser convaincre. Au moment où j'ai parlé de récompense, évidemment. Ou peut-être un peu avant ? Lorsque j'ai mentionné qu'il était en retard dans sa mission d'escorter la caravane, mais que, pour cette faute, que j'ai devinée sans qu'il m'en ait parlé, prouvant ma prescience ou la qualité de mes informations, au lieu d'être puni, il serait récompensé ? Il s'incline désormais devant moi, me parlant avec moins de rudesse et presque du respect, feint ou sincère. J'ai le bonheur de découvrir qu'après avoir appris à manipuler les Athéniens (bien que j'aie perdu beaucoup de temps à les scandaliser), je commence à obtenir le même résultat sur des Perses. À entrer dans leur logique, aussi souplement que j'en suis capable, même si je sens que c'est encore avec maladresse, pour la retourner de l'intérieur.

L'officier nous propose de nous accompagner, au moins jusqu'à Arbêla, mais je décline son offre. Je prétends que je continue à me placer sous la protection de la déesse et que celle-ci lui permet, par ma bouche, de rattraper la caravane qui le précède de quelques heures seulement. Il peut pourtant me rendre un dernier service. J'ai besoin de savoir à quelle distance se trouvent un mage et son assistant, qui progressent seuls sur la route et qu'il n'a pu manquer de croiser, tant ce dernier accomplit de prodiges. Mais, à ma grande surprise, l'officier me répond qu'il ne voit pas de qui je parle. J'observe avec attention son visage mais j'ai pris une telle emprise sur lui qu'il me paraît douteux qu'il cherche à me mentir. Le mage se cache-t-il des datihmara ? Pourtant, jusqu'à maintenant, il n'a pris aucune précaution, paraissant même au contraire chercher à attirer le plus possible l'attention, afin d'augmenter sa clientèle. Je ne sais que penser.

L'officier, qui s'éloignait, revient tout à coup vers moi, l'air sombre. Coup au cœur. Se repent-il de nous laisser aller, s'est-il au contraire souvenu d'avoir entendu parler du mage itinérant et de mon fils ? Le guide me traduit les dernières recommandations du soldat : celui-ci me prie de ne surtout pas toucher aux cadavres des voleurs qui doivent rester empalés sur les arbres. La demande est exposée en termes respectueux, je le perçois, mais fermes. Cette mesure macabre paraît de la plus haute importance aux yeux du policier. Avec un sourire bienveillant, qui masque mon dégoût, je lui réponds que cela le concerne lui, et non pas moi : tout ce qu'il fait en tant que garde de la Voie Royale est bien fait. Il repart au galop, manifestement soulagé. Dès qu'il a disparu au tournant du chemin, j'envoie quand même Kistôn abréger si besoin les souffrances des suppliciés. Le joli petit paysan agile, ou plutôt son corps affreusement mutilé, est sans vie. Le Cerbère achève le seul des voleurs qui ne soit pas encore mort.

Puis, avec le guide, il s'occupe d'une tâche encore plus pénible. Il creuse un trou profond, dans le sol caillouteux de la montagne, afin d'y enterrer Adômas, son cousin et son frère de sang, pour le mettre à l'abri des bêtes sauvages, qui viendront se repaître des cadavres, s'ils parviennent à les arracher aux épines des arbres. Pendant ce temps, Lykeïna et moi, nous nous efforçons, malgré notre peine et notre horreur, de laver le corps, la gorge ouverte et la poitrine souillée de sang, du plus fidèle de mes serviteurs. Celui qui, après m'avoir tant fait peur lorsque j'étais l'élève de Nikarétê, a veillé sur moi dans tous les délires nocturnes de ma vie sulfureuse à Athênaï, a fait face à la foule hostile lors de mon procès, a cherché Attis pour moi dans tous les bouges du Peïraïeus, avant de venir mourir si loin de chez lui, en tentant une dernière fois de me protéger, sur un sentier perdu des monts du Zagros. Je me souviens des tatouages qu'il portait sur tout le corps et jusque sur le sexe, je me souviens de ses grimaces effrayantes et de ses éclats de rire, je me souviens des confidences qu'il nous a brusquement faites lors de notre traversée du Katpatuka, et de son sourire, le matin même, lorsqu'il est sorti avec le guide de la tente des servantes. Nous prenons le temps d'accomplir le rituel. Au dernier moment, je place autour des poignets de mon garde du corps les deux bracelets qui nous ont coûté si cher, afin qu'il puisse payer son passage à Hermês et que celui-ci le traite comme un hôte de marque, empêchant le chien des Enfers de le dévorer. C'est la première fois que je vois le mufle de Kistôn, le plus froid, le plus insensible de mes trois Cerbères humains, se tordre de chagrin. Lorsque nous arrivons à l'étape suivante, je loue une chambre pour lui, et je vais y passer la nuit en sa compagnie. Je le prends dans mes bras, j'attire sa grosse tête laide et brutale contre mon sein et je caresse pendant des heures ses cheveux gris. Je lui murmure qu'il peut pleurer parce que personne ne le voit. Il m'obéit. Je sens ses larmes mouiller ma poitrine et se mêler aux miennes. Je suis Perséphonê égarée dans les Enfers, qui pleure en caressant la tête désormais unique du chien Kerbéros, parce qu'elle découvre qu'il est aussi perdu qu'elle. Ensuite, en rêve, je descends escorter son frère Adômas dans le dédale de mon royaume et j'embrasse une dernière fois sa main tatouée, pour le remercier d'avoir veillé si fidèlement sur moi.

Arrivés au relais suivant, au pied de la citadelle fortifiée d'Arbêla, nous mettons tous plusieurs jours à nous remettre de nos émotions. Même la pensée de Mithradatês n'est pas capable d'arracher mon âme et celle de Lykeïna à la tétanie de l'épouvante. J'espère seulement que son mage a été assez puissant pour leur éviter d'autres bandes de voleurs et qu'ils ont pu continuer en paix à reprendre de l'avance sur nous.

50

CELLE QUI PRÉSENTE L'ÉNIGME
ET CELLE QUI OFFRE LA SOLUTION

Le passage tout récent de l'armée impériale a laissé le relais d'Arbêla presque vide de tout ravitaillement. L'employé, sur présentation de mon laissez-passer, mais après bien des palabres, parce que celui-ci ne mentionne pas que j'ai le droit de réquisitionner des chevaux de la poste officielle, finit par accepter de me louer très cher l'un des deux seuls qui lui restent. J'envoie le guide en éclaireur. Il revient une semaine plus tard, bredouille, après avoir exploré la direction de Sousa, puis être descendu un peu du côté de Babylôn, mais sans avoir obtenu la moindre information. En supposant que le mage et mon fils n'aient pas été victimes de voleurs, ils paraissent s'être évanouis sur la Voie Royale. Que faire ? Je ne sais pas. Je ne dors plus.

Pourtant une nuit, je sombre d'un seul coup au fond du sommeil. Comme si, lestée de ma fatigue, j'avais outrepassé une limite. Je me retrouve dans ce que je sais être le grand temple d'Ekbatana, même s'il ne s'agit que d'une immense salle totalement déserte. En son centre se dresse la statue monumentale d'Anahita, dont on m'a dit plusieurs fois qu'elle était la plus belle de tout l'Empire. C'est une femme majestueuse, qui se tient assise sur une sorte de montagne. Dans l'une de ses mains, elle tient un flambeau et dans l'autre une fleur. J'aperçois, très haut au-dessus de ma tête, la courbe de son sein nu. Encore au-dessus, le visage de la déesse laisse tomber sur moi son sourire depuis les hauteurs vertigineuses de la voûte. Sous ses pieds sont assis deux lions à l'air féroce. Soudain, dans le halo que dessine la crinière d'un de ces fauves, qui, à eux seuls, dépassent la taille humaine, j'aperçois Mithradatês. Coup au cœur ! Je ne discerne pas clairement l'expression de son visage. Sourit-il ? Grimace-t-il ? Malgré tous mes efforts, je ne parviens pas à m'approcher. Je me réveille couverte de sueur. La léthargie est toujours là mais j'ai trouvé, dans la salle du temple de mon rêve, l'énergie de la dépasser et de me remettre en mouvement. Faisant confiance à ma vision, je décide d'obéir à la déesse et de quitter la Voie Royale pour me diriger vers Ekbatana, comme j'en avais fait la promesse dans le temple de Sardeïs. Lykeïna, qui n'attendait elle aussi qu'un signe de ma part, est aussitôt prête à me suivre. Kistôn se prépare sans un mot. Mais il faut que je parlemente longtemps avec le guide, et que je vide mon coffre de quelques-unes de ses dernières pièces d'or, pour le persuader de nous accompagner dans ce changement d'itinéraire, qui nous conduit à monter sur le haut plateau désolé de la Médie au lieu de nous laisser descendre dans les riches plaines du bord du Tigris.

Au bout d'un ou deux jours d'angoisse, sur le chemin plus étroit qui monte sans cesse et où notre chariot progresse plus difficilement, nous traversons des villages poussiéreux, où en l'absence de relais officiel, il nous faut désormais acheter fort cher un peu de nourriture. Nous en venons même à troquer les bijoux offerts par Artabazês contre quelques galettes d'orge. Mais nous avons la joie d'obtenir des nouvelles du mage et de Mithradatês : eux aussi, avec une dizaine de jours d'avance sur nous, paraissent se diriger vers l'antique Cité Sacrée. Je triomphe. Je suis fière de nous avoir permis de retrouver leur trace, grâce à une prémonition manifestement envoyée par les dieux. Tandis que nous nous engageons sur le plateau désertique, dans ma rêverie hachée par le roulis chaotique du chariot, la vérité se fait peu à peu jour en moi. La déesse qui m'est apparue en rêve, trônant au flanc de la montagne, un flambeau et une fleur à la main, je finis par me souvenir où je l'ai déjà vue : sur la bague de ma mère, celle que m'avait transmise Manthanê à l'orée de mon adolescence ! Qu'est-ce que cela peut bien vouloir dire ? Est-ce la déesse ou simplement ma mémoire qui m'a inspiré cette vision, pour apaiser mon angoisse à un moment où je ne savais plus du tout dans quelle direction tourner mes pas ? En tout cas, je suis émue de retrouver ce souvenir. Quelle que soit l'origine de ces signes, tous m'entraînent vers Ekbatana. Peut-être la sagesse consiste-t-elle seulement à suivre le flux d'événements et de songes qui me conduit où je dois aller ?

Nous parvenons enfin devant la grande cité aux sept murailles, qu'a vues un jour le jeune Epiklês et dont chacun des créneaux successifs, ainsi qu'il me le racontait, resplendit d'une couleur différente, d'abord blanche, puis noire, rouge sang, bleu vif, rouge clair, argent, et enfin or. Elles étincellent toutes ensemble sous le soleil à la façon d'un arc-en-ciel, marquant, après les étendues arides que nous venons de traverser, l'entrée dans le monde merveilleux de la légende.

Le temple d'Anahita, ses dimensions prodigieuses, le luxe de ses pierres sculptées, de ses colonnes de bois précieux, de ses briques d'or et d'argent, nous laissent sans voix. Cet édifice est sûrement bien plus somptueux qu'a jamais pu l'être l'Artémision d'Ephésos. Au centre se dresse la statue. Elle dépasse de plusieurs coudées celle de la vierge guerrière debout dans le Parthénôn d'Athênaï, qui était jusqu'alors la plus colossale que j'avais jamais vue. Pendant tout le voyage, je me suis persuadée que j'allais retrouver la déesse aperçue dans mon rêve, assise sur la montagne et tenant entre ses mains le flambeau et la fleur. Dès le premier regard que je jette de loin à la statue, j'ai la déception de découvrir que je me suis trompée. Elle ne ressemble pas du tout à l'image de ce rêve, que je croyais à tort prémonitoire. Pourtant elle est très impressionnante. Aussi hiératique mais beaucoup mieux travaillée, et plus richement décorée encore, que celle de Sardeïs. Le détail qui me surprend le plus est qu'Anahita porte, par-dessus sa chevelure dénouée, une couronne d'or presque aussi haute que le trône sur lequel elle est assise, et, de plus, entièrement ouvragée : en son centre se détache le relief d'un jeune homme nu en transe (du moins, c'est ce que je crois deviner d'après la forme humaine qui y tord ses membres graciles). De chaque côté de ce corps masculin, placé pour ainsi dire sur le front de la déesse, converge une théorie de fauves et d'oiseaux, faits de divers métaux jetant des reflets sombres. Les boucles de la chevelure sont parées de fruits multicolores. Au ras du cou, la déesse arbore aussi un collier à larges anneaux, dont chacun enserre l'éclat vert sombre d'une énorme émeraude. Je remarque alors seulement les ailes triangulaires s'ouvrant en pointe dans son dos : leurs plumes stylisées ressemblent aux ondulations de son manteau, réunis en deux pans par-dessus la tunique orientale qui lui couvre tout le bras droit et tombe en plis verticaux jusque sur ses pieds nus. Mais ses vêtements découvrent nettement son sein gauche, un sein de mère bien rond et bien lourd, dont la pointe du téton est claire-ment marquée. Enfin deux lions, à la position curieusement ver-ticale, s'agrippent à ses jambes, comme s'ils cherchaient moins à la protéger qu'à grimper sur ses genoux pour s'y réfugier. Quand je reviens au visage, je me rends compte que, malgré ses proportions monumentales, et l'accumulation de bijoux et de signes symboliques qui l'encadrent, il dégage une impression de finesse, de douceur presque humaine. C'est cette partie de la statue, finalement, que l'on a le plus envie de regarder. Ne dirait-on pas que le sculpteur s'est inspiré d'une femme réelle ? Je pense soudain à Praxitélês. J'imagine souvent mon ami en train de travailler, paisiblement rivé à sa frise du monument d'Halikarnassos, comme un point fixe qui me rassure dans mon errance. Mais là, je regrette qu'il ne soit pas à mes côtés, pour savoir s'il aurait continué à mépriser l'art barbare ou s'il aurait été enfin sensible autant que moi à sa puissance, à son raffinement et à son expressivité.

À tout moment, je m'attends à apercevoir mon fils au pied de la statue, comme dans mon rêve. Mais je suis bien forcée de revenir à la réalité : personne ! Pas plus là que dans toutes les autres villes où je l'ai cherché en vain ! Est-il possible que la déesse m'ait trompée au moment même où j'ai écouté sans protester son appel et où j'ai suivi sans réfléchir cette intuition qui me venait d'elle ? Toutes ces semaines épuisantes de voyage pour rien ? Un instant me vient la pensée de me rebeller, de maudire la cruelle qui se joue ainsi de moi. Et puis je tente de me calmer : c'est la patience qu'elle me réclame, le septième et dernier voile derrière lequel elle se cache, dans le mythe d'Isodaïtês que j'ai raconté si souvent ! Alors je m'allonge à la façon barbare aux pieds de la statue colossale. Et je prie. Oui, du fond même de mon désespoir et de mon incapacité à la comprendre, je prie la Déesse. Parce qu'il est plus efficace et plus apaisant à la fois de la supplier que de la renier, comme j'avais la faiblesse de le croire à mes tout débuts, lorsque, chassée du sanctuaire de Korinthos et revendue à un trafiquant d'esclaves pour être conduite au Peïraïeus, je ne connaissais d'autre voie que la révolte. Lykeïna, prosternée à mes côtés, prie la déesse perse avec autant de ferveur que moi.

Au moment où nous nous relevons, une vieille prêtresse, entièrement vêtue de blanc, comme celles de Sardeïs, et dont j'ai eu l'impression qu'elle m'observait discrètement pendant que je contemplais la statue, s'approche de nous. Son visage, qu'elle me découvre en abaissant son voile, est tout rond, ce qui lui donne, malgré l'âge, un air enfantin et naïf. Pourtant, elle me rappelle Aâmet. Elle parle miraculeusement un peu de grec. Après l'avoir fait répéter, je finis par comprendre le sens de la phrase étrange qu'elle m'adresse. Elle me demande quels sont les autres visages et les autres noms de la

Grande Déesse dont une femme aussi pieuse que moi a déjà fait l'expérience. Je suis déconcertée par cette question. Mais je me dis que, si je lui propose une réponse satisfaisante, cette inconnue, qui est le premier contact que le hasard me propose à Ekbatana, pourra peut-être à son tour me fournir le secours dont j'ai besoin. Dans ma détresse, j'en viens à considérer cette vieille simplette comme la gardienne du temple, chargée de me proposer une énigme avant de pouvoir m'aider. Alors je prends le temps de réfléchir. Puis je lui déclare que je connais sept incarnations de la Déesse. La vieille prêtresse me sourit aussitôt, comme si ce nombre était celui qu'elle attendait. Elle m'invite à continuer. Je lui cite en premier Lêtô, la fille du Titan violée comme une simple nymphe, la jeune mère humiliée puis triomphante des jumeaux de Dêlos. Ensuite Artémis, sa fille, la vierge sans mari qui règne libre et seule sur les forêts de Béôtie et les marais d'Ephésos. Et Kybêlê, la sauvage des montagnes phrygiennes, qui, dans sa rage d'amour, émascule son amant, le volage Attis. Aphroditê, née sur le rivage de Kypros de l'écume légère de la mer du plaisir et pleurant le bel Adônis qu'elle n'a pas su empêcher de mourir. Dêmêtêr, la grave Éleusinienne, acceptant que sa fille passe comme les plantes six mois sous terre avant de lui être rendue. Isis, la patiente Égyptienne, qui rassemble les membres de son mari Osiris dispersés dans le delta du Nil pour lui redonner vie. Et enfin la puissante Anahita de Perse, dont j'appelle le parèdre, son fils et son amant, Isodaïtês, et que je sers à la suite de ma nourrice sous son nom d'Anaïtis. "Oui, déclaré-je à la vieille prêtresse, je connais intimement chacun des sept visages de la Déesse." Je ne découvre le sens profond de cette phrase qu'en la prononçant : ce que représente de spécifique chacune de ces figures féminines, son lien particulier au monde, je l'ai expérimenté successivement au cours de ma vie, presque comme si je les avais incarnées toutes, dans ma chair mais aussi dans mon âme, à un moment ou à un autre de mon parcours.

La prêtresse sourit encore plus largement. Ce visage de vieille toquée, rond comme la lune, est-il celui qui doit m'aider à trouver ma vérité ? Elle se tait, elle paraît réfléchir. Je profite de son silence pour lui poser à mon tour la question qui m'intéresse : a-t-elle appris quelque chose de l'arrivée dans la cité sacrée d'un mage appelé Abaxis et de son assistant muet ? Mais l'illuminée déjoue totalement mon attente. Sans se départir de son inaltérable sourire, elle me répond d'un ton léger, "non, je n'ai pas vu ton mage", comme si cette réponse n'avait aucune importance, et puis elle revient aussitôt à son idée première. Baissant la voix, comme si elle me confiait un secret dangereux, elle me glisse : "Tu sais beaucoup de choses, étrangère, mais il te reste à rencontrer… Banu Ishtar !". Ces deux derniers mots, qu'elle chuchote, me frappent vivement. Je les ai déjà entendus, mais où, mais quand ? "Banu Ishtar" : la prêtresse m'explique, s'aidant de gestes lorsque le grec lui manque, qu'il s'agit de la vraie Grande Déesse, cachée sous le septième et dernier voile. L'ultime visage, terrible, qui se révèle sous le masque bienveillant d'Anahita. Car Ishtar est différente de toutes les autres. Elle n'est pas seulement la déesse de la fertilité mais aussi celle de la destruction. Pas seulement celle de l'eau mais aussi celle du feu. Pas seulement celle de la vie mais aussi celle de la mort. Le vrai principe de la puissance féminine : la Déesse Lionne, que ses enfants supplient dans les combats, lorsque les dieux mâles ne peuvent plus rien pour eux. Celle qui défend la vie issue d'elle par le massacre. La Fauve qui se bat pour ses petits. La Bête qui surgit quand on ne l'attend plus. Je regarde stupéfaite la vieille prêtresse. Que cherche-t-elle à me dire ? Que cherche-t-on à me dire à travers elle ? Soudain je sais. Où j'ai entendu ces mots. Quel lien ancien m'unit à eux. Le premier, "Banu", m'a été enseigné par Manthanê, pour invoquer la protection de la figure représentée sur la bague de ma mère. Mais ma nourrice n'en savait pas le sens exact et c'est cette vieille prêtresse qui, des années après, me l'explique : "Banu" est l'un des termes les plus sacrés de la vieille langue babylonienne, il désigne la "Dame", la "Maîtresse", la "Puissante". Et le deuxième, "Ishtar", me ramène à l'un des épisodes les plus troublants de la légende que me racontait mon père, à la nuit de désespoir qu'il passa à se rouler dans la poussière aux côtés de son lieutenant babylonien, en appelant au secours la déesse guerrière.

Cette vieille prêtresse à visage d'idiote, qui emploie des mots de mon enfance, est-elle chargée de m'adresser le signe que j'attends ? Dois-je lui faire confiance ? Si je veux connaître le vrai visage de celle que je sers, me dit-elle, ce n'est pas ici, chez les Mèdes ni chez les Perses, que je le découvrirai, il faut que je retourne en arrière en Mésopotamie, le Pays d'Entre les Deux Fleuves, que je descende jusqu'à l'antique Babylôn, où elle-même a passé ses premières années, avant d'être déportée à Ekbatana par les envahisseurs. C'est là-bas que l'on prie la grande Ishtar et c'est là-bas, elle le sait, que je trouverai la réponse à la question que je me pose sur le mage khaldéen et son assistant. Elle m'invite à la suivre vers une petite hôtellerie dans les environs du sanctuaire, tenue par un Babylonien comme elle.

Avec ma suivante, j'y restaurerai mes forces, avant de reprendre, moi qui suis jeune et libre, le pèlerinage qu'elle me conseille d'accomplir à sa place vers Ishtar, la déesse perdue de son enfance. Ravalant ma honte, j'ose demander à la prêtresse, avant qu'elle ne nous quitte, un peu d'argent pour subsister. Mais la petite vieille, sans se départir de son sourire innocent, m'avoue qu'elle n'a pas une pièce de monnaie sur elle, et qu'elle est de toute façon aussi pauvre que moi. Le seul conseil qu'elle puisse me donner est de m'en remettre, pour tout ce qui concerne la vie matérielle, à la protection de la Banu. Oh, son petit geste de la main, au moment où elle disparaît au coin de la rue poussiéreuse, nous abandonnant sans remords à notre misère ! Je sais que je ne dois pas pleurer. Si cette innocente était chargée de me donner le signe, c'est sans doute à moi, malgré ma fatigue, de trouver le moyen de le suivre.

Kistôn et Siminthês, pendant que nous accomplissions nos dévotions à la déesse, ont fouillé les tavernes d'Ekbatana. Lykeïna, me laissant me reposer, va les chercher devant le sanctuaire et les ramène à l'hôtellerie. Eux non plus, comme je le redoutais, n'ont pas trouvé une seule trace du mage et de mon fils. Ceux-ci paraissent s'être de nouveau volatilisés sur la route et n'avoir jamais fait leur entrée dans la cité sacrée. Je me sens totalement perdue. Dois-je admettre que je me suis trompée, encore une fois, comme lorsque je cherchais dans le port d'Ephésos et non dans celui d'Issos ? Dois-je obéir au conseil de la vieille prêtresse, dont les propos énigmatiques me rappellent ceux d'Aâmet ? Dois-je redescendre du haut plateau où j'ai eu tort de monter, pour me laisser glisser par la Voie Royale jusqu'à Babylôn, où m'attend la terrible Ishtar ? Dans quel combat, dans quelle violence guerrière me jettera la Déesse Lionne pour me rendre mon fils ? Quelque chose, pourtant, me retient à Ekbatana et m'empêche de renoncer totalement à mon intuition première. Je suis si épuisée par le voyage, et par cette hésitation mortelle, que je tombe malade. Nous sommes réduits à un dénuement total. Lykeïna, qui refuse de se départir de nos ultimes richesses, le collier de Mausôlos et les deux pièces de soie précieuse achetées à Mô-San, décide de faire quelques passes furtives à l'ombre du sanctuaire, par le truchement de Siminthês et sous la protection silencieuse de Kistôn. Les quelques pièces qu'elle gagne, elle me les remet aussitôt. Je n'ai même plus la force de la remercier. Ma petite suivante est beaucoup plus forte que moi, elle ne se plaint jamais, elle se bat sans un mot pour retrouver Mithradatês, elle y croit encore. Mais moi sa maîtresse, cette nuit-là, j'ai l'impression que nous avons touché le fond du gouffre et je m'abandonne au désespoir.

Le lendemain, la vieille prêtresse babylonienne, que je croyais bien ne plus jamais revoir, me rend visite à l'hôtellerie. Elle m'apporte de l'argent. Et une nouvelle inespérée. Frappée par notre rencontre de la veille, elle a osé demander audience à la grande prêtresse qui dirige le temple, la fameuse Aspasia. Elle lui a parlé de ma piété et de ma beauté, si bien que sa maîtresse me fait l'honneur de souhaiter me rencontrer avant mon départ pour Babylôn. Aspasia : je me souviens avoir entendu prononcer son nom et raconter son histoire à la table du satrape d'Halikarnassos, au début de mon séjour en Asie, lorsque j'étais encore aux côtés de Praxitélês et pleine d'illusions sur moi-même. L'ancienne concubine du précédent Grand Roi, le vieux Mémnôn, qui l'a condamnée à cette retraite pour sa trahison après quarante ans de vie commune. Bien que cette invitation soit providentielle, j'hésite à m'y rendre. Je me sens plus misérable que belle, et totalement incapable de faire assaut d'élégance ou de courtoisie avec une vieille courtisane, dont la reine Artémisia m'a dressé un portrait si peu flatteur. Kistôn, sortant une deuxième fois de son silence, après son intervention dans les montagnes d'Arbêla, joint sa voix rude à celle de Siminthês : "Tu dois le faire, maîtresse !" Cette fois-ci, le fidèle Adômas n'est plus là pour compléter la pensée de son frère d'armes mais ma voix intérieure le fait à sa place : la grande prêtresse, si je sais la flatter, ou l'émouvoir, nous fournira sans doute un peu d'aide matérielle dans notre dénuement, ce qui évitera à la petite Lykeïna d'avoir à se sacrifier de nouveau. Alors je cède. Je fais l'effort de me parer comme je le peux, et conduite par la vieille prêtresse lunaire, je me rends au sanctuaire. Bien que je me force à sourire, je n'attends rien de cette rencontre.

C'est pourquoi, d'emblée, je suis stupéfaite.

L'ancienne concubine royale est âgée d'environ soixante-dix ans, elle ne cherche pas le moins du monde à cacher son âge, elle est vêtue d'une simple tunique immaculée, mais son visage, malgré les rides, est illuminé d'une sagesse si souriante qu'elle ressuscite aussitôt tout ce qu'il me reste de confiance enfantine. De ses cheveux, dont j'ai entendu dire qu'ils furent autrefois blonds, elle porte dénouées les torsades blanches sous le voile étincelant d'Anahita. La moindre de ses attitudes est empreinte d'une telle prestance et d'une telle autorité qu'à la regarder me vient spontanément à l'esprit, bien plus encore que devant la nerveuse Artémisia, le mot de "reine". Avant même qu'elle ait prononcé un mot, son magnétisme m'apaise. Elle m'évoque Lagiskê, mon amie d'Athênaï, mais en bien plus majestueuse. Je sais instantanément, dès le premier regard, et malgré la différence d'âge qui nous sépare, que cette femme a été beaucoup plus belle que moi. Elle est même l'une des premières dont je peux me le dire avec certitude. Cette découverte qui, en toute autre circonstance, aurait provoqué ma jalousie et mon découragement, n'éveille curieusement en moi que de la sympathie. Je voudrais pouvoir être aussi radieuse qu'elle à son âge. Mais je sens aussitôt que je n'y parviendrai jamais, sauf si je me montre capable de changer plus profondément encore que je ne l'ai fait jusque-là. J'atteins à peine à la maturité de la trentaine, j'ai été formée par Nikarétê dans la hantise permanente de voir apparaître sur mon visage les premières atteintes du temps, et je découvre avec étonnement l'extrême séduction qu'on peut garder dans la vieillesse. Attraction très différente, bien sûr, de celle de la jeunesse, plus subtile mais tout aussi puissante peut-être. Parce qu'elle ne suscite plus le désir mais quelque chose d'autre, dont même la femme que je suis ressent l'emprise. Quelque chose qui serait comme l'envie impérieuse de tout faire pour entrer dans les bonnes grâces de cette reine et faire naître sur ses lèvres son sourire souverain.

Alors que je ne m'attendais absolument pas à une telle rencontre, surtout dans ces circonstances désespérantes, et que je croyais même depuis plusieurs années ne plus en avoir besoin, Aspasia devient instantanément l'un de mes modèles. L'une de mes mères d'élection, comme, avant elle, Manthanê et Nikarétê. De son côté, je le constate avec une surprise sincère, elle paraît frappée par moi, par ce qui se dégage de moi et que je ne maîtriserai jamais tout à fait, cette grâce dont beaucoup m'ont déjà parlé et dont je discerne le pouvoir même sur cette femme que j'admire. Nous devenons amies au premier coup d'œil. C'est comme un coup de foudre affectueux. Aspasia est aussi âgée qu'Aâmet, peut-être, mais la relation qui s'établit entre nous est complètement différente de celle que j'entretiens avec la vieille Égyptienne. Cette dernière est devenue au fil du temps ma conseillère, ma confidente, ma protectrice mais elle ne sera jamais mon amie et elle n'a jamais été ma mère.

Le choc délicieux que j'éprouve en découvrant le visage sublimement ridé de cette femme est redoublé par le fait que, se penchant vers moi pour me relever, elle m'adresse la parole en un grec mélodieux. Je me souviens soudain que, lors du banquet où Arté-misia de Karie m'a raconté son histoire, la reine m'a appris que cette Aspasia était grecque comme moi, originaire du port de Phôkaïa sur la côte de Lydie. J'avais oublié ce détail mais il me revient brus-quement. Depuis plusieurs mois déjà que je voyage en pays perse, c'est la première fois que j'entends parler fluidement ma langue. J'en suis tout émue. J'en bredouille. Aspasia me sourit. Avec une grande simplicité, elle me demande de venir m'asseoir auprès d'elle. Après cet instant initial de trouble, nous commençons à bavarder comme de vieilles amies, ou des parentes qui se retrouveraient avec plaisir, après s'être perdues de vue. Aspasia me retient pour le déjeuner et puis tout l'après-midi.

Nous nous racontons nos vies. Elle me questionne avec beau-coup de pertinence sur mon itinéraire, et ce que je découvre dans le sien avec stupeur, moi qui me croyais unique, c'est à quel point, malgré nos différences, d'âge, de culture et de condition, nous nous ressemblons.

Orpheline de mère comme moi, cette reine était fille d'un pauvre et honnête artisan de Phôkaïa, nommé Hermotimos, qui l'adorait. Il lui avait donné le nom de Miltô, parce que ce terme désigne le rouge délicat des joues d'une fille naturellement pudique, et non celui trop cru du maquillage qu'elle semblait destinée à ne jamais porter. Enfant, elle aussi vivait dans une ville occupée. Phôkaïa, après la domination des Lydiens, subissait celle des Perses. Ceux-ci l'avaient détruite entièrement un siècle auparavant, lors de la grande révolte des cités d'Iônie, et, depuis sa reconstruction, ils avaient ins-tallé une garnison permanente sur une citadelle dominant le plus vaste de ses deux ports. Quand on croisait leurs soldats arrogants dans les rues, il valait mieux s'écarter. La petite fille était d'une beauté aussi prometteuse que la mienne, si bien que les femmes de sa famille la placèrent elle aussi très tôt sous la protection d'Aphro-ditê, déesse particulièrement révérée dans sa ville natale. Comme moi elle se prit à rêver de ce destin exceptionnel dont on lui incul-quait dès son plus jeune âge, la certitude. La fille du petit artisan imaginait que sa déesse les mènerait à la fortune, elle et son père, en lui faisant épouser le fils d'une riche famille grecque de la cité et qu'elle vivrait avec ses enfants dans l'une des splendides propriétés donnant sur le golfe. Elle se voyait aussi grande prêtresse du temple d'Aphroditê, où l'on viendrait prier de toutes les cités de la côte et qui atteindrait sous sa pieuse direction à une gloire plus grande encore que celui de Knidos.

Mais, sa foi dans notre commune protectrice fut comme moi à plusieurs reprises cruellement mise à l'épreuve. D'abord quand elle fut sur le point d'atteindre à la puberté. Alors qu'elle promettait de devenir la plus belle fille de la cité, et peut-être du littoral Iônien tout entier, une tumeur se mit à grossir sur son menton. En peu de jours, elle fut affreusement enlaidie. Le médecin, appelé pour la soigner, lui refusa l'onguent qui aurait préservé sa beauté naissante et peut-être sa vie, parce que son père ne pouvait le payer. À ce moment-là, celui où Aspasia me raconte qu'elle doute pour la première fois de son destin, quelque chose s'ouvre en moi, et je me mets à ressentir ses sentiments comme s'ils étaient les miens. Voilà, la petite Miltô, qui ressemble tant à la petite Mnasaréta, elle a quinze ans, elle regarde son visage dans son miroir, défigurée, désespérée et surtout stupéfaite : la déesse l'abandonne ! Tout ce qu'on lui a prédit depuis l'enfance se révèle faux ! Alors elle devient vraiment elle-même, en décidant, au lieu de douter, de se remettre entièrement entre les mains de sa protectrice, de croire tellement fort, tellement absolument dans sa faveur divine, que même le chancre affreux qui s'apprête à dévorer son visage devra renoncer. La nuit suivante, elle rêve. Une colombe immaculée entre dans sa chambre par la fenêtre qu'elle a laissée ouverte et se transforme en femme, très petite mais très belle, qui lui révèle le seul moyen de soigner la tumeur. Il faut qu'elle descende jusqu'au temple d'Aphroditê, qu'elle y prenne quelques-uns des bouquets de roses offerts à la déesse, et qu'elle en applique les pétales sur la plaie. Puis la femme redevient colombe et disparaît par où elle est venue. Au matin, Miltô se souvient de son rêve avec une netteté stupéfiante, comme je me suis souvenue, à plusieurs reprises, de ceux dont j'avais l'impression qu'ils avaient quelque chose à me dire, et tout récemment encore de celui de la statue d'Ekbatana qui m'a conduite jusqu'à elle. Sans souffler mot à personne, elle se dirige vers le temple, ignorant les remarques déplacées que les hommes lancent à cette fille déjà un peu trop grande pour aller seule par les rues. Elle ose gravir l'escalier jusqu'à la nef étrangement déserte et s'empare avec un frisson de crainte des bouquets placés au pied de la statue. Plusieurs nuits de suite, en secret, elle les applique sur la tumeur. Et, le septième matin, la plaie a disparu ! Peut-être, me dit la vieille femme qui me raconte en souriant ses angoisses de jeune fille, le chancre mortel n'était-il qu'un mauvais bouton de fièvre ?

En tout cas, convaincue de la protection divine, elle devient bien plus radieusement belle encore qu'on lui avait prédit. Très belle mais aussi très différente des autres filles, grecques ou lydiennes, qui l'entourent : ses cheveux sont naturellement blonds et frisés (du moins, c'est ce qu'on racontera ensuite, peut-être les aide-t-elle un peu, me confie-t-elle dans un nouveau sourire, de quelques teintures et quelques coups de fer ?). Sa peau est blanche, immaculée, comme celle de la colombe venue la visiter. Ses seins n'ont pas encore achevé de s'épanouir, mais ils sont déjà si doux et si fermes qu'aucun garçon n'ose même les imaginer en rêve. Et sa voix s'arrondit en même temps qu'eux, pas encore aussi grave qu'elle l'est devenue depuis mais déjà si mélodieuse qu'elle charme tous ceux qui l'entendent, comme si la moindre de ses paroles était un chant. C'est en tout cas ce qu'on tente de lui faire entendre dans les poèmes que l'on commence à lui adresser en grand nombre. Mais elle ne les écoute pas. Ou si peu. Elle est sage. Elle révère la céleste Aphrodité. Les plus riches des négociants lydiens, les plus brillants des fils de famille grecs sont prêts pour l'avoir à faire la folie de l'épouser. Son père, bien que simple artisan, reçoit de leur part plusieurs propositions de mariage. Contrairement à moi, elle n'aime aucun des garçons de sa cité, mais, pour faire le bonheur de sa famille, elle s'apprête à choisir l'un des plus fortunés, lorsqu'elle est, aussi brutalement que je le fus, arrachée à sa vie.

"L'Œil du satrape", l'intendant perse honni de tous, qui parcourt les cités de la côte non seulement pour collecter les impôts mais aussi pour rafler les plus jolies vierges, vient frapper un jour avec quelques soldats à la porte de la maison d'Hermotimos. Le Perse commence par proposer de l'argent, puis, devant le refus indigné du Grec, tout simplement, il enlève la fille. Personne dans le quartier n'ose protester. Désormais elle est déshonorée. Même si elle revient un jour, personne ne voudra plus l'épouser. Elle se retrouve enfermée dans un chariot entièrement bâché, que personne n'a le droit d'approcher sous peine de mort, en compagnie de trois autres filles très belles. En pleurant, ces dernières lui confient qu'elles ont été capturées à Smyrna et dans d'autres villes plus modestes de la côte. L'intendant leur annonce qu'il va leur faire l'honneur de les offrir à son maître. Elles doivent en être fières, puisque ce dernier est l'un des deux plus puissants personnages de tout l'Empire : Kyros, fils de Dareïos et de Parysatis, frère cadet du nouveau Grand Roi et satrape de toutes les provinces de la Mer de l'Ouest, si brillant qu'il mériterait d'occuper le trône suprême à la place de l'autre. On les amène à Kélaïnaï, près de Sardeïs, la capitale perse, dans le Paradis que Kyros vient de se faire construire (celui-là même, me dis-je, sans oser interrompre la conteuse, que mon père, lors de l'expédition qui devait libérer les cités grecques, détruisit une dizaine d'années après l'enlèvement de Miltô mais qui fut si bien reconstruit par le satrape suivant que je pus y passer une nuit au début de mon périple). Et voilà que les lourdes portes du jardin des délices se referment sur les quatre gamines effrayées !

Le fonctionnaire les remet à Pariskas, l'un des eunuques particuliers du satrape. Celui-ci, tout en les inspectant d'une moue blasée, les force à se dénuder devant lui et à se vêtir des voiles transparents des prostituées. Tandis que des servantes les maquillent et les couvrent de bijoux, l'eunuque leur déclare qu'elles seront présentées au maître à la fin du banquet. Celles qui auront l'honneur de lui plaire et qu'il consentira à faire monter dans son lit une nuit, garderont les bijoux et seront si richement récompensées, avant d'être rendues à leur père, qu'elles auront fait la fortune de leur famille pour des générations. Les autres, on les laissera aux gardes, qui en feront ce qu'ils voudront avant de les jeter ignominieusement hors des remparts du Paradis ou de les vendre. Les trois autres filles, séchant prudemment leurs larmes, se laissent parer. Seule Miltô refuse, encore sous le choc du rapt, par pudeur et aussi par indignation, parce qu'elle sait depuis toujours qu'elle est la future prêtresse du temple d'Aphroditê et non pas une simple putain d'une nuit. Pour qu'elle accepte de poser sur son corps les voiles honteux de la séduction, l'eunuque est obligé de la rouer de coups, évitant soigneusement de la frapper au visage. Puis les quatre filles, toutes tremblantes, sont introduites sur la vaste terrasse où a lieu le banquet, et d'où l'on découvre les perspectives enchanteresses des bassins, des jets d'eau et des bosquets. Mais elles ont bien trop peur pour jouir des délices de la fête, dont elles ne sont que l'un des ornements, l'un des desserts que l'on amènera au maître avec les pâtisseries.

On finit par les conduire vers le centre de la terrasse, où Kyros dîne en compagnie de ses plus proches compagnons. Les trois autres filles tentent par des sourires d'attirer son attention et se laissent caresser sous les yeux de tous. Seule Miltô ne sourit pas. Seule elle n'approche pas, restant obstinément debout, plusieurs pas en arrière de la banquette du satrape. À un moment, les gardes tentent de la pousser vers lui mais elle se rebelle et s'écrie en grec : "Il s'en repentira, celui qui osera poser la main sur moi !" Kyros éclate de rire et retient son eunuque, prêt à chasser l'insolente. Il s'exclame, lui aussi en grec : "Laisse-la, j'ai l'impression que c'est la seule des quatre à être vraiment vierge !" Puis, continuant à adresser la parole à la jeune fille dans sa langue, il l'invite courtoisement à venir s'asseoir à côté de lui et l'assure qu'il ne lui fera aucun mal. Au bout d'un moment, pourtant, il croit l'avoir assez amadouée, en lui donnant à la becquée quelques grains de raisin et quelques paroles flatteuses. Alors il lui pose la main sur les seins, comme il l'a fait avec les autres et comme il croit en avoir le droit. Furieuse, elle se remet debout, et, lui jetant un regard outragé, elle lève la main pour le gifler ou lui griffer le visage. Ce qui suspend son geste, et lui sauve la vie, ce ne sont pas les mouvements des gardes ni les menaces de Pariskas, mais la déesse elle-même et le regard stupéfait de Kyros, dans lequel elle croit discerner une nuance de respect. Il lui déclare avec un sourire : "Tu es divinement belle quand tu te mets en colère. Tu es la déesse en personne, prête à punir ceux qui l'offensent !" Puis il ajoute : "Mais je voudrais bien savoir si tu sauras te montrer aussi bienveillante qu'elle l'est avec ceux qui l'honorent." Et se levant lui-même, il lui tend le bras pour l'inviter à s'asseoir de nouveau. Après cette première marque d'honneur, pendant tout le reste de la soirée, il la garde auprès de lui sur sa banquette, ne regarde plus qu'elle, ne s'occupe plus que d'elle. Il a même la délicatesse inattendue d'attendre la nuit suivante pour lui demander de monter dans son lit, si bien qu'elle peut accepter sans rougir. De toute façon, Pariskas, qui la regarde avec toujours autant d'animosité mais un peu plus de considération, lui rappelle que, cette fois, elle est bien obligée d'obéir, si elle ne veut pas qu'il la fasse jeter par les gardes, pieds et poings liés, dans les forêts du Paradis où l'attendent l'oubli du maître et les fauves.

Le grand Kyros passe une nuit avec elle, puis une deuxième, puis dix. Et, à la grande surprise de Pariskas, de toute la cour mais surtout de Kyros lui-même, Kyros ne se lasse pas de sa petite Grecque. Plus il la possède, plus il désire la posséder, au point qu'il en fait bientôt sa concubine favorite. Dès le début, elle a la finesse de ne pas heurter la terrible mère du satrape, l'impératrice Parysatis, dont on raconte dans le harem les cruautés et qui est si jalouse du cœur de son fils cadet, le plus énergique, le plus viril des deux, celui qu'elle aurait aimé voir porter la tiare royale à la place de l'aîné, qu'elle tente, même à distance, de perdre les concubines qu'il aime un peu trop. Un jour où un marchand, pour faire sa cour, est venu offrir des bijoux somptueux à la favorite du satrape, Miltô conseille à Kyros de les envoyer plutôt à sa mère, qui se languit si loin de lui dans le palais de Sousa : "Ils sont dignes d'elle ; quant à moi, peut-être ma gorge, même sans ces ornements royaux, saura-t-elle te plaire ?" Parysatis, à qui son fils chéri narre la scène dans une lettre, ne tarit plus d'éloges sur cette concubine qui sait rester à sa place. Dans sa fortune miraculeuse, Miltô n'oublie pas son père. Les richesses qu'elle lui fait octroyer lui permettent de bâtir l'une des plus belles demeures de la côte. Elle pense aussi à sa ville natale et au sanctuaire d'Aphroditê, à qui elle offre une statue en or et une colombe en pierres précieuses, devant lesquelles elle vient prier chaque fois qu'elle est de passage à Phôkaïa. Miltô est vénérée par tous ses concitoyens. Kyros ne la désire pas seulement, il la chérit et la respecte, plus qu'aucune femme auparavant, même sa mère ce qu'elle le supplie de ne jamais avouer à cette dernière. C'est lui qui insiste pour qu'elle prenne le nom d'Aspasia, en hommage à la célèbre maîtresse du souverain d'Athênaï, Périklês. Née à Milêtos, sur la même côte que Phôkaïa, cette dernière avait été, à la génération précédente, la femme la plus belle et aussi la plus sage dont on ait gardé le souvenir.

Mais le destin de la nouvelle Aspasia va devenir encore plus extraordinaire. Lorsque Kyros, qui pense depuis toujours à se révolter contre Artaxerxês Mémnôn, son aîné, lui demande si elle aimerait être la favorite, non du satrape, mais du Roi des rois, elle se contente de sourire sans répondre. De toutes ses concubines du harem de Sardeïs, il n'en emmène que deux dans sa marche vers Babylôn contre les troupes du souverain légitime, elle et une Milésienne. Les deux armées se rassemblent près du village de Kounaxa, sur la rive de l'Euphratês. La veille de la bataille, Kyros choisit de passer la nuit entre les bras d'Aspasia, parce qu'il sait qu'elle aura la finesse de ne pas lui parler du lendemain et de lui dissimuler ses propres angoisses pour mieux apaiser les siennes. Au matin, en sortant de sa tente, il lui promet dans un sourire que, le soir même, elle régnera sur l'Empire.

Mais, alors qu'il a presque remporté la victoire et qu'il s'élance contre son frère pour lui régler lui-même son compte, il est tué par un inconnu d'un coup de javelot sous l'œil. Dès qu'elle l'apprend, l'autre favorite grecque, la fille de Milêtos, parvient à s'échapper vers le camp des mercenaires grecs battant en retraite et l'on n'entendra plus jamais parler d'elle. Artaxerxês Mémnôn, qui reste finalement vainqueur, et qui a entendu parler de la beauté d'Aspasia, envoie en hâte l'un de ses capitaines pour la capturer dans sa tente avant qu'elle ait pu s'enfuir elle aussi. Comme son frère mort, il en tombe instantanément amoureux quand on la lui amène. Et, pour la même raison : parce qu'elle pleure. Elle verse des larmes sincères sur le sort du cadet, sans chercher à flatter l'aîné ni lui dissimuler son chagrin, ni se prosterner devant lui, comme tous les lâches de l'entourage du traître défait. Elle peut se le permettre : elle a dix-sept ans et elle est aussi belle, dans ce vivace torrent de pleurs, qu'Aphroditê sortant de l'eau à son premier matin sur terre.

L'Artaxerxês Mémnôn, qui sait depuis toujours qu'il est moins brillant que son frère, met pourtant un point d'honneur à le lui faire oublier. Il l'établit lui aussi aux yeux de la cour comme sa concubine favorite et presque exclusive. Pourtant, dans son harem l'attendent, dit-on, plus de trois cent soixante femmes, une par jour de l'année, car le Roi doit se montrer d'une ardeur aussi inépuisable que le Soleil dont il est l'équivalent sur terre. La grecque Aspasia a la sagesse de rester neutre entre les deux souveraines perses qui se disputent le pouvoir et le cœur du Grand Roi. D'un côté sa mère, la toujours aussi terrible Parysatis, qu'elle s'oblige en toute occasion à flatter de son respect et avec laquelle elle pleure volontiers en secret le fils mort (d'ailleurs, c'est vrai, elle regrette un peu la fougue de Kyros au lit mais le second, le fils aîné, est bien plus agréable à vivre). Et de l'autre, sa femme, l'honnête et légitime Stateïra, avec laquelle elle pourrait presque être amie. Comme Kyros avant lui, Mémnôn respecte Aspasia et la consulte à l'égal d'une épouse légitime. Il lui répète que, chaque jour qui passe, elle est plus belle, plus désirable, plus sage, plus pieuse. Il aimerait bien savoir comment elle fait pour ne jamais prêter le flanc à la moindre critique au royaume de la calomnie qu'est le palais de Sousa. Dans tout ce harem, dans tout cet empire, qui aimerait ne la considérer que comme une petite putain grecque, elle force peu à peu le respect.

Or, me dit-elle, son unique secret pour rester elle-même et ne pas se perdre dans les intrigues de palais, c'est de continuer à se placer fidèlement entre les mains d'Aphroditê, qui regarde toute cette agitation de si loin. Aspasia reconnaît vite sa protectrice sous les traits d'Anahita, dont le nom, chez les Perses, signifie l'Immaculée. La Déesse Colombe. Celle, ajoute-t-elle, que l'on appelle aussi Araduui, l'Humide, parce qu'elle règne sur les eaux et qu'elle commande à la fertilité, et puis Sura, la Puissante, parce qu'elle est l'épouse d'Ahura Mazda et la mère de Mithra. En entendant Aspasia prononcer ces épithètes rituelles, et m'en expliquer le sens, je suis stupéfaite. Je lui demande de me les répéter : "Araduui Sura Anahita". Je reconnais, presque syllabe pour syllabe, la formule magique gravée sur la bague de ma mère, "Sura Ardui Anahita". Celle que, sur les conseils de Manthanê, j'ai répétée chaque matin pendant plusieurs années, même si je n'en comprenais pas la signification, en suivant du doigt l'inscription mystérieuse sur le chaton. Après m'avoir écoutée en souriant lui confier ce souvenir d'enfance, Aspasia remarque que c'est peut-être elle qui, indirectement, est à l'origine de la bague de ma mère. Car, pour continuer à révérer Aphroditê sans heurter la cour arrogante de Perse, elle se met dès les premières années qu'elle y passe à rendre un culte particulier à Anahita. Mémnôn en est frappé. Il en vient lui aussi à chérir cette déesse qui, dit-il, lui a marqué sa protection en lui envoyant une femme étrangère si belle et si sage. Il fait dresser dans le temple d'Ekbatana, la vieille cité sainte des Mèdes, une monumentale statue de la déesse, dont on murmure que le visage serait inspiré par celui de la favorite grecque. Le peuple, au lieu de s'en indigner, approuve. La ferveur devient telle aux pieds de la statue qu'elle réunit non seulement des Mèdes mais aussi des Perses, qui se plaisent à délaisser parfois les feux anonymes de Mazda. Le souverain a l'idée de couvrir son empire de statues d'Anahita, pour que les Grecs rebelles de la côte puissent, à la suite d'Aspasia, y reconnaître leur Aphroditê ou leur Artémis, et que tous les autres peuples s'agenouillent devant elle comme devant leur propre grande déesse. Lorsque le souverain s'ouvre à elle de son projet, Aspasia l'encourage de l'un de ses merveilleux sourires. Bientôt la figure bienveillante d'Anahita se met à fleurir sur les bijoux portés par les femmes et sur les pièces d'or que s'échangent les marchands aux quatre coins de l'Empire.

Puis elle vieillit, comme le Grand Roi. Au début, elle s'en effraie mais l'inaltérable Aphroditê l'invite à accepter ses premières rides avec la même équanimité que le reste, en continuant à lui faire confiance. Bien qu'elle décide de ne pas chercher à les dissimuler, Mémnôn lui garde sa faveur. Il couche encore parfois avec elle mais surtout il vit avec elle. Il ressent tellement le besoin de sa présence quotidienne auprès de lui qu'il lui affirme, pour la flatter, qu'elle réussit le miracle de vieillir sans flétrir. Sa beauté change, bien sûr, elle s'altère ou se transforme, et pourtant même les eunuques du harem qui lui sont les plus hostiles, parce qu'ils soutiennent une autre favorite, doivent reconnaître que son charme reste incontestable. C'est comme si elle était placée dans la paume protectrice de la déesse qui l'aiderait à se métamorphoser sans se détruire. Elle apporte un peu de spontanéité, de douceur et de grâce dans les relations, si guindées mais si féroces, de cette cour royale. Elle est aimée de tous, même des enfants de Stateïra, qui la considèrent presque comme leur deuxième mère. Et puis un jour, après des décennies de calme à la cour des tempêtes, c'est la catastrophe. Le dernier coup du destin.

L'héritier légitime, le fils aîné de Stateïra, le jeune et fougueux Dareïos, qui a été choisi par son père pour lui succéder et auquel, selon la coutume perse, ce dernier est obligé d'accorder sa première demande, exige qu'il lui cède Aspasia. La vieille maîtresse est aussi stupéfaite que le vieux roi. Qu'un tout jeune homme, qu'elle a vu grandir, qu'elle a chéri comme un fils, se mêle de vouloir la disputer à son père, elle ne le comprend pas. L'Artaxerxês, furieux, cherche un moyen de refuser. Il peut seulement gagner un peu de temps, en répondant à son fils qu'il ne lui refuse pas la femme, évidemment, mais qu'il ne souhaite pas qu'on fasse violence à celle qui le sert fidèlement depuis plus de trente ans : il faut qu'elle soit consentante. Les deux rivaux la font venir pour lui demander de choisir entre eux. Prise au dépourvu, elle leur arrache un jour de délai. Toute la nuit, elle prie Aphroditê Anahita de lui indiquer la bonne décision. Comment ne plus être l'objet de la rivalité entre les deux Rois ? Comment abandonner l'ancien, qui lui est cher, mais qui va bientôt mourir et la laisser seule face au nouveau ? Comment, sans s'attirer la haine du vieillard accroché à la vie et à ses prérogatives, se remettre entre les mains du fils, dont elle se doute bien qu'il ne la désire que pour déposséder son père ; la nouvelle fonction de favorite que Dareïos lui offre ne sera que de courte durée ; même si elle reste belle, elle n'aura bientôt plus assez d'arguments pour éviter qu'il ne se dégoûte d'elle ; depuis plusieurs années, elle n'a plus l'âge de lui donner l'enfant qui, seul, pourrait assurer sa survie ; n'étant pas retenu comme l'autre par assez de familiarité et de vie commune, Dareïos finira, après la mort de son père, lorsqu'il n'aura plus rien à se prouver en la possédant, par se débarrasser d'elle, et ce sera sûrement sans douceur. Mais comment se refuser, sans le heurter, au futur Grand Roi ? Comment lui céder tout en se dérobant à lui, et conserver l'amitié du père et du fils, ou au moins leur respect ?

Malgré la sagesse qu'on lui prête, elle ne trouve aucune solution pour se tirer de ce piège qu'elle devine mortel. Sa seule certitude, c'est qu'elle se sent brusquement lasse de la vie dangereuse de favorite. Elle s'endort sur ce découragement fatal. Pourtant, une deuxième fois, comme lorsqu'elle était sur le point de devenir une femme, au moment où elle s'apprête à ne plus l'être, sa déesse la sauve en lui envoyant un rêve.

Au matin, lorsqu'elle est convoquée devant le roi et son fils pour dire duquel des deux elle veut être la concubine, elle répond qu'après toutes les années où elle a servi fidèlement Mémnôn, et qui devraient lui valoir le repos, elle accepte, comme c'est son devoir, de passer sous l'autorité de Dareïos dès le lendemain. Ce dernier a un sourire de triomphe : on sent que, pour ce jeune homme encore enfant, posséder la favorite, plus encore qu'avoir le droit de porter la tiare droite, est le symbole de la puissance royale. Mais Aspasia ajoute que la grande déesse Anahita lui a ordonné en rêve de se retirer le jour même dans son grand temple d'Ekbatana, où elle devra, en tant que prêtresse, observer la chasteté la plus absolue. Cette fois-ci, c'est le vieux roi qui sourit, satisfait de savoir que personne d'autre ne la possédera après lui. C'est ainsi qu'Aspasia quitte les deux princes et qu'elle déjoue le ressentiment du vieux comme la vengeance du jeune, en se réfugiant dans le temple de la Déesse à laquelle elle a contribué à donner tant de lustre. En échappant au désir des hommes, elle choisit pour la première fois son destin. Elle n'est plus le bibelot précieux qu'ils se transmettent, de Kyros à Mémnôn, et de ce dernier à Dareïos. Ces souverains l'ont déflorée de force, mais c'est elle qui, de sa propre autorité, se voue à la chasteté.

Elle laisse les deux derniers de ses amants royaux face à face. La sagesse avec elle déserte le palais de Sousa. Déjà Parysatis, de ses poisons, a fait mourir Stateïra dans une agonie atroce. Bientôt le jeune Dareïos, exaspéré par la frustration, veut renverser le vieillard qui ne se décide toujours pas à mourir. Celui-ci, prévenu par l'un des eunuques, fait creuser une cachette dans la chambre royale, derrière le lit où Aspasia a passé tant de nuits. La nuit où les conjurés viennent l'égorger, il s'y réfugie, mais après avoir pris le temps, en faisant semblant de dormir, de les laisser approcher pour mieux identifier tous. Quelques jours plus tard, il ordonne lui-même au bourreau de trancher de son rasoir la gorge de son fils et successeur. Ensuite, il choisit un autre de ses fils, moins brillant mais plus respectueux, pour prendre sa place sur le trône. Et un deuxième.

Un troisième. Un quatrième. Mais tous trépassent les uns après les autres. Cette fois-ci non par la volonté du Roi des rois, se lamente le vieillard désespéré, mais par celle encore plus impitoyable d'Ahura Mazda. Ou bien, murmurent les courtisans, lorsqu'ils sont sûrs de n'être pas écoutés, celle du puissant eunuque égyptien Bagoas. Mémnôn, qui ne parvient à assurer la survie d'aucun de ses successeurs, finit par mourir, non de vieillesse mais de chagrin, laissant le pouvoir à celui de ses fils légitimes qu'il aimait le moins, le protégé de Bagoas, le brutal Okhos. Celui-ci méprise Anahita, la déesse favorisée par son père. Il est du côté d'Ahura Mazda, de la force virile, de la guerre, du pouvoir perse pesant lourdement sur les peuples conquis, il ne comprend pas grand-chose à la puissance de l'épouse divine, ni même à celle du fils, Mithra, qui s'occupe du salut individuel de chacun de ses fidèles. Tout occupé à rétablir l'ordre dans son empire par l'épée et par l'arc, il laisse, dans leur coin, Aspasia et les autres prêtresses lier les peuples qui le composent par la douceur de leur culte, par sa profondeur, par son amour de la vie sous toutes ses formes. C'est une vieille hétaïre grecque, aidée de quelques femmes et de quelques statues, conclut Aspasia en souriant, qui s'occupe dans la mesure de ses forces de maintenir la cohésion de l'immense Empire perse. Elle n'y voit pas le moindre des paradoxes d'Anahita Aphroditê, ni la moindre preuve de sa puissance.

Et moi, qui ai dû tellement lutter pour m'implanter seulement à Athênaï, j'admire Aspasia d'avoir su se faire une place si longtemps, elle une étrangère, dans ce monde violent du harem et de la capitale perse. D'avoir su y tenir ce rôle pacificateur et secret. Je me trouve face à quelqu'un dont le destin me dépasse infiniment, dont l'aventure humaine, semblable par certains points à la mienne, serait aux dimensions, non pas d'une ville, mais d'un empire. Aspasia m'explique que, si elle a survécu à ces querelles de palais, où tant d'autres plus habiles ont péri dans les supplices, c'est parce qu'elle a toujours refusé de se mêler aux intrigues. Elle s'est placée délibérément ailleurs. Sa puissance à elle n'était pas dans le pouvoir. Parysatis et les eunuques ont pu la mépriser de n'être qu'une courtisane, ils n'ont jamais véritablement compris ce qui l'unissait à leurs maîtres successifs. Ce lien prenait racine dans le plaisir sexuel, bien sûr, mais il fleurissait plus largement, car les jaloux qui voulaient la perdre ont tenté de jeter dans le lit royal des dizaines de filles plus jolies, plus expertes, plus jeunes, sans jamais parvenir à la supplanter. Que pouvaient-ils saisir, tous ces gens obsédés par la gloire et

par la force, à l'épanouissement secret que ces souverains orgueilleux, Kyros, puis Mémnôn, trouvaient dans son étreinte, et dont
le trop jeune Dareïos lui-même a rêvé ? La vérité, c'est que le creux
entre ses bras et ses seins était le seul lieu où ces hommes n'étaient
pas les maîtres du monde mais encore plus que cela. Aujourd'hui les
ministres et les courtisans du palais de Sousa ne comprennent pas
plus le lien qui unit, depuis sa retraite du sanctuaire d'Ekbatana, la
prêtresse de la déesse des eaux aux différents peuples de l'Empire.
"Mais toi, me dit-elle soudain, en se penchant vers moi, je suis sûre
que tu peux comprendre. Parce que tu vis la même chose que moi
et que ce lien-là, toi aussi, à ta façon, tu le crées. Il suffit de te voir
pour le deviner." Je ne crois pas qu'elle ait raison, que je sois assez
sage pour susciter vraiment ce qu'elle appelle "le lien", mais, en
même temps, je devine très bien de quoi elle veut parler.

Aspasia se montre vivement intéressée par mon histoire, que je
lui raconte à mon tour sans rien lui cacher. J'ai l'impression qu'elle
incarne l'un de mes destins possibles, qui se pencherait sur moi
avec bienveillance mais aussi avec lucidité. Oui, c'est mon avenir
qui s'interroge sur mon passé, par la bouche de cette femme âgée
si lumineusement belle, et qui cherche à deviner si ma détermination présente est suffisamment grande pour qu'il puisse se réaliser.
Alors je me fais, dans mon récit, plus confiante et plus courageuse
que je ne l'ai jamais été en réalité. Aspasia s'intéresse beaucoup au
destin d'Epiklês, mon père, le Grec exilé comme elle en terre perse.
Elle me pose des questions sur les statues de Praxitélês, regrettant de
ne pouvoir quitter sa retraite d'Ekbtatana pour aller jusqu'à Knidos
voir, elle qui a inspiré le visage de la plus belle des *Anahita*, l'*Aphrodité* merveilleuse et entièrement nue que l'Athénien osa sculpter
d'après la femme qu'il aimait. Mais, comme Artémisia avant elle, ce
qui touche le plus Aspasia dans mon histoire, c'est ma recherche de
Mithradatês, le fils adoptif que la déesse m'a donné. Je saisis alors ce
qui manque à son destin, comme à celui de la reine de Karie. Les
femmes, dans ce monde-là, pour continuer à respirer l'air raréfié
des palais, pour laisser le rayonnement maudit de l'or et du pouvoir
toucher leur peau, doivent-elles renoncer à enfanter ?

Poussée par le même élan que ma précédente protectrice, Aspasia
fait de ma quête son affaire personnelle. Tandis que je me repose
plusieurs jours dans les appartements du sanctuaire qu'elle a mis à la
disposition de ma petite escorte, cette grand-mère qui n'aurait jamais

été mère lance des serviteurs dans toute la province à la recherche de son arrière-petit-fils. Mais elle non plus ne trouve aucune trace du mage, ni de Mithradatês. "Il y a tellement de charlatans qui parcourent les chemins de l'Empire en se proclamant Khaldéens, me dit-elle dans un sourire, pour tenter de me rassurer, que parmi eux se trouvent sans doute quelques savants véritables ?" Mais ces propos et son affection ne parviennent pas à me réconforter. En désespoir de cause, Aspasia m'envoie soigner ma persistante anémie dans l'autre grand sanctuaire de la cité. Celui d'un dieu guérisseur qui soigne, comme Asklépios, son homologue de Kôs, par l'incubation : avant de passer la nuit dans le temple, le patient subit des rituels qui le placent dans l'état de tension voulue pour que le dieu puisse lui envoyer par le canal du rêve son message sur sa maladie. Ce diagnostic, exprimé sous la forme d'images, ses prêtres sont chargés au matin de le décrypter. Je connais très bien tout cela pour l'avoir déjà expérimenté en Grèce. J'accepte d'aller consulter le dieu local, ou plutôt de laisser mon esprit être visité par lui, parce que je sens bien que je ne récupère pas assez vite mes forces pour reprendre ma quête et que mon fils risque de se perdre définitivement. Kystôn, le Cerbère silencieux, me porte lui-même dans ses bras, au milieu des autres fidèles vêtus de la longue robe mède, sur l'escalier monumental qui mène vers l'apadana du temple.

Et là, de nouveau, docilement, je fais l'un de ces rêves qu'envoient les dieux. Ce phénomène s'est déjà produit à plusieurs reprises depuis la nuit ancienne où j'ai soigné Mithradatês enfant, mais je remarque qu'avec l'âge, il m'arrive de plus en plus fréquemment. Comme si, en vieillissant, mon esprit, au lieu de se refermer, s'ouvrait de plus en plus à ces forces mystérieuses, à ces images qui ne s'épanouissent qu'à la lumière de l'autre soleil se levant seulement la nuit. Comme si mon périple dans l'Empire perse, dans ce monde différent que les Grecs appellent barbare, était aussi pour moi une quête aventureuse au pays des songes. Le rêve qui me visite cette nuit-là dans l'apadana du dieu guérisseur d'Ekbatana est en lien avec celui, tout récent, que j'ai reçu au pied de la forteresse circulaire d'Arbêla, mais il est encore plus étrange. Effrayant. Je vois de nouveau la déesse assise au flanc de la montagne, celle de la bague de ma mère, son flambeau et sa fleur à la main, mais, cette fois, j'essaie d'escalader la base de la statue pour me rapprocher de son visage. Je me retrouve en train de gravir les flancs escarpés de la montagne qui lui sert de siège. Au sommet, j'aperçois une grotte. De cette ouverture profonde coule une source, qui devient cascade et tombe dans des précipices tout autour de moi. Malgré ma fatigue et ma peur, je m'enfonce dans son obscurité humide. Je foule la végétation qui se referme autour de mes genoux ou qui, tombant des parois de la cavité, pèse sur mes épaules. L'humidité me transperce jusqu'à l'os. L'air est si surchargé d'humidité qu'il est presque de l'eau. Il y a de quoi se noyer dans cet air. J'ai l'impression que ma chair elle-même devient spongieuse. Une lumière étrange sourd de l'intérieur de la grotte. Une lumière verte, qui ne vient pas du soleil ni d'aucun astre connu, mais de l'eau et des plantes elles-mêmes. Une lumière si douce, si liquide, qu'elle en est presque étouffante. L'éclat trop dense de la nature à l'état pur. Je sais que je suis parvenue à la source du monde. À l'endroit où naissent en même temps l'eau et la première plante, le tronc multiple du premier arbre, qui se réenfonce de partout dans le sol marécageux et ressort en milliers d'autres tiges. Là, au pied de l'Arbre, se tient une femme, de stature plus qu'humaine. Elle garde la tête baissée. Ses cheveux se répandent sur son visage, sur son buste dont ils laissent pourtant voir un sein lourd et nu. Dans ses cheveux grouillent les serpents et les lianes. C'est de son corps, des bijoux qui le recouvrent, qu'émane la lumière verte. Cette femme, je le sais, est Anahita en personne. La déesse se tient assise. Entre ses genoux est allongé un jeune homme, qui est peut-être endormi ou qui est peut-être mort. À l'intérieur de la femme, dans son ventre, mais visible, incorporée à elle, j'aperçois une autre forme, au crâne aussi disproportionné que celui d'un enfant. Cet être monstrueux fait partie d'elle, comme s'il était son âme, et c'est lui qui m'aperçoit le premier. Son regard d'une fixité effrayante, je n'arrive pas à lire ce qu'il signifie, s'il me menace ou s'il m'accueille. Alertée par l'autre être en elle, par sa vibration intérieure, la déesse adulte, qui continuait à caresser tendrement les cheveux du jeune homme, lève la tête vers moi. Elle me montre son visage. Et ce que je découvre alors me pétrifie d'épouvante : Anahita, la Toute-Puissante, pleure. Elle pleure le jeune mort, à grosses larmes liquides qui naissent de ses yeux et de tout son visage, qui sourdent de tout son corps, prenant des reflets irisés et changeants, des larmes vertes comme les plantes autour de nous, des larmes rouges aussi, des larmes jaunes, des larmes bleues. C'est comme si la femme tout entière redevenait sous mes yeux liquide. Ça coule d'elle de partout, de ses seins, de son sexe, entre ses cuisses grandes ouvertes, sur le jeune homme. Ce qui m'effraie encore plus, c'est qu'au lieu d'être effrayée comme

moi par cette dissolution d'elle-même, à travers ses larmes, elle sourit. Ce sourire brouille son visage comme le remous d'une pierre
jetée trouble la surface lisse de l'eau. Le paysage tout entier se met
à vibrer, un courant secoue la végétation de l'intérieur. Tout, et
non plus seulement la déesse, suinte et dégouline autour de moi. Je
sais qu'une vague énorme se prépare, qui va m'emporter avec tout
le reste. Mais, dans cette sorte de ressac, le corps du jeune mort
allongé se met à bouger ! Il tressaille lui aussi, il vibre de nouveau,
il redresse son buste, il lève la tête, il tourne vers moi son visage ! Il
va ouvrir les yeux et me regarder et c'est alors que je le reconnaîtrai !
Je suis horrifiée par ce spectacle dont je ne sais s'il s'agit d'une mort
ou d'une résurrection, exaltée, dépassée par ce que je vois, emportée par ce mouvement de la nature qui dépasse ma compréhension
et même ma possibilité de perception, qui fait éclater mes digues
de partout et va me rendre liquide moi aussi. Alors je me réveille.

Dans la nef du sanctuaire, parmi les autres fidèles encore endormis et enroulés dans leurs couvertures, je reste longtemps pantelante. Je me lève, je sors, je regarde au bas de l'escalier l'esplanade
déserte, la palpitation sèche des étoiles, l'immensité aride du ciel
d'hiver qui me fait grelotter. Quel rapport entre cette réalité beige,
sombre, glaciale, du haut plateau d'Ekbatana, et ce monde clos,
humide, vert, de la grotte, qui m'apparaît pourtant aussi réel et qui
refuse de quitter mon esprit ? Cette femme en pleurs était-elle vraiment la puissante Anahita ? Et ce monstre enfant à l'intérieur d'elle ?
Et ce jeune homme ? Et cette grotte ? Et cette montagne ? Et cette
source devenant cascade et fleuve ? Je sais seulement, j'en ai la certitude, qu'il ne s'agit pas seulement de Mithradatês mais que j'ai
vu là une chose interdite, à laquelle on m'a laissée assister je ne sais
pourquoi. Un mystère surhumain, à la fois épouvantable et magnifique de puissance. Comme si j'avais été admise dans le secret des
dieux. Comme si j'avais pénétré dans l'un des mondes parallèles où
ils vivent et qu'ils traversent sans peine, tandis que nous sommes
rivés au nôtre.

Au matin, la vieille à face de lune qui est venue me rejoindre me
conduit auprès du prêtre médecin chargé d'interpréter mon rêve.
Il s'avoue dépassé. Pourtant, au début il croit avoir trouvé la solution : d'après lui, je suis enceinte. Mais c'est impossible, j'en ai eu la
preuve la semaine précédente. Alors, j'ai l'impression qu'il renonce
délibérément à approfondir le rapport entre ma vision et l'état de
fatigue qui m'a amenée là, et qu'il préfère m'expédier de quelques

formules cabalistiques, assorties de prescriptions alimentaires aussi précises qu'inutiles. Je suis tellement sous le choc de mon hallucination que je ne prête pas la moindre attention aux gestes énigmatiques dont il cherche à m'impressionner, ni aux recommandations dont il m'accable et que me traduit la vieille prêtresse. Pourtant, en sortant du temple, nouvelle surprise. Au moment où je vais payer les amulettes et les animaux sacrifiés que je dois au dieu, je trouve au fond de ma bourse une pièce étrange. Sûrement l'une de celles qu'a gagnées Lykeïna quelques jours auparavant, au moment où nous désespérions de pouvoir survivre. Sur l'une de ses faces est gravée exactement l'image de la déesse que j'ai vue deux fois déjà en rêve : assise sur la montagne, un flambeau et une fleur à la main ! Sur l'autre face, on distingue le visage d'un homme barbu, couronné d'une sorte de char, où se tient un archer. Aucune autre inscription. Quel pèlerin, venu de quelle contrée lointaine de l'Empire, a donné cette pièce à ma suivante ? Elle n'en a gardé aucun souvenir. Siminthês et Kistôn non plus.

Aspasia, lorsque je lui raconte ma vision, réagit d'une manière très différente de celle du prêtre médecin. Elle me déclare avec enthousiasme qu'elle reconnaît beaucoup d'éléments. Ils appartiennent au Récit perse des Origines, qui raconte la façon dont les dieux ont créé le monde. La montagne que j'ai vue sur la bague de ma mère et qu'il m'a fallu escalader en rêve, c'est bien sûr Hara Berezaïti, dont le nom signifie "la Haute Sentinelle", le massif originel qui fait le lien entre la terre et le ciel (ce terme de "Sentinelle" pour désigner une montagne me rappelle l'un des éléments du mythe d'Isodaïtês, dont j'avais toujours cru qu'Aâmet l'avait inventé de toutes pièces pour les besoins de notre thiase). La grotte, c'est celle où règne Araduui Sura Anahita, la Puissante et l'Humide : elle y donne naissance au grand fleuve qui porte son nom, et qui, descendant en cascade de la montagne, forme la mer, sur laquelle se tiendront ensuite, posés en équilibre, la terre et ses sept mondes. Qu'une Grecque ait pu rêver ce Récit perse qu'elle ignorait frappe Aspasia d'étonnement. Je lui montre aussi la pièce d'argent laissée par le client inconnu, dont l'empreinte représente exactement l'image initiale de tous les rêves qui m'agitent dans cette période de trouble, la même que celle ciselée sur la bague de ma mère. Aspasia reconnaît l'homme barbu représenté sur le revers de la pièce : il s'agit de son ancien protecteur, Artaxerxês Mémnôn, surmonté du char d'Ahura Mazda. La pièce date donc de son règne. Malheureusement, elle n'a jamais vu cette Anahita au flambeau et à la fleur. En l'absence de toute inscription, nous n'avons aucun moyen de connaître la ville où a été frappée la pièce.

Mais, soudain, Aspasia a une idée. Elle se fait apporter un rouleau de papyrus, qu'elle déploie devant moi. C'est un cadeau du vieux roi : il y a fait représenter toutes les statues d'Anahita qu'il avait installées en l'honneur de sa favorite dans ses principaux temples à travers l'Empire. Les illustrations en sont d'une précision de dessin et d'une richesse de coloris somptueuses, même si nous sommes tellement pressées, Aspasia et moi, que nous ne prenons guère le temps de les regarder en détail. Enfin, nous trouvons celle que nous cherchons. La statue de la Déesse assise sur une montagne, une fleur et un flambeau à la main ! Je la reconnais du premier coup d'œil : c'est exactement celle de la bague, celle de la pièce, celle de mes visions ! Le texte qui accompagne l'image et que me traduit Aspasia nous apprend que cette statue monumentale, qui n'est pas plaquée de métaux précieux, comme les autres, mais faite entièrement d'or massif, se trouve dans le sanctuaire d'Eridza. En Arménie ! Le pays où mon père a rencontré ma mère, le pays où cette dernière est morte en lui donnant une petite fille, le pays où je suis née moi-même ! Tous les éléments de l'énigme épuisante qui m'obsède depuis plusieurs semaines mais que je ne parvenais pas à rassembler se mettent en place. Comme si, magiquement, un voile s'était levé pour me permettre de découvrir enfin la vérité.

Je ne dois surtout pas descendre vers le sud, vers la plaine de l'Euphratès, vers la prestigieuse Babylôn, comme me l'a conseillé la vieille prêtresse simple que j'ai failli écouter et dont la voix trompeuse m'a rendue malade. Je dois au contraire continuer à monter vers le nord et vers le mystérieux sanctuaire d'Eridza. C'est là que je rattraperai Mithradatês ! Une autre idée me traverse alors : dans cette quête de mon fils, je marche depuis le début sur les traces anciennes de mon père mais je transforme le sens de son voyage. Le jeune guerrier m'a raconté avoir lui aussi traversé Ekbatana sur son chemin erratique vers l'Arménie mais moi, sa fille, j'y passe aujourd'hui en prêtresse. Mon parcours n'est pas le sien, je découvre d'autres choses que lui, d'autres richesses. Il s'est limité peut-être à la surface de la guerre, et moi je descends en profondeur dans les forces de vie, celles qu'il n'a appréhendées qu'à travers son union fugace avec ma mère.

Je discerne maintenant une telle évidence dans tous ces signes qui m'ont été envoyés patiemment, jusqu'à ce que je les déchiffre, que je ne doute plus un instant. Emplie d'une énergie nouvelle, je me sens bientôt prête à me mettre en marche pour un nouveau voyage de plusieurs semaines, sur la foi de quelques rêves et du hasard de la transmission d'une pièce par un pèlerin inconnu en quête de plaisir. On peut me considérer comme une folle, je sais qu'à ma manière je suis sage.

Siminthês, malgré toute la sympathie, et même toute l'admiration qu'il prétend éprouver pour moi, refuse d'aller plus loin. Il ne me sera d'aucun secours dans ces régions qu'il ne connaît pas. Retenant ses larmes, il tente longuement de me faire comprendre que mon projet de traverser le dangereux massif du Zagros, dont nous avons déjà failli être victimes, au lieu de revenir vers Arbêla et de suivre le cours paisible de l'Euphratês, est insensé. Alors qu'au début je me méfiais de ce jeune homme trop loquace, il s'est révélé étonnamment sincère et fiable, mais je refuse de l'écouter. La petite Lykeïna est encore plus enthousiaste que moi et encore plus résolue. Ma chère Aspasia, même si elle se déclare triste de me voir partir déjà, m'encourage. Pour remplacer notre guide, elle m'adjoint quatre gardes du temple, dont l'un parle le grec, et qui seront chargés de nous conduire à travers les montagnes. Elle me fournit aussi une lettre de recommandation qui me permettra d'être prise en charge par le réseau des sanctuaires d'Anahita. Ceux-ci nous accorderont l'hospitalité et assureront notre protection dans les étapes de ce périple vers des régions mal connues, en état de sécession presque permanente, où sévissent plus qu'ailleurs les bandes de pillards et les chefs de guerre. Les sanctuaires-forteresses sont à peu près les seules entités qui assurent un semblant de cohésion dans ces montagnes éloignées des grandes voies de communication. On y méprise le pouvoir du nouvel Artaxerxês, Okhos, plus encore que celui du vieux Mémnôn, mais on y respecte celui de la Grande Déesse. Je repense aux propos de Mausôlos et d'Artémisia, qui avaient parfaitement deviné les motivations du vieux souverain, lorsque celui-ci dissémina des statues d'Anahita aux quatre coins de son domaine trop vaste, de Baktra à Sardeïs et d'Eridza à Damaskos. Ces images colossales de femme, recouvertes d'or et de pierres précieuses, sont comme les maillons lumineux de la chaîne qui lie encore ensemble les peuples de l'Empire, bien plus que l'armée du Grand Roi et son cortège atroce de paysans empalés sur les arbres de la Voie Royale. Ma seule chance de cheminer à travers ce royaume en décomposition, dont j'ai parfois l'impression qu'émane une odeur de cadavre, est de me tenir sous le regard de la déesse à la fleur et au flambeau, dans l'air parfumé qui flotte seulement autour d'elle. C'est là, au creux de sa paume grande ouverte, que Lykeïna et moi sommes attendues par celui que nous cherchons.

51

POUSSIÈRE D'OR DU DESTIN

Nouvelles semaines de voyage à travers les montagnes.

Cette fois, nous ne rencontrons pas de voleurs mais un danger encore plus redoutable, auquel nous ne sommes pas du tout habitués : la neige. Notre char d'apparat progresse de plus en plus difficilement sur le chemin, et souvent, Lykeïna et moi, nous sommes obligées de marcher à ses côtés pour soulager les bêtes. Nous finissons par nous perdre au fond de l'étendue grisâtre d'une fin du jour. La route, recouverte d'une couverture ouatée mais glaciale, dans laquelle nous nous enfonçons presque jusqu'aux genoux, se confond traîtreusement avec le reste du paysage. À la tombée de la nuit, nous parvenons à grand-peine à l'entrée d'un village fortifié, dont les habitants refusent de nous ouvrir les portes. Ils nous jettent des pierres. Je maudis le manque de cœur de ces hommes plus inhumains que des bêtes, qui insultent Zeus Xénios, le protecteur des étrangers. En désespoir de cause, je demande à l'un des gardes d'Aspasia, qui parle un peu la langue de ces sauvages, de leur crier qu'il n'appartient pas à une escouade perdue de soldats du Roi, mais à l'escorte pacifique d'une prêtresse de la Grande Déesse : elle vient en pèlerinage d'un temple situé de l'autre côté de la mer d'Occident vers le sanctuaire d'Eridza, célèbre jusque dans sa contrée lointaine. Après quelques instants de silence, les deux lourds vantaux de bois s'ouvrent lentement pour nous laisser entrer.

Et les villageois, qui s'avancent à notre rencontre, nous font fête. À la lueur des torches, ils nous conduisent jusqu'à la forme sombre d'une maison située au milieu de ce qui ressemble à une esplanade. Elle est si trapue que ses habitants ne doivent pouvoir s'y réfugier que courbés, n'y marcher qu'à quatre pattes, et n'y dormir qu'entassés les uns contre les autres, comme dans la bauge d'une harde de sangliers. Mais qui sont ces Arméniens ? Quelle est cette tribu d'hommes, si farouches qu'ils ne reconnaissent pas le pouvoir du Roi, si misérables qu'ils acceptent de vivre à la façon des bêtes dans un climat hostile, et qui, pourtant, révèrent la déesse ? Je n'ai pas fini de m'étonner. La porte de ce que j'ai pris d'abord pour leur tanière n'est que la bouche sombre d'un puits ouvert à fleur de terre. Je m'y engage avec un frisson de répugnance. Les villageois m'invitent à descendre par une échelle de plusieurs coudées, au pied de laquelle j'ai la surprise de me retrouver à l'entrée d'une salle très vaste et très chaude, éclairée par de petites lampes à huile, et dont l'une des moitiés est entièrement recouverte de tapis de laine. Dans l'autre partie de cette vaste cavité creusée dans le roc, je suis encore plus stupéfaite de deviner, à travers la pénombre, le remuement d'animaux, que l'on a dû faire entrer par une autre ouverture en pente douce. Je crois apercevoir des chèvres, des bœufs, un âne, des poules, à qui les paysans ont jeté du grain ou du foin et qui se repaissent paisiblement, presque sans bruit. Les bêtes et les humains partagent le même refuge, échangeant leur chaleur et leurs odeurs, fortes mais tièdes et apaisantes.

Une immense cheminée occupe tout un pan de cette étrange caverne. La fumée, au lieu de se répandre dans la salle, s'échappe sûrement par un autre conduit. Une seule énorme marmite est suspendue à une traverse de métal au-dessus du feu. Les femmes nous servent dans des écuelles de terre cuite un brouet de légumes que je ne parviens pas à identifier mais qui, après le froid et la nuit, me paraît délicieux. Puis les hommes nous invitent à venir boire dans une outre de grande dimension, posée à même le sol et remplie à ras bord d'un liquide fermenté. Les gardes d'Aspasia me disent qu'il s'agit d'une sorte de vin d'orge, dont je peux voir les grains flotter à la surface. Ils me montrent comment me servir d'une longue tige de bois creuse, que l'on plonge directement dans l'outre afin d'aspirer cette boisson. Au début, elle me paraît amère mais je finis par trouver son goût désaltérant. Alors je me sens étourdie, envahie d'une douceur inattendue. Je me dis que l'hospitalité de ces villageois est plus généreuse que celles des satrapes, parce qu'ils partagent avec nous tout ce qu'ils ont sans rien nous demander en échange. À partir du moment où nous leur avons appris que nous n'appartenions pas au Grand Roi, leur attitude a changé du tout au tout. Je repense aux incendies que j'ai vus briller dans la nuit au-dessus de la Voie Royale après le passage des fourriers impériaux. Je revois les corps suppliciés des voleurs faméliques qui nous ont attaqués et qui ressemblaient peut-être à ces hommes-ci.

Le vieillard qui paraît être le chef du village nous demande, par le truchement du garde d'Aspasia parlant son langage, si nous nous sommes assez restaurés. Puis, s'adressant à moi avec un respect mêlé de bienveillance familière, il me fait savoir que, lorsque les jeunes gens de son village m'auront aidée à passer le col de la montagne, le sanctuaire d'Eridza vers lequel je me dirige se trouvera encore à plusieurs journées de marche sur le plateau. Après avoir répondu à ma curiosité, il me prie de satisfaire la sienne. Il me demande mon nom, celui de mon père, celui de ma ville, et la façon dont on révère la Déesse, qu'il appelle Anahid, dans mon pays lointain. Pour l'impressionner, je lui décris le sanctuaire de Thespiaï, que j'ai consacré à Anaïtis et à Erôs Isodaïtês et les fêtes des Erôtidia que l'on y célèbre tous les quatre ans. Pour faire bonne mesure, j'évoque aussi le temple de la déesse guerrière sur l'acropole d'Athênaï, ainsi que celui des deux déesses d'Eleusis, la Mère et la Fille, qui ont enseigné aux hommes les Mystères sacrés. Le chef du village m'interroge alors sur mon voyage. Je lui en raconte l'histoire comme un conte, gommant l'ennui, l'inconfort et les hésitations, pour ne plus garder que les signes qui m'ont guidée sur un chemin mystérieux. Tandis que le garde traduit au fur et à mesure mes paroles, je regarde les villageois. Leurs yeux brillant à la lumière mouvante des flammes, ils m'écoutent si religieusement que je finis par croire moi-même à mon récit merveilleux. Alors que je n'ai jamais beaucoup aimé parler, je vis là un moment surprenant. Comme si mes propres mots se chargeaient d'un pouvoir qui m'échappait un peu. Comme si, en l'inventant, je découvrais le sens profond de mon itinéraire, dont je doute si souvent pendant les interminables journées de marche. Le souvenir fugace de l'athénien Hypereïdês me traverse alors l'esprit, bien que je ne l'aie fréquenté que dans des salles de banquet très différentes de ce réduit souterrain. Je pense à lui non seulement parce qu'il est le plus brillant conteur que je connaisse mais aussi parce qu'il fut le premier devant lequel, me remettant à parler, je me délivrai de mon histoire. Il serait fier de m'entendre tenir sous le charme mon auditoire de paysans et d'animaux domestiques, qui se sont arrêtés de mastiquer et, tournant vers moi leurs grands yeux stupidement profonds, paraissent m'écouter avec une attention rêveuse. Fier aussi de me voir m'abandonner assez à mon récit pour en être, avant les vaches et les poules, la première auditrice fascinée.

Pendant le reste de la nuit, en notre honneur et en celui de la déesse, les villageois troglodytes chantent devant les flammes. Je suis surprise de découvrir que, parmi les instruments de musique dont ils s'accompagnent, figure une flûte double. Par son anche de bois, elle ressemble beaucoup à la mienne, même si les tuyaux en sont plus courts et le son plus nasillard. L'un de ces paysans, appelé Ertan, est un véritable virtuose, qui aurait bien mérité de remporter le concours de Kélaïnaï. Je le lui dis pour le flatter. Je sors mon aulos, tandis que Lykeïna danse au milieu des autres filles. Saisie d'une inspiration, je propose à Ertan d'apprendre la mélodie que m'a transmise autrefois Manthanê et dont j'ai fait depuis mon hymne à Erôs Isodaïtês. Après l'avoir écoutée, le jeune musicien me sourit : il me dit qu'il y reconnaît un air traditionnel de son peuple. Il me le rend sur son instrument, enrichi d'ornements et de variations nouvelles. Alors nous improvisons à deux, sous les acclamations du public. L'atmosphère de la caverne devient si irrespirable qu'en riant, l'un des villageois grimpe à l'échelle pour ouvrir la trappe qui donne directement sur la nuit enneigée. Quelques instants après, entre un air glacé qui vient tout droit de la montagne, mais, se mêlant à la chaleur vivante des humains et des bêtes, il me paraît délicieusement frais.

Après cette fête impromptue, nous restons dormir dans la grande salle. On nous montre des petites cellules surélevées, creusées dans les parois, que je n'avais pas remarquées jusque-là. La mienne, la plus éloignée des animaux, la seule fermée d'un rideau, semble être la cavité d'honneur réservée aux hôtes de marque. Les villageois l'ont tapissée de tant de couvertures épaisses qu'elle est tout à fait confortable. Au milieu de la nuit, je suis réveillée par un sifflement léger. Ce n'est pas le vent mais le jeune Ertan. Secouant la toile qui ferme mon alcôve depuis un bon moment sans doute, il tremble de son audace d'oser déranger une prêtresse aussi prestigieuse. Tout enveloppée encore dans la tiède euphorie de la fête, je l'accueille volontiers. Malheureusement, il se montre moins habile pour jouer avec le corps d'une femme qu'avec l'anche et les deux tuyaux de sa flûte. Je ne trouve un peu de plaisir que dans la contrainte de faire advenir le sien le plus silencieusement possible. Même si je me doute que la fine Lykeïna doit monter discrètement la garde, je ne tiens pas à attirer l'attention des villageois endormis tout autour de nous, ni à réveiller les poules. Alors je me débrouille pour faire jouir le petit musicien sans qu'il ait besoin de me pénétrer, une main plaquant doucement les accords de la volupté sur son sexe durci et l'autre posée sur sa bouche. Je le renvoie bien avant le matin.

Nous passons plusieurs jours dans cette caverne, le temps que la tempête de neige se calme. Les nuits suivantes, le jeune flûtiste n'ose pas revenir me déranger pour compléter sa formation musicale.

Puis nos hôtes nous escortent jusque de l'autre côté des montagnes. Presque tous les villages que nous rencontrons sur notre chemin nous ouvrent leurs portes et nous reçoivent avec les honneurs. Leurs chefs insistent pour joindre quelques hommes à notre escorte. Dans l'un des derniers, nous avons la joie de retrouver la trace du mage et de son assistant muet, qui sont passés une dizaine de jours avant nous et qui y ont attendu la fin de la tempête. Je remercie Anaïtis. Ce voyage que Siminthês, nous avait présenté comme celui de tous les dangers tourne à la procession triomphale.

De l'autre côté du col, nous débouchons sur un plateau immense. Les villageois nous disent qu'il descend lentement jusqu'aux divers bras de l'Euphratês et jusqu'au fameux temple d'Anahid, où se dresse la plus belle et la plus grande statue du monde. La neige y cède rapidement la place à une herbe incroyablement verte malgré la saison, comme si, en quelques heures de marche, nous sortions de l'hiver pour entrer dans le printemps. Des taureaux errent partout en liberté. Les jeunes gens, qui ont décidé de continuer à nous faire escorte, nous montrent sur le front de ces bêtes à demi sauvages la marque de la déesse : ce flambeau magique, que je l'ai vue brandir jusque dans mes rêves. Les bouviers que nous croisons nous parlent tous du mage qui, malgré sa puissance, progresse à pied, lentement, quelques jours devant nous.

Et puis nous parvenons enfin au grand sanctuaire d'Eridza, où notre escorte joyeuse se fond dans la foule, comme un ruisseau de montagne dans une rivière.

Je comprends alors pourquoi les garçons des villages ont tenu à nous accompagner jusqu'au temple : chaque voyageur y est accueilli par des jeunes filles vêtues de blanc. Issues parfois des plus nobles familles de la province, elles lavent même les plus humbles d'entre les pèlerins, les soignent, les nourrissent et l'on dit qu'elles passent la nuit avec ceux qui sont assez fortunés pour faire une offrande de prix à la déesse. Je me souviens du récit que me faisait Manthanê quand j'étais gamine et je me dis que ma mère a dû servir elle aussi dans ce lieu, il y a trente ans, l'âge que j'ai aujourd'hui, l'espace d'une génération de femmes, où rien n'a vraiment changé sur ce plateau. Bathimandis devait ressembler à ces deux petites au sourire lumineux, qui s'emparent de moi et de Lykeïna, laissant les hommes de notre escorte à leurs petites camarades moins promptes. Elles jouent leur rôle d'hôtesse avec une affectation de sérieux et de noblesse absolument charmante. Stupéfaites d'apprendre que nous servons la même déesse qu'elles et que nous venons de si loin pour voir sa statue, elles se réjouissent de la chance que nous avons de découvrir le temple lors d'une occasion aussi solennelle : nous arrivons en plein milieu de la fête du printemps qui réunit un concours immense de fidèles. `

"En plus, nous disent-elles, cette année est particulièrement extraordinaire !" Les deux jolies bavardes se disputent la parole pour nous raconter les événements dramatiques qui viennent de se dérouler dans le sanctuaire. Leurs yeux sont si brillants, leur récit si prenant, que j'ai parfois l'impression d'en deviner le sens avant la traduction de notre garde. Elles nous apprennent que le satrape des deux Arménies, le magnifique Kodoman, et son chef de cavalerie, Yervand, à peine moins beau et moins noble que lui, sont arrivés quelques jours auparavant à Eridza, accompagnés de toute leur cour, pour accomplir le pèlerinage annuel de la noblesse perse au temple arménien d'Anahid qui les unit à la population locale. Comme c'est la coutume, ils ont lancé en personne la chasse aux taureaux sacrés. Ceux-ci vivent en liberté dans la plaine toute l'année mais les cavaliers ont le droit de les poursuivre pendant un jour entier, pour offrir les bêtes capturées en sacrifice à la déesse, et garantir au pays une année de paix et de fertilité. Au début, tout s'est bien passé. Si les nobles perses sur leurs chevaux d'Arménie rivalisaient d'audace, le jeune et fougueux Kodoman les dépassait tous largement. Personne n'arrivait à le suivre, à part Yervand. Les deux braves, qui refusaient d'écouter les conseils de prudence de leur entourage, ont capturé plus de bêtes à eux deux que tous les autres chasseurs réunis.

Mais voilà qu'à la fin de la journée, Kodoman s'est trouvé face à un taureau monstrueux. Le plus puissant, le plus agressif, le plus sauvage qu'on eût jamais vu sur le plateau. Bien qu'il parût en pleine force de l'âge, on ne distinguait pas sur son front la marque du flambeau. Comme s'il avait échappé jusque-là aux veneurs du sanctuaire. Ou comme s'il venait magiquement de l'autre côté du fleuve, né d'une bourrasque de poussière dans l'immense plaine de Gaugamélês. Le jeune satrape jugea que l'animal était digne qu'on l'offrît à la déesse. Malgré la fatigue d'une journée de chasse, il se lança avec ses plus proches compagnons à la poursuite de la bête. Celle-ci, d'une vélocité et d'une endurance prodigieuses, les entraîna si loin qu'ils arrivèrent sur le rivage marécageux du grand Euphratês. Alors le taureau, s'adossant au puissant cours d'eau, se retourna pour les défier. Kodoman sans même reprendre souffle, l'attaqua à la tête de toute sa troupe. L'animal fit d'abord semblant de fuir le long de la berge. En chasseurs expérimentés, les cavaliers qui se trouvaient sur la gauche accélérèrent l'allure pour le dépasser et lui couper la route. Au moment où les chevaux atteignaient le terrain boueux et se voyaient obligés de ralentir un peu, leur rusé adversaire fit brusquement volte-face. Comme s'il avait deviné qui était le chef de ses poursuivants, il chargea Kodoman. Le satrape, un peu distancé par les cavaliers de gauche et devançant dans son élan ceux de droite, se trouvait isolé au centre de l'assaut. Malgré son habileté, le taureau furieux réussit à le faire tomber de sa monture. Le cheval, affolé, s'échappa aussitôt, abandonnant son maître. L'imprudent chasseur, parvenant à se relever, se retrouva face au terrible animal qui s'apprêtait à le charger de nouveau. Mais le jeune Perse, bien qu'il eût perdu son arc dans la boue, au lieu de chercher à fuir, au lieu de courir, même en pataugeant, pour tenter de se mettre à couvert derrière les autres cavaliers, s'avança à la rencontre du monstre, armé de sa seule dague recourbée. Un courage aussi extraordinaire ne lui servit à rien. Le taureau le jeta de nouveau à terre sans effort, revint sur lui à deux reprises, le piétina, cherchant à l'encorner. Lorsque les autres chasseurs racontèrent ensuite l'affreuse scène, ils dirent que la bête paraissait ne pas céder à la rage mais accomplir un dessein maléfique. Elle était manifestement possédée par ce que les petites appellent un "Daeva", mot très difficile à prononcer dans ma langue et qui désigne dans la leur un esprit mauvais envoyé par Angra Maïnyu, le dieu du mal. Aucun des compagnons du satrape, trop éloignés ou pétrifiés par l'épouvante, n'osa s'interposer. À part Yervand. Celui-ci parvint enfin, au troisième assaut, à jeter son cheval entre Kodoman et le taureau. Le lieutenant fut désarçonné à son tour sous le choc. La terrible bête, oubliant seulement alors sa ruse diabolique et l'identité de celui qu'elle devait tuer, s'acharna sur cette nouvelle victime, jetant en l'air son corps désarticulé, puis l'empalant au sol de ses cornes, jusqu'à ce que les autres cavaliers, de leurs épieux pointés, parvinssent à le repousser. Mais personne ne réussit à abattre le maudit animal, ni à l'immobiliser en lui passant une corde autour du poitrail. Le taureau triomphant s'enfuit en traversant le fleuve.

Lorsque les courtisans épouvantés se penchèrent sur les deux jeunes braves, ils crurent d'abord qu'ils avaient trépassé, leurs membres brisés et mêlés dans la mort comme leurs esprits l'avaient été dans la vie. Puis ils s'aperçurent que, miraculeusement, les deux héros respiraient encore. On saisit précautionneusement les deux corps, on les hissa tant bien que mal sur des chevaux et l'on entreprit de les ramener jusqu'à la tente du satrape, installée à plusieurs heures de course près du sanctuaire. On progressait au pas pour éviter les cahots aux mourants, en leur murmurant à l'oreille tout le long du chemin des encouragements et des supplications impuissantes. Lorsque le cortège désolé parvint au camp en pleine nuit, les deux jeunes gens s'accrochaient encore un peu à la vie. Mais les médecins constatèrent vite qu'il était trop tard. Malgré leur commune et incroyable résistance, les deux souffles de Kodoman et de Yervand s'amenuisaient inéluctablement.

Tandis que la cour se résignait à les pleurer, les prêtresses amenèrent à leur chevet un mage et son assistant qui venaient d'arriver dans le sanctuaire. En désespoir de cause, Sisygambis et Statéïra, la mère et la femme du satrape, remirent son sort et celui de son fidèle compagnon entre les mains de ces deux étrangers. À la stupéfaction générale, les inconnus commencèrent par chasser les souveraines de la tente, n'acceptant à leurs côtés que quelques prêtresses expérimentées pour les aider. Tandis qu'elles priaient Anahid, ils passèrent toute la nuit à lutter pied à pied contre le dieu de la Mort. Les femmes qui eurent le privilège de les assister dans ce combat racontèrent ensuite que le vieillard ne fit strictement rien. Ou rien de visible. Il demeura assis à la tête des deux lits, les yeux fermés, une main posée sur le front de chacun des deux agonisants, à l'intersection de leurs sourcils. On aurait cru qu'il dormait, si l'on n'avait vu d'énormes gouttes de sueur rouler de son front, où elles se formaient sans interruption. Pendant ce temps, son jeune assistant s'activait, allait de l'un à l'autre des deux corps, dans une hâte précise et une logique que lui seul comprenait, nettoyant les plaies, taillant dans les chairs à vif grâce à de petits instruments à lames aiguës, qu'il tirait d'une trousse de cuir posée à ses côtés, incisant les membres pour découvrir de nouveaux hématomes cachés, jugulant les hémorragies, raboutant les os brisés, recousant les peaux au moyen d'une simple aiguille passée préalablement à la flamme, plaçant des attelles formées de petites planches de bois. Le tout avec un calme impressionnant de la part d'un aussi jeune homme, et une dextérité plus incroyable encore. C'est comme si grâce à sa connaissance profonde de l'anatomie il avait une seconde vue, une prescience des blessures les plus secrètes. Mais les prêtresses sentaient bien que l'action des deux mages se complétait, que le vieux, un doigt posé entre les sourcils des mourants, là où les deux âmes martyrisées s'étaient réfugiées, les aidait à prendre patience, tandis que le jeune s'affairait à réparer tant bien que mal les enveloppes des corps.

La double bataille dura jusqu'au milieu de la matinée du lendemain. Ensuite les gouttes de sueur cessèrent de rouler du front du vieillard. Le jeune homme l'allongea tendrement sur le sol entre les lits et l'enveloppa dans plusieurs couvertures très chaudes. L'assistant prépara encore une décoction, mêlant des herbes qu'il tira du grand sac de son maître. Il recommanda aux femmes qui allaient se relayer au chevet des blessés de leur faire prendre régulièrement quelques gorgées de ce liquide atrocement amer pour lutter contre la fièvre qui pouvait encore les tuer. Elles devaient surtout ne laisser entrer personne. Puis, s'étendant aux côtés de son maître, il s'endormit profondément. Pendant une journée et une nuit, les prêtresses prièrent avec ferveur Anahid, non seulement pour les deux rescapés, dont la respiration s'amplifiait et se calmait peu à peu, mais aussi pour les deux mages. Ceux-ci, à leur réveil, interdirent encore à l'épouse et à la cour du satrape d'entrer dans sa tente avant le lendemain. Au matin du troisième jour, Kodoman et Yervand ouvrirent les yeux à quelques minutes d'intervalle.

Les deux sorciers n'acceptèrent aucun des présents, dont la mère du satrape, éperdue de reconnaissance, voulait les charger. Ils lui demandèrent de les offrir plutôt à la déesse. Lors de l'hécatombe des taureaux, ils furent installés à la place d'honneur, juste à côté des deux miraculés. Ceux-ci s'étaient fait un devoir de se lever et d'assister à la cérémonie, ne serait-ce que pour prouver à la cour leur retour à la vie. Les mages repartirent dès le jour suivant, sans attendre le grand banquet que Stateïra voulait offrir en l'honneur de la guérison de son époux. Ils refusèrent de même les gardes, les guides et les confortables chariots de voyage que Sisygambis mettait à leur disposition et s'éloignèrent vers le nord. À pied, tous les deux, seuls, comme ils étaient venus, voyageurs insaisissables, mystérieux et banals.

Et cela se passait il y a trois jours seulement.

Jamais nous n'avons été aussi près de ceux que nous poursuivons depuis que nous avons failli les rattraper dans cette même plaine de Gaugamélês d'où était issu le taureau monstrueux. Mais je ne peux m'empêcher d'être profondément déçue d'apprendre que notre quête ne s'arrête pas à Eridza, sur ce plateau baigné de lumière, dans ce sanctuaire rempli d'une foule pacifique qui aurait fait un cadre merveilleux pour des retrouvailles. Je m'inquiète aussi de découvrir à quel point Lykeïna est découragée. Pour la première fois, elle en veut à Mithradatês de nous échapper sans cesse. Elle pleure. Et je pleure avec elle, parce que j'en éprouve le besoin mais aussi parce que je veux pouvoir ensuite sécher ses larmes en même temps que les miennes.

Bravement, la petite se dit prête à se remettre en chemin, à l'instant même, mais je sens qu'elle a atteint la limite de sa résistance. Peut-être est-ce le cas aussi de Kistôn, mon brave Chien de garde qui nous suit sans jamais se plaindre. Je décide qu'il vaut mieux nous reposer dans le confort du sanctuaire, au moins jusqu'au lendemain. Si les deux mages n'ont que quelques jours d'avance sur nous, sur ce plateau où ils progressent à pied, nous pourrons les rattraper encore plus facilement après avoir refait nos forces. Lykeïna se laisse persuader. Son âme, je le perçois soudain, est encore plus épuisée que son corps. La fatigue de tous ces mois de recherche vaine l'accable d'un seul coup, parce qu'elle a eu la faiblesse de se relâcher dans cette descente triomphale à travers le printemps, vers le sanctuaire, où elle était persuadée d'atteindre le terme de notre voyage. Elle aussi, comme Kodoman, malgré son courage indomptable ou à cause de lui, vient d'être transpercée par les cornes d'un taureau rusé. Et moi, qui n'ai pas la science du mage, je ne sais pas comment la soigner. Je lui déclare qu'elle est libre de s'arrêter là : je continuerai seule, elle attendra mon retour à Eridza. La vaillante et fidèle amoureuse hausse les épaules mais c'est après une seconde d'hésitation qu'elle doit juger elle-même coupable, tant elle montre ensuite d'empressement à me la faire oublier.

Les deux novices nous font visiter le temple. Lorsque nous arrivons devant la statue, Lykeïna et moi, sans un mot mais d'un commun mouvement, nous nous prosternons humblement, à la perse.

Parce que, cette fois, nous sommes directement confrontées à ma vision. Je l'ai imaginée, je le sais bien, à partir de deux objets réels, la bague de Manthanê et la pièce de monnaie du client inconnu, qui a fait ressurgir, sans que j'en aie vraiment conscience, le souvenir du bijou disparu. Mais je suis quand même bouleversée de voir cette image rêvée se matérialiser sous mes yeux, comme par magie, comme si j'avais vraiment été touchée d'une prémonition, issue non pas de ma mémoire mais de la seule prescience des dieux. L'*Anahid* colossale étincelle dans la pénombre de la nef. Elle est tout entière d'or pur, à part ses yeux fixes, qui sont peints de noir, et sa bouche. Oh, même si le matériau de cette sculpture est extraordinairement précieux, je me doute que Praxitélês en jugerait l'exécution maladroite. Mais moi, je me situe désormais au-delà de la simple appréciation esthétique. Seule avec ma détresse et celle de ma brave petite Lykeïna, je me trouve face à ma déesse et, celle-ci, immense, assise au flanc d'une montagne tenant dans ses mains une fleur et un flambeau énigmatiques, pose sur ses deux pauvres voyageuses un regard infiniment bienveillant. En rassemblant au fond de mon cœur ce qui me reste de ferveur, je la remercie de nous avoir conduites jusque-là saines et sauves et je lui demande de nous redonner la force que nous avons perdue, ma suivante et moi, pour nous remettre en chemin jusqu'à l'achèvement de notre quête.

Après nos dévotions, les deux novices nous introduisent auprès de prêtresses plus âgées. Celles-ci nous donnent de nouveaux renseignements sur le mage, qu'elles prétendent bien connaître. Il s'appelle en réalité Baxid. Comme nous pouvions nous en douter depuis plusieurs semaines, il n'est pas du tout khaldéen. Même s'il en parle les différentes langues, il n'appartient pas non plus à l'une des tribus locales. Il vient d'encore plus loin, des montagnes du nord, qui sont aussi hautes que le ciel, de la contrée mystérieuse et inhospitalière située au-delà de la rivière Kyra, que les gens d'ici appellent "le pays d'Anahid", parce qu'il s'agit de la terre natale de la déesse, celle où elle s'est implantée d'abord parmi les hommes, celle où elle résidait dans la solitude bien avant leur apparition sur terre. Ce chœur d'une dizaine de vieilles, qui constitue la mémoire vivante et prolixe du sanctuaire, se souvient avoir vu passer Baxid il y a longtemps, peut-être dix printemps, peut-être vingt, sorcier déjà très puissant, descendu seul de ses montagnes pour se diriger à pied dans la plaine du côté où le soleil se lève. Après tout ce temps, elles l'ont vu réapparaître il y a quelques jours seulement, accompagné d'un jeune homme et venant du côté où le soleil se couche. Il est arrivé juste après que le satrape et son ami sont tombés de cheval, pour soigner miraculeusement ces deux cavaliers trop fougueux mais dont les vies, lorsqu'ils seront devenus plus prudents, seront sans doute nécessaires à l'ordre du monde, puisque la Déesse a jugé bon de les sauver. Ensuite, le mage a repris le chemin qui le ramène chez lui. Elles ont entendu dire qu'à l'aller le fleuve Euphratês en crue a calmé ses eaux pour le laisser traverser et qu'au retour les montagnes du Zagros ont ouvert des cols devant lui.

Elles nous parlent aussi du jeune homme qui l'accompagne. Il n'est pas muet, nous affirme l'une d'entre elles, on l'a entendu dialoguer avec son maître dans une langue étrange, qui n'est ni celle des maîtres perses ni celle que je parle moi-même, mais une autre encore, plus rude. Pourtant, prétend une autre, l'assistant du sorcier n'avait pas l'air d'un étranger mais bien d'un homme d'ici. Peut-être, s'interroge une troisième, fait-il partie des Kardoukhoï, la tribu rebelle des montagnes du sud ? Ah oui, grince une quatrième, et comment l'un de ces frustes Kardoukhoï pourrait-il être aussi savant que le jeune mage, qui a soigné si efficacement les deux blessés ? Les vieilles se perdent alors en conjectures, si oiseuses et si bruyantes que notre interprète, haussant les épaules, finit par renoncer à les traduire. La seule chose qu'elles peuvent nous affirmer, au bout d'un long moment de palabre, c'est que l'assistant n'est pas grec. Car, des Grecs, elles en ont vu quelques-uns avant moi, oh oui ! Et le jeune mage ne nous ressemblait pas du tout, oh non ! Puis elles recommencent à se disputer, criaillant toutes en même temps et plongeant de nouveau notre garde dans le découragement. J'essaie pour me réconforter de me dire qu'effectivement Mithradatês n'est pas grec, qu'il est le fils de Manthanê la Kappadocienne et d'Aram l'Arménien. Mais je sens que, si je reste à écouter ces pythonisses bavardes, elles vont réussir à me persuader que je marche depuis des mois à la poursuite d'un garçon qui n'a rien à voir, ni de près ni de loin, avec mon fils adoptif. Je n'ose pas imaginer ce que ressent Lykeïna en écoutant les cacardements de ces vieilles oies à la mémoire trop vaste et aux becs trop agiles.

Ma suivante et moi, nous prenons la fuite. Toujours suivies de nos deux petites guides devenues muettes et de notre interprète, nous errons en silence dans ce sanctuaire enchanteur qui, désormais, nous désole.

C'est dans cet accablement morose que nous sommes rattrapées par un serviteur qui porte la longue robe des Perses. Il nous affirme qu'il nous cherche partout pour nous transmettre une invitation : les deux nobles dames, la femme et la mère du satrape, donnent un banquet dans leur tente d'apparat pour célébrer son miraculeux rétablissement ; elles ont appris mon arrivée dans le sanctuaire et me font l'honneur de souhaiter ma présence. Je suis d'abord tentée de refuser, et puis, non, Lykeïna et moi, nous décidons d'un commun accord de chasser nos idées noires. Nous allons nous faire belles ! La dernière fois, c'était le soir funeste de la fête avec les caravaniers et le petit paysan dans la montagne des environs d'Arbêla. Mais là, il s'agit d'un vrai banquet, donné à sa cour par le satrape d'Arménie devant le temple le plus sacré de ce pays prospère ! Du fond des coffres, que nous traînons dans notre char de voyage depuis le départ de Sardeïs, nous sortons nos vêtements de soirée. Après avoir fait chauffer les fers sur les braises, nous plissons nous-mêmes le lin de nos tuniques, et nous frisons nos cheveux. Depuis notre errance sur le plateau de Médie, il ne nous reste presque plus aucun bijou, sinon le collier sans prix de Mausôlos qui a failli nous coûter la vie. Je décide de le porter une dernière fois. Lorsque j'aurai retrouvé mon fils, parce que je veux encore croire que je vais y parvenir, je retournerai au sanctuaire d'Ekbatana et là, sous les yeux de ma chère Aspasia, je l'offrirai à la déesse, comme je le lui ai promis. Comme le soir du banquet d'Halikarnassos, je m'efforce, pendant ces apprêts, de retrouver un peu de l'insouciance féroce que j'éprouvais presque quinze ans auparavant, lors de mes débuts à Athênaï. Lykeïna partage ma joie, en l'aiguisant encore de l'enthousiasme de sa jeunesse. Elle paraît avoir totalement oublié son découragement ou plutôt avoir envie encore plus frénétiquement que moi de le dissoudre dans l'excitation de la fête. Elle en danse d'avance. Son jeune rire impatient résonne à travers le sanctuaire tout l'après-midi et doit faire sourire la Mère à la fleur et au flambeau, qui nous écoute là-bas, dans son temple, depuis la pénombre dorée de son éternité.

Nous nous amusons comme des gamines. Je maquille Lykeïna et elle me rend le même service. Lorsque j'ai fini de la parer, sur une impulsion, je la débarrasse de tous ses pauvres bijoux de pacotille, et je lui fais essayer le collier que m'a donné le seigneur de Karie, en reconnaissance de mon pouvoir et de mon expérience. Juste un instant, comme ça, pour voir, je l'ôte et je le lui passe autour du cou. Puis je lui présente mon miroir, afin qu'elle puisse s'y admirer. J'ai l'impression que la prestigieuse parure lui va encore mieux qu'à moi. Sa brusque gravité, jointe à la gaieté qui brille encore dans ses yeux, les deux émotions se rehaussant l'une l'autre, comme l'or et les pierres précieuses du bijou, la rendent plus délicieusement belle que jamais. Toutes les fatigues du voyage paraissent à cet instant miraculeusement envolées. Étonnant, me dis-je dans un sourire, comme même un périple à travers l'immensité de l'Empire perse ne peut émousser la grâce d'une fille de dix-sept ans qui se prépare pour une fête. Lykeïna a atteint l'âge que j'avais lors de mon premier banquet à Athênaï. Elle a simplement laissé glisser l'épuisement de ses épaules, comme je l'avais fait du deuil et de l'épouvante, elle s'est revêtue d'une nouvelle tunique impeccable de joie et elle se relève, fraîche comme au premier jour.

Alors je lui déclare : "Ce collier, je te le donne, comme je le donnerais à ma fille." J'ajoute : "Tu le remettras toi-même à la déesse lorsqu'elle t'aura rendu Mithradatès." Sa bouche s'arrondit de stupeur, puis se met à trembler, ses yeux se remplissent brusquement de larmes. Je dis : "Non, ne pleure pas : je t'appelle aujourd'hui ma fille mais tu sais bien que tu l'es depuis longtemps déjà." Elle se jette dans mes bras. J'ajoute, pour ne pas céder moi-même à l'émotion, parce que mes éclats de joie désormais sont moins vifs que les siens et que je crains, si je me laisse aller à l'attendrissement, de ne plus retrouver ma légèreté : "Ne pleure pas ou je te déshérite, parce que tu vas faire couler ton maquillage et que je serai obligée de tout recommencer !" Elle rit à travers ses larmes, et je la trouve si charmante dans son trouble, que, si j'étais un homme, je tomberais instantanément amoureux d'elle.

Soudain, elle me demande : "Mais toi, mère, quels bijoux vas-tu porter ?" Je ressens le plaisir qu'elle a pris à prononcer au milieu de la phrase le mot de "mère", alors je lui réponds : "Aucun, ma fille." Aucun, sinon la bague sans valeur donnée il y a longtemps par mon Sculpteur, que je porte en permanence pour me souvenir de lui. Je vais simplement draper en étole sur mes épaules, par-dessus ma simple tunique grecque, cette pièce de soie éclatante que nous avons achetée si cher aux marchands de la caravane. Éclairée par l'expérience du banquet d'Halikarnassos, je sais que ce n'est sûrement pas l'étalage de notre luxe qui pourra éblouir la cour de ce satrape perse. Je me propose plutôt de l'étonner par la simplicité raffinée avec laquelle des Grecques sont capables de choisir, dans la profusion de l'Empire, ce qu'il a de plus précieux. Lykeïna me regarde et elle me dit : "Tu seras à la fois une déesse grecque et une déesse indienne. Mère, tu n'as besoin d'aucun bijou pour être divinement belle."

Elle a l'air de m'admirer sincèrement et, pourtant, je ne peux m'empêcher d'éprouver une pointe de jalousie. N'est-elle pas, pour la première fois, plus belle que moi, plus jeune et plus désirable ? Même si je n'accomplis pas ce voyage en tant qu'hétaïre, même si, dans ce périple qui me ramène à mes origines, je ne cherche pas à ce que les hommes me regardent, je dois faire un effort pour chasser cette pensée importune. Petit nuage sombre, passant fugacement devant le soleil de ma joie, un après-midi d'été, avant de s'évanouir, mais annonçant déjà la débâcle de la mauvaise saison ? Ce don du collier, que j'ai passé autour du cou de Lykeïna sur une impulsion qui me venait de la déesse, n'est-il pas le symbole que c'est à elle désormais d'attirer le désir plus qu'à moi ? Je viens d'en faire ma fille, et les filles prennent la place des mères dans les regards des hommes, c'est la loi d'Anahita et d'Isodaïtês. Je l'enseigne depuis longtemps, j'ai cru peut-être qu'elle n'était faite que pour les autres, mais voilà que j'y suis confrontée à mon tour. Alors l'accepter ? Non pas seulement m'y résigner mais m'en réjouir ? Oh, m'en réjouir, il est encore trop tôt ! Lykeïna ne paraît pas avoir remarqué les pensées sombres qui se sont emparées de moi. Ou bien elle fait semblant de ne pas avoir noté mon changement d'attitude. Elle ne me montre pas qu'elle se sait plus belle que moi, par respect, par affection, ou simplement par inconscience. Après cet instant de gravité, elle est revenue à son exubérance naturelle et je me force à rire de ses plaisanteries. Nous nous jurons de mettre à nos pieds tous les satrapes de la terre et de rendre vertes de dépit leurs épouses, leurs mères et toutes les concubines de leurs harems. Mais la jalousie de ces femmes barbares, j'en éprouve moi-même la pointe.

D'ailleurs j'ai tort. Kodoman, le satrape, et Yervand, son lieutenant, sont éblouis dès notre arrivée, par moi autant que par Lykeïna, que je leur présente comme ma fille. Ils me font la grâce de se récrier que nous pourrions être deux sœurs. Je dois avouer que je suis moi aussi très sensible à leur charme. Je découvre dans Kodoman et Yervand deux hommes d'une trentaine d'années, en pleine force de l'âge, même s'ils se remettent tous les deux d'un grave accident. Les stigmates qu'ils en portent encore sur le visage et sur les bras ne les enlaidissent pas mais accentuent encore leur virilité, la rendant plus fragile et plus intense. Oui, ils sont tous les deux d'une grande beauté : beauté noble, beauté guerrière, beauté perse. Peau sombre, taille élancée, épaules larges. Ils portent de précieuses tuniques de soie rouge, mais sans tout cet attirail de pierreries et de dorures qui m'a tant frappée, lorsque j'ai aperçu pour la première fois des princes achéménides à la cour d'Halikarnassos. Juste un collier à larges plaques d'or et des anneaux aux oreilles. Le maquillage de leurs yeux met en valeur leur regard velouté et profond, dont il souligne l'éclat, parfois brusque et parfois amusé. Dépourvus de cette raideur officielle des dignitaires de l'Empire, ils gardent au milieu du banquet leur souplesse de cavaliers, qui s'amusent à s'habiller mais ne se sentent vraiment à l'aise que sur leurs chevaux, vêtus à la nomade pour la chasse ou pour la guerre, prêts de leurs arcs et de leurs longues flèches à transpercer la poitrine de leurs ennemis et le cœur des femmes, avant de s'enfuir au galop dans un même éclat de rire vainqueur. Fugitivement, je revois le profil oublié d'Euthias, qui était, jusque-là, le plus bel homme que j'aie jamais rencontré. Ils sont extrêmement différents, ces deux Perses et l'Athénien, mais ils incarnent, chacun dans son genre, un idéal de beauté masculine. Si Euthias était Apollôn, Kodoman est Mithra et Yervand l'un des Amesha Spenta, ses fidèles compagnons d'armes, dont m'ont parlé tout à l'heure les deux novices.

Lorsque j'ose complimenter le jeune satrape pour la noblesse virile de sa beauté, en espérant que le garde d'Aspasia qui nous sert d'interprète saura traduire la nuance de respect et d'admiration désintéressée que j'ai mise dans ma remarque, Kodoman ne peut retenir un sourire de fatuité. Il m'annonce qu'il appartient à la famille royale perse, ce qui paraît à ses yeux expliquer assez l'éclat physique de sa personne. Mais il ajoute aussitôt, avec une grande simplicité, qu'il n'est que d'une branche collatérale assez lointaine. Ainsi, même si certains de ses conseillers tentent parfois de lui faire croire le contraire, il ne possède aucune chance réelle d'accéder au trône, puisqu'Artaxerxês Okhos, qui s'y trouve solidement installé, est déjà pourvu de nombreux fils légitimes. Et Kodoman s'en félicite. Le trône, il s'en moque, tant il sait que le pouvoir suprême et ses intrigues ne sont pas faits pour un homme comme lui. Avec une gravité soudaine, que je perçois autant dans son attitude que dans ses paroles traduites par l'interprète, il ajoute qu'il veut seulement se montrer digne des valeurs de la noblesse perse. C'est-à-dire, avant tout, d'une fidélité sans faille à son oncle le Roi. Yervand intervient dans notre conversation qu'il écoute depuis un moment avec un sourire complice. Il m'explique que son seigneur et ami, le vaillant Kodoman, a eu l'honneur d'accompagner leur Artaxerxès l'année précédente dans sa difficile campagne contre la peuplade rebelle des Kadusiens. Il s'y est acquis la faveur d'Okhos par un exploit déjà légendaire dans tout l'Empire.

Au lieu de le laisser poursuivre son récit, Kodoman reprend aussitôt la parole. Il se met à nous raconter lui-même son fait d'armes, à la jolie Lykeïna et à moi, avec un mélange de forfanterie naïve et de simplicité amusée, qui s'écarte complètement de tout ce que je croyais avoir deviné à Halikarnassos de la psychologie des aristocrates perses mais qui ajoute encore, je trouve, à son charme personnel. Un géant kadusien, nous dit-il, s'était avancé pour provoquer en combat singulier tout soldat de l'armée impériale qui oserait relever son défi. Il criait qu'aucun Perse ne serait assez courageux pour venir l'affronter et ses moqueries résonnaient dans tout le camp, parce qu'il était vraiment monstrueux et que personne, même dans la garde rapprochée du Roi, n'osait bouger. Le jeune Kodoman n'était à cette époque que le chef des courriers impériaux. Mais il se mit en marche, sans réfléchir, n'écoutant que le courage des hommes de son sang, vers la terrible brute qui l'attendait là-bas, toute caparaçonnée de métal. Pendant son avancée, il ne fit rien d'autre que prier Mithra et les autres Spenta, et puis son génie personnel, de l'aider dans ce combat qu'il allait mener pour Mazda, le Dieu du bien, et pour le Grand Roi, contre l'un des démons malfaisants d'Andra Maïnyu, le génie du mal. Tandis que le Kadusien continuait à l'insulter en le regardant approcher de loin, à se moquer de lui, en renversant la tête en arrière pour mieux éclater de rire, voilà que le jeune homme ferme les yeux, qu'il plie les jarrets, et, qu'à plus de cinquante coudées, il projette le javelot, comme il a appris à le faire avec les autres garçons de son rang depuis l'âge de cinq ans. Quand la clameur de l'armée lui fait rouvrir les yeux, il découvre le géant étendu de tout son long sur le sol, le trait planté en pleine gorge, dans l'étroit espace entre la cuirasse et la jugulaire du casque !…

L'Artaxerxès Okhos, conclut Yervand, pour remercier son jeune parent d'avoir prouvé de manière si éclatante la vaillance, l'habileté et la faveur des dieux qui caractérisent les Perses depuis toujours, lui a donné, à la fin de la campagne victorieuse, la satrapie sur les deux Arménies réunies pour lui. Soit qu'il veuille continuer à nous éblouir, Lykeïna et moi, soit qu'il poursuive à voix haute ses réflexions personnelles, Kodoman nous affirme alors qu'il a rejeté avec mépris quelques mois auparavant la proposition d'entrer dans la coalition des satrapes de la côte d'Iônie, qui s'étaient révoltés sous la conduite du traître Artabazês. Il a demandé à son oncle, le Grand Roi, la faveur de l'aider à la mater et, se tenant prêt à intervenir lui-même, il a envoyé des troupes au rassemblement d'Arbêla. Il ajoute que Yervand aurait été prêt à marcher avec lui, alors même qu'il s'agissait d'aller combattre contre son propre père, Orontês, qui s'était laissé entraîner lui aussi, par faiblesse ou par dépit, dans une nouvelle sédition. Car la défense de l'Artaxerxês est pour un Perse un devoir encore plus sacré que celle de son père. De toute façon, jette-t-il avec une moue de dédain, même si les stratèges grecs qui commandaient l'armée des rebelles réussirent au début à remporter quelques succès, Artaxerxês Okhos et son général, Autophradatês, qui n'est pourtant pas le plus valeureux de sa génération, ont ramené l'ordre sans avoir besoin de faire appel aux autres satrapes fidèles.

Kodoman ajoute encore une phrase, qui fait rire Yervand et tous les chasseurs réunis autour de moi. Le garde me la traduit, en souriant lui aussi : "On dit que ce lâche d'Artabazês s'est réfugié auprès du petit roi de Macédoine, chez lequel il faudra bien aller le chercher un jour par la peau du cou !" Je repense à la soirée d'Halikarnassos où, devant les deux dignitaires qui l'incitaient à la révolte, Mausôlos nous fit la démonstration de la terrible sarisse. Si le Grand Roi lance un jour Kodoman et Yervand à la chasse du Macédônien caché dans ses montagnes, les deux cavaliers, malgré leur courage, découvriront peut-être que les cornes de Philippos sont encore plus dangereuses que celles du taureau de la plaine d'Eridza qui a failli leur coûter la vie. Je me garde bien de le dire à ce jeune seigneur, pâle encore de ses blessures mais si sûr de sa force.

Me tournant vers Yervand, je lui demande s'il est bien le fils d'Orontês, le satrape de Lycie. Il me répond que oui. Son nom perse est Araontês, mais il ne déteste pas qu'on l'appelle par le surnom affectueux que lui donnent les Arméniens, Yervand. Il n'est pas actuellement aussi fier qu'un fils de bonne naissance devrait l'être de son père, même si le vieux renard a réussi à se tirer sans dommage de l'échec de la révolte et à obtenir une fois encore le pardon du Grand Roi. Après celui de Mémnôn il y a dix ans, aujourd'hui celui d'Okhos, qui sait se montrer pourtant bien plus vindicatif contre ses ennemis : il a fallu sûrement à l'habile vieillard, pour obtenir sa grâce, beaucoup trahir ses alliés, beaucoup mentir et beaucoup retourner sa veste d'apparat. Kodoman éclate de rire et propose à Yervand de boire à la santé de la vieille crapule increvable qui lui tient lieu de père. Son lieutenant le fait volontiers. Tandis que l'interprète me traduit ces dernières paroles en hésitant un peu, je m'étonne moi aussi que la joie robuste de ces deux jeunes gens aille jusqu'à prendre pour cible l'un de leurs proches parents. C'est peut-être, me dis-je, en tentant de deviner leur sentiment, comme si l'épreuve commune qu'ils viennent de traverser avait renforcé encore leur amitié et qu'après avoir exploré ensemble le pays de la mort, ils avaient ouvert de nouveau les yeux sur le monde des vivants, pour le voir tel qu'il est et oser dire ce qu'ils voient ? Comme si leur ardeur sarcastique, débarrassée par le souffle glacé de l'au-delà des précautions hypocrites de la vie de cour, s'attaquait à présent même à leurs aînés, dont ils respectent encore la fonction mais dont ils osent désormais affirmer qu'ils méprisent la personne et les compromissions ? Ces deux cousins lointains, qui viennent de se découvrir frères de sang, aiment la guerre et la chasse, mais détestent ces intrigues politiques, dans lesquelles se perdent l'oncle de l'un et le père de l'autre. Toutes ces luttes de pouvoir qui affaiblissent l'Empire plutôt qu'ils ne le renforcent, j'imagine qu'ils les jugent bonnes pour des eunuques de palais, comme l'infâme et terrible Égyptien Bagoas, dont on murmure qu'il manipule dans l'ombre le viril Okhos. Aux yeux de jeunes Perses bien nés, la seule chose qui compte, c'est le courage personnel, c'est l'ivresse du combat, c'est de périr ou bien de conquérir l'eau et la terre de pays nouveaux, pour le compte du Grand Roi, au nom d'Ahura Mazda ! Oui, à travers leur énergie physique et leur rire ravageur, je crois que je perçois leur vision du monde, qui est peut-être bien plus caractéristique encore de la noblesse achéménide que celle des deux fins diplomates que j'ai croisés à la cour du roi Mausôlos.

J'apprends à Yervand que j'ai rencontré son père à Halikarnassos. Il se déclare très surpris et m'interroge poliment sur la santé d'Orontès sans pour autant manifester de véritable curiosité. Ou peut-être la déguise-t-il, ne pouvant montrer d'intérêt pour celui que son jeune maître, Kodoman, malgré la grâce qui lui a été accordée par le Roi, considère manifestement comme un traître ? Je sens que Yervand se hâte de détourner la conversation : il me pose des questions sur mon histoire, que je me mets à lui raconter en détail, comme je l'ai fait déjà à son père. Toute la noble assemblée perse m'écoute, aussi captivée que les villageois arméniens. À la fin de mon récit, Kodoman conclut, comme les deux satrapes à Halikarnassos, que Yervand et moi, nous sommes parents, et qu'un peu de sang royal perse coule dans mes veines. Mais les deux jeunes hommes paraissent plus sincèrement enchantés de cette découverte que le vieil Orontês. Yervand veut bien se déclarer flatté d'avoir pour cousine, même lointaine, une femme aussi divinement belle que moi. À Lykeïna, que j'ai présentée comme ma fille, Kodoman adresse galamment le même compliment. Je souris et elle rougit.

Puis Yervand a l'idée de faire venir une très vieille servante, qui appartenait déjà à la suite du palais au temps d'Orontês. La pauvre a l'air effrayée plus qu'émue, toute tremblante d'être appelée à la table de ses maîtres. Au début, elle ne se souvient que très vaguement de la jeune femme nommée Bathimandis. Puis, prenant un peu d'assurance, elle déclare que la princesse était aussi belle que moi et qu'elle croit la revoir lorsqu'elle me regarde. Mais, évidemment, elle ne se permet cette confidence qu'après qu'on lui a appris que j'étais la fille de cette Bathimandis. J'imagine que la pauvre vieille s'efforce de complaire à la noble assistance plutôt que de fouiller vraiment dans ses souvenirs. Pourtant, au bout d'un moment, elle ajoute qu'elle se rappelle aussi le guerrier grec à qui on avait donné la jeune princesse en pleurs. Lui aussi, malgré la cicatrice qui lui barrait le visage, était très beau. Et courageux. Il a participé plusieurs fois brillamment à la chasse aux taureaux sacrés dans cette même plaine, dont la dernière sous les yeux admiratifs de son épouse, qui ne pleurait plus depuis longtemps. Quelques mois plus tard, la jeune dame est morte, en donnant le jour à un enfant, qui était peut-être bien une petite fille, elle ne se souvient plus. Le Grec a fini par quitter la cour, en emmenant la petite et quelques compagnons. Cela se passait il y a longtemps déjà, à peu près au moment de la naissance de Yervand. La vieille servante n'est pas capable d'en dire plus sur ma mère, ni sur mon père, qu'elle a tous deux très peu connus et qui ne sont plus pour elle que des ombres pâles dans un recoin de sa mémoire. Pourtant, je me dis qu'elle a vu leurs visages, qu'elle les a côtoyés, même de loin. Le satrape Orontês, dans la soirée que nous avons passée ensemble à Halikarnassos, m'a parlé de mes parents en termes bien plus précis, mais, cette fois, j'ai la preuve que je me trouve dans un lieu où ils ont vécu ensemble. Celui où, peut-être, j'ai été conçue, un soir de fête semblable, après la chasse aux taureaux sacrés. Oui, ce sanctuaire est, symboliquement, l'endroit où je suis née. Je suis tellement bouleversée par ces révélations, même confuses, que je ne peux m'empêcher de pleurer. Yervand, à qui la vieille a parlé de sa propre nourrice, dont elle était l'amie, paraît ému lui aussi.

Pendant le reste du banquet, je me trouve engagée presque malgré moi dans une longue conversation avec Stateïra et Sisygambis, l'épouse et la mère du satrape. Ces deux femmes d'une extrême dignité me paraissent parfaitement creuses sous leur enveloppe de noblesse. Dans ce festin où, à la mode perse, on sert des viandes en quantité excessive, surtout aux yeux d'une Grecque comme moi, elles ne font que picorer, n'acceptant que quelques bouchées de chaque plat. Je ne parviens pas à discerner s'il s'agit de l'élégante réserve imposée aux femmes de la famille royale achéménide, qui doivent être capables en toute occasion de se contrôler au milieu de la plus extrême profusion et ne jamais céder à leurs désirs, ou bien si, plus simplement, l'émotion qu'elles ont éprouvée les jours précédents leur a coupé l'appétit. Elles sont encore toutes les deux tellement sous le choc de l'accident, qui a failli coûter la vie à leur fils et mari, que chacune me le raconte à plusieurs reprises dans tous ses détails. Elles admirent Kodoman mais elles ont sans cesse peur pour lui. Il est trop confiant dans sa force virile, dans sa bravoure personnelle, dans la protection de ses dieux mâles. Il s'avance seul face à un géant, il se jette contre un taureau enragé, il ne réfléchit pas aux conséquences, il risque sa vie, qui est si précieuse. Elles, de leur côté, ne disposent, pour le modérer, que de leur affliction. Je gémis poliment avec elle sur notre condition de femmes, tout en dissimulant mon agacement.

Puis, me souvenant de la raison principale de ma présence ce banquet, je fais allusion devant les deux nobles perses aux mages qui les ont soignés. Je m'apprête à leur expliquer le lien qui m'unit sans doute au plus jeune et à demander leur aide dans notre quête, quand, soudain, je sens que je dois me taire. Sur le moment j'élude, en affirmant seulement que nous irons dans la même direction qu'eux, vers le nord, vers le pays d'Anahid, et le banquet est fini depuis longtemps que je me demande encore pourquoi je n'en ai pas dit plus, me privant de l'aide précieuse de Kodoman. Peut-être justement pour éviter qu'il n'envoie une escorte à la poursuite des deux voyageurs et ne me les ramène de force, en interrompant leur périple ? Soudain, j'accepte ce qui me désespérait dans l'après-midi : nos retrouvailles n'auront pas lieu dans le sanctuaire d'Eridza, d'où pourtant je suis issue. Je dois aller encore au-delà de mon origine personnelle. Tout simplement parce que ce n'est pas moi qui suis le sujet de cette quête. Pour la première fois, je saisis que je dois accepter de suivre à distance mon fils adoptif, si du moins le jeune assistant du mage est bien Mithradatês, pour le laisser aller au bout de lui-même. C'est seulement à la fin de son propre parcours que j'aurai le droit de l'atteindre, et même que j'en aurai le devoir, afin de jouer mon rôle dans son histoire et de donner du sens à cette traque maternelle.

Je crois que je n'avais jamais compris cela, qui, en plein milieu de la nuit, plusieurs heures après le banquet où je me suis tue, me traverse comme une illumination, aussi poignante et aussi douloureuse que l'impulsion de l'après-midi, lorsque j'ai découvert que le collier de Mausôlos ne m'appartenait pas vraiment et qu'il était temps de le donner à une plus jeune que moi : je ne suis pas, ou plus, le centre ! Je l'avais seulement pressenti, au tout début de ce périple, en sortant des bras du satrape Artabazês pour aller me réfugier dans ceux de Praxitélês, mais j'en ai maintenant la certitude aveuglante : Mithradatês et Lykeïna ont tous les deux pris cette place centrale qui était la mienne encore quelques mois auparavant. Ma tâche n'est plus maintenant que d'escorter le garçon de ma vigilance et de transmettre à la fille ce que j'ai reçu de plus précieux. Oh, cette découverte m'est très douce mais elle me fait très mal ! Je me mets de nouveau à pleurer, comme devant la vieille servante. Comme devant Stateïra et Sisygambis, mais cette fois-ci sincèrement. La mère et l'épouse dissimulaient leur angoisse à Kodoman et moi, je fais de même, comprenant enfin la dignité de ces deux femmes, dont la sensiblerie compassée m'a tellement agacée tout à l'heure. Je tâche de ne pas réveiller Lykeïna, qui est l'objet de ces larmes mais à qui je dois les cacher parce qu'elles ne la concernent pas.

Alors, dans ces pleurs dissimulés à celle que je me suis donnée pour fille, je deviens véritablement mère. Mère de ces deux êtres qui ne me sont rien par le sang, et mère aussi des deux qui sont sortis de mon ventre mais que j'ai confiés aussitôt à l'épouse de Praxitélês, pour qu'elle les regarde grandir à ma place. Oui, mère de ces deux-là, et de ces deux-ci, parce qu'un enfant, tu ne l'as que si tu acceptes de ne pas le posséder. Ce qui me déchire l'âme dans la nuit d'Eridza, un peu comme mes accouchements m'ont déchiré le corps, c'est une vérité très banale, je le sais, toutes les femmes passent par là : donner la vie, la transmettre, c'est ne pas la retenir à l'intérieur de soi, c'est la pousser à sortir, et donc déjà un peu accepter de mourir. C'est découvrir que l'on n'est pas un être unique, incorruptible, immortel, comme on le croyait, et moi peut-être plus qu'une autre, mais seulement l'une des détentrices provisoires de ce corps de femme, qui accomplit à travers nous sa fonction, avant de vieillir et de disparaître. Dans mon chemin vers la reconnaissance de la vie, j'ai d'abord été une morte, au fond de la salle humide du Peïraïeus, puis une déesse sur le rivage du Phalêron, mais maintenant, dans la plaine d'Eridza, je ne suis plus qu'une femme. C'est peu et c'est immense. Si je pleure, c'est parce que je ne sais pas comment réagir autrement, parce que je ne maîtrise pas encore tout ce que je découvre, parce que je ne sais pas de quel côté me situer, du côté du peu ou du côté de l'immense. Je ne sais pas encore me tenir droite sur la crête entre les deux. Un jour, peut-être, je pleurerai d'y être enfin parvenue, non de déchirement mais d'apaisement. Un jour encore lointain.

Le lendemain matin, Kodoman se déplace en personne dans le sanctuaire pour me rendre visite. En attendant l'arrivée de l'interprète, le satrape accepte la coupe d'eau fraîche qu'en bonne Grecque je lui fais servir, mais il reste totalement silencieux, m'enveloppant dans un regard noir qu'il veut chaleureux et que je trouve, par instants, presque inquiétant. Dès que le garde d'Aspasia est arrivé, le noble Perse se lance dans une tirade à la fois directe et parsemée de fleurs de rhétorique, qu'il a dû longuement préparer pendant la nuit. Il m'explique qu'il a été touché en plein cœur par la grâce de Lykeïna et par les flèches aiguës de ses doux regards. Qu'il a l'impression qu'après l'accident où il a failli mourir, elle lui a adressé le sourire même de la vie. Après l'hiver, le sourire du printemps. Il éprouve un besoin si ardent de se réchauffer à cette lumière qu'il me demande, et c'est l'objet de tout ce discours, si j'accepte de lui donner ma fille. Bien qu'elle soit de noble origine, il ne pourra lui proposer le mariage mais il en fera sa favorite. Il m'assure qu'elle sera traitée par lui avec tendresse, et par toute la cour, même par l'épouse légitime, avec le respect qu'elle mérite. Les enfants qu'il aura d'elle, il les reconnaîtra comme les siens, et ils seront très richement dotés. À moi, la mère de la femme dont il vient de tomber si impérieusement amoureux, il offre des gardes et des guides pour poursuivre mon mystérieux voyage vers le nord. Puis, lorsque celui-ci sera achevé, l'hospitalité à vie dans sa cour, et les marques d'honneur dues à une reine. Ou, si je préfère, de quoi vivre dans le luxe de retour chez moi.

En entendant cette déclaration, je repense au récit d'Aspasia, à la façon dont elle fut jetée de force dans le lit de Kyros, et je me félicite que le satrape ait appris la veille devant toute sa cour que Lykeïna et moi avions un peu de sang perse dans les veines. Après m'être confondue en remerciements, tout en m'efforçant de garder ma dignité de prêtresse et de mère, je réponds à Kodoman que je laisse ma fille libre de ses choix. Je vais la faire appeler pour qu'il puisse lui demander lui-même si elle souhaite rester avec lui ou continuer à me suivre. Je réclame une seule chose du satrape, c'est qu'il respecte comme moi la décision de Lykeïna, quelle qu'elle soit. Avec un sourire un peu fat, tant il paraît sûr de la décision de la jeune fille, le prince promet.

Dès qu'elle est arrivée, dans les termes fleuris que lui inspirent son désir sincère et mille ans de poésie amoureuse, il propose à Lykeïna de devenir sa favorite. Ma fille ne répond rien mais elle rougit, comme j'ai remarqué qu'elle l'a fait déjà la veille la première fois qu'il l'a complimentée. Je devine alors qu'elle a été troublée encore plus que moi par la beauté du jeune noble perse. Je sais soudain, quelques instants avant qu'elle n'ouvre la bouche, qu'elle va accepter cette proposition si avantageuse. Ainsi, elle aura fait tous ces mois de voyage, non pour retrouver Mithradatês, mais pour devenir la concubine respectée d'un des principaux dignitaires de l'Empire. Ce destin à la Aspasia est bien plus incroyable que tout ce que j'ai pu rêver pour elle, je repense à la petite Thessalienne terrorisée que j'ai rachetée, au sourire bouleversant de la jeune esclave, à sa façon de danser, au chœur des Erôtidia qu'elle a mené si noblement, à son découragement de la veille, au don de mon collier. Oui, ce destin qui me l'enlève, je dois l'accepter, je dois la laisser aller au moment même où je la reconnais comme ma fille, parce que c'est la laisser aller vers le bonheur. Je dois obéir à cette vérité de la maternité que j'ai découverte en pleurant la nuit précédente. Lykeïna sourit à Kodoman, qui lui rend son sourire...

Et puis, avec la grâce la plus respectueuse, elle décline sa proposition ! Sans mentionner Mithradatês, elle affirme qu'elle m'est si attachée qu'elle ne pourra jamais m'abandonner. Je ne trouve pas la force de lui marquer la moindre reconnaissance pour son sacrifice, ne serait-ce que d'un battement de paupière, tant j'étais persuadée qu'elle allait accepter l'offre miraculeuse de Kodoman, dont j'ai très bien perçu à quel point il lui plaisait. Je n'ai pas non plus le courage de l'inciter à changer d'avis, comme peut-être je le devrais, si j'étais vraiment une mère digne de ce nom. Je reste sans voix.

Kodoman, fidèle à son serment, n'insiste pas et ne la force pas à monter dans son lit, alors qu'il en aurait sans doute le pouvoir. Mais il oublie aussi la promesse qu'il m'a faite de me donner des guides pour m'accompagner vers le nord. À partir de ce moment, la porte de sa tente nous est fermée, ainsi que celles de son épouse et de sa mère, celles de toute sa cour et celle de Yervand, dont je me demande pourtant s'il n'est pas intervenu pour sauver la vie des deux parentes étrangères que venait de lui donner le hasard. Je comprends que, si le satrape renonce à nous punir pour notre désobéissance, à ses yeux, donc à ceux du monde, nous n'existons tout simplement plus. Seules les prêtresses du temple arménien sont assez indépendantes pour continuer à nous accueillir mais elles nous tolèrent à peine. Le Roi, son lieutenant et sa cour quittent bientôt Eridza, au galop de leurs cavaliers.

La veille, j'ai donné l'ordre aux quatre gardes d'Aspasia de reprendre la route d'Ekbatana. Je ne serai accompagnée dans la suite de mon voyage que de Lykeïna, qui n'a pas voulu discuter avec moi de son choix pour ne pas avoir à le regretter, de Kistôn, le fidèle Cerbère, qui se remettra à marcher devant le chariot sans même grogner, et d'un guide local. Privée de la protection du satrape, je l'ai trouvé à grand-peine. C'est un parent de la vieille servante qui a connu ma mère et qui ne veut pas laisser partir une deuxième fois la pauvre petite princesse sans l'aider. Il s'appelle Sipan, il ne parle pas un mot de grec mais il connaît les montagnes du mystérieux "pays d'Anahid", pour s'y être déjà aventuré une fois, à la poursuite de ses chèvres ou de ses rêves d'aventure.

Nous attendons pour nous mettre en route à notre tour que le satrape et ses gardes aient disparu à l'horizon. Même la poussière que soulève son cortège et qui envahit le sanctuaire, est dorée. Elle m'aveugle. Si je parvenais à garder les yeux grands ouverts, peut-être pourrais-je lire à travers elle l'étonnant destin de Kodoman ? Une vingtaine d'années plus tard, Bagoas, le chef de l'administration impériale, finira par empoisonner son maître, l'Artaxerxès Okhos, au moment où celui-ci sera enfin parvenu à rétablir l'ordre impitoyable d'Ahura Mazda dans tout l'Empire, et jusque dans l'Égypte révoltée. Mais le maître du monde aura commis l'erreur de ne pas respecter le bœuf sacré dans le temple de Sérapis et de le servir en ragoût à son eunuque égyptien. Celui-ci empoisonnera à la suite tous les fils d'Okhos, pour placer la tiare royale sur la tête du plus jeune et du plus malléable de tous, Arsès. Puis il empoisonnera Arsès. Lorsque la branche légitime sera éteinte, il se tournera vers le fruste Kodoman. La noblesse perse, se souvenant de l'exploit de ce dernier face au géant kadusien et de sa vaillance personnelle, acceptera de le voir monter sur le trône du Roi des rois auquel rien ne le préparait. Après avoir pris le nom de Dareïos le troisième, il ne s'y maintiendra qu'en obligeant Bagoas, sur un brusque soupçon, à boire lui-même la coupe de vin que celui-ci lui présentait avec un sourire bienveillant et qui était elle aussi pleine de poison.

Ainsi, ma petite Lykeïna chérie, si elle avait été moins amoureuse et moins fidèle, plus sage et plus ambitieuse, aurait pu devenir non pas seulement la favorite d'un satrape, mais celle du Roi des rois, comme Aspasia avant elle. Mais le destin n'aurait pas voulu qu'elle le restât longtemps. Car le jeune Alexandros, le fils du Macédônien Philippos, débarquera bientôt en Asie, à la tête de quelques milliers de cavaliers, de sa phalange armée de sarisses et de ses alliés grecs. Le premier choc aura lieu près du fleuve Granikos. L'un des deux anciens stratèges rhodiens du satrape Artabazês, qui, après avoir été l'un des adversaires les plus habiles du Grand Roi, commandera ses troupes, analysera froidement la puissance surprenante de l'armée macédônienne. Il conclura que son unique faiblesse est sa marine, et, donc, son incapacité à assurer son ravitaillement. Il préconisera d'éviter de l'affronter de face mais de lui couper plutôt la route de la mer, tout en pratiquant, sur le continent, la tactique de la "terre brûlée". Le vaillant Grand Roi Dareïos Kodoman, fidèle en cela au fougueux jeune homme que j'ai croisé à Eridza, refusera avec hauteur cette prudence indigne de la noblesse perse : on ne ravage pas le territoire que l'on a conquis pour Ahura Mazda ! Dareïos Kodoman préférera s'avancer en personne devant le redoutable Alexandros, comme devant le géant kadusien, comme devant le taureau d'Anahid, en n'écoutant que la voix de son sang, qui lui crie que les Perses sont infiniment supérieurs aux Grecs, pas seulement par le nombre de leurs alliés, mais aussi par essence. Dans l'étroit défilé d'Issos, près de Tarsoï (à l'endroit où la tempête déposa autrefois mon fils) aura lieu la deuxième bataille : l'armée perse ne pouvant s'y déployer, sera honteusement piétinée. Et Kodoman devra s'enfuir, abandonnant son char, sa tente, sa famille, son trésor, sa mère et sa femme, pour sauver la seule chose sacrée qu'il possède, le pouvoir, dont il m'avait assuré à Eridza qu'il ne voulait pas mais dont le destin l'aura fait dépositaire.

Alors, non loin d'Arbêla, dans la plaine de Gaugamélês (que j'ai moi-même traversée plus de vingt ans auparavant, sans la voir, tout à ma douleur d'avoir perdu mon fidèle Adômas dans l'attaque des brigands), Dareïos Kodoman préparera avec soin le troisième combat. Il y rassemblera l'armée la plus immense que l'on ait jamais vue dans toute l'histoire humaine. Bien qu'elle soit plus de dix fois supérieure en nombre, et qu'elle combatte sur un terrain favorable, elle sera étirée, scindée, bousculée, balayée. Alexandros, comme le taureau rusé venu vingt ans auparavant de l'autre rive du fleuve Euphratês défier le jeune Kodoman, feindra de s'écarter sur la gauche pour déporter autant que possible la lourde cavalerie perse. Et puis il se ruera soudain, dans une charge folle, vers Dareïos, qui, immobile, entouré de ses Immortels, se trouvera placé sur son char d'apparat au centre du front, comme le Soleil au centre du monde. Parce que le Macédônien a bien deviné qu'en parvenant à atteindre le Grand Roi et à le tuer, il abattrait du même coup l'Empire. Mais le fidèle lieutenant de Dareïos, Yervand, qui régnera alors sur l'Arménie sous le nom d'Orontês le second, parviendra encore à s'interposer entre Kodoman et le taureau macédônien. Il sera renversé, et cette fois-ci les deux mages ne seront pas là pour le sauver. Son dernier cri, avant de disparaître sous les sabots des chevaux qui le broieront, sera pour inciter son maître et son ami à battre en retraite, afin de sauver la dynastie. Le vaillant Kodoman s'enfuira comme un lâche, une deuxième fois. Alexandros le poursuivra à Ekbatana, à travers le défilé des Portes Kaspiennes et jusque dans les montagnes de Baktriane, Alexandros le traquera, dans une poursuite sans fin, et le vaillant Kodoman, avec une poignée de plus en plus réduite de fidèles, s'enfuira toujours comme un lâche, sans écouter son courage et son désespoir qui lui commanderaient de faire face, seul sur son cheval, pour affronter le taureau. Non, il continuera à fuir jusqu'aux confins de l'Empire pour sauver l'Empire, qui ne tiendra plus que dans sa personne. Et le vaillant Kodoman finira par être lamentablement assassiné dans son interminable fuite de lâche, sur l'ordre de son dernier allié, le satrape Bessos, qui tentera de prendre sa place.

Alors l'Artaxerxês connaîtra une revanche posthume et une ultime métamorphose. Alexandros tuera Bessos pour venger Dareïos. Il enterrera le dernier des Achéménides avec faste, comme ses ancêtres, dans la tombe royale de Persépolis. Il lui succèdera, jusque dans le cœur de sa mère, Sisygambis, capturée à Issos et traitée par son vainqueur comme la reine qu'elle est depuis des siècles. En apprenant la mort de l'enfant sorti de ses entrailles, dont je suis sûre qu'elle ne l'a pas, comme l'ont cru tous ces Grecs primaires, haï, lorsqu'il l'a abandonnée pour sauver son trône, mais encore plus aimé, elle déclarera : "Désormais, je n'ai qu'un seul fils, qui dirige l'ensemble de l'Empire, et il s'appelle Alexandros". Elle reniera Kodoman, sur qui elle a tant pleuré devant moi à Eridza, parce qu'avant d'être une mère, elle est une reine perse. Parce qu'Alexandros a compris mieux que je ne l'ai jamais fait la mentalité achéménide. Parce que même les collisions des planètes doivent être intégrées à l'harmonie cosmique. Parce que ceux qui n'ont pas réussi à maintenir l'ordre de Mazda doivent accepter d'être broyés par lui. Parce que ceux de leurs proches qui les aiment le plus doivent jeter leurs cadavres et leurs mémoires dans le feu sacré, s'il n'est plus d'autre aliment pour continuer à le nourrir.

Et moi, si je pouvais deviner dans le vol de la poussière d'or l'incroyable catastrophe d'un Empire qui m'a paru si puissant et si terrible, je repenserais à ces édifices magnifiques, à ces Paradis hermétiquement clos, ces temples aux statues colossales, ces citadelles aux murailles d'arc-en-ciel, ces cités immenses, ces remparts, ces postes-frontières et ces arbres couverts de corps humains suppliciés le long des Voies Royales, à tout cet attirail de la puissance. Mais je repenserais surtout à ces deux jeunes hommes, Kodoman et Yervand, un bras passé sur l'épaule de l'autre. Sûrs de leur force et sûrs de leur rang, riant de cette attaque du taureau qui a failli les tuer tous les deux et qui fait encore pleurer leurs mères et leurs femmes. Oui, le jour encore lointain où j'apprendrai la destruction de cet Empire qu'ils n'ont pas su sauver, je reverrai leurs deux beaux sourires de jeunes mâles centaures dans la lumière du printemps sur Eridza. Et je m'inclinerai en pensée devant la statue d'or d'Anahita, qui brandit dans la pénombre une fleur mais aussi un flambeau, puisque le feu et l'eau qui nourrit la fleur ne sont que les deux états du même fluide, parcourant l'univers et le régissant à travers ses plus imprévisibles changements.

Voilà, Kodoman, Yervand, et toute leur suite de cavaliers, d'intendants, de femmes, d'esclaves viennent de disparaître de la plaine dans le galop des chevaux et la poussière d'or des chars d'apparat, qui contient déjà en suspension, invisibles aux yeux de tous, leur accession triomphale au trône suprême et leur ruine. Nous empruntons un tout autre chemin. Sur un chariot unique, cabossé par des mois de voyage, deux faibles femmes, accompagnées de deux hommes sans armes, s'en vont vers le pays mal connu du nord. Au-delà des frontières de l'Empire achéménide, nous allons vers les montagnes infranchissables qui barrent le pays mythique d'Anahid. Nous allons vers l'inconnu.

52

LA HAUTE SENTINELLE

Le plateau riant d'Eridza s'est transformé insensiblement en marécage. Enfin, nous traversons par un gué peu profond mais boueux le fleuve que nous suivons depuis un long moment déjà et que le guide appelle Kyra. Nous nous aventurons à travers une lande hostile, infestée de moustiques, parcourue seulement par quelques tribus de nomades pasteurs. Ils sont vêtus étrangement, d'une tunique fermée sur le devant, comme les Perses, mais sans ornement, et très courte, tandis que le bas de leur corps est entièrement couvert d'un vêtement de peau qui épouse la forme de leurs deux jambes, les protégeant du froid tout en leur permettant de monter à cheval. Eux aussi respectent le nom d'Anahid. Pourtant, ils nous affirment que le pays de la déesse se trouve encore au-delà, de l'autre côté de la chaîne de montagnes que nous voyons se dresser devant nous. Cette muraille démesurée qui monte jusqu'au ciel et dont les sommets des remparts crénelés sont couverts d'une neige éternelle, protège depuis toujours l'accès du mystérieux royaume d'Anahid contre les envahisseurs venus du sud. Rien qu'en la regardant se dresser au loin comme une sentinelle menaçante, j'ai peur de perdre courage.

Les deux voyageurs, qui nous devancent encore de quelques journées de marche, se dirigent droit vers elle. Les tribus que nous croisons paraissent désormais très bien connaître le mage. Elles l'appellent, d'un mot presque imprononçable dans ma langue, le "Bahgsi". J'y reconnais l'origine des différents noms dont je l'ai entendu désigner jusqu'alors, Abaxis, Baxid, mais je ne parviens pas à distinguer, d'après les explications un peu confuses de nos interlocuteurs et la traduction empêchée de mon guide, s'il s'agit d'un nom propre ou bien d'un terme qui désignerait sa fonction, quelque chose comme le prêtre ou le guérisseur, ou l'homme qui soigne par la danse, en tout cas quelqu'un de puissant et de révéré. Nous retrouvons la Kyra, qui serpente sur le plateau, et nous nous mettons à longer l'un de ses deux bras. Il semble tirer sa source des hauteurs du massif. Je suis très inquiète : Lykeïna, en traversant les marais marquant la frontière entre l'Empire et ce pays sauvage, est tombée malade et la fièvre ne la quitte pas. Mais la vaillante petite refuse de revenir en arrière.

Nous arrivons au pied de l'immense rempart de roc. Le guide nous impose de faire halte avant de nous lancer dans l'ascension. Il veut que nous partions le lendemain à l'aube, pour franchir en une journée au moins le premier col et ne pas passer la nuit isolés dans la montagne. Nous bivouaquons en compagnie d'un groupe de bergers : ils nous apprennent que le Bahgsi et son jeune compagnon se sont arrêtés eux aussi au pied du massif et qu'ils ont passé plusieurs jours en leur compagnie, le temps de refaire leurs forces. Ils ne se sont lancés à l'assaut de la montagne que le matin même. Jamais nous n'avons été aussi près de les rejoindre ! Cette perspective me redonne les forces que j'ai perdues en apercevant les pics neigeux qui surveillent le paysage et elle ajoute encore à la fièvre de Lykeïna. Les bergers, découvrant que nous sommes dans notre pays lointain des prêtresses d'Anahid et que nous envisageons d'escalader nous aussi les sommets, insistent pour que nous nous reposions quelques jours avec eux. Devant notre refus, ils nous donnent des hardes qui ressemblent aux leurs, des pantalons et de lourdes vêtures de peau et de poils, dont des sortes de toques couvrant les oreilles et ressemblant à de hautes têtes d'ours. Nous n'avons guère envie d'endosser ces dépouilles malodorantes, qu'aidés par Sipan, ils déposent presque de force dans notre chariot.

Le lendemain à l'aube, ma fille est la première levée, avant même le guide, parce que, dans l'impatience qui la brûle, elle a encore moins dormi que moi. Nous commençons à nous élever, en suivant le défilé de plus en plus étroit que le fleuve a creusé dans le rocher. Allons-nous remonter jusqu'à sa source ? Le guide, qui piste nos deux proies comme un chasseur, en guettant leurs traces sur le sol, me répond par gestes qu'il ne sait pas où ils ont l'intention d'aller mais que nous sommes en train de les rattraper. Puis le sentier devient si difficile que nous devons nous résoudre à abandonner le chariot, dans lequel nous avons effectué notre périple depuis Sardéïs et qui a réussi à franchir tous les cols et tous les fleuves de l'Empire. Le guide nous oblige à nous débarrasser de tout ce qui ne nous est pas strictement nécessaire, nos tuniques d'apparat, les pièces de soie précieuse achetées au péril de notre vie à la caravane de Baktra, le coffre à bijoux presque vide, et même nos ustensiles de toilette. Il nous force à mettre les vêtements chauds que nous ont donnés les bergers. Dans ce manteau à la laine sale et puante, ces bottes trop grandes de cuir même pas tanné, j'ai l'impression d'être déguisée en animal. De devoir adopter une ultime identité : même plus une bergère, comme dans mon enfance, mais une chèvre ! Je monte vers Anahid en étant réduite à l'essentiel : une peau de bête et un peu de courage. Kistôn et le guide Sipan, eux, sont impressionnants : deux authentiques sauvages, deux génies des montagnes, un homme-ours énorme et un petit homme-bouc. Lykeïna reste jolie dans son costume de brebis. Elle insiste pour que j'emporte, la courroie de son étui passée sur mon épaule, mon vieil aulos. De son côté, elle refuse de se séparer du collier de rubis et d'émeraudes que je lui ai donné. Non pas, m'explique-t-elle, parce qu'il a de la valeur en lui-même mais parce qu'elle a promis de le remettre à la déesse après avoir retrouvé Mithradatês. Le bijou à la rose de Mausôlos, j'ai l'impression qu'il est devenu à ses yeux le symbole de son amour pour mon fils adoptif et de sa filiation d'âme avec moi. C'est pourquoi, alors que nous nous délestons du reste de nos possessions humaines, elle tient à le garder à son cou. Elle rit avec moi de notre métamorphose mais ses yeux trop brillants m'inquiètent. Malgré ses protestations, je la force à prendre l'un des quatre chevaux, sur lequel Kistôn l'installe, et je grimpe à pied à côté d'elle.

Lors d'une halte, tandis que nous nous restaurons des maigres galettes de fromage que nous ont données les bergers, Sipan me désigne le sommet qui se dresse sur notre gauche. Il domine le col vers lequel nous progressons, si vertigineusement que j'aperçois à peine ses multiples pointes au-dessus de ses pans couverts de neige. Le petit homme m'adresse à plusieurs reprises les syllabes étranges d'un mot bref, jusqu'à ce que je sois capable de les lui répéter : "Alborz". Que veut-il dire ? Est-ce une mise en garde ? Le nom de cette montagne infranchissable ? Soudain, il prononce en persan : "Hara Berezaïti" et je me souviens d'avoir entendu ces deux termes dans la bouche d'Aspasia, la prêtresse d'Ekbatana. Hara Berezaïti : La Haute Sentinelle. La montagne qui abrite la grotte d'Anahita et d'où jaillit le fleuve primordial. Est-ce là que nous entraînent le mystérieux Bahgsi et son jeune compagnon ? Ces deux fous prétendent-ils grimper jusqu'au sommet du monde, à l'endroit où la terre touche au ciel ? Et nous, encore plus folles, tentons-nous de les suivre jusque-là ? La progression devient si difficile que nous abandonnons à leur tour les chevaux. Même les animaux refusent de monter si haut. Lykeïna se retrouve à pied comme nous mais elle est si épuisée que, très vite, elle est forcée de s'arrêter tous les vingt pas. Nous ne progressons presque plus. Le guide devient nerveux, s'impatiente. Une diffuse mais effrayante nuée grise s'amoncelle autour de nous, surgie de nulle part. Je ne sais pas s'il s'agit de la forme habituelle du soir dans cette montagne ou d'une tempête qui se rassemble pour nous interdire le passage. Mais je me dis que la mort doit avoir cette couleur indéfinissable. Je me rends compte que nous sommes tous à bout de forces. La nuit tombe, glaciale, hostile. Quelques flocons s'en détachent, d'abord épars, comme des éclats de blanc qui naîtraient du noir, puis de plus en plus drus, presque aussi épais que l'ombre. Cette fois je me doute bien que nous ne trouverons pas de village troglodyte pour nous accueillir.

Puis nous découvrons que nous sommes exposés à un autre danger, encore plus épouvantable, s'il se peut. Nous commençons à entendre des hurlements. Je les identifie aussitôt : des loups ! J'ai déjà été confrontée plusieurs fois à cette menace déchirante, pendant les nuits d'hiver de mon enfance. Mais, à cette époque-là, à Thespiaï, j'étais protégée derrière les remparts d'une ville humaine, bien au chaud à l'étage de la maison de mon père. Tandis que ce soir, je suis perdue en pleine montagne, dans un pays inconnu. Les affreux appels sont encore isolés, encore lointains, mais ils me terrorisent. Ce qui m'effraie plus que tout, c'est de m'apercevoir que même l'impassible Cerbère et notre guide, qui me paraissent aussi expérimentés et aussi courageux l'un que l'autre, ont peur. Nous rassemblons du bois pour faire un feu. Sipan parvient à l'allumer malgré la neige, Kistôn et lui se relaient pour s'enfoncer dans l'ombre, bien que les cris des loups se rapprochent, afin de trouver du bois mort pour l'entretenir. Pendant ce temps, je m'efforce de réchauffer Lykeïna en la tenant serrée contre moi et en frottant tous ses membres à intervalles réguliers. Le guide fait cuire sur des branches pointues des bouts de viande qu'il tire de sa besace mais je n'ai pas faim. Peut-être parce que j'ai trop froid et trop peur. Lykeïna non plus ne parvient pas à desserrer les dents pour avaler une bouchée. Les loups, retenus par le feu, n'attaquent pas mais leurs longs jappements éclatent dans l'obscurité, tout près désormais, à quelques dizaines de pas dans notre dos. Comme si c'étaient à nous qu'ils les adressaient, comme s'ils poussaient ces hurlements de triomphe anticipés pour nous prouver qu'ils étaient toujours là, qu'ils se rassemblaient de plus en plus nombreux autour de nous, attendant patiemment le moment où nous serions trop épuisés pour nous défendre. Comme s'ils voulaient nous dire qu'il était inutile de lutter, qu'il valait mieux nous abandonner, afin d'en finir au plus vite. Je tente de résister comme je le peux. Pelotonnée contre Lykeïna pour lui transmettre ma chaleur, je sommeille vaguement, tirée souvent de ma léthargie par l'angoisse, par un coulis de vent glacé, ou par un inquiétant sursaut de ma fille.

Au matin, dans la lumière blanchâtre qui a pris la place de l'obscurité, les loups ont disparu, ou se sont éloignés. Mais Lykeïna, à la fois brûlante de fièvre et glacée, n'a plus la force de se mettre debout. Je ne l'ai jamais vue dans cet état depuis le début de notre interminable traversée de l'Empire. À plusieurs reprises je me suis sentie épuisée et c'est toujours elle qui me soignait. Je me reproche de ne pas l'avoir laissée en arrière dans le sanctuaire d'Eridza ou même de ne pas l'avoir jetée de force dans le lit de Kodoman. Elle nous dit, d'une voix éteinte, qu'elle ne peut pas aller plus loin, qu'elle nous retarde, que nous n'avons qu'à l'abandonner ici. Elle me demande seulement la grâce d'ordonner au Cerbère de mettre un terme à ses souffrances, afin que les loups ne la mangent pas vivante. Kistôn se déclare assez fort pour la porter sur son dos. Mais je vois bien que même mon fidèle serviteur commence à défaillir. Alors, déchirant d'un sursaut d'énergie l'enveloppe de l'angoisse et du mauvais sommeil qui m'étreignait, je prends une autre décision. Je laisse près du feu le Cerbère avec la mission de veiller sur la petite et de la défendre seul contre les loups. Le guide et moi, nous continuerons à escalader la montagne dans l'espoir de rattraper les deux mages avant la nuit et de les ramener en arrière pour soigner Lykeïna. Cherchant le moyen de donner un peu de courage à ma fille, j'ai l'idée de placer l'étui de mon aulos entre ses mains, en lui murmurant que je le lui confie, comme ce que j'ai de plus cher avec elle. D'un regard brûlant de fièvre, elle me signifie qu'elle a compris, qu'elle va tout faire pour se battre, pour protéger mon précieux dépôt contre la mort et les loups, et puis elle ferme les yeux, économisant ses dernières forces.

Après avoir aidé Kistôn à rassembler le plus de bois possible, nous nous mettons en chemin dans la neige fraîche qui recouvre le sentier. Je tiens un brandon, et le guide son arc, mais aucun loup ne paraît nous suivre. À mon tour, je perds mes forces. Alors Sipan, malgré mes dénégations, me prend sur son dos, comme l'avait fait le Cerbère Mentês pour me ramener du Peïraïeus, le jour où nous avions cherché en vain la petite Glykeïa. Le guide continue à grimper. D'une marche lente mais régulière. En chantonnant pour se donner le rythme. Sans jamais faiblir. Je suis stupéfaite de sa résistance. Je me sens si faible que je ne peux rien faire pour l'aider, sinon prier, prier sans discontinuer Anahita qu'elle allège mon poids sur les épaules de cet incroyable petit bonhomme.

Peut-être m'écoute-t-elle ? En tout cas, Sipan est si endurant, si courageux, qu'il finit, alors que je n'y croyais plus, par déboucher au-dessus du nuage de neige qui nous environnait pour nous détruire.

Nous nous retrouvons dans un paysage de roches fantomatiques. Toujours aucune trace des deux spectres que nous poursuivons.

Après avoir franchi le col, nous commençons à redescendre, à retrouver de la végétation. Des plaques d'herbe sombre affleurent sous la neige, quelques arbustes tordus. Au détour du chemin, dans un creux plus verdoyant de la montagne qui dessine une sorte de plateau, nous apercevons des troupeaux de chèvres en train de paître tranquillement. Un peu plus loin, une poignée de grandes tentes de peau. Tableau miraculeux ! Je distingue même, à quelques centaines de pas devant nous, comme s'ils venaient à notre rencontre pour nous accueillir dans le monde des vivants, deux êtres humains. Un jeune, appuyé sur l'épaule d'un vieux de très petite taille, qui l'aide à marcher. Eux aussi nous ont aperçus. Ils regardent notre duo, encore plus étrange que le leur (une femme sur le dos d'un homme, débouchant dans cette scène paisible, comme si elle s'était échappée des Enfers). Ils paraissent éprouver la même surprise que les animaux, qui se sont tous arrêtés de brouter pour nous observer. Mais aucune de mes sœurs les chèvres, dont je porte le costume, ne peut être plus stupéfaite que moi. Car le jeune malade, celui qui progresse pas à pas en s'appuyant sur son minuscule compagnon, c'est Mithradatês ! Je le reconnais au premier regard. Pourtant, il a beaucoup changé. Ses traits se sont à la fois émaciés et affermis. Je ne sais ce qui me frappe le plus, qu'il paraisse si affaibli ou si mûr. Qu'il soit si extraordinairement pâle ou devenu un homme. Il me regarde, juchée sur le dos de mon guide, comme un gros insecte maladroit. Malgré la distance, je lis tout ce qui passe dans les yeux de mon fils : d'emblée, lui aussi me reconnaît, puis, au deuxième regard, il doute, tant j'ai changé, enfin au troisième, il constate que c'est bien moi mais se demande comment il est possible que je sois là. Ensuite seulement il ouvre la bouche. Je n'entends pas ce qu'il dit mais je distingue le mot grec qu'articulent ses lèvres :

"Mère ?"

Alors, soudain à bout de forces, je me laisse glisser des épaules de Sipan sur les cailloux du chemin. Et la dernière chose que je vois avant de m'évanouir, c'est Mithradatês se détachant du vieil homme pour se précipiter vers moi, et s'écroulant à son tour.

Lorsque je me réveille, mon fils est à mon chevet et me regarde en souriant. Je me trouve dans une sorte de tente, enveloppée dans des couvertures de laine grossière mais très chaude, sous des peaux épaisses à l'odeur forte. À côté de lui se tient un petit homme, barbu et rondouillard. Est-ce le fameux mage ? Est-ce à la poursuite de ce bonhomme que j'ai fait tout ce voyage ? À part ses yeux étrangement bridés, tout en lui, dans son visage, dans son apparence physique, est banal, frêle. Il ne ressemble pas du tout à ce que j'imaginais d'un mage, ni aux descriptions extraordinaires et contradictoires que l'on m'a faites de lui à chaque étape du chemin. En quelques mots, je raconte à mon fils la poursuite depuis Sardeïs, la prescience que j'ai eue qu'il était en danger, le désir de Lykeïna de le retrouver, tous ces mois à marcher derrière lui sur les traces de mon passé le plus lointain. Soudain, émergeant de mon engourdissement, retrouvant la conscience de l'urgence de la situation, je le presse d'aller chercher la pauvre petite, perdue dans la neige au-dessous du col. Il m'apprend que le guide, qui m'a sauvé la vie, est parti depuis longtemps déjà avec quelques chasseurs chercher Lykeïna et le fidèle Cerbère de l'autre côté de la montagne.

Le soir, ils sont de retour. Ils portent les deux corps sur des claies. L'homme est encore vivant ; quand ils sont arrivés, il continuait à se défendre contre les loups avec le peu de feu qui lui restait. Mais la jeune femme est morte de froid.

53

VOYAGE DANS L'AUTRE MONDE

Lykeïna est morte.

Cette annonce me foudroie. Je sombre. Son visage aux traits tirés, les narines et les lèvres pincées, sa peau blafarde, blême, déjà froide. Il a fallu qu'on me porte jusqu'à elle pour que je l'embrasse, une dernière fois, et je la reconnais à peine dans ce corps abandonné mais qui reste distant, même quand je l'étreins. Une étrangère. Ses yeux toujours ouverts mais vides. Leur absence me hante. Quelqu'un me remet l'étui de mon aulos, dont on me fait comprendre que ma petite chérie le tenait bravement serré contre elle, de ses mains raidies par la mort.

Mithradatês, lui, refuse de céder. Il rejette l'idée que Lykeïna ait cherché à le rejoindre pendant des mois et qu'elle meure au moment de le retrouver, sans même qu'il ait pu lui dire un mot, ni la serrer vivante entre ses bras. De retour dans notre tente, où ils m'ont allongée de nouveau sous les peaux de bêtes, il discute longuement avec le Bahgsi dans une langue étrangère. Je sens qu'il essaie d'obtenir quelque chose de lui. Le petit vieillard refuse, avec une violence que je ne lui soupçonnais pas et qui me ferait rire en tout autre occasion, parce qu'elle le rend écarlate et qu'elle gonfle toutes les veines de son cou. Puis, peu à peu, il paraît se laisser fléchir. Mais il finit par sortir de la tente, l'air toujours fâché. Mithradatês m'explique alors le sens de l'étrange dispute qui vient de se passer sous mes yeux : il a demandé à son maître l'autorisation d'aller chercher Lykeïna !

Je ne comprends pas. Mon fils continue à me renseigner, en phrases brèves, précipitées, dont chacune suscite en moi à la fois de la perplexité et des élancements d'espoir presque douloureux. Il me dit que l'espace des deux jours pendant lesquels l'âme reste auprès du corps n'est pas encore tout à fait écoulé. Qu'il arrive même que celle des morts de froid puisse être ramenées au-delà de ce temps, parce qu'engourdie, elle reste à très peu de distance du corps. Mais il faut faire vite. Or, c'est une opération très dangereuse qu'il ne peut risquer seul : il s'agit de plonger dans l'autre monde, de lutter contre certains des esprits les plus dangereux qui rôdent à sa frontière, pour leur arracher leur proie. Si l'âme du mort est impure, on risque d'être entraîné avec elle dans le gouffre de ce qu'il appelle les Daïwas infernaux. Le danger est aussi tout simplement, lorsque l'on n'est pas suffisamment savant, de se perdre dans les mondes multiples des esprits et de ne jamais retrouver le chemin du retour. Celui qui entreprend de "voyager" prend beaucoup de risque. Mithradatês a déjà, sous la conduite de son Guide, effectué quelques périples. Plusieurs fois, il a eu affreusement peur. Il s'est trouvé exposé à l'hostilité de Daïwas tellement vindicatifs que, si son maître n'avait pas été là pour le protéger, il n'en serait jamais revenu. D'autant plus qu'il n'a pas encore trouvé de "Spenda", d'esprit favorable aux humains aventureux, avec lequel conclure une alliance. Malgré tous ces obstacles, il sent qu'il doit aller chercher l'âme de Lykeïna. Elle l'appelle au secours. Elle n'a pas encore tout à fait renoncé à revenir. Mais le Bahgsi lui a bien fait comprendre que c'était une folie. Parce que Mithradatês a "voyagé" peu de temps auparavant et qu'il n'a pas recouvré assez de force. Il risque de mourir lui aussi, sans parvenir à ramener la morte. Pourtant, devant l'insistance de son jeune disciple, le Maître a fini par lui donner la permission de tenter seul, à ses risques et périls, un *nouveau voyage*. Il a même consenti à l'organiser lui-même dès le lendemain, lorsqu'il aura cueilli la plante.

J'écoute ce discours de mon fils, stupéfaite. Pourtant quelqu'un en moi croit aussitôt, farouchement, à tout ce qu'il me raconte. Et surtout à la possibilité d'aller rechercher ma petite Lykeïna avant la limite fatidique des deux jours. Moi aussi, je sens, de toutes mes forces, qu'elle est encore là et qu'elle nous appelle. Je ne veux pas l'abandonner une deuxième fois, comme je l'ai fait dans la neige. Je veux tout tenter pour la sauver, tout croire, je suis prête à toutes les expéditions, toutes les cérémonies magiques, même les plus affreuses, les plus invraisemblables, les plus dangereuses. Comme au temps où je voulais communiquer, sous la direction de l'Égyptienne Aâmet, avec l'esprit d'Attis. Ce fut un échec, mais le jeune homme avait disparu depuis longtemps quand j'ai essayé d'entrer en contact avec lui, tandis que ma fille vient juste de mourir. Ce que Mithradatês me confie à propos de ces "voyages" pour aller chercher une âme m'exalte et m'effraie. Beaucoup, dans mes expériences passées, dans l'éducation que j'ai reçue, me permet de deviner ce qu'il évoque. L'initiation d'Eleusis, celle du thiase d'Isodaïtês, les récits d'Aâmet, ceux de Manthanê, ceux de mon père, plusieurs de mes rêves récents, tout ceci me rapproche de cet "autre monde" dont il me parle et dont il me montre les deux portes d'ivoire et de corne menaçantes mais entrouvertes.

Une bonne partie de la nuit, je lui pose des questions. À lui et au Bahgsi, qui a fait son retour dans la tente. Le petit bonhomme se tait, peut-être pour nous montrer par son silence obstiné qu'il reste hostile à ce projet de "voyage". Moi, je parle, je parle. Je suis trop nerveuse pour dormir dans l'attente de la cérémonie du lendemain, et puis je veux comprendre. Je trouve aussi, malgré mon affliction, de la douceur à discuter avec Mithradatês, à me rapprocher de l'homme qu'il est devenu, dans l'inversion de notre relation ancienne : je suis la mère qui questionne son fils pour que celui-ci lui enseigne ce qu'il sait. Quelle est cette plante dont il me parle ? Est-elle plus puissante que celle que nous faisons ingérer à nos fidèles du thiase d'Athênaï, ou que celle qui se trouve dans les gâteaux d'Eleusis ? Qui sont ces "Daïwas", ces démons agressifs contre lesquels il faut lutter ? Leur nom me rappelle ce terme de "Daeva" qu'ont employé les deux novices d'Eridza, mais leur présence menaçante m'évoque aussi ces entités hostiles avec lesquelles mon père m'a raconté jadis être entré en contact dans la grotte de Trophonios ? Que veut dire ce temps de deux jours pendant lequel l'âme reste près du corps ? Où va-t-elle ensuite ? À quoi ressemble cet "autre monde", ou ces "autres mondes" (puisqu'il emploie indifféremment le singulier et le pluriel), dans lesquels on peut se perdre ? Lorsqu'on s'y aventure, se retrouve-t-on sur ce chemin vers l'au-delà décrit dans les traditions que je connais, celle d'Eleusis, celle d'Égypte que m'a enseignée Aâmet ? Découvre-t-on ici aussi un carrefour près d'un Cyprès blanc, un chemin qui mène vers le Marécage et un autre vers les Prairies des bienheureux ? L'au-delà est-il le même en Grèce, en Égypte, et dans le pays d'Anahid ? Y a-t-il, comme j'ai commencé à m'en fabriquer peu à peu la croyance, y a-t-il pour l'immense majorité des âmes, un retour sur terre à travers la boue dans le cycle des corps ?

Le sorcier, qui s'était allongé pour se reposer, finit par se redresser. Au lieu de m'intimer l'ordre de cesser mon bavardage, dans l'un de ces brusques accès de colère folle qui paraît caractériser cet étrange sage, il m'écoute maintenant avec curiosité, comme s'il cherchait à deviner le sens de mes paroles. Puis il demande manifestement à Mithradatês de lui traduire mes questions. Il a l'air vivement intéressé par celles qui évoquent les initiations que j'ai reçues. Il se met à son tour à me répondre, dans une langue pleine d'aspirations et de chuintements, qu'il laisse ensuite à Mithradatês le temps de transposer malaisément en grec. Les difficultés qu'éprouve mon fils à le faire ne semblent pas tenir seulement au sens des mots mais surtout à l'étrange tour d'esprit de celui qui les emploie. Il explique qu'il existe beaucoup de portes d'entrées dans le monde des autres mondes, qui est comme une sorte de labyrinthe infini. Certaines sont matérielles, d'autres immatérielles. On peut voyager par les grottes, par les plantes, par les incantations, sur le tambour et sur la flûte, par les rêves. Peut-être même existe-t-il encore d'autres moyens qu'il ne connaît pas. D'après lui, chaque Bahgsi ne sait ouvrir que quelques-unes de ces portes, et les dieux qu'il fréquente ne sont qu'une toute petite partie des Daïwas et des Spendas qui en habitent les multiples étages imbriqués. Ou plutôt ils ne sont qu'une toute petite partie des masques que chacun des Esprits supérieurs peut prendre pour se manifester. Les Égyptiens dont je lui parle ont manifestement exploré l'un de ces chemins. Les Déesses d'Eleusis ont bien voulu en révéler un deuxième à leurs fidèles. En tant que Bahgsi, il connaît quelques autres accès. Même si ces traditions diffèrent, cela ne veut pas dire qu'elles soient contradictoires. Car la seule certitude que l'on puisse avoir sur l'autre monde est justement qu'il n'est pas comme le nôtre, pas unique, mais multiple. C'est pourquoi aucun être humain ne pourra jamais prétendre le posséder, ni l'explorer entièrement. Il peut simplement demander au petit nombre d'Esprits qu'il connaît, aux morts de sa tribu, aux animaux qu'il fréquente, aux génies des endroits où il habite, de lui assurer leur protection. Mais celle-ci dépend des relations qu'ils entretiennent avec tous les autres esprits, et de l'équilibre complexe d'un univers parallèle dont nous ne percevons qu'une infime partie. C'est pourquoi celui qui entreprend de passer de l'autre côté n'est jamais, malgré sa science, assuré d'en revenir. J'ai l'impression d'entendre un marin grec me parler de la mer, de ses vents inspirés, de ses courants mystérieux, de ses gouffres, de ses monstres, de ses divinités changeantes. Et les

Spendas seraient comme les dauphins venus me faire accéder pendant quelques instants à une autre conception de l'univers sur le rivage du Phalèron. Le Bahgsi, qui vit dans les montagnes mais qui me dit en souriant qu'il a vu une fois la mer, est d'accord avec moi : j'ai trouvé l'une des images possibles de l'autre monde.

Ses paroles, à la fois me fascinent (je me rends compte qu'à sa manière il est aussi sage qu'Aâmet) et m'effraient. Plus il m'explique ce qu'il entend par le "voyage", plus je devine la difficulté extrême de ce que prétend entreprendre à lui tout seul Mithradatês. Il ne s'agit pas simplement, comme lorsque je cherchais Attis, d'entrer en contact avec une âme, de lui demander de revenir provisoirement dans notre monde, mais d'aller dans le sien pour l'en arracher. Je trouve mon fils déjà si fatigué ! Et moi, puis-je l'aider ? Je me sens épuisée par mon errance dans la neige, et par tous ces mois de périple. Je lui propose quand même de l'accompagner. Parce que je suis moi aussi une initiée. À deux, nous serons plus forts. Mais il refuse. Aussi doucement que catégoriquement. Une âme qui n'est jamais passée par cette porte de la plante qu'il va emprunter et qui se trouve de plus, comme la mienne, en état de faiblesse, ne pourrait lui être d'aucun secours. Au contraire. Je ne parviens pas à trouver la force de lutter contre sa décision. Pourtant, je pressens l'inévitable catastrophe. J'ai peur de perdre Mithradatês après Lykeïna, et d'être définitivement privée de ces deux êtres que j'aime désormais plus que s'ils étaient sortis de mon propre ventre. J'ai peur de le perdre, lui, juste après l'avoir retrouvé. Cela n'aurait aucun sens, tous ces mois de marche et ces dizaines de milliers de stades parcourus d'un bout à l'autre du monde perse pour quelques heures de retrouvailles. C'est bien cela qui me fait peur. J'ai appris que l'absurdité du destin est souvent la première marche douloureuse qui permet d'accéder au sens divin. Que les dieux, même lorsqu'ils sont bienveillants, comme la déesse que je sers désormais, se plaisent parfois à ne réaliser nos rêves que pour mieux les détruire ensuite. Et nous faire accéder à une acceptation encore plus désespérée de cet ordre du monde qui les dépasse eux aussi. Est-ce pour cela qu'Anahita m'a conduite jusqu'aux confins du monde connu, pour m'arracher mon fils juste après me l'avoir rendu et ma fille juste après me l'avoir donnée, en m'amenant ainsi au-delà du désespoir ? Peut-être les dieux ne sont-ils pas tout-puissants, mais totalement soumis à l'ordre du monde, qui est même pour eux le désordre des mondes ? Peut-être subissent-ils eux aussi la mort de ceux qu'ils aiment et la renaissance d'autres qu'ils aimeront ensuite, pour les perdre à leur tour, dans un cycle d'affliction sans fin ? Peut-être les dieux ne sont-ils immortels que dans la perte lucide ?

Je me débats dans des pensées sombres que je ne comprends pas moi-même. Je me débats dans la mort qui m'entoure, qui m'oppresse, qui m'étouffe. Soudain, je saisis autre chose : cette angoisse violente ressemble à celle que doit être en train de subir l'âme de la malheureuse Lykeïna. Elle est là, tout près de moi, elle s'accroche encore à la vie, elle attend encore que nous venions la sauver, la pauvre petite chérie, tout effrayée, toute repliée sur elle-même, tandis que les loups et les daïwas tournent autour d'elle, en guettant le moment où elle s'abandonnera enfin, pour l'entraîner dans l'obscurité éternelle ! Elle espère encore, un tout petit peu, un geste de moi et de mon fils, elle qui est allée jusqu'au bout de ses forces pour nous ! Et moi, je suis si faible, je ne peux rien faire, je n'ai plus l'énergie de plonger dans le courant glacé de la mort pour aller la chercher, et Mithradatês est à peine plus fort que moi, à peine plus savant ! Alors, me tournant vers le Bahgsi, je lui demande, je l'implore, forçant mon fils à traduire mes propos, d'accompagner ce dernier. Avec la protection d'un sage aussi puissant, je me sentirai rassurée. À cette supplique, dans laquelle j'ai mis tout mon désespoir de mère, le sorcier ne daigne pas répondre un mot. Même pour refuser. Au bout d'un moment, je me redresse et je m'approche de lui. Je reste stupéfaite de ce que je découvre : bien qu'il soit resté assis, les yeux grands ouverts, le vieux bonhomme dort ! Incroyable ! Sommes-nous si peu importants à ses yeux qu'il ne nous fasse pas la grâce de nous écouter jusqu'au bout ? À moins qu'il ne soit déjà en quête pour nous aider ? Qui peut savoir, avec un personnage aussi déconcertant ? Je me rallonge et je replonge dans l'angoisse. Tout autour de moi, la mort en combat. Des affrontements de force qui me dépassent.

Le lendemain matin, le Bahgsi nous annonce qu'il a beaucoup réfléchi dans son sommeil et qu'il a pris sa décision. Même s'il ne connaissait pas Lykeïna, même s'il n'est pas sûr qu'elle ne soit pas déjà partie trop loin ou devenue trop faible pour revenir, il accepte d'accompagner mon fils de l'autre côté. Cette nouvelle inattendue m'illumine de joie. Mais, aussitôt, le sorcier m'assombrit de nouveau. Il nous explique que sa décision personnelle ne suffit pas. En tant que bahgsi, il doit également, pour les convaincre de la nécessité d'accomplir ce voyage, s'adresser aux membres de sa tribu, les nomades qui habitent les tentes installées à quelque distance de la nôtre et dont il est l'émissaire auprès des esprits. Seuls, par leur accord, ils pourront légitimer son intervention, seuls, par leur présence attentive et par leur soutien, ils pourront l'aider à réussir dans la tâche presque impossible de ramener une âme. Sans leur appui, il refusera de participer à une cérémonie aussi dangereuse que vaine, et ne pourra que nous conseiller de nous résigner à la mort de notre amie. Ce contretemps exaspère Mithradatês, qui n'en saisit pas la nécessité. Dans l'urgence où nous nous trouvons, nous avons bien d'autres choses à faire qu'à palabrer avec des gens, qui, de toute façon, n'accompagneront pas les deux voyageurs dans l'au-delà. Mais moi, qui ai dirigé un thiase et organisé pendant longtemps ses cérémonies, je comprends à quel point il est essentiel de s'assurer de l'appui collectif des villageois. J'exhorte mon fils à la patience. Il finit par s'y résigner. Le Bahgsi, même s'il a seulement deviné le sens de mes paroles d'apaisement, me demande de participer à la négociation.

Bientôt, nous sommes assis au milieu de cet espace situé entre les tentes des nomades et la nôtre, dont j'ai la sensation qu'il forme comme le centre excentré de leur village. Nous nous trouvons face à un groupe d'une dizaine d'entre eux, dont quelques femmes âgées. Mais seul parle un homme mûr, sans doute le chef. Mithradatês m'explique ce qu'il comprend de ses paroles et de l'ensemble de la scène. Cela recoupe ce que j'en perçois moi-même intuitivement. Les relations entre le Bahgsi et sa tribu ne sont pas simples. Parce qu'elles ne sont plus marquées par la confiance. Les villageois ont déjà accepté avec une certaine réticence son retour soudain quelques jours auparavant : il a mis tant d'années à boucler son périple, en les laissant survivre tant bien que mal, sans possibilité de négocier avec l'autre monde, puisque personne n'avait été choisi par lui avant son départ. Alors, bien sûr, ils sont reconnaissants à leur Bahgsi d'être revenu de son voyage dans le monde des vivants mais ils continuent à lui en vouloir. Surtout qu'il a fait son retour accompagné d'un étranger. Que leur veut ce jeune homme ? Restera-t-il avec eux pour prendre la succession, repartira-t-il d'où il est venu, une fois qu'il aura appris tous les secrets ? Les villageois savent très bien qu'ils n'ont pas à se mêler du choix des élus mais ils sont inquiets. La cérémonie de l'intronisation du disciple n'a même pas été accomplie et voilà qu'au lieu de s'occuper de sa tribu si longtemps négligée, le Bahgsi prétend risquer l'hostilité des Esprits, en leur enlevant l'âme d'une voyageuse inconnue, pour plaire à d'autres étrangers arrivés eux aussi depuis peu ? Qu'est-ce que tout cela veut dire ? Le sorcier répond à son tour longuement au chef du village. Il tente de le convaincre qu'il est nécessaire de ne pas laisser l'âme d'une jeune morte étrangère sans assistance. Si celle-ci est trop effrayée et qu'elle ne trouve pas son chemin vers le pont, elle restera à errer sur place, devenant au fil des années une puissance de plus en plus maléfique, hostile aux humains et aux animaux, capable de souiller le pâturage coutumier aussi bien que les accès à la montagne. Non, il faut l'aider pendant qu'il est encore temps. Soit la ramener chez les vivants, pour qu'elle puisse y retrouver sa mère, ici présente, soit la faire passer sans encombre de l'autre côté. Sinon, la communauté tout entière sera exposée à une menace mortelle. Les deux vieux discutent encore longtemps sans qu'un accord paraisse trouvé. Mithradatês me souffle qu'il a hâte que cette assemblée inutile s'achève, afin de tenter seul sa chance de son côté avant qu'il ne soit définitivement trop tard.

Alors j'interviens. Je sens que je dois le faire. À la stupéfaction générale, je prends la parole, en grec, demandant d'un geste à Mithradatês de traduire et au Bahgsi de compléter le reste. Je déclare au chef du village que je ne suis pas seulement la mère de la morte et du jeune sorcier. J'officie aussi en tant que prêtresse d'Anahid, dont le pouvoir s'étend jusqu'au pays lointain d'où je viens. Ma fille s'est trouvée, avant son temps, piégée par la neige et les loups d'une montagne qu'elle ne connaissait pas, et qui la laissent sans ressource. C'est pourquoi elle m'appelle à son secours. Si je réclame l'aide de la tribu, c'est pour que mon fils et son maître puissent s'occuper de l'âme de la morte avant les deux jours fatidiques. Ils doivent trouver une solution, quelle qu'elle soit, le retour parmi les vivants ou le départ définitif vers les morts, afin de rétablir l'ordre menacé dans l'autre monde. Alors seulement je pourrai, une fois revenue chez moi, dire à la déesse Anahid que la tribu m'a bien servie, lui enjoignant par mes prières et mes offrandes de la protéger à son tour, elle qui est l'une des plus puissantes parmi tous les esprits, aussi bien dans ces montagnes que dans le pays au-delà du fleuve. Après m'être tue, je continue à regarder le chef de la tribu. À le tenir sous mon regard. Mais aussi à lui offrir le mien où plonger. Encore une fois, j'ai tenté de proposer à ce nomade un langage qu'il pouvait comprendre et qui pouvait l'impressionner, en fonction de ce que j'ai perçu de sa façon de penser, et de la logique des propos du Bahgsi. Mais surtout j'ai essayé d'aller vers lui, de lui parler vraiment, d'âme à âme, de l'intérieur de moi à l'intérieur de lui, sans passer par la raison. J'ai abandonné à l'autre, celle qui est plus intelligente que moi, parce que plus sensible, plus intuitive, le soin de s'exprimer, en me contentant de lui prêter l'enveloppe de mes mots maladroits. Peut-être est-ce cela, en définitive, que j'appelle laisser la déesse parler en moi, comme si elle ne venait pas de l'extérieur mais de l'intérieur ? Je sais que, quand j'arrive à agir ainsi, ou plutôt à me laisser être agie ainsi, comme cela m'est arrivé plusieurs fois pendant ce voyage, ou même pendant l'ensemble de ma vie, je me trouve investie, dans mon âme mais aussi dans mon corps, dans la densité même de mes gestes, d'une grande autorité.

Encore une fois, ça, cette chose-là en moi, ça marche ! Le chef du village paraît remué par mes propos, peut-être plus par le ton que j'ai pris que par le contenu de mes paroles, et même les villageois, qui nous écoutent silencieusement, se mettent à murmurer. Le vieux se retourne vers eux et ils commencent à discuter, plusieurs prennent la parole, des hommes plus jeunes, des femmes. Cette nouvelle discussion est encore plus longue. Mithradatês n'arrive plus à comprendre ce qu'ils se disent, tant ils parlent vite, dans la confusion générale. Ces palabres m'exaspèrent maintenant autant que lui : ils retardent les préparatifs du voyage, ils laissent l'âme abandonnée de ma pauvre petite Lykeïna continuer à perdre ses forces. Pourtant j'en reconnais intuitivement la nécessité. Il s'agit que ces gens, qui ne sont pas, comme je suis sans cesse portée à le croire, des nomades primitifs mais des êtres humains, différents de moi mais aussi profonds que moi, se débarrassent par la discussion de leurs dernières réticences, afin de pouvoir se consacrer de toutes leurs âmes à nous aider. Enfin, à notre grand soulagement, la tribu finit par donner son accord à l'opération magique.

Malgré ma faiblesse, j'exige de faire partie de la douzaine de villageois que le Bahgsi choisit soigneusement pour l'entourer sur le lieu du rituel. Mithradatês m'explique qu'ils devront aider plus spécialement les deux "voyageurs" par la musique, par le tambour et par la conjugaison de leurs énergies, tandis que le reste de la tribu se tiendra en retrait, à chanter et prier. Sans que je parvienne à saisir la logique de son choix, le sorcier désigne des personnes qui me paraissent complètement différentes, certains hommes que j'identifie à leur costume et à leurs armes comme des guerriers, ou des chasseurs, d'autres que j'ai vu s'occuper des troupeaux, des femmes aussi, d'âges divers. Et même une petite fille. La plus gracile de tout le village. Et pourtant la seule dont je comprenne pourquoi elle est choisie : ses yeux graves, qui m'ont fixée tout à l'heure, au moment où je me suis mise à parler, jusqu'à me faire frissonner par leur intensité, ne cillent pas, lorsque le Bahgsi se plante devant elle pour l'examiner, ni même lorsqu'il finit par l'appeler. De mon côté, sans un mot, je sors ma double flûte de son étui. Le sorcier me regarde faire attentivement, il tend la main dans ma direction, comme pour toucher à distance le halo qui se dégage de moi, et puis il secoue la tête, en me signifiant par ce geste son accord. Je suis frappée par l'air anxieux de tous ceux qui ont été sélectionnés. Soudain, j'en saisis la raison : désormais, le salut de ma fille est le leur. Ils sont engagés personnellement dans la réussite du voyage.

Après la fin de ces palabres, plusieurs heures se passent encore à des préparatifs divers, auxquels je ne comprends rien et dont manifestement l'on ne souhaite pas que je me mêle. Enfin l'on vient me chercher dans la tente où j'essaie en vain de rassembler mes forces. Je suis encore si faible que l'on est obligé de me porter jusqu'au lieu de la cérémonie. Kistôn, mon silencieux garde du corps, ne laisse cette mission à personne d'autre. Il me soulève sans effort dans ses bras, comme il l'a déjà fait sur l'escalier menant au temple du dieu guérisseur d'Ekbatana. Je sens que c'est sa manière à lui de m'accompagner, de participer à ce rituel étrange, qui ne paraît pourtant pas le déconcerter. Peut-être en a-t-il déjà vécu de semblables, lorsqu'il était jeune, dans ses sauvages montagnes de Thrace ? De leur côté, les villageois transportent à bout de bras le corps inanimé, et déjà rigide, de Lykeïna, dont j'ose à peine regarder le visage, la peau cireuse et les yeux, que l'on a laissés ouverts. On nous conduit jusqu'à une grotte, située dans un creux du rocher, au-dessus du pâturage, si étroite que je n'avais pas même remarqué sa présence jusque-là. Bien que ce soit encore le jour, un grand feu brûle à son entrée. Les villageois égorgent une brebis à la toison immaculée, sans doute l'une de leurs plus belles bêtes, puis plusieurs autres moutons et chèvres. Le sang, les graisses qui brûlent, la viande cuite partagée : je suis en territoire connu. Mais je remarque que mon fils et son maître répartissent les morceaux des bêtes entre tous les membres du village, adultes et enfants, sans en toucher eux-mêmes. Sur un autre feu, plus petit, un peu à l'écart, dans une sorte de grossière marmite, bout une décoction. Le Bahgsi y mêle soigneusement, avec une spatule, le sang de l'animal sacrifié. Puis il y jette une plante, fraîchement cueillie, qu'il a réduite en poudre dans un mortier. Au bout d'un moment, chacun des deux voyageurs boit de ce mélange le contenu d'une coupe de terre cuite. Mon fils ne peut s'empêcher de faire une horrible grimace de dégoût avant de la porter à ses lèvres. J'ai l'impression qu'il retient ensuite quelques spasmes. Même son maître, qui boit après lui, contracte le visage.

Alors les chants commencent. Martèlement des tambours, crissements de métal, dont je ne parviens pas à distinguer l'origine dans la pénombre du soir qui tombe. Je tente de faire flotter les trilles de mon aulos sur cette houle. Maladroitement au début, parce que je n'ai pas eu le temps de m'échauffer. Mais j'entends derrière moi d'autres flûtes plus simples qui viennent pour m'aider à entrer dans le rythme. Assise, je forme avec les autres personnes choisies un demi-cercle qui entoure l'entrée de la grotte, le reste de la tribu se tenant un peu à distance dans notre dos. Devant le seuil obscur, dont nous sépare le feu, se tiennent les deux voyageurs, à côté du corps étendu de Lykeïna, qu'ils touchent de leurs deux mains. Je crois deviner la dimension symbolique de cette répartition de nos présences dans l'espace : il s'agit d'arracher Lykeïna à l'attraction de la porte de la mort et de la ramener dans le cercle des vivants. Je ressens la ferveur autour de moi. Dispositif beaucoup plus simple mais tout aussi efficace que la foule immense réunie dans la salle aux colonnes du temple d'Eleusis. Sentir une telle réunion de forces me redonne courage.

Alors la transe commence. Les deux voyageurs oscillent sur eux-mêmes, tressautent. Pendant longtemps. Et puis, soudain, l'un après l'autre, le Bahgsi et mon fils se dressent sur leurs pieds. Ils commencent à tourner autour du corps étendu. Ils bondissent. Ils se contorsionnent. Je comprends le sens de leur danse. Ce qu'ils cherchent à extérioriser pour nous y faire participer. Ils luttent contre les démons qu'ils repoussent à l'intérieur de la grotte. À un moment, peut-être parce qu'ils ont remporté la première victoire, ils se rapprochent du corps de la morte, ils se penchent sur lui, ils le touchent de nouveau, ils le redressent, le portent, le mettent sur ses pieds, l'obligent comme un mannequin à marcher et danser avec eux, en tournant autour du feu. Je devrais trouver cela grotesque, impie, je le sais, cette danse d'un cadavre, cette danse imposée à ma fille chérie, dont je reconnais le visage déjà boursouflé par la mort, tandis que sa tête sans force, dès qu'ils la lâchent, retombe d'un côté ou de l'autre, mais je suis moi-même dans la transe. Je m'efforce de m'y plonger complètement, malgré ma fatigue, comme la nuit de la danse des flambeaux à Eleusis. L'air que je souffle sans discontinuer à travers les tuyaux de mon aulos, les sons stridents, puis très graves, que j'en tire, m'étourdissent moi-même, me donnent presque la nausée, mais je ne veux pas m'arrêter pour reprendre mon souffle. Je ne veux plus que me fondre dans cette énergie collective qui tente de redonner vie à la jeune morte. Qui se veut assez forte pour ne pas envelopper seulement son corps, ni le traverser, mais rester dedans, l'imprégner, le remplir, le gonfler, et l'obliger à accepter cette nouvelle vie !

Soudain, dans un grand cri, mon fils bascule en arrière et s'écroule. Je crois au début que cela fait partie du déroulement normal de la cérémonie. Je suis d'ailleurs si avancée dans la transe que je mets plusieurs minutes à me rendre compte que quelque chose d'anormal est en train de se passer. Le Bahgsi a laissé retomber sur le sol le corps de Lykeïna, grotesquement désarticulé, pour prendre son disciple entre ses bras. Il lui impose les mains sur le front et sur le ventre, en prononçant des litanies de paroles répétitives. Puis, au moment où je saisis que mon fils est en danger, le sorcier cesse brusquement de bouger, comme s'il renonçait, et, se tournant vers l'assemblée, il prononce quelques mots d'une voix claire et forte. Mithradatês n'est plus là pour me les traduire mais j'ai l'impression que j'en comprends aussitôt le sens : mon fils a été emporté lui aussi, il a été déchiré par les Daïwas, et il ne reviendra pas. Le sorcier retombe dans un silence morne, la tête baissée, le menton touchant la poitrine. Il n'est plus là. Il renonce au voyage. Il se retire dans son deuil. Silence total, après le martèlement des tambours. Silence de mort. La tribu désemparée. Comme le Bahgsi paraît ne plus vouloir sortir de sa retraite, laissant les deux corps inertes sur le sol, dont l'un, celui de la jeune fille, dans une position obscène, quelques gémissements de douleur se mettent à sortir de quelques poitrines. Je comprends que les vieilles femmes vont prendre le relais et commencer, pour ne pas laisser s'installer un vide fatal, à organiser les chants de deuil du rituel ordinaire. Ensuite, elles se saisiront des corps des deux morts pour leur donner l'immobilité digne qui leur est due. Et ce sera fini.

Soudain, mes yeux tombent sur ceux de la petite fille, la petite nomade gracile et silencieuse, qui, seule, continue à me fixer intensément à travers l'obscurité. Je ne sais pas ce que je lis dans ce regard mais, malgré ma fatigue, malgré le découragement fatal, je me redresse. Je me tourne vers cette tribu de gens qui me sont inconnus. Je les fais taire, d'un seul geste du bras, mais impérieux, d'un seul bruit de ma bouche, même pas une phrase articulée, mais un chuintement sorti du fond de mon ventre. À ce son étrange, le sorcier rouvre les yeux. Comme la petite fille, il me regarde. Je m'approche de lui, je le domine de toute ma taille, je lui dis, en me désignant, un seul mot grec, deux simples syllabes, mais dont je suis sûr qu'il devine le sens, "Matêr". Mère. Et puis, tendant la main vers le récipient, cet autre mot que j'ai cru entendre pour nommer la mixture et que j'ai retenu parce que, dans ma langue, il veut dire le corps, "Sôma". Même si je l'ai mal prononcé, il l'a compris, j'en suis sûre. Alors je continue à parler à toute allure, je lui explique que moi aussi je suis prêtresse, moi aussi je suis puissante, moi aussi j'agis au nom de la plus redoutable et de la plus ancienne de toutes les divinités, Araduui Sura Anahita, qui m'ordonne d'aller chercher mon fils. Je sais très bien que le Bahgsi ne peut pas comprendre le sens de ces paroles mais qu'il saisit leur intonation. D'ailleurs, il n'hésite plus. Il se lève, il se précipite à quatre pattes, comme un chien, comme un goret (ce sont les images sans contrôle qui me viennent à l'esprit) jusqu'au récipient, il en emplit le gobelet, et il me le donne. Sans réfléchir, je le bois d'un seul trait.

Aussitôt, je me rends compte que je n'ai jamais rien avalé de plus infect que cette mixture, dont l'odeur suintante emplit mes narines un instant trop tard. C'est quelque chose qui me retourne violemment le ventre pour s'échapper de moi. Quelque chose qui me le tord pour me faire mal et m'obliger à recracher. Quelque chose d'huileux, de pourri, de grouillant, comme le goût d'un cadavre, comme le goût de la mort, que mes entrailles et toute mon âme rejettent instinctivement. Mais, malgré ma faiblesse et mon dégoût, je ne le vomirai pas ! Je serre mes dents à les faire crisser. Je garde ça en moi, pour que ça se forme, que ça se conçoive, que ça m'enlève. Je ne sais pas de quoi il s'agit, si ça sera du froid ou de la chaleur, du vertige ou de la dilatation, mais je sens que ça fera mal. Alors avant que ça ne s'empare de moi, je me traîne, en poussant des gémissements, jusqu'aux deux corps étendus, je m'assieds près du feu à l'entrée de la grotte, et j'essaie, de mes ongles griffus, de mes pattes, de mes dents, comme une bête, comme une chienne, comme une louve de la montagne, de les attirer à moi. Pas pour les dévorer, mais pour les mettre sur moi, en contact avec moi. J'ai besoin que ces corps me touchent mais ils en ont encore plus terriblement besoin que moi. Le sorcier, qui devine ce que j'essaie de faire sans le comprendre, unit ses forces aux miennes. Il m'aide à placer le corps de mon fils allongé sur mes genoux et le corps de Lykeïna allongé sur celui de mon fils. Tout doit absolument se toucher !

Et les tambours doivent battre et les flûtes doivent vriller pour aider le sôma à imbiber mon sang et modifier le rythme de mon cœur !

L'envie de vomir ne me quitte pas. Nausée dans ma gorge, fièvre dans ma tête. Le sang dans les veines qui courent sur mon crâne se dilate, se solidifie un peu, c'est comme une coque rigide qui m'envelopperait. Je me demande si ça a vraiment commencé. Si ça va vraiment faire de l'effet sur moi. Je m'accroche au corps de mon fils que je tiens fermement dans mes bras. J'appelle à pleine voix son nom. J'appelle celui d'Araduui Sura Anahita. Ou alors c'est en silence parce que je n'arrive même plus à ouvrir la bouche ? Mais rien d'autre ne se passe. Pourquoi rien d'autre ? Je suis découragée, vidée de mes dernières forces. Je les avais réunies pour un terrible voyage et voilà que je reste en plan. Face au néant, comme mon père dans la grotte de Trophonios. Mais là, justement, ce qui est effrayant, c'est que rien ne se passe, aucun murmure irréel, aucun frôlement de l'autre monde.

Jusqu'à ce que je le voie, nettement, sortir de la grotte.

Un serpent !

Mais il ne fait pas partie de mon rêve. Il est réel. Banalement réel, dans ses mensurations réduites, sa couleur tristement grise, ses striures, la menace de morsure qu'il représente. Personne d'autre à part moi ne paraît avoir remarqué son approche, même pas le sorcier. La vipère glisse lentement vers moi et vers les deux corps. Je voudrais pouvoir chasser sa présence importune. Va-t'en, va-t'en, tu me gênes, tu me déranges, le feu et le bruit que nous faisons devraient te rejeter au fond de la grotte, au lieu de t'en faire sortir, tu n'as rien à faire ici ! Soudain, le reptile se redresse un peu.

Sa tête plate et triangulaire

Son nez camus

La fente atrocement fixe de ses pupilles grises

Son regard qui se dresse vers moi

Là, je le reconnais.

Aussi effrayant que dans mon enfance, lorsque j'ai trouvé avec Phaïdros la grotte où était gravé mon nom. Aussi bienveillant qu'à mon retour dans le sanctuaire de Thespiaï. Oui, oui, je me suis trompée, c'est bien Lui !

Le Serpent !

Le Gardien !

Le Guide !

Maintenant que je l'ai vu, il repose sa tête sur le sol, et redevenant l'instant d'après simple reptile, il rentre en sinuant à l'intérieur de la grotte, ou peut-être qu'il disparaît dans l'obscurité des rochers. Alors, une deuxième fois, quelque chose se déchire en moi. Comme mue par la même énergie sinueuse que la vipère, je me redresse. Comme si je suivais ma tête plate et triangulaire, je me retrouve à l'entrée de la Grotte, qui s'ouvre pourtant dans mon dos. Avec une lucidité incroyable, je sens précisément que je me dédouble, que je suis à la fois debout devant la grotte et assise derrière elle. Ou plutôt je me détriple. Car ma lucidité n'appartient plus ni à la femme assise ni à la femme-serpent dressée mais aux deux en même temps. Cela ne pourra durer que quelques secondes. Je sens que c'est trop dur de me tenir ainsi entre les deux. Je ne suis pas assez forte. Je dois choisir. Si je choisis celle qui s'est dressée, comment ferai-je ensuite pour revenir sans me perdre dans celle qui est restée assise ? Je suis terriblement consciente du danger, je me vois déjà égarée pour l'éternité dans la nuit de la grotte, mon angoisse dilatée par une conscience plus aiguë que je n'en ai jamais eue, démesurée, surhumaine, destructrice. Oui, au moment de basculer dans la folie, je suis plus lucide que jamais. Mais je choisis quand même la folie. Je m'allonge, je siffle, je tords violemment mes anneaux et ma queue pour me scinder, et je me retrouve tout entière dans celle qui est debout.

Alors je me rends compte que le serpent m'a quittée, qu'il est parti encore devant moi et que je ne suis plus à nouveau qu'une femme.

Mais désormais je me tiens devant l'Ouverture.

La Bouche sombre par où descendre dans le Ventre de la terre.

Je m'avance.

Comme mon père avant moi dans l'antre du Nourricier.

J'ai horriblement peur.

Comme mon père avant moi.

C'est la même peur inhumaine déposée en moi depuis toujours.

Je me glisse dans la Faille, mes pieds humains les premiers. Parce que mon père – le Serpent aux écailles de métal ! – a eu le courage de le faire avant moi. Parce que je me souviens de son courage. Les pieds en avant, je me glisse dans le ventre sans fond de la Montagne, armée de ma seule absence de courage de guerrière humaine.

Je m'avance toute seule dans l'obscurité humide et glacée, qui me saisit jusqu'aux os, qui s'infiltre dans ma moelle, qui me vrille et me fore de froid. C'est une souffrance horrible. Pitié, pitié ! Je me retrouve dans le Néant. Le Néant épais. J'ai peur à hurler. Et puis, soudain, ils sont là. Les présences que ma solitude et mon désespoir ont fait surgir sont attirées autour de moi comme des loups. Les Daïwas. Je ne distingue pas leurs formes, pas encore, mais ils me frôlent. Ils sont furieux de ma présence. Leur colère est terrible. Je n'ai aucun droit d'être là. Ce territoire n'est pas le mien. J'y pénètre pour ma perte. La vengeance qu'ils vont tirer de moi sera plus atroce que tout ce que je peux imaginer. Comment ils vont m'attaquer, me déchirer, me pénétrer, m'écarteler vivante, s'introduire dans tous mes orifices pour répandre à l'intérieur de moi leur infection brûlante, je ne peux que le deviner, dans un frisson d'horreur et de répugnance. Mais impossible de m'arrêter, je continue à progresser vers eux, je ne sais même plus si j'avance ou si je tombe.

Soudain, je l'aperçois, là-bas, très loin devant moi ! C'est l'âme de Mithradatês, flottant dans l'ombre, lumineuse mais immobile, allongée comme son corps l'est entre mes bras réels, que je perçois encore fugacement à un autre niveau, les bras tendus devant lui, comme autrefois le jeune frère de mon père. Ceux qui le portent ou celles qui le soutiennent dans les airs, ce sont des êtres ailés. Des femmes-chiens sombres, ignobles, repoussantes. Les Erinyes, les Femelles-Colères, les Daïwas à gueule de monstre qui le mordent, qui le broient et qui lui enlèvent à chaque instant des morceaux entiers d'être, qu'elles jettent dans le gouffre sans fond. Dès qu'elles m'aperçoivent, elles se mettent à glapir. D'autres formes effrayantes nées de l'obscurité se jettent sur moi, commencent à me mordre moi aussi de leurs dents cruelles, m'arrachant pour m'affaiblir mes particules intimes de lumière, dans des giclées de douleur qui me déchirent et font jaillir des cris de mon âme. Jamais je n'y arriverai, jamais je n'arriverai à rattraper mon fils dans sa chute ni à le disputer à ces monstres. Alors je sens autour de moi, au-dessus de moi, une autre force que la mienne qui vient à mon secours. Une autre lumière puissante, je ne sais pas si c'est celle du sorcier, celle du serpent ou celle de mon père mais c'est une aura masculine. Elle me protège des Daïwas avec ses ailes et précipite encore mon allure. Dans cette chute au fond du gouffre, nous parvenons à rattraper notre retard pour atteindre l'âme de mon fils et son cortège maléfique de Daïwas. Alors, oubliant toute précaution, je me jette à corps perdu dans la mêlée. Comme tout à l'heure auprès du feu, je lutte avec mes mains, avec mes crocs, avec mes griffes, contre les monstres qui cherchent de leurs becs à percer mes yeux et déchirer mon armure d'écailles. Mais toujours la force lumineuse du dieu serpent ailé derrière moi me protège de leurs coups pendant que je les attaque. Je leur enlève chacun des fragments de l'âme qu'elles sont en train de dépecer, je les récupère, je les place en moi, je les avale et les cache dans mon ventre, un à un.

Et le morceau principal, ce qui reste du buste, des bras, et de la tête de mon fils, je finis par l'arracher aux monstres ailés. L'âme de Mithradatês s'accroche à moi instinctivement, elle m'enlace, les Daïwas poussent un cri de fureur, mais, grosse de mon précieux fardeau, je remonte déjà, à toute allure, en frétillant, en ondulant de ma queue de poisson serpent, je me rue vers la surface, pendant que mon allié, passé en dessous de nous, les ralentit dans leur poursuite. Je nage maintenant dans le courant du fleuve souterrain qui serpente dans la grotte avant de jaillir à l'air libre, je le remonte à l'envers, ses eaux lumineuses tombent sur mes épaules dans des éclats de lumière aussi blessants que les morsures de l'ombre, mais je suis investie d'une telle force que je continue à monter, je remonte le cours de la chute d'eau jusqu'à la naissance du fleuve. Je remonte ce qui doit être descendu. C'est impossible, je ne sais pas où j'en trouve la force, je ne sais pas ce qui me pousse, mais je le fais.

Alors, tout en haut, je me retrouve dans l'autre grotte. Celle de mon Rêve Vert d'Ekbatana. Celle de la végétation, celle de la vie et de la déesse humide qui pleure son propre corps et se délite en ruisselant. La Déesse est là. Elle lève la tête vers moi. À travers ses larmes, comme dans mon rêve, elle me sourit. Le corps du jeune dieu mort est déjà dans ses bras, allongé sur ses genoux. Elle n'attend plus que moi. Je vomis. Je vomis tous les morceaux de mon fils que j'ai volés aux Daïwas. Et je m'assieds dans la Femme. Je deviens elle. L'âme dont je ramène les lambeaux rentre dans le corps étendu sur ses genoux. Mais je sais que ma tâche n'est pas finie. Je vais devoir lui donner la vie. Je vais devoir lui donner une part de ma vie, beaucoup, peut-être tout. Peut-être vais-je devoir mourir pour lui rendre la vie. Cela me désespère, cela m'exalte, cela me révolte. C'est sur moi autant que sur lui que je pleure. Sur nous deux. Je pleure de joie et je pleure de peine. Je pleure d'amour et je pleure de haine. C'est la même origine. Il faut que je m'avance jusque dans ces tréfonds pour y puiser assez de larmes. Qu'elles soient d'acceptation ou de révolte n'a plus aucune importance. Elles commencent à couler de moi. Pas seulement de mes yeux, de toutes les parties de mon corps. De plus en plus vite, de plus en plus fort. Je ne parviens pas à les retenir, c'est un mouvement aussi irrésistible que la chute dans le gouffre, que la remontée du fleuve, mais maintenant ce jaillissement n'est plus extérieur à moi, il est intérieur, il naît de moi, même si je ne le contrôle pas. C'est répugnant, grotesque, puissant, ces larmes inépuisables qui jaillissent de tous les orifices de mon corps, de ma bouche, de mon nez, de mes multiples tétons, de mon anus, de mon nombril, de ma vulve ouverte, ce sont elles qui forment le grand fleuve à partir de tous ces petits ruisseaux minuscules qui coulent de moi, mon énergie vitale en train de fondre. Elles imprègnent la végétation qui en tire sa sève et qui croît tout autour. Elles réunissent les différents morceaux de l'âme de mon fils, elles les noient et les lient au corps. Et quand je n'ai plus assez de larmes, ce sont des phrases qui se mettent à couler de moi, un fleuve de paroles incompréhensibles même pour moi, mais dans lesquelles je lui explique tout ce que j'ai fait pour lui. D'où je viens pour lui. Et les noms de la divinité qui lui impose de revenir à la vie. Ses noms exacts, je les cite. Et ce sont aussi des gestes. Un flot de gestes fluides. Je touche son corps encore froid et son âme brûlante des morsures des daïwas. De cette matière dure et de cette matière friable, je fais une pâte molle, que j'humidifie sans cesse de ma salive. Pas un instant je ne cesse de lui caresser les cheveux, le visage, les épaules, tout le corps, je le mouille tout entier de mes mots et de mes gestes, je le pétris, je l'empêche de se déliter, je le compose, je lui donne forme et souplesse, je l'amalgame à lui, je le force à se réunir et à ne plus faire qu'un.

Alors l'ensemble du paysage dans ce flot sortant de moi se met à vibrer. C'est un son très sourd qui devient aigu. Une voyelle de gorge, puis de nez. Un bruit de roche, puis d'eau. Un gargouillement. Qui se résout en une vibration de l'air. Une vibration de tout.

Et soudain, il ouvre les yeux !

Il me regarde.

Je n'ai jamais vu un tel regard.

Même celui du serpent est moins fixe et moins stupéfiant.

Si étranger

Si étonné

Si innocent
Si absent
Si différent
Un regard qui fait encore partie de l'autre côté. Qui vient de l'au-delà, d'après ou d'avant la vie. Un regard qui ressemble peut-être à celui que m'a adressé Manthanê sur son lit de mort. Un regard de loin mais faisant l'effort de revenir vers moi. Un regard qui ressemble peut-être à celui des deux fils sortis de mon ventre, juste avant que j'accepte qu'ils me soient enlevés.

C'est le regard foudroyant du Nouveau-Né !

Ce regard, il me traverse. Il me transperce. Il ne s'arrête pas à moi. Il va au-delà. Et je ne peux plus le suivre. Plus du tout la force. Je m'affaisse.

Et je meurs.

Et j'accepte.

C'est fini, ce sont les derniers mots inévitables de ma logorrhée, du courant de paroles vitales qui est sorti de moi, les six dernières syllabes-gouttes.

"Péphuka Téthnêka"

"J'ai donné la vie

J'en suis morte."

54

LE SECRET ULTIME

Le matin qui suit ma mort, quand j'ouvre les yeux, je me retrouve dans notre tente du camp nomade. Je sens que j'ai dû dormir longtemps et que je suis pourtant encore épuisée. Je mets un long moment à acclimater mes yeux à la lumière. J'éprouve un reste de nausée. Mais ce que je vois me fait défaillir de joie, si j'avais la force d'éprouver un tel sentiment. Mithradatês est à mes côtés. Il se penche sur moi. Je l'ai sauvé !

C'est seulement ensuite que je comprends que je ne suis pas morte, même si je ne sais pas comment cela s'est fait, ni qui m'a ramenée à mon tour dans mon corps.

Mithradatês me soigne plusieurs jours.

Puis, dès que je suis assez forte pour l'écouter, il me raconte l'expérience qu'il a vécue de son côté. Son propre Voyage. Lui aussi, il est sous le choc. Car il est allé plus loin que moi et il a réussi à retrouver l'âme de Lykeïna !

Celle-ci ne se trouvait pas dans la grotte mais sur le chemin de la montagne, à l'endroit même où elle était morte. Elle se tenait toute recroquevillée et apeurée, comme un oiseau tombé du nid. Au pied d'un pont étrange. L'une de ses arches, baignée de lumière, paraissait monter vers le ciel et se perdre à l'infini dans les nuages. Une deuxième arche, exactement symétrique à la première, s'enfonçait dans les profondeurs de la montagne et de l'obscurité. Par ses degrés d'ombre grimpaient les mêmes créatures maléfiques, aux ailes sombres et aux dents de chien, que j'ai vues moi aussi dans la grotte et contre lesquelles je me suis battue. Elles tentaient ici sans relâche d'entraîner l'âme de Lykeïna sur l'escalier du gouffre. La pauvre petite, désespérée, ne se défendait même plus. Pourtant, lorsque mon fils arriva sur le lieu du combat, il s'aperçut qu'une présence lumineuse luttait encore, seule, contre les Daïwas, les empêchant de sortir de l'ombre du pont. Il crut reconnaître la présence de son maître. Au moment précis où il s'approcha de l'âme de Lykeïna, celle-ci, comme se dépliant, se mit à pousser de petits gémissements plaintifs de joie : elle ne voulait pas partir avant de l'avoir revu une dernière fois. C'était déchirant : il vit Lykeïna danser devant lui, timidement, gracieusement, comme dans leur enfance, faisant de sa souplesse retrouvée reculer quelques instants les Daïwas. Puis leurs deux âmes s'enlacèrent. Dans cette étreinte, dont il refusait qu'elle fût leur dernier baiser, il tenta d'insuffler à Lykeïna un peu de son énergie vitale, mais, sans lui laisser le temps de s'expliquer (ils ne communiquaient pas par les mots mais directement de l'un à l'autre), elle eut un sourire triste et lui fit comprendre qu'elle n'avait plus assez de force désormais pour revenir dans son corps. Il était trop tard. Elle avait déjà accepté le départ, elle n'attendait plus que de lui dire adieu avant de se mettre en chemin sur le Pont, au risque d'être entraînée dans le gouffre par les esprits hostiles. C'était le dernier effort dont son amour était capable.

Pendant que son maître continuait à tenir de son épée étincelante les daïwas en respect, il la suivit sur l'arche qui montait. Lykeïna voulait le persuader à son tour de revenir en arrière et de la laisser aller où, maintenant qu'elle l'avait revu, elle se sentait entraînée. Mais il était bien résolu à ne plus l'abandonner et à l'accompagner jusqu'au bout. Dans l'édifice formé par la pile du pont se dressèrent soudain devant eux, assis sur une sorte de trône de lumière, trois entités. Il comprit tout de suite qu'il s'agissait des trois Juges, chargés de peser les actions des âmes. Il sut que l'un d'entre eux, celui du centre, le plus jeune, était Mithra. Il parvint à freiner un peu l'avancée de Lykeïna, il voulait discuter avec elle du discours qu'ils allaient tenir devant les entités. D'autres âmes les dépassèrent, les unes recevaient le droit de s'avancer sur le pont vers la lumière, les autres, malgré leurs supplications, se voyaient précipitées dans les ténèbres, où les Daïwas s'emparaient aussitôt d'elles avec des criaillements affreux. L'âme de Lykeïna était toute tremblante : elle savait que les Juges n'auraient aucune indulgence pour une fille de plaisir. Alors Mithradatês, se servant avec autorité de ce langage muet qui a cours dans l'autre monde, parla pour elle au dieu dont il portait le nom. Il lui expliqua la longue quête amoureuse de son amie à travers l'Empire en guerre et le respect qu'elle avait toujours montré pour Anahita. Lorsque les Juges lui demandèrent pourquoi, lui qui était vivant, il prétendait l'accompagner sur le Pont des morts, il répondit sans trembler ni hésiter que c'était parce qu'elle était trop faible et qu'elle ne pouvait pas faire le chemin seule. Il entendait se dévouer à elle comme elle s'était dévouée à lui. Lykeïna, inclinant la tête, reconnut que c'était vrai. Les entités, malgré leur réprobation, que le jeune homme percevait clairement, les laissèrent tous les deux passer. Peut-être, se dit-il, même la colère des dieux était-elle impuissante devant la pureté de l'amour qui les unissait ?

Ils commencèrent à monter. Le maître, en bas du pont, continuait à l'appeler pour lui demander de revenir mais il ne l'écoutait pas. Lykeïna, elle aussi, l'implorait dans son langage muet de la laisser aller seule mais il parvint à l'étreindre de nouveau. Il lui jura qu'il ne chercherait plus, jusqu'au bout de leur voyage, à la faire revenir à la vie. Il ne la retarderait plus de ce désir impie. Il acceptait qu'elle s'en aille. Mais pas qu'elle le quitte. Son âme tout entière ne désirait plus qu'être enlacée avec sa sœur féminine, et monter libérée sur le pont de lumière. Jamais il n'avait connu une félicité pareille. Il était pleinement heureux, il quittait le monde humain sans un regret. Pourtant, alors même qu'ils étaient maintenant d'accord, l'âme de sa compagne se montrait de plus en plus faible, de plus en plus pesante à son bras, il était obligé de la soutenir, de la porter, avec de plus en plus de difficulté. Maintenant c'était elle qui le retardait, qui l'entraînait en arrière. Il en vint même à la soupçonner. À se demander si, pendant les deux jours où elle l'avait attendu au bas du Pont, un Daïwa n'était pas parvenu à se cacher en elle, tapi comme une ombre dans sa lumière. Il ne savait plus que faire pour sauver Lykeïna, pour lui redonner la force de gravir les marches, pour qu'elle ne soit pas entraînée, elle aussi, dans le gouffre qui s'ouvrait sous la seconde arche, l'obscure, la maudite. Lui-même, parce qu'il restait immobile à l'attendre sur les degrés radieux, sans se résoudre à se détacher d'elle, sentait décroître ses forces et l'appel du vide l'entraîner. Ils allaient périr tous les deux !

Alors, dans ce trouble fatal, il vit descendre à leur rencontre trois autres Esprits. De près, il s'aperçut qu'il s'agissait d'une femme, tenant deux molosses effrayants en laisse. Il la reconnut aussitôt : c'était moi. Et c'était Manthanê aussi. C'était, en une seule femme, sa mère et celle de Lykeïna. J'étais venue à leur rencontre pour lui signifier qu'il devait retourner en arrière et me remettre ma fille. Je me chargeais de l'accompagner à sa place jusqu'à la Déesse, dans la demeure des chants et des âmes, où elle séjournerait désormais, où elle l'attendrait, jusqu'à ce qu'il la rejoigne, un jour, peut-être, lorsque le temps serait venu, s'il avait gardé souvenir d'elle. Les deux chiens, qui, d'une certaine manière, étaient moi aussi, lui montrèrent les dents pour l'empêcher de passer plus avant. Il songea un instant à résister et puis il comprit qu'il devait obéir. Qu'il devait renoncer à cette idée de la ramener vivante, qui ne l'avait jamais vraiment quitté, en fait, même lorsqu'il prétendait ne plus vouloir que mourir avec elle. Ce qu'il s'avouait seulement maintenant, c'est qu'il restait empli d'une curiosité interdite et d'un désir très humain : il avait réussi à cacher aux Juges son projet secret d'explorer en détail la demeure céleste et de trouver ensuite le moyen de revenir ici-bas, en entraînant Lykeïna, son amoureuse, avec lui !

Alors, dans un déchirement, il sentit le Daïwa se détacher de son ombre. Et glisser, avec un croassement de rage, au fond du gouffre, où l'horrible bête avait presque réussi à les entraîner tous les deux. Ce n'était pas en Lykeïna mais en lui que le démon s'était caché ! Pas dans la faiblesse de son amoureuse mais dans sa force à lui ! Et il se mit à pleurer. Il eut juste le temps de faire ses derniers adieux à Lykeïna. D'une manière aussi étrange que le reste. Ce fut l'idée volatile d'un collier qui passa d'elle à lui, le parfum d'un collier-fleur, que je lui avais donné comme à ma fille, qu'elle avait refusé d'abandonner dans la montagne en espérant le porter le jour de leur mariage, et qu'elle lui remettait maintenant dans un dernier souffle pour qu'il me le rendît, parce qu'elle n'en avait plus l'usage et qu'il appartenait à la déesse. Et puis, déjà échappée de lui, brusquement libérée de son emprise, allégée, l'âme de Lykeïna monta sans plus se retourner sur le Pont de lumière, pour rattraper son retard. Oui, c'était lui qui l'alourdissait, et non le contraire. Et c'était lui aussi, il le comprenait maintenant, qui lui avait imposé le silence devant les Juges.

L'entité qui était Manthanê et moi, et qui venait de les sauver tous les deux, lui sourit en le renvoyant d'un geste. Il s'en retourna, pleurant toujours toutes les larmes de son âme, au seuil du pont, à l'intersection entre les trois mondes, celui d'en Haut, celui d'en Bas et celui des vivants, auquel il appartenait encore. Son maître l'y attendait patiemment, pour lui montrer le chemin du retour jusqu'à son corps matériel.

Mithradatês est sorti du sommeil de la transe un peu de temps avant moi mais, je le perçois, il reste lui aussi sous le choc de ce qu'il vient de vivre.

J'écoute son récit avec une émotion indescriptible. D'abord parce qu'il m'annonce qu'il n'a pas réussi à ramener Lykeïna, que ma fille d'élection est définitivement morte. Mais je me rends compte que je l'ai toujours su, dès le début, dès que j'ai appris la nouvelle. Toute mon expérience me disait qu'on ne franchit pas impunément les portes de la mort. Pourtant, le voyage n'a pas été inutile : Mithradatês a réussi à la revoir, à lui faire ses adieux, à rasséréner notre pauvre petite chérie, pour lui permettre d'échapper aux daïwas de l'abandon qui voulaient l'entraîner à jamais dans l'obscurité. À travers mon chagrin, j'éprouve une étrange douceur, comme si j'étais rassurée moi aussi d'apprendre que, si elle est morte, son âme saine et sauve est montée sur le Pont de lumière.

Le récit de Mithradatês me trouble aussi pour une autre raison : il est si différent du mien ! D'un côté mon voyage, l'obscurité, le combat, le flux du liquide vital, la victoire contre la mort, de l'autre le sien, la lumière, la douceur, la plénitude mais l'échec. Je me demande comment il a pu être à la fois, dans le même temps matériel, l'âme morte que j'ai arrachée aux griffes des Daïwas dans le gouffre pour la faire renaître de mes larmes au fond de la grotte, et celle qui tentait vivante de monter avec Lykeïna sur le pont de lumière mais a dû rebrousser chemin. Et moi, comment ai-je pu intervenir de façon si différente dans son voyage et dans le mien, au même moment, et sans avoir conscience de ce dédoublement ? Avons-nous l'un et l'autre seulement rêvé ? Pourtant, malgré sa confusion, mon voyage me laisse une impression aussi nette et aussi irréfutable que la réalité et je vois bien que Mithradatês se trouve dans le même état que moi, encore bouleversé par ce qu'il vient de traverser, à moitié dans ce monde-ci et à moitié dans l'autre, comme s'il se trouvait encore au pied du pont, et qu'il ne parvenait pas tout à fait à reprendre pied dans le réel.

Pour lui montrer que je partage totalement son trouble et pour que nous puissions mettre en commun nos interrogations, je m'apprête à mon tour à lui raconter mon aventure mais il me coupe la parole. Il me résume rapidement mon périple : la plongée dans le gouffre, la remontée du fleuve vers le sommet de la montagne, la grotte verte, la déesse et sa propre résurrection. Je suis stupéfaite. Même si je ne les ai vues qu'en rêve, comment peut-il connaître mes visions, puisque je ne les ai encore confiées à personne ? Ce nouveau mystère m'effraie plus que le reste. Mithradatês m'explique que le Bahgsi lui a déjà raconté ce que j'avais vécu. Car son maître a traversé une expérience encore plus éprouvante que la nôtre : non seulement, comme nous, il a séparé son âme de son corps mais, parvenant à la scinder en deux, il a participé consciemment à nos deux voyages. Afin, dans chacun des deux plans du monde surréel que nous allions explorer en même temps, de veiller sur moi aussi bien que sur mon fils et de nous ramener sains et saufs. Ce double périple simultané l'a tellement affaibli qu'il est encore en train de se reposer dans un coin de la tente, où il lui a fallu, aidé du Cerbère et du guide, nous porter l'un et l'autre, toujours inconscients.

Nous mettons tous les trois plusieurs jours à rassembler nos forces et à revenir pleinement de ce côté-ci de la réalité. Pendant tout ce temps où nous restons allongés dans la tente, nourris par les femmes du village, je parle beaucoup avec mon fils et avec le Bahgsi. Le sorcier, depuis le combat que nos deux âmes ont mené ensemble contre les daïwas, paraît éprouver de la considération pour moi. Et même du respect, lorsque je lui apprends que je m'appelle Mnasaréta. Ce nom originel lui en évoque un autre, qu'il prononce à peu près Mana Surta : celui d'une Entité favorable, liée à la mémoire et au combat sous la terre pour le retour des saisons, à laquelle il en vient presque à m'identifier. Il m'apprend aussi qu'il connaît très bien le couple divin que je sers, la Déesse Mère et le jeune Dieu Taureau, même s'il donne à ce dernier un autre nom qu'Isodaïtês. Ils sont très puissants parmi les Esprits, me dit-il, peut-être les plus puissants de tous avec un troisième, qu'il appelle "le Maître de la Lumière". Triade tutélaire. Et puis, toujours par le truchement de Mithradatês, même si, par instants, j'ai l'impression de deviner directement le sens de certaines phrases, le sorcier me raconte à son tour son histoire. Elle me surprend beaucoup. Mon fils lui-même, bien qu'il vive en sa compagnie depuis plusieurs mois, découvre certains détails, comme si son maître ne s'était jamais confié à lui aussi profondément qu'il le fait pendant ces quelques jours de temps suspendu, où nous restaurons l'intégrité de nos corps et de nos âmes menacée par le voyage dans l'autre monde.

Le Bahgsi est né sur ce même versant de la montagne de l'Alborz où nous nous trouvons aujourd'hui, et où sa tribu monte l'été avec les troupeaux. À leurs pieds, de l'autre côté, vers le nord, se trouvent d'autres fleuves, encore plus larges peut-être que ceux que nous avons traversés, d'autres plaines, tout aussi vastes sûrement que celles que nous avons parcourues, et dans lesquelles la tribu descend lorsque vient l'hiver. Il y a bien des années, le sorcier qui l'avait choisi pour lui succéder mourut avant d'avoir eu le temps d'achever son initiation. C'était un grand malheur. Le vieillard quitta son disciple en lui disant qu'il était très inquiet de n'avoir pu le guider jusqu'au secret ultime. Il faudrait que le jeune homme le découvrît seul ou bien qu'il renonçât à ses pouvoirs. Le Bahgsi novice, tout à la douleur de perdre son maître mais confiant néanmoins dans l'enseignement qu'il en avait reçu, ne l'écouta guère. Lorsqu'il fut seul à assurer les relations entre sa tribu et l'autre monde, soit parce qu'il avait orgueilleusement présumé de ses connaissances, soit, au contraire, parce qu'il avait mené une négociation avec trop d'humilité, il se retrouva en butte à l'hostilité de quelques esprits particulièrement malfaisants et au silence des autres. Il crut deviner que les villageois commençaient à se méfier de lui. Et la pire chose pour un Bahgsi finit par lui arriver : il perdit lui-même confiance dans sa capacité à dialoguer avec les Esprits.

Alors une idée inouïe lui vint : il lui fallait partir, quitter la tribu, à la fois pour protéger sa vie de plus en plus menacée à chaque contact inabouti, et pour accroître sa science. Il ne reviendrait que lorsque son initiation serait achevée et qu'il serait capable de protéger son peuple. Ce que son premier maître n'avait pas eu le temps de lui apprendre, il devinait déjà, même s'il ne parvenait pas à se le formuler clairement, qu'il devrait le trouver non pas auprès du Bahgsi d'un autre campement, semblable au sien, mais auprès peut-être d'autres savants dans des traditions complètement différentes. Cela ne l'effrayait pas : il avait soif d'apprendre et faim d'inconnu. Peut-être était-il l'un des premiers hommes de son peuple à se sentir prêt à tout accepter de ce que le monde lui montrerait ? Ou peut-être retrouvait-il au fond de lui ce désir qui avait poussé sa tribu, depuis des temps immémoriaux, à se déplacer le long des steppes ? Ce désir d'errance, dont il retrouvait trace dans les récits, mais que les siens avaient perdu depuis qu'ils étaient venus se heurter à la barrière des montagnes de l'Alborz, sur les plateaux desquelles ils pouvaient faire paître leurs troupeaux ? Il décida de partir seul, sans prévenir personne. Évidemment, il se trouva confronté d'emblée à un choix : de quel côté de la montagne devait-il descendre ? Vers le nord, dont il ne connaissait qu'une infime partie, ou vers le sud, qu'il ne connaissait pas du tout ? Aucun signe ne voulut lui répondre. Alors il laissa le vent du hasard le pousser de ce côté-ci, le sud, qui commençait par un pays de marais peu hospitalier et dans lequel personne de sa tribu ne s'était encore aventuré, à part quelques jeunes chasseurs qui n'en étaient jamais revenus. Eh bien, lui, il l'explorerait ! Il se jura d'aller jusqu'au bout de ce versant du monde, s'il le fallait, jusqu'au moment où il trouverait devant lui le vide. Il ne s'arrêterait que lorsqu'il aurait découvert le secret ultime qui lui donnerait la maîtrise de l'au-delà et qu'il aurait la certitude d'être devenu un Bahgsi assez puissant pour lutter contre les Esprits ennemis et les forcer à faire le bien de sa tribu !

Il traversa le fleuve Kyra, qui marque la fin du pays des Montagnes et le début du grand plateau où vivent les sédentaires, ceux qui s'appellent eux-mêmes Hayaï et que leurs maîtres, les Perses guerriers, désignent comme Armêns. Il commença humblement à apprendre ces noms nouveaux. Il avait tellement perdu confiance en lui-même qu'il était prêt à tout oublier et à recommencer son initiation depuis le début. Alors il suivit d'autres maîtres, découvrit d'autres sagesses, d'autres dieux dont il apprit les noms, les épithètes et les généalogies, d'autres formules magiques pour les forcer à obéir, d'autres maléfices pour invoquer les morts, d'autres plantes pour agir sur le corps ou sur l'âme des humains, d'autres régimes alimentaires pour se purifier, d'autres animaux à vénérer et à sacrifier, d'autres façons d'interpréter les rêves, de lire le destin en examinant la position des astres à travers le ciel ou celle des entrailles de la victime. Il traversa des fleuves, moins larges que ceux au bord desquels il avait vécu, escalada des montagnes, moins infranchissables que celle d'où il venait, se perdit dans des villes, plus vastes que celles dont il avait jamais rêvé mais qui n'étaient jamais que des collections de tentes de briques et de pierres, longea des jardins clos, aussi étendus que les villes mais à l'intérieur desquels on lui refusait l'hospitalité, fut accueilli chez de pauvres gens, qu'il remerciait en les soulageant un peu de leur misère par la révélation d'un avenir prospère ou, quand ce n'était vraiment pas possible, par une décoction d'herbes qui leur faisait tout oublier. Il devint très savant. Il fut considéré comme un mage, dont il adopta le costume pour pouvoir continuer son voyage sans trop attirer l'attention. Il entassa les sciences sur les sciences, accomplit des miracles, fut l'objet de récits où il accomplissait des miracles, attira à lui des disciples qu'il abandonnait sans cesse au milieu de leur initiation parce que lui, le maître, était attiré comme un disciple vers une science nouvelle, celle qui lui assurerait la maîtrise absolue sur le monde des esprits et lui redonnerait enfin cette confiance en lui-même qu'il avait perdue auprès de son clan. Toujours déçu. Toujours se disant qu'il lui fallait aller plus loin, que la vérité se trouvait peut-être à quelques jours de marche, se doutant parfois qu'il s'était trompé, qu'il allait dans la mauvaise direction, que le secret ultime se trouvait non dans ce royaume des Perses, mais de l'autre côté, celui du Nord, ne se résignant pourtant pas à rebrousser chemin avant d'être parvenu au bout de ce versant-ci du monde, au bout du Sud.

Près d'une ville du nom de Tarsoï, il finit par arriver sur le rivage d'un fleuve aux dimensions incroyables, qui s'étendait jusqu'à l'horizon, dont les eaux étaient salées, et que l'on appelait "Mer". Avait-il atteint l'extrémité du monde ? Ou bien lui fallait-il aller encore plus loin, s'embarquer sur cette immense étendue d'eau dans l'espoir de trouver au-delà d'autres continents, d'autres peuples, d'autres Esprits, d'autres sciences ? En laissant ses yeux flotter sur les vagues du fleuve salé, qui était si différent de ses montagnes d'origine mais aussi infini et aussi infranchissable qu'elles, qui était leur exact contraire et leur équivalent, il finit par prendre conscience de sa lassitude. Elle se détacha de lui. Il la vit de l'extérieur se tordre grotesquement sur le rivage, daïwa aux formes repoussantes qui s'était emparé de lui depuis longtemps, puis s'enfuir sur les vagues, en articulant ses menaces dans une langue presque humaine, comme une mouette, jusqu'à s'évanouir dans la lumière. Il comprit que sa quête était vaine, qu'elle serait à jamais inachevée, qu'aucune de ces sciences ne lui donnerait le pouvoir qu'il cherchait, que chacune d'entre elles n'était qu'une nouvelle vague gonflant la mer, ou, s'il usait d'une autre image plus familière à son peuple, une nouvelle grotte dans la montagne lui livrant un nouveau passage, mais non la possession de la montagne elle-même. Jamais il ne triompherait de ses Ennemis. Jamais il ne dominerait les Esprits. Jamais il ne pourrait arriver à la confiance absolue en lui-même. C'était cela, peut-être, le secret ultime, que son premier maître n'avait pas eu le temps de lui apprendre ? Le secret de la puissance, qui est la conscience de la faiblesse ? Alors seulement, d'un seul coup, lui qui était si savant, il devint sage. Son exact contraire et son équivalent. Sa quête s'acheva au moment où il comprit qu'elle était sans fin. Désormais, il pouvait renoncer à s'embarquer, renoncer au nord aussi bien qu'au sud, et revenir en arrière, vers sa montagne. Pour tenter de tout son pouvoir, sans orgueil ni humilité mais avec l'exacte conscience de sa force et de sa faiblesse, de faire le bien de sa tribu, en amadouant patiemment les Ennemis qu'il s'était faits dans l'Autre Monde et en s'y ménageant quelques Alliés.

C'est à ce moment-là qu'il rencontra mon fils. Le Bahgsi vit que ce jeune homme grec était bien plus savant que lui dans la connaissance de ce qu'il appelait "l'anatomie" mais qu'il ignorait à peu près tout du reste. Mithradatês était dévoré de la même curiosité que celle qui l'avait poussé lui-même à voyager, de la même inquiétude, de la même soif inextinguible d'apprendre. Celui-ci pourrait être son premier vrai disciple, à qui il pourrait transmettre son enseignement jusqu'au bout, qu'il pourrait mener jusqu'à l'expérience ultime. Ils se mirent à remonter tous les deux à travers l'Empire en guerre, mon fils s'instruisant sans cesse sur les Esprits par la pratique auprès de son maître et celui-ci apprenant sans fausse honte la science des organes qu'il ignorait, tous les deux secourant les puissants aussi bien que les faibles mais sans jamais s'attarder au milieu du désastre, car poursuivant pacifiquement la transmission d'un autre pouvoir. Lorsque le Bahgsi, accompagné de son élève grec, fit enfin son retour dans la tribu, celle-ci, après toutes ces années, l'accueillit avec réticence mais aussi avec un soulagement immense, personne en son absence n'ayant été choisi par les Esprits pour entrer en communication avec l'autre monde, tous ceux qui s'y étaient essayés sans avoir été appelés ayant pitoyablement échoué.

Enfin, poursuit le Bahgsi en se tournant vers mon fils, Mithradatês vient d'achever son initiation. Il a su aller chercher l'âme morte, il a su lutter pour le salut de celle qu'il aimait, mais aussi la laisser aller sans se révolter ni abuser de son pouvoir sur l'au-delà. Maintenant, il a découvert lui aussi le secret de sa faiblesse. Son daïwa intérieur s'est détaché de lui. Désormais, il connaît tout ce que son maître avait besoin de lui transmettre. Le reste, il pourra l'apprendre de lui-même. Le Bahgsi peut le laisser repartir avec moi, qui suis venue le chercher pour le ramener où il devait aller, même si aucun de nous trois ne sait encore ce qui lui est promis. Le destin de Mithradatês n'était pas, apparemment, de devenir le Bahgsi d'une tribu de nomades dans les montagnes du pays d'Anahid. Son maître se charge de faire accepter cette décision à la tribu, qui sera sans doute soulagée de ne pas voir son sort remis à un sorcier étranger, toujours sur le point de repartir d'où il était venu. Il lui faudra trouver, dans les années qui lui restent, quelqu'un d'autre, à qui transmettre ses secrets, un autre adolescent différent, traversé douloureusement par l'Appel. Mais, même s'il s'est parfois laissé aller à rêver du contraire, d'une certaine manière, il a toujours su que Mithradatês partirait et qu'il le formerait pour rien. Le Bahgsi nous sourit. Je lui rends son sourire. Il a une façon bizarre de s'exprimer, et d'interpréter le sens de ces divers périples, le sien, celui de Mithradatês, et le mien. Mais je crois que je perçois par instants un peu de sa logique.

Pendant que nous parlons, je sais, parce que les deux hommes me l'ont confié pour me rassurer, que les villageois s'occupent de préparer le rituel funéraire de Lykeïna. Pourtant, le deuxième ou troisième jour, le Cerbère Kistôn vient me chercher dans la tente. Lui qui d'habitude est si calme, paraît au comble de l'agitation. Il me murmure à l'oreille de l'accompagner au dehors, malgré ma faiblesse. Sans un mot, il m'aide à grimper jusqu'à la grotte devant laquelle nous avons accompli la cérémonie du Voyage. Le spectacle que je découvre me remplit de stupéfaction. Et d'horreur. Les nomades n'ont pas paré le corps de Lykeïna avant de le mettre en terre ou de le brûler sur un bûcher, mais ils l'ont exposé, à l'entrée de la caverne, sur de hautes claies. Entièrement nu. Kistôn, le vieux baroudeur thrace, est aussi révolté que moi par ce spectacle affreux. Car, si les charognards qui rampent sur la terre ne peuvent atteindre le cadavre, en revanche, une nuée de corbeaux et d'autres oiseaux répugnants, qui poussent, comme les daïwas de mon rêve, des criaillements de joie moqueuse devant le régal qu'on leur offre, se sont amoncelés sur les claies. Ils sont en train de dépecer les chairs délicates de ma fille que décompose la chaleur naissante du printemps, ses seins, son ventre, ses cuisses, son cou, de becqueter ces yeux, dont j'aimais la douceur amusée et ces lèvres, qui m'ont si souvent souri pour me consoler. Tout dans ce spectacle, cette vision de ma jolie Lykeïna humiliée, l'odeur, les croassements, le remuement des serres et des becs, les attitudes de triomphe menaçant que prennent ces démons ailés dérangés dans leur ignoble fête, tout me retourne le cœur. Et de mes entrailles, jaillit un cri instinctif de révolte.

Comme s'il n'attendait que mon accord, Kistôn se met à ramasser fébrilement des pierres pour chasser les charognards. Mais Sipan, le guide, qui nous a suivis discrètement lorsqu'il nous a vus nous éloigner vers la grotte, s'interpose : la tribu risquerait de se retourner contre nous et de nous lapider, si nous empêchions les corbeaux d'accomplir leur tâche. De retour dans la tente, le sorcier nous calme à grand-peine. Il nous explique que les oiseaux sont les serviteurs sacrés du "Maître de la Lumière" : ils œuvrent afin que les éléments d'ici-bas, la terre, l'eau, l'air et le feu, ne soient pas souillés par ce qui, dans le corps, appartient à la mort. Bientôt, il ne restera plus que les os imputrescibles. Ceux-ci ne seront pas dispersés. Bien que Lykeïna soit étrangère à la tribu, ils seront, en notre honneur, pieusement installés dans la grotte des morts, avec ceux des ancêtres, pour y être vénérés. Mithradatês me tient le même discours d'apaisement. Il m'explique que les Perses, qui suivent les préceptes du premier mage, Zarath-Ustra (celui dont m'a parlé déjà le caravanier Mô-San), agissent de même, en exposant les cadavres de leurs morts dans ce qu'ils appellent des "tours de silence". Ce qui à nous, Grecs, paraît le pire des scandales n'est qu'un usage différent, une autre marque de respect. Je finis par me résigner à cette idée et par laisser le corps de ma fille chérie être nettoyé par les oiseaux de malheur. Je ne m'approche plus jamais de la grotte pendant tout le temps que dure leur horrible sacerdoce mais je ne peux empêcher leurs croassements de me poursuivre dans mes rêves, comme une menace, comme un avertissement. D'ailleurs, je remarque que la tribu évite aussi scrupuleusement que moi les parages des claies et que chacun de ses membres, qu'il soit adulte ou même enfant, fait de longs détours pour ne pas entrer dans ce périmètre interdit.

Je ne suis pas encore au bout de mes peines. Un jour où je commence à pouvoir sortir librement de la tente, j'aperçois deux villageoises accroupies, chacune en train de polir patiemment une pierre. Lorsque je leur demande ce qu'elles font, elles me répondent par gestes, avec un sourire affectueux : "Des yeux pour ta fille !" Le sorcier complète la réponse : ces femmes travaillent pour moi à la préparation du crâne de Lykeïna. J'apprends que ces sauvages s'apprêtent, non seulement à tresser les cheveux laissés par les oiseaux, mais aussi à barbouiller d'ocre rouge les pommettes et la mâchoire, comme pour y marquer des lèvres dérisoires. Puis, ces deux pierres, qu'ils auront peintes, ils les ajusteront aux orbites, afin que les "yeux" de la morte puissent de nouveau s'ouvrir. À la fin de la cérémonie, la tribu compte me remettre solennellement cette relique magique. Si je l'honore fidèlement, l'âme de Lykeïna sera en mesure de l'investir, chaque fois que je l'appellerai. Par cet intermédiaire, je pourrai lui demander conseil sur ce monde qu'elle continuera à voir et, de son côté, elle pourra intervenir en ma faveur dans le monde des Esprits. Non, non, là, c'est trop ! Je refuse de me voir confier le crâne décoré de ma fille, comme un souvenir pittoresque que je ramènerai de mon voyage chez les barbares et que je transporterai dans mes bagages avec mes tuniques !

Mithradatês, lui, d'une voix calme, déclare qu'il accepte de se charger de ce dépôt précieux. Il ne le juge pas macabre, parce qu'il lui permettra de rester en contact avec l'âme de celle qu'il aimait et qu'il a enlacée une dernière fois sur le Pont des morts, en lui jurant qu'il ne l'oublierait jamais. Il m'explique ensuite que, pour les femmes de la tribu, qui polissent pieusement les pierres en chantant, qui broient dans le creuset la pierre rouge, il ne s'agira pas, lorsqu'elles maquilleront la dépouille décharnée de Lykeïna, de l'humilier, mais au contraire de la dignifier, de lui accorder la plus grande marque d'honneur qu'elles peuvent imaginer, en lui conférant le statut d'intermédiaire entre ce monde-ci et l'autre. Oui, oui, je comprends l'idée mais je refuse absolument le contact avec la chose. Jamais je ne toucherai ce crâne postiche, qui fut un jour le visage de la jeune fille gracieuse et joyeuse que j'ai tant aimée, jamais même je ne le regarderai en face, je le jure. Moi, je n'ai pas besoin de cela. Lykeïna vit en moi, jolie, souriante, telle qu'elle a été, et cela me suffit !

Mais la réaction de Mithradatês, si différente de celle de Kistôn et de la mienne, m'impressionne : malgré son jeune âge, il a déjà vu beaucoup de morts, il a assisté à bien des rituels différents, il a pratiqué la médecine grecque, la millénaire magie égyptienne des herbes et des noms, la science secrète des astres et des nombres qu'ont élaborée depuis des siècles en observant le ciel les mages khaldéens. Maintenant il aborde avec le même respect l'encore plus immémoriale connaissance des Esprits que possèdent ces tribus nomades des montagnes du pays d'Anahid. Il est prêt à tout accepter, et à accorder dans son esprit une place à chacune des façons qu'ont inventées les humains pour traiter avec la vie et avec la mort. Je l'admire pour son ouverture d'esprit. Je me souviens de ce que m'a demandé Manthanê sur son lit d'agonie, que notre fils fasse le pont entre l'Orient et l'Occident par ses connaissances, comme je le faisais par ma beauté. Il est allé déjà bien plus loin que nous ne l'imaginions l'une et l'autre.

Un jour enfin, le Bahgsi m'annonce que la dépouille de Lykeïna est prête à être déposée auprès des ancêtres. Au début de la cérémonie, je pourrai, si je le souhaite, rendre à ma fille, comme un dernier hommage, le collier de Mausôlos, qui a été récupéré sur le cadavre avant son exposition, en le plaçant autour du cou du masque postiche que les villageois ont fiché sur le squelette en lieu et place du crâne absent. Mithradatês, anticipant ma réaction, me propose d'accomplir pour moi ce geste, à la fois solennel et grotesque, comme tout ce qui touche aux rituels funéraires dans cette tribu. Mais je refuse. C'est à moi de le faire. Pourtant, au moment où je vais m'approcher de ce qui reste de ma fille, soudain, je me souviens de ce que son âme a dit à Mithradatês : elle me rendait le collier de la déesse, qu'elle avait gardé seulement pour s'unir à lui et dont elle ne souhaitait pas se charger sur le Pont. Non, ce bijou précieux n'est pas destiné à orner un masque sur un squelette, ni à être enterré au fond d'une grotte, il doit circuler encore parmi les vivants, il doit trouver sa véritable destination dans l'ordre d'Anaïtis l'immobile et d'Isodaïtês le changeant. J'hésite, je ne sais que faire, j'attrape un regard, et, obliquant brusquement, je me dirige vers lui : il appartient à la petite fille aux yeux graves, celle qui m'a aidée déjà lors du rituel du Voyage à ne pas céder au découragement, et qui, depuis le début de cette cérémonie funéraire, m'observe fixement. Si elle ne me quitte pas des yeux, c'est, je le devine, pour m'assister dans ma peine, qu'elle ressent intensément, et qui, malgré son jeune âge, la pénètre, l'emplit, la bouleverse. Elle me soutient à sa façon, en me faisant don de son regard sans fond, où déverser un peu de mon chagrin. Alors, sans un mot, je place le collier autour de son cou, avant de me retourner vers le sorcier. Voilà, lui dis-je par ce geste, le prochain Élu sera une fille et non un garçon ! J'indique au Bahgsi le choix de la Déesse, pour le remercier du secours qu'il m'a apporté. Quand il aura formé cette étrange gamine, en joignant la connaissance et le secret de la faiblesse au don miraculeux de son regard, et qu'elle aura formé à son tour celle ou celui qui lui succédera, elle lui transmettra le collier magique avec le reste du costume rituel, les peaux d'animaux et les bâtons. Cette Fleur précieuse, les anneaux de sa tige d'or, ses feuilles d'émeraude et sa rose de rubis, brilleront désormais, non dans la nuit légère des banquets d'une métropole raffinée du bord de la mer mais dans l'obscurité épaisse d'une caverne des Esprits, perdue au fin fond des montagnes du Kaukasos, dans le ventre de l'Alborz où naissent les saisons. Imprévu changement de destin pour le collier de Mausôlos. Mais, de parure de l'hétaïre à marque d'élection de la sorcière, peut-être prend-il enfin son sens ?

Après la cérémonie du dépôt des os de ma pauvre Lykeïna dans une cavité de la grotte des morts, la brusque floraison du printemps étend comme un frisson de peau jaune et tiède sur le flanc de la montagne, m'évoquant brusquement celle de Thespiaï. Alors je comprends qu'il est temps de prendre le chemin du retour.

55

SORTILÈGE DU SOUVENIR

Sur le sentier, puis sur la route qui descend toujours, nous progressons doucement, au rythme de nos paroles. Nous retrouvons notre chariot, intact, comme si personne depuis notre passage n'avait emprunté ce chemin, ou n'avait voulu s'alourdir de sa cargaison d'étoffes fragiles. Je pleure d'y retrouver des traces de Lykeïna vivante. Nous atteignons le sanctuaire d'Eridza, où nous attend la vieille servante qui a connu mes parents. Je la charge de faire transmettre un message à Aspasia, la prêtresse d'Ekbatana, dans lequel j'apprends l'issue de mon voyage à celle que j'appelle avec affection et gratitude "ma grand-mère de cœur". Sipan, notre guide, refuse de nous quitter : il descend avec nous le cours de l'Euphratês pour nous remettre sur la Voie Royale au fort de Méliténê. Ne sachant comment dire adieu au petit homme qui m'a sauvé la vie dans la montagne de l'Alborz, je veux le prendre dans mes bras. Mais lui, inclinant la tête, saisit ma main qu'il porte à son front pour que je le bénisse. Nous repassons par le poste frontière de l'Halys, beaucoup plus calme qu'à l'aller. De toute l'agitation d'alors, la foule des marchands s'inquiétant de l'arrivée de l'armée impériale, il ne reste rien. Mon énergique commandant n'est plus en fonction : j'espère que son zèle lui a valu d'être remarqué par l'Œil du Grand Roi. Nous parvenons à Sardeïs au début de l'été. Rien n'a changé dans la capitale perse de l'Occident, sinon qu'un nouveau satrape a pris la place d'Artabazês, le rebelle en fuite. Nous n'avons plus accès au palais. Mais je m'en moque.

Car j'ai la joie de retrouver Praxitélês. Une joie d'autant plus forte qu'elle est mêlée d'appréhension. Je lui ai envoyé un courrier pour l'informer de mon retour à Halikarnassos mais, sans même me répondre, il s'est déplacé en personne jusqu'à Sardeïs. Il me surprend, dans le temple d'Anahita où je suis venue me recueillir, à l'endroit même où nous nous étions quittés au début de l'hiver précédent. N'ayant pas été prévenue de son arrivée, je suis en habit de voyage, sans apprêt ni maquillage. À sa réaction, je prends conscience que mon périple a duré la moitié d'une année mais aussi beaucoup plus. Il a un mouvement de recul, de surprise, de gêne émue, lorsqu'il m'aperçoit, et puis un sourire très doux, en m'ouvrant les bras. Il me murmure que je n'ai pas changé et que je suis plus belle que jamais. Mais je sais qu'il se trompe ou qu'il me ment par tendresse. Peut-être suis-je plus belle que jamais à ses yeux amoureux, après six mois d'absence, je veux le croire, mais j'ai changé, bien plus qu'il ne peut le constater, bien plus encore que je ne peux le deviner moi-même.

Le Sculpteur salue Mithradatês qu'il n'aurait jamais reconnu, tant le jeune homme a mûri. Puis il remarque l'absence de Lykeïna et celle d'Adômas, les deux morts que nous avons laissés sur le chemin en échange de mon fils. Je m'attendais évidemment à sa réaction mais j'oublie aussitôt toutes les phrases que j'avais préparées pour lui expliquer ce qui s'est passé. Je recommence à pleurer, alors que je pensais avoir épuisé mes larmes sous le soleil du retour. Il prend le temps de me consoler. Il me demande de lui raconter tout ce que j'ai traversé loin de lui. Il m'écoute avec une attention si profonde que, dans ce récit qui se prolonge pendant plusieurs nuits, je commence à pouvoir dégager le sens de cette expérience. En même temps, je remarque que je cherche aussi, instinctivement, à l'oublier. Depuis que j'ai retrouvé le Sculpteur, et même après que nous nous sommes remis en route pour descendre vers la Karie, je me fais belle chaque jour, m'habillant et me parant avec soin. J'ai terriblement envie de lui plaire, terriblement envie de redevenir celle que j'étais. Un besoin désespéré de charme et de futilité après ce périple où je suis allée au bout de moi-même.

Nous n'arrivons à Halikarnassos qu'à la fin de l'été. La situation du royaume et l'atmosphère de la cour ont beaucoup changé pendant mon absence. Le roi Mausôlos, qui avait continué à circonvenir les alliés d'Athênaï et à louvoyer avec finesse pour ne pas se trouver pris dans le piège de la conjuration manquée des satrapes, n'a pas réussi, malgré son habileté diplomatique, à négocier avec la mort. Hadês s'est montré plus inflexible qu'Artaxerxês : il a saisi le cœur du trop souple souverain dans sa main de fer et n'a relâché son emprise qu'après l'avoir broyé. Je repense à l'alerte dont j'ai été témoin, lors du banquet donné aux deux satrapes, à la façon dont Mausôlos avait réussi, dans un effort impressionnant sur lui-même, à donner le change. Cette fois, ni l'amour de sa femme, ni la science de ses médecins, ni l'habileté d'une petite courtisane n'ont réussi à lui faire oublier que son heure était venue. Il a disparu au moment où il achevait son œuvre et où la Karie devenait la principale puissance de la côte.

La reine Artémisia en reste inconsolable. Il paraît, me dit Praxitélês, que même le pouvoir ne l'amuse plus, maintenant qu'elle l'assume sans son âme sœur. La seule chose qui la maintienne encore debout, c'est de voir leur tombeau achevé. Elle a décidé de l'appeler non pas l'Hékatomnéïon, mais le Mausôléïon, et le considère moins comme un monument funéraire que comme le palais luxueux d'un mort encore vivant, dans lequel elle pourra le rejoindre bientôt, pour passer l'éternité en son exaltante compagnie. Toutes ses occupations royales, elle le néglige. Les autres membres de la fratrie, Hidrieüs, Ada et Pixôdaros, font courir le bruit que leur aînée devient folle, insinuant qu'il serait temps de déposer la malheureuse, avant qu'elle ait achevé de ruiner le royaume avec cet édifice pharaonique et de réduire à néant l'œuvre de leur père. On raconte qu'elle est allée jusqu'à recueillir les cendres de son frère et amant : toutes les nuits, elle en boirait une gorgée, mêlée à une coupe de vin, pour se l'incorporer définitivement et le maintenir vivant en elle. J'espère que ces racontars sont faux, que la vive et brillante Artémisia est restée elle-même, qu'elle se cache seulement derrière ce deuil excessif pour ne pas avoir à se remarier, notamment avec l'un de ses deux autres frères. Peut-être, me dis-je, préfère-t-elle continuer à régner seule, en femme et souveraine indépendante, sur sa province et sur son harem ? Malheureusement, je dois m'avouer que je la trouve moi aussi métamorphosée. Je suis frappée par son air hagard, son teint pâle, ses yeux cernés. J'ai l'impression qu'elle néglige sa chevelure et son costume, comme si elle ne permettait plus à ses femmes de l'approcher. Elle ne s'habille plus que le soir, dit-on, pour boire sa coupe de cendres. Je croyais qu'elle aimait le pouvoir plus encore que son frère et je découvre que je me suis trompée. C'est elle, qui, sans lui, n'est qu'un fantôme. Pas d'enfant non plus pour l'obliger à habiter la vie. Sa douleur l'égare. Mais, après le périple que je viens d'accomplir à la poursuite de l'ombre de mon fils, je suis capable de comprendre cette folie.

Artémisia ne recouvre un peu de raison que pour hâter l'achèvement de son palais funéraire. Praxitélês ne l'y aide guère. Il me raconte, avec un sourire faussement détaché, qu'il a passé la première moitié de mon absence à travailler, non pas à Halikarnassos, mais au grand autel de l'Artémision d'Ephésos, où il avait été recruté par l'intermédiaire de Diôn. Après l'autel, il a consacré presque encore plus de temps à décorer lui-même le tambour d'une des colonnes sculptées du nouveau temple, que l'on commençait à édifier. Celle où figurerait mon nom, parce qu'elle avait été financée par le collier que j'avais donné pour obtenir l'identité de l'incendiaire. Praxitélês voulait y représenter la fidèle Alkestis, arrachée par Hermês au cruel dieu ailé Thanatos et ramenée parmi les vivants pour être rendue à son mari, le faible Admétês. Évidemment, il a donné mon visage à la revenante tant espérée, qui se cachait encore à demi sous son voile. Lorsqu'enfin le dernier de ses assistants, Androsthénês, a réussi à le détacher de ce modeste tambour de colonne, que personne ne remarquerait parmi la centaine du nouveau temple, il a bien fallu revenir à Halikarnassos. Depuis son retour dans la capitale, il se ronge les sangs en pure perte, sans parvenir à concevoir la grande *Procession des humains et des animaux vers Aphrodité* qu'il a dans la tête, et qui pourrait faire pendant à la *Procession des peuples vers Mausôlos et Artémisia* qu'a presque achevée Bryaxis sur la paroi nord. Mon propre retour, contrairement à ce que croyait mon Sculpteur, n'arrange rien. Bien au contraire. Il pense sans cesse à autre chose. La reine finit par lui suggérer de solliciter d'elle la faveur de rompre son contrat. Elle s'engage à accepter cette requête sans exiger qu'il rembourse les sommes déjà versées, tant elle est impatiente d'engager un autre maître, qu'elle choisira sur le continent, pour montrer sa fidélité au vœu de Mausôlos. Ses experts lui ont déjà trouvé le candidat idéal. Ce sera le vieux Thimothéos d'Epidauros, bien moins célèbre que mon ami, bien moins doué aussi peut-être mais très fiable, et qui s'est déclaré prêt à se mettre aussitôt au travail à un *Combat entre les Lapithes et les Centaures* comme on en a déjà vu des centaines.

Praxitélês accepte cette solution humiliante avec soulagement. Maintenant que je suis revenue, il n'a plus qu'une hâte : quitter le lieu de son échec, cette Iônie prospère et maudite, où affluent tous les artistes à la mode pour se disputer les commandes officielles et celles, encore plus lucratives, des particuliers. Des *Aphrodité nues*, sur le modèle de la *Knidienne*, il en a réalisé quelques-unes pendant mon voyage, pour vérifier qu'il connaissait encore mon corps par cœur. Il pourrait faire fortune à en remplir les temples du littoral et les villas des armateurs. Il lui suffirait de remplacer ma tête par celle de n'importe quelle petite joueuse de flûte couchant avec le maître de maison. Ses confrères se ruent plus que jamais sur la côte d'Asie, où se rencontrent le goût grec et l'argent perse. C'est là que, désormais, selon le mot de Léôkharês, "ça se passe". Voilà pourquoi Praxitélês s'en va. La chose qu'il déteste le plus au monde, c'est d'être là où ça se passe. Lui, il a besoin d'être là où ça ne se passe pas. Là où ça ne se passe plus ou pas encore. Donc, retour en Grèce au moment où tout le monde la fuit. La modernité, il l'abandonne au mondain Léôkharês et à tous ses suiveurs. Je l'écoute en silence tenter de déguiser sous ses sarcasmes sa peur d'être dépassé. Je lui caresse les cheveux. Je lui murmure : "Je suis là, de nouveau près de toi, il ne peut plus rien t'arriver. Tu es libre, je suis libre, nous pouvons aller où nous voulons, même nous enterrer de nouveau à Athênaï, si tu le souhaites." Et puis j'ajoute : "Moi aussi, j'ai envie de rentrer. De revoir nos amis d'avant, Myrrhina, Lagiskê, Hypereïdês. De savoir si Herpyllis s'est bien occupée de ma maison et Nikarété de mon école. Mais, dans le fond, moi, ce n'est pas Athênaï qui me manque, c'est Thespiaï." Ma petite Thespiaï dans la montagne de Béôtie, bien moins haute qu'Hara Berezaïti et les monts du Kaukasos, mais qui a encore plus besoin de moi qu'Athênaï de Praxitélês pour redevenir vivante. Je n'ai pas encore obtenu de mes vieux ennemis, les Thébains, l'autorisation de la reconstruire, ni même de marcher dans ses ruines. Je ne vois aucune possibilité raisonnable qu'ils me l'accordent un jour. Pourtant, depuis que j'ai accompli le même périple que mon père, peut-être le destin m'en juge-t-il au moins digne ?

Avant l'arrivée de la mauvaise saison, nous quittons définitivement Halikarnassos et Artémisia. Elle nous laisse partir sans regret, de plus en plus fantomatique, de plus en plus hagardement pressée de voir achevée la demeure de son disparu. J'apprendrai quelques mois plus tard qu'elle aura fini par mourir tout à fait. Empoisonnée, à ce qu'on raconte. Sans doute par l'un des trois membres de sa fratrie, avec la complicité des deux autres. Ou peut-être seulement par son chagrin solitaire, la nuit où elle aura vidé la dernière coupe des cendres de son amour. Elle n'aura pas vu le Mausôleïon achevé. J'entendrai dire que la première décision d'Hidrieüs, le frère puîné et le successeur, sera d'épouser sa sœur, la petite cadette, Ada, et la deuxième de couper les vivres à ces maudits architectes et sculpteurs. Il entend consacrer les ressources du royaume à mater la révolte de Rhodos et de ces autres îles stupides, qui refusent d'admettre qu'elles n'ont échappé à Athênaï que pour être soumises à la Karie. Les artistes réunis sur le chantier étonneront le nouveau roi en décidant, d'un commun accord, de continuer à travailler gratuitement. Par fidélité à leur mécène disparue, sans doute. Mais surtout pour achever ce monument, dont ils ne savent pas si, de la part de ses commanditaires, il représentait une preuve d'orgueil insensé ou d'amour fou, mais dont ils sont sûrs en tout cas qu'il constituera leur propre chef-d'œuvre. La gloire qu'il leur procurera sur toute la côte leur vaudra des commandes jusqu'à la fin de leur carrière. Hidrieüs et Ada laisseront ces parasites s'amuser à leur guise tout le temps qu'ils voudront, puisqu'ils ne leur coûteront plus rien. Quelques mois plus tard, les souverains auront la désagréable surprise de voir les artistes mettre la dernière main à leur œuvre avant qu'eux-mêmes ne réussissent à parachever leurs opérations militaires, qui s'enliseront lamentablement. Le nouveau couple royal sera bien forcé d'inaugurer le Mausôleïon en grande pompe, dissimulant avec peine son agacement devant la célébrité immédiate que ce monument de prétention, dressé en face de leur palais, assurera à leur cité et à la mémoire de leurs deux aînés.

Praxitélês et moi, nous décidons de ne pas retourner tout de suite à Athênaï, laissant Mithradatês et Kistôn le Cerbère nous y précéder. Le Sculpteur, pour fêter sa liberté retrouvée et oublier son échec, m'invite à faire le voyage vers la cité toute proche de Knidos, afin d'aller admirer, comme des touristes ordinaires, la *Déesse Nue*. Notre incontestable et commun triomphe. Nous allons nous aussi faire le pèlerinage vers le temple rond que nous avons rendu célèbre, tous les deux seuls, perdus volontairement dans la foule des amateurs d'art.

Et c'est là, dès notre arrivée, que je découvre en quoi j'ai changé pendant ces mois de voyage.

56

PREMIÈRES MARQUES DU TEMPS

Mon image en Aphroditê est partout et pourtant personne ne me reconnaît. Nous nous promenons dans la petite cité où, comme je l'ai prédit au négociant karien lorsqu'il est venu acheter la statue, des dizaines d'échoppes vendent des figurines en terre cuite ou en marbre reproduisant avec plus ou moins de gaucherie la pose et les traits de la statue de Praxitélês. Les voyageurs et les esthètes se les arrachent. On leur rend la monnaie avec des pièces frappées elles aussi à mon image. Celle-ci est devenue l'emblème de la ville. Aucun de ces marchands ni de ces touristes ne prête la moindre attention au sculpteur et à son modèle qui sont à l'origine de toute cette agitation. C'est, me dit Praxitélês, comme si nous pouvions nous promener déjà dans l'avenir, après notre mort, où l'on continuera d'admirer notre œuvre mais où personne ne se souviendra vraiment de nous. Il ajoute : "Je ne sais pas trop quoi en penser. C'est rassurant, et un peu triste aussi." Pour le dérider, même si je ressens les mêmes sentiments mêlés que lui, je lui rétorque que, de mon côté, je n'ai pas l'impression d'être une morte mais la déesse immortelle en personne, qui visiterait incognito le monde des humains et s'amuserait de la façon dont ils la révèrent sans s'occuper d'elle. "Peut-être, ajouté-je, si nous observons bien, remarquerons-nous d'autres dieux, qui sont là, parmi nous, invisibles, à errer sur cette terre avec nostalgie ?" Nous pénétrons dans l'enclos du sanctuaire. Avant de nous approcher du temple lui-même, nous nous perdons dans le bois sacré, pour sentir s'emparer de nous le remuement du vent et la puissance de la végétation. Nous admirons les arbres en fleurs et d'autres plus austères, dont les feuilles ne tombent jamais. Des platanes, des lauriers mais surtout, partout, des cyprès. Comme dans le bois du Kraneïon autour du sanctuaire de Korinthos. L'arbre d'Aphroditê et celui d'Anahita. L'arbre de la vie et celui de la mort. Celui qui traverse l'hiver sans faiblir et s'épanouit au printemps sans fleurir.

Nous arrivons sous le péristyle du temple rond. La statue d'Aphroditê est là, à quelques mètres de nous, au milieu de la petite salle sacrée. La déesse continue sans se lasser à tendre la main vers son sexe, laissant chaque spectateur deviner le sens mystérieux de son geste de pudeur ou d'ostentation. Éclatante de chair tendre dans la pénombre du temple. Praxitélês me souffle, avec un sourire d'orgueil naïf et un tremblement d'émotion vraie, qu'il vient d'être saisi lui-même par la grâce de cette statue : il la redécouvre, après avoir passé tant d'heures à en polir le moindre contour, elle l'étonne, comme si elle n'était pas de lui. Les prêtres du sanctuaire ont eu l'idée d'ouvrir une deuxième porte à l'arrière du petit temple pour qu'on puisse admirer la nudité de la déesse sous tous les angles. Praxitélês s'éloigne de ce côté-là, pour voir s'il a vraiment aussi bien travaillé qu'il en a gardé le souvenir.

Je ne l'accompagne pas. Je me dis qu'après tout, les fesses divines de la déesse, je les vois tous les jours dans le miroir de bronze poli que me tendent mes servantes. Or, cette nudité, dont j'ai été si fière, ne m'intéresse plus. Ce qui me fascine aujourd'hui, ce sont les yeux, qu'a peints Nikias, et qui, tout étincelants de leur éclat humide, sont posés sur moi. Face à eux, face à leur mystère, je tente de me rappeler l'émotion qui m'a investie au moment où je me suis dénudée sur la plage de sable sombre du Phalêron, pour m'avancer vers le squale que je n'avais pas vu. Pourtant, je sens bien que ce regard et ce geste d'ostentation ne sont plus les miens. Ils n'appartiennent plus du tout désormais à la femme fragile qui se met à nu mais entièrement à la divinité, dont le triomphe tient aux idées invincibles de douceur qu'elle sait susciter dans le cœur des hommes. Elle est si tentante, si offerte, qu'elle leur donne envie de la prendre dans ses bras, mais la prendre dans ses bras, c'est tomber à jamais dans les siens. Elle est plus grande que moi, plus forte que je ne l'ai jamais été. Et elle, de son côté, depuis sa création, elle n'a pas changé. C'est très curieux : je me dis que je me tiens devant une autre moi-même, qui n'est pas simplement un reflet dans le miroir, mais un être en trois dimensions, et pourtant, je me regarde avec surprise, avec distance, presque avec crainte, car je ne me reconnais pas. Cette incarnation de la féminité que j'ai été pendant quelques instants de gloire m'est devenue à jamais une étrangère.

Un groupe de voyageurs et leur guide viennent de quitter la nef ronde, après avoir contemplé la statue sans s'être arrêtés de parler un seul instant. Nous ne sommes plus que deux, dans le brusque silence, à nous tenir face à la déesse nue aux yeux peints. L'autre est un jeune homme, encore plus fasciné que moi. Il la regarde la bouche ouverte. Je le frôle, délibérément. Mais il est tellement plongé dans sa rêverie qu'il ne perçoit même pas le contact de mes épaules. Je le frôle de nouveau, avec plus d'insistance. Cette fois, il détourne les yeux de la statue. Mais il ne me jette qu'un coup d'œil distrait, avant de s'écarter d'un pas. Importuné dans sa contemplation de la femme idéale par la femme réelle. J'ai envie de lui crier : "Hé, mon garçon, cette statue, c'est moi ! Elle n'est que de marbre, et moi, je suis de chair ! Alors regarde-moi, jeune idiot, tu manques la chance de ta vie !" Et pourtant, moi qui ose tout, je n'ose pas. Je sais bien pourquoi. J'ai peur de ce qu'il pourrait me dire, de son regard étonné, de ses mots moqueurs : "Qu'est-ce que tu racontes ? Tu n'as rien à voir avec cette statue ! Elle est l'idéal divin de la beauté, et toi, tu n'es qu'une femme, qui a été très belle, certes, qui l'est encore un peu, mais plus assez."

Étourdie par ce que je viens de découvrir, je laisse ce jeune fou tomber amoureux de mon ancien reflet. Je me hâte de rejoindre le Sculpteur. Je le tire par le revers de sa tunique. Je ne jette pas un regard au cul divin qu'il a immortalisé dans le marbre parce que j'ai peur, maintenant, de ne plus y reconnaître celui que je vois chaque jour dans mon miroir. Nous avons échangé nos humeurs : il est saisi par l'euphorie légère du lieu, tout ragaillardi par le spectacle indiscutable de sa puissance d'artiste, et moi, modèle vieilli, je me sens étrangement mortifiée. Un accès ancien de moi-même me reprend. Je croyais être au-delà de ma beauté et je me retrouve bien en deçà. Découvrant à quel point je tiens encore à elle au moment où elle m'échappe. Comme s'il comprenait ce que j'éprouve, Praxitélès m'entraîne un peu plus loin, osant même en public passer son bras par-dessus mon épaule, ce qu'il ne fait jamais d'ordinaire. Nous marchons ainsi enlacés, cachés sous mon ombrelle, et nous allons nous perdre de nouveau sous les cyprès, dans le bois sacré. De l'endroit où nous nous installons pour nous reposer, nous pouvons encore apercevoir la foule des admirateurs se précipiter à l'entrée du temple rond, puis se figer devant la statue de la femme nue. Elle leur montre à tous son sexe, en regardant chacun au fond des yeux. Malgré la distance, j'ai l'impression de la voir là-bas, ma rivale victorieuse, illuminer l'ombre et se moquer de moi. Non, j'exagère, je m'illusionne. Elle ne se moque pas de moi, parce que je n'existe plus à ses yeux, pas plus qu'à ceux du jeune homme que j'ai importuné dans son extase amoureuse.

Praxitélês me propose de nous allonger sur l'herbe, dans l'un de ces lits secrets de verdure qui semblent préparés par la nature pour que l'on y fasse l'amour. Mais nous ne le faisons pas. Nous continuons à regarder les gens et le temple. Nous laissons le soir tomber. Les gardiens du sanctuaire raccompagnent les derniers visiteurs. Plusieurs s'approchent du petit réduit sous les arbres où nous nous sommes cachés, mais, étrangement, aucun ne semble nous apercevoir. Praxitélês s'est-il entendu avec eux ? Se contentant de sourire, il sort, de la simple besace de voyageur qu'il porte attachée au bout de son bâton, quelques galettes pour nous restaurer. Et une outre de vin pour nous étourdir un peu. Peut-être a-t-il prévu que j'en aurais besoin ? Nous nous enveloppons dans son manteau de laine. La nuit vient. La lune monte. L'humidité aussi. Le silence. La présence. Anahita Aphroditê. Elle est là. Oui, ce soir, elle est là et rien ne devrait avoir d'importance à part ça ! Cette solennité de l'accord avec le monde, dans lequel il faudrait que j'oublie ma vanité blessée, pour me laisser embarquer et me dépasser enfin. Là-bas, dans le temple rond, la statue brille toujours sous la lune. J'ai l'impression étrange que ses yeux continuent de me fixer sans relâche. Je ne sais pas s'ils me menacent ou s'ils m'accueillent. Ou s'ils m'invitent. Mais à quoi ?

Au moment où nous commençons à nous assoupir, des gardes s'approchent de notre bosquet. J'ai un mouvement de frayeur mais ils continuent leur chemin vers le temple. Un brouhaha, des cris. Le groupe repasse devant nous, les gardiens bousculant quelqu'un que je reconnais à la lumière des torches pour le jeune homme que j'ai frôlé tout à l'heure et qui ne m'a jeté qu'un regard impatient. Praxitélês me murmure : "Ce jeune fou a dû se faire enfermer comme nous dans le sanctuaire, pour pouvoir faire l'amour à la statue de la déesse. Il paraît que cela arrive souvent. Les gardiens retrouvent au matin les traces de la frénésie de ses admirateurs sur la peau de marbre de notre *Aphroditê*. Ils sont furieux. Mais pas la déesse : je crois qu'elle continue de sourire."

Moi aussi : ce jeune homme n'est pas un fou mais un idiot, qui mérite bien les coups de pied au derrière qu'il est en train de recevoir.

Et puis le silence retombe.

C'est là, dans le sanctuaire de Knidos, en regardant mon image divine qui continue à briller sous la lune, que je comprends en quoi j'ai changé pendant ces longs mois de voyage aux limites de l'Empire perse : j'ai vieilli, tout simplement, moi qui croyais échapper au temps. En comparant mon visage avec celui impassible de la déesse, je distingue enfin ces marques que je refusais jusque-là de voir chaque matin et chaque soir dans mon miroir, lorsque me le tendaient les servantes qui ont pris la place de Lykeïna sans parvenir à la remplacer. Mes premières rides. Oui, un réseau encore presque imperceptible mais qui fendille déjà mon visage, parce qu'il est de chair et non de marbre. Je me rappelle ce que j'ai éprouvé lorsque j'ai remarqué ces fines nervures au coin des yeux de Lagiskê, lors de mon premier banquet : de la satisfaction cruelle et de la pitié. Maintenant je suis du côté de Lagiské et mes sentiments mêlés d'alors, ce sont mes jeunes servantes qui doivent les ressentir en me les dissimulant.

Oui, bien sûr, c'est cela, seulement cela : mon corps a commencé à vieillir et je m'en aperçois trop tard. Cette découverte si simple m'accable. Mais, me dis-je ensuite, ces rides, je les dois à la morsure de la neige la nuit où j'ai tenté de réchauffer ma pauvre petite Lykeïna chérie, à ce soir de complicité et de jalousie à Eridza où j'ai accepté de passer à son cou le collier que les hommes les plus puissants, par les mains de Mausôlos, m'avaient donné, à mon épuisante remontée dans la grotte humide d'Hara Berezaïti et aux acides gouttes de sève qui sont sorties de moi pour faire renaître Mithradatês, à toutes ces semaines passées à sa recherche sous le soleil et dans la poussière de l'Empire. Et aussi aux longues heures de pose les mâchoires crispées pour Praxitélês, aux nuits d'angoisse où je me suis déchiré le visage de mes ongles en guettant le retour d'Attis disparu, aux souvenirs de mon père et de Phaïdros qui m'ont rongée de l'intérieur si longtemps, à toutes les violences subies et infligées, à toutes les rages, à toutes les joies. Oui, toutes les larmes que le désespoir et le plaisir ont fait jaillir de mes yeux au long de ma vie, ce sont elles qui ravinent aujourd'hui mes joues. J'ai vieilli, j'ai vécu, et maintenant, mon passé est si lourd qu'il commence à s'imprimer sur mon visage, comme la gravure estampant une pièce de monnaie. Je devrais le porter avec fierté. L'exhiber. Je devrais avoir la force d'âme, au moment où je m'installe enfin dans la maturité, en m'inspirant de mon modèle, Aspasia, la radieuse prêtresse d'Ekbatana, de ne pas regretter ma jeunesse.

Ou alors très doucement.

Praxitélês essuie mes larmes qui coulent sans même que je les remarque. Il passe sa main sous ma tunique et il commence à caresser mes seins. Mes seins vivants. Mes seins qui ont toujours autant besoin de caresses et même encore plus qu'avant. Il me souffle : "Tu sais, moi, je ne suis pas comme ce jeune homme, je ne veux pas faire l'amour avec Aphrodite, mais avec toi. J'aime que tu commences à vieillir. Tu te rapproches de moi. Bientôt tu ne seras plus mon modèle, tu ne seras plus que mon amie."

Et il s'occupe si longtemps, si tendrement de moi, qu'il me fait jouir comme il ne l'a jamais fait, comme la statue de marbre elle-même ne le pourra jamais.

Cire humaine de douceur.

Grâce à lui, grâce à ses mains non de sculpteur mais d'homme aimant, grâce non à son génie mais à sa queue, à ces quelques centimètres de chair dure et vivante qui, bien que je sois toute fermée, s'introduisent obstinément en moi, font leur chemin, vont me chercher sans relâche là où je me cache et où j'ai besoin d'être atteinte, je finis par m'amollir et m'ouvrir et me fondre dans la douceur du monde, dans le vent qui fait remuer doucement les cyprès du bois sacré, dans le vacillement des colonnes du temple. Les yeux peints de la déesse de marbre me regardent toujours, mais, tandis que je m'abandonne, tandis que je me défais des derniers lambeaux de ma vanité, tandis que je gémis de plaisir et non plus de nostalgie, tandis que je lâche prise et que je jouis, enfin ils me sourient.

VII

LA FIN DES CITÉS

57

COMME DES ABOIEMENTS AU LOIN

De retour à Athênaï, nous retrouvons tous nos amis et j'ai l'impression qu'ils ont moins vieilli que moi. Hypereïdês, dont les cheveux grisonnent à peine, continue à dilapider ses forces et l'argent de ses plaidoiries, grâce à l'aide toujours aussi frénétique de Myrrhina. La chevelure sombre de ma rivale et amie a gardé la luxuriance de la jeunesse et son visage, comme elle se plaît à me le faire remarquer en toute occasion, ne présente pas la moindre ride. Lagiskê s'occupe paisiblement de son grand homme, Isokratês, qui n'en finit plus de décliner. Nikarêtê, à qui j'avais rendu Kariôn, son mari secret, lors de mon départ pour Sardeïs, a fait prospérer avec lui mon école d'hétaïres, qui occupe maintenant sa maison et la mienne et compte une bonne cinquantaine de filles. Thratta a développé sans moi le Thiase, dont plusieurs centaines d'Athéniens suivent désormais les cérémonies ouvertes dans le bois du Lykeïon. Mais tous paraissent accepter avec joie mon retour à la tête de mes affaires. Herpyllis reste à mon service mais je l'affranchis de manière officielle. Je la cède symboliquement à Aphrodite, ce qui lui permet de garder son pécule, que j'augmente encore du double à la fin de la cérémonie. Je tiens par là à remercier ma suivante d'avoir géré ma maison comme si elle était la sienne, tout en continuant, de ses sourires entendus, à faire réfléchir son homme libre de philosophe sur les paradoxes de la notion d'esclavage.

Aristotélês est devenu l'un des principaux assistants du vieux Platôn, et j'entends souvent parler de lui, non seulement par ma suivante mais aussi par mon fils. Hermodotos (depuis notre retour, il est revenu avec beaucoup de naturel à son ancien nom grec, même si, me dit-il, il préfère l'autre dans le secret de son cœur), s'ennuie à Athênaï, sauf lorsqu'il suit les cours de l'Akadêmeïa. Parmi tous les jeunes maîtres qui se pressent autour de Platôn, il se plaît surtout dans la compagnie d'Aristotélês. Ils parlent médecine. Ils parlent rêves. Ils les soumettent à leur commun examen. Hermodotos, chaque fois, sort ébloui de ces conversations. Il me confie qu'il n'a jamais rencontré quelqu'un d'aussi ouvert d'esprit que ce philosophe exclusivement matérialiste, qui en sait plus que les disciples d'Hippokratês sur l'œuvre du médecin de Kôs, qui connaît par les livres les traditions magiques les plus secrètes, qui est curieux de tout, qui ne refuse rien par principe mais qui sait ordonner la diversité de l'univers sous le critère de sa raison. Je comprends ce qui est en train de se passer. Hermodotos s'est choisi un nouveau père, cette fois-ci du côté grec, pour échapper à la mère que le destin lui a donné. Pourtant, il m'aime et me chérit encore plus tendrement depuis que je suis allée le rechercher jusqu'au bout du monde. Mais de nouveau il cherche à me quitter. Son père précédent, le Bahgsi de la tribu de l'Alborz, lui a déclaré que j'étais venue le ramener à sa mission. Est-ce auprès d'Aristotélês, le Grec rationaliste, que mon fils, initié à tant d'autres manières de penser, pourra l'accomplir ? Il a l'air de le croire.

Je partage le plus clair et le plus doux de mon temps entre l'atelier de Praxitélês, où je le regarde créer sans presque plus le déranger de mon bavardage, et le sanctuaire de Thespiaï, où je passe l'été. J'y retrouve Aâmet, qui ne peut pas vieillir puisqu'elle a atteint déjà depuis des siècles le fond de la vieillesse. Les trois statues apaisantes de mon Sculpteur m'y ramènent à lui en son absence, de façon presque plus intense que quand je m'endors entre ses bras. Lorsque je reviens passer la mauvaise saison dans la cité, je souris avec une tendresse amusée de l'aveuglement de mes amis athéniens : ils continuent à se disputer bruyamment, persuadés que le bruit de leurs controverses intéresse encore le reste du monde. Depuis la mort de Mausôlos, ils se sont découvert un autre ennemi de prédilection, celui-là même que leur avait prédit le dynaste de Karie, en la personne de Philippos, le petit roi de Macédoine. Mais ce nouvel adversaire me paraît beaucoup moins préoccupant que ne le fut quelques années auparavant Thêbaï, la voisine et la rivale de toujours : ce soudard ne manœuvre que pour s'emparer de possessions bien plus lointaines que les îles de Kéôs ou de l'Eubée. Cela se passe très loin, au nord, dans une région qui me paraît encore plus radicalement étrangère que les montagnes du Kaukasos.

Tandis que sept ou huit années défilent à toute allure, le temps reste immobile : la vie est là, elle est douce, et j'ai désormais assez de maturité pour goûter sa douceur.

Et puis tout, de nouveau, se met à changer.

Curieusement, c'est la mort de Platôn, le vieux philosophe, avec lequel je n'entretiens pourtant aucune relation et dont je n'entends parler qu'à travers les récits d'Hermodotos, qui fait vaciller sur ses bases l'édifice à peu près stable que j'ai réussi à reconstruire autour de ma personne. Un peu comme si sa disparition marquait symboliquement, pour moi comme pour Athénaï, la fin d'une époque. Le vieux maître a fini par mourir au fond de sa maison qui ne se trouve pas très éloignée de la mienne, sur la grande voie du cimetière national. Son école de philosophie est devenue la plus prestigieuse de la Grèce, mon école d'hétaïres est à peine moins réputée. Mais à part le fait que nous avons chacun réussi dans notre domaine, nous n'avons rien en commun. Nous n'appartenons pas à la même génération, ni au même univers : il est l'un des derniers témoins de l'Athênaï ancienne, qui pouvait encore se penser comme le centre de la civilisation, et moi je vis dans le monde nouveau, où elle n'est déjà presque plus que l'un des comptoirs des négociants établis sur la côte d'Asie. C'est pourquoi, je n'éprouverais guère d'émotion à la mort du philosophe, si son disciple, Aristotélês ne me demandait rendez-vous quelques jours plus tard, en présence d'Herpyllis. Je regarde ma suivante, tandis qu'elle le fait asseoir avec simplicité sur le siège qu'elle a préparé pour lui. Je sens en elle, à travers son calme, une grande tension. Pourtant, la petite fille terrorisée que j'ai achetée autrefois, l'adolescente gracile que j'ai éduquée est devenue une femme d'une trentaine d'années épanouie et forte, sûre d'elle sexuellement. Depuis plus de quinze ans, elle est sa maîtresse : tout en restant ma servante, elle appartient à cet homme, et elle se sent libre. Elle n'y voit aucune contradiction.

Ce jour-là, Aristotélês n'est pas venu dans ma maison passer un moment d'intimité avec elle, comme ils en ont pris l'habitude depuis mon voyage en Orient. Il veut m'entretenir de ses projets d'avenir. Pourquoi ? Au début, ne voyant guère en quoi tout cela me concerne, je ne lui pose que des questions empreintes d'une certaine ironie. Mais il y répond avec une telle sincérité, que, même si je n'ai pas les raisons sentimentales de ma suivante pour l'écouter, je finis par lui accorder mon attention. Plus je vieillis, plus je réserve mon respect aux gens qui osent baisser le masque pour se placer, tels qu'ils sont, en face du miroir que je leur tends. J'aime le dépit presque naïf avec lequel ce philosophe m'avoue sa frustration d'avoir vu Platôn installer son propre neveu, Speusippos, à la tête de l'École, plutôt que lui-même, Aristotélês, qui ne lui était rien par le sang mais qui devait en toute justice être considéré comme le plus capable de ses disciples. D'abord, il n'a pu s'empêcher de mépriser un peu le Maître d'avoir renié sur son lit de mort ses propres principes, en considérant que la philosophie n'était qu'une affaire de famille comme une autre. Puis il s'est demandé si on ne le punissait pas ainsi d'avoir osé critiquer la théorie des Idées, ces formes idéales qui existeraient au-delà de la réalité matérielle, dans un hypothétique autre monde réservé à l'âme. Il s'est indigné de ce manque d'ouverture intellectuelle. Enfin, la veille au soir, sa colère un peu retombée, il a compris que son père spirituel lui adressait en fait un dernier message. Il signifiait au plus indépendant de ses fils qu'il était temps de s'affranchir de sa tutelle. Si Aristotélês envisage vraiment de remettre en question le dogme, il doit en tirer toutes les conséquences : écouter sa rage, qui est bonne conseillère, et s'arracher à la retraite de l'Akadêmeïa, ce monde aussi clos que celui des Idées, où il se tient frileusement à l'abri depuis vingt ans. Platôn lui-même a dû partir ainsi dans sa jeunesse. Chassé d'Athênaï par le dégoût après l'exécution injuste de son propre maître, Sôkratês, il a voyagé en Égypte, et jusque dans la Grande Grèce des disciples de Pythagôros. C'est là qu'il a rencontré ces pensées audacieusement spéculatives qui lui ont permis de se détacher de la morale terre à terre du vieux bonhomme. Finalement, la méfiance atavique de l'aristocrate Platôn vis-à-vis d'un élève étranger et trop doué peut aussi être considérée comme de la bienveillance. "D'accord, d'accord, l'interrompé-je avec ironie, tu pars, tu romps avec ton destin tout tracé de maître d'école pour essayer de te trouver vraiment. J'ai connu ça. Herpyllis aussi. Ce que nous, les femmes, nous avons vécu à quinze ans, toi, tu vas le vivre à plus de quarante. Mais en quoi tout ceci nous concerne-t-il ? Tu peux en venir au fait ?"

Soudain, je sens Herpyllis à côté de moi qui se met à trembler. Elle le dévisage obstinément mais il se garde bien de regarder, tout en me répondant. Alors je saisis que cette scène, à laquelle ils me font assister comme témoin, se passe vraiment entre eux. Il est venu par mon intermédiaire lui annoncer qu'il quitte Athênaï. Pour combien de temps, il ne le sait pas. Peut-être pour toujours. Sûrement même.

Il lui demande de comprendre. Outre la décision humiliante de Platôn, il doit compter avec la situation politique. Depuis que le roi Philippos a rasé la cité alliée d'Olynthos et vendu sa population en esclavage, la vie est de plus en plus difficile à Athênaï pour un Macédônien. Ou du moins quelqu'un qui est considéré comme tel par l'opinion publique, bien qu'il n'ait jamais eu l'occasion de séjourner dans son pays d'origine depuis son enfance. Aristotélês envisage son départ comme un retour sur ses propres traces : puisque sa cité natale, Stageïra, a été rasée, il a décidé de s'établir dans la petite ville où il a vécu son adolescence orpheline, Atarnéus, sur la côte lointaine de Mysie. L'un de ses camarades de jeunesse, Hermias, s'y est emparé du pouvoir avec le projet d'affranchir sa province de la tutelle du satrape perse. Aristotélês tentera de le conseiller dans cette tâche délicate, mieux que Platôn n'a su le faire auprès du tyran de Syrakousaï. Hermias compte lui donner sa propre fille adoptive, Pythias, en mariage. Peut-être les deux amis de jeunesse, encore rapprochés par ce lien, inventeront-ils à deux le premier royaume philosophique ? Ou peut-être, échaudé par l'échec de son maître, Aristotélês poursuivra-t-il dans son exil l'étude exclusive de la faune et de la flore ? Il se demande si un scientifique ne doit pas fuir l'agitation de la société humaine pour se livrer avec plus d'attention à… Herpyllis ose enfin interrompre ce flot de paroles dans lequel il tente de noyer son angoisse. La voix de ma suivante est nette et tendue. Elle tremble, de colère, d'inquiétude et d'espoir, tout en même temps, lorsqu'elle lui pose la seule question qui vaille : "Et moi ?" Il s'arrête, interdit, lui glissant pour la première fois un coup d'œil : "Et toi ?

— Oui, philosophe, si tu pars à Atarnéus épouser la fille de ton ami, qu'est-ce que tu fais de moi ?"

Alors ce qui se passe est étrange. Il se retourne dans ma direction, il me parle mais c'est à elle qu'il continue de s'adresser. Et il hésite, il supplie : "Même si je souhaitais l'emmener, comment y parviendrais-je ? Alors qu'elle est affranchie, il faudrait qu'on puisse la considérer comme l'une de mes esclaves et que je la donne à ma future épouse, dont elle deviendrait la servante ? Toute autre solution serait inacceptable pour Hermias et pour sa fille, mais celle-ci, comment Herpyllis pourrait-elle l'accepter ?"

Je n'en reviens pas. À ma suivante préférée, à mon intendante de confiance, que j'ai libérée dès mon retour, elle et ses futurs enfants, il propose de se replacer d'elle-même dans les liens de la servitude, afin de l'emmener en exil avec le reste de sa domesticité et de ses meubles, comptant non seulement en faire son esclave sexuelle mais la donner en cadeau de noces à sa femme légitime ! L'indignation me ferait presque éclater de rire : dis-moi, Aristotélês, ton épouse, la fille innocente de ton ami le tyran, faudra-t-il que ta maîtresse l'accompagne jusque dans ton lit pour lui apprendre à te satisfaire ? Mais je jette un coup d'œil à Herpyllis et ce que je vois me laisse encore plus stupéfaite. Une main posée sur son cœur, comme pour en contrôler les battements, les yeux fermés… elle sourit ! Puis elle dit : "D'accord." Et ce mot unique, il vaut pour moi autant que pour lui. Moi, elle me permet de lui demander au nom d'Aphroditê le prix que je voudrai, lui, elle l'autorise à s'en acquitter sans négocier. Cette idée, avec laquelle j'ai seulement joué autrefois, lorsque j'ai proposé à Euthias la possibilité de me vendre si jamais je le trompais, elle, d'un seul mot, elle en fait sa réalité. Elle accepte, dans un sourire, d'aller avec son philosophe s'enterrer au bout du monde, en devenant la servante sûrement détestée de la femme légitime, parce qu'elle sait que son amant ne lui fera jamais la grâce de devenir son époux. Et mon avis, l'avis de tous les autres, elle s'en moque. Cette femme n'est-elle pas encore bien plus folle que moi ? Ou bien plus libre ? Alors que puis-je faire d'autre, sinon me résoudre à me séparer de la seule personne capable de me faire oublier un peu l'absence de Lykeïna ?

Soudain, une idée me traverse : mais si, bien sûr que je peux faire autre chose, et contribuer encore plus à organiser ma propre dépossession. Je déclare à Aristotélês que j'accepte de lui vendre ma servante, s'il consent à emmener aussi mon fils, dont il se chargera de compléter l'éducation scientifique. Le philosophe ne paraît pas vraiment surpris par ma demande mais il n'y répond pas positivement. Dans un sourire, il se contente de me donner le conseil d'en parler d'abord au jeune homme, qui est le principal intéressé. Le soir, lorsque j'annonce à Hermodotos ce que je suis en train de négocier pour lui, ce rêve secret que je lui permets de réaliser, comme au temps où je l'ai envoyé à Kôs étudier la médecine, il m'adresse le même sourire un peu distant que son maître. Me prenant dans ses bras, il me remercie tendrement de l'avoir deviné et de m'être entremise pour lui. Mais il m'annonce qu'il a proposé lui-même à Aristotélês de l'accompagner dans sa sécession, lorsque les tractations autour du lit de Platôn agonisant se sont faites plus âpres. Ils n'attendaient plus que l'occasion de me mettre au courant, avec toutes les précautions nécessaires, pour ne pas me faire trop de chagrin.

Hermodotos prend le temps, en me câlinant, de me rasséréner. Puis il tente de me faire saisir l'enthousiasme qu'il éprouve à l'idée de partager l'aventure d'Aristotélês. Dans le système philosophique que celui-ci envisage de fonder et qui commence, non pas, comme chez Platôn, par la théorie d'un au-delà abstrait mais par l'examen rationnel de toutes les connaissances existantes, il se chargera de la partie médecine. Il lira les traités nouveaux et les présentera au maître et aux autres disciples, heureux d'apprendre d'eux en échange tout ce qu'il ignore encore sur les fleurs, les animaux, les astres et les hommes. Il ajoutera sa pierre à l'édifice intellectuel que le philosophe projette de construire, plus monumental que tous ceux que nous avons pu visiter dans notre voyage à travers le monde, plus grandiose que le sanctuaire d'Eridza et celui d'Ephésos, que les murailles d'Ekbatana et que le tombeau d'Halikarnassos. D'après lui, le seul moyen qu'ont les Grecs de véritablement rivaliser avec les Perses et avec les Égyptiens, c'est d'édifier un monument de science. C'est pourquoi, après avoir traversé sur les pas d'un mage l'Empire achéménide de bas en haut, il est fier de consacrer quelques années de sa vie à cette grande œuvre immobile.

Tandis que mon fils continue à m'expliquer avec fièvre leur projet scientifique, je revois le sourire du philosophe et celui de ma servante. Je le leur rends, intérieurement. Ils se sont bien servis de moi, du pouvoir que je croyais avoir sur eux, et ils ont eu raison. Je ne suis qu'une passeuse. Mon fils vient de me prouver que c'est lui et non moi qui, depuis le début, construit son propre destin. La preuve que je suis vraiment sa mère, c'est qu'il m'échappe, et que j'en ressens à la fois de la douceur et de la douleur, dans cette déchirure nécessaire de la tendresse que j'ai déjà éprouvée lorsqu'il s'est embarqué pour Kôs aux côtés du jeune peintre, et dans la nuit du sanctuaire d'Eridza. Cette fois-ci, je n'irai pas le rechercher. Cette fois-ci, je l'attendrai, s'il revient. Alors je profite de ses derniers baisers, pendant qu'il est encore là, parce que je les ai bien mérités.

Pourtant, la veille de son départ, j'ai avec Hermodotos une conversation qui me met particulièrement mal à l'aise. Il veut me confier le crâne de Lykeïna, qu'il a rapporté pieusement du mont sacré de l'Alborz. Je n'ai jamais pu l'apercevoir dans sa chambre qu'en frissonnant de dégoût, alors même que je pense à ma fille adoptive chaque jour. Il me demande de conserver pour lui cette relique, qu'il ne souhaite pas prendre le risque de voir détruite dans l'expédition peut-être dangereuse d'Atarnéus, auprès d'un tyran en rébellion contre le satrape. Je ne me laisse pas facilement convaincre d'accepter cet objet maléfique et grotesque, qui ne me rappelle rien de ma Lykeïna chérie, si jolie, si fragile et si forte, sinon la mauvaise conscience de l'avoir laissée mourir dans la neige.

J'installe le crâne dans le recoin de mes appartements où je serai sûre de poser les yeux sur lui le moins souvent possible. Comme je le redoutais, il ne trouve pas sa place, ni dans mon cœur ni dans ma maison. Celle-ci me devient importune. Il faut dire aussi qu'après le départ d'Hermodotos et d'Herpyllis (qui depuis mon retour était devenue ma compagne plutôt que ma servante), malgré la présence de Praxitélês, de Myrrhina et de Lagiskê, je me sens de plus en plus seule à Athênaï. Laissant l'école à la direction de Nikarétê, je décide dès les premiers jours du printemps de m'en aller à mon tour et de regagner mon havre du sanctuaire de Thespiaï. Grâce à la beauté des statues de Praxitélês, il est redevenu l'un des plus courus de Béôtie, même si les Thébains veillent toujours jalousement à interdire l'accès de la cité morte aux pèlerins, les obligeant à résider dans des tentes près du sanctuaire. Aux côtés d'Aâmet, et de mon Sculpteur, qui me tiendra compagnie pendant quelques semaines, je dois présider à la renaissance des Mousaïa, le festival des Muses réunissant tous les villages de la montagne, dans le vallon sacré où j'avais dansé autrefois sous les yeux de Phaïdros et de mon père.

Le jour où je quitte Athênaï, je glisse le crâne à la dernière minute, presque subrepticement, au fond de mes bagages. Mais il ne trouve pas non plus sa place dans le pavillon isolé du sanctuaire d'Erôs, où je l'ai relégué. Je commence à être obsédée par des cauchemars, comme quinze ans auparavant, pendant la période maudite où je souffrais de la disparition d'Attis. Je me perds dans des labyrinthes qui me laissent épuisée pour la journée. Afin de leur échapper, je décide de me conduire en digne Grecque : je fais enclore un petit cimetière derrière le temple et j'y dresse une stèle au nom de ma fille adoptive, sous laquelle je dépose ce dernier reste dérangeant de son corps aimé, en m'entourant de tous les rituels et de toute la piété possible. Alors mes rêves changent : j'étouffe, enterrée vivante. Sur le conseil pressant d'Aâmet, je fais rouvrir la petite fosse et déterrer la relique, avant de remettre en place la stèle, sur une tombe cette fois-ci entièrement vide. Mais que faire du crâne lui-même, de cette "chose" encombrante qui refuse de se laisser oublier ? En désespoir de cause, sur une impulsion, j'ose l'installer dans ma propre chambre. Même si j'attends pour le faire que mon ami le Sculpteur soit reparti. Je sais bien que cet Athénien aurait été encore plus perturbé que moi de devoir m'étreindre sous les yeux d'un squelette. Alors mes rêves d'étouffement s'espacent. Une nuit même, Lykeïna s'introduit timidement dans ma chambre. Se plaçant au chevet de mon lit, ma fille pose sa main sur mon front pour le rafraîchir. Dans un sursaut, je me réveille, elle disparaît, mais la vision de son sourire esquissé demeure en moi toute la journée. Au bout de quelques semaines, je me rends compte que je me mets à m'adresser mentalement à la relique. Je m'habitue à ses formes dérangeantes, j'en estompe les reliefs. Peu à peu la grimace de la mâchoire sa fait moins macabrement sarcastique. Je ne vois bientôt plus que l'éclat changeant des pierres polies qui remplissent les orbites. Parfois, lorsque je lui demande conseil, il me semble que ce regard se teinte d'une nuance de douceur amusée, ou d'une profondeur qui ne m'est plus du tout hostile. Lykeïna revient me voir une ou deux fois en rêve. Même si je ne garde pas de ces visites un souvenir aussi net que celui des cauchemars précédents, peut-être parce que, ma fille et moi, nous n'y échangeons rien qui concerne ce monde-ci, elles suffisent à me remplir les jours suivants d'une sensation diffuse d'apaisement.

Un jour où je reçois un marchand d'esclaves, monté spécialement pour me voir depuis Lébadeïa, et où j'écoute distraitement son boniment, j'ai la sensation que Lykeïna se tient quelques instants derrière moi. Elle m'effleure l'épaule, pour attirer mon attention vers une petite fille que je n'avais pas remarquée. Âgée de cinq ou six ans à peine, celle-ci ne ressemble pas du tout à ma fille adoptive mais elle frissonne comme elle, le jour où Hermodotos lui a posé son manteau sur les épaules. Sans plus écouter les paroles du marchand, je me lève, je ramasse la tunique de la gamine, et, m'agenouillant devant elle, je commence à la rhabiller. La petite ne dit pas un mot, elle n'esquisse pas un mouvement pour m'aider, pétrifiée, se demandant peut-être si ces gestes précis que j'accomplis sans même penser à lui sourire sont un bon ou un mauvais signe. Pourtant, elle garde les yeux fixés sur moi tout le temps que dure l'opération. Je n'y lis pas la gravité sauvage qui m'a bouleversée dans la petite Lykeïna, ou dans l'enfant bahgsi de la tribu de l'Alborz, mais encore plus d'innocence, s'il se peut, et de confiance. Flairant la bonne affaire, le marchand se rapproche. Je lui coupe la parole avant qu'il ait ouvert la bouche : "Tais-toi, et dis-moi un peu ton prix." Je sais que ma conduite ne m'a pas mise en position de marchander efficacement et je ne négocie que pour la forme. Je ne demande rien à l'ignoble bonhomme sur la petite inconnue, parce que je sais très bien qu'il ne me dirait que des mensonges. Après son départ, je l'interroge elle-même. Elle ne se souvient ni de ses parents, ni de sa cité, ni de ce qui lui est arrivé, sinon qu'elle a été enlevée par deux femmes inconnues à quelques pas de chez elle et qu'elle s'est retrouvée plus tard appartenir à ce marchand. Elle paraît n'avoir gardé de son passé que son nom, Pythônikê. Je sens que je peux le lui laisser, parce qu'elle n'a miraculeusement pas été trop abîmée par le désastre et qu'elle était trop jeune pour avoir été vraiment violentée par les brutes qu'elle a croisées. Je lui fais simplement donner de nouveaux habits et un manteau, pour qu'elle n'ait plus jamais froid. Le soir, dans ma chambre, tandis que je me remémore cette scène, j'ai l'impression que le crâne me sourit.

Quand, à la mauvaise saison, je reviens à Athênaï (emportant la relique et la petite fille avec moi), il m'arrive de ne pas sortir du tout, de ne fréquenter aucune fête, de ne voir que Praxitélês. Dès que nous nous retrouvons, nous réinstallons autour de nous l'enveloppe protectrice de cet amour étrange, fait de proximité, de désintéressement et d'absence, que nous avons réussi au fil des années à nous construire. Nous y séjournons au milieu des autres mais à l'écart avec toujours autant de plaisir. Pourtant, je vois bien que, même entre mes bras, il est préoccupé. Il se jette de nouveaux défis qui ne me concernent plus. Dans cette période, il ne sculpte que des héros mâles ou de très jeunes dieux, laissant à ses élèves le soin d'exécuter les commandes de statues de déesses, qu'il signe pourtant et vend très cher. Depuis notre retour, je crois que, malgré son renom et sa courtoisie, il est encore plus orgueilleux et plus solitaire qu'à ses débuts. Il passe beaucoup de son temps à essayer de convaincre les autorités d'Athênaï de ne pas renoncer tout à fait aux commandes publiques. Maintenant que la Ligue n'existe plus et que les Alliés ne versent plus de contribution, il faut que la cité consacre une partie de ses propres impôts à financer des œuvres artistiques, afin de prouver au monde grec que la démocratie est encore capable de rivaliser avec les grands travaux des cités serviles d'Iônie. Dans le fond de son cœur, Praxitélês est persuadé que, s'il renonce à son tour, Athênaï mourra instantanément, vidée de ses dernières forces vives de création. Alors il s'épuise en réunions avec les médiocres décideurs de l'ancienne capitale de la Grèce pour les persuader que l'art aussi peut avoir son intérêt politique et son urgence. Mais c'est difficile. À Athênaï on ne parle, encore et toujours, que de guerre. Celle à mener ou à éviter à tout prix, maintenant qu'est mort le roi du Sud, dont les fausses promesses d'émancipation ont réussi à détruire l'Alliance, contre le borgne belliqueux du Royaume du Nord, plus brutal et plus rusé encore. On ne parle que de bateaux de combat à construire, d'une armée permanente à maintenir sur le qui-vive pour intervenir dans les dernières possessions de Khalkidique.

Praxitélês obtient quand même, mais uniquement parce qu'un groupe de contributeurs privés s'associe à l'État, la commande d'une statue pour le sanctuaire d'Artémis Brauronia. Celui qui se trouve sur l'Akropolis. Je me souviens qu'il m'y a conduite, plus de vingt ans auparavant, le matin du jour ancien où j'ai posé devant lui pour la première fois, en incarnant la déesse vierge des forêts. Voilà enfin, me dit-il, l'occasion prestigieuse de montrer qu'Athênaï est toujours elle-même ! Et aussi (il ne me l'avoue pas mais je le devine), de dépasser aux yeux des princes et des amateurs d'art son échec du tombeau d'Halikarnassos. C'est pourquoi il se met au travail avec une ardeur redoublée. Son nouveau rêve est d'unir la monumentalité à ses recherches les plus audacieuses sur le mouvement. Mais il se rend vite compte qu'il a tellement bavardé sur la fonction de la sculpture avec des crétins officiels qu'il ne sait plus sculpter, tellement raisonné sur son art qu'il ne sait plus laisser ses mains agir, pour s'adapter d'elles-mêmes aux proportions démesurées qu'il voit en fermant les yeux. Cette fois, je ne peux pas l'aider. La monumentalité ne me concerne pas. Je suis de l'autre côté, celui de la profondeur sans fond de l'intime. Il cherche quelque chose de solennel qui n'a rien à voir avec mes courbes. Il finit quand même par obtenir à un résultat dont il se prétend assez satisfait. L'opinion publique fait semblant de l'être aussi, même si certains de ses anciens admirateurs d'avant-garde, déçus, affirment qu'il n'a réalisé qu'une vague copie de Pheïdias, aussi rigide que son *Athêna* et sans âme. Moi, j'ai plutôt l'impression d'y retrouver un peu de la raideur archaïque de l'*Anahita* de Sardeïs dont il s'est tant moqué. Peut-être mes réticences viennent-elles uniquement du fait que je ne suis pour rien dans l'élaboration de cette statue féminine ? J'essaie d'oublier ma vanité, d'entourer l'artiste de toute ma tendresse, en faisant taire mes doutes, mais il me semble qu'il se rend compte lui aussi qu'il n'y est plus tout à fait. Comme Mausôlos l'avait cruellement pressenti, même la vérité artistique ne se trouve plus de ce côté-ci de la mer. Seuls les Athéniens persistent à ne pas le comprendre.

Je revois aussi Hypereïdês. Il a été mon amant, il l'est encore parfois, je ne l'ai jamais aimé d'amour mais il a réussi, malgré nos brouilles, à rester mon ami le plus fidèle. Lui, je ne sais comment, alors qu'il s'est empâté autant que Praxitélês s'est desséché, que beaucoup de ses poils de sanglier, sur ses tempes, sa poitrine, ses doigts, sont passés à toute vitesse du noir au gris, et du gris au blanc, il a gardé toute son énergie. Malheureusement, j'ai l'impression qu'il est prêt à la dépenser en pure perte, ne pouvant s'empêcher, devant la menace de déclin qui pèse sur Athênaï, d'être taraudé par le désir de revenir à la politique. Je fais tout mon possible pour l'en détourner. Je lui envoie tous les riches cocus, tous les voisins irrités, tous les héritiers spoliés, tous les commerçants floués, tous les margoulins naïfs filoutés par de vrais escrocs, bref tous les clients potentiels que mes filles et moi nous parvenons à dénicher pour lui dans les banquets. Mais mon sanglier, levant le groin de ces procès juteux, entend parfois au loin, vers le nord, comme les aboiements des chiens mauvais qui se rapprochent de sa cité, et il secoue la tête de satisfaction à renifler l'odeur du combat. Ce fou ne peut s'empêcher de se passionner de nouveau pour le bien public. La seule différence avec nos années de jeunesse, c'est qu'il ne me donne pas des cours particuliers de politique après l'amour, mais, de plus en plus souvent, à la place. Il m'explique ses inquiétudes et parvient parfois à me les faire partager. Il s'attend à ce que les phalanges macédôniennes, qui viennent de descendre pour la première fois de leurs montagnes, sous le prétexte de répondre à l'appel au secours des peuples thessaliens contre leurs tyrans, poursuivent leur chemin pour faire irruption dans les plaines de la Grèce centrale. Je me souviens que Mausôlos, en son temps, nous avait expliqué le fonctionnement de leur redoutable sarisse, j'entends dans mes oreilles son bruit sinistre, lorsqu'elle s'est écrasée au milieu des banquettes d'apparat, et je frissonne. Hypereïdês, lui, hausse les épaules : Athênaï a su un jour repousser les armées du Grand Roi de Perse, elle se débrouillera bien pour faire de même avec celle du petit roi de Pella !

Dans la cité, les idées d'Isokratês ont battu depuis longtemps celles de Platôn à plates coutures. Mon ami me fait un portrait cruel de leur ancien professeur, l'intellectuel subtil qui était venu me demander de sauver Euthias au moment de l'affaire de Kéôs. Le vieillard se survit à lui-même sous les caresses de Lagiskê mais, malgré le dévouement de ma collègue, il n'est plus guère capable que d'écrire de temps en temps un discours ampoulé à l'un des tyrans successifs qui règnent sur les marges du monde grec, pour l'inciter à faire enfin son unité contre les Barbares. Les anciens élèves d'Isokratês se sont scindés en deux courants antagonistes qui s'affrontent violemment à l'assemblée. D'un côté il y a les patriotes, menés désormais par un certain Démosthénês, ceux qui ont encore la folie de croire qu'Athênaï retrouvera son antique énergie pour mener la lutte de la Grèce libre contre celui qu'ils appellent le "soudard du Nord". De l'autre, il y a les pacifistes, Euboulos, Aïskhinês, Démadês, Phôkiôn, Philokratês et tous les sages, qui ont compris l'évolution du monde moderne et qui sont prêts à discuter avec le Macédônien, parce qu'il leur paraît le seul capable de mettre fin aux rivalités meurtrières des cités grecques, dont j'ai moi-même souffert si cruellement. Comme ce Philippos est un homme raisonnable, il comprendra que son intérêt est de respecter Athênaï et de s'allier avec elle d'égal à égal. Les plus pragmatiques des Athéniens rêvent à voix haute de conclure un traité d'amitié avec l'inquiétant roi de Macédoine. Tout en acceptant discrètement ses pots-de-vin, ajoute Hypereïdês dans un sourire sarcastique. Mon ami est surpris de se retrouver spontanément du côté des fous contre les sages mais moi, cela ne m'étonne guère. Il est resté un sanglier, emporté, généreux, stupide. Il est prêt, comme lorsqu'il avait vingt ans, à se battre pour la liberté. Je crois entendre mon père. Cela me plonge dans l'angoisse. S'ils font la guerre, je m'enfuirai. Je les abandonnerai à leur sort, tous autant qu'ils sont, Hypereïdês et sa bande de fous, et même Praxitélês, si je n'arrive pas à le convaincre de partir avec moi avant qu'il ne soit trop tard.

La situation devient de plus en plus tendue, je ne comprends pas toujours ce que tente de m'en expliquer mon ami, et cela ajoute à mon inquiétude. Pourtant, au début, j'éprouve un intense soulagement, comme beaucoup d'Athéniens, lorsque j'apprends qu'après avoir libéré les Thessaliens de leurs tyrans et s'être adjoint au passage leurs redoutables cavaliers, Philippos est remonté dans le nord, pour régler son compte à je ne sais trop quel roi thrace, dont j'imagine qu'il doit ressembler au cruel Polymestôr de la pièce d'Euripidês que j'avais vue dans ma jeunesse et qui m'avait tant marquée. Je me dis pour me rassurer que cette lutte entre deux sauvages se passe très loin d'Athênaï et qu'elle occupera peut-être assez le Macédônien pour qu'il y laisse son autre œil, ou même la vie. Malheureusement, les Grecs, soulagés de cette menace, retombent très vite dans leurs vieux travers et recommencent à se déchirer.

Quant à moi, malgré ma méfiance vis-à-vis de la politique, j'en viens à me mêler imprudemment de leurs meurtrières divisions. Car les habitants de la Phôcide ont lancé contre les Thébains, leurs voisins et leurs oppresseurs, une révolte qui leur vaut aussitôt ma sympathie, tant elle me rappelle celle de mes anciens compatriotes de Thespiaï. Les Athéniens partagent évidemment mon sentiment, ravis de voir la cité rivale plongée dans les mêmes difficultés qu'eux quelques années auparavant. Mais les Phôcidiens commettent l'erreur fatale, pour financer leurs armes et leurs mercenaires, de s'emparer des richesses du sanctuaire de Delphoï (où mon père et ses six compagnons sont venus autrefois prêter serment avant de partir en expédition). Bien qu'il se trouve sur leur territoire, il appartient au dieu Apollôn, et il est administré par l'Amphiktionia, le "Cercle des Voisins", la communauté des peuples qui y ont déposé des offrandes. C'est même, me dit Hypereïdês, le seul exemple de confédération où les Grecs ont réussi à peu près à s'entendre, bien que la reconstruction du grand temple traîne depuis des années. Dans les banquets, l'opinion publique athénienne, qui leur était d'abord favorable, devient rapidement hostile aux Phôcidiens, lorsqu'elle apprend que leur chef a fait fondre le lion d'or massif, offert il y a plusieurs siècles par le roi lydien Kroïsos, dont je me souviens qu'il avait financé aussi l'Artémision d'Ephésos. Autre sacrilège, encore plus grave : il paraît que le Phôcidien impie a osé donner une couronne d'or, volée dans l'un des trésors, à sa concubine préférée. Une petite flûtiste, qu'il avait voulu présenter aux Jeux Pythiques pour jouer l'air sacré en l'honneur du dieu, dans un concours où n'avaient jamais participé que des hommes, mais que la foule, ulcérée par la provocation, avait obligée à se retirer sous les huées, avant qu'elle ait pu jouer une seule note. Là encore, je devrais me taire mais je ne peux m'empêcher d'ouvrir la bouche. Je choque même certains de mes amis en prétendant qu'il est moins grave d'orner d'une couronne la chevelure d'une belle musicienne, dont je me plais à penser que sa piété et son talent lui auraient fait gagner le concours, si on l'avait laissée y participer, que de détruire des statues pour payer des mercenaires. La plupart des Athéniens, ulcérés, ne partagent pas mon avis. Le pire, c'est que cette couronne donnée à une hétaïre n'est peut-être qu'une invention de la propagande thébaine mais elle contribue plus que tout le reste à embraser les consciences grecques.

Les ambassadeurs phôcidiens, dépêchés en toute hâte à Athênaï pour faire pression sur l'assemblée du peuple et sur les orateurs influents, ont bien du mal à remonter ce courant contraire. Et voilà que, négligeant la voix de la raison qui me murmure à l'oreille de repartir le plus vite possible pour Thespiaï, je commence à m'intéresser pour des raisons personnelles à la guerre qui menace : je sympathise d'un peu trop près avec l'un de ces négociateurs, un certain Nikodôros, qui vient comme moi d'une modeste bourgade, Antikyra, un petit port de mer jeté aux pieds des pentes du Parnasse, près de la cité sainte de Delphoï. Je suis extrêmement sensible à son charme énergique d'homme de trente ans. Il m'évoque celui qu'aurait pu devenir Euthias. Je me trouble, je m'enflamme, comme dans mon adolescence, mais cette fois-ci, avec délice, avec reconnaissance. Peut-être veux-je me prouver que je reste jeune et que ma maturité me rend plus capable qu'autrefois de profiter de l'aubaine du désir ? Je ne laisse aucune de mes protégées s'occuper du séduisant ambassadeur, lorsqu'il recourt aux services de mon école pour animer les banquets qu'il donne aux Athéniens importants. Il sait se montrer reconnaissant de mes faveurs. Par complaisance pour moi, il passe à Praxitélês la commande d'une statue monumentale, destinée au temple d'Artémis qui se niche sur un rocher à quelques stades de sa ville. Cela fait jaser dans certains cercles conservateurs d'Athênaï : on dit que c'est grâce au trésor volé dans le sanctuaire de Delphoï que la modeste cité d'Antikyra a les moyens de se payer un artiste célèbre. Retrouvant mes anciens réflexes provocateurs, j'ose déclarer dans un banquet : "Piquer l'argent du frère pour faire un cadeau à la sœur n'a rien d'un sacrilège : ça reste dans la famille !" Nikodôros éclate de rire, tandis que les moralistes athéniens, à qui l'on rapporte mon mot, s'étranglent de rage.

En tout cas, je suis très reconnaissante au Phôcidien de redonner une impulsion à mon artiste de cœur, après le demi-succès de la *Brauronia*. Praxitélês décide de s'inspirer non de l'*Artémis* qu'il vient d'inaugurer sur l'Akropolis, mais de celle pour laquelle il me fit poser autrefois. Il propose simplement deux légères variations : la jeune déesse, qui brandira une torche au lieu de tirer une flèche de son carquois, sera accompagnée d'un chien et non d'un sanglier. Je me doute qu'en revenant à ce type ancien, le Sculpteur ne complaît pas seulement à son commanditaire, dont il connaît le penchant pour moi : il avoue aussi qu'il n'est pas pleinement satisfait de l'œuvre qu'il vient de créer pour le sanctuaire athénien. Mais après tout, me dis-je, même s'il est conscient lui-même de son déclin, l'essentiel, c'est qu'il travaille !

Quelques semaines plus tard, nous nous déplaçons pour l'inauguration de la statue sur les pentes d'Antikyra. Je suis émue de retrouver dans cette charmante bourgade l'image vivante de la Thespiaï de mon enfance, près de laquelle je viens de vivre dix années sans avoir jamais eu ni l'autorisation ni le courage de franchir les portes en ruine. J'aime tout particulièrement la petite fontaine creusée en forme de puits qui, du haut d'un rocher, domine l'agora. On peut s'y rafraîchir sous l'ombrage d'un cyprès. J'y passe un long moment à goûter la douceur d'une fin d'après-midi d'automne, en regardant les Antikyriens sortir peu à peu de chez eux pour se mêler aux ombres des Thespiens. Praxitélês est resté dans le temple d'Artémis, où il règle les derniers détails de la cérémonie du lendemain. Je me trouve seule avec Nikodôros. Tout en trempant négligemment ma main dans la source, je lui demande, d'un ton léger qui cache mal mon anxiété, s'il n'est pas déçu par l'œuvre de Praxitélês. Ne considère-t-il pas, comme moi, que le Sculpteur a perdu, non seulement de son inspiration, mais aussi de la délicatesse de son toucher ? "Rassure-toi, me déclare le Phôcidien, en m'adressant l'un de ces sourires moqueurs mais complices auxquels je ne parviens jamais à résister, la beauté de la statue n'a pour moi aucune importance." Il m'explique qu'en passant commande à l'un de ses sculpteurs, il cherchait surtout à flatter l'opinion d'Athênaï. Son choix ne s'est pas porté sur Praxitélês à cause de son talent, ni même de sa proximité avec moi, mais parce qu'il appartient à la famille du fameux général Phôkiôn, que l'ambassadeur d'Antikyra aimerait bien attirer dans son camp. Nikodôros m'embrasse sur la joue : "Une femme aussi intelligente que toi ne peut pas être surprise, j'en suis sûr, que le goût que j'ai pour elle s'accompagne de quelques arrière-pensées." Je lui réponds, en lui rendant son sourire amusé : "Je ne suis pas naïve à ce point-là". Mais en réalité, dans le secret de mon cœur, je me sens mortifiée de découvrir qu'il n'a pas choisi le Sculpteur seulement pour mes beaux yeux. D'un ton que je voudrais détaché, je lui déclare qu'à mon avis, sa manœuvre est vouée à l'échec : Praxitélês ne s'intéresse pas le moins du monde à la politique et Phôkiôn est totalement incorruptible. Puis je demande à ce trop habile ambassadeur si, par hasard, il ne s'est pas également rapproché de moi dans l'idée d'atteindre Hypereïdês. Ce deuxième calcul serait tout aussi vain que le premier, puisque l'orateur a perdu presque toute influence depuis dix ans qu'il s'est retiré des affaires publiques. J'ajoute, avec une moue faussement désolée : "Tu vois que, malheureusement, je ne suis pas du tout l'hétaïre qu'il te faut pour faire avancer les affaires de ta cité !" Comme je l'espérais, Nikodôros m'enlace pour me rassurer : "Belle Phrynê, me murmure-t-il, tu es l'une des reines d'Athênaï où les femmes font depuis toujours la pluie et le beau temps ; pourtant, même si tu ne fréquentais aucun homme important, je serais heureux de passer mes nuits en ta délicieuse compagnie." Cette flatterie ne parvient pas tout à fait à me rassurer. Je saisis à quel point mon charme a perdu de sa puissance : les hommes ne se rapprochent plus de moi, comme au temps d'Euthias, malgré leurs intérêts, mais à cause d'eux. Néanmoins, je suis devenue assez avisée pour ne pas laisser le dépit me gâcher mon plaisir. Je profite avec encore plus de fièvre de cet intermède entre les bras entreprenants du Phôcidien tout en me félicitant de ne pas en être totalement tombée amoureuse.

De retour à Athênaï, nous retrouvons une situation encore plus tendue qu'à notre départ. Hypereïdês est de plus en plus nerveux, de plus en plus désireux d'intervenir directement. Il m'explique que les Thébains, qui n'ont pas réussi à mater les Phôcidiens par leurs propres forces, sont tellement aveuglés par la haine qu'ils viennent de commettre la folie d'en appeler à Philippos. Celui-ci, la main sur le cœur et les yeux tournés vers le ciel, leur a promis qu'il leur enverrait des renforts, dès qu'il aurait rétabli l'ordre en Thrace, pour mener à son terme la guerre sacrée et punir les sacrilèges au nom d'Apollôn. S'il franchit à la tête de ses phalanges et de ses cavaliers le défilé des Thermopylaï, qui commande depuis des siècles l'accès à la Grèce centrale, Thêbaï, devenue son alliée, le laissera passer, et il se retrouvera sans coup férir aux frontières de l'Attique. Lorsqu'ils apprennent ces pourparlers menaçants entre les Thébains et les Macédôniens, Nikodôros et les autres ambassadeurs phôcidiens sont plus inquiets que jamais mais les Athéniens le sont désormais presque autant qu'eux. Bien que je tente de me rassurer en me disant que je ne suis qu'une étrangère, je partage leur angoisse. Nous sentons, les uns comme les autres, se rapprocher le danger, dont nous pensions, quelques semaines auparavant, être débarrassés pour un bon moment. Me souvenant de l'avertissement prophétique de Mausôlos, je me méfie énormément du roi de Macédoine. Je me dis, comme Hypereïdês, qu'il faut à tout prix éviter d'introduire ce renard trop pieux dans la bergerie, où chacun des béliers se croit assez fort pour se défendre seul. Pourtant, j'éprouve toujours une peur panique de la guerre. Il ne reste qu'un espoir d'éviter un embrasement général, et, malgré le scepticisme de Nikodôros et d'Hypereïdês, je m'y accroche de toutes mes forces. Je sais qu'une ambassade athénienne, comprenant Philokratês, le pacifiste, mais aussi Démosthénês, le belliciste, qui se surveillent l'un l'autre, a été envoyée à Philippos quelques semaines auparavant. Elle était chargée de négocier la paix, ainsi qu'une alliance particulière entre Athênaï et la Macédoine. D'après ce que mes amis ont entendu dire, les contacts entre les rudes Macédôniens et les Athéniens trop subtils ont été particulièrement chaotiques. Mais les émissaires sont de retour depuis peu et s'apprêtent à présenter le résultat des premières discussions avec le roi devant l'assemblée du peuple.

C'est en cette occasion qu'Hypereïdês fait appel à mes talents d'organisatrice de spectacles. Son ami intime, Léôkratês, est devenu l'un des principaux porte-parole des milieux d'affaires. Ceux-ci sont désormais pacifistes parce qu'ils en ont assez de payer des impôts pour financer une guerre qui ne leur rapporte plus rien. Léôkratês a donc invité les principaux représentants des deux partis rivaux à un banquet amical pour préparer la voie à une entente. L'armateur et moi, nous sommes brouillés depuis bien des années et je soupçonne qu'il m'en veut encore à mort pour l'avoir humilié publiquement en refusant de coucher avec lui. Pourtant, il me fait demander par Hypereïdês si j'envisagerais de me charger des divertissements. Je demande à rencontrer au préalable mon ancien ennemi. Lorsqu'il nous reçoit chez lui, il se trouve en compagnie de Démadês, l'ancien matelot devenu tribun, avec lequel il a l'air de s'entendre parfaitement. Je dois avouer que Léôkratês me fait plutôt bonne impression : physiquement, il ne s'est guère empâté depuis notre jeunesse, comme si l'enveloppe rigide de la maturité contenait sa tendance naturelle au débordement. Ayant perdu de sa vulgarité, ou parvenant à me la dissimuler, il m'accueille avec une courtoisie parfaite. Il parvient à me persuader qu'il a changé lui aussi et que, devant l'urgence de la situation, nos querelles intimes, qui remontent à presque vingt ans, doivent être définitivement oubliées. J'accepte de faire en sorte que ces hommes graves s'adoucissent à regarder mes danseuses au lieu de s'étriper d'emblée en discutant politique. Plusieurs raisons m'y poussent : mes intérêts professionnels, les recommandations de l'habile Nikodôros, qui tient à être informé des discussions entre les dirigeants athéniens, mais aussi ma curiosité. J'ai bien envie de savoir à quoi ressemblent ces deux fameux hommes politiques, Philokratês et Démosthénês, dont l'affrontement fait tant de bruit dans la cité mais que je n'ai encore jamais eu l'occasion de rencontrer directement.

58

NÉGOCIATIONS

Démosthénês, dont le Sanglier m'a vanté l'autorité impérieuse, me déplait d'emblée. Sa tunique élégante ne parvient pas à dissimuler une apparence chétive, tandis que son visage sans grâce est traversé par instants de tics nerveux. On raconte que, pendant l'ambassade à Pella, au moment de parler devant le roi et les autres ambassadeurs, il s'est laissé envahir par l'émotion au point de faire un malaise ; après quelques mots à peine, il s'est écroulé de tout son long, provoquant la stupéfaction de ses auditeurs macédôniens et la honte de ses collègues athéniens. Timoklês, l'auteur comique, a fait rire toute la ville, en disant que l'orateur était, à tous les sens du terme, "tombé sur la tête". Cette nervosité maladive, qui me rappelle la mienne, me touche, certes, mais elle m'inquiète aussi chez un homme capable de jeter dans la guerre la cité où j'ai mes affaires et les plus chers de mes amis. Son visage torturé de rides s'éclaire pourtant, en m'apercevant, d'un bref sourire qui lui donne presque du charme. Il me déclare qu'il est ravi de faire enfin ma connaissance, tant Hypereïdês lui a parlé de moi. Mais il replonge aussitôt dans ses ruminations guerrières. Son rival, Philokratês, fait son entrée solennelle un moment après au milieu de ses partisans. Il me paraît beaucoup plus calme, imposant et majestueux. Des deux, me dis-je, c'est lui qui a, manifestement, la stature d'un homme d'État.

D'ailleurs, ce Démosthénês continue à m'agacer. Dès la fin des libations, il lance la conversation sur la politique, risquant de faire tourner court le banquet avant même la première intervention de mes flûtistes. Pourtant, au lieu de chercher le moyen détourné de l'interrompre, je me mets à l'écouter avec attention. Je sais grâce à Hypereïdês que sa voix est embarrassée à cause d'un bégaiement ancien qu'il cherche à contrôler, mais il s'exprime en termes si nets, avec une intelligence si claire de la situation, qu'il réduit les autres au silence. Il rappelle que, si Philippos prétend défendre les intérêts du dieu contre les sacrilèges, ce n'est évidemment qu'une manœuvre pour s'implanter en Grèce. Les Thébains n'ont pas tiré les leçons des erreurs du passé et sont prêts, comme aux temps des guerres médiques, à pactiser avec la puissance tyrannique qui les menacera bientôt eux-mêmes. Pourtant les dix mille mercenaires des Phôcidiens restent une force redoutable, surtout si les Athéniens décident, devant le danger, de venir à leur rescousse. C'est pourquoi Philippos se dit prêt, en médiateur désintéressé, à proposer une paix juste pour chacune des parties en présence, l'Amphiktionia et les Phôcidiens, les Thébains et les Athéniens. Dans ces conditions, que peut-on raisonnablement obtenir de lui ?

Après ce préambule, Démosthénês laisse passer quelques instants de silence. Philokratês, le chef du parti adverse, profite aussitôt de l'ouverture qu'il lui offre : "Nous pourrions bien sûr intervenir. C'est-à-dire envoyer une armée au secours des Phôcidiens pour bloquer le défilé des Thermopylaï, en déclarant la guerre aux Thébains et à Philippos, si celui-ci tente de forcer le passage. J'imagine que beaucoup d'entre vous seront de cet avis. Il ne me paraît pourtant pas le plus facile à suivre, ni, ajoute-t-il en se tournant vers son hôte, l'armateur Léôkratês, le moins coûteux à mettre en œuvre." Il jette un coup d'œil dans la direction de Démosthénês, le bras déjà levé pour l'empêcher de lui couper la parole à son tour, mais ce dernier se contente de hocher silencieusement la tête, d'un air approbateur. Un peu surpris de voir son adversaire céder si facilement, Philokratês continue : "Je crois qu'il y a bien mieux à faire. Laissons Philippos apaiser son appétit en dévorant la Thrace, peut-être même faudra-t-il nous résigner à le laisser croquer pour son dessert la Phôcide, mais, en échange, je me fais fort d'obtenir qu'il nous restitue les villes qu'il nous a volées en Khersonêse. Laissons-le prendre un peu du centre s'il nous rend un peu du nord. Évidemment, il s'engagera pour l'avenir à ne pas descendre plus bas en Grèce. Si nous lui témoignons aujourd'hui notre compréhension, nous l'amenons demain à se détacher des Thébains et à passer de notre côté contre eux. Bref, tout le monde est gagnant !"

Philokratês, qui s'est redressé pendant son discours, s'allonge de nouveau avec dignité sur sa banquette. Le menton posé contre la paume de sa main, il se rengorge d'un air si satisfait, qu'oubliant mes devoirs d'hétaïre, je ne peux m'empêcher de jeter : "Oui, tout

le monde est gagnant, sauf vos alliés les Phôcidiens, évidemment."
J'ai parlé par fidélité à Nikodôros : curieusement, mon amant l'ambassadeur m'est devenu encore plus cher depuis que j'ai découvert, près de la fontaine d'Antikyra, qu'il ne perdait jamais de vue les intérêts de ses concitoyens, même lorsqu'il se trouvait entre mes bras. Mais une autre raison m'a poussée aussi à intervenir : le cynisme naïf avec lequel ce modéré de Philokratès a détaillé son plan d'action m'a mise terriblement mal à l'aise. Non, je ne parviens pas à m'y faire, à réprimer, malgré l'expérience, cette voix toujours jaillissante de mon émotion. Parce que, depuis tant d'années, derrière chacun de ces peuples sacrifiés en vain sur l'autel de la raison politique, les habitants de Kéôs hier, ceux de la Phôcide aujourd'hui, je vois les Thespiens et mon père. Je voudrais bien garder mes distances, me persuader que je ne suis pas concernée. Pourtant, plus je vieillis, plus je m'indigne de leurs calculs. J'ignore absolument s'il faut préparer la guerre ou rechercher la paix, mais ce que je ne supporte plus, c'est l'assurance assassine avec laquelle ces Athéniens penchent pour l'une ou l'autre solution.

Ma remarque jette un froid parmi les graves orateurs. Regard lourd de Philokratès. Ma célébrité, ma position d'invitée d'Hypereïdês et d'organisatrice des divertissements de la soirée, ne lui permettent pas de me rappeler sèchement au silence qui convient aux femmes lorsque les hommes parlent politique. Seul Démosthénês, ravi sans doute de voir son adversaire mis en difficulté, m'approuve d'un fin sourire : "Tu as raison, Phrynê, et tu nous montres qu'à la beauté, tu joins la lucidité." Au bout d'un instant, il reprend sur un ton plus sourd : "Mais, vois-tu, malheureusement, nous ne sommes pas en position de nous opposer à Philippos. Alors, autant essayer de gagner quelque chose dans cette histoire, ne serait-ce qu'un peu de temps. C'est pourquoi, conclut-il en se retournant vers son rival, d'une voix plus forte qui lui permet d'être entendu de tous, je proposerai à mes amis de nous ranger derrière toi, Philokratês, pour négocier la paix, même si je redoute de devoir abandonner la Phôcide à son sort."

L'autre, découvrant avec surprise que sa proposition sera votée devant l'assemblée du peuple beaucoup plus facilement qu'il ne le croyait, grâce au soutien de son plus coriace adversaire, laisse apparaître sur ses lèvres un sourire de triomphe. Démosthénês se hâte d'ajouter : "Néanmoins ne nous faisons pas d'illusion : cette paix ne sera que provisoire." Philokratês pousse un soupir d'agacement devant l'obstination de son adversaire à ne pas faire confiance à Philippos. Il reprend la parole pour expliquer longuement son point de vue. Je l'écoute avec attention. Autant il m'a révoltée tout à l'heure, autant ce qu'il dit maintenant me paraît digne d'intérêt. D'après lui, Démosthénês et ses partisans ont tort de ne voir dans le roi de Pella qu'un soudard fruste et stupide, un demi-barbare. Il sait au contraire, pour avoir été souvent en contact avec lui et ses émissaires, que Philippos est un diplomate habile, un pragmatique. Je me souviens du Karien Mausôlos, et des satrapes perses, que les Athéniens méprisaient semblablement, mais qui, lorsque je les ai fréquentés, me sont apparus aussi civilisés et bien plus avisés. "Croyez-moi, le roi Philippos, ajoute son partisan athénien avec conviction, n'est pas un tyran brutal, qui ne croirait qu'en la violence mais un homme intelligent, avec lequel il est tout à fait possible de s'entendre !" Le Macédônien sait très bien que ni Athênaï ni Thêbaï ne le laisseront jamais s'installer au-delà des Thermopylaï, parce qu'il pénètrerait dans leur territoire réservé. Il ne se risquera pas à affronter l'une ou l'autre de ces deux cités, qui sont depuis des siècles avec Lakédaïmôn les plus puissantes de la Grèce. "Il préférera conclure une alliance durable avec nous, conclut Philokratês, chacun gardant ce qui lui appartient". Cette formule, "chacun gardant ce qui lui appartient", Philokratês la martèle à plusieurs reprises, parce qu'elle résume sa pensée de modéré : chacun reste dans sa sphère d'influence, tout le monde est satisfait, l'équilibre du monde est préservé. Mais cet homme raisonnable la répète si souvent que j'en viens presque à l'entendre comme une incantation magique, par laquelle, à la façon du Bahgsi, le sorcier de l'Alborz, il chercherait à amadouer l'esprit mauvais qui lui échappe, tout en charmant ses auditeurs et en leur faisant croire qu'il maîtrise la situation. De toute mon âme, je voudrais me fondre dans le rêve d'harmonie de cet Athénien, mais son assurance même m'inquiète.

Après nous avoir fait, à son hôte Léôkratês et à moi, la courtoisie de regarder l'une des exhibitions de mes danseuses, Philokratês se retire, pour aller peaufiner son discours devant l'assemblée, entraînant derrière lui ses partisans. Le banquet se prolonge encore un moment. Tandis que les autres convives se livrent au plaisir ou au sommeil, Démosthénês reste à discuter avec Hypereïdês, l'ancien matelot Démadês et l'armateur Léôkratês. Il éprouve plus que de la méfiance, presque de la répugnance devant la formule magique de Philokratês. Il est convaincu que le Macédônien tentera un jour ou l'autre de s'attaquer directement à Thêbaï ou à Athênai, même si cette idée-là, considérant l'état de soumission où se trouvait son royaume de montagnards quinze ans auparavant, peut paraître incroyable. Mais voilà, les choses changent. C'est la formule magique de Démosthénês, "les choses changent, il faut s'adapter en tentant de rester fidèle à soi-même", et elle trouve un écho encore plus profond en moi que celle de Philokratês. Les colonisés d'hier sont les colonisateurs de demain, les Athéniens doivent en prendre conscience, s'ils veulent éviter un déclin définitif. Ils ont commis l'erreur de laisser grandir la Macédoine, qu'ils ont même financée au début dans sa lutte de libération contre les Thébains, maintenant il est trop tard pour revenir en arrière !

Je le regarde avec une attention si soutenue qu'il s'arrête soudain de parler, puis se tournant vers moi : "Qu'en penses-tu, toi, charmante Phrynê, qui m'as paru tout à l'heure moins hypocrite et plus lucide que beaucoup de nos hommes politiques ? Lequel de nous deux a raison ? Philokratês, qui croit sincèrement à une alliance de raison avec Philippos, ou moi, qui m'en méfie ?" Je suis tout à fait surprise de l'entendre me demander mon avis. Mon premier réflexe est d'esquiver d'un bâillement de jolie femme futile, comme je l'ai fait si souvent. Mais je sens aussi posés sur moi les regards d'Hypereïdês et de Démadês, qui attendent avec un sourire amusé ou goguenard, et même celui de Léôkratês, dont j'ai l'impression qu'il laisse affleurer sur ses lèvres un peu de son mépris ancien. Alors je me lance. Je réponds à Démosthénês que j'ai bien peur qu'il ne soit dans le vrai, même si je souhaiterais de tout mon cœur accorder ma confiance à Philokratês. J'aimerais surtout que mon ami Hypereïdês puisse faire de même, pour résister à la tentation de se mêler de nouveau de politique, et qu'il continue à ne plus s'occuper que de moi. Je parviens par ma boutade à rendre leur sourire un peu plus complice. Je poursuis : "Oui, je redoute que Philokratês ne se fasse des illusions, que sa prudence et sa raison même ne l'empêchent de saisir la portée du danger. La vérité, et la femme que je suis est bien placée pour savoir à quel point elle est cruelle, c'est qu'un guerrier ne sait faire que la guerre. Il ne comprend et il n'accepte jamais que le pouvoir des armes. Philippos est un guerrier." Je laisse passer quelques instants de silence, pendant lesquels je constate que mes paroles résonnent dans l'âme de ces hommes autant que dans la mienne. Je devrais me taire maintenant, mais j'ajoute : "Alors, je ne vois contre lui que trois solutions."

Sur les lèvres de Démosthénês apparaît le même mince sourire que sur celles de mes autres auditeurs : "Ah bon, vraiment, tu es décidément encore plus avisée que tu n'es belle, charmante Phrynê. Peux-tu nous dire lesquelles, que nous apprenions de ta bouche quelle politique proposer demain à l'assemblée du peuple ?" J'ai parfaitement saisi l'ironie. Ils veulent bien savoir si leurs arguments ont fait effet sur l'esprit sensible d'une femme mais ils ne paraissent guère enclins à écouter d'elle un discours aussi argumenté que le leur. Pourtant, au lieu de fermer la bouche, de me réfugier en moi-même, ou de saisir ma flûte dans son étui, comme je l'aurais fait encore quelques années auparavant, je décide de les affronter bravement. Peut-être est-ce la première fois de ma vie qu'en plein milieu d'un banquet, j'ose me risquer sur leur terrain, celui de la raison. Lorsqu'il y a bien longtemps, je me suis heurtée à l'austère Lykourgos à propos du maquillage et de l'âme féminine, j'avais surtout laissé parler le sentiment de rage qui m'habitait. Ce soir, je ne veux pas les choquer, mais leur tenir un discours qu'ils soient capables de comprendre, comme lorsque je me suis trouvée face à la tribu nomade du Kaukasos, ou aux différents Perses rencontrés lors de mon périple. L'unique moyen d'y réussir, c'est d'aller fouiller dans mon expérience, pour y emprunter le ton et la logique des hommes de ma connaissance capables d'impressionner ceux-ci.

Je reprends d'une voix ferme : "La première solution, c'est que tu sois assez courageux pour lui faire la guerre et assez fort pour lui faire saisir dans sa chair la logique de tes armes." Là, c'était facile, presque trop, je leur ai tenu le langage du combat, et ils m'approuvent d'un hochement de tête, comme l'aurait fait à leur place mon père, Epiklês, et aussi le dernier guerrier que j'ai croisé, Kodoman, le splendide chasseur de taureaux, qui lui ressemblait tant. "La deuxième, poursuis-je, en empruntant cette fois les mots d'un vieillard avisé, ceux d'Amphiaros, le sage Thespien, ou ceux d'Orontês, le satrape de Mysie, c'est que tu sois assez lucide pour te savoir trop faible et que tu te résignes à subir sa domination et à le laisser décider pour toi.

— Non, ça, jamais !" s'exclame Hypereïdês, avec un beau mouvement de la tête et des épaules, dans lequel je retrouve fugacement le jeune homme fougueux qu'il était. Je lui rétorque, en lui renvoyant son sourire ironique de tout à l'heure : "Oui, ton refus est très noble, mais méfie-toi de ne pas te faire encore plus d'illusions que le pacifiste Philokratês.

— Et la troisième ? me demande Démosthénês, dis-nous ta troisième solution, pour voir si elle nous indigne autant que la seconde.

— La troisième, reprends-je, en marquant un temps de suspens, pendant lequel je me dis que l'unique homme dont je puisse m'inspirer est leur ancien ennemi, Mausôlos, l'ambitieux mais habile roi de Karie, lorsqu'il raisonnait face aux deux satrapes venus l'entraîner dans l'aventure d'une rébellion. Eh bien, la troisième solution est la seule vraiment intelligente ! Tu es assez malin pour faire semblant de céder à ton adversaire mais tu l'envoies le plus loin possible faire la guerre contre un autre fou. Par exemple, tu conclus une alliance avec Philippos, comme le veut Philokratês, mais tu te débrouilles, grâce au renfort de quelques dizaines d'hoplites et à l'édition complète des discours d'Isokratês, pour le faire partir en expédition contre le Grand Roi, dans la certitude qu'il ira se perdre quelque part entre Sardeïs et Sousa, comme Kyros, le brillant frère d'Artaxerxês Mémnôn, et tous ceux qui l'ont précédé dans ce rêve." Les deux Athéniens éclatent de rire et je conclus : "Mais en aucun cas tu ne crois à ses intentions pacifiques. En aucun cas, tu ne fais confiance à un guerrier." Démosthénês me félicite : "Tu as bien parlé, Phrynê. Dommage que les femmes et les étrangères ne se mêlent plus de politique, comme au temps d'Aspasia, elles seraient beaucoup plus avisées que la plupart des hommes. Tu vois, moi non plus, je ne me fais aucune illusion sur Philippos. Je conclus la paix avec lui aujourd'hui parce qu'il n'y a pas d'autre possibilité mais je sais que, demain, il faudra lui faire la guerre, si nous voulons survivre. Après la Phôcide, ce sera Thêbaï et la Béôtie. Et puis Athênaï et l'Attique. Nous avons besoin de quelques années de paix, le temps de nous donner une armée permanente digne de ce nom, ou peut-être d'agrandir encore notre flotte, pour pouvoir, comme dans les temps anciens, perdre la guerre sur terre mais la gagner sur mer. Je crois que les pacifistes, qui pensent que Philippos est comme eux un type raisonnable, sont les vrais insensés." Et puis, changeant de ton, il me demande soudain avec curiosité : "Mais toi, dis-moi, belle Phrynê, d'où te vient ta sagesse ?" Je ne réponds rien. Démadês me regarde en plissant les yeux avec curiosité. Hypereïdês me dévisage lui aussi, avec tendresse, mais il sait qu'il doit garder le silence. Quant à Léôkratês, notre hôte, il dort sur sa banquette, montrant par son ronflement léger que les arguments des bellicistes ne sont pas plus capables que ceux d'une hétaïre frivole de retenir longtemps son attention.

Le lendemain, Philokratês se hâte de faire passer sa proposition de paix devant l'assemblée, avant que Nikodôros et les autres émissaires des Phôcidiens, qui implorent qu'on ne les abandonne pas à la vengeance conjuguée des Thébains et des Macédôniens, ne parviennent à émouvoir assez le peuple pour lui faire oublier ses intérêts. Mon énergique amant, après m'avoir fait les adieux les plus empressés, se hâte de partir vers Antikyra, puis vers le défilé des Thermopylaï, afin d'y préparer la défense. Pourtant, les ambassadeurs qu'envoie Philippos pour conclure l'alliance se font attendre encore plusieurs semaines. On dit qu'il s'agit de deux des membres les plus importants de son conseil, deux baroudeurs et négociateurs avisés, du nom d'Antipatros et de Parméniôn. L'opinion se montre moins agacée par leur retard que flattée de voir le roi témoigner son respect pour Athênaï en lui dépêchant deux de ses proches. Ils n'arrivent qu'au printemps, au moment où s'ouvre le grand festival de théâtre et où Philippos, de son côté, peut recommencer tranquillement sa campagne en Thrace. On les reçoit avec tous les honneurs. Les deux demi-barbares se déclarent extrêmement impressionnés par le faste des cérémonies. Ces soudards tiennent à montrer qu'ils sont aussi des amateurs éclairés de théâtre, nourris dès leur plus jeune âge au nectar des pièces du grand Euripidês, qui est venu finir sa vie à la cour de Pella et y initier les Macédôniens aux raffinements de la culture athénienne. Ils insistent pour assister chaque jour en intégralité aux représentations des tragédies, depuis le lever jusqu'au coucher du soleil. Pourtant, l'après-midi, après avoir vaillamment lutté, les deux généraux, assis à la place d'honneur à côté du prêtre de Dionysos, finissent toujours par capituler et, la tête dodelinante, par céder au sommeil. Leurs hôtes font poliment semblant de ne pas le remarquer et dissimulent leurs sourires lorsqu'à la fin de la journée, au banquet officiel où ils sont invités, les deux bravaches tentent maladroitement de faire l'éloge des pièces dont ils ont failli couvrir les chœurs par leurs ronflements.

Pourtant, à l'une de ces fêtes où je suis invitée, je surprends le coup d'œil que s'échangent les deux Macédôniens, tandis qu'on les raille tout en feignant de les flatter : il leur faut beaucoup de discipline militaire pour supporter sans broncher l'ironie de ces crétins d'Athéniens ! Antipatros et Parméniôn se laissent promener du grand théâtre au prytanée, de spectacle en banquet officiel, distribuant partout de grands sourires mielleux de diplomate et serrant les dents, comme les soldats qu'ils sont avant tout. Le seul moment où ils se détendent un peu, même s'ils doivent faire attention à ne pas trop boire, afin de ne pas laisser transparaître leurs véritables sentiments, c'est lorsqu'on les invite à des banquets privés. Il faut reconnaître que ces Athéniens sont au moins bons à une chose, faire la fête, et que leurs danseuses sont un peu plus raffinées que celles qu'on trouve à la cour de Pella ou que les putains de cantonnement qui suivent l'armée de Thrace. Toutes ces pensées secrètes, je peux les lire dans l'esprit d'Antipatros, que j'observe sans être aveuglée par la conscience de ma supériorité, comme sur un papyrus dont je pourrais déchiffrer le texte un peu mieux que les autres simplement parce que je prendrais la peine de le dérouler.

Je me persuade que j'ai vu en lui depuis le début un soldat brutal, arrogant, sûr de lui, dont la seule finesse est cette rouerie madrée de noble provincial encore un peu paysan qui caractérise l'élite macédônienne. Mais la vérité, c'est que je saisis sa véritable personnalité seulement lors du banquet qu'Hypereïdês m'a chargée d'organiser en son honneur. Antipatros tient à ce que la célèbre Phrynê s'occupe personnellement de lui, se promettant ouvertement mille délices de ses faveurs. Malgré ce que je prends pour de la grossièreté naïve, je me prête volontiers au jeu, presque flattée. Pourtant, à la fin du banquet, ce soudard me traite comme une putain, prouvant qu'il est lui-même aussi vulgaire qu'un marin en bordée. Personne, à part le chef répugnant des voleurs sur la route d'Arbêla, ne m'a humiliée ainsi depuis le bordel du Peïraïeus. Quand il a fini de boire, Antipatros, sans un mot, me pose la main sur la nuque. Devant Hypereïdês, devant mes protégées, il m'enfonce sa queue si brutalement dans la gorge que je manque de vomir à plusieurs reprises. Il est tellement saoul qu'il met longtemps à venir. Au moment où il éjacule, sa main, malgré tous mes efforts, m'empêche de me dégager et je suis obligée de le recevoir dans ma bouche. Aussi, lorsqu'il me laisse enfin aller, je me redresse, furieuse, et, faisant semblant d'être victime d'un dernier hoquet, je lui crache son sperme au visage, à la stupéfaction de l'assemblée. Il ne peut retenir un mouvement de colère et lève le poing sur moi. Les invités s'interposent et deux de mes filles se précipitent pour le nettoyer. Au bout de quelques instants, le Macédônien parvient à se contenir : se renversant en arrière, il éclate de rire, comme un homme simplement ivre. Je me confonds en excuses et son hôte Hypereïdês aussi. Mais, tout en riant, Antipatros me regarde d'un œil mauvais.

Après le banquet, je ne décolère pas. Ma rage me permet de voir clair dans le jeu des envoyés de Philippos : ils ne sont pas là pour négocier mais pour gagner du temps ! L'ironie condescendante avec laquelle les Athéniens leur font les honneurs de leurs cérémonies publiques et privées les arrange, c'est pourquoi ils la supportent. Je me déchaîne contre Hypereïdês, qui tente encore de me calmer, je lui crie : "Dans votre aveuglement, vous leur permettez de gagner quelques précieux jours, pendant lesquels leur roi doit se hâter de finir sa guerre en Thrace pour préparer son expédition de Phôcide. Vous allez voir qu'il va se retrouver à vos portes avant que vous n'ayez eu le temps de comprendre qui se moque vraiment de qui ! Alors vous découvrirez le véritable visage de ces ambassadeurs balourds, que vous persiflez si spirituellement, vous verrez avec quelle rudesse ils vous feront payer votre ironie !" Oui, c'est à ce moment-là que je découvre ce qui risque bien de se produire, c'est dans l'éclat de ma colère, dans ces mots qu'hétaïre ramenée à ma condition de putain, je jette au hasard. Les Athéniens, j'en ai peur, vont bientôt sentir eux aussi peser sur leur nuque la main des Macédôniens ! Pauvre Grèce qui, parce qu'elle n'a jamais su s'unir, sera soumise à ce pouvoir brutal ! Hypereïdês parvient à grand-peine à me consoler et à me faire oublier l'humiliation que je viens de subir par sa faute.

Les jours suivants, grâce à l'intervention de Démosthénês et de ses partisans, les négociations débutent enfin. Philokratês se rengorge de voir intégrée à la version finale du traité, dont la rédaction délicate traîne en longueur, sa formule "chacun gardant ce qui lui appartient". Mais les ambassadeurs macédôniens se débrouillent pour que nulle part n'y soit spécifié ce qui précisément appartient à chacun et qu'il doit garder. Hypereïdês m'apprend que le Conseil s'est quand même résolu à approuver ce texte fumeux dans l'espoir de rattraper le temps perdu et qu'une délégation va pouvoir partir vers Pella, où recueillir la précieuse signature du roi. Elle y joindra aussi ses efforts à ceux des émissaires phôcidiens, dont mon ami Nikodôros, pour le détacher au dernier instant de ses alliés thébains et thessaliens. L'énergique Démosthénês a accepté de nouveau d'en faire partie, malgré ses déboires de la précédente ambassade, afin de presser le mouvement et de surveiller Philokratês et Aïskhinês, dont on murmure de plus en plus ouvertement qu'ils sont vendus au roi. Pourtant, pendant plusieurs mois, on n'entend plus du tout parler de l'ambassade, ni de Philippos. La menace de guerre paraît s'être évanouie avec elle. Il ne m'en faut pas plus pour me sentir pleinement rassurée, comme l'opinion publique athénienne. Je repars à Thespiaï passer la belle saison. C'est là que j'apprends les conséquences des négociations menées par le parti pacifiste : je recueille, près des ruines anciennes de ma cité, quelques-uns des rares Phôcidiens ayant échappé à la destruction totale de leur pays.

Ils arrivent par poignées, hagards, brisés.

Et parmi eux, Nikodôros. Je le retrouve avec un élan de joie sauvage mais il n'a plus rien de l'énergie qui m'a tant séduite. D'une voix éteinte, il me raconte ce qui s'est passé à Pella. La conduite cynique de Philippos, et l'aveuglement ou la trahison de leurs alliés athéniens, qui, après avoir poussé les Phôcidiens à se révolter, mais ne pas leur avoir fourni assez d'armes, les obligeant à ravager le sanctuaire, ont fini par les abandonner à leur sort. D'abord, le roi de Macédoine a forcé les envoyés de toutes les cités grecques, venus se disputer obséquieusement ses faveurs, à l'attendre dans sa petite capitale, le temps qu'il ait achevé sa conquête de la Thrace. Après son retour triomphal, les Thébains ont tenté pendant des semaines de l'entraîner dans la guerre sacrée contre les Phôcidiens, et les Phôcidiens dans la guerre de libération contre les Thébains. Lui, il disait oui à chacun des deux camps, tout en laissant son armée se reposer, puis se préparer à une nouvelle expédition. Ce n'était, prétendait-il, que pour aller détruire la petite ville d'Hallos, où s'étaient réfugiés les derniers partisans des odieux tyrans thessaliens, dont la rébellion absurde l'empêchait de dormir et de se consacrer l'esprit tranquille à ses autres affaires. Les ambassadeurs athéniens, qui ne parvenaient toujours pas à lui faire signer le maudit traité de paix, sont descendus avec lui jusqu'à Phéraï, l'ancienne capitale des roitelets de Thessalie. Il a consenti enfin à apposer son sceau au bas du document. Mais il a exigé à la dernière minute que la Phôcide fût exclue du traité, tout en promettant à ses amis Philokratês et Aïskhinês, qu'il prendrait leur parti dans leur lutte contre les Thébains. Les ambassadeurs athéniens ont persuadé les Phôcidiens que la promesse du roi pouvait les rassurer pleinement, et chacun s'est séparé. Les Athéniens n'avaient sûrement pas encore rejoint leur cité lorsqu'ils ont appris que Philippos, au lieu de marcher contre Hallos, venait d'atteindre à la tête de toute son armée le défilé des Thermopylaï, qui n'était éloigné que de trois jours de marche de Phéraï. Depuis le début, il avait trompé Athênaï et maintenant il était trop tard pour s'opposer à lui ! Phalaïkos, le nouveau stratège phôcidien, a compris aussitôt qu'il ne pourrait pas tenir seul le défilé. Il a tenté de négocier sa reddition. Philippos, habilement, a accepté. Il lui a permis de quitter son pays avec ses mercenaires et tous ceux de ses concitoyens qui voudraient le suivre dans son exil. Les soldats et les riches, tous ceux qui avaient les moyens de leur prudence, se sont hâtés de partir dans les bagages de l'armée. Les autres ont dû rester, n'espérant plus qu'en la clémence de Philippos.

Le rusé Macédônien s'est bien gardé de se mêler lui-même de la répression. Ayant pris sous les acclamations la direction de l'Amphiktionia, il a demandé à ses membres quel sort il fallait réserver aux vaincus. Ceux-ci ont exigé que le châtiment fût terrible. Sur les malheureux habitants de la Phôcide, on a lâché les Thébains, dont je connais la férocité de dogues. Tous les prisonniers de guerre ont été noyés comme sacrilèges, les hommes restants massacrés, les femmes vendues, les vingt-deux villes phôcidiennes rasées jusqu'au sol. L'Amphiktionia a décidé au nom du dieu que les survivants devraient habiter dans des villages qui ne pourraient pas dépasser cinquante feux et qui seraient éloignés d'au moins un stade. En quelques semaines d'un bel été, la Phôcide a cessé d'exister. Mais ce sont des Grecs qui ont obtenu du Macédônien que des Grecs fussent traités avec cette rigueur, afin de venger Apollôn et, par la même occasion, se débarrasser de leurs voisins. Philippos a pu se contenter de suivre la décision du collège sacré, tout en se réservant la part la plus importante du butin.

Antikyra, dont la vie paisible me rappelait tant celle de Thespiaï, n'est maintenant plus comme elle qu'un champ de ruines. Seul le temple d'Artémis, perché sur son rocher à l'extérieur de la cité, a été épargné, et avec lui la statue de Praxitélès tout juste consacrée. Nikodôros et ses compagnons ne sont parvenus à s'enfuir que par miracle. Lorsque mon ami entreprend pour s'en soulager de me raconter les détails de la catastrophe, je préfère quitter la pièce. Ou lui couper la parole, en me mettant à jouer très fort de l'aulos. Lui et les autres rescapés ne comprennent pas. Sans oser le dire ouvertement, ils pensent que leur hôtesse manque de cœur, que, même devenue prêtresse, elle reste une hétaïre futile, qui n'a pas envie de pleurer pour ne pas abîmer son maquillage. Rassemblant mon courage, je prends mon ami par la main, et je l'emmène, à travers le bois, jusqu'aux portes de la ville détruite. Je ne m'en suis jamais autant approchée depuis le jour de mon retour dans le sanctuaire d'Erôs, onze ans auparavant. Là, je lui raconte Thespiaï. Pour tenter de lui redonner un peu d'espoir, je lui parle de la destruction de ma cité mais aussi de la restauration du temple. "Peut-être, lui dis-je dans un souffle, Antikyra pourra-t-elle se relever elle aussi ? Garde vivant le souvenir, les dieux feront le reste…" Mais il m'écoute à peine. Alors que nous partageons désormais le même malheur, nous sommes séparés, sans plus aucune possibilité de nous rejoindre, chacun isolé dans son deuil. Lui, l'homme énergique, se noie dans le sien, qui est plus récent. Quelques jours plus tard, malgré mes tendres supplications, il me quitte. Sans même savoir où il va. Pas à Athênaï en tout cas, dont il ne veut plus entendre parler, et qu'il hait presque autant que Thêbaï.

Après son départ, dans cette atmosphère de désolation qui assombrit les jours les plus lumineux de l'été, je me fixe une mission. Dérisoire et essentielle : retrouver la trace de la petite flûtiste, qui voulut jouer en l'honneur du dieu et à qui le chef phôcidien donna, pour la consoler de la rebuffade qu'on lui avait infligée, une couronne d'or volée au sanctuaire. Nikodôros, avant de disparaître, m'a appris qu'elle s'appelait Brômias, fille de Deïniadès. Malgré mes recherches auprès des autres réfugiés phôcidiens et l'enquête sur place que mène pour moi l'habile Kariôn, je ne peux obtenir d'autre renseignement sur ce qu'elle est devenue dans les massacres. J'espère qu'elle a réussi à s'échapper. Je le crois. Les filles de son genre, et du mien, ont la peau douce mais le cuir épais.

Quand, quelques mois plus tard, je retrouve Hypereïdês à Athênaï, il est plus en colère que jamais contre ses concitoyens et contre Philippos. Il me dit : "Tu avais raison, Phrynê, le roi nous a fait la même chose qu'à toi son ambassadeur, mais à la fin, au lieu de lui cracher au visage, nous lui disons merci." Démosthénês est aussi furieux que lui de s'être fait piéger par les pacifistes. Il médite d'attaquer en justice Philokratês. Ce dernier, dit-on, triomphe doublement. Il estime avoir servi au mieux les intérêts de sa cité et le Macédônien lui a donné, pour le récompenser de ses bons offices, des forêts entières dans les montagnes thraces, dont la coupe de bois le rend insolemment riche. Que Philokratês soit corrompu, qu'il soit un profiteur et un cynique, ne sachant plus utiliser les grands mots de l'intérêt public que pour justifier ses profits personnels, comme le prétendent mes amis, c'est sans doute vrai. Mais je crois qu'il est surtout naïf : contrairement à ce que pense cet Athénien raisonnable, Philippos ne veut pas trouver sa place dans l'équilibre existant du monde, il veut le détruire, et le remplacer par un autre, qui tournera autour de lui. Il ne s'arrêtera pas avant d'avoir conquis la Grèce tout entière, et ensuite il ira perdre tout ce qu'il aura gagné dans un assaut insensé contre l'Empire perse. Comme tous les pragmatiques, Philokratês a du mal à saisir la folie des hommes de pouvoir, qui mène pourtant le monde. C'est pourquoi la profondeur de la réalité échappe si souvent à ces réalistes de surface. Bref, Philokratês est un vrai démocrate. Un médiocre, bien caractéristique de son époque. Démosthénês, qui s'acharne à avoir sa peau, parvient à le faire condamner à l'exil. Mais rien ne change vraiment à Athênaï. Cela ne me surprend pas.

Encore quelques mois plus tard, les habitants de Dêlos estiment le moment venu de réclamer à l'Amphiktionia, dont Philippos a pris le contrôle, que leur ennemie commune, Athênaï, leur rende le temple d'Apollôn, qui se trouve sur leur île mais dont elle leur a confisqué l'administration depuis de trop nombreuses années. Ils me paraissent avoir le bon sens et la justice pour eux. À ma grande surprise, Hypereïdês accepte la mission que lui confie le Conseil des Anciens d'aller plaider à Delphoï le droit d'Athênaï de continuer à gérer le temple à son profit, sous le prétexte qu'il n'appartient pas aux gens de Dêlos mais au dieu lui-même. Je suis triste pour mon ami. Je lui dis qu'il devient comme tous les autres, qu'il renie le jeune homme d'autrefois, celui qui rêvait de changer les relations entre Athênaï et ses alliés colonisés, celui qui s'est montré capable d'attaquer en justice le redoutable Aristophôn et son meilleur ami Euthias, simplement pour défendre les droits des habitants de Kéôs qu'il ne connaissait pas. Il me rétorque qu'au lieu de tancer le gamin idéaliste qu'il n'est plus, je ferais mieux d'encourager l'homme mûr dans la tâche presque impossible qu'il entreprend. Ce n'est plus le moment de rêver de changer l'Alliance, parce que l'Alliance est morte, ni d'établir de nouvelles relations avec les alliés, parce qu'Athênaï n'en a plus. La seule urgence consiste désormais à défendre bec et ongles les intérêts vitaux de la cité. Égoïsme sacré. De toute façon, tout change, alors pourquoi pas lui, Hypereïdês ?

"Même toi, tu changes, me dit-il soudain, regarde, je t'ai connue esclave à l'école de Nikarêtê, et maintenant c'est toi qui possèdes des esclaves et qui diriges l'école, aussi durement sans doute que le faisait ton ancienne maîtresse. Alors ?" Surprise par cette brusque attaque, je ne dis plus rien. Peut-être a-t-il raison après tout ? Mais peut-être seulement. Extérieurement, je suis devenue semblable à Nikarétê, mais j'ai réussi de l'intérieur à modifier profondément le lien qui m'unit à mes filles. Je ne crois pas qu'il serait capable de comprendre cette vérité subtile. De toute façon, il n'a pas le temps de m'écouter lui parler de moi, il n'est plus préoccupé que par sa mission diplomatique. Il m'explique que le Conseil des Anciens, qui n'a toujours pas digéré l'humiliation de la paix de Philokratês, l'a choisi à la place d'Aïskhinês, l'un des orateurs les plus habiles du parti promacédônien, que l'assemblée du peuple avait désigné d'abord à cause des bonnes relations qu'il entretenait avec Philippos. Le défi est de taille : se présenter devant le roi et devant les peuples du sanctuaire pour défendre les intérêts d'Athênaï, une cité que, malgré l'alliance officielle, ces derniers ne peuvent manquer de considérer comme leur principale ennemie. Dans cet honneur qu'on lui fait, Hypereïdês voit une marque de confiance en son talent d'orateur mais surtout le moyen pour lui de revenir vraiment en politique, et de jouer de nouveau un rôle de premier plan après ses dix ans de silence. S'il se rate, eh bien, il sera fini ! Comme au temps du procès contre Aristophôn, ajoute-t-il dans un éclat de rire, fini avant même d'avoir recommencé ! Démosthénês lui a affirmé que personne dans son camp ne lui en voudrait d'échouer, tant la mission est délicate, mais il sait bien qu'il joue son avenir politique sur ce coup de dé. Je lui réponds que, par amour pour lui, je souhaite son échec. Le véritable piège, à mes yeux, ce serait qu'il réussisse.

Et il réussit. Je ne sais comment ce diable d'homme s'y prend pour séduire le rusé Philippos lui-même. Peut-être, après tout, le roi de Macédoine s'est-il dit qu'il avait tellement floué les Athéniens lors de l'affaire de Phôcide qu'il pouvait bien, pour les calmer un peu, les laisser flouer les Déliens ? En tout cas, les arguments d'Hypereïdês, et surtout le silence bienveillant de Philippos, convainquent les prêtres de Delphoï de faire parler le dieu Apollôn par la bouche inspirée de la Pythie en faveur d'Athênaï. Contre toute attente, les Déliens repartent frustrés. Ils devront laisser leurs occupants continuer à s'accaparer légalement la principale ressource de leur île, et confisquer les dons des fidèles venus se recueillir sur ce rocher aride, où Lêtô donna naissance au dieu et à sa sœur, Artémis, l'implacable chasseresse que j'ai incarnée jadis, dans la fureur de ma jeunesse Hypereïdês revient à Athênaï, auréolé de son nouveau triomphe. Même Démosthénês doit reconnaître qu'il n'aurait pas fait mieux. J'organise bien sûr le banquet que donne mon amant pour fêter son succès inattendu mais j'ai presque plus envie d'en pleurer que d'en rire. Pourtant, ce soir-là, il est tellement heureux, il se sent tellement puissant, libre, jeune ("je suis de retour, tu comprends, allez, ne me fais pas la tête, je suis de retour !") qu'il parvient même à me faire oublier mes angoisses absurdes, ou plutôt à en sourire avec lui. Ce terrible séducteur embarque les plus réticents dans son excès de vitalité, il conquiert les hommes comme les femmes, dans tous les milieux, parce qu'il est du côté de la joie, de l'ironie, de l'énergie et du bon sens. J'ai tort de m'inquiéter pour lui, parce qu'il est du côté de la vie. Il est toujours le jeune homme d'autrefois, jusque dans ses erreurs, dans ses illusions fécondes, dans ses débordements tempétueux. Alors je montre clairement à Myrrhina, à mes protégées et aux autres hétaïres indépendantes invitées par mon ami, qu'il est inutile de vouloir s'approcher de lui cette nuit-là. Ce sanglier est à moi, sa sauvage Artémis, son Aphroditê aux seins nus ! Je lui fais l'amour plus savamment que jamais. S'il est le plus ardent, je suis la plus habile et la plus tendre. Je m'épanouis entre ses bras, je me réchauffe au foyer de ses mots, je ris de ses traits d'esprit d'éternel jeune homme, lorsqu'il me décrit son entrevue avec Philippos et les graves conseillers de l'Amphiktionia, tous jouant la comédie de la piété et lui, l'Athénien, encore mieux que les autres. Je suis pour une nuit, de nouveau, la déesse immortelle de l'instant. Oh, oui, comme cela m'est facile et doux, de tout oublier. Son succès d'aujourd'hui comme son échec de demain.

Après ce moment de rémission, sept ou huit années passent encore, pendant lesquelles la catastrophe que je croyais comme tous les Grecs totalement invraisemblable commence peu à peu à devenir possible. La fin d'Athênaï. La fin de Thêbaï. Les deux cités les plus puissantes de la Grèce menacées dans leur survie même. N'ayant plus qu'un moyen d'échapper à la ruine totale : l'alliance. Deux haines séculaires obligées de pactiser en toute hâte. Deux voisins forcés de s'entraider au dernier instant, pour éviter de périr tous les deux dans l'incendie de la propriété de l'autre que chacun a contribué à attiser. Philippos ne s'est évidemment pas arrêté aux clauses du traité de paix négocié par ce naïf de Philokratês. Au nord, il s'est mis à conspirer avec les Thessaliens, et même avec les Phôcidiens rescapés (à qui il a permis de reconstruire quelques villes, dont Antikyra, où j'espère que Nikodôros a pu revenir, après avoir attendu moins longtemps que moi la restauration de sa cité déchue) : il a tendu ainsi autour de Thêbaï le premier lacet du piège. Au sud, il a refermé le second sur Athênaï, en s'alliant avec les Arkadiens. Alors le lion et le sanglier se sont retrouvés tous les deux pris dans le même double filet et il leur a bien fallu mettre leur force en commun pour tenter d'en déchirer les liens.

Je comprends la nécessité de cette alliance, mais je la refuse de toutes mes fibres. Je ne suis plus, comme autrefois, que révolte et sarcasme, à voir la cité amie, dans laquelle j'ai trouvé refuge, unir son destin à celle, odieuse, qui a détruit la mienne. Un jour d'hiver, dans le tiède manteau laineux de nuages blancs qui enveloppe traîtreusement la ville, c'est l'humiliation suprême : Gorgidas, le cavalier que je n'ai pas revu depuis qu'il m'a conduite au temple d'Erôs à travers les ruines de Thespiaï, l'homme qui reste à mes yeux l'assassin impuni de mon père et de mon fiancé, est reçu solennellement au Conseil avec le reste de la délégation thébaine. Je refuse de participer au banquet donné en leur honneur et Hypereïdês, qui se souvient de mon récit, n'insiste pas. Je ne fais qu'entrapercevoir mon ennemi personnel de loin, lors de la procession. Juste le temps de remarquer qu'il a perdu beaucoup de l'arrogance de sa jeunesse et vieilli encore plus cruellement que moi. Il se tient toujours droit sur son cheval, mais c'est désormais sans souplesse. Il ne porte plus son bandeau sur l'œil, affichant clairement qu'il est borgne, comme le chef de ses ennemis, le roi Philippos. Son front est barré d'une ride unique, profonde, tortueuse, encore plus creusée que la cicatrice sur le haut de sa joue. Même de loin, je devine le sentiment qui habite ce guerrier et qu'il tente de dissimuler sous sa morgue : il est furieux et il a peur. Thêbaï l'indépendante, Thêbaï la traîtresse, qui joue son jeu personnel depuis des siècles, et qui a toujours préféré s'allier avec les conquérants venus de l'étranger, les Perses autrefois, les Macédôniens hier, n'est pas très rassurée de devoir aujourd'hui unir son sort à celui de la bavarde et fragile Athênaï. L'orgueilleuse cité militaire qui, inférieure en nombre, a réussi trente ans auparavant à briser Lakédaïmôn, s'inquiète peut-être aussi de se trouver face aux redoutables phalanges descendues des montagnes du nord, inspirées de sa propre armée mais dont elle commence à redouter qu'elles ne soient devenues plus puissantes que leur modèle. Même l'invincible Bataillon Sacré appréhende de devoir affronter la cavalerie macédônienne et les longues sarisses des phalangistes. Du moins, c'est ce que je crois percevoir dans la raideur du cavalier borgne. Une pointe de joie mauvaise affleure sous mon inquiétude.

Et puis la tension retombe. On apprend que la coalition a réussi à empêcher Philippos de passer une nouvelle fois par les Thermopylaï et qu'elle lui bloque l'entrée en Béôtie. Il ne se retire pas mais il doit se contenter de prendre Delphoï, qui a commis l'erreur de changer de camp. Les deux armées, tout l'hiver, continuent à s'observer. Comme chaque année je passe la mauvaise saison à Athênaï, en me demandant si, cette fois, au printemps, je pourrai remonter vers le temple de Thespiaï, qui se trouve proche de la ligne de front. Les Athéniens se sont presque habitués à être les alliés des Thébains. Ils se moquent encore d'eux, bien sûr, de leur bêtise épaisse, mais c'est avec moins de férocité et presque, par instants, de la bienveillance. Moi aussi, je laisse parfois dans les banquets des plaisanteries sur l'entente cordiale entre les deux anciens ennemis jurés franchir mes lèvres, sans craindre d'indigner mes auditeurs. On s'habitue à cette drôle de guerre. Dès que les beaux jours reviennent, même si la prudente Nikarétê s'efforce de m'en dissuader, je me décide à partir pour Thespiaï.

C'est le dernier voyage de Kistôn le Cerbère, qui m'a accompagnée presque vingt ans auparavant jusqu'au sommet de la montagne magique du Kaukasos et qui ne s'en est jamais vraiment tout à fait remis. En arrivant dans le sanctuaire, après avoir accompli son ultime mission de m'y conduire saine et sauve, il se couche pour ne plus se relever. Il meurt en me regardant, comme le chien fidèle et rassurant qu'il est devenu au fil des années. Je me souviens de la nuit où, au fond d'une hôtellerie d'Arbêla, ce rude soldat, que j'ai longtemps cru insensible mais qui n'était que silencieux, a pleuré entre mes bras son cousin tatoué et rieur. Sa tombe est la deuxième à être creusée dans le petit cimetière que j'ai fait enclore derrière le temple et je grave aussi sur la stèle le nom d'Adômas. Mentês, le plus vieux de mes trois chiens de garde, le seul qui n'a pas participé à mon périple perse, est le dernier survivant. Malgré son âge, son visage couturé de cicatrices garde une apparence patibulaire, qui doit effrayer encore ceux qui ne le connaissent pas, mais je vois bien qu'il s'est affaissé. Je lui donne deux jeunes serviteurs, qu'il est censé former au métier de garde du corps, mais qui sont en réalité chargés de veiller sur lui.

L'été passe. Plus beau et plus paisible que jamais. La lumière noie tout. Fraîcheur de la source qui donne dans le bassin derrière le temple. Coassements des grenouilles et grincements des cigales, qui se relaient, la nuit et le jour, pour se moquer de notre agitation et nous ramener à la réalité. Rires de Pythônikê. La petite, qui approche de ses quinze ans, tient toutes ses promesses de grâce et de douceur. Elle ne sait pas vraiment danser, elle ne sait pas vraiment jouer de l'aulos, ni d'aucun autre instrument, et pourtant elle est de loin l'élève la plus charmante de mon école. Il lui suffit de se tenir devant vous, l'œil espiègle et le sourire confiant, pour se faire aimer. Elle adore que je lui marque ma préférence en l'emmenant toute seule dans de longues promenades à travers la montagne, pendant lesquelles je lui raconte ma vie. Nous parcourons les sentiers, sous le prétexte de visiter le sanctuaire des Muses dans le vallon sacré. En réalité, je cherche avec elle l'entrée de la grotte de ma grand-mère, que j'avais redécouverte autrefois par hasard et que je voudrais retrouver avant qu'il ne soit trop tard, avant que les deux armées n'aient bloqué toute communication. Je voudrais simplement vérifier qu'existe l'antre qui accueillit la première Mnasaréta, que Phaïdros y a vraiment ajouté une lettre à celles gravées par mon grand-père, que je n'ai pas rêvé ma vie. Mais, malgré la présence de Pythônikê, je cours en vain sur les traces de mon enfance.

Au contraire, vers la fin de l'été, j'ai la mauvaise surprise de voir le cavalier thébain faire son retour à Thespiaï. Il est monté installer un poste de garde dans la ville morte, afin de surveiller la route et d'empêcher qu'un détachement macédônien ne prenne l'armée alliée à revers. Il m'annonce que, cette fois, le moment du combat décisif approche. Grâce au silence complice de ses anciens adversaires phôcidiens (je comprends soudain pourquoi Philippos leur a permis de restaurer quelques cités et j'imagine la joie maligne qu'a dû éprouver mon ancien amant, Nikodôros, à se venger en même temps des Thébains et des Athéniens), le rusé Macédônien a réussi à contourner par surprise les Thermopylaï. Les avant-gardes des deux armées sont entrées en contact dans la plaine proche de Khaïrôneïa, où risque bien d'avoir lieu la bataille qui réglera enfin le sort de cette étrange guerre. Sans se départir de sa morgue, Gorgidas me conseille de quitter provisoirement le temple et d'aller me réfugier pour quelques jours chez lui, à Thêbaï, ou, si je préfère (grimace de mépris, qu'il ne se soucie pas de dissimuler) à Athênaï. Pendant cette conversation, je suis obligée de me tenir à quelques pas de lui, qui s'est avancé jusque sur le parvis devant l'autel mais n'est même pas descendu de son cheval pour me parler. Il me domine de toute son ombre. De nouveau, je crois ressentir, tombant de haut sur moi, la suée de son angoisse. Pourtant, il est en train de m'expliquer que la victoire est probable : les Alliés sont plus nombreux que leurs adversaires, et beaucoup plus résolus, surtout les Thébains, parce qu'ils défendent leur propre terre. Mais plus il cherche à dissimuler son appréhension, plus je la perçois. Se peut-il que l'arrogant officier du Bataillon Sacré, l'un des chefs de ces trois cents tueurs d'élite formés depuis l'enfance au combat et au meurtre, ait peur ? Est-ce pour cela qu'il se raidit dans son orgueil ? Ou est-ce moi qui lui prête mon mauvais pressentiment, par inexpérience de la guerre ?

Pourtant, au lieu de tourner bride, comme je m'y attends, il prolonge un peu l'entretien. Se penchant vers moi du haut de sa monture, il me conseille de prier le dieu de mon temple pour la victoire de l'alliance. Même si le fragile Erôs ne s'occupe pas en temps ordinaire de ce genre de bataille, les Grecs, dont le sort est en jeu, auront besoin de toutes les protections divines. Il me semble qu'il s'exprime soudain avec plus de sincérité. Alors, je sors moi aussi un peu de ma réserve, derrière laquelle je lui dissimule prudemment, depuis des années, mon identité. Tendant le bras vers sa main gauche qui tient les rênes, je lui demande s'il sait quelle déesse est représentée sur cette bague qu'il porte au petit doigt. En effleurant dans un frisson l'ivoire fendillé du camée, je lui apprends qu'il s'agit d'Anaïtis, la mère révérée à travers tout l'Orient, qui peut, sous son nom d'Ishtar, devenir la plus redoutable des guerrières, si ses enfants savent l'implorer de venir à leur secours. Je prononce devant lui les mots de mon père, lorsqu'il me racontait sa nuit de prière avec son lieutenant babylonien. Je m'attends sans doute à ce que Gorgidas réagisse de la même manière qu'Epiklês, qui fut un guerrier comme lui. Mais, se rejetant en arrière, éloignant dans ce mouvement ma main de la bague, le cavalier n'a qu'un bref ricanement de mépris. Lui, me jette-t-il, il est thébain, pas babylonien ! Avant le combat, il prie ses dieux personnels, Arês et Hêraklês, et, s'il faut absolument s'adresser à une femme, il demande protection à la souveraine Hêra. Pas besoin de mon Anaïtis ni d'une quelconque déesse barbare ! Je n'insiste pas. Notre rapprochement improbable n'aura duré qu'un instant. L'assurance brutale de sa voix m'a repoussée aussi loin de lui qu'auparavant. Toujours aussi rude, elle me dit le contraire de ce sentiment d'angoisse que je sens pourtant émaner de lui. Son corps sue la peur, mais pas sa voix, qui respire encore la confiance dans son invincibilité. Des deux, je me demande ce qui est le plus sincère en lui, cette palpitation de frayeur qui lui hérisse la peau ou cette voix arrogante qui naît des tréfonds de son ventre et de son éducation ?

Dès qu'il est reparti au galop vers la plaine de Khaïrôneïa, je cherche à l'oublier mais en vain. Tout l'après-midi quelque chose me pousse à m'interroger sur lui. Peut-être croit-il, aussi intimement que moi, qu'il est protégé par un dieu, par Arês, le dieu de la guerre, comme je le suis par Aphroditê, la déesse de l'amour ? Peut-être sa vie de guerrier lui a-t-elle fourni souvent, autant qu'à moi celle d'hétaïre, l'occasion de vérifier la puissance, mais aussi l'exigence terrible de cette protection ? Peut-être a-t-il découvert depuis longtemps que c'est au fond de son orgueil qu'elle réside, ou plutôt au-delà même de l'orgueil, lorsque l'on parvient à la limite extrême de ce dont on se croit capable mais qu'on refuse encore de se soumettre ? Alors on se jette dans le vide et l'on se découvre porté, au-delà de soi, désarticulé, brisé, face à la pointe du destin qui vous transperce, face aux sarisses de la phalange macédônienne comme face à l'aileron des squales du Phalêron ou aux pics crénelés de l'Hara Berezaïti ! Suis-je en train de découvrir que mon ennemi intime me ressemble ? Je l'ai tellement haï dans les ruines de notre jeunesse et voilà que maintenant, dans les combats communs de notre maturité, moi les yeux étoilés des rides de mon apaisement et lui le front entaillé par le couteau de l'angoisse mais allant toujours chercher au fond de lui la certitude de sa victoire, ou au moins le courage de se projeter au combat face à ceux qui lui font peur, je m'aperçois que nous pourrions presque nous comprendre ? Oh, pas très envie de cette idée ! De toute façon, si je fais un pas dans sa direction, lui serait bien incapable d'accomplir le même trajet vers moi. Dans la brève discussion que nous venons d'avoir à propos de la bague d'Anaïtis, il m'a bien prouvé qu'il avait d'autres choses plus importantes en tête que de partager les intuitions d'une hétaïre, et qu'il préférait se concentrer sur ce qui l'occupe depuis toujours, la guerre, le viol, le meurtre. J'ai l'impression étrange, tout droit sortie de mon adolescence, que penser à lui, comme j'ai pensé à mon père et à Phaïdros avant la bataille de Leuktra, serait un moyen de le sauver. C'est pourquoi je m'efforce de l'oublier. De le précipiter tout vivant, lui et son cheval, dans le gouffre de l'oubli. Non, même s'il me ressemble plus que je ne le crois, je ne veux pas lui pardonner !

Aâmet me presse de suivre le conseil du cavalier honni, et de partir au plus vite, non pas vers Thêbaï, ni vers Athênaï, qui sont aussi menacées l'une que l'autre, mais vers Korinthos. Si la guerre générale qu'elle pressent embrase la Grèce, je pourrai m'y embarquer pour Knidos et me réfugier de l'autre côté de la mer. Les différents contacts que l'Égyptienne a noués en Karie par mon intermédiaire seront prêts à nous accueillir. Elle me rejoindra là-bas, en cas de besoin, et nous y fonderons ensemble un nouveau thiase. D'ici là, je peux lui confier le temple, m'assure-t-elle, comme lorsque je suis partie à la recherche de mon fils, la déesse et le dieu sont d'accord, il n'arrivera rien, ni à leurs statues précieuses ni à une vieille femme désarmée comme elle. Alors je prie toute la nuit. Pas pour le salut de Gorgidas, mais pour celui d'Hypereïdês et de Praxitélês, les deux hommes que je chéris le plus au monde avec Mithradatês et qui sont athéniens. Pour le salut de leur cité aussi, dans laquelle j'ai vécu si longtemps, qui a fini par m'accueillir, que j'ai fini par aimer mais dont je comprends qu'il est temps de l'abandonner.

Le lendemain matin, je me mets en route avec toutes les servantes du Thiase, ne laissant dans le temple désert, pour en assurer la permanence, que la vieille Égyptienne et son armée de grenouilles. Mais je me doute que je ne pourrais le remettre à plus puissante garde. Mes protégées, je les envoie à Korinthos sous la conduite de Nikarêtê. Pythônikê aussi, même si elle me supplie de la laisser m'accompagner. Puis, stupéfaite de mon propre choix, que j'ai caché jusqu'à la dernière minute à mes deux protectrices et à moi-même, je rentre à Athênaï.

59

LA GRANDE CATASTROPHE

Je tente de me rassurer en me disant que je suis de passage dans la cité menacée le temps de régler quelques affaires : mettre en sécurité mes bijoux et mes biens les plus précieux et sauver mon homme. Ou plutôt celui des deux qui pourra l'être, car je sens bien qu'il sera impossible d'entraîner Hypereïdês dans mon exil. Mais j'ai peut-être une chance avec Praxitélês. Il est plus ou moins apatride, comme tout artiste, en tout cas, moins patriote que l'autre. Pour qu'il accepte de me suivre, je suis prête à m'encombrer de sa femme et de ses deux fils, dont je m'efforce de me souvenir qu'ils furent les miens pendant au moins deux nuits, celle de leur naissance et celle de mon illumination d'Eridza. Je me jure qu'après lui avoir parlé, je repartirai pour Korinthos, avec lui ou sans lui. Je ne veux surtout pas me retrouver une seconde fois prise au piège d'une ville assiégée et finir dans l'horreur de mon commencement. Je dois écouter les deux voix conjuguées de mon instinct et de mon expérience, qui me crient de m'enfuir, comme une biche avant l'arrivée des loups. Praxitélês tergiverse. Je comprends très vite qu'il n'abandonnera pas son atelier. Pourtant, je continue à l'attendre. Je me dis que je ne veux plus le quitter, lui, le seul homme que j'aime vraiment, parce que je l'ai déjà beaucoup trop fait. Mais la vérité est encore plus incompréhensible : alors que tout est prêt pour mon départ, je perds du temps sans savoir pourquoi. Je me sens paralysée. Délaissant même Praxitélês, pour lequel je crois rester, je me mets à sortir de nouveau, comme une gamine irresponsable. Je fréquente les banquets, qui n'ont jamais été aussi nombreux que dans ces quelques jours d'angoisse, je ris et je m'amuse plus frénétiquement que jamais. Je sais que les Athéniens sont rassurés de me voir demeurer à leurs côtés, ils me font fête, comme si j'étais à leurs yeux la meilleure preuve que leur vie d'avant continue et qu'ils ne sont pas mortellement en danger. M'étourdir en les divertissant, c'est ma mission sacrée.

Il paraît que les deux armées sont maintenant rassemblées dans la plaine de Khaïrôneïa, qui ne doit pas être si éloignée de celle de Leuktra, où les Thébains et mon père se sont retrouvés autrefois face à face pour décider de leur destin. Je discute de la situation avec Hypereïdês et son vieil ami Lykourgos. Ils ne sont pas mobilisés, parce qu'ils sont tous les deux ce mois-là membres du Conseil et que leur fonction leur impose de rester dans la ville. Mais le chef du parti belliciste, Démosthénês, est sur le front, comme simple hoplite, ainsi que son principal adversaire, le pacifiste Aïskhinês, et beaucoup d'autres dirigeants de tous bords. Ce soir-là, je laisse soudain s'exprimer mon angoisse et mon défaitisme : à quoi bon s'opposer aux Macédôniens, qui sont beaucoup plus forts que nous ? Pourquoi ne pas leur céder, pour éviter leurs représailles ? Hypereïdês, qui est intimement persuadé de la victoire, puisque pour une fois Athênaï s'est hissée au niveau de ses valeurs, tente de me rassurer, en se moquant gentiment de moi. Lykourgos me regarde avec férocité, comme si j'étais une traîtresse, ce qui est sûrement à ses yeux encore plus méprisable que d'être une femme.

Je les quitte brusquement pour aller voir Praxitélês. Il est seul dans son atelier. Comme si le reste du monde n'était pas en train de s'écrouler autour de lui, il se tient debout devant un bloc de glaise encore informe, et il travaille. Le Sculpteur rivé à son œuvre, cette image me rassure d'emblée. Mais, en m'approchant, je comprends vite qu'il fait semblant. Pour une fois comme tous les autres : si inquiet de la situation politique qu'il ne parvient pas à créer. Peut-être regrette-t-il de n'être pas resté, comme Mausôlos le lui avait conseillé, faire fortune sur la côte d'Asie ? Même lorsqu'il me rassure, même lorsqu'il me caresse, il est absent. Rien à tirer de lui non plus. Alors je rentre chez moi. Je sors mon aulos de son étui. Au lieu de jouer une mélodie construite, je me mets à en tirer les sons déchirants qui m'oppressent. Sans presque reprendre mon souffle, je vais d'une note stridente à une note encore plus stridente, jusqu'à devenir complètement folle. Dans la soirée, Hypereïdês vient m'arracher à mon angoisse et à ma grande maison vide. Ce fou me propose d'aller faire la fête. "Comme au bon vieux temps !" Il doit rejoindre Léôkratês et sa nouvelle amie dans un bouge du port. Myrrhina l'accompagne. Elle non plus n'a pas voulu quitter Athênaï, écoutant sans doute ce qui lui tient lieu de patriotisme : sa paresse. Elle me dit : "Tu crois que je vais laisser la guerre m'empêcher de m'amuser ? Pas question !" Je leur réponds qu'ils sont deux irresponsables, deux fêtards vulgaires, et je me retrouve encore plus saoule qu'eux. Première nuit que je retourne au bordel municipal d'où Praxitélês m'a permis de sortir. Il existe encore, même si toutes les filles ont changé bien sûr, ainsi que le Boskos, qui a été remplacé par un autre garde-chiourme tout aussi patibulaire. Mais qu'est-ce que je fais là ? Qu'est-ce qu'Aâmet penserait de moi, si elle pouvait me voir ?

Le lendemain matin, je cuve encore mon ivresse entre les bras velus d'Hypereïdês, lorsqu'un messager du Conseil vient lui annoncer la catastrophe. La bataille de Khaïrôneïa est perdue. Le fils du roi Philippos, Alexandros, âgé d'à peine dix-huit ans, a détruit le Bataillon Sacré avec sa seule cavalerie. Les Thébains n'ont pas reculé d'un pied mais ils sont tous morts. Dans cette charge irrésistible, le prince macédônien a décidé presque à lui tout seul de l'issue de la guerre. Des milliers d'Athéniens sont tombés sur le champ de bataille, et plus encore ont été faits prisonniers. Ce n'est pas une défaite mais une débâcle.

J'en avais le pressentiment, je ne l'ai pas écouté, et maintenant je suis prise au piège. Pourtant ce n'est pas à ma propre situation que je pense d'abord. L'émotion sauvage qui remonte d'emblée des profondeurs de moi-même à ma conscience, aussi inattendue et irrésistible que la charge d'Alexandros, me laissant palpitante, stupéfaite, ravagée, c'est de la joie ! Un élan fou de joie mauvaise, qui me submerge à l'idée que l'odieux Gorgidas est mort, que Thêbaï a perdu, que Thespiaï, trente-trois ans plus tard, est enfin vengée ! En se retirant, cette vague ne laisse plus en moi que le limon de l'affliction, de l'épouvante et du deuil. Ces sentiments me sont plus compréhensibles, même si eux non plus ne me concernent pas vraiment. Car je ne me désespère pas pour moi, l'étrangère, la métèque, l'hétaïre souple, qui parviendrai sans doute à me glisser entre les mailles du filet, mais pour Athénaï. Je découvre qu'elle est ma cité dans la défaite. Je découvre à quel point je l'aime au moment où elle meurt.

Hypereïdês, lui, refuse aussitôt tout ce que j'accepte : que la guerre soit perdue, que nous n'ayons plus rien à faire qu'à pleurer et subir. Sous la douche glacée des événements, sa gueule de bois, qui dure depuis dix-huit ans et son retrait de la politique, s'évanouit d'un seul coup. Tandis que j'en suis encore à me rhabiller, il a déjà réuni ses proches autour de lui : Lykourgos, qui arrive en compagnie d'un certain Autolykos, membre lui aussi du Conseil, où il est le porte-parole des propriétaires terriens, et l'armateur Léôkratês. En quelques mots, il leur apprend la catastrophe mais sans leur laisser le temps de se lamenter. Il se tourne vers Lykourgos : "Tu attendais le moment où Athênaï aurait vraiment besoin de toi, eh bien, voilà, tu n'as pas à t'en réjouir, mais sache qu'il est là !" Et, après toutes ces années d'abstention, Lykourgos lui répond d'un seul mot : "D'accord." L'aristocrate Autolykos promet de mobiliser tous ses réseaux personnels pour organiser la défense nationale. Léôkratês décide de mettre la fabrique familiale d'armements au service de l'État, de prêter personnellement de l'argent à la cité, d'entraîner dans l'effort de guerre les milieux d'affaires. Le moment est tellement fort, tellement dramatique, tellement solennel que même le cynisme de l'armateur est balayé par son émotion patriotique : il tremble, il parle trop fort, il jure devant les dieux qu'en tant que citoyen il va se battre jusqu'à la mort pour Athênaï, comme ses ancêtres l'ont fait en tant que métèques ! Nous tombons dans les bras les uns des autres. Même moi, la femme. Je suis la seule parmi ces quatre hommes à ne pas verser de larmes mais je me retrouve en train de serrer très fort contre moi Léôkratês, tandis que mon ancien adversaire me rend frénétiquement mon accolade. Il aura fallu un désastre collectif sans précédent pour que j'oublie ma méfiance et qu'il parvienne à m'étreindre. Lui et moi, nous nous sourions, tandis qu'Hypereïdês déclare d'une voix forte à ses compagnons : "Voici réunie la vieille garde des jeunes lions athéniens ! Nous trouvons enfin l'occasion de montrer notre valeur que nous cherchions depuis notre jeunesse ! Philippos n'a pas encore gagné, Athênaï n'est pas encore morte !" Galvanisés, ils poussent un cri de rage, celui qu'ils ont appris dans leurs années de patrouilleurs, celui qui rassemble les hommes au moment de se jeter au combat, et moi aussi, de ma voix la plus aiguë, je hurle de toutes mes forces avec eux. Je n'ai jamais ressenti une telle angoisse ni une telle exaltation, ou plutôt je ne les ai jamais auparavant partagés avec des hommes.

Juste avant qu'ils ne se séparent pour répandre chacun dans son cercle l'esprit de résistance, Léôkratês m'attire dans un coin de la grande salle. À voix basse, il me conseille de quitter la ville, comme j'aurais dû le faire depuis longtemps. Il peut, si je le désire, organiser ma fuite, par exemple vers Rhodos, où ses hôtes seraient prêts à m'accueillir. Je refuse avec véhémence. Dans cette fièvre libératrice, je trouve enfin la raison de cette paralysie qui me tient depuis plusieurs jours : tout simplement, je ne veux pas quitter Athênaï, je préfère mourir avec elle, après avoir traversé une catastrophe qui me ramène à celle de Thespiaï. Encore une fois, comme lors de mon périple en Perse, je découvre que mon parcours consiste non pas à fuir toujours plus loin mais à repasser par mes traces pour en changer le sens : si j'ai subi le premier désastre, je revendiquerai le deuxième. Personne ne songera à m'octroyer la citoyenneté et pourtant je serai fière d'avoir fait partie de la dernière génération des Athéniens ! Il me regarde interloqué, puis il se reprend, et, me serrant dans ses bras avec encore plus de force, il me murmure à l'oreille : "Merci de cette réaction, elle m'étonne de ta part mais elle me conforte dans mon choix !" À Hypereïdês, qui nous surprend de nouveau dans les bras l'un de l'autre, Léôkratês explique sa proposition et la décision patriotique que je viens de prendre. Les quatre hommes m'acclament et je pleure enfin comme eux de fierté.

La nouvelle de la défaite et de l'arrivée imminente des barbares macédôniens se répand très vite. C'est la panique. Toutes les femmes s'enfermant dans leurs maisons pleurent plus bruyamment que pour les fêtes d'Adônis et ces sanglots résonnent lugubrement à mes oreilles, me rappelant ceux des Thespiennes. Tous les hommes se précipitent vers l'Agora et vers la Pnyx : les plus courageux ou les plus indécis y restent les bras ballants à attendre d'autres nouvelles du désastre. Les autres, les lâches, les prudents se dépêchent de rentrer chez eux pour préparer leur départ en toute hâte. Bientôt on voit des files de familles entières, baluchons sur la tête, converger dans les rues vers les routes des ports ou des montagnes. J'ai peine à ne pas me laisser emporter dans ce vertige collectif, à m'extirper de cette ombre mauvaise qui plane sur la ville et qui l'entraîne vers le précipice. Je m'accroche de mes ongles à mon statut d'étrangère, à la protection d'Anaïtis, à l'énergie humaine d'Hypereïdês. Celui-ci et Lykourgos donnent leur pleine mesure dans cette occasion : ils se révèlent enfin au moment où tout le monde s'écroule. J'ai presque l'impression que mon ami est heureux, qu'il jubile comme un marin fou dans la tempête. Tandis que Lykourgos fait fermer les portes de la ville pour empêcher les citoyens de s'enfuir, Hypereïdês prend la parole au début de la séance extraordinaire de l'assemblée. D'une voix vibrante mais nette, il indique aux Athéniens les premières mesures de défense nationale qui s'imposent : d'abord mettre en sûreté dans le port du Peïraïeus, les objets du culte, les femmes et les enfants, puis renforcer les postes de garde sur les Longs Murs, sur les remparts et à chaque porte, derrière lesquels les habitants de la campagne viendront se réfugier comme deux générations auparavant, lorsque les armées spartiates campaient devant la ville. Ensuite, continue-t-il d'une voix qui s'enfle, eh bien ensuite pas question de se rendre ! Pas question de capituler ! Pas question de s'enfuir ! Pas question de paniquer ! Au contraire, mobilisation générale ! Levée en masse ! Le Conseil permanent siégera en armes sur l'agora du Peïraïeus mais lui, Hypereïdês, propose d'emblée le seul décret d'urgence susceptible de renverser la situation : tous les métèques qui prendront les armes deviendront citoyens et tous les esclaves des hommes libres ! Et voici que se dressera, devant le roi de Macédoine stupéfait, une armée de cent cinquante mille soldats résolus à se battre pour leur liberté et leur cité nouvelles ! Quant aux hommes qui ont l'honneur d'être déjà des citoyens, qu'ils se montrent dignes de ce privilège : tous ceux qui tenteront de sortir des remparts seront déclarés traîtres à la patrie et exécutés sur-le-champ ! Philippos doit trouver face à lui la population entière de l'Attique mobilisée et prête à une guérilla sans merci !

Ce discours, prononcé d'une voix tonnante qui se répercute dans chaque maison, électrise à lui tout seul l'assemblée et la ville, réveillant toutes les énergies. Les vétérans se précipitent sur leurs armes pour aller monter la garde sur les Longs-Murs, les jeunes gens qui n'étaient pas encore en âge d'être mobilisés se rassemblent autour du chef des éphèbes et commencent dans la précipitation à apprendre les pas militaires, les métèques et les esclaves se présentent en masse pour servir. C'est du cœur même de la panique que naît l'enthousiasme. Quelque chose de l'énergie disparue des combattants de Marathôn. Je comprends enfin ce qu'Hypereïdês et Démosthénês voulaient dire avec leur référence incessante aux valeurs traditionnelles d'Athênaï. Cette exaltation que j'ai sentie dans les bras des quatre vieux "jeunes lions", au moment où j'ai poussé avec eux le cri de guerre, maintenant je la sens parcourir la ville entière, cette énergie du désespoir qui monte aussi irrésistiblement que le sperme dans un sexe dressé. Je me sens traversée moi-même par cette excitation mâle de l'approche du combat, de la peur qu'il faut oublier dans une rage encore plus panique qu'elle. Je me sens un peu homme.

Praxitélês sort de son atelier pour la première fois depuis longtemps et vient au Conseil, non seulement proposer son argent mais encore offrir ses deux mains d'artiste délicat pour forger à la chaîne des pointes de lance. Même Kratês, le cynique, qui est né à Thêbaï et qui n'a plus depuis des années dans le creux de sa tunique déchirée la moindre piécette à verser au trésor, offre, avec sa femme-chienne, le seul bien dont ils disposent pour défendre les remparts d'Athênaï : leurs carcasses de philosophes faméliques, à jeter sous les chevaux des cavaliers d'Alexandros, et leurs canines cariées pour en cisailler les jarrets. Lorsque mon ancien ami m'aperçoit, il se dit sans doute que nous sommes tous les deux à la veille de mourir et qu'il peut bien, après avoir proposé de se battre pour sauver la cité, faire une deuxième entorse à ses principes de mépris radical : il me sourit. J'ai l'impression que sa compagne, qui se tient en retrait derrière lui, est de nouveau enceinte. Je prolonge vers elle le sourire que je rends à Kratês. Mes amis étrangers, mes serviteurs, Thratta, Kariôn, font le siège de mes appartements pour me persuader de m'embarquer vers Korinthos avant l'arrivée de l'armée ennemie. Mais je résiste, n'écoutant que ma voix intérieure. D'ailleurs eux-mêmes, lorsque je leur propose de prendre ma place sur le bateau de l'exil, refusent d'un haussement d'épaule. Je prie Anaïtis dans le secret de mon cœur, en organisant les prières collectives des femmes de ma condition dans le grand temple d'Aphroditê. Le vieux Mentês m'accompagne partout, deux pas derrière moi. Parce qu'il se tient prêt à me protéger contre les premiers éclaireurs macédôniens, et parce que c'est là seulement, dans mon ombre, qu'il se sent un peu rassuré.

Dans cette atmosphère d'ultime sursaut, où tout le monde se mobilise, certains continuent à ne penser qu'à eux-mêmes, et ce sont évidemment les plus riches. Alors qu'il devait être l'un des quatre à lancer le mouvement de résistance, le noble Autolykos a manqué les séances décisives du Conseil : trop occupé à organiser le départ de toute sa famille, ses parents, ses enfants, sa femme, et leurs serviteurs, qu'il a accompagnés en personne sur l'île d'Eubée, chez ses hôtes de Khalkis. Après s'être assuré qu'ils étaient en sécurité et confortablement installés, il est revenu faire son devoir. Quant à Léôkratês, l'intime d'Hypereïdês, son plus ancien ami, il lui a juré au matin de consacrer tout son argent et toutes ses relations au salut de sa cité d'adoption et il s'est enfui la nuit suivante. Sur une simple barque louée à un patron de pêche, il a, dit-on, entassé ses coffres et la flûtiste qui lui sert de maîtresse. Je repense à notre scène d'émotion patriotique chez Hypereïdês. Comme il a dû me trouver ridicule ! Comme j'aurais dû comprendre qu'il ne faisait que jouer la comédie, tout en réglant déjà dans sa tête les détails de sa fuite ! Me revient à l'esprit cette conversation plus ancienne, où, se dévoilant devant moi dans l'abandon d'un banquet, il m'avait confié la morale léguée par son père, l'affranchi, et le père de son père, l'esclave : des gens comme eux ne peuvent pas se permettre d'avoir des idées généreuses, qui sont un luxe de privilégiés, mais seulement des intérêts personnels. Puis-je lui reprocher de sauver sa peau, comme ses ancêtres le lui ont appris depuis toujours, comme moi-même j'ai dû le faire bien souvent, en méprisant les valeurs des autres ? Je comprends soudain ce qu'il m'a proposé, à voix basse, tandis que les trois vrais Athéniens hurlaient leur patriotisme : fuir avec lui, prendre la place de sa maîtresse dans la barque, pour satisfaire enfin le désir qu'il avait de moi mais aussi sans doute pour rendre hommage à ma détermination d'ancienne esclave, capable de recommencer sa vie sans se plaindre dans une nouvelle cité. Mon exaltation naïve a dû le surprendre. Tant pis ! Je persiste dans le mépris que j'éprouve depuis quelques jours pour sa lucidité. Désormais, sauver ma peau ne me suffit plus. J'imagine Léôkratês arrivant à Rhodos, se hâtant de répandre le bruit que les Macédôniens sont entrés dans Athênaï, qu'ils y massacrent tout le monde, et prétendant qu'il a été le seul à pouvoir s'enfuir. Par compassion pour l'ancienne cité ennemie, par peur aussi d'être bientôt la prochaine victime de Philippos, on l'accueillera comme un miraculé, on lui achètera à prix d'or le peu de cargaison qu'il aura pu emmener, on lui prêtera de l'argent, et il pourra se refaire, comme son père et son grand-père avant lui. J'en souris presque, mais Hypereïdês et Lykourgos, quand ils apprennent ce qu'ils appellent la trahison de leur ami, se jurent à nouveau de triompher, ne serait-ce que pour en tirer vengeance.

C'est dans ces dispositions d'esprit, faites de terreur et d'envie d'en découdre, que nous guettons l'arrivée des trente mille soudards lancés par Philippos sur Athênaï. Ils se font attendre, comme s'ils cherchaient, en prolongeant notre angoisse, à miner notre énergie.

Et puis l'impensable se produit encore.

Un soir, alors que je me suis risquée avec quelques servantes à prendre le frais pendant la journée dans ma maison de la route d'Eleusis mais que nous nous apprêtons à regagner la ville pour y passer la nuit à l'abri des remparts, soudain, on tambourine à ma porte. Moment de frayeur. Le Cerbère, sortant son poignard, va ouvrir. Le visiteur est un homme seul. Il m'interpelle, avec un fort accent athénien : "Hé, Phrynê, tu ne me reconnais pas ?" Je le regarde avec plus d'attention. Démadês, l'ancien matelot ! Il me lance : "Alors, ma belle, t'es pas surprise de me voir ? Tu sais d'où je viens ?" Avant que j'aie eu le temps de répondre, il ajoute, presque à voix basse : "De là-bas ! De l'enfer ! De la plaine de Khaïrôneïa !"

Stupéfaite, pétrifiée, comme si je voyais se dresser devant moi un fantôme, je ne réagis toujours pas. Il enchaîne : "J'étais prisonnier, je viens d'arriver, j'ai faim, j'ai soif, tu n'as pas quelque chose à me donner, je crois que je vais tomber par terre !" Reprenant mes esprits, je m'aperçois qu'il est à la fois très pâle et tout rouge, suant non comme un spectre mais comme un homme qui a marché pendant des heures sous le soleil. Pourtant, tout en lui faisant servir de quoi refaire ses forces, je remarque qu'il porte des habits frais et qu'il n'a pas du tout l'air d'un soldat rescapé d'une bataille sanglante. Il refuse les fruits et l'eau, réclame des galettes et du vin, plaisante avec les filles qui le servent. Je m'impatiente : "Comment as-tu fait pour t'échapper ? Qu'est-ce qui se passe là-bas ?" Mais il me fait signe en riant qu'il ne peut pas parler la bouche pleine.

Enfin, lorsqu'il s'est suffisamment restauré, il commence son récit et ses paroles me saisissent plus encore que son étrange apparition.

"Tu me prends pour un fugitif, me déclare-t-il, mais, tel que tu me vois, ma belle, je suis un ambassadeur en mission officielle. Tu remarques quand même que ma première visite diplomatique est pour toi, et pour tes filles ?" Il éclate de rire devant ma tête interloquée : "Eh oui, j'en ai des choses incroyables à te raconter !" Puis, cessant soudain de rire, il plisse les yeux, comme s'il voyait défiler des souvenirs affreux, et sa voix gouailleuse se fait soudain plus sourde : "Le jour de la bataille, j'ai été pris avec des milliers de camarades dans la contre-attaque des phalangistes de Philippos. Je dois avouer que je n'ai rien compris à ce qui se passait. Nous les poursuivions pour les mettre en déroute, et l'instant d'après, ils nous encerclaient. Nous avons été défaits d'une manière tellement étrange qu'à mon avis, les dieux s'en sont mêlés." Au bout d'un instant de silence, il ajoute : "En tout cas, le seul moyen de sauver ma peau, c'était de jeter mes armes. Je ne vois pas comment, en étant mort, j'aurais pu contribuer au salut d'Athênaï. Tu me crois si tu veux, je me suis rendu patriotiquement, pour voir si je ne trouverais pas un moyen de m'échapper du camp de prisonniers. Impossible. Nous étions trop bien gardés. Nous sommes restés là, plusieurs jours sous le soleil, tous autant que nous étions, des milliers et des milliers de prisonniers, à attendre. Les morts n'étaient pas enterrés, la puanteur commençait à devenir atroce, elle s'infiltrait en nous pour nous retourner les boyaux, même les gardes macédôniens en devenaient fous : ils savaient aussi bien que nous que ce n'est jamais bon pour les vivants de laisser les mouches et les chiens s'approcher des morts. Mais le roi Philippos ne faisait rien. Avec son fils, il passait son temps, paraît-il, à regarder les cadavres dans la plaine du haut de la colline où se trouvait sa tente, à boire et à faire la fête, tellement il était content d'avoir battu à la fois Thêbaï et Athênaï. Il pensait qu'il allait mettre encore des années à se débarrasser des deux, l'une après l'autre, et là, en une seule journée, c'était fait. Du camp de prisonniers, nous entendions seulement des échos de flûtes qui venaient des hauteurs où le Roi s'amusait. Un des gardes, que j'avais amadoué, m'a même appris que Philippos, complètement ivre, descendait de temps en temps à cheval sur le champ de bataille, malgré la puanteur, pour le plaisir de cracher sur les cadavres de ses ennemis. Personne n'arrivait à le raisonner, le seul qu'il écoutait, c'était son fils parce que ce dernier se montrait encore plus furieux et plus sauvage que lui. Crois-moi, il promet, ce petit jeune homme !"

Après quelques instants de silence, Démadês reprend son récit : "Tu ne sais pas ce que ces deux bougres ont fini par inventer ? Comme ils ne trouvaient pas assez amusant de se moquer des morts, ils ont décidé d'humilier les vivants. Ils se sont saoulés encore une fois, et puis ils ont organisé une petite procession, avec leurs généraux et leurs compagnons d'armes, leurs flûtistes et leurs serviteurs. Tous couronnés de fleurs et la coupe à la main, ils ont commencé à se balader au milieu des prisonniers, pour mieux nous piétiner de leurs chansons. Ah, nous les avons entendus venir de loin ! Quelle vision de cauchemar, cette troupe d'ivrognes en armes poussant devant eux un chœur de filles à moitié nues, presque aussi effrayées que tes servantes ! Les pauvres petites, obligées de danser sous le soleil, elles devaient faire semblant de ne pas sentir cette odeur de mort qui s'étendait comme une brume de chaleur sur le camp de prisonniers, où nous étions plusieurs milliers de cadavres vivants à crever lentement de faim et de soif. Elles s'avançaient vers nous, en chantant un hymne bizarre. Mes compagnons athéniens et moi, nous avons fini par le reconnaître. Ce n'était pas une chanson à boire, ni un poème d'amour, ni un passage d'Homêros, ni un hymne à un dieu, oh non, s'exclame Démadês, en laissant passer une seconde pour reprendre sa respiration, tant l'indignation et l'humiliation l'étouffent encore. Tu sais ce qu'elles chantaient pour se moquer de nous ? Le texte du décret rédigé par ce criminel de Démosthénês pour nous pousser, Athênaï et Thêbaï, à déclarer ensemble la guerre à Philippos ! Ces phrases pompeuses et patriotiques, quelle dérision de les entendre psalmodiées au son de la flûte par ces filles de joie dans cette odeur de mort ! Tiens, j'aurais bien aimé qu'il soit à ma place pour les entendre, Démosthénês. Ou plutôt non, j'espère que ce chien est crevé sur le champ de bataille, comme l'ont été des milliers de mes amis, et que le cheval de Philippos lui a brisé la mâchoire de son sabot en le piétinant ! Les flûtistes, moins compatissantes que dégoûtées, cherchaient à nous éviter mais Philippos, son fils et ses généraux, eux, faisaient exprès de nous piétiner, et le premier d'entre nous qui avait encore la force de se rebeller, leurs gardes lui enfonçaient un javelot dans le ventre. Après que tous les ivrognes lui ont marché dessus, nous n'osions même pas aller aider notre malheureux camarade, nous le laissions agoniser, par peur que les gardes ne nous éventrent nous aussi. Le pire supplice du Tartaros, pour moi, c'est ça, la dérision de ce chœur-là, ce rire de Philippos, ces filles nues et ces râles des mourants cloués au sol sous le soleil ! Je crois que personne au monde ne peut s'imaginer ce que nous avons vécu…"

Mes servantes se sont arrêtées de le servir, épouvantées. Moi, je secoue la tête. Bien sûr que si, je peux m'imaginer l'enfer du triomphe de son ennemi, quand on a supporté dans sa chair le désastre et qu'il cherche encore à vous humilier, à souiller moins votre corps que votre âme. J'ai plein d'images de ce genre dans la tête. Mais Démadês ne me regarde pas. Il est tout à son récit. Il revoit la scène. Il grimace, tordant le nez, comme s'il entendait encore les flûtes, comme s'il sentait encore l'odeur des cadavres. Et puis, soudain, sans prévenir, il éclate de rire. Longuement. Comme un dément. Là, il me pétrifie, autant que les servantes. Quand il a bien ri, il se remet à parler : "Tu me prends pour un fou, n'est-ce pas ? Mais pas du tout, je gardais la tête froide. Moi, Démadês, je n'étais pas prêt à mourir comme un chien ! Alors que j'étais complètement désespéré, je n'avais pas pu m'empêcher de remarquer qu'une ou deux de ces filles étaient vraiment jolies. Je me suis dit que, si ça continuait, je ne referais plus jamais l'amour. Je me suis souvenu aussi que je n'avais pas encore vu mon fils, qui est né pendant que j'étais à l'armée. Et c'est vrai, à l'heure où je te parle, je ne l'ai toujours pas pris dans mes bras, alors qu'il est mon premier. Je ne sais pas laquelle de ces deux idées m'a donné le courage d'intervenir mais soudain, j'étais résolu à ne plus attendre de crever sous le soleil. Le problème, c'est que je ne savais pas du tout comment m'y prendre. Alors, le hasard m'a servi. Parce que l'autre, le roi borgne, le voilà qui s'approche de moi, en hurlant encore une fois : « Merci, Démosthénês, grâce à toi, je suis le maître de la Grèce ! » Nos regards se croisent un instant. Je ne baisse pas les yeux. Alors il se penche vers moi et il me souffle son haleine d'ivrogne dans le nez : « Tu entends, chien d'Athénien, je suis ton maître ! » Moi, j'acquiesce : « C'est vrai, Roi, tu es mon maître et celui de la Grèce ». Il éclate de rire : « Ah bon, Athénien, tu reconnais ta défaite ? Tu reconnais que j'ai le droit de détruire entièrement ta cité et celles de tes alliés, de vendre toutes vos femmes en esclavage, après les avoir fait violer par mes soldats pour leur apprendre qui sont les mâles ? Parce que, je te préviens, dès que je me serai assez amusé dans cette plaine de Khaïrôneïa, c'est ce que je vais faire subir aux Athéniennes, pour parachever ma victoire ! » Délibérément, il me pose le pied sur le front pour me forcer à m'allonger. Je me garde bien de résister. Lui, il fait descendre lentement son pied sur mon ventre, non sans me racler au passage le visage de la poussière et de la boue de sang qui se trouve sous ses sandales, puis, me regardant de tout son haut avec mépris, il y pose aussi le deuxième. Cet ivrogne, en équilibre précaire sur mon corps étendu, le voilà qui lève les bras au ciel et qui se met à hurler de nouveau : « Je suis le maître de la Grèce ! Je vais passer en Orient, je vais détruire le Grand Roi comme j'ai détruit les cités grecques ! Alors je serai le maître du monde ! » Cet orgueilleux, cet insensé, il hurle ses provocations sur le champ de bataille comme Polyphêmos, le Cyclope bavard. Et moi, je suis obligé de le laisser me piétiner sans bouger, en faisant bien attention à ce qu'il ne se casse pas la figure, pour éviter que ses soldats ne me clouent au sol de leur lance. Je juge même prudent d'ajouter : « Oui, Philippos, tu es aussi grand qu'Agamémnôn, le Roi des rois grec ! » Enfin, il descend de son piédestal humain. Satisfait sans doute de ma flatterie et de ma soumission, il me laisse la vie sauve, non sans m'avoir craché dessus une dernière fois. Il s'éloigne en titubant.

Ce qu'il ne sait pas, cet ivrogne, c'est qu'à m'humilier ainsi, il m'a permis de trouver l'idée que je cherchais pour lui échapper.

Je me redresse, et je lui jette, d'une voix soudain aussi forte que la sienne, d'une voix qui, elle aussi, résonne dans tout le camp des prisonniers : « Alors que ton destin te fait jouer désormais le rôle d'Agamémnôn, tu n'as pas honte de te conduire comme Thersitês ? » Le Macédônien s'arrête net. J'ai touché juste ! Lui aussi, ce barbare qui parle grec, il connaît Homêros par cœur. Agamémnôn, le Roi des rois, et Thersitês, le dernier des soldats, l'impudent, le fanfaron, celui à qui Odysseus donne les coups de bâton qu'il mérite pour avoir osé parler au conseil des chefs, alors qu'il n'en est pas digne. Tiens, Roi des rois, même si je dois en crever, même si tes gardes doivent m'embrocher, prends ce sarcasme-là en plein dans ta face de vantard, moi l'Athénien, je te tue d'un trait de ma parole au moment où tu crois avoir triomphé. Je pense ça un instant. Mais, en fait, tu me connais, je n'ai aucune envie de mourir, même avec fierté, alors je me dépêche d'ajouter : « Maintenant que tu es le roi de la Grèce, celui dont nous avions besoin pour nous unir, il faudrait peut-être commencer à te conduire comme tel, sinon, malheureusement, les dieux ne te laisseront pas longtemps à ta place, et c'en sera fini de notre chance à tous ! »

Le chœur des ivrognes est resté stupéfait de mon audace, même les flûtistes se sont arrêtées de jouer et de danser. Le jeune Alexandros, dans l'impétuosité de ses dix-huit ans, est le premier à réagir, il s'avance vers moi pour me trancher lui-même la gorge. Mais son père l'arrête d'un geste. Je crois que j'ai trouvé spontanément le ton juste pour parler à Philippos, le bon mélange de familiarité, de reproche sincère et de flatterie. Ce Macédônien a l'air d'aimer qu'on le rudoie au nom d'Homêros et de sa propre gloire. Alors je continue dans la même veine : « Tu crois que tu nous offres un spectacle digne de notre nouveau roi, à te saouler au milieu des morts, à piétiner ceux qui t'ont combattu dignement et que tu prétends emmener à la guerre contre les Barbares ? Cela m'étonne de toi, roi Philippos, je t'avais toujours pris, non seulement pour un rude guerrier mais aussi pour un politique habile. Te voir te conduire ainsi m'attriste, parce que, même si tu étais mon ennemi, j'avais de l'admiration pour toi. Penses-tu que le roi des Grecs doive s'oublier au point de faire la fête en prenant des cadavres pour banquettes, sous le regard des Olympiens que cette odeur de mort insupporte et outrage ? Non, Philippos, tu le sais bien toi-même, le nouveau maître de la Grèce ne peut commencer intelligemment son règne en se moquant des hommes et des dieux. C'est dans le triomphe qu'un souverain doit avoir de la mesure. C'est lorsque tout lui est permis qu'il ne doit pas tout se permettre. »

Hé, hé, j'ai l'impression d'avoir bien parlé, avec une dignité très, voyons, stratégique. D'après ce que je commence à percevoir de la psychologie de ce guerrier obsédé par son œuvre de conquérant, ma seule chance, c'est de l'agresser hardiment, face à face, à la condition de ne surtout pas paraître parler en mon nom propre mais en celui de la Grèce tout entière. D'ailleurs, il y a un long moment de silence sur tout le camp, vraiment impressionnant. Les yeux de Philippos se plissent, je me doute qu'il est partagé entre sa colère d'ivrogne et son effort pour reprendre le contrôle de lui-même. Soudain dégrisé, peut-être se rend-il compte qu'un avertissement salutaire lui est adressé par ma bouche d'anonyme soldat ennemi ? « Qu'est-ce que tu me proposes, Athénien ? » finit-il par articuler. Et là, je crois que j'ai l'intuition qui me sauve vraiment la vie. J'éclate de rire et je lui dis : « Attends, Roi, comment veux-tu que nous parlions politique dans notre état ? Regarde-nous : toi, tu es à moitié saoul, et moi à moitié mort de soif ! Non, non, continue à boire cette nuit, tiens, invite-moi et buvons ensemble, mais donne l'ordre, je t'en supplie, de faire brûler honorablement ces cadavres, dont l'odeur nous rend tous malades, pour que les dieux puissent se joindre à nous. Et puis, demain, à jeun, toi et moi, nous discuterons, la tête froide et le cœur en paix avec les morts ! Alors Zeus, Arês et Apollôn eux-mêmes seront prêts à s'asseoir à notre table, pour écouter le roi de Macédoine et le citoyen d'Athênaï parler ensemble de l'avenir de la Grèce ! »

Il me regarde encore un moment, en me jaugeant. Et puis, il enlève la couronne de fleurs de sa tête, il la pose sur la mienne, il me prend par le bras et il m'entraîne avec tout son chœur de guerriers ivrognes. Cette nuit-là, je reste fidèle à mon intuition de ne pas prononcer un seul mot de politique, si bien que Philippos me permet même de faire l'amour avec l'une de ses jolies flûtistes. Soit dit en passant, j'étais tellement épuisé que, malgré toute sa science, la malheureuse n'est pas arrivée à grand-chose. Mais ses caresses m'ont quand même paru, après ce que j'avais vécu dans le camp des prisonniers, comment dirais-je, miraculeuses ? Quoi qu'il en soit, le lendemain, et les jours suivants, j'ai aidé ce roi, assez intelligent pour écouter un simple matelot, à reprendre ses esprits. À redevenir le politique plein de rouerie qui avait réussi à faire admettre son pouvoir à la moitié de la Grèce et qui pouvait achever plus facilement son œuvre, en se montrant magnanime avec l'autre moitié, qu'en se montrant implacable."

Démadês reprend, après un instant de silence : "Ou plutôt en se montrant magnanime avec Athênaï et implacable avec Thêbaï, afin de ruiner tout espoir de revanche commune. Thêbaï, qui a trahi l'alliance de Philippos pour passer à la dernière minute du côté des Athéniens, parce que depuis des siècles elle ne peut pas s'empêcher de trahir, va le payer très cher !" Il m'adresse un affreux sourire, et, me souvenant du mouvement de joie qui m'a submergée à l'annonce du désastre, j'ai l'honnêteté de le lui rendre. "Oui, poursuit-il, ils vont en baver ! Un tribut énorme, le démantèlement de l'Alliance qu'ils ont imposée aux autres cités de Béotie, les plus beaux morceaux de leur territoire donnés à leurs ennemis. Et figure-toi, ajoute-t-il, tandis que son sourire cynique s'aiguise encore, que j'ai même réussi à nous en faire obtenir un, à nous les Athéniens ! Mais, bon, pour une fois que nous ne sommes pas victimes de la trahison et que c'est nous qui pouvons la faire subir aux autres, je ne vois pas pourquoi nous n'en profiterions pas ! Nos ex-alliés auront à supporter aussi, comme du temps de Lakédaïmôn, une garnison d'occupation permanente sur le promontoire rocheux de la Kadmeïa. Les voilà revenus quarante ans en arrière. Ils auront l'interdiction absolue de reconstituer jamais le Bataillon Sacré, que Pélopidas avait inventé pour leur permettre de sortir de leur abaissement. Les remparts de Thêbaï et ses Sept Portes sont encore debout, mais je crois que son orgueil est abattu pour un bon bout de temps. J'ai entendu dire que tu étais thespienne, ajoute Démadês, alors tu peux te réjouir de voir s'écrouler la cité qui a ravagé la tienne. Et avoir, autant que moi, de la gratitude pour Philippos."

Je repense à la nuit sombre dans le sanctuaire d'Erôs, aux flammes de l'incendie qui éclairaient notre humiliation, à mon père et à Phaïdros égorgés sous mes yeux et sous ceux du cavalier thébain. Mon sourire s'épanouit, et pourtant, dans le fond de mon cœur, je m'étonne de ne pas trouver la moindre étincelle de satisfaction. Peut-être simplement parce que je suis trop stupéfaite par les révélations de Démadês pour me rendre compte que mon rêve de toujours, celui que j'ai fait mille fois dans les nuits noires de ma jeunesse mais en pensant qu'il était trop fou, celui de voir un jour Thêbaï brûler comme Thespiaï, a commencé de se réaliser ?

L'ancien matelot continue, en se rengorgeant : "Grâce à mon sens de l'improvisation, Athênaï, elle, sera traitée avec bienveillance. Voilà ce que j'ai obtenu : un, les ossements de ses morts, brûlés dignement sur le champ de bataille, lui seront rendus, afin qu'elle puisse les honorer. Deux, tous les prisonniers de guerre rentreront chez eux et Philippos donnera même, à ceux qui en feront la demande parce qu'ils auront déchiré le leur dans les combats, un uniforme neuf, semblable au mien. Trois, Athênaï conservera ses remparts, son armée, sa marine, elle ne subira pas de garnison. Quatre, au contraire, elle deviendra l'alliée privilégiée de la Macédoine et mettra toute son autorité morale et son prestige intact à aider Philippos dans son grand dessein d'unir de gré ou de force la Grèce contre l'Empire perse !"

Après cette envolée, il s'arrête brusquement. Il me regarde en plissant de nouveau les yeux, comme tout à l'heure au moment de commencer son récit, quand il était plongé dans ses réflexions et qu'il hésitait avant de se lancer. Alors, je comprends qu'il va me révéler la véritable raison de sa venue chez moi. Il reprend la parole : "Voilà, tout cela, qui est la vérité vraie, c'est ce que je suis chargé officiellement d'annoncer demain au Conseil. J'ai laissé mes gardes macédôniens près du bois d'Akadêmos et j'arrive seul dans la cité, pour inspirer confiance. Je me suis souvenu de toi, je me suis dit que j'aurais peut-être la chance de te trouver dans ta grande maison à l'extérieur de la ville, et je suis venu te conter toute l'affaire à toi la première. Tu te demandes pourquoi ? Parce que tu es une étrangère et une femme lucide, qui sait faire la part des choses. Alors tu vas me dire un peu ce qui se passe dans la cité, quel est l'état d'esprit de mes chers concitoyens. À mon avis, s'ils étaient sages, ils devraient bien m'accueillir, moi et les propositions de Philippos que je leur apporte, mais on ne sait jamais avec eux, je suis bien placé pour savoir à quel point ils sont fous. Je ne voudrais pas être la victime de leur colère contre eux-mêmes. Ensuite, quand tu m'auras donné toutes les nouvelles dont j'ai besoin, peut-être que tu me remercieras de t'avoir accordé la primeur de l'annonce de notre délivrance ? Oh, je n'ose rêver d'obtenir les faveurs de Phrynê en personne, mais tu pourrais ordonner à tes jolies filles de me montrer leur reconnaissance pour avoir sauvé leurs petits derrières délicats de ces barbares de Macédôniens ?" Il ajoute, avec ce sourire moqueur qui le caractérise, mais sur le ton de la confidence : "Tu vois, depuis le banquet avec Philippos, je n'ai pas fait l'amour, et je suis dans un tel état d'exaltation qu'il faut absolument que je baise avant de me présenter demain devant le Conseil des Athéniens. Sinon, je me connais, je ne vais pas parler clairement. Qu'est-ce que tu en penses ?" Pour balayer mes dernières réticences, il ajoute : "Bien entendu, je te payerai largement, j'ai de quoi maintenant ! Regarde !" Du vieux sac de marin qu'il porte sur l'épaule, il tire deux ou trois poignées de pièces d'or et les jette sur la table, en éclatant de rire : "Philippos est un type intelligent qui sait récompenser ses amis ! J'ai gagné aussi une belle propriété en Béôtie, prise, puisque je suis un vrai patriote, non pas sur les futures possessions d'Athênaï mais sur celles de Thêbaï. J'ai de quoi vivre dans le luxe jusqu'à la fin de ma vie et même celle de mon fils ! Mais c'est normal, je crois que je l'ai bien mérité, non ?"

Je lui donne les informations qu'il demande. Puis, ramassant les pièces frappées à l'effigie de Philippos, j'indique d'un signe à deux de mes servantes qu'elles peuvent commencer à s'occuper de lui. Tandis qu'il s'abandonne entre leurs mains, il me retient par le bord de ma tunique, pour m'empêcher de m'éloigner, et il continue à pérorer, sans s'arrêter un seul instant. Je me demande s'il s'adresse encore à moi, ou s'il ne soliloque pas plutôt à voix haute, pour se rassurer après les scènes de cauchemar vécues dans la plaine de Khaïrôneïa. Drôle de bonhomme. "Tu vois, fondamentalement, s'exclame-t-il, je suis du côté des Macédôniens. Moi, je ne crois pas à la guerre, ni, oui, c'est bien, les filles, continuez comme ça, aux valeurs de l'antique Athênaï, bien que je sois obligé en permanence de flatter la vanité de mes concitoyens. Je crois en moi, et en vous, les filles, je crois en tous ceux qui sont comme nous, assez lucides pour avoir simplement envie de s'en mettre plein les fouilles, et assez sages pour savoir profiter des fous qui se ruinent la vie à changer le monde. L'intelligence, c'est d'être toujours du côté du plus fort. Mais ce n'est pas si évident, ça demande beaucoup de lucidité et beaucoup de souplesse, parce que, de nos jours, le plus fort change sans cesse. Si Philippos arrive à mettre la pâtée au Grand Roi sur la côte d'Asie, parfait, il y aura sûrement de quoi en profiter. S'il échoue, comme c'est probable, nous serons débarrassés de lui, et il faudra essayer de se mettre enfin bien avec le Grand Roi, mieux que nous, les Athéniens, avec nos grands mots pompeux, nous n'avons su le faire jusqu'à aujourd'hui."

En l'écoutant parler, je me dis que ce discours ressemble beaucoup, dans le fond, à celui que j'ai tenu à Hypereïdês et Démosthénês avant l'ambassade. Pourtant, je dois m'avouer que ma lucidité, lorsqu'elle sort de la bouche d'un autre, me met mal à l'aise. Sans remarquer mon trouble, Démadês continue son panégyrique personnel avec une satisfaction grandissante : "Tu me dis que ton ami, le patriote Hypereïdês, a réussi à mettre la cité en état de siège, prête à se défendre jusqu'à la mort contre Philippos, et à s'associer au sort funeste de Thêbaï ? Eh bien moi, le lâche prisonnier, qui me suis débarrassé de mes armes, je l'ai mise en état, non de mourir dignement, mais de continuer à vivre. Lequel de nous deux a fait le plus pour elle ? Par ailleurs, ajoute-t-il avec le même sourire atroce que tout à l'heure, lorsqu'il se réjouissait du sort réservé aux Thébains, moi, je n'ai pas eu à promettre la citoyenneté aux métèques, ni la liberté aux esclaves, je n'ai pas eu besoin de mettre en péril l'ensemble du système pour lui permettre de continuer à fonctionner !" Mes filles semblent le caresser plus habilement que celles de Philippos : cette fois, son sexe se dilate. Mais peut-être que ce sont ses propres paroles, dont il se flatte, dont il se grise, qui le font jubiler ainsi démesurément ? "Ah, tressaille-t-il d'aise, comme je vais bien en profiter ! J'ai rempli d'or ma vieille besace de marin, et je vais le répandre largement sur toi, sur tes filles et toutes vos délicieuses pareilles. Plus ça va, et plus je suis persuadé qu'il faut savoir faire ses propres affaires pour mener correctement celle des autres ! Notre époque n'a pas besoin d'idéalistes naïfs, comme Démosthénês et Hypereïdês, mais d'égoïstes comme moi, et comme toi aussi, tellement forcenés qu'ils étendent les bienfaits de leur égoïsme aux autres !"

J'indique d'un battement des paupières à mes servantes de presser un peu l'allure, parce que Démadês me fatigue avec son bavardage. Pourtant je me dis que, dans son cynisme même, ce mélange étonnant de vulgarité sarcastique et de finesse psychologique, il est revigorant. D'ailleurs, s'il a vraiment autant de crédit qu'il le prétend auprès des nouveaux maîtres macédôniens, il pourra m'être utile. Jamais ces Athéniens ne m'ont paru plus intensément vivants que depuis que leur cité est sur le point de mourir. Je note aussi une ressemblance secrète entre Démadês, l'orateur grimaçant qui a su parler avec Philippos pour sauver sa cité, et Léôkratês, l'armateur hypocrite qui a préféré l'abandonner. Un état d'esprit qui caractériserait bien mon époque, un individualisme revendiqué mais se cherchant encore, d'autant plus hâtif, brutal, frénétique. Tous deux me permettent, par comparaison, de comprendre ce qu'il peut y avoir de noble, malgré son épaisseur, dans la personnalité d'Hypereïdês. De précieux et de fragile, malgré ses excès. Je vois bien que ses deux adversaires ont beaucoup mieux compris que lui l'évolution du monde moderne et qu'ils sont du côté des vainqueurs. Je n'ai pourtant aucune envie de laisser ces chiens serviles poser leurs pattes sur moi, tandis que lui, le Sanglier, j'ai de plus en plus envie de le prendre dans mes bras, en Artémis compatissante, pour panser ses blessures, le consoler, le protéger, le sauver de lui-même. C'est étrange : plus je vieillis, plus je répugne à être considérée comme la victime des gagnants, mais plus aussi je me sens, spontanément, du côté des perdants. L'ancien marin continue à se gargariser de son triomphe tandis que mes petites servantes, soulagées, font jaillir ses inépuisables jets de sperme.

Le lendemain, le Conseil n'en croit pas ses oreilles. S'agit-il d'une ruse, comme le prétend Hypereïdês qui n'accorde toujours aucune confiance au trop rusé Philippos, ou d'un calcul politique ? Le vainqueur de Khaïrôneïa a-t-il été effrayé par la mobilisation générale des Athéniens, qui lui promet un siège éprouvant ? Démadês, pour emporter l'adhésion, annonce que le roi, dans sa volonté de prouver sa bonne foi, va envoyer son propre fils, Alexandros, à la tête de la délégation chargée de rendre solennellement à la cité les ossements de ses morts. Cette marque d'honneur fait pencher la balance. On accepte sans plus hésiter les conditions si clémentes du vainqueur. On consent avec empressement, et presque avec plaisir, à laisser Thêbaï être seule accablée. On pousse le lâche soulagement jusqu'à accorder la citoyenneté d'honneur à Philippos et à son fils, ainsi que le titre de "proxène", d'hôte de marque, à tous ses généraux et à tous les membres de la délégation. On dit que le vieil Isokratês qui, approchant de ses cent ans, n'est plus qu'un fantôme, réunit ses dernières forces pour écrire à Philippos la plus émouvante et la plus pompeuse de ses lettres ouvertes, dans laquelle il le remerciera de lui permettre de voir au moment de mourir se réaliser le rêve de toute sa vie, l'union des Grecs contre la Perse. Le parti de la paix triomphe. Euboulos, le représentant des milieux d'affaires, Aïskhinês l'orateur, Phôkiôn le général pacifiste, sont les maîtres de l'assemblée, ainsi que le matelot Démadês, à qui son intervention auprès de Philippos dans le camp de prisonniers de Khaïrôneïa, qu'il raconte au début de chaque banquet avec encore plus de détails qu'à moi, vaut un immense prestige. L'esprit de résistance des combattants de Marathôn, qui avait soulevé la ville quelques jours, retombe aussi vite qu'il s'était levé.

Hypereïdês, accablé par la démission de ses concitoyens, me raconte les séances de l'assemblée avec dégoût. Moi, je me sens encore plus inquiète que lui. Dès que j'ai appris qu'Alexandros devait venir en personne à Athênaï, j'ai pensé à la ruse du cavalier blond s'introduisant dans Thespiaï sous le prétexte d'une réconciliation. Lorsque ce jeune guerrier brutal se sera fait ouvrir les portes de cette cité que son père n'aurait réussi à prendre qu'après un long siège, que va-t-il faire, sinon se répandre dans les rues avec ses compagnons et massacrer tous les habitants désarmés, comme les Thébains dans Thespiaï, et comme dans Iliôn les guerriers achéens chantés par le Vieux Poète ? J'essaie de prévenir Hypereïdês et mes autres amis, ils m'écoutent avec patience, et lui avec compassion pour le drame ancien que j'ai vécu, mais aucun ne m'entend. Mon expérience, mon instinct, la voix intérieure de ma déesse, tout me prévient de la catastrophe imminente. Je suis la troyenne Kassandra, je vois l'avenir, je le dis à voix haute, et l'on me rit au nez ! C'est l'une des expériences les plus douloureuses de ma vie.

Et l'une des plus vaines. Encore une fois, je me trompe complètement. Philippos est beaucoup plus profond que moi, et que les Thébains obtus, qui n'ont jamais su résister à la tentation de ravager les cités de leurs voisins. Lui au contraire sait honorer ses promesses, même les plus improbables, tant qu'elles s'accordent avec ses intérêts à long terme. La réception d'Alexandros est un triomphe de réconciliation sirupeuse. Antipatros marche à ses côtés, pour lui apprendre à se conduire avec moins de fougue brutale que sur le champ de bataille. Les Athéniens se prennent d'ailleurs d'une passion sincère pour ce jeune prince si brillant, si digne déjà d'Homêros, malgré son jeune âge. Bien qu'ils aient été ses premières victimes, ils voient en lui un nouvel Akhilleus. De mon côté, je me tiens aussi éloignée de lui et des autres ambassadeurs que me le permettent mes obligations professionnelles de femme de plaisir, même si je me suis hâtée, dès que j'ai été rassurée, de faire revenir de Korinthos Pythônikê et mes autres protégées, pour qu'elles jouent leur rôle dans ces réjouissances publiques. Une nuit, tandis que l'on chante des poèmes en l'honneur du fils du Roi dans la grande salle de réception du prytanée, je parviens à attirer chez moi l'un des officiers d'Alexandros et à le faire assez boire pour qu'il me révèle la vérité sur ce que pensent son maître et Antipatros des Athéniens : une masse d'imbéciles prétentieux, guidée par une poignée de bavards dangereux, dont Démosthénês et Hypereïdês, que leur cité devrait bien livrer à Philippos, afin qu'il leur apprenne définitivement à se taire. Seuls deux d'entre eux sont à extirper du lot, qui parviennent à la

raison par des chemins opposés : Démadês le matelot, par celui de
la malhonnêteté et Phôkiôn le général, par celui de l'incorruptibi-
lité. Tous les autres, on les flatte aujourd'hui, mais on les fouettera
demain, s'ils n'obéissent pas bien.

Après cette conversation, je me méfie plus que jamais des Macédôniens. Pourtant, quelques jours plus tard, c'est d'eux que me
vient la nouvelle que je n'attendais plus. Celle qui peux mettre un
terme à mon errance, en me permettant enfin de boucler la boucle.

60

NUIT DE DEUIL

L'une des premières décisions que prend Philippos, après la fin des négociations de paix, est d'ordonner la restauration des trois villes martyres de Béôtie, Plataïa, Orkhoménos, et Thespiaï. Évidemment, ces trois cités détruites par Thêbaï, il veut les faire reconstruire afin qu'elles surveillent pour son compte leur ennemie mortelle. Ce qui n'est de sa part qu'un calcul politique représente pour moi la possibilité miraculeuse de ressusciter le passé. Je vais pouvoir pénétrer de nouveau dans la ville morte mais, cette fois-ci, j'obliquerai vers la gauche. Je m'avancerai dans le quartier du vieux temple d'Aphrodîté Mélaïna jusqu'au seuil de la maison de mon père, que je n'ai pas revue depuis notre fuite désespérée le jour du massacre. Je restaurerai cette demeure et la ville entière autour d'elle. Je consacrerai à ce devoir sacré ma fortune et la fin de ma vie. J'édifierai à mes disparus une tombe digne d'eux. Depuis la nouvelle de la décision de Philippos, je me sens envahie de sentiments incroyablement complexes et puissants : une tristesse infinie, une allégresse folle, la conscience d'une libération et celle d'un gâchis irrémédiable, qui m'illuminent et m'obscurcissent en même temps. La fierté de ma réussite inespérée, qui me permet d'envisager de restaurer ce qui a été détruit. Le deuil, la joie, oui, la joie ! Et l'orgueil d'être assez forte pour traverser tout cela !

J'organise mon départ dans une irrépressible frénésie.

La veille du jour fixé, je me rends à une dernière fête chez Hypereïdês : le repas funèbre qu'il donne à ses amis pour prolonger la cérémonie officielle en l'honneur des soldats tombés à Khaïrôneïa. Leur compagnon d'armes, Démosthénès, miraculeusement rescapé du désastre, en a prononcé le jour même l'éloge, dans un discours dont on me dit qu'il fut particulièrement émouvant. Je suis tellement investie du souvenir de mes propres morts de Thespiaï que je n'ai d'abord aucune envie d'assister à ce banquet mais Hypereïdês insiste tant que je finis par céder. Dès le début, je bois plus que de raison. J'oublie presque délibérément mes devoirs d'hétaïre et les vieux conseils de Nikarétê : alors que je suis désormais la directrice de l'école, je me conduis avec la légèreté d'une élève débutante. Oui, c'est comme si j'avais de nouveau seize ans, comme si, trente ans après, ce dernier banquet était mon premier. Je me sens dans un tel état d'étrange exaltation, à la fois vitale et lugubre, que je n'ai pas envie d'être raisonnable ! Je sais que, ce soir-là, je dis adieu à Athênaï. Après avoir participé au mouvement de résistance lancé fugacement par Hypereïdês, après m'en être enfin montrée digne, je m'apprête à la quitter pour toujours.

Dans ce banquet, on ne parle que de Khaïrôneïa. La terrible déroute, dont on commence à connaître le déroulement grâce aux récits successifs des fuyards qui sont revenus les uns après les autres, mes amis Athéniens sont en train de la transformer en quasi-victoire. Oh, je devrais bien le leur pardonner, surtout en ce jour de deuil national, mais je me sens tellement isolée, seule à garder le souvenir d'un désastre plus ancien mais encore plus total et plus vain ! Alors, tout en buvant avec une exaspération croissante, je les écoute analyser la situation des différents corps d'armée, comme s'ils étaient tous des tacticiens professionnels, je les regarde disposer pour les besoins de leur démonstration les coupes de vin et les paniers de galettes sur les tables basses du banquet : là, les Athéniens, placés à la gauche du front face aux terribles lanciers de Philippos, au centre le contingent allié plus faiblement armé, et ici, à droite, les Thébains, face à la cavalerie du tout jeune et inexpérimenté Alexandros. Puis ils se racontent les uns aux autres le début de l'engagement, même lorsqu'ils ne l'ont pas vécu eux-mêmes. Leurs hoplites qui résistent à l'assaut des phalangistes, et qui, après l'avoir brisé, commencent à avancer, pour poursuivre les ennemis. "À ce moment-là, s'exclament mes hôtes, qui parlent tous en même temps dans une cacophonie unanime, nous aurions pu gagner, si les Thébains nous avaient suivis ! Oui, nous, les Athéniens, nous nous étions créé par notre audace l'occasion de renverser le cours de l'histoire mais les Thébains, par leur bêtise et leur discipline, en restant en place, ont laissé le temps à Alexandros dans une charge désespérée d'interposer sa cavalerie entre les deux corps d'armée ! Et les phalangistes, plus nombreux que nous, ont pu retrouver leurs esprits pour se lancer de nouveau à l'attaque dans les marais, où l'élan courageux de nos troupes est venu se perdre ! La défaite a été causée par cet instant d'hésitation de nos trop prudents alliés, qui n'ont pas su saisir la chance quand elle se présentait ! Si leur cité y a laissé sa peau, concluent mes amis, eh bien, c'est de leur faute, finalement, ils n'ont eu que ce qu'ils méritaient !"

Moi, l'hétaïre distante, j'écoute d'ordinaire en les approuvant poliment ces propos mille fois repris par mes amis athéniens, dont je comprends bien qu'ils ont pour but de les rassurer sur eux-mêmes. Pourtant, ce soir-là, mon dernier soir avec eux, ils me ramènent à un autre récit d'une autre bataille, celui qu'a fait autrefois mon père des événements de Leuktra, dans la grande salle de sa maison de Thespiaï, où je m'apprête, grâce aux Macédôniens, à retourner. Je frissonne, prise soudain dans cette émotion ancienne que je peux désormais laisser remonter librement à ma mémoire. Je me souviens de l'énergie prophétique d'Epiklês, de cet instant de lucidité désespérée qui l'a saisi au moment où, se hissant au-dessus de lui-même pour se mettre à la place des chefs ennemis, il a compris leur stratégie géniale mais n'a rien pu faire pour empêcher la débâcle. Alors, moi, qui ai toujours refusé de m'intéresser à la guerre, je sors soudain à mon tour de moi-même, et j'assiste la bataille qu'ils me racontent ! Oui, transportée, je la saisis de l'intérieur, je la ressens !

Et ce que je devine, ce que je dis, ce que je ne peux m'empêcher de dire, femme-prophétesse, Kassandra amère ivre de sa lucidité, c'est que les généraux athéniens ne sont pas sur le point d'emporter la victoire sans les Thébains mais, au contraire, qu'ils précipitent toute l'armée alliée dans la défaite. Encore une fois, comme face aux navires des îles révoltées, dans le combat naval que m'a raconté Mausôlos à la cour d'Halikarnassos, ce crétin de Kharês, aussi téméraire sur terre qu'il l'a été sur mer, veut forcer à lui tout seul la décision. Les lanciers de Philippos ne fuient pas, ils font seulement semblant, et lui, il tombe dans leur piège la tête la première, comme un débutant, comme un jeune homme trop impétueux, comme un animal stupide que le chasseur attire vers la mort. Ivre de gloire, il se rue à leur poursuite, ouvrant une brèche fatale dans le front allié à la jonction entre ses troupes qui rompent leurs rangs et celles des Thébains, qui, plus disciplinées, restent en place, à l'endroit où ne se trouvent que des troupes auxiliaires légèrement armées. Comme s'il n'attendait que cela (et en réalité, je le perçois maintenant, il n'attend que cela), le jeune Alexandros s'y engouffre, se propulsant en avant à la tête de sa cavalerie comme une lance qui vient se ficher avec précision dans l'espace fragile du cou entre l'armure et le casque pour le transpercer de part en part. Avec une impétuosité aussi folle que celle des Athéniens mais calculée, mais raisonnée, en une seule charge irrésistible il assure le succès de la tactique de son père : séparer définitivement les Athéniens des Thébains. Bien sûr, ceux-ci pourraient encore renverser le cours de la bataille, par un coup d'audace répondant au sien, en se ruant au secours de leurs alliés indisciplinés pour rester au contact avec eux et prendre les cavaliers eux aussi en tenaille. Mais les Thébains, qui n'ont plus depuis la mort d'Epameïnôndas de général assez lucide pour deviner la stratégie des ennemis et y répondre sur-le-champ, ne veulent pas tout risquer pour sauver la mise à ces imbéciles d'Athéniens. Avec morgue, ils restent solidement à leur place. Alors, dès qu'il constate que la première partie de son plan a réussi, Philippos donne l'ordre à ses phalangistes de cesser leur fausse retraite. Dans une discipline parfaite, ceux-ci, faisant volte-face, abaissant de nouveau leurs sarisses, repassent à l'attaque, et brisent presque facilement l'assaut de Kharês et ses imprudents hoplites. Les Athéniens se rendent par milliers, piteusement, pour éviter d'être massacrés, d'être broyés entre l'enclume de la phalange et le marteau de la cavalerie, qui se referment non pas sur leur courage mais sur leur naïveté. Alors Alexandros et la moitié de ses cavaliers se retrouvent face au Bataillon Sacré. Oh, ceux-là ne vont pas fuir, non ! On ne le leur a pas appris, même par intelligence, même pour mettre fin à un combat mal engagé. Héroïques et stupides, ils ne céderont pas un pouce de terrain. Pas un sur les trois cents ne reculera, pas un ne tournera même le dos, pas un ne restera debout. Dans un petit moment, deux cent soixante-dix seront morts, et les trente restants si grièvement blessés qu'ils ne pourront plus se relever pour combattre encore, mais tous seront tombés le visage face à l'ennemi. Et je sais déjà qui sera le dernier à s'écrouler. L'officier blond comme le courage, blond comme la violence, le cavalier à la cicatrice, celui qui, jeune homme, m'a déflorée, celui qui depuis porte ma bague à son doigt, celui qui tombe sans une pensée pour moi. Ma bague, je la lui laisse. Je veux bien qu'il soit enterré avec elle. Je veux bien être séparée définitivement d'elle dans ce frisson délicieux de haine que j'éprouve rétrospectivement à le regarder mourir. À m'approcher assez de lui pour recueillir avec volupté son dernier souffle. Je m'en nourris. Déesse lucide de rage.

Et puis je reprends de la hauteur, je plane au-dessus de la citadelle de Khaïrôneïa, d'où je contemple toute la plaine, et je vois que les trois cents guerriers-amants ont scellé par leur sacrifice de brutes obstinées, de taureaux stupides, le sort non seulement de cette bataille mais aussi celui de leur cité. Philippos et son fils, après que l'un a fait éclater l'armée athénienne comme une vulgaire cruche de terre cuite, après que l'autre a piétiné sous les sabots de ses chevaux l'invincible Bataillon Sacré, se retrouvent tous les deux unis face au reste de l'armée thébaine. Mais cette fois-ci, à la différence du matin, ce sont les Macédôniens qui sont deux fois plus nombreux ! Les fantassins thébains, même après avoir vu leurs soldats d'élite massacrés sous leurs yeux, ne fuient pas, pour ne surtout pas ressembler à ces lâches d'Athéniens. Alors ils sont eux aussi massacrés, en un instant qui dure de longues heures de résistance acharnée. Plus de la moitié d'entre eux, plus de six mille hommes jeunes et courageux, gisent maintenant sur le champ de bataille. C'est un désastre total pour Thêbaï. Aussi mortel que celui qu'elle a infligé vingt ans plus tôt à Lakédaïmôn dans la plaine de Leuktra. Et moi, je vois tout ! Oui, je vois que la boucle du destin est serrée autour du poitrail de Thêbaï, comme d'un de ces taureaux de la plaine d'Eridza, marqués sur le front du signe de la déesse !

Et c'est pourquoi, foudroyée par ma révélation, je reste la bouche ouverte, sans parvenir à articuler la conclusion de mon récit. Se peut-il que, fidèle aux leçons de mon père, alors que je ne suis qu'une simple et futile hétaïre, j'ai osé prendre la parole devant tous ces guerriers et ces orateurs réunis pour leur expliquer la guerre ? Comment pourraient-ils m'entendre ? Après le sentiment de panique qui les a habités à l'annonce de la catastrophe, après les mesures énergiques que certains d'entre eux, dont Hypereïdês, ont réussi à imposer à leur cité, comment pourraient-ils accepter simplement la vérité et affronter ce sentiment nouveau, bien pire encore que tout ce qu'ils ont traversé jusqu'ici : l'humiliation ? Philippos et Alexandros ont réalisé exactement le plan qu'ils avaient prévu et qui était fondé sur le manque de communication entre Thébains et Athéniens, sur le fait que l'alliance entre les deux anciens ennemis séculaires était si peu solide que chacun d'entre eux chercherait à gagner la bataille à lui seul. Mais dans ces deux corps d'armée mal unis, c'est celui des Athéniens que Philippos a identifié comme le plus faible, le plus irréfléchi, celui qu'on arriverait le plus facilement à manœuvrer. Ce que les Athéniens refusent de voir dans mon récit de prophétesse, c'est que Philippos a tablé sur la médiocrité athénienne et qu'il a eu raison.

Une autre preuve m'aveugle soudain du peu d'estime dans lequel les rudes Macédôniens tiennent Athênaï et je ne peux m'empêcher de la dire à voix haute, dans cette ivresse de destruction qui me possède : j'ai entendu dire que, lorsque les alliés de Lébadeïa sont venus réclamer les corps des guerriers morts, Philippos a refusé de les leur rendre. Non pas parce qu'il passait son temps à se saouler en barbare bestial, comme Démadês le raconte complaisamment, mais parce qu'il réglait avec ses conseillers les conséquences effectives de la bataille. Il était trop occupé à fixer le sort de la principale vaincue, Thêbaï, pour perdre son temps avec les Athéniens morts. Et Alexandros, le fils encore plus brutal que le père ? Lui, il était tellement rempli d'admiration pour les amants du Bataillon Sacré, qui avaient préféré se faire tuer sur place plutôt que lui céder un seul pouce de terrain, qu'il s'est occupé en personne, dit-on, de leur faire creuser une tombe commune, où leurs presque trois cents cadavres ont été pieusement déposés, en armes, épaule contre épaule, comme au combat, afin de s'appuyer l'un sur l'autre dans la mort comme dans la vie. Et il a juré de faire édifier au-dessus de leurs têtes un monument à leur gloire, un lion qui veillerait sur eux pour l'éternité. Les Macédôniens rendent hommage au courage, pas à l'orgueil, ni à la lâcheté. S'ils brisent Thêbaï, c'est par respect, s'ils épargnent Athênaï, c'est par mépris. Ils craignent encore la première – la cité dans laquelle le jeune Philippos otage est venu apprendre la guerre – au moment même où ils la tuent. La seconde, la bavarde, ils peuvent se permettre de la laisser vivre.

Ce raisonnement-là, je peux me le tenir, en tant qu'étrangère, mais j'aurais dû le garder pour moi. Même mon ami Hypereïdês, qui se dit prêt à accepter les idées les plus paradoxales, tant il se targue d'être un homme d'action philosophe, capable virilement de regarder la réalité nue, ne peut l'entendre. Il m'en veut sûrement à mort de lui ouvrir les yeux sur le déclin de sa cité. D'ailleurs, je souffre moi-même de l'humiliation de ce peuple, qui est devenu le mien dans le désastre bien plus que dans les succès futiles de ma jeunesse. Dès que ce récit douloureux est sorti de ma bouche, dès que ses aspérités et ses sarcasmes ont fini de déchirer ma propre gorge, je regrette de ne pas m'être tue.

Alors, en plein milieu d'une phrase, dans un silence lourd, je me tais.

Dégrisée.

Devant moi une autre vision se lève alors, aussi sombre et désolée qu'était éblouissante celle des deux armées rangées au pied de la citadelle de Khaïrôneïa, le matin radieux de la bataille. Les ruines de ma vie. La vérité, ce monstre hideux de la vérité, cette grimace pétrifiante de Méduse, que je viens de placer avec férocité sous les yeux de mes amis athéniens, suis-je capable à mon tour de l'affronter en face, lorsqu'il ne s'agit plus de l'avenir de leur cité mais de mon propre destin individuel ? Cette allégresse triste qui me possède au moment de m'en aller reconstruire Thespiaï, ce sentiment de revanche cruelle contre Thêbaï, ne sont-ils pas des illusions consolantes, au même titre que l'amour-propre qu'éprouvent les Athéniens à se mentir sur Khaïrôneïa ? La boucle est-elle vraiment bouclée, comme je tente de m'en persuader ? Bien sûr, Thêbaï est frappée en plein cœur, comme elle a frappé jadis ses ennemis, la grande Lakédaïmôn et la petite Thespiaï. Elle n'aura triomphé que trente ans, l'espace de ma génération. Et tout ce malheur, toute mon existence gâchée, pour quoi finalement ? Pour rien ! Thêbaï n'aura rien su faire de nos vies brisées, celles de mes hommes et la mienne. Du sang versé en pure perte. Alors puis-je me réjouir de son accablement ? Non, pas plus. Plus aucune joie, depuis cette vague qui m'a fugacement submergée à l'annonce de sa défaite. Faut-il que j'attende pour triompher vraiment, pour éprouver de nouveau un sentiment intense et durable de soulagement, le jour où l'on m'annoncerai que Thêbaï n'a pas été seulement vaincue, mais incendiée et rasée jusqu'au sol, comme Thespiaï avant elle ? Je sais bien, je l'ai appris dans ma chair, ce que voudrait dire cette destruction totale de la cité haïe : ses hommes égorgés, comme mon père et Phaïdros, ses femmes et ses filles violées et vendues, comme moi et comme Manthanê. Pourrais-je me réjouir alors ? Non, je le sais déjà, ma joie serait totale et absente. C'est maintenant seulement que les dieux, dans leur sagesse, m'offrent la vengeance : au moment où je ne la désire plus.

Alors la vérité, c'est que la boucle ne sera jamais bouclée. Que rien ne réparera jamais. Que Thespiaï ne pourra jamais être reconstruite.

Je reprends conscience de la réalité qui m'entoure, tandis que les voiles se referment sur mes visions. Je perçois les regards lourds d'indignation de mes amis, de ceux qui, l'instant d'avant, étaient mes amis. Je ne sais plus exactement ce que j'ai dit, mais c'était trop. Tout le monde se tait. Et puis Hypereïdês prend la parole. Lui qui a si souvent salué d'un éclat de rire complice mes provocations, mon plus vieux camarade, mon amant de toujours, celui qui m'a sauvé la vie lors de mon procès, là, il me tue. Il m'exécute sans pitié pour avoir dit la vérité. C'est lui qui m'a accueillie lors de mon premier banquet et c'est lui qui me chasse du dernier. Il m'ordonne d'une voix tranchante, celle dont il use à l'assemblée ou au tribunal pour donner le coup de grâce à ses ennemis, de quitter sa maison, et de n'y jamais reparaître. Il m'humilie devant tous ses invités, dont pas un ne parle en ma faveur. Il m'avait demandé de passer la nuit chez lui, si bien que je n'ai gardé avec moi aucun de mes gardes du corps, seulement Pythônikê, ma suivante préférée. Nous nous retrouvons toutes les deux dans la rue, sans même une torche, avec devant nous toute la ville obscure à traverser, dont le quartier chaud où traînent les voyous et les ivrognes. Après ce moment de quasi-transe pro-phétique, où l'exaspération éprouvée face à la bonne conscience et la forfanterie de mes amis m'a amenée jusqu'à la pleine conscience, je me sens vidée de mes forces. La seule chose qui me maintienne debout, c'est mon indignation contre Hypereïdês. Pourtant, dans le fond de mon cœur je ne suis même pas vraiment en colère contre lui. Il ne pouvait pas entendre ce que j'avais à lui dire et je sais très bien pourquoi : c'était une question de survie. Aveuglement vital. Jeune homme, il a réussi à se décentrer, à me suivre au moment de l'affaire de Kéôs, lorsque je lui ai raconté la guerre du point de vue de mon père et du point de vue des alliés, mais maintenant c'est trop tard, il est trop vieux, sa cité est trop malade, il est trop farouchement rivé à son patriotisme pour pouvoir écouter une voix différente. L'amour volontairement aveugle qu'il éprouve pour Athê-naï est son seul moyen d'éviter qu'autour de lui et en lui, tout ne s'écroule. Alors non, je ne lui en veux pas vraiment. Je mets quand même un bon quart d'heure à m'en convaincre et à renoncer à la perspective voluptueuse de le faire enlever chez lui par mon vieux Cerbère et ses assistants, pour lui arracher moi-même la langue dans un baiser de mort et jeter son cadavre au fond du port.

Tandis que Pythônikê palpite d'effroi sans oser rien dire, je recom-mence à raisonner. Je reconnais l'endroit de la ville plongée dans l'obscurité menaçante où nous nous retrouvons perdues, et j'aper-çois la solution : l'atelier de Praxitélês tout proche. J'ai délaissé le Sculpteur depuis plusieurs semaines mais je connais le gardien de nuit. Il m'ouvrira. Nous dormirons entre les statues, allongées sur un établi pour ne pas mourir asphyxiées dans la poussière de marbre, comme tous ces Athéniens dans leur bonne conscience. Je frappe à la porte. Et c'est Praxitélês lui-même qui vient m'ouvrir. Il a l'air aussi stupéfait et agité que moi. Il me dit : "Qu'est-ce que tu fais là ?" Je lui réponds : "Et toi ?" Alors il m'ouvre les bras. Et je m'y jette.

Lorsque nous nous sommes un peu calmés, il me déclare que ce n'est pas le hasard ni ma fantaisie qui m'envoient vers lui mais ma déesse. Après avoir jeté une couverture à Pythônikê et lui avoir désigné le lit de sangles où elle pourra se reposer, il me dit : "Viens, je veux te montrer quelque chose."

Du bloc de marbre émerge le corps d'une femme à genoux. Elle tient allongé sur elle de tout son long un jeune homme, qui a la tête renversée en arrière et les membres ballants. La femme, d'un geste de la main plein de tendresse, répand des fleurs sur les cheveux du jeune mort, et, de l'autre, saisissant le bord de sa tunique dans un geste qui dénude ses seins, elle essuie le sang maculant sa joue chérie. Le groupe n'est qu'ébauché, le visage de la femme à peine esquissé, et pourtant je n'ai jamais rien vu de plus beau. Je reconnais instantanément la scène : Aphroditê éplorée serrant contre elle son jeune amant, Adônis, que vient de tuer le sanglier envoyé par Artémis. Le seul détail achevé du visage, ce sont les larmes. Des larmes étranges, presque translucides à force d'avoir été polies. Des larmes qui roulent de ses yeux, pas encore peints par Nikias, mais aussi sur ses joues, sur ses épaules, sur son buste, sur ses bras et ses mains, sur tout son corps. Et je les reconnais, ces larmes étincelantes et profuses que la déesse laisse couler d'elle en accomplissant les gestes du deuil : ce sont celles de mon rêve d'Ekbatana, celles de mon voyage dans l'autre monde au fond de la caverne du Kaukasos. Mais, alors que mon récit lui avait dit la vie, le Sculpteur s'en est servi ici pour dire la mort. Il faut dire la mort avant de dire la vie. Il faut dire la mort, après la vie et avant aussi. La déesse amoureuse de Praxitélês, au lieu de fuir, comme elle le devrait, accepte de se souiller en prenant sur ses genoux le cadavre sanglant. Elle le lave et elle l'embellit pour lui rendre sa grâce. Au lieu de se centrer sur sa douleur, qui coule d'elle sans qu'elle s'en rende compte, elle l'oublie, en s'occupant une dernière fois du corps de l'homme qu'elle aime. Le geste ne nie pas les larmes, elles sont là, brillant dans l'obscurité, je les vois, mais il les fait passer au second plan. Dans ce geste qu'éclairent les larmes, il y a une telle douceur, une telle tendresse, une telle compassion, une telle générosité, un tel abandon de soi – l'amante se dépassant dans le geste maternel de laver le corps de son amant – qu'elle me fait oublier instantanément la scène pénible vécue chez Hypereïdês. Elle me transporte et me dépose dans un endroit très secret de moi, un endroit que je découvre encore et où je ne suis capable d'entrer que ces tout derniers jours. Cette femme, c'est moi, enfin capable de prendre dans mes bras et de laver le corps de Phaïdros. Et c'est moi aussi enfin capable, en le comprenant, de retrouver le corps d'Attis, et de l'orner une dernière fois, avant de le remettre à la mort qui me le prend. Et même Gorgidas, le Thébain, le violeur, le brutal, je le prends dans mes bras comme les autres, je le pare, je lui pardonne souverainement et me débarrasse de lui. Cette femme, c'est moi qui vais reconstruire la ville morte de Thespiaï, non pas comme un mausolée à mes morts anciens, oh non, mais comme une ville nouvelle, où d'autres Phaïdros aimeront d'autres Mnasaréta. Et ce n'est pas seulement moi, ce sont aussi toutes mes sœurs d'infortune, les femmes d'Athênaï prenant dans leurs bras le corps des guerriers morts à Khaïrôneïa qu'elles ont enfantés et que les hommes ne leur rendent que sous la forme d'os et de cendres. Là, elles touchent le corps de leurs amants, de leurs fils, de leurs frères, de leurs pères, et elles le lavent avant de le remettre à la mort, elles lui accordent les soins féminins du deuil qui ne sont pas des mots ronflants, des mots sonores et creux, comme ceux qu'a prononcés Démosthénês lors de la cérémonie officielle du souvenir, mais des gestes doux et tendres d'embellissement. Aux corps suppliciés, elles ne peuvent rendre qu'un peu de beauté et de dignité humaines. Alors, passant par-dessus leur propre dégoût et leur propre souillure, elles font ces gestes. Ne serait-ce qu'enrouler des fleurs autour des lécythes de cendre. Oui, c'est Athênaï, la cité femme qui enterre ses morts, et c'est moi, la Thespienne qui honore enfin les miens. Tout cela, je le comprends en un étourdissement. Ce n'est pas la destruction de Thêbaï qui pourra me venger de la destruction de Thespiaï et m'en libérer mais c'est de tenir enfin contre moi pour un instant le corps absent de mes morts. Et puis, dans une première et ultime caresse, de les laisser aller. La déesse n'est pas seulement éplorée, pas seulement pathétique, mais souverainement absente, et cette absence, contre laquelle j'ai tant lutté, elle est nécessaire, car la déesse prend sur elle pour laisser aller le mort. Elle ne cherche plus à le retenir. Oh tout cela, je ne le comprends pas, je le ressens, devant le groupe à peine ébauché de Praxitélês. Comment a-t-il fait ça ? Pendant que ses concitoyens étaient réunis dans le grand cimetière autour du cénotaphe de Khaïrôneïa, seul dans son atelier déserté même par les plus fidèles de ses assistants, comment a-t-il su aller jusque-là ? Comment, alors que je l'ai négligé tout ce temps, réussit-il à me faire atteindre à ça, ça qui est si bien caché au fond de moi et que je cherche si douloureusement depuis tant de jours ?

Je l'entends qui dit : "Ne bouge pas, surtout ne bouge pas !" Et je sais ce qu'il est en train de faire : de modeler dans la glaise le visage d'Aphroditê, tout ce qui restait ébauché autour de ses larmes, ses tempes battantes, ses narines pincées, le frémissement de ses lèvres au bord du sanglot, à partir du mien qui la regarde et qui saisit enfin tout ce qu'elle éprouve. Je me souviens de la première fois où j'ai assisté à ce rituel des Adônia, où j'ai été choquée par ce déferlement de cris et de gestes de deuil, où je m'en suis moquée, et cette nuit, je n'ai même pas besoin de crier, même pas besoin de faire un geste pour tout ressentir. Ça crie à l'intérieur de moi. Ça pleure à l'intérieur de moi. Ça se délie et se dénoue à l'intérieur de moi. Ça fait le geste de deuil à l'intérieur de moi. Ça accepte enfin la mort à l'intérieur de moi. Ça la traverse et la dépasse, à l'intérieur de moi.

Je plonge dans ma contemplation et je fais l'effort de rester sur le bord, à offrir mon visage au Sculpteur.

Je reste sans bouger, tout le temps qu'il faut, pour lui et pour mes morts.

Enfin Praxitélês vient me libérer. Il me prend dans ses bras et c'est lui qui me berce et me caresse.

L'Aphroditê en larmes couronnant de fleurs Adônis mort, je sais déjà que c'est son vrai chef-d'œuvre, à côté de l'*Erôs aux ailes déployées*, au-dessus de cette *Aphroditê nue* que les foules traversent la mer pour venir admirer à Knidos. Même moi, malgré la tendresse que j'éprouve pour lui, j'en étais venue à considérer qu'il était sur le déclin, et voilà qu'il me prouve le contraire, d'une façon sublime. Car ici le Sculpteur ne se soucie même plus d'être audacieux en transgressant les codes artistiques. Encore plus radicalement, il les oublie, pour répondre à sa manière d'artiste au désastre de Khaïrôneïa, dans lequel sa cité a failli mourir tout entière mais dont elle rêve encore de se relever. Il atteint à l'universel et, en même temps, il touche à mon désastre intime et à mon triomphe. Cette femme tenant ce jeune mort dans ses bras, elle a les formes même de notre impalpable compassion.

Oui, le sculpteur me délivre. Il m'embrasse, il me caresse les cheveux, il dénoue ma ceinture, comme celle d'une vierge. Il m'étend doucement sur son établi, il me fait l'amour avec ce qui lui reste de force, et je n'ai jamais rien ressenti de plus puissant depuis notre nuit dans le sanctuaire de Knidos. Je ne crie pas de plaisir, j'en pleure, je fonds en larmes autour de son sexe dur jusqu'à ce qu'il ne reste plus rien de moi à l'intérieur, plus rien de mon exaspération ni de ma détresse, seulement la puissance de la femme déesse capable de reconstruire sa cité, pas la cité ancienne mais une cité nouvelle, et la vie à elle toute seule. Je garde assez de générosité pour serrer ma vulve autour de sa verge et le faire jouir lui aussi avant qu'il ne débande, lui, l'artiste assez puissant pour tailler les arêtes coupantes du pathos et les transformer en courbes divinement polies, mais qui n'est plus qu'un homme prématurément vieilli, déjà trop fatigué pour chevaucher longtemps une femme.

Et le lendemain je quitte Athênaï.

Pour toujours.

61

L'ŒUVRE DE PAIX

Avant de m'avancer dans les ruines de Thespiaï, j'éprouve le besoin de m'arrêter dans le sanctuaire d'Hêraklês, que les Thébains ne nous interdisent plus. La statue du dieu barbu, qui me rappelait l'instructeur de mon père dans le récit de sa jeunesse, gît sur le sol, brisée en plusieurs morceaux. Aidée de mes serviteurs, je redresse le buste. Je passe mes mains avec un frisson sur ce rude visage de marbre, abîmé en plusieurs endroits, et dont la peinture crue est presque entièrement écaillée. Je ne l'ai jamais vu de si près. Outre ses meurtrissures, il m'émeut par la gaucherie de sa facture.

Puis ce sont mes premiers pas dans la cité morte.

J'entre par la Porte de la Plaine, béante. Je sais déjà que le poste de garnison, en face des décombres de la palestre, est le seul édifice encore debout, parce qu'il a été occupé jusqu'aux récents événements par les soldats de Thêbaï, après ceux de Lakédaïmôn. Bientôt, ceux de Macédoine prendront leur place. Et ceux de qui ensuite ? Ceux du Grand Roi de Perse ? D'un autre royaume inconnu ? Peu importe. Je les laisserai faire. Ils ne me concernent pas. Ils n'ont pas de pouvoir sur moi. Je suis la représentante de la déesse souple capable de supporter n'importe quel pouvoir humain.

C'est le silence.

Dès que je dépasse la place, au lieu du fracas des souvenirs sanglants que j'attendais, je suis cernée, comme la première fois où je l'ai traversée sous la conduite du cavalier thébain, par les crissements du silence. Pas seulement ceux des cigales mais aussi ceux des ronces dans les ruines de pierre. Ceux des dards du soleil sur les poutres noircies par l'incendie oublié. Ceux des fleurs. Partout les fleurs. Jaunes. Jeunes. Leur parfum poudreux et suffocant. Les lézards. Les serpents. La paix. La vie. La vie dense et vide. Vide de présence humaine. La vie qui me déchire de son vide. Je voudrais me souvenir toujours de cette densité implacable de la paix avant de réinstaurer l'agitation fébrile de la ville humaine.

Au sommet des marches du temple d'Aphroditê Mélaïna, plusieurs serpents gris. Ils m'attendent. Ils m'escortent. Coup au cœur : au milieu du naos, dans l'ombre de son toit à demi écroulé, entre les poutres et les gravats, elle est toujours là, miraculeusement. La statue de la Déesse Noire. Faite de bois sombre, elle était sûrement trop modeste pour avoir intéressé les pillards. Elle m'adresse, en me regardant approcher, le même sourire énigmatique qu'à la petite Mnasaréta et à sa prêtresse Manthanê. Maintenant, j'ai l'âge d'être la femme savante amenant la gamine d'autrefois à se prosterner devant la déesse, qui lui avait donné sa beauté et qui la jetterait bientôt sur le rivage hostile du monde. Je me souviens des avertissements de ma nourrice que je ne comprenais pas mais qui m'effrayaient déjà. Je tombe à genoux. Le front contre le sol. Abandonnée. Acceptant.

Les pans de murs des maisons de nos voisins. Je crois soudain reconnaître leurs voix. Je m'arrête en pleine canicule, dans la lumière brutale, je reste un long moment à plisser les yeux, cherchant à prolonger délibérément l'hallucination, pour voir leurs ombres se couler entre les ruines, mais je n'y parviens pas. Je suis happée de nouveau par l'absence. Si le soleil me brûle la nuque, si la touffeur m'empêche d'avancer, c'est parce que j'ai peur d'atteindre la demeure de mon père. J'y arrive pourtant. Il n'en reste rien. Mes deux ennemis, Thêbaï et le temps, se sont acharnés sur elle. Je marche à travers ce qui n'est plus que le plan du vestibule, du péristyle, de la grande salle. Je parviens jusque dans le jardin et je ne me suis souvenue de rien. Cette maison, dont je rêve depuis plus de trente ans, elle n'existe plus, même dans ma mémoire. Néant d'émotion. Aucune tristesse, aucune larme, rien d'humain dans mon cœur. Je marche, à l'extérieur de ma tête comme à l'intérieur, dans du vide. En quelques pas, je fais le tour de ce qui devait être le petit jardin de derrière, réservé aux femmes, où j'ai répété tant d'après-midi, sous un soleil aussi ardent que celui d'aujourd'hui, la chorégraphie du dieu. Tout est beaucoup plus étroit que ce que j'imaginais et dont je croyais avoir gardé le souvenir. Même les dimensions se racornissent, avant de se volatiliser, sous le feu du réel. J'enjambe, sans même avoir besoin de retrousser ma tunique, le mur de clôture qu'il nous a fallu escalader péniblement le matin de notre fuite, avec mon père, Phaïdros, Aram, ma belle-mère et les derniers serviteurs de notre maison. Je longe le rempart, encore à moitié debout de ce côté-ci de l'enceinte, j'aperçois un brusque écroulement, je le traverse, je me retrouve dans ce qui devait être le cimetière, en face de notre maison, là où le jeune Phaïdros venait jouer de la lyre, en chantant assez fort pour que je comprenne que ses mots d'amour s'adressaient à moi. Je fais un dernier effort pour tenter d'entendre cette voix à travers le voile opaque du souvenir, je concentre toute mon imagination pour essayer de faire surgir devant moi l'ombre mince du jeune homme amoureux. Son visage, dont j'ai perdu depuis longtemps le souvenir exact et dont je sais pourtant que je n'aurai la chance de le revoir, une dernière fois, que dans cette exaltation initiale du retour sur les lieux interdits. Je ne veux le retrouver que pour lui dire adieu, je le jure, je supplie ma déesse de me croire. Au moment où elle va m'exaucer peut-être et laisser revenir vers moi l'ombre du mort, je m'écroule. Mentês, le vieux Cerbère, m'a suivie jusqu'au bout dans cette interminable promenade à travers des ruines, aussi incompréhensible sûrement pour lui que celle qu'il a faite jadis avec moi dans le bordel du Peïraïeus, où je tentais de retrouver la trace de ma petite compagne Glykeïa. Il se précipite pour me relever mais il est obligé d'appeler à l'aide ses deux jeunes serviteurs.

J'ai l'impression qu'on me transporte en hâte dans ma chambre du sanctuaire d'Erôs. Je tremble de froid et de fièvre. Les morts que je n'ai pas réussi à faire revenir sous le soleil m'appellent. Je suis prête à les suivre dans leur obscurité. Mais Aâmet refuse de me laisser aller. Il faut toutes ses décoctions, ses impositions de main, ses formules incompréhensibles, ses vapeurs nauséeuses, pour m'empêcher de glisser hors de la vie. Au bout de plusieurs jours où elle lutte à ma place, je finis par céder et par me retrouver bien présente dans ma chambre. Elle m'explique que je n'ai pas encore fini mon œuvre de ce côté-ci. Puis elle se penche vers moi et me murmure : "Ne serait-ce pas dommage de t'en aller avant d'avoir vu la résurrection de ta cité ? Ensuite tu partiras, je te le jure, si tu en as envie, mais pas avant…"

Alors, comme le sculpteur qui, après toutes les esquisses préparatoires, place pour la première fois son ciseau sur le bloc de marbre qu'ont dégrossi pour lui ses assistants et lève son marteau, je me lance dans la réalisation de mon œuvre.

J'entame des négociations avec les autorités macédôniennes qui occupent la Kadmeïa, la citadelle de Thêbaï, et régentent toute la Béôtie. Elles me cèdent, en ma qualité de prêtresse du temple d'Erôs, et contre une contribution extraordinaire, le territoire entier de la cité, ainsi que le droit de le diviser en parcelles, ne m'imposant qu'une esquisse de garnison permanente.

Je prends contact avec Ménôn, l'adversaire mortel de mon père, qui s'était accaparé sous l'hégémonie thébaine toutes les propriétés des environs. Il n'est plus qu'un vieillard décrépit, brisé par le sort, dont il ne serait même pas voluptueux de me venger en le dépouillant à son tour. Il n'a pu empêcher, malgré sa prudence, ses deux fils et les cinq fils de ses fils, de lier leur sort à celui de leur cité protectrice et de mourir tous devant Khaïrôneïa. Son dernier acte d'homme et de chef de famille a consisté à racheter leurs cadavres à prix d'or. Depuis, il ne s'intéresse plus à rien, ni au pouvoir ni à l'argent. Livide, vidé de sa chair et de sa substance, il n'est déjà plus qu'un fantôme. Il accepte de me céder à un prix raisonnable la ferme de mon père, les chevaux, les chiens, les esclaves qu'elle contient.

D'autres familles remontent de Lébadeïa pour se réinstaller dans la cité morte. Je leur rends gracieusement leur ancienne propriété.

J'attire de nouveaux colons.

Je fais reconstruire en quelques mois, par un architecte d'Athênaï recommandé par Praxitélês, le temple d'Aphroditê Mélaïna, pour abriter la statue de bois, qui est la seule rescapée du désastre. Ainsi que la maison de mon père, dont je décuple les jardins. Je possède tout le quartier. Plus du tiers de la surface de la nouvelle ville.

J'y installe mon école d'hétaïres. J'y forme des jeunes filles que des rabatteurs m'achètent sur tous les marchés des îles. J'ai assoupli le système de Nikarétê : je les affranchis dès qu'elles débutent leur carrière mais elles me remboursent ma mise initiale en me versant une partie de leurs gains. Elles y trouvent leur intérêt, car je les place dans tous les hauts lieux du plaisir. Athênaï bien sûr, mais surtout Korinthos, dont Philippos envisage de faire la capitale de sa Ligue grecque. Et les cours d'Asie, tant la formation érotique de mes élèves est renommée.

Le sanctuaire d'Erôs, que dirige toujours Aâmet, abrite le thiase d'Isodaïtês, qui compte, certains jours de cérémonie, plusieurs milliers de fidèles.

Je suis plus riche que jamais. Je participe à la restauration du sanctuaire de Delphoï, que les Phôcidiens ont mis à sac. Je contribue largement aux derniers embellissements du grand temple d'Apollôn, que l'on finit de reconstruire sur une terrasse plus solide, depuis le tremblement de terre qui le détruisit de fond en comble plusieurs décennies auparavant, alors que j'étais encore une toute jeune fille. C'était, je le sais, quelques mois avant le sac de Thespiaï. C'est pourquoi je vois dans cet achèvement du temple panhellénique une correspondance secrète avec mon destin personnel. Je visite à plusieurs reprises le chantier au flanc de la montagne sacrée, offrant à chaque fois un don somptueux et étonnant les foules par ma piété. Je le fais moins pour le dieu à la lyre qu'en mémoire de mon père et de son jeune frère qui, eux aussi, autrefois, ont gravi cette pente, afin de prononcer, en joignant leurs mains autour de la pierre blanche de l'Ombilic, leur serment de libérer la Béotie en moins d'une olympiade.

Je donne également beaucoup d'argent pour la remise en état du temple d'Artémis à Antikyra et pour la reconstruction de la petite cité phôcidienne : je fais construire au-dessus de la source, à côté du cyprès, une colonnade ornée de statues, où les habitants pourront se protéger du soleil et se rafraîchir, depuis cette hauteur, à l'apaisant spectacle de leur ville ressuscitée. Je viens y bavarder avec Nikodôros, qui, ayant combattu à Khaïrôneïa du côté de son ancien ennemi, Philippos, est devenu l'un des principaux dirigeants de la collaboration avec la Macédoine. Assis au bord de notre fontaine, il me rappelle la confidence que je lui ai faite devant la porte interdite des ruines de Thespiaï, le soir où je lui ai juré que les cités détruites finissaient toujours par être reconstruites, si quelqu'un de fidèle parvenait à en garder vivant le souvenir. Ces quelques phrases, je les avais jetées au hasard, sans trop y croire, tellement j'étais accablée par son désespoir, et pourtant ce sont elles, me dit-il, qui l'ont maintenu en vie.

Un jour, enfin, un gamin fait timidement le tour du péristyle de la grande maison reconstruite de mon père, pour s'incliner devant moi, qui me trouve au milieu de mes femmes. Je l'ai regardé approcher, parce que, dans la palpitation de l'ombre et de la lumière sous la colonnade, il m'a semblé qu'il ressemblait un peu à Phaïdros. C'est un petit berger d'Askra, me dit-il, qui ose venir me déranger sur les conseils de sa mère. Alors qu'il menait ses chèvres vers les ruines de l'ancienne Tour Carrée, il a découvert l'entrée d'une grotte. Je devine le reste avant qu'il ne me le dise : l'éboulis, le serpent, la source, et, au fond de la cavité, dans la fraîcheur oppressante, les cinq lettres grecques du début de mon nom gravées sur le rocher.

Le cœur battant, j'accompagne le petit berger dans la montagne. Il me conduit tout droit vers l'entrée dérobée de l'antre que j'ai si long-temps cherchée en vain. J'ai presque le souffle coupé de retrouver ce lieu, dans ses moindres détails, le dessin des rochers en contrebas, leur blancheur aveuglante sous le soleil, puis l'obscurité, l'humidité glaciale, tel que je l'ai découvert un unique après-midi avec le petit compagnon de mon enfance, tel qu'il subsistait depuis quarante ans dans ma mémoire. La seule différence, c'est que je suis obligée de me courber, au fond de la cavité étroite, pour passer mon doigt sur les lettres mangées de mousse. J'ai oublié depuis si longtemps le visage de Phaïdros que je ne sais pas si ce gamin lui ressemble vrai-ment mais je me persuade qu'il m'a été envoyé pour me désigner la dernière tâche à accomplir avant d'avoir achevé mon œuvre de res-tauration. Je demande au petit berger de garder le secret et de gra-ver lui-même, sans rien en dire à quiconque, les quatre dernières lettres de mon nom. Tous les jours où il est occupé à sa tâche, je lui apporte à manger en personne, escortée seulement par le dernier de mes Cerbères, le vieux Mentês, qui me suit en grognant mais qui sait pactiser avec les serpents pour assurer notre protection. Lorsque le gamin a fini son travail, je le récompense si largement que sa famille devient l'une des plus enviées de la vallée. Puis je fais creuser un sentier à travers l'éboulis et placer devant l'entrée de la grotte, en souvenir de ma grand-mère, une statue d'une des trois Muses locales, Mnêmê, la Mémoire. Praxitélês, lorsqu'il apprend à qui cette œuvre modeste est destinée, confie le travail à l'un de ses praticiens les plus doués. On dit même qu'il en surveille l'exé-cution de près. Puis il vient me la remettre en personne. La grotte, bien qu'un peu éloignée du chemin, devient aussitôt l'une des sta-tions de la procession rituelle des Mousaïa, entre Thespiaï et le val-lon sacré, dont je me souviens que je l'ai accomplie pour la première fois, petite fille, sous la conduite de ma belle-mère Kallisthénia et de ma nourrice Manthanê. Je vais parfois m'y reposer, même si je n'y reste jamais longtemps, tant le froid et l'humidité qui règnent à l'intérieur de la cavité me glacent. Pourtant, de tous les travaux que j'ai entrepris depuis des années dans les montagnes de Béôtie et de Phôcide, la consécration de cet antre retiré est celui qui me remplit le plus d'orgueil et de force intérieure.

Bien que je ne me sois pas réconciliée avec Hypereïdês, j'ai régu-lièrement des nouvelles d'Athênaî par Nikarétê, lorsqu'elle monte à Thespiaï me rendre ses comptes. Dans la cité que mon ancien ami a empêchée de céder à la débâcle pendant les jours qui ont suivi Khaïrôneïa, certains lui reprochent maintenant ce sursaut d'orgueil dangereux. Un dénommé Aristogeïton, un médiocre sycophante à la solde des partisans de la Macédoine, lui a même intenté un procès à cause de son fameux décret de mobilisation générale, dans lequel, en promettant la liberté aux esclaves et la citoyenneté aux métèques, il avait osé transgresser plusieurs lois fondamentales. Alors Hypereïdês s'est redressé fièrement et, d'une voix tonnante, capable de faire trembler les murs du tribunal de l'Hêliaïa et de couvrir la rumeur de l'Agora toute proche, il a jeté à la figure d'Aristogeïton et de ses concitoyens quelques-unes de ces formules brillantes dont il a le secret : "Ces lois dont tu me parles, effectivement je ne les voyais plus ! Tu sais pourquoi ? Parce que l'ombre des sarisses macédôniennes me les cachait !" Et puis : "Ce n'est pas moi qui ai écrit ce décret, c'est la bataille de Khaïrôneïa elle-même !" Et enfin : "Dans ces jours de panique, où te cachais-tu, Aristogeïton ? Tu reproches à mon courage de ne pas avoir respecté la loi ? À toi, on ne peut rien reprocher, évidemment, puisque tu n'étais pas là !" En cette circonstance, les citoyens d'Athênaï montrent assez de reconnaissance à Hypereïdês pour ne pas même accorder un cinquième des voix à son accusateur, qui est privé de ses droits civiques et qui doit payer une lourde amende. Un peu plus tard, m'apprend encore Nikarétê, le roi Philippos demande à Athênaï de lui livrer son principal ennemi, Démosthénês. Alors Hypereïdês gravit d'un bond les quelques marches du rocher qui leur sert de tribune et il prononce un discours si brillant pour exhorter la cité à ne pas s'humilier elle-même en sacrifiant le plus généreux de ses défenseurs, qu'elle se souvient brusquement de sa gloire et qu'elle ose dire non à son vainqueur.

Oh, l'éloquence de mon ancien ami, je la connais bien ! C'est elle qui m'a sauvé la vie lors de mon procès, lorsqu'il a eu l'inspiration de dévoiler mon buste devant tous les juges, et c'est elle qui m'a assassinée lors de mon dernier banquet, au moment où j'ai osé contester la pieuse version officieuse de la bataille de Khaïrôneïa. Tandis que Nikarétê me raconte ces deux discours, je ne peux m'empêcher de sourire, en me disant que le vieux sanglier sait toujours donner de rudes coups de boutoir aux chiens qui cherchent à le mordre. Oui, bien que l'orateur et moi, nous nous soyons quittés mortellement brouillés, j'éprouve de la fierté. Et même de l'inquiétude.

Car l'amende d'Aristogeïton, je devine qui va la payer : Démadês, le marin enrichi, et, derrière lui, son maître Philippos. Je sais aussi qu'un autre accusateur se lèvera bientôt, jusqu'à ce que la cité, par lâcheté ou pire, par ennui, finisse par sacrifier ceux qui tentent encore de l'obliger à se souvenir d'elle-même. Après cette brusque pointe d'angoisse, je force mon cœur à retrouver le battement calme de son indifférence : le sort d'Hypereïdês ne me concerne pas plus désormais que les aboiements des roquets de Philippos. Ici, dans la montagne, dans la paix, dans l'isolement de Thespiaï, je fais quelque chose de bien plus grand, de bien plus sacré : je ressuscite une ville, je la consacre à Erôs Isodaïtês et à Anaïtis, j'en fais un haut lieu du plaisir et de la vie.

Quelques mois plus tard, pourtant, alors que je pensais bien ne plus jamais y remettre les pieds, je suis de retour à Athênaï. J'y accueille mon fils Hermodotos, que je reconnais à peine, tant il porte avec dignité la barbe et les rides précoces du philosophe. Il m'a donné des nouvelles pendant ces dix années où nous avons été séparés. Je sais qu'Aristotélês, après avoir été chassé d'Atarnéus par son ami Hippias, après s'être réfugié dans le petit port d'Assos pour y étudier la faune et la flore, après avoir ensuite passé plusieurs années à la cour de Pella pour y apprendre l'histoire et la morale au jeune prince Alexandros, s'est consacré à la même tâche sacrée que moi : il a restauré la cité détruite de son enfance, Stageïra. Puis il a décidé qu'il était enfin prêt à revenir à Athênaï, la cité de Platôn, pour y fonder sa propre école. Hermodotos l'a suivi dans toutes ces aventures. Mon fils me présente l'une des rares femmes qui étudient auprès du maître, une jeune savante appelée Hermippa, assez jolie seulement mais extrêmement spirituelle. Il m'annonce son intention de l'épouser. Il entretient avec elle une relation raisonnable, plus proche de la fraternité d'âme que de l'amour, qui me déconcerte par sa simplicité paisible et par sa profondeur. C'est comme s'ils se touchaient plus intimement avec l'esprit qu'avec le corps. Je m'étonne d'abord et puis je finis par respecter. Surtout qu'Hermodotos me promet qu'il n'a pas oublié Lykeïna, dont sa nouvelle compagne connaît parfaitement l'existence. Ils vont ensemble se recueillir sur sa tombe, dans le petit cimetière que j'ai fait enclore derrière le sanctuaire de Thespiaï. Je lui rends le crâne qu'il m'a confié à son départ. Hermippa accueille la relique sans trouble. Avec d'abord de la curiosité, puis, lorsqu'on lui a expliqué de quoi il s'agissait, avec un respect plein de familiarité, dont je ne peux que constater à quel point il diffère de la répugnance que j'ai éprouvée moi-même pendant longtemps. Étonnante jeune femme. Je me dis qu'elle pourrait s'entendre avec Hipparkhia, la philosophe-chienne qui a uni son destin à celui de Kratês au mépris de toutes les convenances sociales, simplement pour suivre sa voie. Je commence à l'admirer.

Dès le lendemain, Hermodotos me ramène la relique. Il lui semble avoir deviné, pendant la nuit passée en sa compagnie, qu'elle se trouvait désormais plus à sa place sur l'autel du foyer de la maison de mon père, où je réside habituellement, qu'auprès de lui. Curieusement, je partage son avis. Il me semblait m'être privée d'une présence familière. Ses deux orbites polies, ouverts sur mes doutes, et son sourire grimaçant, posé sur mes ridicules, me sont désormais précieux. Lykeïna vit en moi mais aussi en dehors de moi, et, chaque fois que j'en ai besoin, à l'intérieur de ce crâne.

Je retrouve avec plaisir Herpyllis qui se tient toujours dans l'ombre de son grand homme, arborant, pour qui sait tourner le regard vers elle, un sourire de bonheur de plus en plus évident et de plus en plus mystérieux. Il lui a fait un enfant, un fils qu'il a appelé Nikomakhos, et qu'il a même reconnu. Sa femme légitime a l'air d'avoir accepté le partage. Elle meurt bientôt, veillée par sa rivale et amie. Aristotélês, le théoricien de l'esclavage, épouse sans plus hésiter sa servante. Je ne comprends rien à toutes ces relations qui unissent ces philosophes, sinon qu'elles ont l'air de dépasser aussi allègrement les règles de la bienséance grecque que je les ai transgressées scandaleusement.

Mon fils participe avec son énergie habituelle à la fondation de l'école de son maître au sud d'Athênaï, exactement à l'opposé de l'Akadêmeïa de Platôn, dans le quartier du Lykeïon, près du gymnase. Ils sont toujours lancés dans leur projet fou de dessiner le grand arbre de la connaissance, l'inventaire raisonné de toutes les sciences et de tous les arts de notre époque. Ils projettent de construire un zoo, un enclos où vivront à l'état sauvage tous les animaux de la terre, aussi vaste que le paradis d'un satrape mais consacré à l'étude plutôt qu'à la chasse. Ils rêvent aussi à un jardin des plantes, et à une bibliothèque, où croîtront en liberté tous les livres de la terre. On dit que cette nouvelle école, dont les proportions sont plus de deux fois celles de l'Akadêmeïa rivale, est largement subventionnée par Alexandros, l'héritier de Macédoine, l'ancien élève d'Aristotélês mais aussi le vainqueur de Khaïrôneïa. Cela fait grincer quelques dents dans la cité vaincue, dont celles de Lykourgos et d'Hypereïdês. Hermodotos le sait, et s'en moque. Qu'importe d'où vient l'argent, dit-il à son ancien tuteur, ce qui compte, c'est l'usage qu'on en fait. Malgré le soutien d'Alexandros, l'école du Lykeïon et la pensée d'Aristotélês n'appartiennent pas à la Macédoine. Ni à Athênaï, d'ailleurs. La science est le seul pays au monde qui ne sera jamais la propriété exclusive de personne, même pas de ceux qui en repoussent sans cesse les limites ni de ceux qui en cultivent les territoires balisés. C'est pourquoi mon fils éprouve tant de fierté à s'en déclarer le citoyen. La vieille cité déchue de Platôn devrait être reconnaissante à Aristotélês d'être revenu édifier chez elle son monument universel de savoir. Hermodotos remet paisiblement les Athéniens à leur place, sans se fâcher le moins du monde contre leur ingratitude. J'aime toujours autant son sourire. Il s'est encore approfondi avec les années, devenant celui d'un homme mûr, qui jette un œil curieux à l'intérieur des corps et des rêves, qui observe sans répugnance le fonctionnement intime des organes et celui des sentiments, et qui considère avec une attention toujours renouvelée le mécanisme parfois bizarre de la machinerie humaine. Il passe de longues heures avec l'égyptienne Aâmet à échanger des secrets et des onguents. Il n'hésite pas à faire plusieurs fois le déplacement jusqu'à Thespiaï pour lui demander des renseignements et lui présenter ses travaux. Elle me dit qu'il est devenu très savant, mais surtout très sage, parce que, s'il a réussi à approfondir le savoir médical de la Grèce sans mépriser les secrets antiques de l'Égypte, ni ceux de la Khaldée ou du Kaukasos, il se souvient surtout que, malgré l'étendue de ses connaissances, il ne sait pas tout. J'en souris de fierté et j'en suis heureuse pour toute la journée, comme si j'avais une quelconque part à cette réussite brillante de mon fils adoptif. Comme si son ouverture d'esprit prolongeait l'étroitesse du mien.

C'est à ce moment-là aussi que j'ai le bonheur de me réconcilier avec l'intransigeant Hypereïdês. Sans cérémonie ni discours pathétique, juste un matin, sur l'Agora, devant l'étal d'une marchande de poissons où nous nous croisons, réunis par Hermês et par ma fantaisie. Nous sommes tous les deux trop gourmets pour nous empoisonner longtemps l'existence avec une fâcherie. Il m'invite aussitôt à un déjeuner en tête à tête et j'accepte sans me faire prier. Renvoyant ses serviteurs, il fait cuire lui-même la belle daurade ronde qu'il a choisie avec soin, assaisonnée d'un filet d'huile et de quelques herbes aromatiques. Puis il me raconte, parce que je le lui demande, avec sa verve habituelle, sa verve de jeune homme à peine nuancée d'une lassitude d'homme mûr, et qui me paraît d'autant plus précieuse, les combats acharnés que se livrent à l'assemblée ou devant les tribunaux les pro et les anti-Macédôniens. Il les appelle, en souriant lui-même de sa partialité, les collaborateurs corrompus et les résistants intègres. Le seul parmi ses adversaires qu'il respecte un tant soit peu est l'ancien marin Démadês, qui n'écrit jamais ses discours mais dont les improvisations sont redoutables de cynisme tranquille et les réparties foudroyantes de bon sens rigolard. Démadês, me dit-il, c'est la vraie voix du peuple, avec son égoïsme et son réalisme, bien plus que les patriotes qui prétendent parler au nom d'Athênaï. Il y a Phôkiôn aussi, évidemment, le vieux soldat, l'incorruptible, qui se tient déjà debout sur le socle de sa future statue, d'où il laisse tomber la hache de sa lucidité sur les espoirs irréfléchis de tous les gamins qui l'entourent. Ces deux adversaires-là sont redoutables. Les autres, du vent, sur lequel Hypereïdês souffle en riant. J'aime entendre à nouveau ses éclats de voix et de rire, même si je fais semblant d'être fâchée de le voir s'obstiner follement dans ses projets de revanche. Avec Démosthénês et Lykourgos, il continue, je le sais, à la préparer sans relâche.

Lykourgos, notamment, qui était le plus frêle, le plus fragile d'entre tous les jeunes lions d'Athênaï, déploie une activité inépuisable, une rigueur, un fanatisme presque effrayant, aussi bien pour lui que pour les autres. En quelques mois, me dit Hypereïdês, notre ami s'est mué d'aristocrate cultivé en intendant méticuleux. Comme il l'avait rêvé devant nous, le matin où il avait refusé d'intervenir dans l'affaire de Kéôs, il a rétabli les finances publiques, fait payer l'impôt aux plus riches comme aux plus pauvres, doublé le revenu de la ville, lancé un programme de grands travaux. Arsenaux militaires, port commercial, aménagement du gymnase du Lykeïon, qu'il refuse d'abandonner tout à fait au macédônien Aristotélês et où il veut que la jeunesse d'Athênaï puisse se préparer à la guerre future, en y couvrant des cris disciplinés de sa formation militaire les bavardages inépuisables des philosophes. Il a fait édifier aussi un grand stade, pour ajouter à la procession des Panathénées les compétitions de course et de lutte qui feront les bons soldats. Il envisage ensuite de reconstruire en pierre la scène et les gradins du théâtre de Dionysos. "Oh, sourit Hypereïdês, pas par amour du spectacle.

Les costumes, les chants, les danses, tu le connais, il s'en moque, le texte, voilà ce qui l'intéresse, l'enseignement moral et civique, vingt mille citoyens réunis pour entendre parler d'héroïsme !" Le dernier des exploits de ce frêle Hêraklês, c'est de laver les écuries d'Augias, en faisant exclure de la cité tous les traîtres et les corrompus qui la souillent. Même s'ils comptent au nombre de ses amis. Il a poursuivi en justice, fait condamner et exécuter Lysiklês, l'un des stratèges de Khaïrôneïa, le seul dont j'ai entendu dire qu'il avait paru douter du succès et préféré rester à son poste au côté des Thébains, plutôt que de se ruer à l'assaut, comme l'ont fait ces deux crétins chauvins de Kharês et de Stratoklês, en hurlant qu'ils allaient à eux tout seuls repousser les Macédôniens jusqu'au fond de leurs montagnes. La prudence du stratège, Lykourgos en a fait de la lâcheté, il a demandé contre elle la mort, et il l'a obtenue. "Et Autolykos, poursuit mon ami, tu te souviens de lui ? Il faisait partie avec nous du Conseil, tu l'as rencontré chez moi le matin où nous avons appris la défaite. Eh bien, Lykourgos, qui était pourtant l'un de ses proches, l'a attaqué lui aussi, parce qu'au lieu d'organiser la défense nationale, ce père de famille trop prudent s'était soucié d'abord de mettre en sûreté sa femme et ses enfants. Hop, condamné, exécuté ! À partir du moment où tu occupes des fonctions publiques, et que tu les négliges un moment, même si c'est seulement pour faire l'amour à la femme de ton voisin, comme ce bellâtre de Lykophôn, ou faire sauter les amendes de tes relations d'affaires, Lykourgos ne connaît qu'un seul crime, la haute trahison, et qu'une seule peine, la mort ! Heureusement que je suis là pour défendre certains des accusés contre la morale féroce de notre ami, et ramener un peu de bon sens dans toute cette énergie patriotique, sinon Lykourgos finirait par faire boire la ciguë non seulement à tous les traîtres et à tous les corrompus mais aussi à tous les gourmands, les jouisseurs, les bavards, bref à tous les Athéniens, Démosthénês et moi compris ! À la fin, il n'aurait plus d'autre choix que de s'attaquer lui-même pour haute trahison, et tu peux être sûre qu'il se condamnerait à mort, avec la même rigueur impitoyable qu'il aurait mis à dépeupler sa sacro-sainte cité !"

Lorsqu'il a fini de reprendre son souffle après cette improvisation bouffonne, Hypereïdês me serre dans ses bras, et me glisse : "Si tu savais comme ça me fait du bien de te retrouver, ma belle ! Démosthénês et Lykourgos sont très estimables mais, avec eux, on ne s'amuse pas souvent. Ce n'est pas l'humour qui les étouffera, tu comprends, ni une arête de daurade !" Et son front redevient soucieux. Je repense à Lykourgos, à ce jeune homme frêle que j'ai connu autrefois, déjà si impressionnant de densité intérieure, et de tout ce qu'on pouvait pressentir en lui d'énergie implacable. Je me souviens de son indifférence à mon égard, lors des premières fêtes où j'ai fréquenté son cercle de jeunes privilégiés, puis, quand il a fini par prendre conscience de mon existence, de ses regards de dédain. Maintenant, je dois le reconnaître, Lykourgos ne se contente plus de se moquer des hétaïres ni des femmes, il s'attaque aux puissants, aux gens de son milieu, il poursuit en justice les hommes importants qui ne se montrent pas, comme lui, dignes d'Athênaï, ou de l'idée que, seul, il continue à s'en faire. Par amour de la cité, il salit ses mains blanches d'aristocrate, en maniant l'argent et en broyant la ciguë à tour de bras. Dans ma jeunesse, il était celui, de tous les Athéniens, qui m'attirait le plus, et, désormais, je peux m'avouer pourquoi : par sa distinction, par sa calme violence, par son mépris même, qui excitaient en moi le désir confus et longtemps refusé de me soumettre. Mais aujourd'hui, où je serais capable de me laisser posséder, et où lui-même déploie dans la réalité toute son énergie potentielle, je n'éprouve plus aucun désir de m'approcher de lui. Je me dis qu'il ne doit plus faire impérieusement l'amour qu'à ses livres de comptes.

Quand je suis à Athênaï, je vais souvent au Lykeïon. Les colonnades du gymnase et celles du sanctuaire d'Apollôn sont, comme autrefois, le lieu où les différentes confréries qui peuplent la cité se frôlent sans se mélanger. La foule y est toujours aussi nombreuse, et même de plus en plus cosmopolite et bigarrée, parce qu'Athênaï continue en cet endroit à être l'un des centres du monde. On y voit le groupe toujours plus nombreux des auditeurs d'Aristotélês, qui assure encore parfois lui-même quelques cours en marchant sous les portiques, ce qui a valu à ses disciples le surnom de "Péripatéticiens". Juste à côté d'eux, comme l'a voulu Lykourgos, les éphèbes en armes y font leurs exercices militaires. Les fidèles de mon thiase y viennent gambader dans le bois sacré, au son des flûtes, des tambourins, des sistres et des sambuques, en agitant leurs chevelures et leurs torches enflammées, pour se donner l'énergie de traverser ensuite sous les regards moqueurs du petit peuple la ville profane jusqu'au havre de ma maison. On y croise aussi certains autres thiases de divinités orientales concurrentes, celui de Sabazios, celui de Nyktélios. Certains soirs, c'est une belle pagaille, lorsque tous ces groupes se mêlent.

J'y aperçois même une fois Kratês en train de déambuler lentement au milieu d'un petit attroupement, comme le maître qu'il est devenu. Depuis la disparition d'Hipparkhia, dont je ne sais si elle est morte de faim et de froid, ou bien si elle l'a seulement quitté, à bout de forces et de courage, avec les deux enfants qu'elle avait eus de lui, il n'est plus entouré que de disciples faméliques qui le vénèrent. Il en est revenu à sa période crasseuse. Ses cheveux sales sont devenus si crépus qu'avec le sens de la provocation qui le caractérise, il les a réunis au sommet de son crâne tressés en une sorte de chignon épais qui le protège de la pluie et du soleil. Comme le détachement des éphèbes et comme la troupe hétéroclite de mes disciples, il tente de couvrir, de l'éclat de ses sarcasmes, la rumeur infatigable des conférences de l'école de son rival, où mon fils est peut-être en train de parler savamment médecine. On dit que Kratês a élaboré une pensée encore plus étroite mais encore plus radicale que ses devanciers, où l'on n'empile pas les connaissances, comme chez Aristotélês, mais où on les envoie toutes promener. Hypereïdês m'apprend que notre ancien ami a fondé une sorte de communauté itinérante qui circule au hasard dans Athênaï, et dans laquelle ses disciples mettent absolument tout en commun, l'ignorance, l'innocence, la nudité, les vêtements, les poux, les femmes, les enfants, les bouts de pain trouvés dans les poubelles et les morceaux de viande des banquets auxquels on fait l'erreur d'inviter tel ou tel d'entre eux en mémoire de ses parents et où ils débarquent tous, comme une nuée de sauterelles sardoniques. Un communisme radical de la vie quotidienne. Pour provoquer Hypereïdês, et surtout Kratês, auquel je m'adresse par son intermédiaire, je lui réplique que je fais exactement la même chose dans mon thiase où, mes femmes et moi, nous mettons nous aussi tout en commun : le luxe et les hommes. Kratês n'a plus rien depuis longtemps, mais certains de ses jeunes disciples possèdent encore quelques biens familiaux. À ceux-là, il recommande de ne surtout pas commettre la même erreur que lui autrefois en se débarrassant de leur héritage. Ils doivent s'alléger même du refus hargneux de la richesse, qui risquerait de leur encombrer l'esprit. Si la fortune amassée patiemment par leurs ancêtres leur pèse, ils n'ont qu'à la partager avec leur maître et les compagnons qu'ils se sont choisis.

Je le regarde pérorer sous les colonnades. Je n'entends pas ses paroles mais je le vois balayer, d'un grand geste, la masse des

Péripatéticiens savants, qui s'éloignent pour un tour de portique, et celle des éphèbes, qui continuent à se taper sur la figure à grands cris gutturaux. Détournant la tête de ces deux spectacles consternants, il invite ses disciples en maigreur à fermer comme lui les yeux pour s'offrir aux rayons silencieux du soleil. Toujours aussi théâtral, toujours aussi virulent, mais peut-être un peu moins cadavérique, depuis son compagnonnage avec Hipparkhia ? Les joues toujours émaciées mais la lippe peut-être un peu moins amère ? Quand il rouvre les yeux, il s'aperçoit soudain que je l'observe, il a un instant de surprise, il s'arrête même de parler, et puis... il me sourit. Pour la deuxième fois, après le moment où nous nous sommes croisés au Peïraïeus, lors du sursaut de révolte qui a suivi Khaïrôneïa. Ou du moins je crois discerner, sous son casque de cheveux crêpelés, une esquisse de sourire, adoucissant un instant les traits aigus de son visage, dont je me rends compte maintenant qu'il est couvert d'une tavelure de barbe presque blanche. Finalement, ce clochard bizarre est, parmi tous mes compagnons de jeunesse, celui qui a le moins perdu de son énergie. Il marche encore sur les traces de son rêve.

Lorsque la troupe de mes jeunes femmes croise celle de ses jeunes hommes, lorsque le thiase des fidèles du dieu du plaisir qui-donne-part-égale-à-tous se mêle un instant à la bande des cyniques mal lavés qui-mettent-tout-en-commun-jusqu'à-la-rage, il me semble que ses disciples regardent les miennes avec un mépris marqué qui n'exclut pas une pointe amère d'envie. Mais je peux me tromper. Peut-être sont-ils heureux eux aussi ? En tout cas, pas plus que nous, ils ne se sentent attachés exclusivement à Athênaï. Je crois que leur groupe pourra survivre aussi bien que le mien dans le monde nouveau qui s'annonce. Ils sont des parasites, prêts, lorsque cette cité ne pourra plus les nourrir, à se mettre en marche, l'esprit vide et l'âme légère, pour arpenter l'univers à la recherche des restes de poubelles et des rayons de soleil qui suffiront à assouvir leur faim.

L'atelier de Praxitélês reste désert. Je sais que, malgré sa fatigue, le maître est parti dans le Péloponnèse, à Olympia, surveiller l'installation de la statue d'un *Apollôn tenant dans ses bras le jeune Hermês*. "Une nouvelle manière, m'annonce avec satisfaction Androsthénês, son plus vieil assistant, le dernier des trois qui lui soit resté fidèle, un chef-d'œuvre de virilité." Le bonhomme paraît heureux de m'asséner cette nouvelle, comme s'il prenait enfin sa revanche sur moi, comme si j'étais responsable des égarements du maître dans la recherche de la beauté androgyne et de tous ces scandales de nudité. Plus le Sculpteur perd de ses forces, plus ses statues retrouvent de puissance. L'absence de Praxitélês se prolonge et je reste plus de temps que je ne l'avais prévu à Athênaï, simplement pour attendre son retour. Les jours où il me manque trop, je ne vais pas me promener dans son atelier, trop bien tenu par Androsthénês, mais dans les rues où se trouvent ses statues, le *Satyre* élégant et cornu de la rue des Trépieds, l'*Erôs* moqueur du théâtre de Dionysos, et surtout l'*Aphroditê pleurant Adônis*, que le temple de l'Ourania lui a achetée une fortune. Quand je retrouve enfin mon Sculpteur, au début de l'automne, je suis désagréablement surprise de voir à quel point sa santé s'est dégradée, d'entendre de quelle façon déchirante il tousse. Il tente de me cacher sa fatigue avec sa courtoisie habituelle mais n'y parvient pas toujours, la main posée sur sa poitrine, des gouttes de sueur perlant à son front, les narines pincées. Pas une seule fois nous ne faisons l'amour. Même quand il est là, il me manque. C'est lui, désormais, l'absent. J'essaie de le persuader de repartir avec moi à Thespiaï respirer l'air plus vif de mes montagnes, celui qui donne aux Muses leur éternelle jeunesse ("Et à toi aussi", me murmure-t-il dans un sourire mélancolique). Même Philomélê, sa femme, serait d'accord pour qu'il m'accompagne dans ma villégiature, plutôt que de s'ensevelir au fond de son atelier. Mais il affirme qu'il est épuisé, non par la maladie mais par le voyage. Qu'il dépérit seulement lorsqu'il reste éloigné trop longtemps d'Athênaï. C'est l'air pur des vallons d'Olympia et non les poussières du marbre qui encrassent ses poumons. Il est aussi tendre et aussi têtu que moi. Je repars seule, extrêmement inquiète. Mais, absorbée par ma tâche (lui fait surgir la beauté de la pierre et moi une ville du passé), je finis par m'apaiser. Je pense à lui chaque soir et chaque matin, en le plaçant par ma prière dans les paumes d'Anaïtis.

Malgré cette inquiétude, alors que je m'approche tout doucement de mes cinquante ans, je me dis que j'ai enfin trouvé la paix.

62

FACE À UNE AUTRE MOI

Plusieurs mois se passent dans cet état de plénitude. Peu à peu je prends conscience que ce cycle mensuel, qui se déroule à l'intérieur de moi depuis trente-cinq ans va bientôt s'achever. Je commence à redouter ce moment, parce qu'alors il ne me restera définitivement plus qu'à vieillir et à mourir. Pourtant je me sens enfin en harmonie avec le cycle plus universel de la montagne qui m'entoure. Je me fonds avec plaisir dans ce recueillement nécessaire de l'hiver qui précède l'expansion irrésistible du printemps. Cette idée d'une séparation inévitable entre mon cycle personnel et celui de la nature me procure presque par instants de l'apaisement, comme s'il allait s'agir bientôt pour nous deux, mon corps et moi, de quitter l'un pour entrer définitivement dans l'autre. J'ai l'impression qu'au point de puissance et de compréhension où je suis parvenue, plus rien ne peut vraiment m'arriver.

Pourtant, un matin de la fin de l'été, un soldat macédônien vient me trouver dans le sanctuaire, où je réside de plus en plus souvent, lorsque je veux échapper à l'agitation de mon école d'hétaïres et où j'occupe les anciens appartements de Manthanê. Il m'informe que je suis convoquée immédiatement chez le commandant de la garnison, qui loge dans la caserne de la Porte de la Plaine. L'extrême nervosité de l'officier le rend encore plus brutal qu'à l'ordinaire dans sa façon de s'adresser à moi. Il m'apprend en quelques mots une nouvelle totalement inattendue : le meurtre de Philippos ! Le roi a été poignardé par l'un de ses compagnons, lors du mariage de sa fille, alors qu'il se trouvait au faîte de sa puissance et de sa force virile, alors qu'il s'apprêtait à réaliser son rêve et celui d'Isokratês, en entraînant toute la Grèce coalisée de force dans une expédition contre le nouveau maître de l'Empire, Dareïos Kodoman. J'ai, un instant, la tentation de croire que ces bouleversements à la tête des royaumes humains ne me concernent plus. Mais je comprends vite que ce n'est pas vrai. L'officier continue à me déciller les yeux. La mort de Philippos est une catastrophe pour Thespiaï autant que pour la Macédoine. Car les Thébains se sont immédiatement révoltés contre Alexandros, le fils du roi. Dans l'inexpérience de ses vingt ans, confronté aux intrigues de pouvoir à la cour de Pella et à la révolte des rudes guerriers des montagnes du nord, le jeune homme sera sûrement incapable de poursuivre l'œuvre de son père en Grèce centrale. Il est à craindre que Thêbaï ne cherche à poser de nouveau sa main pesante sur toute la Béotie et ce ne sont sûrement pas les trois villes martyres à peine ressurgies de leurs ruines, Thespiaï, Plataïa et Orkhoménos, qui pourront s'y opposer. Nous ne pourrons pas non plus bénéficier de la protection d'Athênaï, poursuit l'officier. Sous l'impulsion de Démosthénês, cette cité traîtresse a renoncé à l'alliance généreuse de la Macédoine pour conspirer de nouveau avec sa vieille ennemie, comme deux ans plus tôt. Non, Thespiaï est seule, elle ne doit ne compter que sur ses faibles forces et se mettre de nouveau en état de siège, en attendant l'arrivée imminente des envahisseurs thébains !

Je suis abasourdie. Ne parviendrai-je jamais à m'extirper de cet enchaînement de grands projets guerriers et de massacres, qui viennent chaque fois ruiner mes efforts pour trouver un apaisement personnel ? Ne parviendrai-je jamais à échapper à l'ombre menaçante de la cité du Dragon, dont j'ai l'impression, dans un vertige, qu'elle s'étend à toute allure sur le versant de la montagne où je me suis réfugiée, pour le plonger dans la nuit en plein jour ? L'officier macédônien me donne l'ordre d'abandonner le temple le plus vite possible et de me replier avec les prêtresses et les serviteurs derrière les remparts encore à moitié démolis de la petite cité, où il tentera tant bien que mal d'assurer notre protection et celle de la population civile. Voyant que j'hésite, il ajoute : "D'ailleurs, vous faites bien ce que vous voulez, c'est votre affaire ! Je vous laisse une heure et je ferme les portes." Il me renvoie abruptement pour organiser la défense militaire.

Cette fois-ci, c'est moi, et non plus Manthanê, qui dois prendre la tête de la résistance des femmes, assurer notre repli vers la ville, puis mener les prières aux dieux dans les temples situés à l'intérieur des remparts. Mais je me rends bien compte que la maigre garnison macédônienne, les civils et la poignée de gardes du temple seront bien incapables de s'opposer longtemps à un assaut. Tout ce que j'ai construit va s'écrouler. Aâmet elle-même paraît déboussolée, comme si, avec la mort brutale de Philippos, s'était produit un accident qu'elle n'avait pas prévu et que la course des événements désormais lui échappait. Je suis seule. Lucide. Mais j'hésite. Je perds un temps précieux. Je sais qu'il faut me hâter d'organiser le départ de ma petite troupe affolée vers l'enceinte de la cité, même si celle-ci est mal défendue. Pourtant, je ne me résous pas à laisser dans le temple les statues de Praxitélês, que nos seules forces ne nous permettent pas de transporter. La pensée de les abandonner aux brutes thébaines m'est insupportable. Comme si, plus que nous, les femmes de chair, c'étaient elles qui risquaient d'être soumises à une violence irréparable. Je ne comprends pas ce qui se passe en moi. Alors que je suis la seule parmi mes compagnes, avec Aâmet peut-être, à avoir déjà vécu le drame de la destruction d'une cité et d'un viol collectif, alors que j'ai atteint à la maturité, et que j'incarne l'autorité, me voilà retenue comme avant par l'angoisse !

Mais cette paralysie intime de ma volonté, je l'ai déjà connue. Dans l'attente de Khaïrôneïa, ou sur la plage du Phalêron, et même avant. J'ai mis du temps à apprendre ce qu'elle était en réalité : un signe. Ne pas lui résister, l'accepter. Soudain, je me décide. À trouver ma force au cœur même de ma faiblesse. Non, je ne vais pas abandonner les statues de Praxitélês mais, au contraire, la protection illusoire des remparts de la ville, car le temple est le vrai centre de la cité. Je vais remettre ma vie et celles de mes protégées, le Thiase et le sanctuaire et Thespiaï reconstruite à grand-peine, oui, je vais tout confier à Isodaïtês et Anaïtis, en leur laissant le soin de tout sauvegarder ou de tout détruire, prête à accepter leur décision souveraine, dont je sais très bien qu'elle sera sûrement la mort. Cet état d'abandon, auquel j'accède au bout de mon angoisse, je parviens encore plus difficilement, malgré mon prestige, à l'imposer à mes fidèles. Elles hésitent, elles murmurent, jusqu'à ce que la douce Pythônikê, qui ne comprend pourtant peut-être pas mieux mon projet suicidaire, vienne se placer en souriant à mes côtés, les entraînant toutes derrière elle. Alors une force immense nous envahit. Nous n'avons vraiment plus rien à perdre. L'angoisse est toujours là, évidemment, mais elle est désormais traversée de part en part, et comme illuminée, par une exaltation étrange. Une sorte d'allégresse désespérée. Toutes agenouillées, prosternées à l'orientale, non pas à l'extérieur du temple, près de l'autel ou sur les marches de l'escalier, mais dans la salle même des dieux, aux pieds de leurs trois statues divines, nos thrènes de supplication résonnent presque comme des hymnes de triomphe. En refusant d'abandonner les incarnations vivantes des dieux, en nous réfugiant autour d'elles, ne les forçons-nous pas à rester eux aussi dans le temple et à étendre leur protection sur nous ? Lorsque les ennemis arriveront, peut-être seront-ils impressionnés par notre piété et n'oseront-ils pas, tout Thébains qu'ils sont, s'attaquer à des suppliantes, en souillant de leur violence l'espace sacré ? En tout cas, ils ne trouveront pas, cette fois, une troupe de femmes affolées et résignées à subir le viol, mais un thiase en extase et, s'ils posent la main sur nous, ils seront maudits. Que puis-je faire d'autre ?

Quelle autre réponse puis-je proposer à l'énigme de mon passé ? En tout cas, au moins, j'ai agi.

Peu à peu, des hommes entrent dans le sanctuaire. Ce ne sont pas des soldats mais les habitants de la cité. Attirés par la rumeur exaltée de nos prières, ils osent eux aussi nous rejoindre à l'intérieur de la salle sacrée, et venir respectueusement s'agenouiller aux côtés de mes filles, fondre leur angoisse dans le chant, remettre leur sort non pas entre les mains de la garnison macédônienne mais entre celles du dieu qui donne part égale et imprévisible à tous, de joie et de terreur, de vie et de mort. Nous psalmodions nos hymnes plus fort encore. Plus unis encore. Hommes et femmes confondus. J'en ai la chair de poule. J'en pleure. Je me trouve dans un état si extrême d'agitation qu'à la fois je remarque chaque détail qui se passe dans la réalité de la nef, j'aperçois chaque arrivant, je le nomme, je l'inclus dans ma protection, et je continue à mener toujours plus loin le chant vers la transe, me tenant à la lisière du basculement, faisant entrer dans l'oubli, un à un, chacun de ceux qui se confient à moi et que j'emmène là où ils n'auront plus peur. Je suis la gardienne qui se tient à la Porte et qui aide chacun à la franchir en m'interdisant d'y disparaître moi-même. Je suis la première et je serai la dernière. Lorsque les ennemis arriveront, je serai à moi toute seule la foule qui les accueillera sans les voir.

Alors, lorsque j'en suis parvenue à ce point, les soldats entrent.

Mais, chose curieuse, ce ne sont pas les soldats thébains. Ce sont les gardes macédôniens. D'abord les plus jeunes et les plus craintifs, qui, comme attirés par le magnétisme de notre chant triomphal de panique, osent déserter les remparts de la ville pour nous rejoindre, et se mêler à nous, les civils désarmés et les femmes. Puis, même les plus aguerris. Venant aux nouvelles, prêts à hurler leurs ordres brutaux aux lâches qui ont abandonné leur poste, ils hésitent quelques instants sur le bord de notre mer et finissent, se disant que, de toute façon, sans miracle, ils sont fichus, par se jeter eux aussi à l'eau, par mettre un genou en terre, le front contre le sol, les paumes tendues vers les dieux. Je vois tous ces hommes de guerre qui se perdent dans les femmes. Et même l'officier qui m'a rudoyée ce matin, ne vient-il pas lui aussi retrouver un peu de courage auprès de nous, en nous, dans la masse de nos corps, dans notre âme palpable et ouverte et généreuse ? Oui, je les vois et je les accueille eux aussi, ces soldats, même si, lorsque les Thébains arriveront, ils leur fourniront le prétexte, non pas de nous respecter mais de nous massacrer. Je les accepte en moi, parce que chacun d'entre eux maintenant, même l'officier, est à l'image d'Epiklês, mon père, le soldat, qui méprisait lui aussi les femmes mais savait, les soirs de déroute, basculer dans leur exaltation religieuse pour se dépasser lui-même, comme il m'a raconté l'avoir fait une nuit, perdu dans un défilé rocheux au fin fond de l'Empire perse, se roulant dans la poussière avec son lieutenant babylonien, comme un petit garçon affolé, suppliant Banu Ishtar, la Dame, la mère souveraine, la maman, de les prendre contre son ventre sous son bras puissant et de les sauver. Ma conscience s'étend aussi à ce moment lointain, elle s'étire de cette salle du sanctuaire de Thespiaï baignée de lumière jusqu'à ce défilé rocheux de la lointaine Baktriane plongée dans la nuit du temps, elle plane au-dessus de tout, elle accueille tout en elle de ces âmes pitoyables qui étaient des femmes et des hommes, et elle les met en fusion. Epiklês vient s'agenouiller à l'orée de la salle dans l'ombre d'une colonne et il chante par l'ouverture de sa gorge béante. L'ombre de Phaïdros se tient à côté de lui. Je n'ai jamais rien connu de tel. Là, je peux vraiment mourir.

Mais je ne meurs pas.

Épuisée, je retombe.

Épuisés, nous retombons.

Le chant s'arrête.

Apaisement.

Alors l'officier se relève et s'approche de moi. L'ardeur du chant a coloré et dilaté sa voix mais il tente de l'enfermer de nouveau dans ses rugueuses inflexions habituelles : "Tu as raison, femme. Le sanctuaire sera plus facile à défendre que la ville. Je venais d'ailleurs t'ordonner de rester ici avec l'ensemble des habitants." Il m'apprend qu'il a déjà fait fermer le vantail de mon enceinte, après avoir acheminé assez de ravitaillement pour soutenir un siège, et commencé à placer des gardes sur mes murs. Il n'a laissé dehors, à l'entrée de la ville, près de la porte de la plaine, que quelques guetteurs, qui viendront nous prévenir de l'arrivée des Thébains. "On pourra peut-être tenir, le temps que...

— Le temps que quoi ?"

Le Macédônien ne trouve rien à répondre. Sûrement la garnison de la Kadmeïa, qui était la plus importante de la région, a déjà été massacrée. Celles qui tiennent les autres cités de Béôtie penseront plutôt, comme nous, à se barricader qu'à venir à notre secours. Non, nous n'avons rien à attendre de personne. Mais j'envoie un sourire rassuré et confiant, un sourire de femme, à ce soldat qui en a besoin, parce qu'il tente de garder le contrôle des opérations pendant que je chante et parce qu'il tient à se persuader que ses précautions humaines auront une quelconque influence sur notre destin.

Désormais, nous attendons la mort sans panique.

Alors elle ne vient pas. Ni les soldats thébains. Au contraire, c'est un détachement macédônien qui se présente quelques jours plus tard devant nos portes fragiles. Ils nous apprennent l'issue stupéfiante de la révolte. Le jeune Alexandros, au pas forcé de ses fantassins, qui couraient aussi vite que ses chevaux, est revenu comme la foudre de son expédition lointaine dans les montagnes du Nord, afin de régler définitivement son compte à la cité rebelle. Au son des flûtes, il l'a investie après un combat sanglant. Au son des flûtes, il a massacré tous les hommes qui s'étaient rendus et tous les garçons en âge de porter les armes. Au son des flûtes, il a fait égorger aussi les vieillards inutiles. Au son des flûtes, il a fait violer systématiquement les femmes, les filles et les enfants, qui vont maintenant tous être vendus dans une immense braderie de chair humaine. Au son des flûtes, il a fait brûler les maisons et raser jusqu'au sol les remparts séculaires et les Sept Portes mythiques de la cité d'Oïdipous et de celle d'Hêraklês, dont jamais aucun Grec n'aurait pu imaginer qu'elle connaîtrait pareil désastre. Il n'a épargné, dit-on, que la maison de Pindaros, parce que ce poète chantait les héros. Alexandros veut faire un exemple avec Thêbaï. Montrer à la Grèce tout entière qu'il est capable de l'entraîner dans le rêve exaltant de son père, en se lançant à l'assaut de l'Empire perse jusqu'à l'Halys, mais aussi de lui infliger un châtiment encore plus épouvantable, si jamais elle ose se rebeller. Et il atteint son but. Les cités, qui avaient commencé de s'allier avec Thêbaï, supplient qu'on les épargne. Alexandros prend le temps de réfléchir. Va-t-il leur pardonner, laissant derrière lui, dans son dos, au moment de remonter vers l'Illyrie mais aussi vers l'Asie, la menace de ces cités divisées et rebelles ? Ou bien va-t-il les détruire à leur tour, définitivement, pour ne plus avoir à s'occuper que de l'immense Empire achéménide ? La Grèce, pétrifiée, attend la réponse, sans oser pleurer le désastre de Thêbaï, tant elle craint d'avoir bientôt à gémir sur elle-même. Même Athênaï, dit-on, qui, depuis le désastre de leur double brève alliance, déteste encore plus Thêbaï, est horrifiée par son sort et tétanisée par la peur.

Les habitants de notre ville, eux, sont les seuls à se réjouir et je tente de m'associer à leur soulagement. L'officier qui commande les renforts macédôniens m'annonce qu'Alexandros, avant de continuer le massacre en Grèce ou de repartir régler leur compte aux monta-gnards du Nord, envisage de venir se délasser à Thespiaï, en visitant le sanctuaire d'Erôs et ma fameuse école d'hétaïres. Je lui réponds cérémonieusement, en m'inclinant très bas : "Consciente de l'hon-neur que le jeune souverain me fait, partageant la gratitude que la cité de Thespiaï éprouve désormais à l'égard du fils comme du père, je le recevrai avec une joie sans mélange."

Mais, de nouveau, j'éprouve le besoin de passer la nuit dans le temple. Cette fois-ci, non plus au milieu de la foule, la portant à bout de bras jusqu'au dieu ailé, mais, seule, désolée. Je devrais me réjouir. Je ne suis plus du côté des victimes de Thêbaï, atten-dant passivement sa vengeance, je suis désormais du côté des vain-queurs, qui lui font subir leur violence pour la punir de la sienne. Pourtant, plus encore qu'au moment de l'attente, je me sens enve-loppée d'une atmosphère de détresse sombre qui m'oppresse et qui me noie. Victorieuse, je n'ai plus aucun moyen d'échapper à l'an-goisse du vaincu. Oui, cette nuit-là, plus encore que la précédente, me ramène au massacre de mon enfance. Je me répète que je suis sauvée, enfin sauvée, que Thêbaï est enfin détruite entièrement. Trente-cinq ans après. L'espace de ma vie de femme. Je devrais être soulagée. Or, non seulement je ne me réjouis pas de cette destruc-tion, à laquelle j'ai si souvent rêvé, mais je m'en désole. En pensant aux guerriers massacrés, je revois Epiklês, mon père, et Phaïdros : hier, ils se tenaient à mes côtés, mais cette nuit, ils gisent dans les ruines de Thêbaï, la gorge ouverte sous la lune mauvaise. En pensant aux femmes violées, je me revois, moi, humiliée à mort par Gorgidas dans cette même nef. Et Manthanê et toutes les autres. Je replonge dans cette douleur-là, qui n'est plus celle des femmes de la cité haïe mais la mienne, encore et toujours la mienne. Comment m'en débarrasser enfin ? Toute la nuit, agenouillée aux pieds des statues harmonieuses de Praxitélês, de son *Erôs*, dont les ailes déployées et les formes frêles sont ceux des deux jeunes hommes que j'ai aimés, de son *Aphroditê Anaïtis*, dont les fragiles seins nus et le visage sont les miens, à côté d'Aâmet et de Pythônikê, qui sont venues me rejoindre, à côté des fidèles de mon thiase, qui, interloquées, ne comprennent pas mon affliction mais finissent par la partager, toute la nuit, je prie pour les femmes de Thêbaï, mes sœurs, mes filles, mes mères, et pour leurs hommes aussi, morts comme ils ont vécu, sans jamais avoir échappé au cycle hideux de la violence. Ce cercle maudit, je suis dedans, encore dedans. Alors, leur douleur, dont je saisis désormais à quel point elle est ma douleur, je fais la seule chose qui m'est possible, je la présente à ma déesse, aux pieds de la statue, à laquelle Praxitélês a donné mon visage. Et elle la prend, la compassion d'aujourd'hui comme la panique d'hier, pour m'en alléger un peu.

Le lendemain, après ces deux nuits de veille, un sourire de façade aux lèvres, et des rides au front, je reçois Alexandros, que je n'ai pas revu depuis sa visite à Athênaï, après la victoire de Khaïrôneïa. Il est accompagné de toute la bande bruyante de ses officiers. Lui aussi, qui règne en maître à l'intérieur du labyrinthe poisseux de la violence grecque, qui s'y déplace d'un bord à l'autre avec la souplesse arrogante de ses vingt ans, qui en ébranle même les murs de son ambition sans limite, mais dont je me dis qu'il ne pourra jamais que les élargir encore sans les faire éclater, il me rappelle de terribles souvenirs. Il est blond, comme Akhilleus et comme Gorgidas, et plus brutal encore qu'eux. Et, je dois me l'avouer aussi, plus subjuguant. Par bonheur, je suis trop vieille pour lui, surtout après ces deux nuits d'angoisse maternelle. D'ailleurs, il paraît ne jamais me considérer comme un objet de désir. Tout à l'heure, à la fin du banquet, pour tenir le premier rang qui lui revient de droit dans l'abandon amoureux comme dans l'assaut guerrier, je sais déjà que, sans même tourner les yeux vers moi, il préférera choisir l'une de mes filles, Pythônikê peut-être. Je ne pourrai m'empêcher d'en être mortifiée, avant d'en être soulagée. Non, me dis-je fugacement, je n'ai plus vraiment envie d'être confrontée au trouble de mes sensations face à ce sexe dressé-là. À cette manière égoïste mais impérieuse de prendre, de pénétrer, de saccager. À ce furieux mais fécond labour, qui remue en profondeur la terre meuble, pour la faire remonter à la lumière. À cette tuerie-là, qui crée la vie. À cette vérité-là, que j'ai mis tant de temps à reconnaître et que je n'accepte qu'au moment d'en être exclue.

Si Alexandros me regarde sans désir, je remarque que même ce jeune roi, ivre de sa vengeance et de son triomphe, a l'air de me considérer avec respect, comme si ma façon de me conduire en grande prêtresse du temple lui en imposait. Comme s'il se dégageait de ma présence quelque chose d'aussi souverain que de la sienne. Je me souviens de ce qu'on raconte sur l'autorité de sa mère, la terrible Olympias. Alors, comprenant que j'ai là un moyen d'agir sur lui, je le traite en fils, même si je crains à chaque instant de le voir m'échapper dans un éclat de sa violence déjà légendaire. Au cours de notre grave discussion, je l'amène peu à peu à penser que, s'il veut imposer à la Grèce un pouvoir encore plus absolu que celui de son père, il doit se montrer encore plus terrifiant que lui dans le combat mais encore plus clément dans la victoire. Pardonner, c'est le moyen d'être digne de Philippos. Et digne d'Akhilleus, ajouté-je, parce que je me rappelle aussi avoir entendu dire que ce héros était le modèle avoué d'Alexandros. Je lui rappelle que, dans le plus beau chant du Poème, l'implacable guerrier, accueillant un soir sous sa tente le vieux roi d'Iliôn, finit par accorder à son adversaire vaincu, Hectôr, les soins funèbres qui lui étaient dus. Un roi habile se doit d'être impitoyable quand il n'a pas d'autre choix mais magnanime le reste du temps. J'ai presque l'impression que ce jeune impatient m'écoute, lorsque je lui fais la leçon au nom d'Homêros en empruntant les accents d'Olympias. Même si, avec une finesse que je ne lui soupçonnais pas, il se garde de rien me promettre. Pour me hisser à son niveau, j'ai la prudence ou l'habileté de ne pas insister.

Après notre conversation, à laquelle il met fin avec respect mais aussi avec une brusquerie sans réplique, Alexandros se détourne de moi. Pour rester fidèle à l'image qu'il veut donner de lui-même, il commence à boire bruyamment et à faire l'amour à mes filles, suivi de toute sa meute de jeunes loups arrogants, qui se croient déjà les maîtres du monde. J'entame alors une autre conversation, encore plus étonnante. Seul dans ce vacarme du plaisir à rester silencieux, le jeune homme qui se tient depuis le début le plus près d'Alexandros me demande la permission de venir s'asseoir à son tour sur ma banquette. Ses yeux sont graves et gris. D'emblée, même si physiquement les deux garçons ne se ressemblent pas du tout, il me rappelle mon fils, Mithradatês. Il est plus grand que son maître et d'allure plus noble, si bien qu'au début j'ai cru que c'était lui, le roi. L'orgueilleux Alexandros n'a pas paru s'offusquer de ma méprise ; au contraire, il l'a accueillie avec un sourire entendu, comme si cet événement se produisait souvent mais lui faisait plaisir. Ces deux cavaliers macédôniens semblent liés par une entente aussi profonde que celle des deux princes perses, Kodoman et Yervand, qui viennent eux aussi, de leur côté, à l'autre bout du monde, dans le palais de Sousa, d'arriver au pouvoir et qu'ils affronteront bientôt peut-être face à face. Le mystérieux inconnu se nomme Hêphaïstiôn. Je ne sais plus comment il en vient à me parler d'Aristotélês, dont il a suivi, en même temps qu'Alexandros, l'enseignement. Il évoque aussi l'expédition qui se prépare contre la Perse et qui devra les conduire au moins jusqu'au fleuve Halys, le poste frontière que j'ai traversé autrefois et qui marque la limite extrême du monde grec du côté de l'Orient. Peut-être même iront-ils un peu au-delà ? Ce projet fou, il ne le voit pas simplement comme une guerre de conquête mais comme un voyage d'exploration, une manière d'étendre la soif de connaissance des Grecs aux dimensions de l'univers. Peut-être pourront-ils emmener dans leurs bagages des géomètres, des géographes, des botanistes, des zoologues, qui observeront les espèces nouvelles d'animaux, de plantes, de pierres, qu'ils ne pourront manquer de rencontrer ? Peut-être le grand Aristotélês lui-même acceptera-t-il de se joindre à leur aventure ?

Séduite par le sourire calme et par le discours surprenant de ce jeune guerrier, qui me rappelle de plus en plus mon fils, je me mets à raconter à Hêphaïstiôn certains épisodes de mon voyage. Je lui parle d'Anaïtis et du monde perse, qui n'est barbare que lorsqu'on l'ignore. Il m'écoute avec curiosité. Il est le seul parmi ses compagnons à ne pas paraître avoir envie de faire l'amour, ni avec l'une de mes jolies musiciennes ni avec l'un des jeunes serviteurs que je lui désigne pourtant, m'imaginant qu'il doit en réalité être fatigué de mes bavardages mais qu'il n'ose, par respect, interrompre une femme de mon âge. Spontanément, d'ailleurs, il m'appelle "mère", avec cette déférence que les jeunes Macédôniens semblent n'éprouver que pour cette femme-là. Mais il m'assure qu'il préfère discuter. Notre conversation se prolonge, à mi-voix. Il en vient à me parler de lui, à se confier avec une naïveté presque touchante. Étonnant, comme ces cavaliers, qui tuent à tour de bras, ont encore besoin de leur mère ! Hêphaïstiôn, lorsqu'il évoque Alexandros, songe lui aussi au poème du vieil Homêros, et à Akhilleus, avec une nostalgie dont je sens qu'elle cache autre chose. Il m'avoue que son ami peut se montrer aussi brutal mais aussi généreux que son modèle. Ce défaut et cette qualité sont comme les deux faces, l'une obscurité et l'autre lumière, d'un même astre. C'est à entretenir cette ardeur-là, sans limite, mais aussi à tenter de contenir les excès de cette part d'ombre, que lui-même s'est voué depuis l'enfance. Il sait que son destin consistera à être le Patroklos de cet Akhilleus. Les nuits où son ami et son prince boit, il s'efforce de veiller sur lui pour tempérer sa rage. Il me cite une définition de l'amitié, "deux corps mais une seule âme", dont il m'apprend qu'elle est d'Aristotélês. Auprès de lui aussi, parce que sa ressemblance intime avec mon fils m'inspire confiance, et même si je ne suis pas sûre qu'il ait autant d'influence sur Alexandros qu'il le prétend, je plaide la clémence. C'est étrange, de discuter philosophie, science et politique, avec ce beau jeune homme grave, tandis qu'autour de nous tout le monde bascule dans l'ivresse. Mais moi non plus, je n'ai pas envie de faire l'amour. Cette lassitude, ou ce désintérêt, qui me saisissent de plus en plus souvent, me prouvent, plus encore que mes rides, à quel point je vieillis.

Pourtant, bien plus tard dans la nuit, alors que la fête est finie depuis longtemps et que je repose seule dans ma chambre, je laisse le corps nu d'un homme, pas celui d'un de ces nobles Macédôniens, mais celui d'un simple serviteur que j'ai choisi presque au hasard, s'approcher de moi, sa verge dure, ses mains avides, s'emparer de moi. Je laisse les miennes se tendre à tâtons dans l'obscurité et se refermer sur ses fesses nerveuses, sur son dos évasé, pour le serrer plus avidement encore, pour l'arrimer plus violemment à moi, lui qui pèse de tout son poids, qui me force, qui me soulève, qui m'investit, qui me tue, et qui me fait jouir en me tuant. Ce corps presque anonyme, je peux me permettre dans ma rêverie de lui donner le visage d'Alexandros. Et celui d'Euthias, dont je n'ai pas revu le profil depuis si longtemps. Et celui de Gorgidas. Oui, aussi celui de Gorgidas. Et celui d'Epiklês. Pas mon père mais le jeune guerrier solaire des récits de mon enfance, massacreur lui aussi, violeur, prédateur. Visages mouvants d'une même présence masculine, hostile, importune, menaçante pendant longtemps, troublante pendant plus longtemps encore, dans le plaisir déchirant de la soumission auquel elle me confronte mais que je ne suis capable d'accepter, d'accueillir en moi, où elle ne se trouve que depuis peu. L'orgasme m'éveille tout à fait et, après avoir renvoyé le serviteur que je récompenserai demain, je me mets à songer à ce jeune prince féroce et déconcertant, qui me rend cette visite joyeuse pour se reposer d'un massacre, et à son ami aux yeux graves. Oui, bien sûr, Homêros, Hêphaïstiôn et moi, nous avons tous les trois raison, Alexandros, c'est Akhilleus, et c'est aussi Gorgidas le Thébain, en bien mieux ou en bien pire. Subira-t-il le même sort qu'eux ? Ou que son propre père ? Dans quelle bataille finira-t-il par tomber ? Quel guerrier semblable à lui, quel Kodoman, le vaincra en combat singulier ou l'égorgera dans la mêlée anonyme d'un assaut ? Quel compagnon lui plantera par surprise son poignard dans le dos ? Quelle flèche décevante recevra-t-il de loin ? Quel terme imprévu les dieux mettront-ils à son rêve ? Hêphaïstiôn sera-t-il capable d'instiller un peu de sagesse dans cette expédition folle, ou bien sera-t-il emporté lui aussi par cette frénésie qui pousse le monde dans lequel je vis à sa ruine ?

Quelques jours plus tard, j'apprendrai qu'Alexandros, avant de repartir en hâte, toujours plus furieux, vers les montagnes du Nord, qui osent l'éloigner encore de la grande expédition à laquelle il se destine depuis l'enfance, a décidé de pardonner. De laisser debout les cités grecques révoltées. Il a su écouter la voix de la raison, même sortant de la bouche de l'hétaïre, parce que lui faisaient écho les mots de son ami aux yeux gris et ceux de ses conseillers les plus sages. Peut-être, après tout, vaudra-t-il mieux que Gorgidas et que tous les chefs grecs réunis ?

Les filles thébaines que l'on vend, je décide d'en racheter le plus possible. Je me déplace moi-même au milieu des ruines de la cité ennemie pour participer à la curée et sauver celles qui peuvent l'être. Même mon immense richesse n'y pourrait suffire, alors je me dis que je dois garder un peu de discernement et ne disputer aux autres trafiquants de chair humaine que les plus jolies, les plus jeunes et les plus fragiles. C'est-à-dire les plus fortes. Celles qui n'étaient pas encore alourdies d'assez de souvenirs pour se laisser prendre au piège dans l'incendie de leur monde et disparaître brûlées vives de l'intérieur. Pourtant, je tombe en arrêt devant une prisonnière plus âgée que les autres. Beaucoup trop vieille pour mon école. Vingt ans au moins. Mais je ne peux en détacher les yeux.

Elle est très belle, évidemment, les formes à la fois graciles et déjà pleines, la chevelure sombre et vivace, la carnation délicate, quelque chose de souverainement souple. Aussi belle que je l'ai été dans ma jeunesse (à elle aussi peut-être sa nourrice a dû répéter qu'elle était protégée par les dieux). Mais ce n'est pas cela qui me retient. C'est son attitude. Sa tête droite. Son regard lointain, vide. Elle n'est pas, comme les autres, éperdue, marquée, terrorisée. Non, bien pire, sans aucune émotion, terriblement absente. Alors, soudain, je me rends compte que je me trouve en face de moi-même. Celle que j'ai été un jour, la voilà ! Mon premier regard étonné, fasciné par tant de terrible densité, c'est celui qu'a posé sur moi Praxitélês le sculpteur, lorsqu'il a suivi machinalement le doigt tendu d'un rayon de soleil, qui lui désignait le fond d'une arrière-cour minable et venait caresser la joue d'une petite putain inconnue et royale, échouée quelques instants encore sur la margelle du puits de douleur dans lequel elle allait basculer. Oui, je me trouve, comme lui ce jour-là, face à l'Absente. Praxitélês a donné combien pour me sauver, huit drachmes et neuf oboles, tout ce qu'il avait dans sa bourse ? Moi, je donne trois mines, trois cents drachmes. Je ne me négocie pas. Le marchand qui m'escroque ne se doute pas qu'il pourrait m'extorquer toute ma fortune.

Je ramène la fille muette dans ma montagne et je m'occupe personnellement d'elle, avec les mêmes attentions obstinées que la vieille Alkê m'a accordées. Elle se refuse d'abord elle aussi, comme un animal rétif, puis, devant mon inexorable patience (je devine chacune de ses réactions parce qu'elles ont été les miennes, et peut-être celles d'Alkê avant moi, et celles de la petite putain épouvantée devenue maquerelle endurcie qui s'est occupée d'Alkê), la Thébaine sort peu à peu de son retrait absolu pour s'abandonner aux soins physiques que je lui impose. Pendant plusieurs jours, je la lave moi-même entièrement, puis je lui apprends à se laver, à ne plus nier son corps, à l'accepter de nouveau. Je m'occupe aussi de son âme. Par mon écoute attentive, par mes questions précautionneuses mais réitérées, je la force doucement à sortir de son silence. De ma main de femme obstinément tendue, je l'aide à émerger de son désespoir sans fond pour revenir à la lumière crue.

Bientôt, elle me fait assez confiance pour accepter de renaître entre mes bras. Elle me confie son véritable nom, Ekhékrateïa, et commence à me raconter son histoire. Je me rends compte que mon intuition ne m'a pas trompée, et que la jeune Thébaine ressemble terriblement à celle que j'ai été. Fille d'un guerrier considéré, elle était simplement plus âgée que moi lorsque la catastrophe s'est produite, et donc plus avancée sur le chemin de son destin tout tracé. Déjà mariée depuis plusieurs années, elle a perdu son jeune époux dans la répression sanglante de la révolte, comme j'aurais pu perdre Phaïdros. Elle était enceinte de lui, comme Manthanê d'Aram. J'ai appelé au secours Hermodotos, qui est venu d'Athênaï pour m'aider à la soigner. J'explique à la Thébaine rescapée l'histoire miraculeuse du fils de ma nourrice kappadocienne. Ce jour-là, ma protégée se laisse envahir par l'émotion, elle pleure tout contre moi, contre mon sein, et me jure qu'elle va tenter pour son enfant de revenir à la vie. Alors, dans un frisson de triomphe qui naît de mes profondeurs, qui me fait trembler de la tête aux pieds et fondre en larmes avec elle, ou plutôt jaillir en larmes, tant elles sortent de mes yeux avec violence, je me dis que j'ai réussi, qu'Ekhékrateïa est définitivement sauvée et Mnasaréta avec elle ! Pourtant, quelques jours après ma victoire, malgré les soins de Mithradatês, elle avorte d'un fœtus mort-né. Peut-être les soldats d'Alexandros l'ont-ils trop maltraitée pour qu'elle puisse mener cette vie à terme ? Alors qu'elle commençait à émerger, elle replonge. Cette fois définitivement. Plus personne ne pourra l'en tirer. Elle est toujours dans mes bras mais elle m'échappe. Je la vois sombrer sous mes yeux. Mon fils se déclare impuissant. Même Aâmet reconnaît son échec. Et je sens que la Thébaine redevenue muette m'entraîne dans son gouffre. Elle m'aspire à sa suite.

Alors, un matin, je la fais venir dans le temple, devant moi ou plutôt devant l'*Aphroditê aux seins nus*, à laquelle Praxitélês a donné mes traits. Je lui raconte l'histoire de cette statue. Mon histoire. Ma sortie de l'absence. Comment tout cela a commencé. Le premier regard de Praxitélês, le geste de son doigt sur ma joue, les soins d'Alkê, les paroles de Nikarétê. Le choix que cette dernière m'a proposé. Accepter mon sort, me battre à mort pour survivre, réussir dans ce monde injuste en me servant de ma beauté comme d'une arme, utiliser ce pouvoir souverain que la déesse m'a donné afin de subjuguer ceux qui croyaient m'avoir humiliée, ou bien me laisser glisser dans le gouffre et mourir. La Thébaine me regarde de ses yeux vides, elle m'écoute mais je ne sais même pas si elle m'entend. La rage monte. L'exaspération contre cette masse inerte mais aussi la compréhension infinie de la douleur insupportable qu'elle ressent et à quoi elle voudrait échapper. Sa panique qu'elle me communique. Oui, je lutte pour ma propre vie ! Cette fille-là, je dois absolument la sauver, pas pour elle, pour moi ! Je lui demande comment elle s'appelle, je sais que la vraie réponse serait Mnasaréta mais elle ne me répond même pas. Je la gifle. À toute volée, pour lui faire mal, pour l'obliger à sortir. Je lui redemande son nom. Cette fois, elle me répond, d'une voix déjà lointaine, "Ekhékrateïa", mais je la gifle de nouveau, encore plus fort, le plus fort que je peux, pour l'assommer définitivement ou pour la réveiller. Je crie, à m'en briser les cordes vocales : "Non ! Non, tu ne t'appelles pas comme ça. Tu t'appelles…" Et, soudain, je trouve son nom : "Phila ! Tu t'appelles Phila ! Chérie ! Ma chérie !" Alors que je n'y croyais plus, ses yeux se posent lentement sur moi. Je continue : "Désormais, si tu veux vivre, tu es Phila, fille de Phrynê et de personne ! Comment t'appelles-tu, réponds-moi vite !" Ses yeux vides, que lisent-ils en moi, que puisent-ils en moi ? En quelques secondes, ils se colorent, ils sont de nouveau là, ceux d'une présente. Sa bouche s'ouvre et elle dit : "Je m'appelle Phila."

Oh, je comprends cette chose terrible que la déesse veut de moi, je tiens à la nouvelle Phila les paroles exactes de l'ancienne Nikarétê. Tous ces mots qui sont restés gravés dans ma mémoire, et dont je me suis amusée tant de fois à les répéter pour l'effrayer à une petite fille que je m'apprêtais à former, je les prononce cette fois avec une gravité implacable. Je promets à Phila de lui forger de toutes pièces une identité nouvelle, de lui faire oublier son mari, son père et son enfant morts, jusqu'à ce qu'elle ne se souvienne plus que d'elle, qui a envie encore de vivre, et de moi, qui lui rend cette envie. Je lui promets de la former si bien qu'elle pourra réussir dans ce monde dont elle vient de mesurer la cruauté et mettre tous les hommes à ses pieds, les plus puissants, les plus riches, les plus violents, les plus sûrs d'eux et de leur supériorité sur elle. Même Alexandros, si elle le veut, elle pourra l'avoir. Je la menace des supplices les plus cruels si elle ne m'obéit pas, si elle ose verser ne serait-ce qu'une seule larme sur son sort, et je crois qu'elle sent que je ne mens pas, oui, je le jure, je demanderai au vieux Cerbère de la torturer avant de l'étrangler, je la torturerai moi-même si elle échoue, parce que de sa réussite dépend ma vie, le sens ultime de ma vie. Alors, je lui laisse le choix, là, maintenant : soit elle décide de se laisser aller, et alors je m'arrangerai pour qu'elle meure doucement, sans même s'en rendre compte, soit elle me jure obéissance absolue, mais plus aucune faiblesse ne lui sera permise. Aussitôt, elle dit : "Oui, je t'obéirai, je te le jure". Elle n'a pas laissé une seule seconde d'hésitation entre mon dernier mot et le premier des siens, "Oui", et je sais que c'est pour cela que je peux lui faire confiance, parce que c'est venu en elle de bien plus profond et de bien plus obscur que la raison. La voix qui a parlé, c'est celle qui, au-delà de tout, voulait vivre. Je sais qu'elle va tenir cette promesse instinctive, et se remettre à moi, corps et âme. À moi, sa déesse bienveillante et implacable. Désormais il ne s'agit plus seulement, de m'abandonner entre les mains de la divinité, mais de me constituer en déesse face à une autre moi. De tendre vers la malheureuse mes mains savantes et terriblement capables de pétrir de l'humain. Phila la Thébaine, oh, je le jure, elle va faire autant de bruit que Phrynê la Thespienne, parce qu'elle sera sa digne continuatrice, l'une des servantes les plus retorses de la toute-puissante Aphroditê Anaïtis ! L'une des plus parfaites Pandôra que l'on aura jamais inventées dans l'atelier des hétaïres, fabriquée tout exprès par la déesse des artisanes du désir, et par moi, sa meilleure ouvrière, son démiurge d'âme, pour désespérer les hommes d'argent et de pouvoir !

Je m'occupe de la formation de l'élève que m'a envoyée le destin aussi implacablement que Nikarétê s'est occupée de la mienne. Je place cette jeune femme de vingt ans au milieu des petites filles de dix et, la poursuivant sans relâche de mes sarcasmes et de mon œil attentif, je lui fais rattraper son retard. Je la brise sans pitié, je malaxe sa faiblesse, je la broie, je la modèle comme de l'argile pour lui donner les formes souples de l'insensible grâce. Je la sculpte, ses hanches, ses cheveux, sa bouche, ses yeux, ses seins, ses cuisses, l'intérieur même de sa vulve, le contenu du moindre de ses désirs et de ses appétits. À petites entailles assassines de mon ciseau le plus fin, je la polis sans cesse jusqu'à en faire une statue de chair et de séduction innée. Je suis Nikarétê et je suis Praxitélês. J'éprouve tout ce qu'a ressenti mon ancienne maîtresse face à moi et je m'emplis de nouveau avec violence des sentiments ambivalents qu'elle m'a inspirés, l'admiration, la confiance, la haine. Les nuits qui suivent les séances où j'ai été particulièrement dure avec Phila, celles où j'ai senti, à un battement affolé de ses cils, que, malgré ses efforts pour tout oublier, elle n'a pu s'empêcher de repenser à sa paisible vie d'avant, à ses proches, à ce mari qu'elle aimait peut-être, dont en tout cas elle ne soupçonnait même pas qu'elle pût ne pas l'aimer, les nuits où elle se cache pour pleurer en essayant d'étouffer ses sanglots, moi non plus je ne dors pas. Je tente de la consoler à distance. Je finis par lui envoyer Pythônikê, mon autre préférée depuis dix ans et son exact contraire, la plus douce, la plus enjouée, la plus tendrement sororale de mes jeunes musiciennes, pour sécher ses larmes dans la chaleur humide de quelques caresses.

Ces nuits-là, je pleure moi aussi en repensant à la grâce de ma propre sœur de chagrin, la petite acrobate, dont je comprends seulement maintenant que c'était Nikárété elle-même qui lui avait confié le soin de monter dans mon lit pour m'apaiser. Ces larmes, cette pluie de douceur dans laquelle je me délie, sont la seule émotion capable d'imbiber mon angoisse, de la diluer pour en faire de la nostalgie. Comment s'appelait-elle déjà, ma petite acrobate ? Oh, j'ai oublié son nom d'emprunt mais pas la grâce innée qu'elle mettait à passer souplement entre les poignards de son sort sans se blesser et m'aider à les éviter moi aussi. Stéphanê ! Stéphanê, où es-tu, mon amie, ma chérie ? Tu es encore vivante, au fond de moi, comme ta sœur, la fille que tu n'as jamais eue et qui te ressemblait tant, Lykeïna, vous vivrez toutes les deux aussi longtemps que je penserai à vous, moi qui suis la seule à ne pas vous avoir oubliées. Et j'y penserai jusqu'au bout, jusqu'à mon dernier souffle.

Oui, je comprends seulement maintenant ce que la déesse veut obtenir de la femme qui l'incarne. Et je frémis, parce que je repense à Nikárété, à la façon dont j'ai réalisé pleinement son enseignement en lui échappant, en me débarrassant de sa tutelle devenue importune. Lorsque la formation accélérée de Phila sera achevée, faudra-t-il que je la laisse me trahir pour m'être fidèle et prendre pleinement son envol ? Oui, bien sûr, elle le fera, et je l'y aiderai, par ma raideur jalouse, même si je ne sais pas encore exactement comment elle s'y prendra pour me blesser et me faire lâcher prise. Elle est de ma race, de la race de Thratta, de toutes les femmes qui savent prouver à leurs maîtres la réussite de l'enseignement qu'elles ont reçu par leur ingratitude. De celle d'Aristotélês aussi face à Platôn. D'Hypereïdês face à Isokratês. D'Alexandros face à Philippos. De mon Praxitélês face à Kêphisodotos. Et, oui, aussi, d'Attis face à moi. Même cette trahison-là, désormais je la comprends et je l'accepte, tandis qu'elle me déchire encore l'âme dès que je m'en approche trop. Toujours il faut trahir et surtout ceux qui vous ont aimé. C'est la loi. La grande loi d'Isodaïtês, le fils et l'amant de la maternelle Anaïtis. Elle, la déesse, comme moi : trahie, quittée, laissant partir, et puis recherchant les morceaux déchirés du corps qui l'a abandonnée, le rendant à l'unité, avant de le laisser se disperser de nouveau. Elle, la déesse, comme moi : déchirée par la trahison, puis ne trouvant le moyen de se rejoindre qu'en recomposant le corps de celui qui l'a abandonnée. Oh, fulgurance ! Je comprends enfin que cette loi ne régit pas seulement l'amour de l'amante mais aussi celui de la mère. L'amour de la femme : toujours créer et récréer, mûrir en nous, laisser germer, fleurir, recueillir, mais ne jamais posséder l'éphémère masculin, qui ne nous appartient pas, même lorsqu'il se donne, tant il s'appartient peu à lui-même !

Je me dépêche d'achever la formation de Phila pour les Erôtidia qui doivent avoir lieu quelques semaines plus tard. Je suis curieuse de voir l'effet que va provoquer ma protégée lorsque je vais la lâcher sur les hommes puissants qui doivent être mes invités à la cérémonie. Sur cette troupe de nobles Macédôniens arrogants et sur les ambassadeurs des cités grecques qui se pressent autour d'eux pour faire leur cour. Je ne suis pas déçue. Elle les subjugue tous, sans même avoir besoin de chanter ni de danser, ni d'ouvrir la bouche, simplement par l'intensité animale de sa présence. Ils feraient mieux pourtant de la laisser parler, parce que ces hommes de pouvoir expérimentés sauraient peut-être deviner, sous les accents plaintifs qu'elle adopterait pour leur raconter l'histoire de sa vie, l'égoïsme forcené que j'ai su éveiller en elle. Ces sots la voient comme une bête splendide et sans défense, qui excite leurs désirs de carnassiers, mais ils ne prennent pas le temps de l'examiner assez pour apercevoir, sous la grâce de la biche, la ruse de la bête fauve qu'elle est devenue. Même Antipatros, le lieutenant du roi Philippos, à qui le jeune prince Alexandros, au moment de partir pour son expédition vers l'Asie, a confié le soin de surveiller la Grèce, jette les yeux sur elle. Mais, trop sûr de ses prérogatives, il se la fait souffler.
Par le seul homme que j'aurais dû lui interdire. Par Hypereïdês, qui est venu défendre les intérêts de sa cité à Thespiaï. Bien qu'il soit accompagné de Myrrhina, il trouve le moyen, sous nos yeux furibonds, de prendre feu comme un adolescent. J'avais tout prévu, sauf que ma douce Phila se ferait les dents sur le cuir de ce vieux sanglier-là. Encore d'une santé étonnante, il fait depuis des décennies le succès des auteurs comiques, qui brocardent son appétit pour le poisson, le vin et les femmes. Je crois que les Athéniens sont rassurés de savoir qu'Hypereïdês dépense toujours autant d'argent à aimer la vie, même après Khaïrôneïa. Ils peuvent se dire que rien n'a vraiment changé au royaume de la fête. Mon ami entretient depuis des années deux favorites à demeure dans deux de ses maisons. D'abord,

la toujours somptueuse Myrrhina, que ses excès font vieillir encore moins vite que moi ma tempérance, et dont ses admirateurs aussi bien que ses ennemis commencent à raconter qu'en digne fille de la sorcière Circê, elle échappe au temps grâce aux liquides vitaux des hommes qu'elle transforme en pourceaux, avant de les offrir en sacrifice à sa propre jeunesse. Hypereïdês lui prête gracieusement depuis des années sa maison familiale d'Athênaï, dont il a chassé pour elle son propre fils. Dans celle du Peïraïeus, il a installé une deuxième femme, pour remplacer la malheureuse Aristagora. Il passe son temps entre ces deux propriétés, s'enfuyant, dès que l'une de ses concubines commence à se plaindre d'être délaissée, pour aller rejoindre l'autre. Il n'a pas réussi à empêcher Myrrhina de l'accompagner à Thespiaï sous le prétexte de me rendre visite, à moi qui suis l'une de ses plus anciennes amies. Mais, dès qu'il aperçoit Phila, Hypereïdês oublie sa vieille maîtresse, il m'oublie moi, il oublie tout, même Athênaï. Mon élève réussit l'exploit de laisser bouche bée l'orateur le plus loquace de son époque. Je suis presque aussi mortifiée que mon ancienne rivale de voir notre amant tomber amoureux fou de celle que j'ai pourtant formée à mettre tous les hommes à ses pieds. N'aurais-je pas dû me douter que la déesse se vengerait ainsi de m'avoir laissé usurper sa place auprès de ma protégée ? Myrrhina n'a pas ma patience. Elle accable Hypereïdês, non de ses plaintes, elle est trop fine pour cela, mais de ses sarcasmes. Elle tente de jouer sur son orgueil, le seul ressort qui, chez un homme, soit aussi puissant que le désir. Elle se moque de lui, elle le décrit, devant tous nos amis, comme un petit chien de compagnie, la langue pendante et la queue dressée devant une Thébaine, jolie, certes, mais grossière. Oui, cette Phila est grossière, non pas de manières, car je l'ai bien formée, mais d'âme, Phila est froide, Phila est glaciale jusque dans ses regards humides de désir. Cette gamine, dont on voit bien qu'elle n'aime pas vraiment le plaisir, n'a aucune raison de s'attacher à un vieux fêtard athénien, elle va se servir de lui, le presser comme une olive pour lui faire rendre sa précieuse goutte d'huile, et puis elle le jettera, après l'avoir rendu malheureux. Myrrhina a raison, Hypereïdês le sait, mais il est déjà beaucoup trop accroché pour écouter les avertissements d'une amie lucide et intéressée. Je lui donne les mêmes conseils de prudence et il m'écoute aussi peu.

Il insiste pour me racheter Phila sur-le-champ. Myrrhina, se penchant à mon oreille, fait appel à notre vieille amitié. Aux sentiments d'affection que j'éprouve non pour elle mais pour lui. Elle m'oblige à lui proposer un prix extravagant, afin de le protéger de sa propre folie. Mais Hypereïdês accepte sans hésiter et même il renchérit, afin de me prouver qu'il est prêt à aller jusqu'au bout et m'ôter l'envie d'attendre le lendemain pour le mettre en concurrence avec Antipatros ou un autre Macédônien. Myrrhina, dans un battement de paupières, finit par céder et me conseiller d'accepter la proposition déraisonnable de notre ami. Vingt mines. Deux mille drachmes. Je fais l'une des meilleures affaires de ma vie et je n'en ressens que de l'amertume.

Un peu plus tard dans la soirée, Myrrhina m'explique pourquoi elle a consenti à cette humiliation : "Il est tellement fou, me murmure-t-elle, qu'il se ruinerait tout à fait pour l'avoir et ensuite comment je survivrai, moi ? Il faudra qu'il se détruise la santé à écrire des plaidoiries stupides et il n'aura plus l'énergie de s'occuper de moi. Il n'est plus un jeune homme, c'est difficile pour lui de l'accepter mais il a déjà cinquante-cinq ans. Quant à moi, bien que j'aie obtenu des dieux le privilège de rester éternellement jeune, j'en ai à peine quinze de moins..." Si j'étais moins triste, je lui éclaterais de rire au nez, parce qu'elle n'a pas pu s'empêcher de mentir sur son âge, même devant moi qui la connais si bien. Elle me devance : "D'accord, j'avoue, j'ai presque un demi-siècle. Dans le monde où nous vivons et d'où tu as eu mille fois raison de te retirer, je suis une antiquité. Mais voilà, j'ai encore envie qu'on m'aime, même si je dois partager ! De toute façon, je partage déjà...". Elle reprend, sur un ton plus sourd : "Je ne suis pas ravie, tu t'en doutes, que débarque une troisième, surtout une aussi jeune et aussi belle que ta petite protégée, mais je préfère voir les choses du bon côté. Je me dis qu'ainsi j'aurai les deux tiers du temps pour me reposer des lubies de ce cochon. Ou pour me partager, moi aussi, entre quelques jolis jeunes hommes. J'en connais de très mignons, de très discrets, et qui se vendent pour bien moins cher que vingt mines !" Elle passe une bonne partie de la nuit à divaguer à voix haute et à tenter de se persuader, en me prenant à témoin, que sa vie, qu'elle a vouée à la jeunesse et au plaisir, n'est pas vraiment fichue.

Le lendemain, Hypereïdês me demande audience pour m'affirmer que, même à jeun, il est toujours disposé à me payer la somme énorme que je lui ai demandée pour la possession de Phila. Je lui coupe aussitôt la parole : "Pour l'affranchissement de Phila." Il sourit, m'affirmant, d'un air rusé, que cela va de soi, qu'il connaît mes conditions. Je lui réponds que je réserve ma réponse. Je dois d'abord demander à ma protégée si elle est d'accord. Lorsque je lui en parle, la Thébaine a une moue d'hésitation : "Hypereïdês, c'est qui, c'est le chef des Macédôniens, ah non, ce n'est que l'Athénien, c'est ça ?" Puis, après un instant de réflexion, elle laisse filtrer dans son regard un bref éclair de triomphe, avant de rendre de nouveau ses yeux parfaitement humbles, comme je le lui ai appris. En abaissant sur eux ses longues paupières de fille soumise, elle me déclare, d'une voix douce que, si je suis d'accord, elle l'est aussi, parce qu'elle ne désire rien tant que m'obéir en tout. Je la mets quand même en garde sur les colères d'Hypereïdês, qui peuvent être terribles, mais elle me sourit d'un air fin. Je lui raconte l'histoire d'Aristagora, et la vengeance qu'en a tirée mon ami pour avoir reçu chez elle d'autres hommes que lui. Phila m'adresse un deuxième sourire, encore plus effilé que le premier, avant d'ajouter : "Crois-moi, maîtresse, un seul homme me suffira bien." Alors je lui rends son sourire : je me dis qu'Hypereïdês vient de trouver une adversaire à sa mesure, bien plus coriace que cette sotte d'Aristagora et peut-être même que la volage Myrrhina. Mais je ne parle pas à Phila de la clause de son affranchissement. Ce sera ma vengeance. D'ailleurs, je sais qu'elle est capable de l'obtenir sans mon aide.

Hypereïdês repart, sa nouvelle toquade à son bras, et traînant, accrochée à sa tunique, sa vieille maîtresse. Myrrhina se répand en sourires gracieux et en sous-entendus sarcastiques mais elle ne veut pas le lâcher un seul instant, de peur qu'il ne la chasse de sa belle maison du quartier du Kollyteus pour y installer la nouvelle favorite. Je le regarde s'en aller à la tête de cet étrange équipage à deux chevaux, me demandant si cette image est la bonne, si ce n'est pas lui l'animal de trait, qui va s'épuiser à tirer le char sur lequel se pavaneront ces deux indolentes croqueuses de richesse. Mais il m'adresse un clin d'œil : "Ne t'en fais pas, je vais m'en débrouiller".

Et le pire, c'est qu'il s'en débrouille. Ce diable d'homme parvient à faire cohabiter dans sa vie deux des plus redoutables hétaïres qu'on ait jamais connues, sans compter sa troisième maîtresse, et moi, son amie lointaine. Après leur départ, je me demande comment va tourner sa liaison avec l'ingrate Phila, qui ne m'a adressé, en me quittant, qu'un bref salut de la main, comme si elle était déjà passée à autre chose. Je me dis : "Lequel de ces deux fauves va dévorer l'autre ?" Va-t-il se lasser d'elle, aussi soudainement qu'il s'en est entiché, et trouver un prétexte pour s'en débarrasser de façon aussi expéditive qu'il l'a fait d'Aristagora ? Va-t-elle au contraire, par son indifférence, le rendre malheureux, le ruiner, le briser ? Mais aucune de ces deux solutions n'est la bonne. Comme d'habitude, rien de ce que j'ai prévu ne se passe. Ils ont tous les deux plus de ressources que je ne le croyais. Au bout de quelques mois, ils parviennent à harmoniser leur rapport de force et à s'inventer une relation singulière. D'abord, Hypereïdês installe Phila dans une troisième maison, à Eleusis. Pour éviter qu'elle ne se sente défavorisée d'être logée plus loin que les deux autres du cœur de la cité, il lui lègue bientôt la propriété par testament. Comme je l'avais prévu, elle ne tarde pas à obtenir son affranchissement mais son ancien maître va plus loin : il en fait son intendante, dès qu'il ne peut plus douter de son goût sincère pour la campagne, ni de sa rapacité. Il a la rouerie de l'associer aux bénéfices de ses fermes, afin de lui laisser la possibilité de s'enrichir sans le voler, ou, en tout cas, en l'enrichissant aussi un peu lui-même. Finalement, ces deux-là sont faits pour s'entendre.

Et puis, même à l'époque où il en est le plus amoureux, il ne passe jamais avec elle que le tiers de son temps. Moins par scrupule vis-à-vis des deux autres que parce qu'il ne veut pas céder à sa passion son essentielle liberté d'âme. De son côté, elle est la seule des trois, lorsqu'il la quitte, à ne jamais se plaindre. Elle ne prend pas la peine de lui cacher qu'elle est, le plus souvent, très satisfaite de se retrouver seule. Je ne sais pas si cette indépendance qu'elle lui marque vient de ses désirs profonds ou n'est qu'une stratégie, mais, en tout cas, il me confie, dans l'une de ses lettres, que c'est à cause de cette absence de tristesse, même feinte, à cause de cette distance, qui, d'une certaine manière, lui rappelle la mienne, qu'il continue à en être amoureux, bien plus longtemps que des deux autres. Docile à tous ses désirs mais indifférente à son amour, elle tient si bien Hypereïdês entre ses mains douces mais fermes qu'elle le pousse bientôt à chasser sa deuxième maîtresse. Il faut dire que cette dernière a commis l'erreur d'entrer en guerre ouverte contre elle. Après sa victoire, Phila récupère aussi la maison du Peïraïeus, dans laquelle elle se plaît moins que dans la propriété d'Eleusis, mais qui lui permet de développer quelques affaires avec des riches métèques du port, sous le nom d'Hypereïdês évidemment et grâce à ses capitaux. Quant à Myrrhina, qui s'est mise à vieillir à toute allure mais qui parvient encore à déguiser sa décrépitude sous des couches de maquillage et de caprice, Phila ne la juge pas une rivale assez dangereuse pour éprouver le besoin de lui régler son compte. D'ailleurs, ma vieille amie s'est bien gardée de s'opposer ouvertement à ma jeune protégée, ayant deviné que celle-ci ne souhaitait pas vraiment se retrouver seule dans la place et avoir leur amant sur le dos plus de la moitié du temps. Hypereïdês est marié aussi, accessoirement. Mais à sa femme, qui lui a donné depuis longtemps des enfants mâles et à qui il laisse en échange le soin de régner sur sa maison principale de la Porte des Cavaliers, il ne se sent redevable ni de ses nuits ni du moindre de ses désirs sensuels. "D'ailleurs, sourit-il, cette respectable matrone ne saurait qu'en faire. Il vaut mieux que je ne l'embarrasse pas de moi."

Je ne suis plus désormais qu'une amie mais nous éprouvons toujours autant de plaisir, lorsque par hasard nous nous retrouvons, à plaisanter l'un avec l'autre sur le cours parallèle de nos vies. Il m'affirme que, dans les rares loisirs que lui laissent ses trois femmes et son épouse légitime, il essaie de trouver le temps de s'occuper un peu de politique. Moi qui le connais bien, je me dis que c'est le contraire : il n'éprouve le besoin de compliquer à l'extrême ses amours que pour se délasser des préparatifs obsédants de la revanche contre la Macédoine. Il veut éviter de se laisser entièrement dévorer par Athênaï comme son ami Lykourgos, qui ne s'est tenu si longtemps éloigné du piège des affaires publiques que parce qu'il se doutait qu'un jour il y basculerait définitivement. Hypereïdês a choisi ces trois femelles aux six pattes lisses mais crochues pour qu'elles le tirent un peu hors de la toile asphyxiante de la politique. Dans la servitude de ses amours, il se sent encore un peu libre, encore un peu tout-puissant, encore un peu monarque dont on se dispute les faveurs. Encore un peu mâle, encore un peu jeune, encore un peu athénien du temps jadis. Pas tout à fait fou pitoyable rivé à un rêve de grandeur dépassé.

63

DU TEMPS À L'ÉTAT PUR

Quelque mois après la destruction totale de Thêbaï et le triomphe amer des Erôtidia, je reçois un soir dans le temple de Thespiaï, où je suis en train de faire l'inventaire des biens du dieu, une visite totalement inattendue. Le voyageur épuisé est escorté de quelques serviteurs à peine. Il marche en s'appuyant lourdement sur une béquille et vient me demander l'hospitalité pour la nuit dans le sanctuaire. Je mets longtemps à le reconnaître parce que je le croyais mort et qu'il n'est plus qu'un fantôme.

Pour la quatrième fois de ma vie, je me trouve en présence de Gorgidas. J'étais sûre qu'il avait péri à Khaïrôneïa et qu'il reposait au milieu de ses pairs sous le lion de pierre voulu par Alexandros. Mais voilà qu'il s'est survécu à lui-même. Il n'est plus maintenant qu'un piéton boiteux, mutilé, hagard (s'il s'appuie sur une béquille, je le vois, maintenant qu'il s'approche, c'est parce qu'il lui manque une jambe), ayant échappé par un malheureux hasard à son destin de guerrier et à la destruction totale de sa cité. Il est affreux. Il porte de nouveau un bandeau noir qui lui cache tout le côté gauche du visage et sous lequel on devine les bourrelets de plusieurs profondes cicatrices. Brusque souvenir de la balafre de mon père, Epiklês, égorgé sous mes yeux, à quelques dizaines de mètres d'ici, près de la porte de la Montagne, par ce même homme, qui lui ressemble désormais tellement. Non, d'ailleurs, s'ils portent la même cicatrice, celle de mon père était terrible et triomphante, tandis que celle de Gorgidas n'est que hideuse. Il s'aperçoit de mon trouble devant sa face ravagée et, se méprenant, sourit tristement. Il m'explique qu'il a perdu un œil à Mantineïa, la moitié du visage, quelques doigts et une jambe entière à Khaïrôneïa, ayant laissé des morceaux de son corps et de son âme sur tous les champs de bataille où Thêbaï s'est aventurée ces dernières décennies. Je ne fais même pas semblant de m'apitoyer.

Le silence retombe. Avec gêne, il finit par m'avouer le but de sa visite. Profitant du départ d'Alexandros pour l'Asie, il fait le tour, avec quelques autres rescapés, de toutes les cités grecques, afin d'appeler à leur solidarité et de réunir les fonds qui permettront de rebâtir les remparts de Thêbaï. Il veut lui aussi ressusciter une ville morte. Frappée par cette idée, je l'écoute sans l'interrompre. Il tente de plaider sa cause, mais je perçois, dans sa voix morne, l'exaltation factice et la lassitude d'un discours cent fois répété, usé, un discours en lambeaux, mutilé comme le visage et les membres de celui qui le prononce. Quels que soient les conflits et les rivalités du passé, les haines séculaires et fratricides, me dit-il, en tentant lugubrement de donner à son ton un peu d'ampleur, personne, même parmi ses ennemis, ne peut se réjouir de la destruction de Thêbaï, tant elle fait partie intimement de l'identité de la Grèce... Sa voix s'éraille un peu, d'émotion ou de fatigue. Le silence s'installe de nouveau mais lui aussi sonne creux. Le Thébain, qui s'en est peut-être rendu compte, reprend d'une voix plus sourde, mais plus sincère : tous ceux à qui il est allé tendre la main se sont montrés compatissants mais aucun n'a rien donné, tant ils ont peur de la colère d'Alexandros, et de son chien de garde, Antipatros, resté à Pella pour surveiller le troupeau des cités. Alors, en désespoir de cause, il se tourne vers moi, dont on dit que je suis riche et béotienne, comme lui.

— Pas béotienne, thespienne. Je consacre une bonne partie de mes richesses à reconstruire ma ville moi aussi. Sais-tu, Thébain, par qui elle a été détruite ?

Il reste figé. Il me regarde plus attentivement. Me reconnaît-il enfin ? Me fait-il cet honneur ? Non, il baisse la tête, accablé, comme s'il s'attendait à ce refus, et à l'humiliation suprême de devoir supplier une femme en vain. Je m'empêche de lui rappeler, en un éclat inutile de colère, notre passé commun. Cette chose-là, qui s'est déroulée entre lui et moi dans ce même sanctuaire une nuit d'il y a plusieurs décennies et que j'ai si souvent revécue, dont j'ai si souvent remué la vase d'humiliation, de violence, de haine, de trouble, afin d'être capable de voir clair en moi, je ne la lui jetterai pas au visage, comme je l'ai longtemps rêvé. Je ne lui ferai même pas l'aumône de mes confidences. Il est devenu beaucoup trop laid pour cela. Soudain, je parle : "D'accord, Thébain, j'accepte de reconstruire les remparts de ta ville. Entièrement, à mes propres frais. Je suis assez riche pour le faire. Je ne te demanderai qu'une seule chose en échange, avant de poser les conditions que je mets à cette reconstruction."

Il relève la tête. Il n'ose sûrement pas y croire.

"Cette bague."

La bague d'Anaïtis que m'a donnée Manthanê au nom de ma mère. Il la porte maintenant au petit doigt de la main gauche, car il lui manque celui de la main droite, en même temps que l'annulaire et l'index. Va-t-il me reconnaître à cette demande ? Va-t-il deviner enfin qui lui réclame son dû ? Mais non, tout tremblant, de joie ou de faiblesse, il se dépêche de baisser les yeux et d'enlever de son doigt le bijou qu'il pose dans ma paume tendue. Ou, peut-être, n'ose-t-il pas me regarder en face, parce qu'il m'a trop bien reconnue, depuis le début, depuis le jour où nous nous sommes revus sur le chemin du temple d'Erôs ? Je ne sais pas. Je ne veux pas savoir. Ses yeux baissés, honteux, attendant avec humilité la suite, me gênent, m'exaspèrent, bien plus que sa morgue d'avant : ils privent mon ancien vainqueur de toute dignité. J'entends un écho lointain de sa voix murmurante, au matin de la nuit terrible, quémandant de la tendresse après la violence. Jamais je ne pourrai me venger du guerrier parce qu'il n'existe plus. Alors je ne ferme pas la main. Je la lui laisse sous le nez, avec la bague au milieu, pour qu'il puisse me la reprendre, lorsqu'il aura entendu ce que j'ai à lui dire : "Voici maintenant mes conditions. Uniques mais irrévocables. L'emplacement des sept portes sera creusé dans le rempart, mais elles-mêmes n'existeront pas, elles ne seront que du vide, de manière à ce que la ville reste en permanence grande ouverte et que son vainqueur macédônien puisse y pénétrer à sa guise. Sur le linteau, au-dessus de chacune des sept portes absentes, je veux que soit gravée l'inscription suivante : « Ces remparts, détruits par le conquérant Alexandros de Macédoine, ont été rebâtis par l'hétaïre Phrynê de Thespiaï. »"

Sursaut d'orgueil du Thébain. Enfin. Dernier feu de rage qui le brûle. Il relève la tête et me regarde fixement. Je ne sais toujours pas s'il m'a reconnue mais je sens qu'en cet instant j'incarne tout ce qu'il hait, tout ce qu'il méprise et qui le tue pourtant. Voilà ma vengeance : je suis tout ce qu'il a été pour moi. Il éprouve l'un des mouvements irrésistibles de violence qui l'auraient poussé autrefois à se jeter sur son ennemi pour lui faire rentrer son sarcasme dans la gorge. Je ne parviens pas à réprimer un réflexe de frayeur mais, dans l'obscurité qui nous enveloppe désormais, peut-être ne perçoit-il même pas qu'il me fait peur une dernière fois ? En tout cas, il se reprend et jette un regard prudent autour de lui. Il soupèse ses propres forces de mutilé, celles de ses quelques serviteurs affamés, dont il n'est même pas sûr qu'ils prendraient sa défense. Il les compare aux gardes vigoureux qui m'entourent. Cet Akhilleus moderne paraît avoir appris de la vie à modérer sa colère et à se méfier d'elle, lorsqu'il vient supplier Hékabê, la vieille reine de la cité qu'il a détruite en vain.

Ses épaules retombent, puis, de nouveau, sa tête. Il reste plusieurs secondes ainsi, pris dans une rêverie profonde. Hésite-t-il à accepter ma proposition malgré tout ce qu'elle comporte d'humiliant ? Enfin, sa bouche se tord dans une grimace, qui se prolonge jusque sous le bandeau. À qui l'adresse-t-il, à moi, à lui-même, à Thespiaï, à Thêbaï, au destin ? Sans reprendre la bague posée dans ma main tendue, il se lève, fait un signe à ses serviteurs et s'éloigne. Je le laisse aller sans un mot, attendant qu'il ait disparu pour mettre l'anneau à mon doigt. Ensuite seulement je sors à mon tour de la salle. Du haut des marches du temple, je sens derrière moi la présence des trois statues de Praxitélês, dont les yeux peints brillent dans l'obscurité. Je regarde avec elles en silence le spectre du Thébain, claudiquant sur sa béquille, parcourir lentement la vaste esplanade du sanctuaire qu'il traversa autrefois au galop triomphant de son cheval, avant de disparaître dans la nuit.

Le lendemain, un jeune paysan vient m'apprendre qu'un inconnu a été retrouvé dans les collines, pendu à l'un des oliviers les plus vigoureux que j'ai fait planter il y a quelques années. Le mort n'avait qu'une jambe et qu'un œil. Je donne assez d'argent au garçon pour qu'il ose décrocher l'affreux cadavre avec son père et ses frères et qu'ils l'enterrent au pied de l'arbre. Sans nom ni tertre.

J'ai dépassé les cinquante ans. Mes hanches se sont alourdies et j'ai l'impression que mes seins ont doublé de volume. Je suis soulagée, au retour du mois, de perdre encore une fois mon sang, attendant avec appréhension le moment où le cycle de la vie aura déserté mon corps, pour me signifier que je suis vraiment entrée dans la vieillesse. Pourtant j'ai l'impression que les hommes n'ont presque pas besoin de se mentir lorsqu'ils m'affirment que je suis plus belle que jamais. L'autorité de mon âge mûr paraît les éblouir presque autant que la grâce de ma jeunesse, même les soirs où, par hasard, je les laisse me déshabiller.

L'Amphictyônie delphique, reconnaissante du soutien que j'ai apporté à la reconstruction du grand temple, accepte la proposition de mes admirateurs de me faire édifier une colonne sur la voie sacrée, au sommet de laquelle sera posée une statue de bronze doré à mon effigie. J'impose, pour réaliser l'œuvre, le nom de mon vieil amant, Praxitélês. Il est au faîte de sa gloire et pourtant presque passé de mode. Léôkharês et un nouveau venu du nom de Lysippos se disputent les faveurs des maîtres de Macédoine, le titre de portraitiste officiel d'Alexandros et l'argent des commandes publiques. Praxitélês m'est reconnaissant de lui fournir une occasion de sortir de son amertume et sa femme de lui permettre d'oublier à quel point il est malade. Mais elle m'a prévenue honnêtement : il n'y a guère de chance qu'il parvienne à aller jusqu'au bout du travail. Plusieurs des commanditaires m'ont également mise en garde. Je m'obstine. Je me déclare sûre de lui, de son génie. Évidemment, ce têtu fait tout ce qu'il peut pour me donner tort. Il met du temps à arriver jusqu'à moi, peste contre le choix du métal plutôt que de la pierre, séjourne plusieurs semaines dans la maison de mon père avant de se décider à me faire poser une dernière fois. Puis, peu à peu, le miracle ancien se produit. Il sort de sa torpeur et se prend au jeu. Très vite, il ne me demande plus de poser mais seulement de me tenir devant lui, libre de mes mouvements. Il me dit qu'il ne veut plus représenter Aphroditê, mais Phrynê. Que, pour la première fois depuis des décennies, depuis le premier visage de moi qui émergea sous ses doigts par hasard dans le marbre, il ambitionne de fixer, mais cette fois dans le bronze et l'or, la trace fugace d'une femme réelle.

Et, de nouveau, je suis stupéfaite du résultat. Il a choisi sur cet ultime buste de montrer notre première rencontre : debout devant lui, dans la salle humide du bordel du Peïraïeus, je viens de repousser légèrement en arrière de mes deux mains le rabat de ma tunique. Pourtant, le visage qui apparaît sous le capuchon n'est pas celui de la très jeune fille qu'il découvrit alors, ni celui de la jeune femme de mes débuts athéniens, qu'il représenta au moment où elle s'affranchissait de ses deux derniers maîtres, mais celui de la femme mûre que je suis devenue : on distingue, visibles dans l'ombre du tissu de métal, les rides humaines sur le front, aux coins des yeux et des joues. Il n'a pas hésité à les souligner d'un double fil d'or et d'ivoire, qui rappelle celui dont il s'est servi pour donner aux globes des yeux leur éclat, et dont il se moque bien qu'on ne puisse pas le distinguer, lorsque la statue sera placée en hauteur sur sa colonne.

Moi qui les regarde de près, je trouve qu'elles me donnent un air plus doux encore et plus spirituel que dans les incarnations divines de ma jeunesse. Je souris légèrement et j'ai l'air d'être là. Une dernière fois, grâce à lui, je reste bouche bée devant moi-même : suis-je vraiment cette femme apaisée qu'il me montre ? Est-ce ainsi que les autres me voient, ou bien seulement cet artiste encore amoureux ? Il me dit qu'il a choisi, comme d'habitude, un geste ambigu : celui où la femme maîtresse d'elle-même enlève le rabat de ses cheveux pour se laisser regarder telle qu'elle est, à moins que ce ne soit celui où elle le replace sur sa chevelure, avant de s'en aller librement où elle l'a décidé.

Je ne trouve pas les mots pour le remercier. Mais mon silence et mon émotion lui disent assez qu'il s'est haussé au niveau de ses plus belles créations. Celles qui, à mon sens, sont supérieures à la trop célèbre déesse dénudée de Knidos : l'*Erôs aux ailes déployées* qui veille au centre du temple de Thespiaï ou l'*Aphroditê pleurant Adônis* du sanctuaire athénien de l'Ourania. Comme eux, j'en suis sûre, ce bronze traversera paisiblement les siècles. Praxitélês vient de trouver un nouvel équilibre entre l'idéalisation et l'imitation de la réalité, se situant plus près de cette dernière qu'aucun artiste avant lui ne l'a jamais osé. Même ses détracteurs, qui auraient préféré que je fasse appel à Lysippos ou à Léôkharês, sont obligés de le reconnaître : il se révèle un maître encore plus accompli dans le dépouillement simplissime du réel que dans les audaces novatrices de la transgression. Il me sourit : "Tu as raison, c'est mon dernier chef-d'œuvre. Je te remercie." Il se penche vers moi pour poser ses lèvres sur ma main, qui porte la bague de ma mère à côté de celle de Lêtô. Je ris de ce mouvement spontané que je juge un peu ridicule. En même temps, je m'inquiète du ton testamentaire de ses paroles. Je tente de le persuader, comme les officiels qui sont venus prendre livraison de la commande, qu'une nouvelle ère s'ouvre pour lui, un territoire vierge à explorer, qu'il lui reste plein de découvertes excitantes à faire dans cette direction du réalisme singulier. Mais il se contente de hausser les épaules. Alors, sans plus rien dire, je lui pose ma main sur la joue et je la caresse doucement, du revers de mes doigts. Un instant à peine, parce qu'on nous regarde avec curiosité. Mais je sens que c'est un geste juste, un peu maternel sans être trop appuyé, à la fois léger et grave, bref, très *praxitélien*. Le seul vraiment à la mesure du sourire qu'il a donné dans le métal à ce visage de femme mûre, qui comprend et qui accepte tout, même l'inévitable séparation à venir. Le seul capable de répondre à celui, inaugural, de son doigt de jeune sculpteur sur ma joue de petite putain abandonnée.

On élève le buste en bronze doré entre ceux de deux autres célèbres bienfaiteurs du sanctuaire, Arkhidamos, un roi de Lakédaïmôn, et le grand Philippos de Macédoine. On le consacre avec solennité, en présence du Sculpteur (car Praxitélês a différé son retour à Athênaï pour vivre avec moi ce moment de reconnaissance), sous le patronage des autorités macédôniennes, qui tiennent à honorer la citoyenne d'une de leurs principales alliées en Béôtie. Un autre vieil ami s'invite à la cérémonie : le philosophe Kratês. On dit que, depuis la disparition d'Hipparkhia, malgré le succès croissant de sa prédication, il errait dans Athênaï sans véritable but. La destruction récente de Thêbaï vient de lui en fournir un qu'il n'espérait plus. Avec ses disciples, il s'est mis en marche depuis quelques semaines vers sa cité natale. Maintenant que ses habitants ont été si violemment débarrassés de l'illusion de la puissance, peut-être les survivants voudront-ils, dans les ruines, se consacrer à la recherche philosophique du dépouillement qui, seule, pourra les soulager de leur deuil ? Comme le Maître des Chiens n'ose pas encore s'approcher des sept portes abattues, il erre avec sa meute aux environs de Delphoï. À ma grande surprise, il se présente à l'inauguration, suivi de sa vingtaine de clochards, qui voyagent sans arme, les pieds nus, suants dans leur manteau de laine troué, sous le casque de leurs cheveux crépus (ils ont tous adopté la coiffure extravagante de leur maître). Je les fais admettre à l'intérieur du sanctuaire, et je les salue affectueusement, mais de loin, pour ne pas m'exposer de trop près à l'assaut de leur puanteur encore exaltée par le soleil. Ils ont la courtoisie de gravir la voie sacrée à quelque distance du cortège officiel.

Mais j'aurais dû me douter que Kratês ne se déplacerait pas seulement pour l'aubaine d'un repas gratuit et que cet ascète ne pourrait se refuser la gourmandise d'un scandale. En plein sacrifice, il prononce, assez fort pour être sûr d'être entendu de tous, une phrase manifestement préparée à l'avance : "Le choix de placer dans ce sanctuaire le buste d'une Phrynê prouve la décadence morale des Grecs : désormais, ils n'élèvent de statues plus hautes que celles des rois qu'à des putains !" Les organisateurs, furieux, s'excusent auprès de moi. Mais je connais depuis trop longtemps le maître cynique pour ne pas avoir aiguisé, pendant la montée, la pointe d'une petite flèche à décocher en réponse à son inévitable trait. Je m'exclame en riant, à voix haute moi aussi, afin que mon vieux contradicteur puisse se délecter de ma réponse, autant que moi de son apostrophe : "On dirait que ça le dérange, notre moraliste rebelle, de voir un monument élevé à l'amour entre deux monuments élevés à la guerre !" Le chef du service d'ordre delphique esquisse un mouvement vers ses gardes, pour qu'ils fassent, d'un bon coup de pied dans le derrière, dégringoler la colline jusqu'en bas du temple d'Athêna Pronaïa à cette troupe d'olibrius mal lavés. Je le retiens, en lui glissant, dans un murmure sonore qui fait rire tout autour de moi : "Laisse-le, je comprends qu'il soit furieux, il préférerait qu'on place à côté de Philippos le buste de Diogénês, ou même celui du grand Kratês." Et j'ajoute : "Mais peut-être les Grecs pensent-ils que je leur ai fait plus de bien que tous ces philosophes et tous ces rois réunis ?" J'ai exigé qu'on inscrivît sur la base de la colonne : "Phrynê, fille d'Epiklês de Thespiaï." Mon nom de guerre, mon surnom injurieux de courtisane, celui sous lequel mes admirateurs me connaissent, mais aussi ceux de mon père et de ma ville natale. Mes deux identités enfin réunies. Comment Kratês pourrait-il comprendre ? Il n'a jamais été qu'un homme libre.

C'est la dernière fois que je le rencontre directement, même si j'entendrai encore souvent parler de lui. Il paraît que, quelque temps plus tard, débarquant dans les ruines de Thêbaï avec sa troupe de fantômes, il commencera à prêcher aux survivants l'oubli et la sagesse, en les exhortant à ne surtout pas reconstruire leur cité : "À quoi bon, puisqu'il se trouvera sûrement un deuxième Alexandros pour chercher à la détruire ?" Alors ils lui lanceront des pierres, qu'ils auront ramassées sur les décombres de leurs remparts. Il repartira dans son errance à travers la Grèce, se rapprochant peu à peu, sans même s'en rendre compte, au hasard de ses pérégrinations concentriques, de son point de départ. Qui risque bien d'être aussi son point d'arrivée. Athênaï : la seule cité au monde capable de le supporter, à défaut de le comprendre.

Praxitélês séjourne encore à Thespiaï plusieurs mois intenses et paisibles. Le temps de s'y faire livrer un bloc de marbre subtil du Pentélique et de le travailler à son rythme. Mon buste de Delphoï ne sera pas, contrairement à ce que je croyais, contrairement à ce qu'il a prétendu, son ultime chef-d'œuvre. Son regain de popularité lui vaut une autre commande de prestige, dont je suis très fière, parce qu'elle me ramène à des souvenirs personnels et me permet de mesurer le chemin parcouru. Le sanctuaire de Trophonios, dans lequel mon père et son frère sont venus consulter l'oracle des décennies auparavant, lui demande une nouvelle statue, pour remplacer celle en bois attribuée à Daïdalos. Je passe des heures délicieuses en sa compagnie, dans la grande salle de la maison de mon père transformée en atelier, à le regarder travailler sans parler. Et à m'intoxiquer avec lui des poussières du marbre, qu'il a préféré une dernière fois au bronze. J'ai voulu lui en faire le reproche mais il s'est contenté de poser le doigt doucement sur mes lèvres. Lorsque le groupe est achevé, il ne peut pas demander à l'Athénien Nikias de le peindre, car celui-ci l'a précédé déjà de plusieurs mois dans la mort. Il s'adresse à un jeune artiste local, en lui demandant de ne surtout pas chercher à copier les vernis complexes du maître disparu, mais de se contenter des couleurs crues qu'il maîtrise. Ce traitement naïf fait ressortir d'autant plus la profondeur du propos. J'adore la façon dont le Sculpteur a représenté Trophonios, l'artiste bâtisseur du premier temple de Delphoï devenu après sa mort un devin. Lui prêtant son propre visage, il l'a montré en architecte des gouffres, sensible à la voix des serpents : accoudé à un arbre, le héros se penche rêveusement au-dessus de la faille vers leurs langues bifides, afin d'écouter le message qu'ils ont à lui transmettre de la part de la Terre, tandis que son frère se tient assis à ses pieds, se bouchant les oreilles pour mieux se concentrer sur leurs plans étalés devant lui. Moi seule devine l'allusion au récit de mon père, à la descente dans la grotte d'Epiklês et de son frère Timolaos. Mais je goûte aussi l'ultime pied de nez que mon Sculpteur adresse, au nom de la grâce, à tous ses collègues théoriciens, dont le jeune maître Lysippos, le nez tellement rivé sur leurs calculs savants des proportions qu'ils en oublient parfois de regarder le monde autour d'eux ou d'écouter la voix de leurs serpents intérieurs.

Je fais le déplacement en grande pompe avec Praxitélês et l'ensemble de mon thiase dans le petit sanctuaire de montagne pour y consacrer le groupe de marbre. J'espère y retrouver la tablette d'Epiklês et de Timolaos parmi les milliers qui s'entassent au fond de la salle interdite du temple. Mais je la cherche en vain. "Tu sais, elles sont en cire", me dit un très vieux prêtre, qui officiait déjà, peut-être, l'année où les deux jeunes Thespiens sont venus interroger le Nourricier mais qui, évidemment, n'a gardé aucun souvenir de leur visite. Il reprend : "C'est un matériau fragile. Les rats ou le temps qui les dévorent n'en laissent rien." Je décline son offre de descendre moi-même à travers la Faille consulter l'oracle. Je l'ai fait si souvent aux côtés de mon père, lorsqu'il me racontait son histoire, et j'ai été si souvent déçue dans mes attentes. Je n'éprouve plus du tout le désir de connaître mon avenir.

Du temps à l'état pur passe encore.

Au printemps, je laisse Praxitélès, qui ne tousse presque plus et à qui son travail à Thespiaï a donné une énergie nouvelle, redescendre vers sa cité. Je vais l'y rejoindre chaque automne et j'ai l'impression que je n'ai jamais autant goûté le présent que dans ce moment d'apogée déclinant de ma cinquantaine. J'en jouis intensément, avant que tout ne change encore, une dernière fois.

64

TROIS VISAGES À TRAVERS LA FUMÉE

Maintenant, je vois émerger, des tourbillons de ma mémoire et de la fumée, le visage d'Hypereïdês. Son sourire moqueur. Combien d'années encore ont passé, comme des feuilles jaunies se détachant de l'arbre ? Quatre, cinq ? Je me souviens bien de cette scène. C'est lors d'un de mes séjours automnaux à Athênaï et mon ami me fait la chronique des dernières nouvelles de la cité, parce que, dans mes montagnes, je vis éloignée du monde et surtout de la politique. Cette fois, il me raconte le procès qu'a intenté Lykourgos à l'une de nos plus vieilles connaissances, l'armateur Léôkratês. Je viens d'apprendre la brillante carrière qu'il a menée depuis la nuit où il s'est enfui en barque avec sa maîtresse après l'annonce du désastre de Khaïrôneïa. D'abord réfugié à Rhodos, il y a fait travailler un moment son amie et quelques autres filles pour se refaire. Puis il s'est installé à Mégara, à mi-chemin entre Korinthos, la capitale choisie par le protectorat macédônien, et Athênaï, qui, après la défaite, était devenue l'alliée officielle des occupants. Pendant cinq ans, il s'y est consacré au commerce du blé et à l'import-export entre les deux cités, se débrouillant pour redevenir presque aussi riche qu'il l'était auparavant. Il s'était bien juré de ne jamais remettre les pieds à Athênaï, où il avait liquidé tous ses biens par l'intermédiaire de son beau-frère. Ce dernier s'était même débrouillé pour lui envoyer sa femme, ses enfants et les statuettes de ses dieux domestiques. Pourtant, un beau jour, Léôkratês a décidé de rentrer. Par nostalgie ? Connaissant le bonhomme, Hypereïdês n'y croit pas. Moi non plus. J'imagine plutôt que l'armateur voulait donner une nouvelle impulsion à ses affaires, en renouant avec ses anciens contacts dans le port du Peïraïeus. Sans doute estimait-il que, remontant à sept ou huit ans, sa fuite serait oubliée et qu'il possédait une chance raisonnable

de se voir attribuer une nouvelle concession dans les mines du Laureïon, en remplacement de l'ancienne que l'État lui avait confisquée.
D'ailleurs, il avait presque raison : Hypereïdês avoue bien volontiers qu'il aurait été prêt à lui pardonner, et à faire, comme tous ses
concitoyens, semblant de ne pas remarquer sa présence. Le traître
aurait traversé l'Agora quelques mois comme un fantôme invisible,
avant de réintégrer pleinement le monde des vivants, le soir où il
aurait été invité à son premier banquet.

Mais voilà, il y avait Lykourgos. Lui se souvient de tout, lui ne
pardonne rien. Il a traîné aussitôt leur ancien ami en justice. Quand
on est accusé par Lykourgos, c'est nécessairement de haute trahison,
il n'y a qu'une seule peine : la mort, et, même quand on est innocent, il est difficile d'en réchapper. Léôkratês a pris peur. Il est allé
trouver son vieux copain de virée, Hypereïdês, qu'il a supplié de lui
composer sa plaidoirie, parce que lui-même n'avait jamais appris
à écrire, seulement à compter : "Ce Lykourgos, lui a-t-il dit, c'est un
fou, un chien enragé. Quand il te plante ses dents dans la gorge, il
ne te lâche pas jusqu'à ce que tu te vides de ton sang. Hypereïdês,
il n'y a que toi qui puisses me tirer de là et le faire lâcher prise.
Comme quand tu as défendu notre vieux camarade, comment s'ap-
pelait-il déjà, Lykophrôn !

— Il était coupable d'avoir couché avec la femme de son voisin,
pas d'avoir abandonné sa cité en pleine panique."

Alors Léôkratês s'est mis à ricaner : "Ma cité, ma cité ! Vous n'avez
plus que ce mot-là à la bouche. Je te parie que, dans son discours,
ton Lykourgos va évoquer mes ancêtres comme s'ils avaient toujours
été des hommes libres. Pendant toute ma jeunesse, il m'a fait sentir, par sa morgue d'aristocrate, qu'il savait très bien que mon arbre
généalogique était faux, que j'étais en réalité le fils d'un affranchi, et
qu'à ses yeux je ne serais jamais rien d'autre. Maintenant qu'il s'agit
de m'accabler, tu vas voir que ce salaud va me considérer comme
un Athénien à part entière. C'est bien la première fois qu'il me
fera l'honneur de me considérer comme l'un des siens !" Léôkratês
a tenté ensuite d'apitoyer son camarade en lui rappelant leurs nuits
de beuverie, et même en lui parlant de moi. Mais Hypereïdês lui
a répondu qu'il n'avait plus le temps de se souvenir de ses frasques
de jeunesse, absorbé qu'il était par la préparation de la revanche.
"Donc, lui a rétorqué l'autre d'une voix soudain refroidie, tu vas
me laisser tomber ?

— Oui.

— Alors prie pour que je sois condamné. Parce que moi aussi, quand je plante mes dents dans le cou de quelqu'un, je ne le lâche pas avant qu'il se soit vidé de tout son sang."

Quand Hypereïdês me rapporte les détails de cette conversation, je frissonne. Je suis bien placée pour savoir quel soulagement on peut éprouver à rompre tout commerce avec Léôkratês, dont j'ai toujours détesté la vulgarité cynique, même quand Hypereïdês s'en amusait encore. Mais je sais aussi quel ennemi redoutable il peut devenir. Je conseille à mon vieux sanglier de se montrer prudent. Surtout lorsqu'il m'apprend qu'en sortant de chez lui, l'armateur s'est précipité chez Démadês, avec qui il avait fait autrefois des affaires louches. L'ancien marin a accepté aussitôt de lui indiquer les noms de deux ou trois citoyens assez honorables pour devenir, sans l'obliger à se ruiner, ses amis d'enfance et ses témoins de moralité. Je me doute bien que, si le nouveau chef du parti macédônien agit ainsi, c'est moins par affection personnelle à l'égard d'un pourri comme Léôkratês que pour la satisfaction de mener la vie dure à ce moraliste de Lykourgos, qui non seulement prétend avoir encore le sens de l'honneur, mais surtout tente d'en accabler de nouveau la pauvre Athênaï. En ces temps de crise, ricane Démadês, dont je crois entendre les dents grincer à mon oreille, n'y a-t-il pas d'autres tâches plus urgentes que de tuer ceux qui ont su sauver leur peau et qui reviennent chez nous faire des affaires ?

Le jour du procès, Lykourgos ne manque pas dans son discours d'évoquer avec une raideur et une émotion vraiment patriotiques les ancêtres honorables de Léôkratês. Le fils d'affranchi manque de s'en étrangler de rage. Mais, bien que tout le monde le considère comme un traître, il est acquitté à une voix près. Laquelle ? Celle d'un des obligés de Démadês, celle d'un des jurés dont l'armateur a lui-même acheté l'indulgence, ou bien celle d'un des modérés, honnêtes partisans de la réconciliation, qu'Hypereïdês, se souvenant de leurs nuits d'amicale débauche, et aussi de mes conseils de prudence, a convaincu de voter pour lui ? J'espère que Léôkratês lui en sera reconnaissant.

Et puis, tandis que passent de nouveau quatre ou cinq années de douceur, à travers les volutes de fumée nait la moue délicieuse d'une petite fille. Oh, ma Pythônikê chérie !

À Athênaï, cet hiver-là, je consacre beaucoup de mon temps à organiser des fêtes avec l'une de mes nouvelles relations d'affaires.

Khariklês, le gendre corrompu de l'austère général Phôkiôn. Nous nous occupons des loisirs du fameux Harpalos. Le trésorier d'Alexandros qui, à la stupéfaction générale, dont la mienne, est en train de devenir le maître de l'Empire perse. Harpalos, le boiteux, le bouffon, le charmeur, s'est enfui de Babylôn où il avait commencé à dépenser sans compter l'argent de son roi, persuadé comme moi que son ami d'enfance ne reviendrait jamais de son périple délirant et que les dieux finiraient, pour le punir de sa démesure, par le perdre au fond d'un désert, ou même par le faire tomber de la falaise qui borde le monde dans le gouffre de l'Océan. Mais un jour il a appris, par des messagers officiels arrivés de nulle part, que ses généraux avaient enfin réussi à dissuader le Conquérant de traverser le fleuve séparant la Perse de l'Inde pour s'enfoncer dans ce qui paraissait être un monde nouveau encore plus vaste que l'autre, rempli de myriades d'hommes à la peau cuivrée, d'éléphants et de monstres : Alexandros revenait sur ses pas après dix ans d'errance victorieuse. Harpalos s'est souvenu soudain des colères légendaires du jeune souverain. Il s'est hâté de venir se réfugier à Athênaï, chargé d'autant de caisses de dariques d'or qu'il avait réussi à en emporter en un seul voyage. Depuis, il les dépense, avec frénésie, comme s'il s'efforçait de ne plus songer à rien d'autre et d'avoir entièrement dilapidé le trésor volé avant que les émissaires d'Alexandros ne viennent le lui réclamer. Ainsi, ils n'auront plus à lui prendre que sa vie, qui ne vaut rien. Khariklês et moi, nous l'aidons à glisser au fond de son vertige, en attrapant au vol les pièces d'or qu'il sème à tout vent, au milieu d'une nuée de plusieurs dizaines d'autres rapaces oiseaux de bonheur dans notre genre. Étant plus riche que les autres, je suis un peu moins avide, mais, lorsque je tente de ramener Harpalos à la raison, il pose un doigt sur sa bouche : "Prends ton aulos, divine Phrynê, et joue pour moi qui ne suis qu'un homme, joue jusqu'à demain !" Alors je joue, mes filles dansent, Khariklês lui présente toujours de nouveaux amis, et à nous deux nous sommes sur le point de ruiner Harpalos encore plus vite que celui-ci ne l'avait jamais rêvé.

Mais voilà qu'un matin, ce fou sonore et creux se rend compte à quel point, pendant ces nuits de plaisir, il est tombé amoureux de Pythônikê, la moins sonore et la moins creuse de toutes mes protégées. Ma préférée, ma deuxième fille d'adoption, dont le charme grave me rappelle de plus en plus celui de Lykeïna, sa sœur d'âme qu'elle n'a jamais connue. Soudain dégrisé, Harpalos songe à son imprudence et au moyen de se racheter une conduite. Je l'écoute avec consternation me confier son nouveau projet, encore plus insensé que le précédent : au lieu de traverser la mer d'Occident pour tenter d'échapper aux sicaires du Roi, repartir carrément vers Babylôn, y devancer le retour d'Alexandros et se faire pardonner, en le recevant à son arrivée aussi fastueusement que le mérite le nouveau maître du monde. Après tout, même les dépenses les plus folles peuvent à peine entamer le trésor incommensurable de l'Empire achéménide dont le conquérant vient de s'emparer. Et puis, ajoute-t-il, dans un sourire irrésistible de charmeur, Alexandros est facilement manipulable par ceux qu'il aime, et Alexandros l'aime, lui, Harpalos, plus encore qu'Hêphaïstiôn. Parce que, depuis leur plus jeune âge, ne pouvant à cause de sa boiterie l'éblouir à la guerre comme leurs autres compagnons, il a toujours su se mettre au service de ses plaisirs. Je ne suis qu'à moitié convaincue par ce sourire mais je me dis que peut-être Harpalos a raison de croire qu'il pourra manœuvrer l'irascible Alexandros. Après tout, il connaît le jeune prince beaucoup mieux que moi, qui ne l'ai vraiment rencontré qu'une seule fois.

Malheureusement, le boiteux n'envisage pas de courir cette aventure risquée sans s'appuyer sur ma fragile Pythônikê. Il me demande de la lui céder. Je refuse, évidemment. De son côté, elle accepte. Je tente de la mettre en garde, et cette docile amoureuse m'écoute attentivement, sans prêter la moindre attention à mes arguments les plus raisonnables. Fidèle à mes principes, mais l'angoisse au cœur, je la lui donne. Il va jusqu'à l'épouser, pour se concilier le génie protecteur de cette fille si calme et se fondre dans son destin paisible, en se faisant oublier des dangers trop réels qui le menacent. Alors ce que je craignais depuis le début, se réalise : il me la tue ! Encore une autre qu'un de ces maudits hommes me tue ! Tout en peaufinant interminablement les préparatifs de leur périple, il lui fait un enfant et elle meurt en le mettant au monde, comme ma propre mère. Éperdu de chagrin, il lui fait construire, non loin de ma maison, sur la voie sacrée du grand cimetière national qui mène à la ville sainte d'Eleusis, un tombeau digne d'une princesse, bien plus somptueux que celui des héros des plus antiques familles athéniennes, provoquant l'indignation de Lykourgos, de Phôkiôn et des vrais patriotes. Il y fait représenter Pythônikê serrant une dernière fois avec tendresse la main de son mari, et l'on dit que la femme qui se tient derrière eux, un enfant dans ses bras, et qui les regarde en pleurant, n'est autre que moi. Ce groupe a été sculpté officiellement par Androsthénês, le plus vieil assistant de Praxitélês mais il est si touchant que le maître y a peut-être travaillé en personne, comme il l'a fait autrefois pour le tombeau de l'acrobate Stéphanê. Je n'irai pas vérifier. Jamais. Harpalos y a consacré ses quarante derniers talents, dont la plus grande partie, malgré mes avertissements, n'est allée ni au sculpteur ni au marbre, mais est tombée directement dans le creux de la tunique de Khariklês. Une fois cet édifice trop luxueux achevé, le maudit boiteux se décide à repartir en pleurant vers Babylôn.

La veille de son départ, il me propose même de l'y accompagner. Pour m'appâter, il m'explique en détail son projet de faire oublier à son prince tout ce qu'il lui a volé dans le délire d'une fête permanente, où je pourrai enfin donner ma pleine mesure de prêtresse d'Isodaïtês. Je sais bien qu'il ne s'adresse pas à Phrynê, mais à l'ancienne maîtresse de Pythônikê. C'est elle qu'à travers moi il emmènerait un peu avec lui. Je consens seulement à garder, le temps qu'il obtienne son pardon, la fille que lui a laissée ma protégée et qu'il a tenu à appeler du nom de la disparue. Il me jure qu'il enverra quelqu'un la chercher, ou qu'il fera lui-même le voyage vers Thespiaï pour la ramener auprès de lui à la cour de Babylôn, dès qu'il sera sûr qu'elle pourra y vivre sans danger. Je ne suis pas dupe un instant de la promesse d'un homme aussi inconséquent. Mais j'accepte avec plaisir de me charger de la petite. Voilà que le destin me propose de faire pendant quelques mois l'expérience d'être grand-mère, moi qui n'ai jamais été véritablement mère. Ou plutôt moi qui ai mis vingt ans et un voyage au bout du monde à le devenir. Dans ma retraite de Thespiaï, j'élève une enfant qui me ressemble, parce qu'elle est comme moi issue d'une jeune morte passionnément aimée. Elle m'enchante. Elle ne parle pas, elle gazouille à peine, elle regarde déjà le monde avec la gravité silencieuse et enjouée de sa mère. Et, dès qu'elle parvient à se mettre debout, comme avant elle Pythônikê, Lykeïna, Stéphanê, elle danse. Elle tombe sur ses fesses sans jamais pleurer, se relève avec une inépuisable énergie, avec une gaucherie si gracieuse, si confiante, si résolue, que les filles qui peuplent ma maison et le sanctuaire en raffolent bientôt. Elles lui apprennent à envoyer des baisers avec ses doigts. Lorsqu'elle m'adresse ce salut, je me dis que j'en suis plus folle encore que toutes ces gamines réunies. Oui, je la regarde s'efforcer de faire danser le monde pesant tout autour d'elle avec le même attendrissement ébloui que devait éprouver Manthanê, lorsqu'elle posait son regard sur la petite Mnasaréta. J'en viens à souhaiter qu'Harpalos ne revienne jamais. Qu'Alexandros, en bon souverain perse qu'il est devenu, lui fasse couper le nez et les oreilles avant de l'étrangler. Ou qu'il soit pardonné, mais qu'il oublie dans les bras savants d'une courtisane de Babylôn le nom même de Pythônikê, et les deux êtres délicieux, la mère et la fille, qui l'ont porté.

Et puis voilà que, malgré mes efforts, la moue charmante de l'enfant s'évanouit à son tour à travers la fumée. Un visage livide se matérialise à sa place devant moi. Celui de Praxitélês.

Sa femme, Philomêlê, a eu la délicatesse de me faire appeler dans mes montagnes et je suis descendue jusqu'à Athênaï en toute hâte. Lorsque je me trouve face aux traits émaciés de cet homme qu'à ma façon, j'ai tant aimé, je détourne les yeux, pour ne pas me mettre à pleurer. Je regarde ses deux mains noueuses d'artiste délicat, posées inutilement sur le drap de son lit d'agonie. Il crache douloureusement toutes les poussières de marbre de ses quarante-cinq ans de carrière. Au moment où je me demande si je ne suis pas arrivée trop tard, s'il me voit, s'il me reconnaît, il tend le doigt dans ma direction. Je m'approche, et, en tremblant, il frôle les rides légères de ma joue. Ce geste muet suffit à nous réunir. Je ne sais pas s'il m'entend mais je lui parle longuement des étapes du chemin vers Anaïtis et Isodaïtês qu'empruntent les initiés, des bifurcations qu'il faut prendre jusqu'à la délivrance, des formules qu'il faut scrupuleusement prononcer au pied du grand Cyprès blanc. Je lui éclaire le chemin de la mort comme je l'ai fait lors de notre deuxième première nuit, au bord du bassin du temple de Thespiaï. Je lui parle jusqu'à ce que ses traits altérés par la douleur et par la peur se détendent. Son masque de cire apaisé est notre dernière œuvre commune. En retenant mes sanglots, je glisse à mon tour le doigt sur son visage et il me semble qu'il esquisse un sourire.

Puis je me force à avoir l'élégance de laisser sa femme lui fermer les yeux. Et ses deux fils accomplir sans ma présence gênante le rituel du deuil. Revenue à Thespiaï, je passe la nuit seule dans le temple, au pied de la statue qu'il a faite de moi en déesse. Je refuse de l'abandonner. Je veux l'accompagner jusqu'au bout sur le chemin du royaume des ombres, au milieu de la foule des morts affolés, pour lui éviter de se perdre avec eux dans le bourbier. Je sais qu'il est si faible ! Qu'il a tellement besoin de mon aide ! Malgré mon angoisse, je plonge pour lui au milieu de la tourbe. Je le cherche longtemps en vain dans la multitude confuse de ceux qui vont se noyer. Soudain, je l'aperçois au loin, marchant d'un pas ferme, mince et nerveux, les épaules droites, comme il était le jour où nous nous sommes rencontrés, dans l'arrière-cour du bordel du Peïraïeus. Il est escorté d'un petit groupe de jeunes hommes éclatants de lumière et de jeunesse. Je crois au début qu'il s'agit de ses assistants, puis je finis par les reconnaître : ce sont Isodaïtês, le dieu ailé, Apollôn et son jeune frère Hermês, qui sont venus le chercher en personne pour le conduire jusqu'à Anaïtis. Non, il n'a plus besoin de moi. Je peux le laisser aller. Et même, je le dois. Pourtant, au moment d'atteindre les marches du Pont, j'ai l'impression qu'il se retourne une dernière fois dans ma direction, pour m'adresser l'un de ces légers et profonds sourires dont il m'enveloppe depuis mes dix-sept ans. Alors toutes les larmes qui m'alourdissaient sortent de moi en même temps, et je remonte à la lumière. Au matin, le souvenir de ce rêve m'apaise étrangement. J'espère qu'un jour les trois dieux viendront me chercher moi aussi. Simplement parce que, malgré toutes mes faiblesses et mes trahisons, j'aurai su servir la déesse en posant pour son sculpteur. Ils sauront bien me conduire jusqu'à lui, où qu'il se trouve.

Praxitélês a légué son atelier et son immense fortune à son fils aîné, Kêphisodotos. Celui-ci, qui porte, comme je l'ai voulu, le nom de son grand-père parce qu'il n'est pas de son sang, est maintenant un homme mûr, un artisan habile et un gestionnaire avisé. Il n'a jamais vraiment été mon fils, sinon pendant les quelques heures qui ont suivi sa naissance et celles de la nuit d'Eridza. Mais j'ai du mal à dissimuler un sourire de fierté et de satisfaction à peine ironique, lorsque j'entends dire que ce citoyen exemplaire s'est acquitté de l'impôt sur la fortune avec un scrupule qui honore ses ancêtres. Praxitélês, sa femme et moi, nous avons bien gardé le secret : ni Kêphisodotos ni son frère, les deux parfaits Athéniens, ne sauront jamais qu'ils sont issus de moi. D'une hétaïre légendaire ou d'une vieille putain étrangère (je me doute bien que l'on m'affuble de l'un ou l'autre sobriquet, selon que je me trouve à Athênaï ou à Thespiaï, et que j'aie décidé ou non de verser, en tant que métèque, une contribution exceptionnelle au redressement de la cité). Ces deux jeunes hommes et moi, nous nous croisons parfois aux alentours de l'atelier familial. Ils me saluent, distants et un peu gênés. Après tout, je ne suis pour eux qu'une ancienne maîtresse de leur père. Ils se souviennent qu'elle leur donnait des jouets ou des sucreries dans leur enfance et qu'ils la vénéraient pour sa beauté. Mais ils n'ont plus rien à lui dire, maintenant qu'ils sont devenus grands et qu'elle est devenue vieille.

Et c'est très bien ainsi.

65

LES ANNÉES TERRIBLES

De nouveau le visage d'Hypereïdês s'impose à moi. Marqué, soucieux, presque livide, comme celui du Sculpteur sur son lit de mort. Je sais par Myrrhina qu'à soixante-cinq ans, l'orateur aime toujours autant le poisson et le vin mais un peu moins les femmes. Ou plutôt que ses soucis l'empêchent parfois de les importuner de ses prétentions à leur faire encore l'amour comme le jeune homme qu'il n'est plus depuis longtemps.

C'est lors d'un de mes séjours à Athênaï, que j'écourte le plus possible depuis que j'ai la garde de Pythônikê. Mon vieil ami me raconte l'année terrible que vit la cité et les dernières péripéties confuses de l'affrontement qui oppose les Macédôniens et les partisans de la liberté : "Figure-toi, commence l'orateur avec une moue de mépris ironique, qu'Alexandros se montre encore plus dangereusement fou depuis qu'il croit être devenu raisonnable. Maintenant qu'il est sur le chemin du retour, il prend très au sérieux le sort de l'Empire barbare, qu'il vient, non pas de détruire, comme les Grecs le croyaient, mais de conquérir. Alors qu'il n'est pas encore arrivé dans son beau palais de Babylôn, il paraît qu'il cherche déjà à se faire passer aux yeux de tous, vaincus perses comme vainqueurs macédôniens, pour le successeur légitime de Dareïos Kodoman. Ici, en Grèce, il a fait promulguer par son envoyé spécial, Nikanôr, un double décret particulièrement révoltant. Écoute bien ça : d'abord, il veut imposer le retour des traîtres qui ont dû chercher refuge depuis des années dans l'Empire, notamment ceux de Samos, dont des colons de chez nous ont pris les terres et à qui il faudrait les rendre. Ce qui, entre parenthèses, fait tordre le nez de nos milieux d'affaires, jusque-là prêts à collaborer mais qui ont des intérêts sur l'île. Surtout, il prétend que l'on rende un culte à ses statues comme à celles d'un dieu. Tu

imagines ? Jamais Xerxês ni Dareïos ne sont parvenus à nous imposer de nous prosterner comme des barbares devant le Roi des rois et
ce petit tyran macédônien croit qu'il va réussir à nous faire plier les
genoux, à nous, les Grecs ? Tu me diras, les patriotes ne pourront
jamais assez remercier Alexandros de révéler enfin sa vraie nature et
Nikanôr de répercuter la voix de son maître avec une telle brutalité :
depuis l'annonce de ce double coup de force, il est devenu presque
facile, même parmi ses partisans, d'attiser la révolte au nom de nos
valeurs !" Cette évolution récente du pouvoir macédônien, qu'Hypereïdês me décrit avec une telle véhémence, me déconcerte, mais
elle m'indigne moins que les Athéniens. Lorsque le jeune roi est venu
me rendre visite à Thespiaï, j'ai pu constater à la fois son emporte-
ment et son étonnante profondeur. Je repense aussi à Hêphaïstiôn,
son grave ami aux yeux gris. Je me demande si les récentes prétentions d'Alexandros prouvent vraiment que ses conquêtes lui sont
montées à la tête, s'il a vraiment perdu toute mesure et basculé dans
un orgueil insensé, ou s'il ne s'agit pas au contraire d'une tentative
mûrement réfléchie pour maintenir la cohésion de cet Empire, dont
j'ai pu constater moi-même l'immensité, en étendant de force ses
usages jusqu'à ses confins grecs. Je ne sais pas. Peut-être les deux.

Mais c'est lorsqu'Hypereïdês enchaîne sur ce qu'il appelle le deuxième signe positif envoyé par le destin à la résistance athénienne
que je dresse vraiment l'oreille. Car il prononce le nom, redouté
par moi, d'Harpalos. Il m'apprend qu'à la fin de l'hiver ce personnage inconséquent a fait brusquement son retour au large d'Athénaï. L'intendant d'Alexandros avait dû avoir trop peur, finalement,
de la réaction de son maître. Il avait craint sans doute que le nouveau Grand Roi, montrant la même colère que ses prédécesseurs
contre le mauvais serviteur qui avait osé puiser dans le trésor sacré,
même si celui-ci lui organisait les plus belles fêtes du monde, ne le
condamnât à un supplice aussi atroce que ceux qui faisaient depuis
des siècles la légende noire de la cour achéménide. Alors le boiteux,
de nouveau, s'était enfui. Cette fois-ci avec vingt vaisseaux chargés
d'or et de soldats, sept mille talents, disait-on, et presque autant de
mercenaires. Il apportait aux Athéniens sur un plateau les moyens
de la révolte !

Je n'ai pas le temps de m'inquiéter vraiment de ce retour d'Harpalos. Hypereïdês, sans noter ma réaction, se hâte de me raconter la suite, qui l'exaspère : au lieu d'accueillir ce présent des dieux,
au lieu d'ouvrir toute grande la rade du Peïraïeus à ce providentiel

crétin, de le jeter en prison et de commencer aussitôt à se servir du trésor du Grand Roi pour préparer la revanche contre son successeur faussement grec, Démosthénês, à la stupéfaction de ses amis, lui a fait fermer le port au nez ! Harpalos, dépité, a dû repartir avec tous ses vaisseaux dépenser son argent ailleurs ! Mon ami s'en étrangle encore de rage : "Se peut-il que même notre Démosthénês, le plus ardent des patriotes, soit devenu un froussard ?" Il y a un silence, pendant lequel je tente surtout de lui dissimuler mon soulagement.

La mine sombre, il m'apprend la dernière catastrophe qui frappe la cité : Lykourgos, son plus ancien compagnon d'armes qui, depuis presque quinze ans, s'acharnait à restaurer la puissance publique, a fini par tomber malade d'épuisement. "Tu vas voir, tente de plaisanter Hypereïdês, qu'il va sûrement traîner le dieu Thanatos lui-même devant le tribunal sacré d'Athéna, pour haute trahison, en l'accusant d'être, comme un vulgaire Démadês, à la solde de la Macédoine." Après l'éclat de colère, après l'ultime effort pour sourire, ce sont soudain, sur les joues rugueuses d'Hypereïdês, les larmes de la fatigue et du découragement. Elles me bouleversent. Je n'ai jamais vu mon vieil ami dans un tel état, je ne me doutais pas que ce rude lutteur sût pleurer. Même Phila, l'égoïste Thébaine, qui ne s'intéresse qu'à elle-même, mais qui a insisté pour me rencontrer, m'avoue qu'elle est très inquiète de la tension nerveuse régnant dans le cœur de son protecteur et dans la cité d'Athênaï. Je tente d'entraîner le Sanglier dans mes montagnes : "Je ne te propose pas de déserter, mais simplement de venir te reposer un peu, de prendre de la hauteur." Il refuse sèchement. Alors je m'enfuis le plus vite possible, en emmenant Pythônikê loin de toute cette agitation mauvaise. Là-haut, dans le calme des dieux, dans le brusque épanouissement de la nature, je n'entends plus parler de rien. Ni du retour de son père ni de celui d'Alexandros. Comme si ce rêve humain de conquête et de destruction, confronté à la vraie vie, n'avait aucune réalité. La petite me regarde avec plus de confiance que jamais.

Pourtant, quelques mois plus tard, en plein été, un mystérieux cavalier de malheur, tout encapuchonné dans le manteau de voyage qu'il ne prend même pas la peine d'ôter, vient m'atteindre jusqu'au fond du sanctuaire où je me suis réfugiée. Il ne porte pas de message mais il prétend qu'il est envoyé par son maître, Harpalos, pour me demander de revenir le plus vite possible à Athênaï avec l'enfant. Après avoir bien réfléchi, je décide de me rendre au rendez-vous.

Même si j'ai promis de lui remettre sa fille dès qu'il me la réclamerait, je veux tout faire pour le convaincre de me confier définitivement la garde de la petite, qu'il serait criminel de vouloir entraîner dans son errance. D'ailleurs c'est peut-être ce qu'il veut me proposer lui-même. Cette solution doit sûrement l'arranger. Quelques jours à peine après notre arrivée en Attique, j'apprends que le fuyard s'est présenté de nouveau devant le Peïraïeus, sa flotte réduite à un seul navire. Sur l'Agora, on se moque de ce joueur naïf, qui a trouvé le moyen de se faire dérober en quelques semaines les dix-neuf autres. Je me demande, quant à moi, si, plus habile qu'on ne le croit, il ne les a pas plutôt cachés quelque part. J'apprends par Hypereïdês les nouvelles officielles : Démosthénês a consenti cette fois à accueillir le Macédônien fugitif. Mais il a placé aussitôt sa cargaison sous séquestre derrière les portes closes de l'Akropolis. Harpalos a déclaré, après avoir prêté serment, qu'elle se montait encore à sept cents talents, sur les sept mille qu'il avait emportés de Babylôn. Démosthénês lui a annoncé qu'il était convoqué le lendemain devant le Conseil pour s'expliquer. Il le laissait libre de ses mouvements dans la cité mais le mettait sous la protection, ou plutôt sous la garde, des archers scythes : le trésorier en fuite pouvait se considérer à la fois comme un hôte et comme un prisonnier. Démosthénês ne lui a pas caché qu'il comptait attendre la demande d'extradition de la cour d'Alexandros. Dès que celle-ci lui serait parvenue, il livrerait le mauvais serviteur à son maître, sauf si le Conseil et l'assemblée du peuple prenaient expressément la décision contraire, qui serait tout sauf raisonnable et contre laquelle il plaiderait.

Hypereïdês lui-même paraît hésiter. Doit-il s'opposer à Démosthénês ? Doit-il demander, en enflant la voix, comme il sait si bien le faire, qu'on accepte le fugitif, avec ses sept cents talents, au nom des valeurs sacrées de l'hospitalité, et puis qu'on réponde fermement aux émissaires d'Alexandros que la cité est encore libre d'accueillir qui elle décide ? Mais la situation lui paraît bien confuse, bien fragile. Entrer en conflit avec les Macédôniens pour vingt vaisseaux, d'accord, mais lorsqu'il n'y en a plus qu'un ? Une seule certitude : il faut se méfier de ce personnage louche qu'est l'ancien trésorier ! Cette dernière remarque du Sanglier, qui s'applique pourtant à un tout autre problème que celui qui me préoccupe, me permet soudain de prendre ma propre décision, dont je ne lui parle évidemment pas. Moi non plus je ne ferai aucune confiance à Harpalos ! Si jamais il parvient à entrer en contact avec moi, je refuserai carrément de lui remettre sa fille, dont il n'est plus capable d'assurer la sécurité ! S'il tente de me l'enlever de force, je me battrai ! Je poste autour de la chambre de la petite le vieux Cerbère Mentês et plusieurs de ses jeunes gardes les plus résolus. Ils se déclarent prêts à résister, même au cas où notre adversaire réussirait à soudoyer quelques archers. Moi-même, je commence à veiller, en priant ma déesse Anaïtis de me donner la force d'âme nécessaire pour sauver l'enfant qui m'a été confiée, mieux que je n'ai su le faire avec celles qui l'ont précédée.

Le soir même, à la tombée de la nuit, un inconnu frappe à la porte de ma maison. Aussitôt, je sais qu'il s'agit d'un envoyé du Macédônien. Je m'apprête à lui répondre que je refuse de me rendre au rendez-vous, que son maître devra se débrouiller pour venir ici, chez moi, où je l'attends de pied ferme. Mais j'ai la surprise, lorsque le visiteur nocturne baisse sa capuche, de reconnaître Harpalos en personne. Il est seul, sans même un serviteur, ni l'un des redoutables Scythes de la police d'Athênaï, qui sont censés pourtant le surveiller. Il a dû réussir à les semer ou, plus vraisemblablement, à leur acheter une heure de liberté. Il n'est accompagné que d'une femme, qui reste obstinément dans l'ombre derrière lui mais dont j'ai l'impression, à son attitude et à son costume discret, qu'elle n'est pas une hétaïre. Harpalos a l'air très agité. Il m'annonce qu'il vient de se recueillir sur la tombe de Pythônikê et qu'en revenant vers la Double Porte, il a eu la brusque inspiration de frapper chez moi pour voir sa fille. Il me demande de la réveiller, afin qu'il puisse l'embrasser une dernière fois. Dès le lendemain, il aura de nouveau les archers sur ses talons. Dans quelques jours, car il ne se fait guère d'illusion sur la décision de ses amis athéniens, il sera en prison, n'attendant plus que d'être remis aux tueurs d'Alexandros. Il me supplie de lui accorder cette ultime faveur, en mémoire de la jolie musicienne que nous aimions tous les deux. Je cède. Je me dis que cet homme seul, accompagné d'une femme pour toute escorte, à la porte d'une maison remplie de serviteurs fidèles, résolus et armés, ne présente pas de véritable danger, D'ailleurs, je n'ai aucun droit de lui refuser de faire ses adieux à la petite. Je suis rassurée qu'il ne me demande rien d'autre. Il est plus sensé que je ne le croyais. Pour la première fois depuis des mois, je ne le considère plus comme une menace. Malgré son irréflexion, ses atermoiements, ses faiblesses, je le prends en pitié. Finalement, au milieu des dangers, il n'a pas oublié Pythônikê. Ni la mère ni la fille. Je ne le croyais pas capable de cette fidélité.

Ni de cette générosité de la laisser aller, après un dernier baiser, en la confiant à qui pourra la rendre heureuse. Je suis bien placée pour savoir à quel point cette vertu est difficile à conquérir.

Moment émouvant. Même toute chiffonnée de sommeil, effrayée par l'éclat des torches et nos mines de conspirateurs, la petite reste gracieuse, souriante. Elle accepte de venir dans les bras de cet homme inconnu, dont l'air hagard doit pourtant lui faire très peur. Elle est moins méfiante que moi, qui, d'un signe, demande à Mentês et à un autre garde de se placer dans le dos d'Harpalos, pour qu'il ne prenne pas la fantaisie à ce dernier de s'enfuir en entraînant la petite. Mais, contrairement à ce que je redoute, il l'accueille contre lui avec une douceur surprenante. Elle m'étonne moi-même. Je me dis qu'elle doit être celle dont il a su toucher le cœur de ma fille adoptive, qui était la plus aimante et la plus sincère de toutes mes suivantes depuis Lykeïna. Après avoir amadoué l'enfant, il lui annonce, en caressant les boucles de sa chevelure, très calme soudain et très simple, qu'il est son père. Elle le regarde avec curiosité, presque avec confiance, allant jusqu'à oser passer à son tour ses doigts dans les cheveux de l'homme, lorsqu'il lui fait remarquer qu'ils sont de la même couleur claire que les siens et que ceux de sa mère. Au bout d'un moment, où j'ai scrupule à les interrompre, elle finit par s'endormir brusquement sur son épaule. Je les regarde, pétrifiée. Et je devine, quelques instants avant qu'il ne se décide à parler, ce qu'il va me demander. Non, il n'est pas venu frapper à ma porte pour la voir une dernière fois mais pour l'emmener. Je n'ai jamais voulu croire vraiment qu'il oublierait sa personnalité d'homme égoïste jusqu'à se charger dans son errance d'un enfant, et pourtant, c'est la vérité, la folle vérité. Il a la franchise de me confier son plan : il compte s'enfuir secrètement cette nuit même, après avoir soudoyé les archers qui montent la garde devant la maison où il est consigné. Cette petite, qui est tout ce qui lui reste de la femme qu'il aimait, il n'est revenu à Athênaï que dans l'espoir de la récupérer. Il veut recommencer une nouvelle vie de sagesse consacrée au bonheur de sa fille, puisqu'il n'a pas réussi à faire celui de sa mère. Il ira pour cela se perdre au fin fond de la Grande Grèce, ou encore au-delà, en Tyrrhénie. Là-bas, il consacrera le peu d'argent qui n'est pas tombé entre les mains des intendants de l'Akropolis à l'éduquer, à la doter, et à la marier dignement. Il se sent prêt à racheter tous les désordres de son existence en l'aimant exclusivement.

Je sens qu'il est sincère. Mais je ne me laisse évidemment pas convaincre. Je lui rétorque que c'est justement l'amour qu'il porte à cette petite fille innocente qui doit l'inciter à renoncer au désir insensé de l'emmener dans sa fuite et de la condamner à partager son errance. La vengeance d'Alexandros est implacable, il le sait comme moi, elle le poursuivra jusqu'au bout du monde. Que deviendra alors l'enfant, si jamais, comme il est probable, son père tombe sous le poignard des sicaires d'un prince aux colères terribles ? Pour ne pas réveiller Pythônikê qui dort toujours sur son épaule, nous sommes obligés de murmurer, et il continue longtemps de plaider sa cause à mi-voix avec une éloquence passionnée : s'il n'était pas sûr de pouvoir s'échapper, il ne viendrait pas me la demander, mais il a tout prévu, il changera d'identité et de conduite, il n'emportera du trésor qu'une aisance honnête capable de lui permettre de recommencer sa vie sans attirer l'attention, il emmène aussi cette nourrice, qui saura donner à la petite fille les soins dont elle a besoin, il me dévoile même son itinéraire secret, en Crète d'abord, puis en Grande Grèce, il me jure que lorsqu'il sera établi, il trouvera le moyen de me faire connaître, à moi seule, le lieu où je pourrai les retrouver. Peu à peu, pendant qu'il parle, malgré mes réticences, malgré tous mes efforts pour la chasser, une image s'impose à moi : si cette petite fille ressemble tant à la Mnasaréta que j'étais, lui, ne ressemble-t-il pas à Epiklês ? Ne s'enfuit-il pas d'Athênaï comme mon père l'a fait d'Arménie, n'emportant que quelques poignées de dariques d'or et le vrai trésor d'une petite fille ? Puis-je m'opposer à cela ? J'ai soudain la certitude qu'Anaïtis elle-même, que j'ai tant priée dans l'après-midi, me demande de croire en lui et de lui confier celle qui, avant d'être ma petite fille de cœur, est d'abord sa fille de sang. Alors j'accepte, parce que je sens que je n'ai pas le droit de faire autrement. La générosité folle, c'est à moi qu'elle est demandée. Encore une fois. Toujours. Toujours plus loin. Jusqu'au dépouillement absolu. La déesse m'arrache la peau et la chair jusqu'à toucher l'os.

J'éprouve un instant la tentation de réveiller la petite, pour lui dire au moins adieu, et lui expliquer que je la confie à son père. Que va-t-elle penser, la pauvre chérie, lorsqu'elle se retrouvera à son réveil au côté de cet homme en fuite, dans la confusion de la nuit ? Ne va-t-elle pas pleurer, incapable de deviner ce qui lui arrive, croyant que je l'ai abandonnée, que j'ai cessé de l'aimer, alors que je l'aime tant, alors que je l'aime encore plus absolument au moment de la perdre ! Mais Harpalos me persuade qu'il vaut mieux ne pas la tirer de son miraculeux sommeil, que demain, il la consolera et lui expliquera tout, même si elle ne comprend pas. Lorsqu'elle sera en âge de saisir ce que j'ai fait pour elle, ils chériront tous les deux le souvenir de ma générosité. L'angoisse au cœur, je cède. Je la laisse s'en aller sans même un baiser. Je sais très bien que je ne la reverrai jamais, qu'il ne me donnera aucune nouvelle, ne serait-ce que par prudence, et que je ne pourrai pas lui en vouloir. Je la remets non à lui mais à la déesse. En l'entraînant loin de moi, il arrache tous les liens qui m'accrochent à elle, je les sens qui s'étirent à se rompre et se déchirent un par un dans mon cœur à vif, fixés bien plus profondément encore que je ne le croyais. Je pleure toute la nuit, en lui envoyant les baisers dont j'ai été privée. Aâmet, qui m'a déjà enlevé autrefois un enfant, tente de me persuader que j'ai agi comme il le fallait. Mais je ne la crois pas. Dès qu'Harpalos et la nourrice ont disparu avec ma petite-fille dans la nuit, je me reproche la folie de l'avoir abandonnée.

Le lendemain, le scandale éclate dans Athênaï. Le prisonnier a réussi à déjouer la surveillance des archers, celle des gardes des Longs-Murs et des veilleurs du Port. Son bateau a disparu. La moitié de son trésor qui, dit-on, se trouvait pourtant en sécurité derrière les portes de l'Akropolis, s'est volatilisé avec lui. Son habileté me rassure sur sa capacité à sauver son enfant. Hypereïdês, auprès duquel je m'efforce de glaner quelques informations fiables, me confirme la rumeur. Il ne décolère pas : qui a pu laisser la cité devenir la risée, non seulement de toute la Grèce, mais encore des Macédôniens eux-mêmes ? Alexandros, quand il apprendra ce qui s'est passé, n'éprouvera pas de la rage contre Athênaï mais un mépris encore plus grand qu'au lendemain de Khaïrôneïa ! Qui sont les responsables ? Qui avait le pouvoir de fermer les yeux des gardes et de laisser s'ouvrir les portes de la citadelle ? Qui sont les pourris, les salauds, les traîtres, jusqu'au plus haut niveau de l'État ? Hypereïdês n'en a aucune idée. Ni lui ni aucun des patriotes qui l'entourent. Tout ce qu'ils savent, c'est qu'ils en veulent à leur propre chef, Démosthénês, dont les atermoiements récents les déçoivent cruellement. Il a d'abord refusé d'ouvrir les bras à Harpalos, à ses vingt bateaux et ses sept mille talents. Puis il l'a accueilli lorsque ce dernier était tout seul, et qu'il ne ramenait plus que le dixième de son larcin. Mais, au lieu d'arrêter ce voleur habile, il l'a laissé libre de ses mouvements, tout en le prévenant qu'il le remettrait à Alexandros.

N'était-ce pas l'inciter lui-même à s'échapper ? Et aujourd'hui que le fuyard s'est fait la belle avec la moitié du magot, au lieu de lancer la flotte à sa poursuite sans perdre un instant, il se contente d'une proclamation officielle, promettant l'amnistie à tout citoyen qui pourra lui donner des renseignements, même s'il est avéré que le type en question a touché de l'argent ? Pourquoi ? Qu'est-ce qui se passe chez Démosthénês ? C'est très simple, gronde Hypereïdês, toute cette affaire Harpalos gêne notre soi-disant patriote, parce qu'elle révèle qu'il ne veut pas vraiment se révolter contre Alexandros ! Il a peur ! Il préfère laisser croire qu'on ait pu cambrioler le trésor public sur la forteresse, plutôt que de donner l'impression au pouvoir macédônien qu'il prépare une rébellion. Voilà pourquoi il perd un temps précieux et qu'il laisse le fuyard lui filer entre les doigts ! Afin qu'Alexandros s'occupe lui-même de récupérer son argent ! Incroyable ! Les grognements d'Hypereïdês font trembler les murs de sa maison. Mais ce qui l'exaspère, moi, me réjouit. Parce que je devine que cela arrangerait bien les autorités si Harpalos parvenait à s'évanouir définitivement dans la nature.

Évidemment, je juge plus prudent de partager l'indignation de mon ami. D'ailleurs, la cité tout entière bascule en quelques heures dans la paranoïa. Chacun accuse l'autre d'être le complice d'Harpalos, et de s'être laissé corrompre pour faciliter son cambriolage. Dans tous les banquets, dans toutes les réunions publiques, on met en accusation la police et le gouvernement. Je me réjouis d'abord de ce climat d'insurrection verbale, parce que les Athéniens se déchaînent tant en paroles qu'ils en oublient d'agir et que, pendant ce temps, personne ne poursuit le coupable. Puis, très vite, je me rends compte que j'ai intérêt à garder le silence et à ne pas même mentionner la visite que le Macédônien m'a rendue en pleine nuit, si je ne veux pas devenir suspecte. Dans l'état d'exaspération où ils se trouvent, ces fous seraient capables de me mettre à la question, comme une simple esclave, pour me faire avouer. Après tout, je ne suis qu'une étrangère. Et il ne fait pas bon l'être ces derniers temps à Athênaï. J'ai prévu de raconter que j'ai envoyé Pythônikê à Thespiaï, au cas où ils me poseraient des questions, mais ils ont bien d'autres choses à faire qu'à s'étonner de l'absence d'une petite fille, même si c'est celle du fuyard. Aucun d'entre eux ne peut imaginer qu'Harpalos ait été assez fou pour s'encombrer d'elle. Tous ces réalistes, finalement, qui s'agitent en surface, ne descendent pas très loin dans les arcanes du cœur humain.

Malgré le danger, je décide de rester à Athênaï, près d'Hypereïdês et de ses informations de première main. Je me rassure peu à peu. Harpalos paraît bien s'être volatilisé. Comme ils ne peuvent décharger leur colère sur lui, et qu'il leur faut un coupable, les partisans les plus convaincus d'Alexandros comme ses ennemis les plus farouches, lassés de s'accuser les uns les autres, finissent par concentrer leur rage sur Démosthénês. La vérité les aveugle soudain : ils l'accusent, non plus d'avoir été berné par Harpalos, ni de l'avoir laissé s'enfuir par prudence politique, mais carrément d'avoir organisé son évasion et de s'être partagé le trésor avec lui. Je suis stupéfaite de la violence et de la rapidité de cette métamorphose de l'opinion publique sur-chauffée par le scandale. C'est un phénomène aussi puissant et aussi étrange que cette transe collective qui s'est emparée de mes femmes et des gardes macédôniens dans le sanctuaire de Thespiaï assiégée. L'ancien patriote devient en quelques jours de folie un traître. Le peuple athénien, même en temps normal, éprouve une grande satis-faction à se persuader que ses hommes politiques sont pourris, et que, si sa situation périclite, ce n'est pas à cause de son incapacité à comprendre l'évolution du monde moderne, mais seulement de la corruption de ses élites. Quel amer délice de découvrir que celui qu'ils croyaient le plus digne de respect, celui qui leur faisait la leçon depuis des années, est encore plus vénal que les autres et qu'ils vont pouvoir s'acharner sur lui !

Hypereïdês ne garde jamais la tête aussi froide que dans les pires tempêtes où tous les autres la perdent. Il est l'un des seuls à refuser encore de croire à la culpabilité de son ami. Il me montre le dessous des cartes : Démadês, qui guette depuis longtemps l'occasion de se débarrasser de son plus redoutable adversaire, doit se trouver der-rière toute cette agitation, chauffant l'opinion jusqu'à ce qu'elle entre en ébullition. Jusqu'à ce que, dans son ardeur patriotique, elle se décide à exiler le chef du parti de la revanche, ou, encore mieux, à lui faire boire la ciguë. Pour les tenants de la collaboration avec la Macédoine, il serait inespéré, et même carrément voluptueux, de voir la résistance se décapiter ainsi elle-même.

Pourtant un soir, Hypereïdês lui aussi se laisse convaincre. Par la voix d'un fantôme. Lorsque Lykourgos le fait appeler sur son lit de mort, Hypereïdês me supplie de l'accompagner, parce qu'il se doute que cette fois, c'est la dernière, et qu'il craint, dans l'état de tension nerveuse où il se trouve, de ne pouvoir s'empêcher de pleurer, au lieu d'avoir la force de convaincre son ami qu'il doit lutter encore. Lykourgos est si affaibli qu'il ne s'exprime plus que dans un souffle. La voix blanche et presque éteinte de cet homme si énergique donne encore plus de force à ses dernières paroles. Il confie à Hypereïdês la mission sacrée d'attaquer le traître vénal qui n'est plus le Démosthénês qu'ils admiraient. Quel qu'en soit le prix, il faut rester fidèle à la dignité d'Athênaï et la maintenir en état de prendre enfin sa revanche de Khaïrôneïa. Hypereïdês ne trouve la force d'accepter que quelques secondes après qu'a expiré son ami. Le noble Athénien ne m'a pas accordé un regard. Mais je ne peux m'empêcher d'être impressionnée et presque émue. La voix que Lykourgos aurait dû toujours avoir, il ne l'a trouvée qu'à son dernier souffle : celle d'un spectre de l'époque glorieuse de Marathôn.

Alors, poussé par cette ultime volonté de son frère d'armes et par tout son dépit, le Sanglier se jette lui aussi dans la curée contre le chef de son propre parti. Démosthénês ne parvient à détourner la colère du peuple qu'en confiant lui-même une enquête sur l'affaire Harpalos à l'Aréopagos (le tribunal sacré devant lequel j'ai été accusée puis acquittée autrefois). Il jure que, si le jury le déclare coupable de la moindre concussion, il acceptera la mort sans protester. Puis il part pendant tout l'été en ambassade à Olympia, afin d'y mener en personne les négociations qui s'engagent avec Nikanôr, le porte-parole d'Alexandros, à l'occasion des cérémonies panhelléniques. Là-bas, au fond du Péloponnèse, tandis qu'Athênaï éprouve toujours autant de peine à se calmer, Démosthénês continue, comme si de rien n'était, son travail d'homme d'État. Il juge avantageux d'échanger la promesse de garder les terres de Samos contre l'engagement de rendre un culte aux statues d'Alexandros, puisque ce jeune fou paraît y tenir. Mais ce réalisme cynique, qui force mon admiration, le fait encore plus détester à son retour par les patriotes, par les défenseurs des vraies valeurs morales, par tous ceux qui se prétendent tels pour avoir le droit de nuire. L'agitation contre lui reprend de plus belle. L'enquête de l'Aréopagos finit par le déclarer coupable d'avoir détourné vingt talents. Il a beau prétendre les avoir pris dans le trésor d'Harpalos pour abonder les fonds secrets nécessaires aux opérations spéciales du gouvernement, comme c'est l'usage depuis toujours, l'opinion publique préfère cette fois y voir une preuve de corruption. Son procès s'ouvre six mois après l'affaire. Personne n'a eu pendant tout ce temps la moindre nouvelle de l'intendant macédônien, dont désormais on se désintéresse totalement, et j'ai même parfois l'impression que je suis la seule dans toute la cité à me soucier encore de son sort. Dix accusateurs se lèvent contre Démosthénês. Le Sanglier est au premier rang. Il prononce contre son ancien chef une attaque d'une violence inouïe, dans laquelle tout le monde reconnaît à la fois l'ironie ravageuse d'Hypereïdês et la raideur patriotique de Lykourgos. C'est comme si un fantôme s'appuyait sur l'épaule du vivant pour prolonger le souffle de sa voix et l'ampleur de ses gestes. Après une pareille exécution, les orateurs suivants ne font que cracher sur ce qui n'est déjà plus qu'un cadavre. Démosthénês, blême, tente de leur répondre mais il sent sûrement que même son éloquence ne pourra à elle seule forcer une ville folle à revenir à la raison. Après quelques jours passés en prison, il accepte la proposition de ses amis d'acheter les gardiens et de s'enfuir précipitamment, plutôt que d'être exécuté, non pas en buvant la ciguë dans sa cellule mais lynché par la foule de ses anciens adulateurs. Cette fuite honteuse, qui provoque l'indignation de ses concitoyens, ne me surprend pas. Je n'en éprouve que plus de respect pour lui. J'aime bien que les gens à principes tiennent aussi à leur peau. Je les trouve plus rassurants ainsi. Après tout, il est possible que l'accusation soit vraie, que Démosthénês soit aussi corrompu que les autres. Mais j'imagine que, dans son coin, le collaborateur Démadês se frotte les mains.

Le matin où l'on apprend la disparition du prisonnier, l'homme vers lequel se tournent spontanément mes pensées inquiètes, ce n'est pas ce second suspect à filer entre les doigts de la police athénienne en quelques mois, mais mon vieux camarade, le Sanglier. Dégrisé de sa rage un peu plus vite que ses concitoyens, parce qu'il a un peu plus qu'eux l'habitude de l'ivresse, il doit être en train de s'apercevoir qu'après la mort de Lykourgos et la chute de Démosthénês, il est devenu le chef du parti antimacédônien. Voilà, c'est fait, ce qu'il a toujours voulu et toujours fui ! Sa jeunesse définitivement achevée à plus de soixante-cinq ans ! Désormais, plus de retour en arrière, ni pour lui ni pour Athênaï ! Il fête son entrée définitive dans l'histoire, en passant la nuit non pas dans les bras de Phila, sa terrible amoureuse, ni dans ceux de Myrrhina, sa savante maîtresse, mais dans les miens, la plus ancienne et la plus bienveillante de ses amies. Nous ne faisons même pas l'amour. Il boit, je l'écoute, il me parle toute la nuit de la trahison de Démosthénês, de la liberté, de l'esclavage insupportable qu'est la vie sous la férule de la Macédoine. Moi, appuyée contre lui, l'écoutant vaguement déblatérer, rassurée de constater qu'il reste fidèle à lui-même, je finis par l'oublier presque complètement. Je ne pense pas non plus à son ennemi Alexandros, dont on dit que dans son interminable périple de retour, il n'a toujours pas atteint Babylôn. Non, ma songerie va vers Harpalos, le fêtard repenti, l'insaisissable boiteux, qui, après avoir mis Athênaï à feu et à sang, a dû poser le pied depuis long-temps en Grande Grèce, où recommencer sa vie dans l'anonymat le plus complet. J'imagine la petite Pythônikê. Dans la salle d'une modeste maison d'un village des environs de Krotôn, de Thou-rioï ou de Poséïdônia, elle doit être en train de danser devant son père, de tomber sur son petit derrière et de se relever en le regar-dant de ses grands yeux confiants. J'ai presque l'impression de la voir, là, à quelques pas de moi, dans une hallucination. C'est peut-être qu'en cet instant même, elle pense à sa grand-mère, et que nos deux rêveries s'étreignent à distance ? Les larmes me montent aux yeux et j'esquisse le geste qui lui était familier d'envoyer un baiser avec les doigts. Hypereïdês, perdu dans son propre songe guerrier, ne le remarque pas.

Ses débuts à la tête de son parti sont douloureux. Dans l'atmos-phère de suspicion généralisée qui prévaut dans Athênaï, les deux fils de l'incorruptible Lykourgos sont rendus responsables d'un défi-cit dans les caisses publiques par un certain Ménésaïkhmos, l'un des soutiens de Démadês, le chef du parti collaborateur, qui a remplacé leur père à la tête des finances publiques et qui accuse ce dernier d'avoir volé l'État pour enrichir sa famille. Hypereïdês met toute son autorité dans la balance, il prononce un discours qu'il veut digne de son ami disparu, mais, simplement parce qu'ils sont les fils de Lykourgos, au lieu d'être honorés comme ils l'étaient encore quelques semaines auparavant, ils sont jetés en prison. Hypereïdês vient de nouveau chez moi pour se consoler dans mes bras de cette avanie. Mais, cette fois, je lui ferme ma porte au nez. Car la douleur qu'il éprouve ne peut pas être plus cruelle que celle qu'il m'a infli-gée sans même s'en douter.

Quelques heures avant de plaider pour les fils de son ami dis-paru, il m'a appris en deux ou trois phrases le dénouement de l'af-faire Harpalos. Celui-ci s'est produit plusieurs mois auparavant, même si on vient seulement d'en être informé à Athênaï. Le tréso-rier n'a pas réussi à s'enfuir, comme tout le monde avait fini par le croire : il a été assassiné juste après avoir posé le pied en Crète, non par l'un des envoyés d'Alexandros mais par l'un de ses plus proches compagnons de fête et d'exil. Évidemment, l'argent a disparu. Lorsqu'Hypereïdês m'a transmis cette nouvelle, avec un ricanement de triomphe sarcastique, j'ai cru perdre la tête. Le plus atroce, c'est que je ne peux même pas m'enquérir du sort de Pythônikê, dont tout le monde croit qu'elle demeure sagement à Thespiaï et dont aucun de ceux qui me racontent avec force détails la fin lamentable du trésorier d'Alexandros ne mentionne même le nom. J'envoie aussitôt Kariôn en Crète. Il revient quelques semaines plus tard sans avoir pu obtenir la moindre renseignement, ni sur l'assassin ni sur cette enfant qui paraît n'avoir jamais existé. Qu'est-elle devenue, ma petite danseuse chérie ? A-t-elle été égorgée dans les bras de son père ? Le meurtrier a-t-il eu le cœur de commettre un tel crime ? L'a-t-il recueillie ? Mais pour en faire quoi, sinon pour la vendre ? À moins que, satisfait de pouvoir mettre la main sur les coffres de bijoux et de pièces d'or, il ne se soit désintéressé de son sort, et ne l'ait laissée saine et sauve sous la protection de sa nourrice ? Cette vieille femme, qui était-elle ? Je me reproche de n'avoir pas regardé assez attentivement son visage, à travers la pénombre, la nuit où Harpalos est venu m'enlever ma petite-fille. J'en viens à lui prêter la puissance protectrice d'une Manthanê ou au contraire à quelques instants de distance, l'indifférence malfaisante d'une criminelle endurcie. Je suis réduite à des rêveries sans fin, ramenée au temps où je cherchais en vain à placer un visage sur la disparition d'Attis. De nouveau, comme à cette époque maudite, la cruelle vérité, je ne parviens pas, malgré mes efforts, à la découvrir. Je dois me résigner à remettre ma petite Pythônikê, après tant d'autres, entre les mains d'Anaïtis, et à croire que, puisqu'Elle m'a demandé de la lui confier, c'était pour la sauver, et non pour la perdre. Souvent j'en doute. Souvent, j'en pleure. Même la sagesse d'Aâmet est incapable de me pousser à me pardonner mon aveuglement, ni à accepter sans révolte l'acharnement de la déesse.

Folle de douleur, je quitte une Athênaï folle de joie. La cité vient de recevoir une nouvelle inespérée : la mort d'Alexandros, le conquérant odieux. Après être parti pour libérer les cités grecques de la côte d'Asie mais ne s'être arrêté qu'aux portes de l'Inde, après avoir accompli l'exploit insensé de s'emparer à lui tout seul de l'Empire achéménide, il est revenu mourir d'épuisement sur le chemin du retour. Dans la cité lointaine de Babylôn, comme le Perse qu'il était devenu. Au moment même où, dit-on, il noyait dans un mois de fêtes folles les derniers feux de conquête et de jeunesse qui le brûlaient encore pour devenir peut-être enfin un roi. J'apprends que son ami, Hêphaïstiôn, le garçon aux yeux graves avec lequel j'ai parlé toute une nuit, est mort de la même fièvre quelques semaines auparavant. Comme s'il avait cherché à se précipiter au-devant d'elle pour protéger une dernière fois le prince qu'il aimait, mais sans parvenir, comme Timolaos, le frère de mon père, à en détourner le trait. Il paraît clair que, par la volonté des dieux, l'hégémonie de la Macédoine, bien plus brillante et dévastatrice que celle de Thêbaï, aura duré moins longtemps encore. Alexandros est né, à ce qu'on raconte, la nuit même où l'Artémision d'Ephésos fut détruit par le feu. Sa vie tout entière n'aura été qu'un stupéfiant incendie, embrasant le marais du monde, ravageant les cités et un empire séculaire, mais ne laissant au matin que des ruines.

Peu après, je vois arriver à Thespiaï mon fils, Hermodotos. Il monte me donner des nouvelles rassurantes sur son sort et celui de son maître. À Athênaï, l'envie de régler ses comptes avec l'occupant macédônien est si violente, qu'Aristotélês, le philosophe subventionné par Alexandros, a jugé plus prudent de s'enfuir, avant qu'on ne l'arrête en plein milieu d'un cours et qu'on ne l'oblige à boire la ciguë. Il n'a pas les mêmes raisons que Sôkratês de laisser les Athéniens, qui ne sont pas ses compatriotes, commettre un second crime contre la philosophie. Abandonnant son école à l'un de ses disciples, il s'est réfugié à Khalkis, la capitale de l'Eubée, l'île indépendante toute proche de l'Attique d'où sa mère est originaire. Il a emmené Herpyllis, leur fils, Nikomakhos, la fille issue de son premier mariage et quelques proches. Dans toute cette confusion, qui lui rappelle sa fuite précipitée de l'école de Kôs pour échapper aux massacres, Hermodotos est surtout catastrophé de voir leur grande œuvre prendre du retard. Aristotélês, qui a toujours été de constitution fragile et qui se plaint depuis plusieurs années de douleurs violentes à l'estomac, paraît miné d'avoir dû quitter sa précieuse bibliothèque du Lykeïon.

Quant aux Athéniens, il semble évident qu'ils vont déclarer la guerre à la Macédoine. Dans les réunions fiévreuses qui se tiennent sur la Pnyx, Démadês lui-même, malgré sa grande gueule, se fait tout petit. Seul Phôkiôn, le vieux stratège, parce qu'il ne craint plus depuis longtemps la mort, ose se dresser contre la bourrasque d'une révolte qu'il juge sans avenir. Je connais quelqu'un qui doit penser que l'heure de la revanche est enfin arrivée : Hypereïdês. Mon ami le sanglier se dit sûrement que, si Athênai veut reconquérir sa liberté, c'est maintenant ou jamais. Il faut se hâter de profiter des troubles qui ne vont pas manquer d'advenir entre les généraux d'Alexandros. Cette bande de chiens carnassiers, leur chef leur a laissé le monde entier comme terrain de chasse mais, au lieu de rester unis, ils vont sûrement s'entredéchirer pour sa succession. Antipatros, le molosse qui surveillait si rudement la Grèce, va devoir consacrer une bonne partie de ses forces à se battre contre sa propre meute. Il paraît aussi que les Athéniens ont enfin retrouvé un bon soldat, un général patriote du nom de Léôsthénês. Pendant que ce dernier lève une armée, j'apprends qu'Hypereïdês s'est mis à parcourir le Péloponnèse pour le soulever contre le chien de garde d'Alexandros.

Il échoue, ce qui ne me surprend pas. Une douzaine d'années auparavant, Thêbaï a voulu prendre seule la tête de la révolte et elle a été rasée. Sept ou huit auparavant, Lakédaïmôn a voulu prendre seule la tête de la révolte et elle a été matée. Aujourd'hui Athênaï veut prendre seule la tête de la révolte et elle sera brisée. La mort d'Alexandros n'y change rien. Le vrai problème, c'est qu'aucune des trois grandes cités ne réussit à mieux fédérer dans la révolte qu'elle n'a su le faire dans l'hégémonie. C'est une cause désespérée. Mais Hypereïdês ne désespère pas. Hypereïdês ne désespère jamais même quand il est à bout de forces et qu'il n'y croit plus. Quand un rêve d'alliance a échoué, il s'en invente aussitôt un autre. Maintenant, il est tellement épuisé qu'il ne parvient qu'à revenir au rêve le plus ancien de tous, celui qui le faisait vibrer dans sa jeunesse et dont il tente de retrouver le souffle. Puisque la Grèce du continent ne veut plus bouger, il faut unir les îles et les cités d'Asie, comme au bon vieux temps de l'Alliance, afin de les faire basculer dans la révolte. Le moment est propice, se dit-il pour se rassurer : après les avoir débarrassées de la tutelle perse, la Macédoine a commencé à collecter les impôts sur leur dos encore plus rudement que ne le faisaient les satrapes. Hypereïdês disait autrefois aux Athéniens : "Philippos est un bon roi mais nous, les Grecs, nous n'avons pas besoin d'un roi !" Puis il a lancé aux Thébains : "Alexandros sera peut-être un bon roi mais nous, les Grecs, nous n'avons toujours pas besoin d'un roi !" Maintenant il répète aux habitants des cités de l'Asie : "Antipatros ou Kratéros ou Antigônos sera un mauvais roi et, de toute façon, nous, les Grecs, nous n'aurons jamais besoin d'un roi !" Mais, sur cette côte de marchands, peu de gens veulent l'entendre. Malgré sa lucidité et son énergie, il ne se rend pas compte qu'Athênaï a laissé passer la chance d'unir la Grèce dans la liberté trente ans auparavant, juste après le demi-succès du procès intenté par les habitants de Kéôs. Maintenant, c'est trop tard. Lorsqu'on manque l'occasion de faire changer les choses parce qu'on n'a pas réussi à se changer soi-même, les dieux ne vous le pardonnent pas. Le seul échec irrémédiable, c'est celui de votre propre métamorphose.

L'ambassade secrète de mon ami l'Athénien est une longue suite de déconvenues. Je le sais parce que je me trouve moi-même en voyage d'affaires triomphal dans le royaume de Karie dirigé maintenant par Ada, qui ne fut pendant longtemps que la cadette effacée et jalouse d'Artémisia. À Knidos, j'ouvre, après le thiase d'Anaïtis, une succursale de mon école de plaisir. Mon vieil ami Diôn est venu d'Halikarnassos pour me rendre visite. Nous passons un moment dans le bois sacré, près du temple rond que continue à habiter triomphalement la *Première Femme Nue*, non loin du petit bosquet où j'ai atteint au détachement de la maturité entre les bras de Praxitélês, à la fin de mon périple en Orient. Diôn me raconte, avec un sourire désolé qui cache mal son ironie, les vains effets de manche de l'orateur athénien. Je tente d'aider discrètement ce dernier, en le faisant accompagner presque gratuitement dans sa campagne par quelques-unes des plus jolies filles que j'ai recrutées. Je me dis qu'elles parviendront peut-être à tourner la tête des banquiers qui dirigent ces grandes cités de commerce plus efficacement qu'un appel aux valeurs grecques. Pendant ce séjour commun sur la côte, Hypereïdês et moi ne trouvons pas une seule fois l'occasion de nous rencontrer dans l'intimité.

L'Athénien, ravalant sa rancœur, retraverse la mer. Il s'est juré de refuser l'échec et de se battre jusqu'au bout. À ma grande surprise, il commence à être récompensé de son obstination, qui passe peut-être, aux yeux du monde et des dieux, pour de la persévérance. Même si je n'y crois pas au début, le destin se met à tourner. J'apprends bientôt que mon irascible Sanglier a eu l'intelligence de rappeler d'exil Démosthénês et de se réconcilier avec lui, au moins pour la façade. Faisant taire le ressentiment personnel qui les sépare depuis l'affaire Harpalos, ils ont refait l'union sacrée. Après l'échec subi dans le Péloponnèse et en Asie, ils ont lancé, en désespoir de cause, une dernière tournée de propagande : au nord, chez certains des plus anciens et des plus fidèles alliés de la Macédoine. C'est là, où ils ne les attendaient pas, qu'ils commencent enfin à obtenir quelques succès. Plusieurs milliers de cavaliers thessaliens, que l'on dit supérieurs même à ceux d'Alexandros, se rallient. Leur chef, Ménôn de Pharsalos, veut se tailler à son tour un royaume, comme jadis les tyrans de Phéraï, et il réussit à entraîner dans son sillage beaucoup d'autres cités de Thessalie, d'Etôlie et même de Phôcide. Hypereïdês peut être fier de son œuvre : même si je n'y vois que les lambeaux d'une coalition hétéroclite, une partie de l'Alliance panhellénique se reconstitue, comme aux temps glorieux des guerres médiques, et elle se présente à peu près unie au combat. J'attends l'annonce inéluctable de sa défaite face aux invincibles Macédôniens et voilà que je suis de nouveau surprise. L'audacieux cavalier Ménôn et le brillant stratège Léôsthénês, dont on dit que, contre toute attente, ils se respectent et se complètent bien, se mettent à remporter toute une série de batailles contre Antipatros, qu'ils chassent bientôt de Béôtie.

La garnison macédônienne de Thespiaï, avec laquelle, depuis l'épisode de la prière commune lors du faux siège, nous entretenons des relations beaucoup plus cordiales, doit se replier. Les soldats nous font leurs adieux. Plusieurs des filles de mon thiase en sont inconsolables, et moi, j'en suis ravie. Je me dis que mon père aurait aimé voir la lumière de ce jour : le premier, depuis plus d'un siècle, où Thespiaï n'est occupée par aucune garnison étrangère. Le soir, en me promenant dans la ville entièrement désertée par les soldats, je me demande si je ne dois pas consacrer une partie de ma fortune à réaliser le rêve du guerrier Epiklês d'adjoindre aux gardes du temple une armée thespienne autonome. Quelques centaines de mercenaires que j'installerais dans la caserne de la Plaine à la place des Macédôniens, afin qu'ils défendent la cité contre tout nouvel envahisseur. Après une nuit de réflexion dans le temple, où je crois bien que je revis encore une fois en rêve le saccage commis par Gorgidas et les soldats de Thêbaï, je décide soudain que non. Je laisserai la caserne vide. Prête à accueillir les Athéniens, ou les Macédôniens de retour, ou tout autre conquérant qui se mêlera dans l'avenir d'investir la ville et avec lequel il me faudra négocier protection, tribut à payer, et neutralité. Je n'ai pas les moyens de me mêler de force militaire et surtout je n'en ai pas le désir. Anaïtis, cette voix qui parle parfois à l'intérieur de moi, ne m'y pousse pas. Je ne suis plus la fille d'Epiklês, buvant ses paroles de soldat et pensant à travers lui, je suis Phrynê, la reine des pacifiques grenouilles, qui ne savent que coasser le soir autour des marais en veillant sur l'eau nourricière, avant de se glisser dans le lit des guerriers sous la forme de nymphes à la peau douce, pour les prendre au piège de leurs rets gluants. Je règne sur Thespiaï plus souverainement que ne l'a jamais fait mon père, mais à ma façon. Je laisse aux hommes l'apparence du pouvoir. Les nouveaux habitants de la cité occupent à dates fixes les gradins de pierre de l'assemblée, que je leur ai reconstruit, au flanc de la colline qui borde l'agora, à son ancienne place. Ils s'y disputent férocement comme des Athéniens miniatures. Ils m'ont proposé, à titre exceptionnel, bien que je ne sois qu'une femme, de participer à leur conseil. J'ai accepté gravement cette faveur, qui m'a bien fait rire. Mais je me déplace rarement pour assister à leurs interminables controverses. Lorsque se pose à eux le problème de suppléer au départ des Macédôniens, je leur conseille de laisser la caserne vide, en attendant l'issue imprévisible du conflit, et d'arguer de leur faiblesse pour ne s'allier avec personne. Il est difficile à des hommes d'admettre qu'ils sont faibles, mais moins à des Thespiens qu'à d'autres : quand je veux les ramener à la conscience lucide de ce qu'ils sont, je n'ai qu'à leur désigner du bras le temple le plus proche. Cet édifice rond est le dernier vestige de la Thespiaï d'avant la catastrophe. Je l'ai consacré à la Paix mais je l'ai laissé soigneusement en ruines, justement parce qu'il se trouve en plein milieu de l'agora et qu'il est visible à tout instant de l'assemblée.

Les Athéniens, d'ailleurs, ne se hâtent pas de venir remplacer dans notre caserne les Macédôniens, ou les Thébains et les Lacédémoniens avant eux. Léôsthénês est trop occupé à poursuivre sa glorieuse et surprenante campagne. Toujours aussi stupéfaite, j'apprends qu'il a repoussé l'occupant au-delà des Thermopylaï et qu'il a même fini par encercler ce vieux renard d'Antipatros et ses forces inférieures en nombre dans Lamia, une ville du nord dont je n'avais jamais entendu parler auparavant. On dit que les secours promis par les généraux de l'armée d'Asie au régent de Grèce se font toujours attendre. Ce retard est peut-être délibéré. Les alliés d'Antipatros sont sans doute satisfaits de se débarrasser à bon compte d'un rival, qui n'a pas participé à la légendaire campagne d'Alexandros mais qui a pour lui la légitimité d'être l'un des derniers compagnons de Philippos. Quelques mois à peine après la mort du Conquérant, la Grèce va profiter de cette division de ses épigones pour retrouver son indépendance. Je suis prête depuis longtemps à tout accepter des métamorphoses du réel mais je dois avouer que cette résurrection d'Athênaï m'étonne. J'en ressens presque de l'enthousiasme. Vieille aspiration à la liberté, qui me vient tout droit de mon père et qui, malgré mon expérience, renaît de ses cendres à la moindre occasion. Cet éternel jeune homme d'Hypereïdês est en train de gagner le plus fou de ses paris. Diables d'Athéniens. Toujours mal préparés, toujours inconséquents, unis seulement lorsqu'ils se retrouvent acculés au pied du mur, fidèles à leurs valeurs seulement au dernier instant, mais alors irrésistibles de furie.

Pourtant, quelques semaines plus tard, j'apprends la disparition de Léôsthénês devant Lamia. On dit qu'il est mort en Athénien : avec lucidité et imprudence. Venu observer le rempart, pour chercher la faille par où il devait absolument investir la ville dans les ultimes jours de répit qui lui restaient avant l'arrivée des secours macédôniens, au moment même où il a cru la trouver, il s'en était tant approché qu'il a été frappé mortellement à la tête par la pierre d'une simple fronde. Les deux armées de renfort, formées des terribles vétérans de la campagne d'Asie, finissent par arriver à la rescousse d'Antipatros. Le jeune et ardent guerrier qui commande la première s'appelle Léonnatos. C'est la première fois que j'entends prononcer son nom mais il est, paraît-il, déjà légendaire parmi les Macédôniens. Son incroyable bravoure lui a valu de devenir l'un des sept gardes du corps personnels d'Alexandros. Mes informateurs me disent aussi qu'il est né la même année que le conquérant disparu et qu'il se verrait bien le remplacer dans la faveur des dieux. Devançant le général qui dirige l'autre armée, Kratéros, il se rue avec ses cavaliers à l'assaut des assiégeants de Lamia, pour être le premier à sauver la peau de ce crétin incapable de Régent et prendre un avantage décisif sur ses rivaux, en joignant les troupes de ce dernier aux siennes. Moins d'une heure plus tard il est avéré qu'il ne deviendra jamais Alexandros à la place d'Alexandros : il est tué dans l'assaut par Ménôn et sa cavalerie défaite par celle des Thessaliens. Mais ce vieux renard d'Antipatros a su profiter du choc violent de ces deux ambitions pour s'échapper du piège de Lamia et faire sa jonction avec Kratéros. Les Athéniens et leurs alliés thessaliens doivent se replier. La différence avec le début de la guerre, c'est que désormais les Macédôniens sont deux fois plus nombreux. Ménôn est un rude cavalier mais il n'a rien d'un stratège capable de mener une guerre. Le sort d'Athênaï reposait sur l'intelligence de Léôsthénês, comme celui de Thêbaï autrefois sur celle d'Epameïnôndas. Il était l'ultime recours, ce qui n'en faisait pas un véritable espoir. Moi, qui observe ces événements de loin depuis ma montagne de Thespiaï, je me dis que mon enthousiasme, cette émotion que j'ai partagée une dernière fois avec les Athéniens et avec les Grecs, n'était qu'une illusion. Quand une cité dépend d'un seul homme, elle est perdue.

Mais j'apprends peu après que, malgré les nouvelles alarmantes du front, Hypereïdês, lui, refuse de plier. Dans l'atmosphère lugubre qui enveloppe le retour des corps de Léôsthénês et des autres morts, il parvient encore à galvaniser l'opinion publique, pétrissant de ses mots le deuil pour le métamorphoser en énergie du désespoir. Bien que j'y aie vécu plus de trente ans, peut-être n'ai-je jamais rien compris à Athênaï, à part dans les quelques heures qui ont suivi l'annonce de Khaïrôneïa ? Ce n'est pas la vaillance de ses soldats qui tient cette cité debout mais la parole de ses orateurs. L'homme providentiel n'était pas Léôsthénês, si brillant stratège fût-il, mais lui, Hypereïdês, l'âme et la langue de son peuple ! Par la seule force de son verbe, il se montre capable, me dit-on, de ressusciter les généraux qui ne sont plus et de faire sortir en armes de la terre ancestrale ceux qui ne sont pas encore. Le peuple, pour une fois conséquent, lui a demandé de prononcer l'oraison funèbre des soldats tombés devant Lamia, comme il avait demandé à Démosthénês de prononcer celle des morts de Khaïrôneïa. On dit que, sous les yeux de tous ses concitoyens, dans ses mots mais aussi dans ses gestes mesurés, dans le ton de sa voix, Hypereïdês s'atteint enfin lui-même. On dit que son discours est si splendide d'élévation, de gravité, d'enthousiasme patriotique, qu'en célébrant le stratège disparu au combat, il éveille dans l'âme des jeunes Athéniens qui l'écoutent le désir de lui ressembler. Un Léôsthénês est tombé, oui, mais dix autres, cent autres vont se lever pour prendre sa place. Non, Athênaï, tant qu'elle croit en elle-même, ne mourra jamais !

66

LA DERNIÈRE TRAHISON

Et Athênaï meurt quelques semaines plus tard.

La réunion des armées macédôniennes brise la coalition grecque dans la plaine de Krannon. Je reçois des nouvelles de la bataille par les contacts que j'ai dans les deux camps. Encore une fois, la cavalerie de Ménôn a attaqué victorieusement celle des Macédôniens de Kratéros mais Antipatros a enfoncé les fantassins athéniens deux fois moins nombreux qui, malgré leur courage, n'ont pas réussi à tenir le choc, le temps que leur allié vienne à leur rescousse. L'armée alliée a dû se replier vers le sud de la Thessalie. Elle n'a subi qu'une légère défaite, et les Grecs peuvent se dire que la guerre n'est pas encore perdue. Mais Antipatros se montre encore plus redoutable sur le terrain de la diplomatie qu'il ne l'a été sur le champ de bataille. Lorsque les émissaires des Athéniens et des Thessaliens viennent ensemble lui demander ses conditions de paix, il répond qu'il n'acceptera de négocier qu'avec chacune des deux parties isolément. Pendant ce temps, il se met à ravager systématiquement la Thessalie sur ses arrières, à massacrer ses habitants et à raser ses villes les unes après les autres, en veillant à laisser quelques rescapés traverser les lignes pour raconter les horreurs qui sont en train de se dérouler de l'autre côté du front. Comme il l'escomptait, les Thessaliens se désolidarisent et le supplient secrètement d'être clément. Il ne consent à traiter qu'avec chacune de leurs cités prise à part. Ménôn voit son futur royaume se déliter sous ses yeux. Il est l'un des derniers à partir, mais il doit bien se résoudre à sauver ses propres intérêts. L'impitoyable Antipatros le traite bénignement. Alors, comme le Régent le souhaitait depuis le début, Athênaï se retrouve seule. Abandonnée des cavaliers qui constituaient son principal atout, face à une armée beaucoup plus nombreuse que celle de ses jeunes recrues et dont la moitié des troupes est aguerrie par dix années de conquête ininterrompue à l'autre bout du monde. Que reste-t-il à faire, sinon capituler honteusement ? Les Thessaliens ont laissé tomber Athênaï exactement comme celle-ci avait abandonné Thêbaï à son sort quinze ans plus tôt. Et moi, qui ai accordé au détachement macédônien de retour à Thespiaï les sourires et les réjouissances que l'on doit à ses protecteurs, j'en ai mal pour elle. Car je redoute qu'Antipatros ne la traite aussi durement qu'Alexandros a traité Thêbaï.

Je sais bien que les Athéniens n'ont plus qu'un moyen d'échapper à la destruction totale. Envoyer aux vainqueurs les deux seuls négociateurs que ceux-ci consentiront à écouter : Démadês, leur partisan le plus corrompu, et Phôkiôn, leur ami le plus honnête. L'ambassade revient en ayant obtenu le maximum du terrible régent : la cité ne sera pas rasée, comme l'a été Thêbaï, mais elle devra payer tous les frais de l'humiliante garnison qui résidera en permanence dans le fort de Munykhia. La démocratie sera renversée et remplacée par une oligarchie, dirigée par Phôkiôn. Le général, à plus de quatre-vingts ans, a la divine surprise de voir enfin le triomphe de ses idées, même s'il a fallu le payer par la défaite et par l'occupation. Il développe sa pensée en une phrase lapidaire, qu'il jette de sa voix glaciale de vieillard d'un autre temps à la face de l'assemblée du peuple : "Seuls siègeront désormais ceux qui en ont les capacités et le mérite, c'est-à-dire les propriétaires fonciers". Dans tous les banquets des gens importants d'Athênaï, il commence à se dire que la démocratie n'a plus d'avenir. Sa faiblesse, le pouvoir qu'elle donne aux démagogues et à la populace, ses assemblées toujours divisées de fantassins-citoyens indisciplinés, où chacun est stratège et personne soldat, a prouvé qu'elle était moins capable de changer le monde qu'une monarchie résolue. Appuyés sur une troupe d'aristocrates cavaliers et sur une armée de phalangistes professionnels, les chefs macédôniens ont réussi à s'assurer la maîtrise des voies du commerce international. Pourquoi ne pas les soutenir dans leur œuvre, en faisant de la défaite une source de profit ? De ces arguments de riches, moi qui suis riche, je n'ai rien à faire. La seule chose qui m'importe, c'est la dernière condition posée par le Régent. Démadês l'a rapportée à ses concitoyens avec, dit-on, un méchant sourire désolé que j'imagine trop bien. Cette fois, malgré ses efforts, il n'a pas réussi à sauver les têtes trop bavardes de Démosthénês et d'Hypereïdês. Antipatros exige qu'on les lui livre sur-le-champ avec leurs partisans les plus proches. La nouvelle assemblée de propriétaires se hâte de mettre fin à la démocratie en votant la mort de ceux qui l'ont défendue jusqu'au bout. Elle va même plus loin que l'occupant macédônien : elle interdit par décret qu'on enterre sur le territoire de l'Attique les dépouilles des patriotes qu'elle appelle désormais des traîtres. Il ne reste plus qu'à les attraper. Avant la curée, j'ai fait dire par Kariôn à mon vieux Sanglier fourbu de venir chercher refuge au fond des maquis de Béôtie, dans les replis décourageants de ses montagnes, où je l'aiderai à se faire oublier. Il a promis mais il ne se montre pas. Pendant plusieurs nuits, je ne dors plus. À chaque instant, j'ai peur de voir apparaître un messager qui me dira ce que je sais déjà : que les chiens lâchés à ses trousses ont fini par le cerner.

Les Athéniens apprennent beaucoup plus vite que moi ce qui s'est passé en réalité. Avec les autres condamnés à mort, Hypereïdês s'est réfugié d'abord dans l'île d'Aïgina. Sur ce rivage, je me souviens, j'étais venue me montrer nue une deuxième fois devant l'assemblée entière des Grecs, pour faire la promotion de la statue de Praxitélês, aux temps heureux où les Athéniens croyaient encore en leur Ligue et où la plupart d'entre eux ignoraient autant que moi où se trouvait exactement la Macédoine. Les deux chefs, Démosthénês et lui, ont pris le temps de s'expliquer sur leurs différends au moment de l'affaire Harpalos, et de se réconcilier tout à fait. Puis ils se sont séparés pour égarer leurs poursuivants. On dit que le projet de Démosthénês était de partir vers le Péloponnèse, où la domination de la Macédoine était moins assurée qu'ailleurs, pour tenter de rallumer la flamme. Et celui d'Hypereïdês de s'enfuir non pas vers les colonies d'Asie, qu'Alexandros avait toutes ravagées ou conquises, mais de l'autre côté, en Occident, là où le conquérant n'avait pas eu le temps de semer le carnage, vers les dernières cités libres de la Grande Grèce, Thourioï peut-être. Suivi de deux compagnons, il a rejoint le navire que son ami de toujours, Léôkratês, avait mis discrètement à sa disposition, en se félicitant de s'être réconcilié avec l'armateur à l'occasion de son procès et en rêvant peut-être déjà de continuer la lutte depuis l'autre bord de la mer. Mon vieux sanglier, je l'imagine qui se hâte, qui court sur le rivage où je me suis déshabillée autrefois, tout encombré de ses rêves. Et là, stupeur ! L'homme qui l'attend avec impatience au pied du bateau, ce n'est pas Léôkratês, mais Arkhias !

Hypereïdês connaît, comme moi, cet ancien acteur de tragédie. Nous l'avons vu autrefois interpréter avec tant de sensibilité, tant de noblesse outragée, la malheureuse princesse troyenne, Polyxénê, que les guerriers vainqueurs avaient condamnée à être égorgée sur la tombe d'Akhilleus. Par la suite, il a continué sa brillante carrière internationale. Ses nombreuses tournées et son entregent l'ont mis en contact avec les dirigeants des cités les plus puissantes d'Orient et d'Occident. Depuis longtemps, l'acteur bavard s'est doublé d'un diplomate secret et efficace, qui a mis ses relations au service lucratif du parti macédônien. Entre chacune de ses représentations de héros tragiques athéniens, il est devenu l'agent itinérant de la trahison d'Athênaï. Que fait-il là ? Hypereïdês n'a même pas le temps de s'étonner. Les hommes qui accompagnent Arkhias ne sont pas des matelots, mais des soldats thraces, qui se jettent sur lui et sur ses deux compagnons, les immobilisant et les désarmant sans peine. Hypereïdês est capturé avant même d'avoir pu tirer sa dague de sa tunique. Mon vieux sanglier est tombé, dès la première nuit, dans le filet du chasseur. Arkhias l'accueille d'un sarcasme : "Tu vois, tu n'as pas besoin d'aller à Thourioï, c'est Thourioï qui vient à toi". Hypereïdês, qui se souvient que l'acteur est originaire de cette cité, comprend qu'Arkhias connaissait ses projets les plus secrets. Il aperçoit Léôkratês. Celui-ci, descendant du navire par le ponton de bois et s'approchant des prisonniers, hausse les épaules devant le regard d'Hypereïdês : "Eh oui, mon vieux, chacun pour soi, ça a toujours été comme ça entre nous." Il essuie tranquillement le crachat que lui envoie en pleine figure l'ami qu'il vient de trahir.

Lorsqu'Arkhias se rend compte que, parmi les deux autres fugitifs capturés, ne se trouve pas Démosthénês, il devient fou de rage. Il donne l'ordre aux Thraces de faire avouer à Hypereïdês par tous les moyens où se cache l'autre chef de la rébellion mais le prisonnier reste silencieux sous les coups. Alors Arkhias décide de scinder sa troupe en deux. Lui va se jeter à la poursuite de Démosthénês qui ne peut être encore bien loin et il confie Hypereïdês à la surveillance de l'armateur. Je suis sûre que mon ami, recouvrant toute sa lucidité, pense aussitôt qu'il garde une chance de s'en tirer. Malheureusement, Arkhias paraît très bien informé des liens qui l'unissent à son geôlier. Il rappelle à Léôkratês que celui-ci est responsable des trois prisonniers sur sa vie et sur ses biens. Puis, pour plus de précaution, tant il se méfie de l'éloquence d'Hypereïdês, il le fait solidement bâillonner : "Ainsi, on ne t'entendra plus, lui déclare-t-il sur un ton moqueur, jusqu'à ce qu'Antipatros te fasse taire définitivement ; alors ta cité aura peut-être une chance de s'en tirer." Il y a encore un dernier conciliabule sur la plage. Afin d'éviter que la poignée de démocrates qui doit rester dans Athênaï ne tente un ultime coup de force pour libérer son chef, Léôkratês est chargé de convoyer Hypereïdês et ses deux complices directement vers Kenkhréaï, l'un des deux ports de Korinthos. Les autorités macédôniennes depuis Philippos ont fait de cette ville cosmopolite la capitale de la Grèce, parce qu'elle s'occupe uniquement de ses affaires et de ses plaisirs. Les prisonniers seront incarcérés dans la citadelle de l'Akrokorinthos, en attendant les ordres du Régent.

Je peux sans peine imaginer ce qui se passe entre les deux anciens amis pendant cette nuit de traversée. Hypereïdês, qui n'a aucun doute sur le sort que lui réservent les Macédôniens, choqué par la trahison, humilié, désespéré, mais tentant encore d'influer sur son camarade de jeunesse, non par des paroles, puisqu'il est bâillonné, mais par des regards. Et l'ignoble Léôkratês passant des heures délicieuses à jouir de son succès. J'entends à mon oreille les paroles du traître : "Tu te souviens de ce que je t'ai dit, lorsque tu as refusé de me défendre face à ton ami Lykourgos ? Il valait mieux pour toi que je sois condamné, parce que moi aussi, je suis un chien, et, lorsque j'attrape mon ennemi à la gorge, je ne le lâche pas avant qu'il soit vidé de son sang. Tu peux me lancer tous les regards que tu veux, c'est bientôt ce qui va t'arriver." Oh, j'entends ces mots qu'il jette triomphalement à la face de son ancien camarade dans les embruns humides de la déroute : "Cette nuit, je prends ma revanche sur vous tous, les Athéniens de bonne souche, qui n'avez fait que semblant de m'accepter, tout en me méprisant d'être le fils d'un affranchi, lui-même fils d'un esclave. Lykourgos est mort et tu vas mourir bientôt. Quand je te remettrai aux sbires d'Antipatros, il vaudrait mieux, d'ailleurs, que tu sois déjà mort. Si j'étais vraiment ton ami, je te jetterais pieds et poings liés à la mer. Mais voilà, ce serait trop dangereux pour moi. Peut-être qu'ils veulent t'extorquer encore quelques renseignements avant de t'exécuter ? Je n'aimerais pas être à ta place. En fait, je peux bien te le dire, j'ai toujours voulu être à ta place, sauf cette nuit. Cette nuit, tu vois, le monde change, les citoyens meurent et les affranchis les remplacent. Vous méritez votre sort, vous n'avez rien compris à ce qui est en train de se passer. Vos grands mots, vos fameuses valeurs, votre supériorité morale, elle vous obscurcit l'esprit, elle vous empêche de voir le monde tel qu'il est devenu. La liberté, qu'est-ce que j'en ai à faire ? La seule liberté qui m'intéresse, c'est celle de faire circuler mon argent et mes marchandises. Voilà pourquoi j'aime les Macédôniens. Grâce à eux, je vais pouvoir faire des affaires, non seulement avec Korinthos, mais avec Sidôn, avec Sardeïs, avec Sousa, et plus loin encore, avec Taxila, et les royaumes de l'Inde. Alexandros s'est tué pour moi à ouvrir la route des caravanes ? Merci Alexandros ! Et tout ce que je demande à son successeur, Antipatros ou un autre, c'est de la maintenir ouverte ! Je sens que cet empire est taillé à ma mesure, bien plus que votre petite Grèce étriquée !"

Oui, pendant toute cette traversée entre Aïgina et le port de Korinthos, je sais que Léôkratês parle, parle, parle, comme il n'a jamais parlé depuis la nuit où il s'est confié à moi pour tenter de s'attirer gratuitement mes faveurs. J'entends dans ses sarcasmes comme un écho de la lucidité de Mausôlos, de Démadês, ou de cette partie cynique de moi-même à laquelle je n'ai plus envie de prêter l'oreille. L'armateur explique le monde nouveau à l'orateur, et l'homme le plus énergique et le plus éloquent de son époque, bâillonné, les mains attachées derrière le dos, est obligé de l'écouter jusqu'au bout. Obligé d'écouter encore lorsque le traître revient sur leur passé et leur énumère tout ce qu'il garde sur le cœur depuis les frasques de leurs deux années de Péripoloï, les beuveries et les nuits dans les bordels, toute cette fausse camaraderie qui n'était de sa part que du mépris. Je me doute, et c'est ce qui m'est le plus insupportable, qu'il lui parle aussi de moi. De la façon dont autrefois je l'ai humilié devant la ville entière en refusant de coucher avec lui et dont Hypereïdês a ri avec les autres. De leurs deux mains qui ne se sont croisées qu'un instant sur mes seins. "Comment elle nous appelait déjà, quand nous étions jeunes, ta Phrynê, que tu t'amusais tant à baiser devant moi : toi le sanglier, et moi le bœuf ? Eh bien, voilà qu'aujourd'hui le sanglier encorné se rend compte que le bœuf est un taureau !" Oh, ce murmure, que Léôkratês laisse glisser de sa bouche directement dans l'oreille de son prisonnier, je suis obligée, moi aussi, de l'entendre jusqu'au bout. Et de comprendre à quel point, par la conduite irréfléchie et cruelle de ma jeunesse, j'ai ma part dans la haine qu'a couvée si longtemps Léôkratês contre celui qui se croyait son ami. Pendant toutes ces heures où le fils d'affranchi règle ses comptes avec lui et avec moi, je sais qu'on dira bientôt que l'attitude du grand orateur athénien fut très décevante. "Aucune dignité, aucune noblesse, vraiment", diront ceux qui se sont cachés pendant les combats, et tous ceux qui n'ont jamais rien fait de leur vie. Mais moi, c'est pour ces regards-là, pour ces regards de supplication et de désespoir envoyés en vain à son ennemi, que je continue à l'aimer, mon vieux Sanglier, parce qu'il n'a pas renoncé à lutter pour sauver sa peau, pour recommencer ailleurs la bagarre, et qu'il utilise toute la nuit, avec lucidité et énergie, en bon avocat, la dernière arme qui lui reste : celle de l'humiliation consentie.

Malheureusement, cette nuit-là, pour la première fois de sa vie, il ne parvient pas à renverser la situation. Léôkratês, enivré de haine, ne s'arrête de parler qu'au moment de remettre ses prisonniers à l'expéditif officier de garde. Le Macédônien n'accorde pas un regard à l'armateur et le bouscule autant que les trois malheureux. Le traître s'incline humblement devant lui, en ravalant son dépit de n'être pas traité comme un héros. Il ne retrouve un peu de forfanterie qu'au moment de saluer une dernière fois son ancien ami d'un sourire moqueur. Hypereïdês, à cause du bâillon, ne peut même pas lui envoyer un ultime sarcasme au visage. Léôkratês se tait pendant toute la traversée du retour. Il ne se remet à parler qu'en arrivant à Athênaï, mais là, il se soulage de nouveau. Plus il parle, plus il a envie de parler, de se vanter devant Démadês et devant la ville entière d'avoir participé à la capture mouvementée du fugitif. Lui aussi, comme Arkhias, que l'on commence à surnommer ainsi, il est un vrai "chasseur de gibier humain" !

Dès qu'il a appris l'arrestation, Kariôn a traversé le bras de mer pour prévenir Hermodotos en Eubée. Mon fils décide aussitôt d'abandonner quelques jours son maître Aristotélês, bien que le philosophe soit toujours très affaibli. Après avoir envoyé Kariôn chercher d'autres nouvelles à Athênaï, il galope toute la nuit vers Thespiaï pour m'apprendre en personne l'arrestation de son ancien tuteur. Malgré sa délicatesse et toutes les précautions qu'il y met, il me plonge dans le désespoir. Lui-même, qui m'impressionne d'ordinaire par son calme, est presque aussi agité que moi. Je ne l'ai jamais vu si en colère, révolté par ce torrent de fiel qui coule sur toute la cité d'Athênaï de la bouche méprisable de Léôkratês et des partisans de la collaboration. Pourtant, il faut que nous gardions tous les deux la tête froide, si nous voulons conserver la moindre chance de sauver Hypereïdês, qui est encore vivant pour quelques heures, quelques jours peut-être, mais qui se trouve détenu dans l'une des geôles les mieux défendues du pouvoir macédônien. Comment tirer mon vieil ami des griffes d'Antipatros ? À qui faire appel ? Il m'a sauvé la vie autrefois par son énergie, je n'ai pas le droit de céder à la tentation du découragement.

Le lendemain, Kariôn arrive à son tour pour nous apprendre une autre nouvelle consternante. Le limier Arkhias n'a pas tardé de son côté à rattraper Démosthénês. Il l'a capturé sur une île minuscule, située juste en face du Péloponnèse, dans le sanctuaire consacré à Poséïdôn où le résistant athénien avait cru pouvoir échapper à ses poursuivants. Lui aussi sans doute a-t-il été trahi. On dit que l'acteur, se souvenant peut-être d'avoir joué le rôle du rusé Odysseus face à Philoktêtês, tenta de persuader le fugitif de sortir sans du temple résistance, pour éviter d'avoir à commettre le sacrilège de l'en arracher. Il lui jura ses grands dieux qu'il plaiderait en sa faveur auprès d'Antipatros, dont il se faisait fort d'obtenir la mansuétude. Démosthénês le crut ou fit semblant. Il demanda simplement quelques instants de sursis pour écrire une dernière lettre à sa famille avant son arrestation. Les soudards qui cernaient le temple, apercevant l'orateur à l'intérieur de la nef en train de mordiller nerveusement son poinçon, se moquaient à voix haute de la lâcheté de ce fameux orateur qui le rendait incapable de tracer le moindre mot sur sa tablette de cire. En fait, Démosthénês venait de croquer la fiole de poison qu'il portait sur lui depuis des années, dissimulée dans le poinçon, et cherchait à gagner encore un peu de temps pour le laisser agir plus sûrement. L'écrivain était en train, sous leurs yeux, de leur échapper une dernière fois. Lorsqu'impatientés, ils finirent par se ruer à l'intérieur, c'était trop tard. Ils n'eurent le temps que de l'obliger, en le rudoyant, à faire quelques pas hors du temple, avant qu'il ne s'écroulât sur l'escalier. Mais il s'était octroyé la dernière satisfaction de sa vie d'orateur, en prenant solennellement Poséïdôn à témoin de leur sacrilège.

Furieux d'avoir été berné, Arkhias n'eut même pas la décence d'enterrer le cadavre, qu'il fit jeter aux chiens à quelques pas du sanctuaire. Des habitants de la petite île, indignés, se chargèrent de rendre les derniers honneurs à l'illustre Athénien, que sa cité abandonnait même après sa mort. Quant au "chasseur de gibier humain", il se lança aussitôt à la poursuite des derniers fugitifs. Je me doute qu'il n'aura pas à les chercher longtemps : pour éviter les représailles de son maître Antipatros, on les lui livrera, pieds et poings liés, de toutes les cités grecques.

Mais je n'ai pas le temps de méditer sur le sort lamentable de Démosthénês ni sur la vague de lâcheté qui parcourt le pays. Grâce aux contacts qu'Aâmet et moi avons conservés à Korinthos, parmi les prêtresses du grand temple d'Aphroditê et les dirigeants du thiase d'Anaïtis dans le port du Lékhaïon, j'apprends que, contre toute attente, Hypereïdês est toujours vivant. Il est détenu, dans la citadelle de l'Akrokorinthos, avec l'ensemble des condamnés qu'ont capturés Arkhias et les autres chiens de la Macédoine. On attend pour prendre une décision sur leur sort l'arrivée imminente d'Antipatros. Le Régent, qui jouit de son triomphe, ne se presse pas. J'ai envoyé Kariôn vers son armée pour solliciter l'honneur d'être reçue mais il l'a éconduit avec rudesse, me faisant répondre qu'il m'avait déjà rencontrée une fois dans un banquet et que cela lui avait suffi. De retour à Athénaï, je multiplie les démarches pour solliciter des soutiens. Le vieux Phôkiôn, l'ami des Macédôniens, refuse lui aussi obstinément de m'ouvrir sa porte. Myrrhina, quant à elle, ne sait qu'arpenter les pièces vides de sa maison du Kollyteus, en gémissant qu'elle sera bientôt jetée à la rue par le fils d'Hypereïdês et en s'arrachant des poignées de cheveux gris qu'elle ne prend même plus la peine de teindre. Mais elle est prête à mettre à ma disposition le peu d'argent qu'elle n'a pas dépensé, si jamais ma déesse m'inspire une idée providentielle. Phila, dans sa propriété d'Eleusis, me reçoit en même temps que quelques métayers qui lui parlent récolte. Elle m'écoute avec un sourire distant. Pourtant, à ma grande surprise, cette femme de tête se dit prête elle aussi à me confier une somme importante pour tenter l'impossible, même si elle ne voit aucun moyen raisonnable de sauver son protecteur des Macédôniens, dont elle est bien placée pour savoir à quel point ils peuvent être féroces. Je prends contact directement avec la famille d'Hypereïdês afin de savoir ce qu'ils projettent. Son petit-fils, Alphinos, se montre le plus résolu. Il se déclare prêt à risquer le tout pour le tout. Soudoyer l'officier macédônien de garde sur l'Akrokorinthos, acheter au Régent triomphant la vie de celui qui ne représente désormais plus aucun danger sérieux, ou préparer une évasion ? J'ai du mal à croire moi-même à ces trois plans d'action mais le jeune homme se précipite vers Korinthos, chargé de l'argent et du dernier espoir des quatre femmes d'Hypereïdês.

Lorsqu'il y débarque, il est déjà trop tard. Il apprend qu'Antipatros l'a devancé. On raconte dans la ville que le général macédônien s'est chargé en personne de torturer son adversaire pendant une nuit entière. Au petit matin, de sa propre dague, il lui a tranché la langue, qui avait beaucoup trop parlé contre la Macédoine, pour la jeter à ses chiens. Plusieurs heures seulement après cette mutilation, il a donné l'ordre d'égorger mon vieil ami avec les autres prisonniers. Les corps des suppliciés ont été jetés du haut de l'Akrokorinthos. Ils pourrissent au pied des remparts. Interdiction à quiconque de s'en approcher. Le vent de la mer, qui souffle depuis plusieurs jours sur la ville, y pousse une odeur pestilentielle. Lorsque les habitants sont venus se plaindre, affirmant qu'il n'était pas juste que Korinthos fût souillée pour le crime d'Athênaï, Antipatros leur a fait répondre qu'il souhaitait au contraire que l'odeur de ces cadavres s'étendît à toute la Grèce. Alphinos, désespéré, se présente en grand deuil à la porte de la citadelle, pour racheter au moins la dépouille de son grand-père. Le sous-officier de permanence ne prend même pas la peine de déranger son supérieur. Il menace le jeune homme de lui faire subir le même sort qu'aux condamnés et le fait chasser ignominieusement par deux gardes, l'un le maintenant et l'autre lui bottant le derrière pour le faire tomber dans les escaliers. "Un Athénien, c'est tout ce que ça mérite !"

Alors, ravalant mon chagrin et ma haine, je demande à la déesse la permission d'intervenir à ma façon. Et à Hermodotos s'il veut bien m'aider. Pendant toute la nuit où je peaufine avec lui notre plan d'action, le crâne de Lykeïna me souffle à l'oreille des mots d'encouragement. Ce n'est pas encore le moment, me dit sa grimace, de me laisser aller. D'abord tenter de rendre à mon ami le dernier service que je lui dois, en assurant une sépulture à son corps et à son âme le passage du fleuve des morts. Après, si je réussis, je pourrai pleurer.

67

L'ULTIME MIRACLE

Quelques jours plus tard, à la tête d'une délégation composée de prêtresses du grand sanctuaire du Kraneïon, ainsi que de certaines des esclaves sacrées de la déesse les plus gracieusement éplorées, un homme cogne à la porte de l'Akrokorinthos. Il se présente sous le nom de Philopeïthês de Kôs, médecin venu soigner la prêtresse attachée au petit temple d'Aphroditê Mélaïna qui se trouve sur la citadelle : les émanations des cadavres l'ont rendue malade et elle se meurt. Après quelques prières, il demande à ce qu'on le laisse seul avec sa patiente à l'agonie. Les prêtresses et les Hiérodoulaï, désœuvrées, se laissent consoler de leur affliction par les officiers d'Antipatros et vont jusqu'à accepter l'invitation du Régent au banquet qu'il donne pour fêter son triomphe. Au même moment, quelques centaines de pieds plus bas, au pied des remparts, se déroule une autre scène encore plus charmante et plus étrange : un deuxième groupe de servantes sacrées s'aventure à travers les rochers pour rendre visite aux soldats chargés de veiller sur les cadavres. Les malheureux accueillent cette distraction imprévue avec joie, surtout que les filles sont en tenue légère et qu'elles ont apporté des parfums et du vin. Elles leur confient qu'elles ont très envie de vérifier si les Macédôniens méritent la réputation de vaillance au combat qu'ils se sont faite auprès des filles de l'Asie entière. Mais des suivantes d'Aphroditê ne peuvent décemment honorer la déesse de l'amour dans une pareille pestilence, qui les empêcherait de tirer tout le plaisir qu'elles se promettent de la rencontre. Les soldats ne se font guère prier pour accepter de s'éparpiller avec elles vers les cavités de la falaise un peu éloignées, en oubliant un moment la corvée de garder des morts dans les bras de vivantes aussi délicieuses. "D'ailleurs, s'exclame l'un d'eux, ça m'étonnerait bien que nos prisonniers en profitent pour se faire la belle !" Les filles, malgré leur dégoût, veulent bien rire de la plaisanterie. Puis, plissant le nez devant les charognes ignobles que se disputent les rats et les mouettes, elles prennent les soldats par la main pour qu'ils les éloignent au plus vite de ce spectacle répugnant. Dès que la place est libre, Alphinos et ses deux serviteurs, qui manquent défaillir tant la puanteur leur retourne le ventre, répandent à la hâte sur chaque cadavre une poignée de terre de l'Attique qu'ils tirent du creux de leur tunique. N'osant allumer une torche, ils doivent lutter à tâtons dans le noir contre les animaux indistincts qui grouillent entre les rochers et qu'ils dérangent dans leur besogne, avant de parvenir à identifier Hypereïdês. La tête de mon vieil ami, complètement détachée, a roulé à quelques pas, et ils mettent du temps à la retrouver. Alphinos est obligé de la brandir à l'éclat de la lune et d'en approcher tout près son visage, en se pinçant le nez de l'autre main, pour être sûr de reconnaître les traits énergiques de son grand-père dans ces restes mutilés. Ils emportent la dépouille enveloppée dans un manteau. Regagnant la ville, ils délaissent l'avenue menant tout droit vers le port, de peur de tomber sur une patrouille macédônienne. À plusieurs reprises ils se perdent dans des ruelles louches hantées par des fêtards et des voyous qui appartiennent à un autre rêve et les laissent poursuivre leur course erratique sans leur poser de question. Ils finissent par rejoindre le chemin de halage, désert à cette heure, et par retrouver la petite crique, un peu à l'est de Kenkhréaï, où les attend leur navire. À l'abri de ce lieu retiré, ils prennent le temps de brûler le cadavre supplicié sur le bûcher que les matelots ont préparé depuis la tombée de la nuit. Alphinos dépose les cendres au fond d'une simple urne blanche, sans décoration ni inscription d'aucune sorte. Il s'embarque aussitôt pour Athênaï. Je l'attends au Peïraïeus, en compagnie de Myrrhina et de Phila. Après nous être recueillies devant les restes de notre ami, nous laissons son petit-fils aller seul déposer en secret l'urne à côté de celle de ses ancêtres dans la tombe familiale de la porte des Cavaliers. Sa femme légitime pourra s'y recueillir les jours suivants. Moi, je n'éprouve aucun soulagement, aucun chagrin non plus, devant ce lécythe blanc. J'ai hâte d'être rendue à la solitude dans ma maison de la route d'Eleusis, ou dans le sanctuaire de Thespiaï, dans l'un de ces lieux où j'ai vu si souvent Hypereïdês vivant, pour espérer le retrouver un peu. Mais j'ai la satisfaction du devoir accompli. J'ai payé ma dette à l'orateur qui m'a sauvé la vie devant l'Aréopagos presque quarante ans auparavant. Il ne me reste plus qu'à venger l'ami. Ensuite, je pourrai pleurer l'amant.

Pendant ce temps, sur l'Akrokorinthos, on vient chercher en plein milieu de la nuit le médecin Philopeïthês, qui se trouve encore au chevet de la prêtresse. Le régent Antipatros, ses officiers et toutes les prostituées sacrées, sont tombés malades à la fin du banquet. Ils se vident tripes et boyaux. La fièvre monte si dangereusement qu'ils risquent de rendre l'âme. Les devins, consultés en urgence, affirment qu'Aphroditê témoigne sa colère contre l'odeur de mort dont on souille son temple. La déesse exige que l'on donne sépulture aux cadavres des Athéniens. Antipatros, à l'agonie, finit par céder. Avec les prêtresses et les soldats macédôniens soulagés, le médecin s'occupe de faire brûler les corps, chacun des participants mettant le plus grand soin à ne pas s'apercevoir de la disparition de celui d'Hypereïdês et à nettoyer au plus vite la place. Quelques heures plus tard, la colère divine s'apaise, la fièvre de la grande prêtresse, d'Antipatros et de ses officiers tombe aussi mystérieusement qu'elle était apparue. Le Régent fait convoquer le médecin. "Alors je suis guéri ?

— Presque. Quelques jours de soins efficaces, et il n'y paraîtra plus. Mais je te recommande pendant quelque temps d'éviter tout excès."

Les yeux d'Antipatros se plissent. De curiosité ou de colère ? L'homme de l'art devrait baisser les siens, et ne pas jouir trop impudemment de sa puissance face à l'homme de pouvoir. Mais il ne le fait pas et les deux se toisent, silencieux. Soudain, le Macédônien reprend la parole : "J'ai entendu dire, Hermodotos, que tu étais l'un des disciples d'Aristotélês ?" Mon fils ne peut retenir un mouvement de surprise. Il croit discerner une esquisse de sourire satisfait sur les lèvres fines du terrible malade, qui laisse tomber : "Tu vois, moi aussi, je suis un spécialiste dans mon domaine. Par exemple, j'aime bien savoir exactement qui me soigne et qui m'empoisonne." Hermodotos comprend qu'il ne sert à rien de dissimuler. La solution la plus habile est peut-être de laisser paraître sur son visage une expression d'admiration sincère pour la sagacité du Régent et la qualité de sa police. Comme mon fils l'espérait, Antipatros s'en montre flatté et poursuit, d'un ton plus léger : "Je connais très bien moi aussi notre admirable philosophe, depuis qu'il est venu à Pella enseigner la géographie et la morale au jeune Alexandros. Tu sais peut-être que, lui et moi, nous entretenons depuis lors une correspondance amicale ? J'ai été très fâché contre les Athéniens qu'ils le menacent de mort et qu'ils le chassent. Sous mon gouvernement, il pourra bien évidemment rentrer dans son école du Lykeïon." Il ajoute : "Ce n'est pas lui, par hasard, qui t'a envoyé ?"

Hermodotos sent le piège sous la question badine. Il répond avec prudence : "Je sers la déesse Aphroditê." Le Régent, faisant l'effort de se redresser à demi, lui demande tout à trac : "Celle de Korinthos ou celle de Thespiaï ?" Hermodotos, bien qu'il soit sur ses gardes, ne trouve rien à répondre à cette nouvelle attaque soudaine. L'inquiétant Macédônien sourit alors : "Une bien remarquable femme, ta mère adoptive. J'ai eu l'occasion de faire sa connaissance, il y a longtemps, dans un banquet et j'ai été, comment dire, frappé par ses talents. Tu lui diras de ma part de surveiller sa santé. À son âge, comme au mien, la digestion est plus difficile, même quand on a auprès de soi un médecin aussi savant que toi." Mon fils blêmit. Antipatros se laisse aller en arrière. Il murmure, comme s'il s'adressait à lui-même plutôt qu'à son interlocuteur : "Mais elle peut dormir tranquille, j'ai pour l'instant bien d'autres soucis en tête." Fronçant les sourcils, il reste silencieux un long moment. Puis, il reprend soudain la parole, et, s'adressant de nouveau à Hermodotos : "Si tu demeurais à mon service ? Je te payerai plus cher que tu ne peux l'imaginer.

— Je te remercie, noble seigneur, mais je n'ai pas fini ma tâche auprès d'Aristotélês."

Le Régent rouvre les yeux et l'observe, avec beaucoup d'attention. Cette fois-ci, Hermodotos a la prudence de se rendre entièrement transparent à ce regard. La voix du Macédônien se fait goguenarde : "Dans ce cas, je te charge de transmettre mes salutations à notre grand homme. N'oublie pas non plus d'aller prier l'Aphroditê de Thespiaï pour mon complet rétablissement." Il ajoute sur un ton plus sourd : "Finis de me soigner, Philopeïthês de Kôs, et puis va-t'en vite, avant que je ne me souvienne que tu es plus magicien que médecin…"

Lorsque, de retour à Thespiaï où je l'attends, mon fils me rapporte en détail l'opération de Korinthos et cette dernière conversation, je le félicite d'avoir œuvré avec tant de science. Je lui demande de ne pas prendre au sérieux les menaces d'Antipatros. Comme il le lui a confié, le Régent a sûrement des combats plus importants à mener, au moment de s'asseoir sur le trône trop grand d'Alexandros, que de punir une femme pour sa fidélité à un mort. Une hétaïre défraîchie, à la réputation surfaite, même pas capable d'avaler une bonne giclée de foutre sans s'étrangler, voilà ce que je suis sûrement aux yeux du nouveau maître brutal de la Grèce. Très bien. Qu'il continue à le croire. Ce n'est pas moi qui le détromperai.

J'annonce à Hermodotos que, s'il est d'accord, j'ai une dernière mission à lui confier avant de le rendre à son maître, afin qu'ils achèvent ensemble leurs études sur les régimes alimentaires et sur les rêves, dont je sais bien qu'elles sont plus essentielles que toute cette agitation meurtrière. Mais nous devons aller jusqu'au bout. Le crâne de Lykeïna, qui assiste ensuite à notre conciliabule, nous regarde, la mère et le fils, et nous approuve de sa grimace complice.

Le surlendemain, Hermodotos fait discrètement son retour dans ma maison d'Athênaï et discute un soir entier avec Mentês, l'antique Cerbère survivant, et avec l'intendant Kariôn. Il règne dans la cité un climat de surexcitation sourde, bien différent de la panique exaltée d'après Khaïrôneïa. Un mélange d'humiliation pour les uns, de triomphe pour les autres, d'inquiétude résignée pour la majorité. Plus de fête, plus de conversations sur l'Agora, plus rien. Tout le monde comprend que l'exécution des deux orateurs, dont la voix tonitruante couvrait depuis des décennies les bavardages, marque, plus encore que l'installation des troupes d'occupation, la fin d'une époque. Il ne reste, pour incarner la dignité d'Athênaï, que le vieux Phôkiôn, qui ne s'est jamais compromis avec aucun des deux partis, qui a toujours conseillé la paix et fait loyalement la guerre lorsque la cité l'en a chargé. Seulement, le bonhomme est âgé de quatre-vingts ans. Désormais, quand il engueule le peuple, comme il l'a toujours fait, sa voix chevrote. Il ne comprend rien à l'avenir, ce qu'il veut, c'est seulement, en supprimant la démo-cratie, régler ses comptes avec le passé. Le vieillard jouit d'un tel prestige que la cité se remet entièrement à lui. Dans les tavernes du port et dans les maisons élégantes, on se raconte avec fierté la façon dont cet incorruptible a lavé l'honneur national, en rem-barrant le commandant de la garnison macêdônienne, qui tenait à lui faire quelques menus cadeaux : "Si j'ai refusé ceux d'Alexan-dros, ce n'est sûrement pas pour accepter les tiens !" Le très cor-ruptible Dêmâdês laisse volontiers la vieille baderne se charger du sale boulot de faire avaler à l'opinion athénienne la pilule amère de l'occupation. Lui, il s'occupe d'offrir aux partisans de l'ordre nouveau et aux principaux dirigeants économiques, qui hésitent encore à se rallier, un grand banquet. On y célèbre la mort des agitateurs, le triomphe de la paix macédônienne et la reprise des affaires.

À ce raout patriotique, l'armateur Léôkratês, le héros qui a permis de capturer le traître Hypereïdês, boit comme un trou. Vers la fin de la soirée, il déclare à qui veut l'entendre qu'il a très envie de fêter son triomphe en brisant les reins d'une femme. D'ailleurs, à la sortie de la maison de Démadês, il quitte ses amis avec brusquerie, sûrement pour aller finir la nuit dans un bordel du port : ils se retournent et il n'est plus là. On retrouve son cadavre le lendemain matin sur une des plages du Peïraïeus. La gorge ouverte, comme un bœuf de sacrifice, il a été vidé de son sang. Détail curieux, sa langue, chirurgicalement sectionnée, est posée sur un galet à côté de sa tête. Plutôt qu'une vengeance politique, on préfère suspecter une bagarre d'ivrogne, le coup d'un de ces voyous au couteau facile qui circulent entre le port et la ville et dont il serait grand temps que la garnison macédônienne débarrasse les honnêtes gens. L'enquête, menée avec mollesse, n'aboutit pas. Le magistrat qui en est chargé manque d'indices et le nouveau pouvoir paraît se désintéresser du sort de ce bavard encombrant, aux origines aussi louches que ses fréquentations. Démadês est le plus indifférent de tous au sort de son ancien associé.

Quant à moi, le soir où j'apprends de la bouche d'Hermodotos la mort de l'armateur, je me dis que je peux enfin me laisser aller à pleurer Hypereïdês. Je sais qu'il est trop tard pour descendre en pensée dans le gouffre et le guider vers le carrefour de l'Arbre blanc, comme il m'a guidée autrefois, parmi les mystes affolés, la nuit de mon initiation aux Mystères d'Eleusis. Non, je ne reverrai pas mon Sanglier une dernière fois, comme j'ai pu revoir le Sculpteur, je ne l'embrasserai pas avant de le laisser aller. Je peux seulement recommander son âme apaisée aux démons qui le conduiront à ma place jusqu'à la Déesse. Et me souvenir de lui, tel qu'il a été, ardent, généreux, bavard, vivant. Le garçon aux doigts velus et aux bras accueillants, qui, me saisissant par les hanches, m'a fait asseoir à côté de lui, il y a combien, près de cinquante ans, la nuit de mon premier banquet, pour me demander si j'étais la fille de Pan tout droit arrivée de mes montagnes et si je savais jouer au "jeu de l'animal". Le jeune idéaliste, qui m'a écoutée, bouche bée, lui parler de mon père, avant d'avoir le courage de plaider pour les habitants de Kéôs, à l'époque où tout était encore possible. L'avocat génial, qui m'a conduite un soir de triomphe devant une statue fragile d'Aphroditê, en m'expliquant, tout tremblant encore d'émotion, comment il avait eu l'inspiration de me dénuder les seins devant mes juges. L'initié protecteur, qui m'a regardée jouer à la déesse sur le rivage du Phalêron. Le politique avisé, qui m'a permis de revenir à Thespiaï, et l'ami discret, qui m'a accompagnée avec Praxitélês dans ce voyage douloureux. Le maître amoureux, qui m'a partagée un an avec son ami intime Euthias. Le débauché vulgaire aussi, qui a voulu me jeter entre les pattes d'un autre de ses camarades, Léôkratês, et qui a été si terriblement puni de cette traîtrise tant d'années après. Le patriote aigri, qui m'a chassée de chez lui parce que j'avais osé dire ouvertement la vérité sur Khaïrôneïa. Oh, tous ces souvenirs, toutes ces images différentes ! Mais celle que je revois avec le plus de netteté, et de tendresse, c'est celle de nos débuts communs, le libertin amical qui, me tenant bien serrée entre ses bras velus, au milieu des convives endormis, apprivoisait sa petite sauvageonne en lui faisant raconter ses rencontres de la nuit et en lui racontant les siennes. Hypereïdês, mon ami, va, va, je te veille, tu as été, avec Praxitélês, l'un des deux hommes qui a su me réconcilier avec les hommes, et ce n'était pas gagné d'avance. Va, va, j'ai été heureuse, et fière, de t'avoir connu. Toi le dernier Athénien.

Mon fils Hermodotos est reparti à Khalkis après avoir réussi dans toutes les missions que je lui avais confiées. Mais il a la douleur d'échouer bientôt dans celle qui lui tient le plus à cœur. Malgré ses soins, Aristotélês meurt la même année. De sa maladie d'estomac, ou du désagrément d'avoir été dérangé dans son travail par ces vains bouleversements politiques. Il n'a pas revu sa bibliothèque du Lykeïon ni achevé son œuvre, qui était encore plus démesurée que celle de son élève Alexandros. Mais il a pris le temps de rédiger son testament. Il n'y oublie pas Herpyllis, mon ancienne esclave, la femme de sa vie, à qui il lègue sa maison de famille à Stageïra. À moins qu'elle ne préfère celle de l'Eubée, où ils ont vécu la dernière année ensemble, parce qu'elle y sera plus près d'Athênaï et de moi. Avec la précision exhaustive qui l'a toujours caractérisé, le philosophe pense à chacun de ses enfants et de ses disciples. À Hermodotos, il lègue : d'abord sa collection de manuscrits hippocratiques, et ensuite, mais en secret, afin que sa veuve et sa fille ne puissent s'y opposer, son estomac malade à disséquer.

Et l'autre philosophe que j'ai connu, que devient-il ? Kratês le cynique, qui a fini par revenir à Athênaï quand tout le monde la fuyait, le dernier des *"jeunes lions"* qui m'ont accueillie le soir de mon premier banquet à être encore en vie ? Lui, il part sans que ses affaires soient en ordre parce qu'il n'a pas d'affaires. Pas de femme, pas d'enfant, dont il a perdu jusqu'au souvenir. Quelques mois auparavant, peu de temps après avoir appris la mort de son rival Aristotélês, un beau jour où il était à peine plus enragé de chaleur qu'à l'ordinaire sous le casque de ses cheveux crépus, il a renvoyé ses disciples sans un mot d'explication. Il s'est installé sur l'un des quais du port, tout près de la maison sordide où j'ai fait mes débuts athéniens. Il s'est fixé dans un entrepôt d'où il pouvait s'offrir aux rayons dévorants du soleil et à l'air du large. Il a cessé peu à peu de manger, de bouger, a laissé pousser ses ongles et ses cheveux, qui, d'ailleurs, y consentaient de moins en moins. Il s'est mis à ressembler tellement à un simple ballot de toile beige que les dockers ont fini par ne plus remarquer sa présence. Un jour pourtant, ils se sont aperçus qu'il n'était plus du tout là et qu'il ne restait plus à sa place que son enveloppe desséchée. Même si je ne suis pas sûre que c'est ce qu'il aurait souhaité, j'obtiens l'autorisation de le faire enterrer derrière le temple de Kybélê, où il a si longtemps dormi dans une jarre. Je viens chercher sa dépouille avec mes serviteurs. Sur ses os demeure si peu de chair que son cadavre ne sent même pas mauvais. C'est la première fois depuis des années, me dis-je, qu'il ne pue pas, le clochard enfin délivré de lui-même, enfin ivre de soleil, enfin noyé dedans, enfin dissous dans ce pur état de nature qu'il a toujours rêvé d'atteindre. Il a tellement souffert pour parvenir à ce néant ! Pourtant, les dockers qui l'ont retrouvé me font remarquer que, bizarrement, sous sa barbe et sa tignasse hirsutes, sa dernière grimace ressemble à un sourire. Alors, renonçant moi aussi à me moquer, pour la première fois depuis nos vingt ans, je pleure sur lui. Je pleure sur nous deux, le cynique et l'hétaïre, qui, du début jusqu'à la fin, sommes passés l'un à côté de l'autre. Je serai bien surprise de découvrir quelques mois plus tard que je ne suis pas la seule à garder mémoire de l'Homme-Chien. Dans certains cercles de jeunes gens agités, on se transmet pieusement ses formules lapidaires, en même temps que celles de son maître, Diogénês. Seuls ses poèmes, les hymnes au soleil qu'il composait à deux dans les bras d'Hipparkhia, sont perdus.

Quant au parent par alliance de mon Praxitélês, le vieux général Phôkiôn, le dernier des hommes intègres, lui et sa révolution conservatrice finissent au bout de quatre ans par être balayés dans les luttes de pouvoir que se livrent les chefs macédôniens autour d'Athênaï, l'un favorisant l'oligarchie, et l'autre, pour embarrasser son rival, la démocratie. Dans l'émeute qui prend le nom de mouvement de libération, Phôkiôn est presque lynché par cette populace qu'il méprise. Tandis qu'on le conduit jusqu'à la prison où on doit le mettre à mort avec ses partisans, un inconnu parvient à rompre le cordon des archers scythes pour lui cracher courageusement au visage. Phôkiôn se tourne alors vers le chef de la police : "Si j'étais toi, j'interviendrais. Même lorsque l'on commet un déni de justice, il n'est jamais bon de laisser le désordre s'installer." Le bourreau a préparé trop peu de poison, si bien que l'increvable vieillard ne parvient pas à mourir correctement. L'employé municipal exige que le condamné lui verse douze drachmes pour en préparer une nouvelle dose, sinon, il en sera encore une fois de sa poche et il ne faut pas exagérer, le service de l'État a des limites ! Les effets personnels de Phôkiôn lui ayant été arrachés, c'est l'un des amis du général qui est obligé de verser le pot-de-vin à sa place. Le vieux salue alors une dernière fois ses concitoyens, d'une de ces formules assassines dont il a le secret, le jour où ils le récompensent de ses soixante ans de bons et loyaux services en l'exécutant comme un criminel : "Admirable Athênaï, où, même pour mourir, il faut payer !" Quelques mois plus tard, ceux qui l'ont condamné prendront sa place devant le même fonctionnaire mal embouché et la même coupe de ciguë à moitié pleine.

Mais, étrangement, alors que je n'attends plus rien, et surtout pas venant de ce vieux réactionnaire, c'est sa mort qui me donne une dernière fois la vie.

Les démocrates athéniens ont abandonné le corps de leur ancien stratège à l'un de ces exécuteurs des basses œuvres, qui se mettent à pulluler dans les périodes troublées comme les vers sur un cadavre. Il lui ont donné l'ordre de le brûler hors des limites d'Athênaï. Voulant se venger de ce qu'il a laissé subir à leurs deux chefs, ils tiennent à le priver à son tour de l'honneur d'être enterré auprès de ses ancêtres. Moi, au contraire, par fidélité à la mémoire d'Hypereïdês, qui était son adversaire politique mais qui l'admirait, je redescends en Attique afin d'aider la femme de Phôkiôn à récupérer la dépouille de son mari. Parce que sa veuve est trop pauvre, je paye moi-même au charognard le pot-de-vin qu'il réclame pour nous abandonner les ossements de l'unique homme honnête de son temps. Lorsque je les lui remets, la vieille Athénienne m'arrache l'urne qui les contient, avec la férocité d'une louve retrouvant son petit, et file la glisser dans le trou qu'elle a dû creuser de ses propres ongles sous le foyer de leur maison. Elle va prier le génie protecteur de bien vouloir accueillir ce dépôt sacré, le temps que les Athéniens, retrouvant leur dignité, accordent à son mari les funérailles qu'il mérite. Elle ne m'a pas adressé d'autre remerciement qu'une méchante grimace.

Pourtant, quelques jours plus tard, alors que je m'apprête à repartir vers Thespiaï, elle vient me rendre visite chez moi. Elle est accompagnée d'une enfant. Une petite fille de sept ans que j'hésite un moment à reconnaître, bien que je l'aie identifiée du premier coup d'œil. Oui, même si je n'en crois pas mes yeux, ma bouche ne peut s'empêcher de murmurer, en bafouillant : "C'est... C'est toi ?... Pythônikê ?..." Je m'y attendais tellement peu que j'en reste pétrifiée, une main posée sur ma poitrine, le souffle coupé. Tandis que je parcours en tous sens les traits de ce visage pour me faire une certitude, je tente désespérément, à l'intérieur, de ne pas être balayée par la vague de joie animale qui me soulève. J'ai trop peur, lorsque je serai revenue à la raison, lorsque l'illusion se sera dissipée, de mourir de déception.

L'épouse de Phôkiôn, qui observe attentivement ma réaction, finit par mettre un terme à mon supplice. Cette enfant est bien Pythônikê, la fille de ma protégée et du trésorier d'Alexandros. Elle a été recueillie cinq ans auparavant par son gendre, Khariklês, l'ami intime d'Harpalos. Cela s'est passé de façon presque miraculeuse. C'était le matin même du départ, à l'aube, sur la plage discrète où les deux compagnons se faisaient leurs adieux. Le dernier sacrifice n'était pas favorable mais Harpalos a décidé de courir quand même le risque de la traversée. Il est monté sur son bateau en tenant l'enfant dans ses bras. Et puis, au tout dernier instant, il l'a tendue par-dessus le bastingage à Khariklês. Il l'a supplié de me la confier, si jamais il lui arrivait malheur en Crète. Mais l'austère Phôkiôn n'a pas voulu consentir à cette dernière volonté d'un homme qu'il avait toujours considéré comme un escroc irresponsable. Il a décidé qu'il revenait à son gendre et à lui d'éduquer dans l'honnêteté cette gamine que le destin leur confiait, et de ne pas la laisser tomber entre les mains d'une maquerelle étrangère comme la Phrynê. Ils l'ont fait élever discrètement à la campagne. Le moment venu, le prestige de Phôkiôn serait suffisant, pour que, la présentant comme l'une de ses parentes lointaines, il lui trouvât un mari, pauvre, certes, mais respectable, un artisan peut-être, ou un petit paysan.

Aujourd'hui que le général est mort et Khariklês en fuite, aujourd'hui que sa veuve ne possède plus rien, pas même le respect attaché au nom de son mari, elle me confie la petite. Elle veut ainsi me remercier de mon aide. Et puis elle sent qu'elle est brisée par la fin ignominieuse de son héros, par l'ultime effort qu'elle a dû faire afin de récupérer ses os. Il lui reste à peine l'énergie suffisante pour attendre qu'on lui accorde les derniers honneurs auxquels il a droit, avant de se laisser glisser à son tour dans une mort réparatrice. Elle n'a plus les ressources nécessaires pour assurer l'éducation d'une enfant si jeune. D'ailleurs, ce n'est pas seulement la force qui lui manque. C'est le désir. Je perçois la détresse de cette femme mais aussi sa dureté. Elle ne me le dit pas, évidemment, elle garde les lèvres obstinément serrées là-dessus, mais je devine qu'elle n'a jamais compris pourquoi, dans la pauvreté implacable que leur imposait son mari et dont elle se targuait aux yeux du monde pour ne pas avoir à s'en désoler, c'était à elle, en plus du reste, de s'occuper de cette gamine, charmante sans doute, mais qui ne serait jamais à ses yeux qu'une étrangère, la fille d'un Macédônien et d'une putain. Même la grâce bouleversante de ma petite Pythônikê n'a pas été capable de toucher le cœur de cette femme racornie dans sa décence.

Pendant tout le temps que la matrone m'explique le miracle, qui me rend Pythônikê vivante après m'en avoir privée pendant cinq ans, je contemple la petite. Sans oser encore y croire, le cœur battant à me faire mal. Je la regarde, avec une avidité qui m'effraie presque, tentant de retrouver les traits de l'enfant de deux ans que j'ai connue dans ceux, déjà affinés, de la petite fille de sept que je découvre. Je les reconnais, de plus en plus, à chaque seconde qui passe. Je l'avais presque oubliée, en vérité, mais je la retrouve semblable à elle-même. Pourtant, elle a changé, elle a grandi, d'esprit sûrement plus encore que de visage, c'est mon amour pour elle qui est resté intact, encore plus sauvage, encore plus avide d'avoir été sevré d'elle pendant toutes ces années. La pauvre gamine est bien incapable sans doute de comprendre de quelle passion elle est l'objet de la part de cette inconnue qui l'observe. Elle ne tombe plus sur son derrière, désormais, elle se tient debout, presque timidement, déconcertée par les regards que je lui lance. Pourtant, je ne veux surtout pas lui faire peur, pas effaroucher le sort qui me fait à l'improviste ce don miraculeux, mais les amadouer, tous les deux, le destin et elle. C'est terrible, au bout de quelques instants à peine, je redoute déjà qu'on ne me l'enlève. Jusqu'à la fin de ma vie j'aurai peur de trop l'aimer, car ce que j'aime trop, on me l'arrache, ce que j'aime trop meurt d'être exposé au feu dévorant de mon amour. Alors cette petite fille qui ne me connaît plus, je veux l'apprivoiser tout doucement, trouver peu à peu le chemin de son cœur, m'approcher d'elle pas à pas, sans la faire fuir. Je vais lui laisser le temps de m'aimer, elle aussi, jour après jour, autant que je l'aime d'emblée. Ce premier soir, je cherche seulement le moyen délicat d'entrer en contact avec elle. Dans le désert d'affection où je devine qu'on l'a abandonnée depuis des années, lui montrer que je ne suis pas l'orage qui va tout dévaster, mais l'averse, prolongée, répétée, bienfaisante. Quel sourire lui adresser, quels mots doux et légers comme de la pluie ?

Soudain, je me penche : "Tu sais toujours danser ?" Et, miracle, c'est elle qui me sourit. Oh, son sourire, comme je le reconnais, comme il me traverse, comme il me nourrit, comme j'en avais besoin ! C'est celui, plein d'une mystérieuse gravité, qu'elle avait déjà à deux ans, et celui très enfantin de sa mère. Elle jette un regard étonné à l'autre femme, pour lui demander si elle a vraiment l'autorisation de danser. La veuve de l'austère Phôkiôn la lui accorde en détournant la tête, impatientée. La petite lève les bras. Elle tourne sur elle-même. Je bats le rythme en claquant des mains. Et puis, lorsqu'elle a fini, je l'applaudis. Elle s'incline avec grâce, et, comme si elle retrouvait instinctivement le geste que lui ont appris les filles de mon école, elle m'envoie un baiser. En se redressant, elle me regarde avec curiosité, commençant peut-être à me reconnaître sans encore s'en douter.

Plus personne, ma petite Pythônikê, je te le promets, ne t'arrachera jamais à moi. Même la déesse n'aura pas cette force. Même la déesse ne pourra vouloir t'enlever pour m'amener à plus d'humilité, car je n'ai jamais aimé personne aussi humblement. Je te couvrirai de baisers, dès que tu auras le désir de les recevoir, mais je ne chercherai jamais à te posséder. Au contraire, je te donnerai le meilleur de moi. Je t'apprendrai la chorégraphie d'Isodaïtês, en t'incitant à la changer. Je te transmettrai la bague de ma mère, en te permettant de la faire resserrir ou même de ne pas la porter. Je te confierai tout, mes secrets, mes souvenirs, mes richesses, mes pouvoirs, et tu en feras ce que tu voudras. Tu les dilapideras, si tu le veux, ou tu les feras tiens. Un jour, tu me fermeras les yeux et j'aurai moins peur si c'est toi qui te trouves à mes côtés. Ou bien tu seras déjà partie, dans la maison de celui que tu auras choisi, et je penserai avec tendresse à toi, qui seras trop vivante et trop jeune pour te douter que je meurs, te bénissant de ton ingratitude, parce qu'elle sera la preuve que tu me survivras dans notre commun désir fou de vivre. Tu seras ma petite-fille et ma fille. Mon enfant, que la déesse ne me rend peut-être qu'aujourd'hui parce que je suis enfin, après tout ce temps, capable de la recevoir ?

Myrrhina, elle, refuse jusqu'au bout de s'en aller. Malgré l'opposition d'Alphinos, qui se souvient qu'elle a donné le peu d'argent qui lui restait pour tenter de racheter la vie de son grand-père, elle est jetée par la famille de l'orateur à la porte de la maison du Kollyteus, parce qu'elle n'a pas, comme la rusée Phila, pris la précaution de se faire donner le bien de son vivant. Elle boit, pour se consoler, tous les subsides que je lui envoie et finit par échouer dans un recoin pisseux de la Double Porte, sur les murs de laquelle s'étalaient jadis les graffitis à notre gloire. Elle y mendie une gorgée de vin, en montrant son sein fripé aux passants, et trouve de moins en moins souvent preneur, même pour une passe à une obole. Un matin, on la retrouve, la nuque brisée par le caillou d'un fêtard plus brutal que les autres. Je me souviens de ce jour ancien où, à travers la lumière vaporeuse du bain public, se dressant toute nue parce qu'elle n'avait besoin d'arborer que la royale parure de sa peau dorée pour aveugler le monde, elle nous avait juré, à Lagiskê et à moi, que, le jour où les Athéniens ne voudraient plus d'elle, elle descendrait semer la panique chez les ombres.

Lagiskê, elle, la deuxième des Trois Grâces, aura palpité encore doucement dans sa maison du Phalêron quelques années après la disparition de son grand homme, Isokratês, jusqu'à s'éteindre tout à fait.

Et moi ? Les moralistes et les comiques (à Athênaï, ce sont souvent les mêmes) ne pourront pas se réjouir de ma déchéance d'ancienne fille de joie. On dirait que les dieux, qui m'ont abandonnée à mes débuts, veulent me protéger jusqu'au bout. Je vais finir ma vie dans Thespiaï reconstruite aux abords de Thêbaï en ruine. À la tête d'un thiase composé de plusieurs milliers de fidèles et d'une des écoles d'hétaïres les plus fameuses des deux côtés de la mer. Vieillie mais riche. Vieillie mais considérée. Moi qui ai si longtemps souffert de l'oppression, je suis devenue à mon tour une femme de pouvoir. Je l'accepte. J'en suis fière et j'en suis humble, dans mon effort pour en faire une authentique puissance. Sur le trône de ma vieillesse, j'ai l'impression peu à peu de m'absenter de moi-même, comme dans ma jeunesse malheureuse, lorsque Praxitélês m'a aperçue pour la première fois, assise toute droite sur la margelle du puits dans l'arrière-cour du bordel du Peïraïeus, caressant machinalement les cheveux de ma petite compagne d'alors, que je ne voyais pas. Mais cette fois-ci, caressant ceux de Pythônikê, dont j'ai fait ma petite-fille, je me sens dans l'absence à moi-même entièrement ouverte aux autres. Entièrement transparente. Peut-être atteins-je à l'éclat radieux qui m'avait tant frappé chez Aspasia ? La seule différence avec la chaste prêtresse du sanctuaire d'Ekbatana, c'est que, même ces dernières années, j'ai parfois la surprise de découvrir que j'éprouve encore l'envie de faire l'amour. Lorsqu'Isodaïtês m'emplit par hasard de désir, il me suffit de désigner d'un battement de cils l'un des jeunes hommes qui m'entourent. Il s'enorgueillit d'être admis pour quelque temps dans le sanctuaire, chargé de faire exulter ce corps alourdi mais qu'il voit tout auréolé de sa puissance. Comme Alexandros, j'ai mes sept gardes du corps, dont certains, et pas les moins féroces, sont des gardiennes. Mais jamais plus je ne tombe amoureuse. Impossible : je suis devenue l'amour même.

Et personne, à part toi, Pythônikê, et le premier cercle du Thiase, ne saura jamais comment je suis morte.

PONT EUXIN
(Mer Noire)

Byzantion

MYSIE

LYDIE
Gordion
PHRYGIE
Halys

Khios
Phôkaïa
Smyrna
Sardeïs
Kélaïnaï
Samos
Ephésos
Milêtos
KARIE
KAPTATUKA
Halikarnassos
Kôs
Knidos
Komana
LYCIE
MASSIF
DU TAUROS
Mélitênê
CILICIE
Défilé des Portes
Ciliciennes
Rhodos
Tarsoï
Issos

Eridza

ASSYRIE

Kypros

Euphratès

MÉSO

MER EGÉE
(Mer Méditerranée)

Damaskos

——— *Voie Royale*

MASSIF
DU KAUKASOS

▲
MONT
ALBORZ

Le Pays d'Anahid

Kyra

ARMÉNIE

MER
HYRCANIENNE
(Mer Caspienne)

Plaine   Arbêla
de
Gaugamélès

MÉDIE

vers **Baktra**

Ekbatana

OTAMIE

Tigris

MASSIF DU ZAGROS

Kounaxa

Babylôn

Sousa

KHALDÉE

PERSE

Persépolis

200 km

NOTE DE L'AUTEUR

Phrynè a vraiment existé. Elle vivait au IVe siècle avant Jésus-Christ et fut l'une des hétaïres les plus célèbres de l'Antiquité. Elle fascina encore bien des peintres et des poètes de notre XIXe siècle qui virent en elle la putain triomphante ou exposée passivement aux regards, l'une des deux figures essentielles de ce qu'ils considéraient comme la féminité. Gérôme, Pradier, Baudelaire. Antique cocotte. Préfiguration de Nana. Un corps. De la chair. Aujourd'hui que l'on se détourne de la culture antique, cette femme légendaire est un peu tombée dans l'oubli. Tant mieux peut-être. Elle peut en ressortir, débarrassée des rêveries usées qu'ont plaquées sur elle les générations d'hommes qui nous ont précédés, neuve et nue, comme Aphrodite sortant des eaux. Prête à susciter notre propre désir et à interroger notre propre regard.

Je l'ai rencontrée pour la première fois en allant me promener au Louvre. J'ai été frappé par la grâce de son visage, en admirant une copie de Praxitèle que l'on connaît sous l'appellation de *Tête Kaufmann* (du nom du collectionneur qui la posséda). J'ai appris que Phrynè avait été la maîtresse de ce célèbre sculpteur et qu'il la fit poser pour créer le premier type de femme nue dans la sculpture grecque.

La plupart des anecdotes que l'on raconte sur elle sont compilées dans un passage du *Deipnosophistes*, les *Sophistes au banquet*, d'Athénée. En voici la traduction :

"Phrynê était de Thespies. Mise en accusation par Euthias, elle échappa à la peine de mort. Furieux, Euthias ne plaida plus jamais, à ce qu'affirme Hermippos. Comme Hypéride, l'avocat de Phrynê, n'obtenait aucun résultat par ses paroles, et que les jurés allaient vraisemblablement la condamner, il la plaça bien en vue, et, déchirant sur elle sa tunique, il dénuda sa poitrine. Improvisant une péroraison pathétique à partir du spectacle qu'elle offrait, il fit en sorte que les jurés éprouvent la crainte des dieux, et que, s'abandonnant à la pitié, ils ne mettent pas à mort une prophétesse et une prêtresse attachée au temple d'Aphrodite. À la suite de son acquittement, on fit passer un décret pour interdire aux défenseurs ce genre de mouvement pathétique et aux accusés de l'un ou l'autre sexe de s'exposer ainsi aux regards pendant leur procès.

En réalité, Phrynê était surtout belle dans ce qu'elle ne montrait pas. C'est pourquoi il n'était pas facile de la voir nue. Car elle s'enveloppait dans une tunique qui lui collait étroitement à la peau et ne fréquentait pas les bains publics. Pourtant, lors de la grande fête des déesses d'Eleusis et celle de Poséïdôn, sous les yeux de tous les Grecs assemblés, elle défit son vêtement et dénoua ses cheveux avant d'entrer dans la mer. C'est en s'inspirant d'elle qu'Apelle peignit son *Aphrodite sortant des flots*. Et que Praxitèle le sculpteur, qui était son amant, créa l'*Aphrodite de Knide*. Sur la base de l'*Éros*, qui se trouve au pied du bâtiment du théâtre, il écrivit :

« Praxitèle a représenté cet Éros à partir de ce qu'il a ressenti.
Il en a tiré le modèle de son propre cœur.
À Phrynê il m'a donné en salaire de moi-même ; pour lancer un sort
Je n'ai plus besoin de jeter une flèche mais seulement un regard prolongé. »

Il lui donna à choisir parmi ses statues, soit qu'elle désirât prendre l'*Éros*, soit qu'elle préférât le *Satyre* de la rue des Trépieds. Ayant choisi l'*Éros*, elle l'offrit à Thespies. L'entourage de Phrynê fit faire sa statue en or et la plaça à Delphes sur une colonne en marbre du Pentélique. C'est Praxitèle qui réalisa cette œuvre. La voyant, Kratès le cynique déclara qu'il s'agissait d'un monument élevé à l'intempérance des Grecs. Sa statue, qui fut placée entre celle du roi Archidamos de Sparte et celle de Philippe, fils d'Amyntas, porte cette inscription : « Phrynê de Thespies, fille d'Epiklès », comme le dit Alketas dans le deuxième livre des *Offrandes de Delphes*.

Apollodore dans son ouvrage sur *Les Hétaïres* écrit qu'il y eut deux Phrynè, dont l'une était surnommée « Rire en larmes » et l'autre « Petite Sardine ». Hérodikos, dans le sixième tome de ses *Personnages de comédie*, prétend que l'une était appelée chez les écrivains le « Crible » parce qu'elle passait au crible et dépouillait ceux qui allaient avec elle, et que l'autre était la Thespienne. Phrynê était extrêmement riche et elle s'engagea à reconstruire les remparts de Thèbes, à condition que les Thébains y placent l'inscription suivante : « Alexandre les a abattus, Phrynê l'hétaïre les a relevés », comme le raconte Callistratos dans son ouvrage sur *Les Hétaïres*. Timoclès, l'auteur de comédie, parle aussi de sa richesse dans sa *Néaïria* (…). Gryllion, qui était l'un des membres de l'Aréopage, vivait aux crochets de Phrynê (…).

Aristogiton, dans son *Contre Phrynè*, affirme que son véritable nom était Mnèsarétè. (…) L'auteur comique Posidippos affirme à son propos dans *L'Éphésienne* :

« Phrynê alors était de loin la plus illustre
Des hétaïres. Si tu es trop jeune

Pour ce temps-là, tu as sûrement entendu parler de son procès.
Considérée comme une très grave nuisance pour la vie des gens
Elle risquait sa tête devant le tribunal de l'Héliée.
Alors elle prit chacun des juges par la main pour le supplier
Et, à force de larmes, elle finit par sauver sa peau. »"

Le Pseudo-Plutarque précise dans sa *Vie d'Hypéride* que Phrynê fut accusée d'impiété et Harpocrate que le dieu qu'elle servait dans un thiase particulier s'appelait Isodaitès (sur cet avatar de Dionysos, on pourra consulter en ligne la notice du *Daremberg-Saglio*).

Ces sources antiques sont tardives : Athénée, par exemple, écrit six siècles après Phrynè. C'est pourquoi les érudits modernes s'accordent à penser que la plupart des anecdotes transmises par la tradition sur sa vie sont totalement inventées, et notamment la plus fameuse, celle d'Hypéride dévoilant son buste devant le tribunal de l'Aréopage, que peignit Gérôme. En fait, elle était si célèbre qu'on ne sait vraiment rien de certain sur elle. Mais évidemment, pour un romancier, il est beaucoup plus intrigant d'interroger cette tradition que de la nier. Et beaucoup plus voluptueux aussi.

En continuant mes recherches, j'ai appris encore deux choses sur cette belle scandaleuse :

Son nom de guerre, Phrynè, voulait dire en grec "Crapaud" : il lui avait été donné vraisemblablement à cause de la couleur bistre de sa peau.

Sa ville, Thespies, avait été détruite par les Thébains au moment de la bataille de Leuctres. Je me suis dit que cela donnait un étrange relief à certaines des anecdotes transmises incidemment par Athénée : sa carrière à Athènes, le don de l'*Éros* de Praxitèle à sa cité d'origine, l'inscription qu'elle prétendait faire graver sur les remparts reconstruits de Thèbes, celle qu'elle avait fait placer sur sa statue de Delphes…

Alors j'ai commencé à rêver.

Merci

à Sylvie Bouquerel,
à Isabelle Colsenet, Denis Marquet et Joselyne Bouquerel
à Myriam Anderson

TABLE

COMPOSITION ET MISE EN PAGES
NORD COMPO À VILLENEUVE-D'ASCQ

ACHEVÉ D'IMPRIMER EN AVRIL 2015
PAR NORMANDIE ROTO IMPRESSION S.A.S.
À LONRAI
POUR LE COMPTE DES ÉDITIONS
ACTES SUD
LE MÉJAN
PLACE NINA-BERBEROVA
13200 ARLES

DÉPÔT LÉGAL
1ʳᵉ édition : mai 2015
N° impr. : 1501806
(*Imprimé en France*)